U0951860

中国人群生理常数与心理状况

——21世纪初中国部分省（区）市人群调查报告

主　编　朱广瑾

顾　问　陈孟勤　邓希贤

编　者（按姓氏拼音排序）

陈　莉　韩少梅　刘　伟　齐保申

王　雁　徐成丽　杨啸林　鄢盛恺

张树东　朱广瑾　朱自强

参加资料编辑整理人员

祖淑玉　周晓梅　胡文丰　魏维奇　叶中华

中国协和医科大学出版社

ISBN 7-81072-774-5

9 787810 727747 >

中国人群生理常数与心理状况
——21世纪初中国部分省（区）市人群调查报告

主　　编：朱广谨
责任编辑：张之生　谢　阳

出版发行：中国协和医科大学出版社
（北京东单三条九号　邮编 100730　电话 65260378）
网　　址：www. pumcp. com
经　　销：新华书店总店北京发行所
印　　刷：北京丽源印刷厂

开　　本：889×1194 毫米　1/16 开
印　　张：25
字　　数：750 千字
版　　次：2006 年 4 月第一版　　2006 年 4 月第一次印刷
印　　数：1－3000
定　　价：78.00 元

ISBN 7－81072－774－5/R·767

（凡购本书，如有缺页、倒页、脱页及其他质量问题，由本社发行部调换）

参加设计及主要现场调查人员：

中国医学科学院，中国协和医科大学基础医学研究所	朱广瑾　陈孟勤　邓希贤　薛全福　韩少梅　徐成丽　齐保申　陈　莉　祖淑玉　周晓梅　斯　琴　陈玉启　郝炳海　刘　伟　李仲铭　朱自强　王　雯　李晓冬　陆晓茜　吴　磊　张正国　高　扬　樊继云　张承训　刘　燕
北京协和医院	鄢盛恺　沈　瑛
北京师范大学	王　雁　方晓义　刘艳红　林丹华　李永梅　曹湫芹　宋　玲　王姣艳　杨　丽　刘　娲　黄　英　谷长芬　杜芬娥
中国疾病预防控制中心	翟凤英　杜树发　张李伟　于文涛　贾凤梅　王惠君　郝宏菲　赵丽云　张　坚　王春荣
北京市	
北京市疾病预防控制中心	曹若湘　段佳丽　黄磊　郝兰英　高建宏
河北省	
华北煤炭医学院	徐应军　袁聚祥　关维俊　范红敏　闫　红　王广增　范雪云　李　君　姚三巧　白玉萍　李清钊　庞淑兰
唐山市防疫站	张志坤　陈秀清
衡水卫校	庞福敏
唐海县卫生局妇幼保健院	孙立标　郑天然　苏小宝
景县卫生局	杨庆山
浙江省	
浙江大学公共卫生学院	陈　坤　沈　毅　朱敏洁
杭州市拱墅区疾病预防控制中心	蒋惠人　蒋蔚菁　徐鑫琴
舟山市疾病预防控制中心	王建跃　严剑波　王世意
绍兴市卫生局、疾病预防控制中心	宋梅玉　周惠莲　郑　杰　朱小洁　章一丰　陈云瑞　陈奇峰　朱　兵　吴建宏　李　明　蒋兴祥　李　崧　陈代全
诸暨市疾病预防控制中心	吕　江　蒋迪剑　赵中飞
广西壮族自治区	
广西壮族自治区疾病预防控制中心	陈娜萦　蒙晓宇
南宁市疾病预防控制中心	徐永芳　郭琳芳　李　萍　周　吉
宾阳县防疫站	罗宗宾　赖毅雪　李汝新　罗　燕　卢秀红　甘秀贞　黄英哲　彭家林　陈　威　封雪兰　钟桂芝　黎生洪　罗必愈　黄秀贞　李秀霞

序

21世纪为科技经济时代和信息时代，科学技术的发展突飞猛进，极大推动了人类的文明进步，也改变了人们的思维方式、生活方式和价值观念，人们的生活变得更加绚丽多彩，对健康水平和生活质量提出更高标准和要求，希望通过对人体基础数据的了解和认识，进一步认识自我，探索适合自身的健康生活方式。生理常数是正常人各种生理功能变化的正常变异值，为人体健康状况的反映。世界卫生组织对于健康的概念为："健康不仅仅是不生病，而是身体上、心理上和社会适应能力上的良好状态"。

我国政府非常重视国民的健康状况，从近年来体质调查结果分析，我国成年人在身高、体重增加的同时，功能和体能素质呈下降趋势，肥胖人群正在逐渐扩大，与之有关的糖尿病、高血压、高血脂、冠心病等已成为威胁现代人类健康的主要危害。加之现代社会生活节奏加快，工作压力增大，随之而来的心理问题已经凸现。

为了全面了解我国人群的身体健康和身心健康状况、预测未来的发展趋势和变化规律，为政府决策、医学教育和科研工作、疾病诊断和防病治病提供科学的依据，进一步提高人民的身体素质和健康状况，于2001~2004年进行了我国部分省（区）市不同年龄人群的人体生理常数、心理状况的调查研究和数据库工作，内容丰富、涉及面广，并借助高精的仪器设备和先进的信息技术，在国家科技部和卫生部的共同领导下，得到中国疾病预防控制中心的大力支持和地方疾病预防控制中心等部门的协助组织，出色的完成任务。数据资料已经整理、总结，现汇编出版。本书将提供21世纪初中国部分省（区）市人群生理常数与心理状况的详细数据资料，具有参考和指导意义。

前　言

随着人类进入21世纪信息时代，人体基础数据日益成为保障人类生命与健康、国家经济发展、社会进步的巨大财富。但是，作为一个占世界人口近1/4的人口大国，从国家层面上长期没有一个权威性、系统性、综合性的人体基础数据资料作为医学教育和科研工作、疾病诊断和防病治病、国民经济发展、国防建设乃至国计民生方方面面的参考。生理常数是正常人各种生理功能变化的正常变异值，为人体健康状况的反映，既包括反映体质和生长发育的一般指标，也包括反映人体主要器官系统功能状态的正常数据。此外，人体健康应包括身体健康和心理健康两个方面，目前有关心理状态方面的数据资料甚少。本书同步提供了我国人群的生理和心理状况的正常数据资料，对当今节奏加快、竞争和压力日益增大的现代社会，保持良好的身心健康有一定的警示作用。

本书的编写是基于国家科技部2000、2001和2002年度基础和社会公益性项目的完成，其内容是关于人体生理常数和心理参数的调查、研究以及数据库工作，范围和规模涉及我国东、北、南部4省区市（包括北京市）的11个城市和乡村约70个调查现场，被调查检测的人群为7～80岁以上的不同性别、职业和民族4.1万余人。经过健康体检，进行反映人体体质和营养状况、主要器官系统功能的生理常数以及反映智力、人格、注意力和学校适应行为等心理参数约70个/人指标的检测，获得大量的人体基础数据，构建数据库，数据资料已经入库，数据库已被计划纳入国家科技部"医药卫生科学数据管理与共享服务系统"，以实行人体基础数据的数据共享。

本系列工作由500余人参加、花费了4年多的时间，在现场调查研究后，进行充分总结和多层次的比较分析，本书的编写充分体现了基础医学、临床医学和预防医学的有机结合，并汇集了中国医学科学院基础医学研究所、中国疾病预防控制中心营养卫生研究所和北京师范大学教育学院的生理学与病理生理学、卫生学与营养学、流行病与医学统计学、医学信息学和计算机科学等学科的专家和工程技术人员的知识、经验和智慧，具有参考和指导意义。

在本任务的立题、实施和书的编写中得到陈孟勤、邓希贤、薛全福、徐群渊等专家教授的指导和帮助，在此谨向他们表示诚挚的谢意，向参加工作者和各位编著者表示衷心的感谢！

由于本书涉及的内容广、参加的人员多，又限于编者的水平，书中难免存在缺点和不足之处，敬请各位读者和同道批评、指教。衷心希望本书的出版能为我国的基础医学、临床医学和医学教育事业，以及我国人民的生命与健康作出贡献。

编　者

目 录

第一部分 人体生理常数与心理状况调查研究总体设计、抽样方案与方法学

第二部分 中国部分省区市人群生理常数与心理状况调查研究结果

第三部分　数据资料汇总表

第一部分　人体生理常数与心理状况调查研究总体设计、抽样方案与方法学

一、总体设计

（一）项目背景和目的

项目提出、项目来源、目的

地球上承载60亿人，其中13亿多是在华夏土地上繁衍生息的炎黄子孙，预计到2010年全国人口将可能超过14亿，国民的生老病死与医学科学发展悠切相关。医学科学的研究对象为人体，主要研究人体正常结构与功能的维持和调节、重大疾病发生发展机制与预防治疗。医学科学发展在近几个世纪内尤其本世纪以来取得了举世公认的进步，以国民的平均寿命为例，中国仅用了40年时间便将人均寿命提高了一倍，而美国却用了整整99年。现今我国的人口平均期望寿命已接近70岁，城市人口的平均期望寿命还更高些，接近发达国家的水平。但是，不容忽视我国仍然面临着较大的人口与健康问题，例如各种重大疾病和传染病的危害，人口的膨胀等。人们必须尽快地探索医学领域的未知数、攻克和解决人类生命与健康中的棘手难题，这就需要各种人体健康与基础医学方面的基本数据、资料及相关信息，并进行整理、更新和保存，以探索医学科学的发展和基本规律。

我国虽然属于第三世界国家，疾病谱却广，同时兼有发展中国家和发达国家的特征。正如世界卫生组织（WHO）在1996～2001年工作规划中指出的：疾病谱既没有摆脱肝炎、霍乱、结核等发展中国家常见的传染病，又增加了发达国家常见的恶性肿瘤、心血管病、糖尿病、精神疾患等。例如，北京人的血压近十多年来发生了较大的变化。北京安贞医院流行病学专家对北京地区2740人、10年跟踪调查表明，北京人血压增长速率和幅度为年平均增高1mm。社会工作生活压力加大，身心疾患悄然增加，预示着我国正在开始以疾病防治为主的生物医学模式向以健康保障为主的生物－心理－社会医学模式过渡。加之人口老龄化、农村城市化、城市工业化变更的加速，老年性疾病、自身免疫性疾病、恶性肿瘤和心脑肺血管疾病发病率日趋增高，对于广大的医学工作者是一种极大的挑战。

感染性疾病仍然是严重危害国民健康的常见病和多发病，迄今仅仅消灭了天花，却又出现了艾滋病、牛海绵状脑瘤（俗称疯牛病）、急性重症呼吸综合征（即传染性非典型肺炎）等被人们视为“超级瘟疫”的传染病。以艾滋病为例，继美国1981年发现第一个艾滋病病例，1985年我国境内也出现了病毒携带者，至1995年中国的艾滋病感染人数在以30%的速度增长，2001年的最新数据表明，中国已有60万艾滋病感染者，以较快的速度从特殊人群转向一般人群中发展。与发达国家主要通过同性恋传播途径不同，在我国艾滋病主要通过静脉注射途径，这种艾滋病传播途径更难控制。2001年11月13日在北京召开了“中国第一届防治性病艾滋病大会”，与会的专家们认为，虽然已有有效的药物能治疗艾滋病，但价格昂贵，疫苗还需要观察、等待，当务之急要进行广泛、深入的宣传教育，应有自我保护意识，同时采取适当的干预措施。此外，近年来不断出现了新病原体，例如：肝炎TT病毒，O1157：H7大肠杆菌，埃博拉出血热病毒等。近年来，结核病又有抬头，发病率趋于上升，每天有大量人群死于结核病，结核病患者中80%来自发展中国家。

当前，我国面临着巨大的人口压力，二十多年来计划生育工作已经取得了很大的成绩，到2005年全国人口总数可控制在13.3亿以内，2010年14亿以内，至21世纪中叶将达峰值（近16亿），而后缓慢降低。国土资源如何能满足人口增长的需要、控制人口增长同时如何解决城乡出生率差异、人口素质降低、男女比例失调，以及3000多万以呆傻为主的非健康出生人群等问题，给计划生育工作带来了新课题和难点。有效控制人口增长，提高全民素质成为关系国计民生的大事。需要与人类

生殖繁衍、性发育、性成熟、性健康以及染色体遗传有关的知识、信息与基础数据，去攻克人口与健康领域存在的问题，发展生殖医学和遗传学。

随着社会老龄化进程加快，我国即将进入老龄社会，在我国的主要城市中，60岁以上老年人群已逾10%，心脑血管疾病如冠心病、心肌梗死、脑卒中、糖尿病等，神经系统退行性病变如帕金森病、阿尔茨海默病（老年痴呆）等，发病率呈逐年增加趋势，严重危害老年人群生活质量和身心健康。

综上，医学科学亟待解决我国的人口膨胀、环境污染、疾病危害等一系列重大问题。此外，21世纪为科技经济时代，科学技术的发展突飞猛进，极大推动了人类的文明进步，也改变了人们的思维方式、生活方式和价值观念，人们的生活变得更加绚丽多彩，对健康水平和生活质量提出更高标准和要求。因此，通过对人体基础数据的了解和认识，进一步认识自我，探索适合自身的健康的生活方式，以实现真正的身体健康和身心健康。

生理常数与心理状态

人类生活在瞬息万变的自然环境中，亦即生理学教科书中所说的外环境，而人体的细胞是直接生存于细胞外液中，也就是内环境。细胞外液提供细胞新陈代谢所需的养料，细胞的代谢产物也排到细胞外液中，然后细胞外液再与外环境进行物质交换。然而，内环境的各种理化性质不是绝对静止的，而是各种物质在不断转换中达到动态平衡状态，即为稳态。由于细胞的新陈代谢不断扰乱内环境的稳态，外环境的强烈变化也会影响内环境的稳态，因此人体各系统（例如血液、循环、呼吸、消化、排泄等）的生理功能必须不断地进行调节，以保持内环境的稳态。

人体的各种生理功能随着内环境的改变和机体活动状态而不断变化，在生理功能正常的情况下，这种变化一般都在一定的正常范围内。生理功能的这种正常变异值被称为生理常数，它是身体内的功能状态与健康情况的重要指标。生理常数既包括生长发育和体质状况如身高、体重、胸围等一般指标，也包括反映人体血液、呼吸、循环、消化、代谢、排泄、内分泌和神经等各大系统功能的正常数据，均为反映健康状况的人体基础数据。人体生理常数随着性别、年龄、生长发育和种族而异，也受生活和工作的自然环境与社会环境的影响。以肺功能检测为例，大多数肺功能指标的数值男性大于女性，不同年龄人群（儿童青少年、青壮年、中年和老年）均有不同的数值范围。又如，北京城区儿童及青少年的身高、体重以及血清钙、无机磷水平，均明显高于郊区，男童无机磷水平明显高于女童。

人体健康包括身体健康和精神健康两个方面，亦即身心状态，它是生理状态和心理状态的总称。良好的心理状态在人类正常的工作和生活、社会和家庭中极其重要。随着现代社会，生活水平提高，身心疾病逐步取代传染病和营养不良。工作和生活节奏加快，竞争激烈，压力加大，造成心理失衡。加之我国正处于社会经济转型时期，心理障碍问题已经凸现出来。此外，父母离异造成的“残缺型”家庭成为青少年精神心理疾病的原因之一，加之独生子女的孤独、娇纵和自我中心，都已成为越来越重要的公共卫生问题，并带来许多社会问题。据研究，紧张、焦虑、抑郁、恐惧这些不良情绪持续3个月以上，就会导致自主神经系统和内脏功能的紊乱。鉴于心理现象的复杂性，心理学指标的多样性，在我国正常人群中研究心理常模、建立相应的心理学档案，使我国国民不仅具有健全的体魄，还要兼有良好的心理素质尤为重要。个体的心理发展状况可以通过许多指标反映出来，其中的智力发展水平、注意力状况、人格特点、心理健康程度等是反映个体的心理发展状况的重要指标。国外非常重视对个体心理方面的评量，并发展出各种量表，如智力测验量表、人格测试量表、适应行为量表等，对心理的各方面进行相应的研究和评量，并构建常模，为临床治疗、招生、就业应聘、招工升学、科学研究等提供基础资料。

我国的人体生理常数研究起于20世纪初期，《博医会报》（China Medical Missionary Journal，中华医学杂志英文版前身之一）曾经载有汕头一教会医院医生Whyte于1912～1916年间分析中国人（汕头居民）尿液成分和消化液成分的报告。此后，又有人发表包括身高、体重、胸围、血压、脉搏、肺活量、肺泡气体成分等有关人体生理常数的调查。至20年代末期到建国前陆续有过一些项目如血压、血液成分、基础代谢等的少量的调查报告。建国后，在一些与劳动卫生、临床有关的专项研究中曾涉及身高、体重、各种围度等有关生理常数指标的调查。例如，50年代末北京和上海地区的高血压普查，1979～1980年和1990～1991年全国高血压抽样普查，均对我国人民正常血压值进行了调查分析。此外，为全面了解我国人群的膳食营养状况，预测发展趋势，为政府提供决策的科学依据，制定符合我国的食物发展策略和营养政策，提高国民的健康状况和身体素质，于1959、1982和1992年分别进行过三次全国营养调查（葛可佑），调查包括各省市自治区各类人群的膳食营养状况。调查结果提供了不同地区、不同年龄、不同家庭经济状况人群的膳食及营养状况数据，还包括身高、体重、上臂围、血压和心率的体格测量以及血液生化（血红蛋白）检测等生理常数数据。2002年又开展了类似过去的"中国居民营养与健康状况调查"，并计划这种调查今后将每隔5年进行1次。

近年来，国家还支持了一些有关人体基础数据的调查和研究，如2000年国家体育总局等10部委组织的首次国民体质监测，为期1年，旨在了解我国人民的体质状况和变化规律，为全民健身计划的实施提供科学依据。体质监测的调查对象为全国各省市自治区3～69岁的国民7100人，监测内容包括一些体质测定和问卷调查，有肺活量、台阶试验、身高标准体重、握力和坐位体前屈。从形态、功能和素质三方面来了解我国人民的身体和生活情况。2005年6月第二次国民体质监测又全面展开，本次调查的样本远远大于第一次，包括2万多的北京市民，计划1年完成。但是，对我国人民重要生理常数的系统调查研究迄今从未进行过。

心理是脑反映客观现实的功能，一般称其为脑的高级功能，研究心理现象的科学称为心理学。心理学主要研究包括认知、情绪和意志以及能力、人格和社会行为等人的心理。心理学具有自然科学特性，但是，人是社会成员，人的心理是随着社会发展、变化而发展起来的，人的心理具有社会制约性，因此心理学又具有社会科学特性，为一门交叉学科，对维护人类健康有重要作用。我国的心理学一直是一个发展缓慢的学科，但随着社会的改革开放，心理学步入了发展时期，初步形成心理学教学－科研体系。虽然我国心理学研究取得可喜的成绩，但是，总的研究水平与西方发达国家相比还有不小的差距。近年来，心理咨询工作在我国广泛开展，临床心理学研究了心理咨询的一些理论和方法，但还是借鉴不少国外的东西，国情不同，国外理论不一定适用，需要进行中国人心理特征和心理障碍表现形式等方面的研究，提出适合中国人的心理咨询等理论和方法。

生理常数既包括生长发育状况的一般指标，也包括反映人体各大系统功能的正常数据。生理常数是疾病诊断治疗、劳动卫生和饮食营养标准制定必不可少的依据，也是征兵、军事作业以及特殊环境如高温、高寒、高山、航空航天和潜水等劳动卫生的重要参考资料。它反映一个国家或民族人民的身体素质，在国家计划工作中具有重要位置。发达国家对人体生理、心理常数的调查和研究非常重视，将其作为本国国计民生中的一项重要资料，进行长期的研究和积累，在学术书刊中也常见有关的统计学和研究论文发表。长期以来，由于我国缺乏国人生理常数资料，生理、心理等相关学科的教学和科研只能借鉴国外的数据和资料。此外，一些民用和军用设备和器械的设计生产，也是参考西方国家的人体正常数据。东西方的人种、社会制度、生活和自然条件的硕大差异，必然导致生理和心理需求的不同。例如，适合于西方的飞机、舰船等的驾驶员座舱，对中国人容易产生疲劳的现象。即使是最常见的服装鞋帽的生产，也只有参考中华民族自身的数据，才能穿着舒适贴切。此外，大多数进口的测试仪器，如心功能仪、肺功能仪和骨密度仪等所提供的正常值均非来自于中华民族人种。建国50多年来随着国家的发展，社会的进步以及人民生活条件的改善，我国人的体质已有较大的变化，生理常数也随之发生了改变，但是长期以来缺乏国人生理常数资料，致使生理科学的教学、研究和临床诊断治疗及研究受到很大影响。更为重要的是，人体功能随着生活和工作环境演变，通过遗传因素是可以逐渐变化的，人体生理常数也会随之改变。若干年后再进行调查，如无原始资料，调查结果就无法判断数据是否变化以及变化的大小。因此，组织我国人体生理常数系统调查研究是当前迫切需要进行的工作，具有重要的理论意义和实际意义。

为此，中国医学科学院中国协和医科大学生理学专家陈孟勤教授于20世纪80年代末90年代初，多次呼吁开展中国人生理常数研究，并与邓希贤教授以中国生理学会的名义向中国科协、国家科技部（当时的国家科委）、卫生部和国家自然科学"基金委"递交书面和口头的申请。当时卫生部正在组织全国的高血压调查，没有顾及生理常数研究，其他部委也没有注意此事。陈孟勤教授等学者认为，在20世纪我们国家和社会发生巨大变革时代未能进行这一工作，获得有意义的资料，已造成一定的损失。如能在新世纪来临之际开展此项工作，也可为我国国计民生作出贡献。于是陈孟勤教授的书面材料通过全国政协委员、河北医科大学生理学专家何瑞荣教授以提案形式上交，全国政协给予："转请有关部门处理"的答复。于是，在1999年暑期，科技部基础司委托中国医学科学院基础医学研究所组织人体生理常数方面的研究。通过立项、申请，于2001年初开始了人体生理、心理常数的研究调查工作。

本研究工作经历了四年多时间、遍及了我国东、南和北部的70个现场以及北京地区，观察了44668例正常人，年龄为7～80岁以上，其中男性21646人（占总数48.5%），女性23022人（占总数51.5%），汇集了大量的反映我国人民健康状况的人体基础数据信息、构建了人体生理常数数据库、数据库归入"国家医药卫生科学数据共享平台——基础医学数据中心"，将实现数据共享。此外，大量数据资料进行数据挖掘，用于分析研究，为国民全面了解人体的生理和心理常数、健康状况以及发展趋势，为政府有关决策提供科学的依据。

（二）组织实施

本书涉及的人体生理常数、心理状况研究及其数据资料均来自于国家科技部的基金项目，即2000年度中央级科研院所社会公益研究专项面上项目"中国人生理、心理常数与营养状况调查"（项目编号：2000DIB40153）；2001年度中央级科研院所科技基础性工作专项重点项目"人体生理常数数据库"（项目编号：2001DEA30031）；2002年度中央级科研院所社会公益研究专项重点项目"人体生理常数数据库"（项目编号：2002DIA40018）。项目工作从2001年年初开始至2004年10月现场调查结束，经历了抽样方案设计和抽样工作；临床、生理和心理等检测指标遴选；方法、仪器设备的准备和标准化；编写调查手册、问卷、调查表等；组织并进行现场培训；现场工作全面铺开；数据库的构建；数据录入和数据挖掘工作等阶段。

人体生理常数数据库工作是在科技部基础司、卫生部科教司认证认可与实验室管理处的领导和支持下，组成了由中国医学科学院基础医学研究所、中国疾病预防控制中心营养与食品卫生研究所和北京师范大学教育学院等单位协作的课题组，涉及的专业涵盖了基础医学和临床医学的生理学、心理学、营养学、医学统计学、医学信息学、内科学、外科学等。项目组还邀请有关专家组成专家顾问组，负责对各阶段工作的审核、学术咨询和质量控制等。

项目通过随机抽样，抽取了我国的北部的河北省、东部的浙江省和南部的广西壮族自治区的10个城市和农村调查现场，此外还有北京市。研究调查了7～80岁以上的不同年龄人群44668人。现场的组织实施均由中央、地方疾控中心和有关医学院校协助进行。北京市的现场组织工作由中国疾病预防控制中心营养与食品卫生研究所与北京市疾病预防控制中心学生科协助进行，国家CDC杨晓光和翟凤英二位所长携专业人员负责营养状况调查和抽样等工作，北京市CDC曹若湘科长率领专业人员协助组织和进行体格测试工作。河北省的现场组织、调查工作由华北煤炭医学院院长袁聚祥教授亲自率领、科研处长徐应军教授带队的一支基础和临床队伍协助进行。浙江省分别由浙江大学公共卫生学院陈坤院长和沈毅教授、杭州市拱墅区疾病预防控制中心蒋惠人主任、绍兴市疾病预防控制中心朱小洁及章一丰主任、舟山市疾病预防控制中心王建跃主任、诸暨市疾病预防控制中心吕江主任率领的专业人员协助现场组织和实施。广西壮族自治区由南宁市疾病预防控制中心慢病科陈娜萦、徐永芳副主任医生以及宾阳市疾控中心赖毅雪负责配合现场组织和调查工作。具体的现场则分别由学校、机关、工矿企业的保健室和社区、乡卫生院具体执行。

（三）调查研究内容

现场人群的调查研究工作主要为：人体一般情况、体质表型、重要器官系统功能状态以及心理状况。内容有：基本情况；一般健康状况；生活习惯，经济状况；血液系统的功能状况；循环系统的功能状况；呼吸系统的功能状况；骨骼系统的功能状况；内分泌系统以及心理状况等。此外，根据协作单位的具体需要，适当加设一些项目。

1．基本情况　包括姓名、年龄、性别、民族、籍贯、出生地和婚姻状况等问卷填表。

2．一般健康状况

（1）生长发育情况　有高度、围度、体重、血压、心率等检测和性发情况问卷等。

（2）健康体检　以内、外科为主的检查，以排除疾病。

（3）既往病史和家族史问卷调查。

3．生活习惯，经济状况等问卷调查　包括：个人嗜好、饮食习惯、环境因素、职业情况等。

4．循环系统的功能状况　进行心功能检测，采用无创技术确定胸电生物阻抗（TEB），应用胸电阻抗和心电信号确定血流动力学参数。检测指标包括：心率（heart rate，HR）：收缩压/舒张压（systolic blood pressure/diastolic blood pressure，SBP/DBP）；心指数（cardiac index，CI）：心输出量（cardiac output，CO）：搏出指数（stroke index，SI）：搏出量（stroke volume，SV）；体血管阻力（systemic vascular resistance，SVR）：左心作功量（left cardiac work，LCW）：左心射血时间（left ventricular ejection time，LVET）：射血速度指数（ejection velocity index，EVI）10个参数。

5．血液系统的功能状况　进行血液生化指标检测，包括血清蛋白质、血脂、糖、酶学和无机元素等诸个部分，采用自动生化分析仪检测，项目有：血清总蛋白（TP）、白蛋白（ALB）、白蛋白与球蛋白比值（A/G），血清总胆固醇（TC）、甘油三酯（TG）、高密度脂蛋白胆固醇（HDL－C）、低密度脂蛋白胆固醇（LDL－C），血糖（Glu），血清丙氨酸氨基转移酶（ALT），血清门冬氨酸氨基转移酶（AST），乙型肝炎病毒表面抗原（HBsAg），碱性磷酸酶（ALP）和血清总钙、血清无机磷等。

6．呼吸系统的功能状况　进行肺功能检测，采用便携式电脑化肺功能仪，测定指标包括：潮气量（tidal volume，VT）；呼吸频率（breathing frequency，BF）；每分钟通气量（minute ventilation，MV）；补呼气量（expiratory reserve volume，ERV）；深吸气量（inspiratory capacity，IC）；肺活量（vital capacity，VC）；用力肺活量（forced vital capacity，FVC）；用力呼气一秒量（forced expiratory volume in one second，FEV1）；一秒率（FEV1/FVC%）；最高呼气流速（peak expiratory flow，PEF）；25%呼气流速（FEF25%）；50%呼气流速（FEF50%）；75%呼气流速（FEF75%）；中段呼气流速（maximal mid－expiratory flow，MMEF75/25）；最大通气量（maximal breathing capacity，MBC或MVV）15个参数。

7．骨骼系统的功能状况　采用超声骨密度仪进行跟骨骨密度测定，包括：跟骨硬度指数（stiffness index）；测得硬度指数表示成占年轻人标准跟骨硬度指数的百分比（%young adult）；测得硬度指数表示成占该年龄段标准跟骨硬度指数的百分比（%age matched）；测得硬度指数的T值（T－score）；测得硬度指数高于或低于同年龄匹配值情况（Z－score）5个指标。

8．心理状况　分别进行：瑞文推理测验、数字划消测验、艾森克人格问卷（Eysenck personality questionnaire，EPQ）、SCL－90（症状自评量表）、学校社会行为不同心理问卷检测。

（1）瑞文推理测验　此量表可评价被试个体的智力水平，智力水平分为5级，以百分等级评价智力水平。

（2）数字划消测验　此测试可以了解被测个体注意力的状况，作为教育教学中学习疲劳的一种评定。数字划消测验由系列阿拉伯数字组成测验工具，分为3个分测验。

（3）艾森克人格问卷　人格是指人的个别性，包括动机、能力、兴趣、气质、性格方面的差异，是人的特点的一种组合。艾森克人格问卷共有4个分量表，即：代表外向－内向的E量表；代表神经质的N量表；代表精神质的P量表和测定被试的掩饰、假托或自身隐蔽的L量表。此量表又分为少年版（适合小学五、六年级及初中学生）和适合高中学生及大学学生的两种版本。

（4）SCL－90（症状自评量表）　此量表用于评估人群的心理健康状况，其包括反映个体某方面症状痛苦情况的9个因子，即：躯体化、强迫症状、人际关系敏感、抑郁、焦虑、敌对、恐怖、偏执、精神病性，通过因子分析可了解症状分布特点。

（5）学校社会行为　学校社会行为量表适合于儿童，是指儿童在学校环境中所表现出来的各种积极的和消极的行为，即概括为社会能力和反社会行为两个方面，该量表分为A（社会能力）和B（反社会能力）两个分量表。

（四）地区与对象

国家科技部“中央级科研院所科技基础性、公益性专项资金项目”面上和重点项目的资助力度差别较大。课题组承担的第一项有关人体正常数据工作为面上项目，支持力度小，不宜铺开太大，因此，选择以中、小学为主的北京市在校学生作为观察对象（共10118人），以北京市学生人群的调查研究作为探索，积累一定的经验后，向全国范围拓展。

全国范围调查研究所及的地区均以经济有效、保证调查结果精确度达到95%，也确保样本的代表性和抽样可行性，采用多阶段、分层、整群随机抽样的方法。研究调查的对象为全国31个省市、自治区、直辖市范围的随机抽样人群，年龄为7～80岁以上，职业包括工人、农民、干部、教师、学生和其他。按照中国人口信息研究中心的一般划分方式，并参考世界卫生组织的年龄分期，将年龄分段为：儿童青少年（7～18岁）；青壮年（19～44岁）；中年（45～59岁）；老年（60岁以上）。抽样的调查地区包括：河北省（2市、2县，共12080人）；浙江省（3市、1县级市，共12507人）；广西壮族自治区（1市、1县，共6335人）。以上三省的地理位置、地域地貌特征、工业农业生产和特色产品、人口和分布、民风民俗等均各具有特色。

河北省位于华北平原北部，黄河下游以北，西北环山，东临渤海，与天津共同构成了拱卫首都北京的形势，地貌类型复杂多样，属于半湿半干旱大陆性季风气候。河北省虽然土地资源较为丰富，却因人口数量多而人均土地资源贫乏。河北省矿产资源丰富，著名的开滦煤矿就坐落在唐山市郊。河北省人口约6628.3万人。本项目在该省的调查现场分别位于唐山市、衡水市、唐海县和景县境内。唐山市地处环渤海湾地区中心地带，随着开滦煤矿的开发而兴起，为一座具有百年历史的重工业城市，人口700多万，有“冀东粮仓”之称。1976年遭地震严重破坏，重建后的唐山面貌一新。本项目在唐山市现场的具体调查点为唐钢动力厂、唐山小学、华北煤炭医学院（老干部）、开滦一中（初、高中），共3491人。衡水市位于河北省东南部，人口416万，地势平坦开阔，京九线与石德铁路交307国道横贯中部，内画鼻烟壶为传统名特产品，老白干酒历史悠久。衡水市现场的具体调查点在电机股份有限公司、衡水卫校、衡水启明学校、冀衡集团有限公司共3051人。唐海县位于河北省东部，渤海湾北岸，为唐山市辖县，人口14万，南部有丰富的石油和油气资源。唐海县现场的具体调查点有：八场（农场）、八场中学、新河头村、尚庄子村和唐海县一中共2466人。景县位于石家庄东部，为衡水市辖县，人口40万。景县现场的具体调查点为司马庄、后于家村、马辛庄村、河沟村、景县二中、化肥厂、里厢屯和鲎府乡小学，共3072人。

浙江省地处我国东南沿海、长江三角洲南翼，其大陆海岸线和海岛岸线长达6500公里，占全国海岸线总长的20.3%，居全国第一，也是我国岛屿最多的一个省份。至2004年末，全省常住人口为4719.57万人，主要为汉族。本项目的浙江省调查现场分别在杭州市、舟山市、绍兴市和诸暨市（县级市）。杭州市为我国七大古都之一，中国的历史文化名城，五代的吴越国和南宋在此建都达237年之久，人口378万。杭州市现场的具体调查点在拱墅区的佑昌照明厂、祥福镇社区（老人）、祥福镇中西医结合医院职工、和睦中学（师生）和建新小学，共3502人。绍兴市位于浙江省东北部，也是我国的历史文化名城，人口61万。绍兴市现场的具体调查点为绍兴高中、绍兴文理学院、绍兴疾控中心、建功中学和中医医院，共2975人。舟山市位于浙江省东北部海域，为我国惟一的以群岛设立的地级市，市境由舟山本岛和周围572个岛屿组成，素以“渔盐之利，舟楫之便”而闻名，舟山渔场是我国三大渔场之一，现有人口69万。舟山现场的具体调查点为定海三中、城东街道（社区）、舟渔公司、廷佐小学、舟山中学、金海饭店、廷佐小学和东方明珠饭店，共3016人。诸暨为绍兴市所辖县级市，有中国最大的林业生产基地和主要的珍珠生产基地，现有人口10.6万。诸暨市现场的具体调查点在诸暨店口镇的店口镇第二小学、店口镇长兰村、祝家坞小学湄池分院、湖西村、店口二小、店口镇一中和湄池高中（师生），共3014人。

广西壮族自治区地处我国西南，与越南民主共和国交界，全区面积约24万平方公里，总人口约为4489万人。广西是以壮族为主体的少数民族自治区，也是全国少数民族人口最多的省区。项目在广西壮族自治区的调查现场为南宁市和宾阳县。南宁市位于广西壮族自治区的南部，现有人口135.6

万。南宁市的具体调查现场分别是：锦虹纺织厂、秀湖社区、南宁十三中、南宁水利厂和南宁老干部中心，共3275人。宾阳县为南宁市辖县，位于广西壮族自治区中南部，人口96万。宾阳县的调查现场为：上塘村、上塘村完小、露圩初中、甘棠中学、宾阳县防疫站和滨阳县委，共3060人。

二、抽样方案及调查工作

（一）样本与抽样方法

1．抽样原则　以经济有效、保证调查结果精确度达到95%、保证全国样本代表性及抽样的可行性和科学性为原则。采用多阶段、分层、整群随机抽样的方法。

2．样本量的确定　最小样本量确定、计算方式：

$$n = \left[\frac{\mu_\alpha{}^2 \times \pi\ (1-\pi)}{\delta}\right]$$

其中允许误差：$\delta = \bar{x} - \mu$

（二）抽样情况

1．样本量的分配　心理调查和体格等一般健康体检所需最小样本量。

本次调查的样本量：每个调查点：3200人。

2．实验室检测所需最小样本量　不同年龄人体的生理常数存在差异（分为：青少年、青壮年、中年、老年），为保证实验室检测指标可以作为正常参考值，每组为调查总体20%。

3200×20%＝640人

3．心功能及呼吸功能测定所需最小样本量　呼吸常数的检测与身高、体重因素有密切关系，与年龄不完全成比例，因此，抽样中依年龄分为学龄和青少年组（7～18岁）、成人组（18岁以上）。动态呼吸指标（一口气实验）的测定分为7～20岁共14个年龄组，从做实验室指标的样本人群中随机抽取50%进行测定。

640×50%＝320人

具体现场和调查点分布情况见表1－2－1

表1－2－1　现场和调查点分布情况

省市	时间	城市	调查点
北京	2001年9～11月	城区	海淀区123中学、和平里中学、铁匠营中学、三里河小学、朝师附小、二里沟小学
		郊区	顺义师专
河北	2002年8～10月	唐海	八厂（农场）、八场中学、新河头村、尚庄子村、唐海县一中
		唐山	唐钢动力厂、唐山路北小学、煤炭医学院大专班、华北煤炭医学院（老干部）社区、开滦一中（初、高中）
		景县	潘庄、司马庄、后于家村、河沟村、化肥厂、景县二中、李厢庄、后留名府村、鲎府乡小学
		衡水	电机厂、衡水卫校、启明学校、冀衡集团、冀衡集团老干部
浙江	2003年8～10月	杭州	拱墅区的佑昌照明厂、祥福镇社区（老人）、祥福镇中西医结合医院职工、和睦中学（师生）、建新小学
		绍兴	绍兴高中、绍兴文理学院、绍兴疾控中心、建功中学、中医医院
		诸暨	店口镇长兰村、祝家坞小学、湄池分院、湖西村、店口二小、店口镇一中、湄池高中
		舟山	定海三中、城东街道（社区）、舟渔公司、廷佐小学、舟山中学、金海饭店和东方明珠饭店
广西	2004年9～10月	南宁	南棉公司、南棉社区、南宁市13中、南宁市水泥厂、老年活动中心、友爱南路小学、南宁市防疫站
		宾阳	露圩、上塘乡、上塘乡完小、露圩中学、甘棠高中、疾控中心

（三）调查表设计

1. 人体生理常数项目调查表（表1-2-2）

表1-2-2 人体生理常数调查表

（国家科技部基础性（公益性）专项重点项目）

省　编　号：______□□______

地区　编号：______□□______

街道、乡镇：______□□______

序　　　号：______□□______

人体生理、心理常数项目组制

2003.2.20

一、基本情况

姓名：______联系电话：______

(1) 出生日期：______年______月______日 □□□□□□□□

(2) 年龄：______周岁 □□

(3) 性别 1：男 2：女 □

(4) 民族 1：汉族 2：______族 □

(5) 文化程度 1：小学及以下 2：初中 3：高中或中专 4：大学及以上 □

(6) 职业（近10年内从事最长的一种）

1：工人 2：农民 3：干部 4：教师 5：学生 6：其他 □

(7) 婚姻 1：未婚 2：已婚 3：离婚 4：再婚 5：丧偶 □

(8) 住址（居住一年以上） 1：城镇 2：农村 □

(9) 籍贯：______出生地：______

二、健康状况

(1) 生长发育情况：

身高：______cm □□□.□

体重：______kg □□□.□

BMI______ □□.□

坐高：______cm □□□.□

臀围：______cm □□□.□

胸围：______cm □□□.□

腰围：______cm □□□.□

血压：SBP______mmHg/DBP______mmHg □□□/□□□

心率：______次/分 □□□

月经 1：正常 2：不正常 3：绝经 □

服药史 1：补充钙剂 2：补充雌激素 □

(2) 既往病史 1：无 2：有（**若有病史，请详细选答以下项目**） □

疾病：1：呼吸系统 2：心血管病 3：恶性肿瘤 4：脑血管病 5：糖尿病 6：妇科病

7：传染病 8：肺结核病 9：泌尿系病 10：中毒 11：外伤 12：风湿病

13：甲状腺疾病 14：消化系统疾病 15：变态免疫性疾病 16：其他

三、生活习惯、经济及环境因素

吸烟 1：吸 2：不吸 □

开始吸烟年龄：______岁 □□

吸烟史：1：经常吸 2：偶尔吸 3：已戒烟 □

吸烟量：1：20支及以上/天 2：10~19支/天 3：1~9支/天 □

饮酒 1：饮 2：不饮 □

开始饮酒年龄：______岁 □□

饮酒史：1：经常饮 2：偶尔饮 3：已戒酒 □

经常饮酒的饮酒量：

白酒：1：6两及以上/天 2：4~5两/天 3：3两以下/天 □

啤酒：1：3瓶及以上/天 2：2瓶/天 3：1瓶及以下/天 □

四、检测项目

（一）血液系统（生化检测：可以粘贴化验单）

(1) 指血血糖（Glu，mmol/L） □. □□
(2) 血清总蛋白（TP，g/l） □. □□
(3) 血清白蛋白（ALB，g/l） □. □□
(4) 血清白蛋白与球蛋白的比值（A/G） □. □□
(5) 血清总胆固醇（TC，mmol/L） □. □□
(6) 血清甘油三酯（TG，mmol/L） □. □□
(7) 高密度脂蛋白胆固醇（HDL－C，mmol/L） □. □□
(8) 低密度脂蛋白胆固醇（LDL－C，mmol/L） □. □□
(9) 血清丙氨酸氨基转移酶（ALT）/谷丙转氨酶（GPT）（IU/L） □□
(10) 血清钙（Ca，mmol/L） □. □□
(11) 血清磷（P，mmol/L） □. □□
(12) 碱性磷酸酶（ALP，IU/L） □. □□

（二）内分泌系统

(1) 血清甲状腺素（TT_4，nmol/L） □. □□
(2) 血清三碘甲腺原氨酸（TT_3，nmol/L） □. □□
(3) 血清促甲状腺激素（TSH，mU/L） □. □□

（三）循环系统（心功能检测）

(1) 心输出量（CO，L/min） □□. □□
(2) 心率（HR，次/分） □□. □□
(3) 心指数（CI，$L/min\cdot m^2$） □□. □□
(4) 每搏量（SV，ml） □□. □□
(5) 搏出指数（SI，ml/m^2） □□. □□
(6) 左心室射血时间（LVET，s） □□. □□
(7) 心室射血前期时间（PEP，s） □□. □□
(8) 左心作功量（LCW，g·m） □□. □□
(9) 体血管阻力（SVR，kPa/L） □□□□□

（四）骨骼系统

(1) stiffness index □□. □□
(2) %young adult □□. □□
(3) %age matched □□. □□
(4) T score% □□. □□
(5) Z score% □□. □□

（五）呼吸系统（肺功能检测）

(1) 潮气量（VT，L） □□. □□
(2) 呼吸频率（BF，次/分） □□. □□
(3) 每分静息通气量（MV，L/min） □□. □□
(4) 补呼气量（ERV，L） □□. □□
(5) 深吸气量（IC，L） □□. □□
(6) 肺活量（VC，L） □□. □□
(7) 用力呼气肺活量（FVC，L） □□. □□
(8) 一秒量（FEV1，L/s） □□. □□
(9) 一秒率（FEV1/FVC，%） □□. □□
(10) 峰流速（PEF，L/S） □□. □□
(11) 25%呼气流速（25%FEF，L/S） □□. □□
(12) 50%呼气流速（50%FEF，L/S） □□. □□
(13) 75%呼气流速（75%FEF，L/S） □□. □□
(14) 中段呼气流速（MMEF75/25，L/S） □□. □□
(15) 最大通气量（MVV，L/min） □□. □□

2. 知情同意书

知 情 同 意 书

本次健康检查是为“人体生理、心理常数调查”提供数据，经国家科学技术部、卫生部批准（批准文号：2001DEA30031）并经________同意，由中国医学科学院（中国协和医科大学）基础医学院、（地方合作）医院协作对随机抽样地区的健康人进行检查。

在具有丰富临床经验的医师指导下，通过较好的检查仪器的检查，您最终可获得一份免费体检情况的检查报告。为保证本项目的顺利进行，请您积极配合完成规定的每一个项目检查。

您参加本研究完全是自愿的。

我本人已仔细阅读以上文字，并充分了解了本次调查的目的、方法、可能获得的效益，我自愿参加本次调查。

受试者签字：____________

日期：______年____月____日

（四）调查人员选择

调查人员一般从协作单位选取，其来自单位和培训情况见表1-2-3。

表1-2-3 调查人员来自单位和培训情况表

省市	协作单位	培训
北京	中国疾病预防控制中心营养与食品卫生研究所	
	北京市疾病预防控制中心学生科	
	由友谊医院退休医生组织一个体检队	统一培训
河北省	华北煤炭医学院为基层单位	
	组织学生教师体检队（30人）	统一培训
浙江	浙江大学公共卫生学院	
	杭州市拱墅区疾病预防控制中心	
	诸暨市疾病预防控制中心	
	绍兴市疾病预防控制中心	
	舟山市疾病预防控制中心	
	每个地方组织30人的体检队伍	统一培训
广西	广西壮族自治区由南宁市疾病预防控制中心	
	南宁市疾病控制中心	
	宾阳市疾病控制中心	
	每个地方组织30人的体检队伍	统一培训

（五）质量检查和控制

对于任何一次调查，非抽样误差的控制至关重要，特别是调查现场。本次调查中，对所有填写好的调查问卷及体检表，统一由课题组进行抽查审核，符合率在98%，符合合格表进行数据库录入。

1．现场质量控制　在不同的调查现场制定了统一的项目调查表，几个不同的调查项目表格统一编号，调查员认真测量和填写，由专门人员在现场进行数据核对。

（1）体格测量、血压测定均由进行统一培训过的人员进行，并在每一个现场的调查过程中相对固定。

（2）体格测量、血压测定仪器每天在现场进行校正，以达到统一标准化。

（3）每日完成的调查表均在当日进行抽查，检查其填写质量，发现问题及时得到纠正。

（4）合作单位分工明确，建立了相互监督机制，为本项目的顺利完成提供了保证。

2．数据录入质量控制

为保证数据输入的准确性，数据输入由不同的数据录入员（两名）同时进行，完成后对两套数据在它们的一致性、逻辑性、边界值等数据进行机查，对于表中出现的逻辑错误，逐一对照原调查表进行核对、改正，准确无误后予以确认。

三、调查检测方法、设备及质量控制

（一）基本情况问卷

首先要进行基本问卷的调查和填写工作，由专业的调查人员协助调查对象进行，所选择的调查人员应符合以下情况：

1．调查员必须接受严格培训，认真阅读调查表内容及工作手册，领会调查表精神，掌握必要的方法，尤其在现场工作中，由于各种原因临时更换人员时，务必先培训后工作。

2．调查员要按调查表中所有问题的原设计向被调查者提问，如遇到被调查者文化水平有限或语言障碍不能理解原意时，调查员可作适当解释。

3．调查项目之间是相互关联的，数据的质量关系到整个分析的结论，所以必须认真对待每一个项目，不该缺失的数据应设法获得。

4．应注意基本问卷的填写和项目测试。

（1）填写项目

1）受检对象姓名及分组标志（省市、城乡、性别、民族、出生年月日、年龄、职业等）由调查员询问填写或被调查者自己填写后调查员核实。

2）省市、城乡、调查序号均由检测组统一编写。

城乡：城乡的划分以出生地为准，“城”指有城镇居民户口者；“乡”指有农村户口者。

出生年月日：以公历（阳历）填写，若不知公历时填写农历。

年龄：填写实足年龄。对于已过生日的用：年龄＝调查年－出生年；对于未过生日的用：年龄＝（调查年－出生年）－1。

既往病史：指经过医院诊断确诊的疾病。

（2）体检项目　由具有一定临床经验的内科医师进行体检，在每个调查点应有一名内科主治医师以上的医师负责业务指导。

使用器材：诊断床、听诊器、血压计、心电图机等

检查方法：按照内科病史采集方法询问病史，按物理诊断方法进行体格检查。

内科检查的主要目的是做健康筛查，为体测选择正常人。根据病史、体检资料，凡具有下列情况之一者均不得参加体测。

1）心、肺、肝、肾等主要脏器疾病者。

2）身体发育异常者。

3）服用钙剂、糖尿病。

4）急性病患者或在最近15天有发高热、感冒患者。

（二）生长发育等一般健康状况检测

1．身高　由检测队指定专人（经过培训者），两人一组（一人测量，一人记录）进行检测。使用器材：身高坐高计。使用前应校对0点，并用钢尺测量基准板平面红色刻线的高度是否为10cm，同时检查立柱是否垂直、连接处是否紧密，有无晃动，零件有无松脱等情况，并及时加以纠正。

测试方法：受试者赤足、立正姿势站在身高计的底版上。上肢自然下垂、足跟并拢、足尖分开成60°。足跟、骶骨部及两肩胛间区与立柱相接触，躯干自然挺直，头部正直，耳屏上缘与眼眶下缘呈水平位。测试人员站在受试者的右侧，将水平压板轻轻沿立柱下滑，轻压在受试者头顶。测试人员读数时，双眼应与压板平面等高进行读数，记录员复诵后记录。以厘米为单位，精确到小数点后一位，测试误差不得超过0.5cm。

注意事项：

（1）身高坐高计的生产厂家应有国家计量局颁发的质量论证合格书；所用身高坐高计应有厂家出具的质量合格证明。

（2）身高坐高计应选择平坦靠墙的地方放置，立柱的刻度尺应面向光源。

（3）严格掌握“三点靠立柱”、“两点呈水平”的测量姿势要求。

测试人员读数时，两眼一定要与压板等高。两眼高于压板时要下蹲，低于压板时应垫高。

（4）水平压板与头部接触时，松紧要适度。

（5）读数完毕，立即将水平压板轻轻推向安全高度，以防破坏。

2．体重　由检测队指定专人（经过培训者）进行测量。

使用器材：杠杆秤。使用前需检验其准确度和灵敏度。

准确度检验方法：以备用的10、20、30kg砝码（或等重量的标定物代替）分别进行称量，检查指标读数与标准砝码误差是否在允许范围。要求误差不超过0.1%，即100kg误差小于0.1kg。

灵敏度检验方法：置100g重的砝码，观察刻度尺变化。如果刻度尺抬高了3mm，或游标向远移动0.1kg而刻度尺仍维持水平位时，说明达到要求。

测试方法：测试时，杠杆秤应放在平坦地面上，调整0点至刻度尺呈水平位。男性只着短裤，女性着短裤、短袖衫，站立在秤台中央，测试人员放置适当砝码并移动游码至刻度尺平衡。读数以千克为单位，精确到小数点后一位，测试误差不得超过0.1kg。

注意事项：

（1）杠杆秤的生产厂家应有国家计量局颁发的质量论证合格书；所用杠杆秤均有厂家出具的质量合格证明。

（2）杠杆秤应选择平坦的地方放置。

（3）每天使用杠杆秤前，均需校正。

（4）以kg为单位，小数点后保留以为有效数字（四舍五入）。

3．血压　血压包括收缩压和舒张压两个指标，由检测队指定专人进行测试。

使用器材：直立式汞柱血压计。测量前应检查其汞柱是否在零位，否则应使用标准血压表予以校正。同时应观察汞柱内有无气泡，如有应予以排除。使用时血压计应平放，袖带以覆盖受试者上臂长1/2～2/3为宜。

测试方法：受试者坐于测试者右侧，右臂自然前伸，平放于桌面。血压计的零位应与受试者的心脏和右臂袖带处于同一水平。捆扎袖带时，要求平整、松紧适度，肘窝部应充分暴露。摸准桡动脉的位置，使之位于听诊器的听头中央；听头应与皮肤紧密接触，但不能用力紧压，或塞在袖带下。然后打气入带，使汞柱急速上升，直到听不到桡动脉的搏动声时，再升高2～3个mmHg。随后缓缓放气，所听到收缩压后每次搏动下降0.2～0.3个mmHg为宜。当第一次听到的脉搏声时，汞柱高度即为收缩压。继续放气，脉搏声经过一系列变化，在消逝瞬间的汞柱高度为舒张压。血压测量力求一次听准，否则可再次测量。在体检表上分别记录收缩压、舒张压两值，以mmHg为单位。

注意事项：

（1）测试前1～2个小时内，受试者不得进行剧烈运动。

（2）受试者静坐10分钟以上，以消除精神紧张，保持情绪安定。

（3）测量血压时，上臂不可受力过紧—袖的压迫。

（4）需重复听取血压值时，应使血压计汞柱下降至零位后再进行。

（5）以mmHg为单位，取整数分别记录收缩压、舒张压。

4．内科检查

（三）生理常数调查研究方法学

1．循环系统功能（心功能）检测　循环系统是人体重要的器官系统之一，由心脏和血管组成，其主要的功能是完成体内的物质运输，使新陈代谢能不断进行。循环系统功能水平的高低既反映了人体的健康状况，也影响着人体其他器官系统功能的变化。因此，测量和评定循环系统的功能水平，对心血管疾病的诊断和治疗，以及对机体健康状况的判断都非常重要。

循环系统的功能水平由功能参数反映，循环系统功能参数的检测主要分为有创和无创性两大测量技术。有创性检测方法，如热稀释法（经深静脉在心脏置入漂浮导管）主要应用于临床，对心血管病人的诊断和治疗。无创性检测方法主要应用生物阻抗法原理，来确定血流动力学参数。无创检测技术经过数十年的研究、开发和应用，越来越方便、安全、可靠。本文所用的检测仪器 BioZ. com™数字化无创血流动力学监护系统（美国 Cardiodynamics 公司）是在生物仿真技术发展的基础上，成功地进行了相关的计算机技术处理，使其测量结果更加贴近于临床实际值。BioZ. com™系统正逐渐被国内外科研和临床工作者广泛应用。

（1）检测仪器

1）BioZ. com™数字化无创血流动力学监护系统（美国 Cardiodynamics 公司）；BioZ. com cardio dynamics（American Cardiodynamics International Corporation），河北、浙江、广西地区。

2）NCCOM－3 无创血流动力学心功能监护仪（美国 BoMed 宝美公司）；NCCOM－3 noninvasiv cardiovascular monitor（American Bomed Medical Mfg. Ltd），北京地区。

（2）检测原理　采用无创技术确定胸电生物阻抗（TEB），应用胸电阻抗和心电信号确定血流动力学参数。

（3）检测指标和含意

1）心率（HR）　指心脏每分钟跳动的次数（beat/min）。

2）收缩压/舒张压（SBP/DBP）　指左心室收缩中期主动脉压达到的最高值及在左心室舒张末期主动脉压达到的最低值（mmHg）。

3）心指数（CI）　在空腹和安静状态下，每平方米体表面积每分钟输出量（$L/min \cdot m^2$）。

4）心输出量（CO）　指每分钟一侧心室输出的血量（L/min）。

5）搏出指数（SI）　每平方米体表面积的每搏输出量（$ml/beat \cdot m^2$）。

6）搏出量（SV）　指一次心搏由一侧心室射出的血量（ml）。

7）体血管阻力（SVR）　也称后负荷，指血液在血管中流动的阻力；与血液粘滞度及血管舒缩性能等因素有关（g）。

8）左心作功量（LCW）　指左心每分钟所作的功（kg·m/min）。

9）左心射血时间（LVET）　左心室由快速射血开始到减慢射血期止所需时间（msec）。

（4）检测方法和操作步骤

1）仪器检测操作步骤　①首先将仪器与传感器、血压袖带及缆线连接；②打开仪器的电源开关，推至“ON”位置；③按显示屏菜单依次输入受试者 ID 号、姓名、身高、体重、性别、年龄等数据；④确认后开始检测。

2）操作步骤　①用酒精清洁双侧颈部和双侧胸部；②受试者取平卧位；③按先后次序放置白色、黑色、红色和绿色四对电极。即首先在左、右两侧颈底部放置白色电极；与之相邻 5cm 处再放置黑色电极。其次在胸部两侧沿腋窝中线平剑突处放置红色电极；与之相邻 5cm 处再放置绿色电极；④将血压袖带缠绕受试者右臂上方，松紧适宜。

（5）检测影响因素及注意事项

1）受试者平卧时要保证体位舒适、身体放松，并尽量减少胸部运动。

2）要保持电极放置处皮肤的清洁和干燥，以免影响信号传导。

3）测试前应检查电极是否在有效期内，并确保导电糊湿润。

4）四对电极摆放的位置一定要准确，而且每对电极之间放置角度应保持水平 180°，否则会影响检测结果。

2. 血液系统生化检测　血液由血细胞和血浆组成，充满于心血管系统中，在心脏的推动下，不间断地在身体内循环，流经体内各个重要器官，渗透到各组织中，参与机体各项生理活动，维持机体正常新陈代谢和内外环境平衡。在病理条件下，血液系统疾病除直接累及血液外，也可以影响全身组织器官，而各组织器官的病变也可以直接或间接引起血液方面的变化。临床上较多的检验项目是通过血液标本进行检查的。

血液生化参数值的变化能灵敏地表达机体的生理和病理状况。血液生化参数值随人种、性别、年龄、生长发育而异，同时受人群所处的地域、经济水平、职业、生活习惯、饮食结构等诸多因素影响。对健康人血液生化指标测定并构建数据库，是疾病诊断和治疗、劳动卫生和饮食营养标准制定的需要，将改变长期以来因无我国自己的参考值而借鉴国外资料的状况。

（1）检测指标　本数据库中的血液生化指标包括血清蛋白质、血脂、糖、酶学和无机元素等诸个部分，检测项目为：血清总蛋白（total protein，TP）、白蛋白（albumin，ALB）、白蛋白与球蛋白的比值（A/G），血清总胆固醇（total cholesterol，TC）、甘油三酯（triglyceride，TG）、高密度脂蛋白胆固醇（high density lipoprotein cholesterol，HDL－C）、低密度脂蛋白胆固醇（low density lipoprotein cholesterol，LDL－C），血糖（glucose，Glu），血清丙氨酸氨基转移酶（alanine aminotransferase，ALT），血清门冬氨酸氨基转移酶（aspartate aminotransferase，AST），乙肝表面抗原（hepatitis B antigen HBsAg），碱性磷酸酶（alkaline phosphatase，ALP）、血清总钙（total calcium，TCa^{2+}）、血清无机磷（inorganic phosphate，IP）等。

血清蛋白质含有多种特殊功能的蛋白质，如酶、免疫球蛋白，干扰素、生长激素等，主要生理功能是维持血浆胶体渗透压及pH值，运输、营养作用，凝血和抗凝血以及免疫等作用。肝是机体蛋白代谢的主要器官，当肝功能受损时，血清蛋白质便减少，故测定血清蛋白含量和分析其组分变化，可了解肝对蛋白质的代谢功能。血清总蛋白是血清白蛋白和球蛋白的总称，从总蛋白量中减去白蛋白量，即为球蛋白含量，据此可计算出白蛋白与球蛋白的比值（A/G）。

高血清总胆固醇、高甘油三酯血症等是动脉粥样硬化等心血管疾病的主要危险因素，血清总胆固醇、甘油三酯、高密度脂蛋白胆固醇和低密度脂蛋白胆固醇是反映血脂水平的四项基本指标。

胆固醇是合成胆汁酸、肾上腺皮质激素、性激素及维生素D等生理活性物质的重要原料，也是构成细胞膜的主要成分。胆固醇为两极分子，对保证细胞膜的正常状态与功能起重要作用。血清总胆固醇包括游离胆固醇和胆固醇酯。胆固醇酯由胆固醇与脂肪酸主要在肝结合而成。人体约有140g胆固醇，广泛分布于全身各组织中，约25%分布于脑和神经组织中。血液中的胆固醇仅10%～20%是直接从蛋、奶及肉类食物中摄取，其余部分主要由机体自身合成，肝是合成和储存胆固醇的主要器官，肾上腺、脾、心、肾、性腺、脑组织及动脉壁也可合成一定量的胆固醇。胆固醇主要经胆汁随粪便排除体外。血清中总胆固醇的浓度可作为脂类代谢的标志，但脂类代谢又常与糖类及激素的代谢密切相关，故其他物质代谢异常时也可影响血清总胆固醇的浓度。

血清甘油三酯（TG）是机体储存能量的形式。肝、脂肪组织及小肠是合成TG的主要场所，其中肝合成能力最强。正常人空腹时TG占总脂的1/4，主要存在于前β－脂蛋白和乳糜微粒中，直接参与胆固醇及胆固醇酯的合成。TG可使血液凝固性增强，并抑制纤维蛋白溶解，促进血栓形成，对动脉硬化和冠状动脉粥样硬化等心、脑血管栓塞性疾病的发生有一定影响。

高密度脂蛋白（HDL）是颗粒较小的一类脂蛋白，运输内源性胆固醇，血清中约25%的胆固醇来源于HDL。由于血脂在血中以脂蛋白形式运输，故高脂血症也是高脂蛋白血症，病因可分为原发性和继发性两大类。长期高脂饮食也可使血清脂蛋白升高。

低密度脂蛋白（LDL）是人体内最主要的脂蛋白，占血清总脂蛋白的50%～60%，是转运肝合成的内源性胆固醇的主要形式，肝也是降解LDL的主要器官，约50%LDL由肝降解。LDL内含脂质较多，胆固醇50%，磷脂25%，甘油三酯5%，故在脂肪代谢紊乱时LDL可明显升高。

血糖（Glu）指血液中的葡萄糖浓度。肝是调节糖代谢的重要器官，胰岛素、胰高血糖素、肾上腺素及肾上腺皮质激素等是影响糖代谢的主要激素。血糖主要来自食物，是糖在体内的主要运输形式，一部分被直接氧化利用，另一部分转变成肌糖原。在正常情况下，糖的分解代谢和合成代谢保持动态平衡，对维持机体，尤其是脑、神经的正常生理功能有重要意义。测定Glu对判断糖代谢及其代谢紊乱相关疾病的诊断有重要意义。

转移酶是能将α－氨基酸的氨基转移到α－酮酸酮基上的一种酶，有多种，用于肝功能检查的主要为血清丙氨酸氨基转移酶（ALT）和血清门冬氨酸氨基转移酶（AST），ALT和AST均属于非特异性细胞内功能酶，正常时血清内含量低。ALT主要存在肝细胞胞质中，活性比血清约高100倍，AST在心肌含量最高，肝为第二。当肝细胞受损伤，肝细胞膜的通透性亢进时，ALT的漏出率为65%（AST为4%），ALT的半衰期为6.3天（AST为2天），故ALT测定反映肝细胞损伤的灵敏度较AST高，ALT和AST增高见于各种肝病。

血清碱性磷酸酶（ALP）是一种磷酸单脂水解酶，在碱性环境中能水解磷酸单脂产生磷酸，可按磷酸含量求出ALP活性。ALP在肝主要分布在肝细胞的血窦侧和毛细胆管侧的微绒毛上，经胆汁排入小肠，当胆汁排出不畅、毛细胆管内压亢进时，又可诱发产生大量ALP。此外，来自骨、肠、肾、胎盘等处的ALP也随胆汁一起排泄，故胆汁淤滞时ALP也升高。ALP和转氨酶同时测定，有助于黄疸的鉴别；在骨骼疾病时由于成骨细胞增生和活动旺盛或癌细胞产生过多的ALP，血清ALP也升高。ALP值用于鉴别肝胆疾病和诊断骨质增生。

血清钙、磷含量的变化常能反映出骨组织的代谢情况及与骨代谢有关的疾病以及脏器的功能。

人体内的总钙约99%以上以磷酸钙或碳酸钙的形式存在于骨骼中，血液中钙的含量约占总钙1%，血清钙中约50%与白蛋白结合，不能透过毛细血管壁进入组织间液，为非扩散型钙，其余50%能透过毛细血管壁进入组织间液，为扩散型钙。临床上由于血清钙异常引起症状，多由扩散型钙的变化所致。非扩散型钙虽不具有特殊生理效应，但它与钙离子间处于动态平衡。钙的代谢主要受维生素D及甲状旁腺激素的影响，钙离子的主要生理功能为降低神经肌肉的兴奋性，维持心肌及其传导系统的兴奋性和节律性，参与肌肉的收缩功能及正常的传导神经冲动功能，激活脂酶及三磷酸腺苷，也是参与凝血过程的必须物质。

血液内的磷一种为有机磷，如细胞内的磷酸酯、类脂质及核酸所含的磷等，与各种物质的代谢密切相关；另一类为血清中的无机磷，与血清中的钙有一定关系，二者浓度的乘积为一常数，血清磷降低则血清钙按比例升高，此关系对成骨作用极为重要，如钙、磷乘积过低，即可发生佝偻病或软骨病等。磷体内具有重要的生理功能，磷参与糖、脂类及氨基酸的代谢；有些磷酸化合物是转运能量的物质，血中磷酸盐又是调节酸碱平衡的重要缓冲体系之一，也是骨盐的主要成分，参与骨骼及牙齿的组成。

（2）检测仪器　用日本奥林巴斯（Olympus）2700型全自动生化分析仪进行测定。分别按仪器、试剂盒说明书操作，并进行常规室内质控。

（3）检测方法　采用分层、按比例、随机抽样方法选择调查地区和被检测人群，经健康问卷、体格测量，内科检查等步骤筛选出健康合格、年龄范围为7~90岁的被检测对象。

采集受检者空腹12小时的前臂静脉血，在室温（20~30℃）下静置30~45分钟后离心，吸出血清，存于-20℃冰箱中待测。注意标本应无溶血，脂浊，并尽快进行检测。若保存时间稍长，需置-70℃冰箱中。

检测包括：

1）血清蛋白质测定　包括：血清总蛋白（TP）、血清白蛋白（Alb）和血清白蛋白与球蛋白的比值（A/G）。TP是血清中除水分外含量最多的一类大分子化合物，其分为白蛋白（A）和球蛋白（G）两部分。球蛋白=总蛋白-白蛋白。TP测定采用双缩脲法，Alb测定采用溴甲酚绿法。

2）血糖测定　血糖（Glu）在室温下易快速降解，血样品应在4℃保存，并于4小时内检测。采用氧化酶法。

3）无机元素测定　①血清总钙（TCa^{2+}）：采用比色法；②血清无机磷（IP）：采用比色法。

4）酶学测定　①血清丙氨酸氨基转移酶（ALT）：采用速率法；②血清门冬氨酸氨基转移酶（AST）：速率法；③血清碱性磷酸酶（ALP）：采用对硝基酚法。

5）病毒免疫学测定　乙肝表面抗原（HBsAg）：采用ELISA法。

6）血脂测定　①血清总胆固醇（TC）：采用酶法；②血清甘油三酯（TG）：采用酶法；③高密度脂蛋白胆固醇（HDL-C）：采用均相测定法；④低密度脂蛋白胆固醇（LDL-C）：采用均相测定法。

3．呼吸系统功能（肺功能）检测　呼吸系统的功能是维持机体新陈代谢及其他生命活动最基本的生理功能之一，正常人群的肺功能检测，对于反映我国人民的健康水平、评价不同地区肺功能状况及提供生理预计值有着重要的意义。但是，由于肺功能检测是一种用力依赖性测试、不同于其他生理检测，需要受试者很好的配合（用力、均匀、连续、无咳嗽、长时间数秒等），使这项测试既费时又费力、用于人群检测有一定的难度。本项目试图在标化检测标准及检测条件（同一测定仪器、测定人员、测定方法及要求），获取不同地区人群的肺功能生理预计值及回归方程式。

（1）测定仪器　检测仪器：Scope Rotary 便携式电脑化肺功能仪，型号为 Master Screen Rotry，软件版本为 Lab4.52，德国耶格公司生产。仪器采用涡轮式传感器，为光电编码器传感技术。

（2）检测原理　涡轮式传感器依据转动部位（涡轮）的转动速度与流体速度成正比的特性进行测量，呼吸气流通过时推动涡轮转动，采用磁电调制原理，通过磁电效应，把涡轮的机械转动信号转换成电信号输出，电脑光电编码器自动记录。

（3）检测指标及含义　肺容量指标：肺内气体的含量称为肺的容量，其大小随胸廓的扩张和回缩而改变，从而完成气体交换，肺容量指标多表现安静状态下，一次呼吸所出现的呼吸气量变化，使用肺功能仪直接测定出来的指标有以下 5 个：

1）潮气量（tidal volume，VT）　平静状态下，每次吸入或呼出的气量。

2）呼吸频率（breathing frequency，BF）　每分呼吸的次数

3）补呼气量（expiratory reserve volume，ERV）　平静呼气后，加力呼出的最大气量。

4）深吸气量（inspiratory capacity，IC）　平静呼气后，所能吸入的最大气量。

5）肺活量（vital capacity，VC）　深吸气后，所能呼出的最大气量。

肺通气功能指标：由于呼吸肌的驱动作用，使胸廓扩张和收缩，从而改变肺容量的大小而产生通气。正常肺通气功能的维持主要取决于三个因素，即呼吸肌功能，胸廓与肺的舒缩功能，以及呼吸道的通畅程度，主要检测以下几个指标。

6）每分钟静息通气量（minute ventilation，MV）　安静状态下，每分钟吸入或呼出的气量。

7）用力呼气肺活量（forced vital capacity，FVC）　最大吸气至肺总量位后，以最快的速度作出呼气肺活量达残气量位。

8）用力呼气一秒量（forced expiratory volume in one second，FEV1）　深吸气后，用力快速呼气在第一秒钟呼出的气量。

9）一秒率（FEV1/FVC）　用力呼气一秒量占用力呼气肺活量的比值。

10）最大通气量（maximal breathing capacity，MBC）　单位时间内以尽量快的速度和尽可能深的幅度作最大自主努力呼吸所得的通气量。

肺通气功能中反映小气道功能的指标：主要是测定用力呼气时气流在气道内通过时的速度。

11）最高呼气流速（peak expiratory flow，PEF）　用力呼气峰值流速。

12）25%呼气流速（FEF25%）　用力呼气 25%时的瞬间流速。

13）50%呼气流速（FEF50%）　用力呼气 50%时的瞬间流速。

14）75%呼气流速（FEF75%）　用力呼气 75%时的瞬间流速。

15）最大中段呼气流速（maximal mid – expiratory flow，MMEF75/25）　用力呼气 25% ~ 75%的平均流速。

（4）检测方法　参考全国肺功能正常值汇编的技术和方法，根据检测要求，对受试者进行培训，以确保检测结果准确、可靠，具体操作如下。

测试前准备：

1）开始检测前，让受试者保持安静状态 5 ~ 15 分钟。

2）平静状态下，受测试者采取坐位，嘴的高度与仪器呼吸口嘴平行，然后含住口嘴使全面吻合（保证呼吸时气体全部通过口嘴没有漏气）、松紧适度，坐姿以放松为佳。

3）捏住鼻子（夹住鼻夹），保持上述姿势用嘴呼吸使呼吸气流通过仪器检测。

开始测试以下项目：

1）慢肺活量（spir - flow）　按上述方法让被测试者接上口嘴平静呼吸，待呼吸波足够平稳（呼吸12次左右）开始数据采样。先让被测试者平静呼吸1~2个周期，接着在平静呼气末呼气至残气位（尽量让肺内气体呼出），然后吸气至肺总量位置（尽量吸满气体），再将气体全部呼出至残气位，平静呼吸至采样线即可结束此阶段测试。

2）流速容量环（flow - voume）　此项测试可紧接第一项进行。被测试者平静呼吸，待其呼吸波平稳后，让其从平静呼气继续呼至残气位，然后渐吸至肺总量位，再用力以最大气量吐至残气位，测试即可结束。

此项测试中，注意应尽量让被测试者用力呼、吸气，以达到测试要求。

3）每分最大通气量（MVV）　在做完上述两项测试后，可稍作间歇，以让被测试者得到充分休息。此时可详细告诉被测试者MVV的做法即用尽量快的速度、尽量大的肺通气量来呼吸（如百米跑后的大喘气），一般以1次/秒为宜。

（5）检测影响因素及注意事项

1）肺容量测试尽可能让受试者保持平静，如测试者使用平静、和蔼的语言消除其紧张情绪，调动其配合的愿望等。

2）待受试者呼吸平稳后开始测试，测定中呼吸波要稳定在10个以上均匀波形、呼吸频率保持在（20±5）次/分左右、仪器提示可以记录的情况下进行记录。

3）肺通气功能测定，要求被测试者连续3次或多次重复测试，直到合格为止，取最佳值。

4．骨骼系统（跟骨超声骨密度）检测　骨质疏松症（osteoporosis，OP）是一种以低骨量和骨组织微结构破坏为特征，导致骨骼脆性增加和易发生骨折的全身性疾病。随着人们寿命的延长，社会的老龄化，骨质疏松症的发生率逐渐上升，已成为中老年人，特别是绝经后的女性骨痛、骨折甚至致残致死的重要原因之一。目前全世界约有2亿人患有骨质疏松症，其发病率已跃居常见病、多发病的第7位，而据统计预测，到2010年中国骨质疏松症患者人数约11 400万（发病率占全国总人口的8.2%），骨质疏松症已成为老年性疾病重点防治课题。因此早期检测骨密度的变化，对骨质疏松的早期诊断和预防有着极为重要的意义。

骨密度的检测是一种无创性的检测技术，长期以来，临床上骨密度的检测技术以单光子吸收法（SPA）、单能X线吸收法（SXA）、双能X线吸收法（DXA）和定量CT（QCT）检测技术为主。近年来，定量超声技术（quantitative ultrasound，QUS）以其经济、便携、操作简单、无放射性辐射、较高的精确度和灵敏度等优点得到了广泛地应用。QUS除了测定骨密度外还可以获得与骨强度相关的信息，在骨质疏松症的筛查方面具有独特之处。QUS技术不仅适用于骨科、老年病科、内科、内分泌科、妇产科、中医科等临床科室以及航天医学、运动医学等特种医学，还适用于儿童和孕妇。QUS在早期预防骨质疏松，评价绝经后及年龄相关的骨丢失、骨质疏松流行病学调查、骨质疏松患者的随访调查以及药物治疗前后的疗效评价等方面具有潜在的应用前景。

（1）检测仪器　采用美国Lunar公司生产的Achilles Express跟骨超声骨密度测定仪，软件版本4.1X。

（2）检测原理　探头的一端发出超声波，穿过皮肤进入跟骨沿轴线传播，到达探头另一端的超声波接受器，此传播过程经计算机处理得出声波经过骨头的速度（声速SOS，单位：m/s）和频率衰减（宽波段超声衰减BUA，单位：dB/MHz），超声波通过骨头的变化与衰减组织的化学组成和结构有关，不仅可以提供骨密度的信息，还可以提供骨质强度的附加信息（包括微结构、弹性和脆性等）。为了表达测试结果，Achilles Express测定仪把SOS和BUA值组合成一个临床度量值——硬度指数（stiffness index，SI）。

（3）检测部位及意义　选择跟骨进行超声骨密度测定，因为跟骨是承重骨，75%~90%是由骨小梁组成，更易对年龄、疾病和治疗等引起的骨变化做出反应，同时跟骨骨密度的改变与机体骨折发生率有显著的相关性，可以通过跟骨骨密度的测定来反映骨折危险性。因此，选择跟骨进行QUS测定。

（4）检测指标及含义　硬度指数（stiffnessindex，SI）：由声速（SOS）和宽波段超声衰减（BUA）组合成的临床量度，主要反映骨的硬度和刚度，精度误差远低于单一变量，公式为 $SI = (0.67 \times BUA + 0.28 \times SOS) - 420$，由仪器自动计算得出。

（5）检测方法和操作步骤

1）仪器检测操作步骤　①首先将仪器与电脑及缆线连接；②打开仪器的电源开关，按质量控制保证程序进行仪器的质控，质控通过后对受试者进行检测；③按显示屏菜单依次输入受试者信息，如编号、姓名、性别、年龄、身高、体重等数据。

2）受试者检测操作步骤　①用酒精棉球清洁受试者右脚双侧踝关节部分和整个足跟，进行脱脂；②双侧踝关节部分和整个足跟均匀涂上水溶性超声耦合剂；③将右脚在足部位置调节器放好后，开始检测。

（6）注意事项

1）每日检测前要进行质量保证测试。

2）在每个受试者间，应进行完全彻底的低级别消毒程序。

3）保证受试者右脚摆放位置正确。

4）测试过程中右脚固定不动，以免影响超声测量。

（四）心理状况测评

通过瑞文推理测验、数字划消测验、艾森克人格问卷、SCL－90（症状自评量表）及学校社会行为量表，对个体心理状况，包括智力水平、注意力状况、人格特征、心理健康状况及学校社会行为进行测评。瑞文推理测验、划消测验、症状自评量表适用于所有人群；学校社会行为量表适用于学生群体；艾森克人格问卷（少年版）适用于7～15岁学生群体；艾森克人格问卷适用于15岁以上人群。本次调研对学生群体进行了瑞文推理测验、数字划消测验、艾森克人格问卷、SCL－90及学校适应行为的测评；对学生之外其他年龄段人群进行了瑞文推理测验、SCL－90的测评。

关于心理测评工具详述如下：

1．瑞文推理测验

（1）目的及意义　智力是人的整体能力，是各种基本认识能力，包括观察力、注意力、记忆力、思维能力和创造力的综合表现。其中抽象概括能力是智力的核心部分。这些潜在的、综合能力是人们做出正确决策、有效适应和改善环境的基础。通过瑞文推理测验，对个体的智力水平进行评价，对不同年龄人群的智力发展水平进行评量，了解不同地区不同年龄人群智力发展水平的总体情况、性别分布情况，了解近20年来人群智力水平随社会发展的变化情况，尤其是中小学生的智力发展水平及发展趋势等，为疾病诊断、教育教学服务，为构建中国人生理、心理常数数据库提供基础数据。

（2）工具　瑞文标准推理测验（Raven′s standar progressive matrices，SPM）是英国心理学家瑞文（Raven）1938年设计的非文字智力测验。该测验的优点在于适用的年龄范围宽，测验对象不受文化、种族与语言的限制，并且可用于一些生理缺陷者。测验既可个别进行，也可团体实施，使用方便、省时省力，结果解释直观简单，测验具有较高的信度与效度。瑞文测验的编制者曾在1947年和1956年对标准推理测验做过小规模的修订。

本次研究采用1985年张厚粲教授等修订的瑞文标准推理测验对被试个体进行智力水平的评价。

瑞文标准推理测验一共由60题组成，分为5组，每组12题。A、B、C、D、E5组的题目难度逐步增加，每组内部题目也是由易到难排列。每组题目所用解题思路基本一致，而各组之间则有差异。直观上看，A组题主要测知觉辨别力、图形比较、图形想象等；B组题主要测类同、比较、图形组合等；C组题主要测比较、推理、图形组合；D组题主要测系列关系、图形套合；E组题主要测套合、互换等抽象推理能力。但实际完成作业时，解决各组问题都有各种能力的协同作用，不能截然划分。一般来说完成前面的题目对解决后面题目有帮助，完成先前一组题目也对后面各组题目的解答有学习效应。

测验题的构成是每个题目都有一定的主题图，但是每张大的主题图中都缺少一部分，主题图下有 6～8 张小图片，其中有一张小图片若填补在主题图的却失部分，可以使整个图案合理与完整。进行测试的任务就是从每题下面所给的小图片中找出适合于填补大图案的一张，并把该小图片的序号填入答卷纸内相应题目号下面。各题的标号是 A•、A•、A•、A•、A•、A•、A•、A•、A•、A••、A••、A••和 B•至 B••，C•至 C••，D•至 D••，E•至 E••。

瑞文标准推理测验的计分：计分时对照标准答案表为被试计分，每答对一题记一分，满分为 60 分。被试所得的分数即是他答对的题目总数。由于被试所得总分为原始分，即绝对分数，从原始分数无法了解被试与他人相比的相对水平，各年龄组间更无法相比，因此必须将原始分数换算成标准分数。标准分数以百分等级表示，可以查表求得。

根据原始分数转换成标准分，再根据标准分数对被试智力水平做出评价。以下是百分等级评价的智力水平分级标准：

一级：测验标准分等于或超过同年龄常模组的 95%，为高水平智力；

二级：测验标准分在 75%与 95%之间，智力水平良好；

三级：测验标准分在 25%～75%之间，为中等水平智力；

四级：测验标准分在 5%～25%之间，智力水平中下；

五级：测验标准分低于 5%，为智力缺陷。

(3) 施测程序

1) 三年级以上儿童与 65 岁以下成人采用团体施测，其他则采用个别施测。

2) 准备足够的测试图册、答卷纸及铅笔（每个被试一份并有少量富余），测试图册可多次使用。要求被试只在答卷纸上作答。

3) 团体施测对象每次不超过 50 人。主试 1 人，主试助理 2 人。

4) 主试应是熟悉《使用手册》、掌握施测方法的专业人员。

5) 测验场所应保持安静、通风透光，确保测验不受干扰。被试座位间应留出空间使主试及助理可以来回巡视。

6) 主试逐字照读指导语，对被试提问可以重复指导语，不应擅自补充或更改。

7) 测验一般无严格时限，待被试完成后收回答卷纸与测验图册，一般被试可在 40 分钟左右完成全部测验。

8) 主试与助理在被试进行前 5 题时，应注意巡视，对不能理解答题方式或前 5 题基本不能正确回答者，单独重复指导语。被试完成整个测验时，主试与助理也应查看如有填错题号者（即答卷纸上题号与所做题目不对应），及时提醒。

9) 步骤及指导语

先发答卷纸，带领被试者逐栏填写答卷纸上部的姓名、性别、出生年月日等，填写完毕发测验图册，在没有指示前不允许翻开，主试再三强调不要往测验图册上写任何字或做记号。

主试者根据指导语向被试者讲解：

主试者说："这是一个有趣的练习，完成它时要认真看、认真想，前面的题目认真了，会对做后面的题目有好处，下面我们开始"。

"打开你的测验册第一页，像这样"（主试示范给团体），"看你答卷纸上有 5 栏，最上面一栏是 A 系列，标着 A•、A•……。（在黑板上画出这 5 栏）看图册上的第一张图是 A•，在这张图中，上面的图案是缺了一部分的，图案下面的这些块块（轮流指每块）形状都与空白部分一样，但内容不同，不是每块都能补全上面的图案，第一块（先指块块，再指图案）是相当不同的，第二、三块也不一样，对不上，第六块怎样？图案一样，但是也有一小块空白，用你的手指点出一块最合适的"（注意前排几个人，看其是否指对了），"对，第四块是正确的一块，所以 A•的答案是 4。把"4"写在答卷纸上 A 栏的第一格里，填完的人也不要往后翻"。

等到每个人都完成了 A•，继续说："在你书里的每一页都有一幅幅图案，你每看一幅图都要决定图案下面的块块哪个补充在图案缺少的空白上合适。你找出正确的一块，你就把它的号码写在答卷纸上与图案号码相对应的一格里。不要往测验图册上写任何东西。题目由易到难，如果你注意做容易的题目，你会发现做后面的题目就不太难了，顺序做每个题，从一开始直到做完。不要翻回来检查，填写答案时要看对题号。这个测验练习没有时间限制，你要认真做，一般人完成它用40分钟左右的时间”。记住，每个题只有一个正确答案。

“好，我们来做第二题，A•”，留出时间使每个人写下答案，然后说：“在A•的选择中，正确的一个是5。看看你是不是在答案纸上A•这一格下面写了“5”，你继续做下去，直到把这本测验做完，我在你们周围走，有了问题可以举手问”。

（主试者与助理开始巡视）

被试者完成测试的全部题目后可以离开，走前应收回他（她）的答卷纸与测验图册，检查一下是否有填错格子或漏答题，没有问题时再让被试者离开。必要时记录下被试者所用时间。

10）个别施测时，指导语基本同于团体施测指导，由被试者自己填写答案。年龄较小的儿童、老年人或智力迟钝者，可按个别施测法进行。采用主试问，被试回答的形式，主试对被试的答案做记录。主试除提问并记录被试答案外，不得暗示，必要时可以记录反应时间，被试者的情绪或身体状况等变化。

2．数字划消测验

（1）目的及意义　注意力是指人的心理活动对一定事物的指向和集中。人在同一时间内不能感知周围的一切事物，而只能选择一定的事物作为心理活动的对象，这就是指向。所谓集中是指心理活动反映被选择事物的清晰和深入程度。注意力乃是意志力的具体表现。注意力对提高学生的学习效率，提高劳动生产率，以及防止交通事故的发生，都有着不可忽视的重要作用。在学习疲劳的评定、人才选拔与录用、学习障碍的诊断与指导、升学与就业指导，注意力的检测都是重要指标。

通过数字划消测验，了解被测个体注意力集中状况，为在教育教学中学习疲劳的评定、学习障碍的诊断与指导等提供基础依据。

（2）工具　数字划消测验由系列阿拉伯数字组成测验工具，共有3个分测验。第一个测验要求被试者划掉数字3，第二个测验要求被试者划掉3字前面的数字，第三个测验要求被试者划掉3前面的第一个7字。每个分测验进行3分钟，3个测验连续进行，该测验既可进行个别施测，也可以实施团体施测。得分越高，说明注意力水平越高。

评价指标：①正确率；②错误率；③遗漏率；④净分＝粗分（全部划掉字数）－（错划＋1/2漏划）

（3）施测程序

1）团体施测。

2）为施测对象准备测验纸、笔。为主试者准备秒表。

3）团体施测对象每次不超过50人。主试者1人，主试助理1～2人。

4）测验场所应保持安静、通风透光，确保测验不受干扰。被试座位间应留出空间使主试及助理可以来回巡视。

5）步骤及指导语

先发测验纸及笔，主试者强调每开始前不要在测验纸上写任何东西。

（2）主试者根据指导语向被试者讲解　“同学们，我们现在要做几个有趣的划数字测验，请你们自始至终保持安静。”

“现在你们手中拿到的3张纸上全是数字（3张纸订在一起，请不要拆开），请在每页纸上面的横线上按要求填上姓名、性别、年龄、文化程度、日期，并按顺序在每页的右上角分别编上号（主测及助理巡视，检查是否按要求做）。”

全部填好后，主试者又说：“在这3张纸上，其中有一些数字要你们划掉。请认真听要求，然后认真仔细地从左到右逐一看过去，看完一行再看另一行，划掉符合我们要求的数字。注意，数字不可连划，要一个一个地划去。”

“每页完成时间为3分钟，听到我说“开始”时才开始划。当听到我说‘停止’的时候，请在你所看到的最后一个数字上划个圈，然后放下笔，不要检查和更改。如果没到3分钟就做完了，做完之后就放下笔、坐好，不准检查、修改。”

主试者强调仔细听第一页的要求：“划掉这一页中所有的‘3’字”，并在黑板演示，例如：5 6 3 2 4 3 7 9 5 3 0 8……。让测试对象在试例上练习做一遍。

“好，请开始划掉数字‘3’。”（秒表启动）

“三分钟到，请停笔”。助理巡视是否都停笔。

主试者马上又说“请翻到第2页，这一页的要求是：划掉3前面紧挨着的那一个数字。”并在黑板上演示，例如：6 7 5 3 2 6 8 5 6 9 3 2 5 6 8……。让测试对象在试例上做一遍。主试说“好，请开始”，并启动秒表，“3分钟到，请停笔”。助理巡视是否都停笔。

主试者继续说“请翻到第3页，认真听要求：请划掉在3前面的第一个7字”，并在黑板演示，例如：6 7 3 5 2 1 9 7 1 8 7 5 8 3 5 6 4 6 7 5 8 3 5 9 4 2……。让测试对象在试例上做一遍。主试说“好，请开始”，并启动秒表，“3分钟到，请停笔”。助理巡视是否都停笔，并协助主试尽快将测验纸全部收回。

3. 艾森克人格问卷

(1) 目的及意义　人格是指人的个别性，包括动机、能力、兴趣、气质、性格方面的差异，是人的特点的一种组合。

通过问卷法对个体的人格发展状况进行评量，可以发现其典型的人格品质和特点，为有针对性教育教学活动的开展以及未来职业的选择等提供基础依据。

(2) 工具　艾森克人格问卷（EPQ）是英国伦敦大学心理系和精神病研究所有关人格度研究的测定方法，此问卷由先前数个调查几经修改发展而来，目前有成人问卷和青少年问卷两种格式。相对于其他以因素分析法编制的人格问卷而言，EPQ问卷涉及的概念少，施测方便，有较好的信度和效度，因此在人格测验中影响很大，并在许多国家得到修订和应用。

原始问卷EPQ包括90个项目；EPQ（少年）包括81个项目。每个问卷都包含四个分量表：E、N、P、L。E、N、P分别代表艾森克人格理论中关于人格结构的三个度，L是后来加进的一个量表。其涵义如下：

E代表外向－内向：分数高表示人格外向，可能好交际、渴望刺激和冒险，情感易于冲动。分数低表示人格内向，可能是好静，富于内省，除了亲密的朋友之外，对一般人缄默冷淡，不喜欢刺激，喜欢有秩序的生活方式，情绪比较稳定。

N代表神经质（又称情绪性）：反映的是正常行为，并非病症。分数高可能是焦虑，担忧，常常郁郁不乐、忧心忡忡，有强烈的情绪反应，以至于出现不够理智的行为。

P代表精神质（又称倔强、讲求实际）：并非暗指精神病，它在所有人身上都存在，只是程度不同。但如果某人表现出明显程度，则易发展成行为异常。分数高可能是孤独、不关心他人，难以适应外部环境，不近人情，感觉迟钝，与别人不友好，喜欢寻衅搅扰，喜欢干奇特的事情，并且不顾危险。

L测定被试的掩饰、假托或自身隐蔽，或者测定其社会性朴实幼稚水平。

本研究选用我国陈仲庚教授修订过的《艾森克人格问卷》（EPQ）及《艾森克人格问卷》少年版［EPQ（少年）］。

修订过的EPQ共85个项目：

其中P量表有20个项目，分别为2，8，10，17，19，23，27，33，38，41，44，50，57，58，62，65，69，73，77，80。

E量表有21个项目，分别为1，5，9，13，16，22，26，29，32，35，37；40，43，46，49，53，56，61，72，76，85。

N量表有24个项目，分别为3，6，11，14，18，20，24，28，30，34，36，42，47，51，54，

59，63，66，67，70，74，78，82，84。

L量表有20个项目，分别为4，7，12，15，21，25，31，39，45，48，52，55，60，64，68，71，75，79，81，83。

修订过的EPQ（少年）共74个项目：

其中P量表有17个项目，分别为3，5，10，16，20，28，30，34，38，42，46，51，59；68，70，71，73。

E量表有20个项目，分别为1，7，11，14，18，22，25，32，35，37，40，45，47，49，54，57，61，63，66，67。

N量表有18个项目，分别为2，4，8，12，15，19，23，26，29，33，41，44，48，50，53，55，58，64。

L量表有19个项目，分别为6，9，13，17，21，24，27，31，36，39，43，52，56，60，62，65，69，72，74。

（3）施测程序

1）团体施测

2）为施测对象准备问卷、笔。EPQ（少年）问卷适用于7~15岁儿童和少年，15岁以上年龄段的人群使用EPQ问卷。

3）团体施测对象每次不超过50人。主试者1人，主试助理1~2人。

4）施测时，将问卷及笔发放给每位施测对象；由主试者说明测试的意义及答卷要求并指导他们将基本情况部分填写完全；7~9岁的被试由主试者逐条读给他们听再让他们在问卷上回答；其他年龄段的被试者由他们自己阅读和填写问卷。

5）测验场所应保持安静、通风透光，确保测验不受干扰。被试者座位间应留出空间使主试及助理可以来回巡视。

6）测验一般无严格时限，待被试完成后收回问卷，一般被试者可在30分钟左右完成全部测验。

7）当被试者完成测试的全部题目后可以离开，走前应收回他的问卷，检查一下是否有漏答题，没有问题时再让被试离开。

4．SCL-90（症状自评量表）

（1）目的及意义　用于评估人群的心理健康状况，主要从躯体化、强迫症状、人际关系敏感、抑郁、焦虑、敌对、恐怖、偏执等角度进行评量，从不同角度全面了解被测评人群的心理健康状况的总体水平，同时也进行不同地区、不同年龄、不同职业、不同性别等的比较研究。为临床治疗、科学研究及心理保健等提供基础数据。

（2）工具　SCL-90由Derogatis，L. R. 编制（1975）。

该量表包含9个因子，共90个项目，涵盖了比较广泛的精神症状学内容，如思维、情感、行为、人际关系、生活习惯等。每一个因子反映出个体的某方面症状痛苦情况，通过因子分可了解症状分布特点。9个因子含义如下：

1）躯体化（somatization）　包括1，4，12，27，40，42，48，49，52，53，56，58共12项。该因子主要反映身体不适感，包括心血管、胃肠道、呼吸和其他系统的主诉不适，和头痛、背痛、肌肉酸痛，以及焦虑的其他躯体表现。

2）强迫症状（obsessive-compulsive）　包括了3，9，10，28，38，45，46，51，55，65共10项。指那些明知没有必要，但又无法摆脱的无意义的思想、冲动和行为，还有一些比较一般的认知障碍的行为征象也在这一因子中反映。

3）人际关系敏感（interpersonal sensitivity）　包括6，21，34，36，37，41，61，69，73共9项。主要指某些个人不自在与自卑感，特别是与其他人相比较时更加突出。在人际交往中的自卑感，心神不安，明显不自在，以及人际交流中的自我意识，消极的期待也是这方面的症状的典型原因。

4）抑郁（depression）　包括5，14，15，20，22，26，29，30，31，32，54，71，79共13项。苦

闷的情感与心境为代表性症状，还以生活兴趣的减退，动力缺乏，活力丧失等为特征。以反映失望，悲观与抑郁相联系的认知和躯体方面的感受。另外还包括有关死亡的思想和自杀观念。

5）焦虑（anxiety）　包括2，17，23，33，39，57，72，78，80，86共10项。一般指那些烦躁，坐立不安，神经过敏，紧张以及由此产生的躯体征象，如震颤等。测定游离不定的焦虑及惊恐发作是本因子的主要内容，还包括一些解体感受的项目。

6）敌对（hostility）　包括11，24，63，67，74，81共6项。主要从3个方面来反映敌对的表现——思想、感情及行为。其项目包括厌烦的感觉，摔物，争论直到不可控制的脾气爆发等各方面。

7）恐怖（photic anxiety）　包括13，25，47，50，70，75，82共7项。恐惧的对象包括出去旅行，空旷场地，人群，或公共场所和交通工具。此外还有反映社交恐怖的一些项目。

8）偏执（paranoid ideation）　包括8，18，43，68，76，83共6项。本因子主要是围绕偏执性思维的基本特征而制订。主要指投射性思维，敌对，猜疑，关系观念，妄想，被动体验和夸大等。

9）精神病性（psychoticism）　包括7，16，35，62，77，84，85，87，88，90共10项。反映各式各样的急性症状和行为，有代表性地视为较隐讳，限定不严的精神病过程的指征。此外，也可以反映精神病性行为的继发征兆和分裂性生活方式的指征。

此外还有19，44，59，60，64，66，89共7个项目未归入任何因子，分析时将这7项作为附加项目（additional items）或其他，作为第10因子来处理，以便使各因子分之和等于总分。

（3）该量表的评分方法　分为5级评分（从0～4级），0＝从无，1＝轻度，2＝中度，3＝偏重，4＝严重。

该量表的分析统计指标：

1）总分是90个项目所得分之和。

2）总症状指数（general symptomatic index），国内称总均分，是将总分除以90（＝总分÷90）

3）阳性项目数是指评为1～4分的项目数，阳性症状痛苦水平（positive symptom distress level）是指总分除以阳性项目数（＝总分÷阳性项目数）

4）因子分

$$\text{因子分}=\frac{\text{组成某一因子的各项目分}}{\text{组成某一因子的项目数}}$$

成人使用SCL－90成人问卷，学生使用SCL－90学生问卷。两套问卷只是第一部分（基本情况）不同，第二部分的90个问题完全相同，为上海精神卫生中心王征宇翻译本。

（4）施测程序

1）按实验要求选择测试对象，集体施测。

2）每个测试场次以30个测试对象为宜；两名施测人员。

3）由施测者向每位测试对象发放问卷，并说明测试的目的、意义及要求。

4）保持测试场所的安静，避免各种外界的干扰。

5）施测者在场所中巡视，并解答疑问。

6）被试者完成测试的全部题目后交给施测者，由施测者检查一下是否有漏答题，没有问题时再让其离开。必要时记录被试所用的时间。

7）如果测试者不能填写，则由施测者进行个别测试。

5．学校社会行为

（1）目的及意义　学校社会行为基本上是指儿童在学校环境中所表现出来的各种积极的和消极的行为，可以概括为社会能力和反社会行为两个方面。社会能力是反映个体在特定的情景中一般表现的社会性调节能力。反社会行为是一种阻碍个体社会化进程的行为，它具有一定的破坏性，并造成消极的社会后果，社会能力越高、反社会行为水平越低，个体对环境的适应越好，反之不仅影响儿童现时的学习生活，也给儿童今后的成就水平和社会适应带来不良影响。

通过问卷，对河北、杭州、广西样点学校在校学生的学校社会行为水平进行评量，测出在学校情境下经常表现出来的行为水平。如社会能力水平、反社会行为水平。了解我国中小学生学校适应水平的总体状况、年龄分布情况、性别分布情况等，为早发现学生的行为问题、进行心理健康教育奠定基础。

（2）工具　本研究选用美国衣阿华州立大学的 Kenneth W. Merrell，Ph. D 编制的《学校社会行为量表（school social behavior scale)》。

该量表分为 A、B 两个分量表，A 量表从三个维度反映学生的社会能力：人际交往技能——用以测量对于已建立与同伴间的积极关系和被同伴接受有重要意义的社会技能和特征，包括 4，5，6，9，11，19，21，22，25，26，28，29，30，32 共 14 题；自我管理技能——用以测量诸如自我控制、合作、符合学校规则和期望等行为水平，包括 1，7，12，15，16，17，23，24，27，31 共 10 题；学业技能——有关学生的学业表现和对学习任务的参与，包括 2，3，8，10，13，14，18，20 共 8 题。B 量表从三个维度反应学生的反社会行为水平：敌对 - 易怒，包括自我中心、易怒、烦恼，导致被同伴拒绝，包括 1，7，8，9，11，13，14，15，20，21，22，27，29，32 共 14 题；反社会 - 攻击，公开违背学校规则和威胁或伤害他人，易发展成为行为障碍和过失行为，包括 2，3，4，5，6，12，17，18，19，25 共 10 题；冲动性 - 强求，在学校活动中表现冲动，或对他人有过分和不适宜的需求，包括 10，16，23，24，26，28，30，31，33 共 9 题。

该测验由 65 个项目组成。

（3）施测程序

1）按实验要求选取测试对象。

2）研究者向评量者发放问卷，并说明评量的目的及评量时的要求及注意事项。

3）评量者由班主任承担。

4）将评量者集中一室，在同一时间逐个对学生进行评量。

5）为了避免因评量时间过长而对评量结果的影响，在一次集中的时间段中每个评量者以评量 15 个学生为宜。

6）评量完，由研究者统一收回。

第二部分　中国部分省区市人群生理常数与心理状况调查研究结果

一、概况

（一）完成的调查点和人群分布

本系列项目完成的调查点为来自北京市（北京市区、顺义区）、河北省（唐山市、衡水市、唐海县和景县）、浙江省（杭州市、绍兴市、舟山市和诸暨市）和广西壮族自治区（南宁市、宾阳县）共11市县的70个点，研究调查的城乡居民共44668人，其中城市人口28912人，占总人数的64.7%，农村15756人，占总人数的35.3%，男性21646人，占总人数的48.5%，女性23022人，占总人数的51.5%。四省区市的人数分布为，北京市13746人、河北省12080人、浙江省12507人、广西壮族自治区6335人。

根据本项目的要求，在调查现场进行了内科检查（身高、体重、血压、心率）、心电图、B超和部分血液检查等，凡有以下16种疾病、症状或情况者均不能作为研究调查对象，为：呼吸系统疾病；心血管病；恶性肿瘤；脑血管病；糖尿病；妇科疾病；传染病；结核病；泌尿系疾病；风湿病；甲状腺疾病；消化系统疾病；变态免疫性疾病；身体发育异常者；服用钙剂；急性病患者或在最近15天内发高热、感冒者。实际符合要求的总调查人数为40918人，其中城市24027人，占总调查人数的58.7%，农村16891人，占总调查人数的41.3%，见数据资料汇总表3-1-1~3-1-3。

（二）年龄、受教育程度

本工作实际完成的40918例中最小年龄为7岁，最大年龄为91岁，4个年龄段的分布情况为青少年26882人，占总人数65.7%；青壮年9527人，占总人数23.3%；中年2794人，占总人数6.8%；老年1715人，占4.3%。各年龄组的分布情况如数据资料汇编表3-1-4所示。受教育程度情况为：小学或以下文化程度者10751人，初中文化程度12105人，高中文化程度14667人，大学或以上文化程度3164人，受教育程度的分布情况见数据资料汇总表3-1-4~3-1-10。

（三）民族、职业和婚姻状况

在研究调查人群中汉族为37656人，占总人数92.0%；少数民族（主要为壮族）3262人，占总人数8.0%。其中城市中汉族为25658人，占城市人口的95.8%；少数民族为1117人，占城市人口的4.2%。农村中汉族为11998人，占农村人口的84.8%，少数民族2145人，占农村人口的15.3%，见数据资料汇总表3-1-11~3-1-12。

在有职业记录的40273人中，职业分布情况为：工人4311人，占记录总数10.7%，其中分布在城市3645人，农村666人；农民3240人，占总数8.0%，其中在城市居住的859人；干部1474人，占总数3.7%，城市685，农村789人；教师879人占总数2.2%，其中城市中325人，农村教师325人；学生29317人。占总数72.8%，分布在城市中20308人，农村9009人；其他职业者1055人，占总数2.6%，城市587人，农村468人，详细见数据资料汇总表3-1-13。

有记录婚姻状况者40534人，其分布情况如下所述，未婚者26828，占记录总数的66.2%；已婚10988人，占总数27.1%，其中农村青少年段已婚人数为1157人，占总数2.9%，提示农村存在早婚现象；离婚者98人，占总数0.24%；再婚57人，占总数0.14%；丧偶57人，占总数0.72%详见数据资料汇总表3-1-14。

二、一般健康状况

（一）身高情况比较分析

四省市研究调查人群的身高情况如数据资料汇总表 3－2－1 所示，在所测试的 40918 例中成年人群（指青壮年、中年和老年段）男性平均身高为 168.5±6.7cm（n=6112），女性 156.9±6.0cm（n=7779）。参考我国有关方面首次确定（1988 年）的“中国参考人”身高男性为 1.70cm，女性为 1.60cm。此外，本次观察到的青少年段男性平均身高为 157.4±15.5cm（n=13289），女性 152.4±11.3cm（n=13410）。研究调查的三省情况分别为：河北省男性成年人 169.5±6.1cm（n=2444）、青少年 162.1±12.4cm（n=2555）；女性成年人 157.7±5.5cm（n=2759）、青少年 155.9±8.0cm（n=2590）；浙江省男性成年人 168.3±6.6cm（n=1993）、青少年 154.7±16.6cm（n=3413）；女性成年人 157.9±5.6cm（n=2873）、青少年 149.7±12.7cm（n=3223）；广西壮族自治区男性成年人 164.0±6.1cm（n=1319）、青少年 155.7±13.5cm（n=1501）；女性成年人 153.0±5.9cm（n=1721）、青少年 150.6±8.4cm（n=1527）。身高情况比较分析如下：

1．城市、农村人群的身高情况　河北、浙江省和广西壮族自治区三省区城乡各年龄段（除外浙江省壮年段）、男女性的身高平均值均城市高于农村，而北京市青少年段为农村高于城市。

2．南北不同地区的平均身高存在差别　河北省和广西壮族自治区的城市、农村、男女性、各年龄段的身高平均值相比均河北省大于广西壮族自治区（分别 $P<0.05$）。

3．青少年年龄段的身高情况　河北省城市、农村青少年段的男女性平均身高均大于其他三省市，城市的男女性青少年段的平均身高依次为河北省＞广西壮族自治区＞浙江省＞北京市。北京市青少年段城市男女性的身高（男：154.0±16.6cm，女：150.7±13.0cm）均小于农村（男：166.6±9.3cm，女：158.0±6.0cm），（分别 $P<0.05$ 以上均见数据资料汇总表 3－2－1）。

4．青少年段　四省区市、城乡、各年龄组身高增长幅度以 13～14 岁组为最大，唯有北京市城市青少年女性以 5～16 岁组增高幅度最大，城市男性 9～10 岁组以河北省的平均水平为最高，达 142.2±6.6cm，与其他三省区市比较有显著性差别（$P<0.05$）。11～12 岁年龄以后三地的差别不大（以下均见数据资料汇总表 3－2－2～3－2－13）。

城市女性 9～10 岁组河北平均水平最高，达到 143.7±6.8cm，与其他三省区市比较有显著性差别（$P<0.05$），11～12 岁年龄组其他三省区市变化不大。13 岁以后四省区市略有不同，北京地区明显高于其他三地（$P<0.05$），广西组明显的低于其他三地（$P<0.05$）。

农村男、女性各组为北京、河北和浙江三省市没有明显的差别，其中广西壮族自治区男女性的每年龄组均明显低于其他三省市，且有显著性意义（$P<0.05$）。

（二）体重情况比较分析

四省市研究调查人群的体重情况如数据资料汇总表 3－2－14 所示，在所测试的 40918 例中成年人群男性平均体重为 63.7±9.9kg（n=6103），女性 53.9±8.3kg（n=7775）。参考我国有关方面首次确定（1988 年）的“中国参考人”体重男性为 62kg，女性为 52kg。此外，本次观察到的青少年段男性平均体重为 48.9±14.8kg（n=13280），女性 45.0±11.50kg（n=13423）。研究调查的三省区情况分别为：河北省男性成年人 66.6±10.0kg（n=2444）、青少年 52.8±13.3kg（n=2555）；女性成年人 56.6±8.2kg（n=2759）、青少年 48.7±9.7kg（n=2590）；浙江省男性成年人 63.1±9.3kg（n=1585）、青少年 45.7±14.2kg（n=3401）；女性成年人 53.9±7.6kg（n=2871）、青少年 41.7±11.3kg（n=3218）；广西壮族自治区男性成年人 58.9±8.9kg（n=1318）、青少年 46.0±12.5kg（n=1499）；女性成年人 49.3±7.7kg（n=1719）、青少年 42.5±8.8kg（n=1527）。体重情况比较分析如下：

1．城市和农村人群的体重情况　河北省和广西壮族自治区（除外广西壮族自治区男性壮年段）男女各年龄段城市人群的平均体重均大于农村。浙江省男女青壮年、中年和老年各年龄段的平均体重均为农村大于城市，而其男女青少年段平均体重为城市大于农村。

2．河北省的城市和农村、男和女性、各年龄段的平均体重均大于广西壮族自治区，南北地区存在体重的差别（均 $P<0.05$）。

3．青少年年龄段城市的男女性平均体重　河北省＞广西壮族自治区＞北京市＞浙江省，而农村的男女性平均体重为：北京市＞河北省＞浙江省＞广西壮族自治区（以上均见数据资料汇总表3－2－14）。

4．四省市城乡男女青少年段　均以13～14岁组体重增加幅度最大。北京市、河北和浙江省的农村男性青少年段体重在各个年龄组均近似，城市女性不同年龄组体重的水平与男性情况类似，农村女性各个年龄组平均体重浙江省、北京市与广西壮族自治区均有显著性差别（均 $P<0.05$，见数据资料汇编表3－2－15～3－2－26。

（三）体重指数比较分析

体重指数（BMI）为国际公认的评估肥胖的测量计算指标。WHO1994年曾规定体重指数≥25kg/m^{2}为“切割点”，此后确定BMI在18.5kg/m^2～25kg/m^{2}为健康标准，我国一直参照WHO的这一标准，但这一标准却并不适合中华民族人群。

本项目在四省区市获得人群的体重指数如数据资料汇总表3－2－27所示，在所测试的40918例中成年人群男性平均体重指数为22.5±2.9kg/m^2（n＝6101），女性21.8±2.9kg/m^2（n＝7766）。此外，本次观察到的青少年段男性平均体重指数为19.2±3.4kg/m^2（n＝13256），女性19.1±3.2kg/m^2（n＝13400）。调查研究的三省区情况分别为：河北省男性成年人23.1±3.1kg/m^2（n＝2444）、青少年19.8±3.2kg/m^2（n＝2555）；女性成年人22.7±3.0kg/m^2（n＝2759）、青少年19.9±3.0kg/m^2（n＝2590）；浙江省男性成年人22.2±2.7kg/m^2（n＝1984）、青少年18.6±3.1kg/m^2（n＝3394）；女性成年人21.6±2.8kg/m^2（n＝2863）、青少年18.2±3.0kg/m^2（n＝3216）；广西壮族自治区男性成年人21.8±2.8kg/m^2（n＝1318）、青少年18.6±2.8kg/m^2（n＝1499）；女性成年人21.0±2.8kg/m^2（n＝1718）、青少年18.6±2.7kg/m^2（n＝1527）。

此外，中国医学科学院阜外医院武阳丰教授的“十五”有关研究中提出：中国成年人BMI的健康标准为18.5～23.9kg/m^2。

体重指数情况比较分析如下：

（1）三省区的城市和农村BMI的情况为，男女性青少年和老年段BMI值均为城市大于农村，北京市青少年段男女BMI值农村大于城市（$P<0.01$）。

（2）河北省男女性各年龄段BMI值均为城市大于农村，广西壮族自治区除壮年外，其他年龄段男女性的BMI均城市大于农村（$P<0.05$）。

（3）南方和北方相比，四个年龄段、男女性的BMI均为河北省大于广西壮族自治区（以上见数据资料汇总表3－2－27～3－2－39。

三、主要器官系统功能状况

（一）循环系统

1．检测概况　心功能参数在北京、河北、浙江和广西四省（区）市检测4945人，其中城市居民3227人，占总人数65.3%，农村居民1718人，占总人数34.7%。其性别和年龄分布的详细资料如表2－3－1所示。

2．检测结果

（1）北京市　北京市检测城区和郊区共429人，其中男185人，女244人，检测结果见数据资料汇总表中“表3－3－1北京地区心功能参数均值表”、“表3－3－5北京市城区心功能参数数据资料表”和“表3－3－6北京市顺义区心功能参数数据资料表”。

表 2-3-1 心功能检测人群分布表（人）

年龄（岁）	城市			农村			总计
	男	女	合计	男	女	合计	
10~12	167	182	349	94	80	174	
13~14	156	207	363	103	101	204	
15~16	163	185	348	79	85	164	
17~18	187	194	381	78	70	148	
19~26	180	193	373	70	124	194	
27~34	136	170	306	103	110	213	
35~44	160	248	408	121	121	242	
45~54	152	189	341	139	102	241	
≥55	149	209	358	82	56	138	
合计	1450	1777	3227	869	849	1718	4945

男性和女性CO的变化不同，男性随年龄的增长而增大，而女性则随年龄的增大稍有降低。在10~15岁年龄组，CO的差别较大，其城市女性值最大，明显高于城市和乡村男性（$P<0.05$）；乡村男性值最低，显著低于城市和乡村女性（$P<0.05$）；但在同性别之间，城、乡未见统计学差异。16~22岁年龄组以乡村男性值最高，显著高于乡村女性及城市男、女性（$P<0.05$）；但在城市男、女性之间未见统计学差异。

SV随年龄的增长而增大。与CO的变化相似，在10~15岁年龄组，仍以城市女性值最大，显著高于乡村男性（$P<0.05$）、女性（$P<0.01$），稍高于城市男性；乡村女性值最低。16~22岁年龄组以乡村男性值最高，显著高于郊区女性（$P<0.05$）。但在城市男、女性之间未见显著差异。

CI与CO的变化稍有不同，乡村男性随年龄增长而增大，乡村女性及城市男、女性均随年龄增长而稍有下降。CI值以城市女性为最高。在10~15岁年龄组，城、乡女性均显著高于城、乡男性（$P<0.01$）；乡村男性值最低；但在同性别之间，城、乡未见显著差异。16~22岁年龄组城市男性值最低，显著低于乡村男性及城、乡女性（$P<0.01$）；但是女性城、乡之间及乡村男、女之间未见明显差异。

射血时间（VET）反映的是主动脉瓣开放的时间。其随年龄的增长未出现明显的变化。只在10~15岁年龄组乡村女性显著低于城市男（$P<0.05$）、女（$P<0.01$）性；16~22岁年龄组在城、乡及男女性别之间未见有显著差别。

（2）河北省　河北省共检测1360人，其中男658人，女702人，检测结果见数据资料汇总表中"表3-3-2河北省心功能参数均值表"、"表3-3-7河北省唐山市心功能参数数据资料表"、"表3-3-8河北省衡水市心功能参数数据资料表"、"表3-3-9河北省唐海县心功能参数数据资料表"和"表3-3-10河北省景县心功能参数数据资料表"。

1）心率（HR）　HR的变化趋势呈现出：在27岁前变化明显，随年龄的增长而逐渐降低，27岁后基本稳定在相近的水平上；城市男、女及农村男性27岁前水平明显高于27岁以后的水平；农村女性的HR水平在各年龄段最快（$P<0.05$，表3-3-2、图2-3-1）。在城乡之间，13~16岁年龄段"城男"显著低于"乡男"；10~12岁、35~44岁年

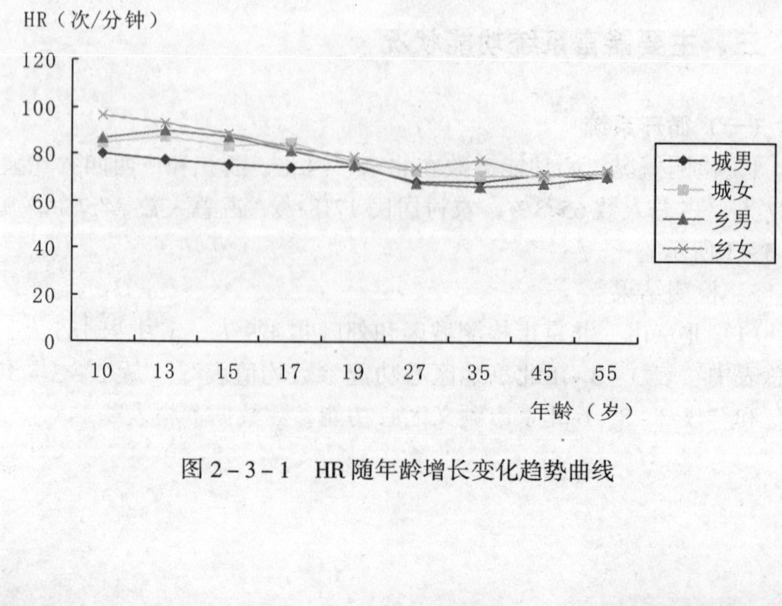

图2-3-1　HR随年龄增长变化趋势曲线

龄段“城女”显著低于“乡女”（$P<0.05$，表3－3－3）。其HR水平最低值出现在“城男”35～44年龄组，最高值出项在“乡女”10～12岁年龄组。在性别之间，“城男”在13～18岁、27～34岁，“乡男”在10～12岁、27～44岁分别显著低于同一地区的女性（$P<0.05$，表3－3－2）。

2）收缩压（SBP）　收缩压（SBP）随年龄的增长而缓慢增高，城市男性的SBP在17～54岁年龄段，其水平相近，10～12岁、15～16岁年龄段稍低，而55岁以上年龄段，明显增高；城市女性的SBP水平在13～44岁年龄段相近，10～12岁明显降低，而45～55以上年龄段明显升高；农村男性SBP水平在17～55以上年龄段相近，10～16岁年龄段接近，两者差别明显；农村女性的SBP水平，在10～12岁年龄段明显低于15岁以上年龄段水平，17～18及35～55岁以上年龄段明显升高（$P<0.05$，表3－3－2、图2－3－2）。在城乡之间“城男”SBP水平分别在13～14、27～44年龄段低于“乡男”；“城女”SBP水平在35～44岁年龄段低于“乡女”。在性别之间“城男”SBP水平分别在13～14及19～44岁年龄段明显高于“城女”；而“乡男”则在19～44及55岁以上年龄段明显高于“乡女”（$P<0.05$，表3－3－2）。

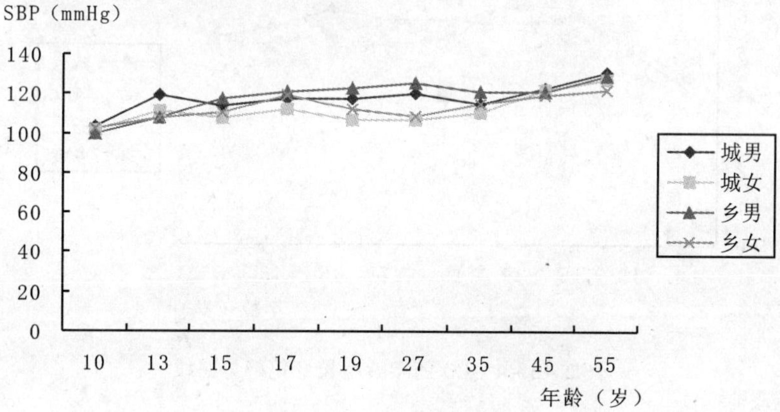

图2－3－2　SBP随年龄增长变化趋势曲线

3）舒张压（DBP）　舒张压（DBP）与SBP的趋势相似，随年龄增长而缓慢增高；城市男性的DBP在10～12及15～18岁年龄段，水平较低，其他年龄段水平相近；城市女性的DBP水平在15～16岁年龄段较低，而45～54岁年龄段明显升高；农村男性DBP水平在19～55以上年龄段相近，10～18岁年龄段明显低于其他年龄段；农村女性的DBP水平，在10～16岁年龄段较低，35～54岁年龄段明显升高（$P<0.05$，表3－3－2、图2－3－3）。在城市农村之间“城男”DBP水平在10～14年龄段高于“乡男”；“城女”DBP水平在13～14岁年龄段高于“乡女”。在性别之间“城男”和“乡男”DBP水平分别在19～34及55岁以上年龄段明显高于“城女”和“乡女”（$P<0.05$，表3－3－2）。

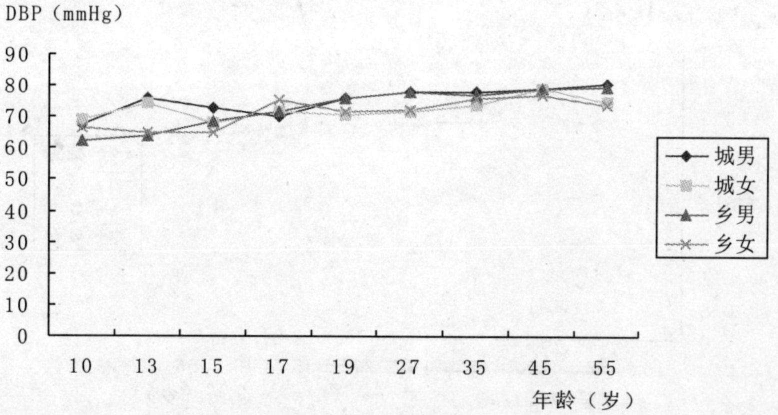

图2－3－3　DBP随年龄增长变化趋势曲线

4）心输出量（CO） CO水平随年龄的增长而增大，在16岁前增势明显，之后变化平缓，基本保持一相近的水平。城市男性的CO在10~12岁最低，16岁前快速增高，之后基本保持一平稳水平；35~44岁达最高值。城市女性与男性变化稍有不同，尽管也是10~12岁最低，但变化幅度较小，14岁后基本稳定在相近水平；在17~18岁达最大；而在45岁后又明显降低。农村男性与“城男”的变化趋势相似，最大值出现在17~18岁年龄段；乡村女性总的趋势与城女相近，只是最大值在17~18岁（$P<0.05$，表3-3-2、图2-3-4）。在城乡之间，“城男”在35~54岁年龄段明显高于“乡男”，而“城女”在15~18岁年龄段明显低于“乡女”，其他各年龄段未见明显的城乡差别。在性别之间，“城男”在15~16及27~55岁以上年龄段明显大于“城女”；“乡男”在10~14岁年龄段低于“乡女”而在27~55以上又明显高于“乡女”（$P<0.05$，表3-3-2）。

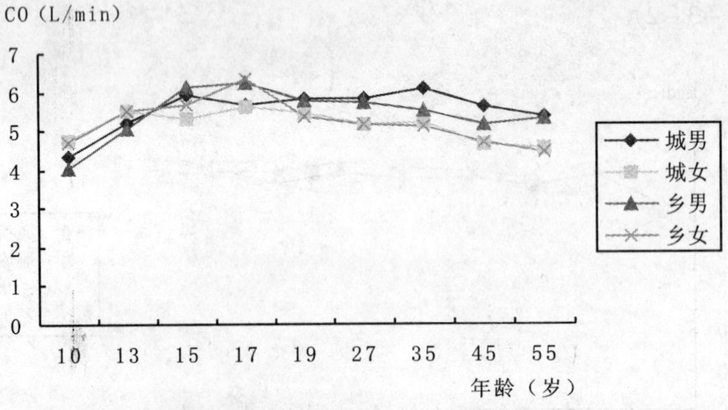

图2-3-4 CO随年龄增长变化趋势曲线

5）心指数（CI） CI随年龄的增长也有一些小的波动，19岁前变化较大，组间差别明显，19岁后水平相近，平缓稍降。城市男性在19岁前后差别不大，趋势平缓，最大值出现在15~16岁；城市女性最大值出现在17~18岁，10~26岁均高于27岁后年龄段，45~55岁以后年龄段明显降低；农村男性的最大值出现在15~16岁组，其趋势自低而高再缓降，10~12岁及15~18岁年龄段均明显高于19岁后各年龄段；农村女性的变化趋势与城市女性相似，其最大值出现在17~18岁，10~18岁年龄段均明显高于19岁后各年龄段，45~55岁以后年龄段明显降低（$P<0.05$，表3-3-2、图2-3-5）。在城乡之间，“城男”只在15~18岁年龄段明显低于“乡男”，而“城女”只在15~16岁显著低于“乡女”其他年龄段未见明显差别（$P<0.05$，表3-3-2）。在性别之间，“城男”在10~14及17~26岁年龄段明显低于“城女”，而在45~55岁以上年龄段又明显高于“城女”；“乡男”只在10

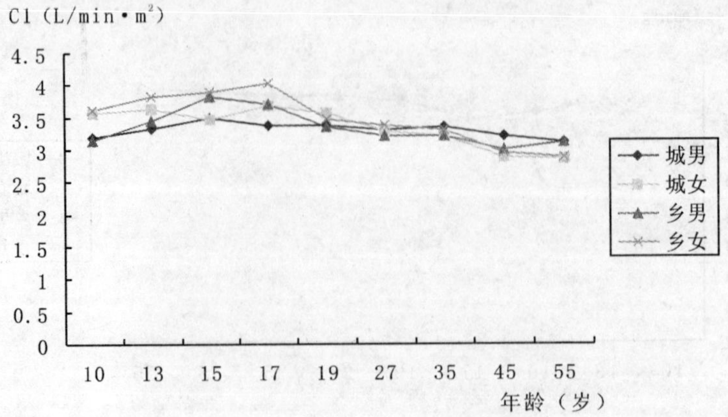

图2-3-5 CO随年龄增长变化趋势曲线

~14 岁年龄段明显低于“乡女”（$P<0.05$，表 3-3-2）。

6）每搏量（SV）　SV 变化趋势总体上与 CO 相近，但在 19 岁后差别更为明显。城市男性在 10~12 岁最低，16 岁前快速升高，之后基本保持一平稳水平，至 35~44 岁达最高；城市女性与男性变化稍有不同，尽管也是 10~12 岁最低，但变化幅度较小，14 岁后基本稳定在相近水平，同样在 35~44 岁达最高；农村男性与城男的趋势相似，18 岁前随年龄快速增高，18 岁后趋缓，但其最大值出现在 27~34 岁；农村女性总的趋势与城女相近，只是最大值在 17~18 岁（$P<0.05$，表 3-3-2、图 2-3-6）。在城乡之间，“城男”在 10~16 岁年龄段及 35~44 岁年龄段明显高于“乡男”；而“城女”只在 35~44 岁年龄段显著高于“乡女”（$P<0.05$，表 3-3-2）。性别之间差别明显：“城男”除 10~14 及 19~16 岁年龄段，其余各年龄段均明显高于“城女”；“乡男”除 13~18 岁年龄段，其余各年龄段也显著高于“乡女”（$P<0.05$，表 3-3-2）。

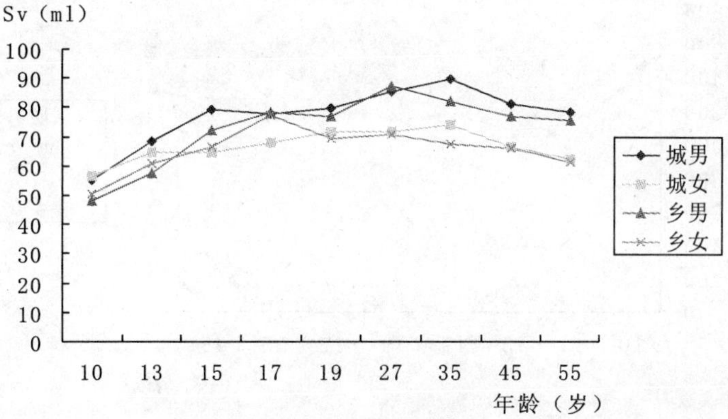

图 2-3-6　SV 随年龄增长变化趋势曲线

7）每搏指数（SI）　SI 总的趋势变化较小，在 19~16 岁年龄段几近相同。城市男性在 10~14 及 45~55 岁以上年龄段值较低，最大值出现在 35~44 岁年龄段；城市女性的变化幅度较小，最大值出现在 19~26 岁年龄段，只在 45 以上年龄段降为最低；农村男性的变化趋势与城市男性相似；而农村女性在 17~18 岁升至最高，之后持续下降（$P<0.05$，表 3-3-2、图 2-3-7）。在城乡之间“城男”在 10~14 岁年龄段明显高于“乡男”，而“城女”则只在 10~12 及 55 岁以上年龄段高于“乡女”（$P<0.05$，表 3-3-2）。在性别之间，“城男”和“乡男”均在 35~55 岁以上年龄段明显高于“城女”和“乡女”（$P<0.05$，表 3-3-2）。

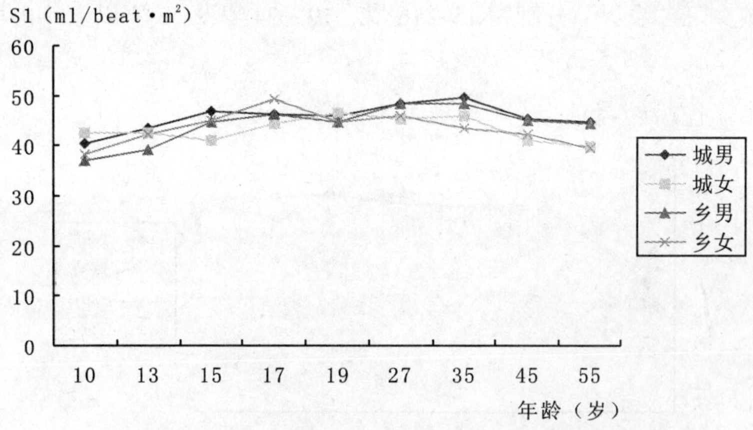

图 2-3-7　SI 随年龄增长变化趋势曲线

8）体循环血管阻力（SVR） SVR值在10～12岁45岁以上年龄段较高，中间（13～44岁）年龄段值相近，变化较平缓。

城市男性变化幅度相对较小，10～12岁与27～34岁及45岁以上年龄段相近，明显高于其他年龄段；城市女性的变化趋势与男性相似，在45岁前变化较小，而45岁后增加明显；农村男性在10～12岁为同年龄段最高，但在17～18岁又降为最低，变化幅度最大，10～12岁及45岁以上年龄段明显高于其他各年龄段；农村女性与男性变化趋势极为相似，在45岁后显著增高（$P<0.05$，表3－3－2、图3－3－8）。在城乡之间，差别不甚明显，“城男”和“城女”只在17～18岁年龄段显著高于“乡男”和“乡女”（$P<0.05$，表3－3－2）。在性别之间“城男”和“乡男”分别在10～12岁年龄段明显高于、而在45岁以上年龄段又明显低于“城女”和“乡女”（$P<0.05$，见表3－3－2）。

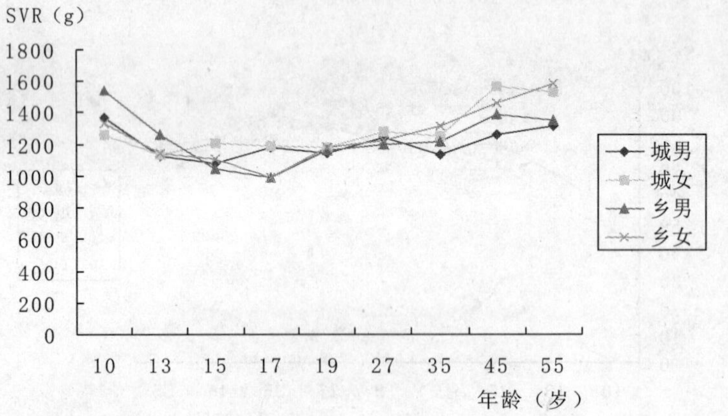

图2－3－8 SVR随年龄增长变化趋势曲线

9）左心作功量（LCW） LCW与CO、SV的变化趋势相似，在10～12岁最低，16岁前快速增高，变化明显，16岁后变化平缓。城市男性在10～12岁最低，随年龄的增长而快速增加，至16岁后基本稳定在一相近的水平，最大值出现在35～44岁年龄段；城市女性与男性的变化趋势相似，只是最大值出现在17～18岁年龄段；农村男性的最大值出现在27～34岁年龄段，明显高于10～14岁和35～44岁年龄段水平；农村女性的变化幅度最小，最大值出现在17～18岁年龄段，显著高于其他各年龄段水平（$P<0.05$，表3－3－2、图2－3－9）。在城乡之间，只“城男”在35～54岁年龄段明显高于“乡男”，其他各年龄段及城乡女性之间，未见明显差别（$P<0.05$，表3－3－2）。在性别之间，差别较明显，“城男”只在10～12岁及17～18岁两个年龄段与“城女”无明显差别，在其他年龄段均明显高于“城女”；“乡男”分别在15～16岁、19～34岁及55岁以上年龄段显著高于“乡女”（$P<0.05$，表3－3－2）。

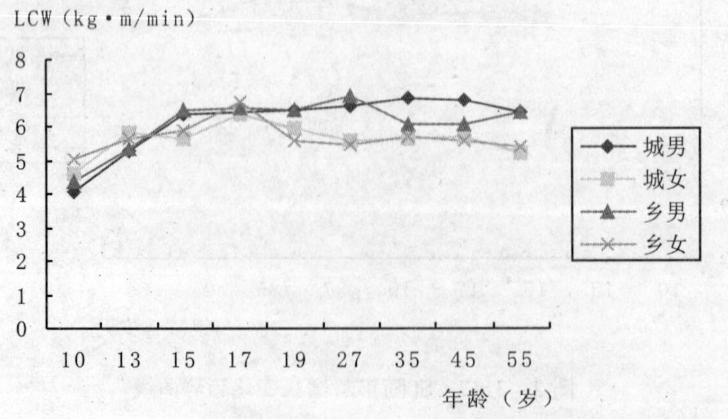

图2－3－9 LCW随年龄增长变化趋势曲线

10）左心射血时间（LVET）　LVE 变化主要出现在 27 岁前后，27 岁前在一相近水平，明显低于 27 岁后水平，城乡男女的趋势甚为相似（$P<0.05$，表 3－3－2、图 2－3－10）。在城乡之间，“城男”和“城女”分别在 10～16 岁年龄段和 10～14 岁年龄段明显高于“乡男”和“乡女”（$P<0.05$，表 3－3－2）。在性别之间差别不明显，“城男”只在 19～26 岁、“乡男”只在 35～44 岁年龄段分别显著高于“城女”和“乡女”（$P<0.05$，表 3－3－2）。

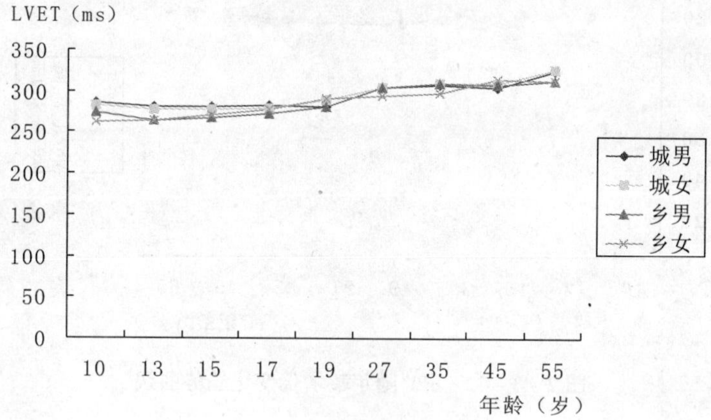

图 2－3－10　LVET 随年龄增长变化趋势曲线

（3）浙江省　浙江省共检测 2050 人，其中男 906 人，女 1144 人，检测结果见数据资料汇总表中“表 3－3－3 浙江省心功能参数均值表”、“表 3－3－11 浙江省杭州市心功能参数数据资料表”、“表 3－3－12 浙江省绍兴市心功能参数数据资料表”、“表 3－3－13 浙江省舟山市心功能参数数据资料表”和“表 3－3－14 浙江省诸暨市心功能参数数据资料表”。

1）心率（HR）　HR 随年龄的增长而逐渐降低，16 岁前心率较快，10～12 岁年龄段心率值最大；城市男性和农村女性在 10～16 岁年龄段明显快于 16 岁后各年龄段；城市女性和乡村男性在 10～18 岁年龄段明显快于 18 岁后各年龄段（$P<0.05$，表 3－3－3、图 2－3－11）。在城乡之间，差别不甚明显。在性别之间，“城男”在 17～18 岁，“乡男”在 10～12 岁及 19～44 岁年龄段分别低于同一地区的女性（$P<0.05$，表 3－3－3）。

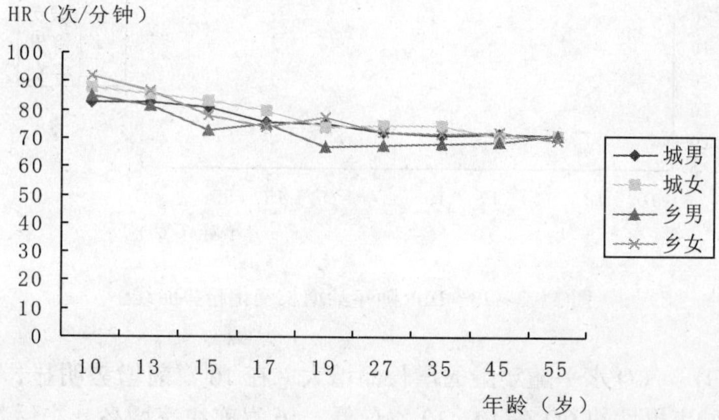

图 2－3－11　HR 随年龄增长变化趋势曲线

2）收缩压（SBP）　收缩压（SBP）随年龄的增长而缓慢增高，10～12 岁年龄段最低。城市男性的 SBP 在 13～54 岁年龄段，其水平相近，而 55 岁以上年龄段，明显增高；城市女性的 SBP 水平在 13～34 岁年龄段相近，而在 35～55 岁以上年龄段明显升高；农村男性 SBP 水平在 15～44 岁年龄段相近，在 45～55 岁以上年龄段明显升高；农村女性的 SBP 水平，在 13～44 岁年龄段，其水平相近，而在45~55岁以上年龄段，明显增高（$P<0.05$，表3-3-3、图2-3-12）。在城乡之间，差别不明显。在性别之间"城男"SBP水平分别在13~14及17~34岁年龄段明显高于"城女"；而"乡男"则在13~14及17~44岁年龄段明显高于"乡女"（$P<0.05$，表3-3-3）。

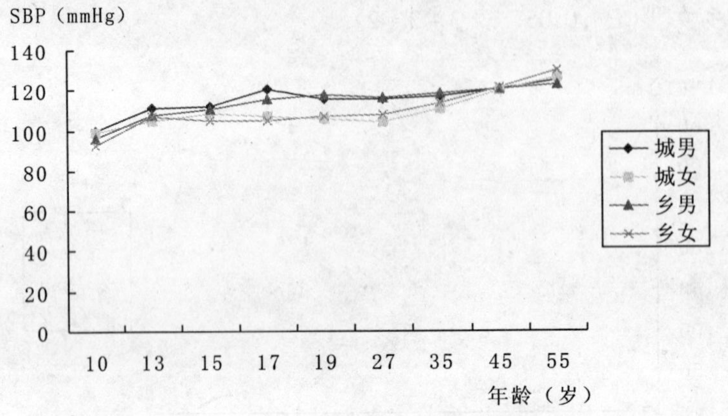

图2-3-12　SBP随年龄增长变化趋势曲线

3）舒张压（DBP）　舒张压（DBP）与SBP的趋势相似，随年龄增长而缓慢增高，10~14岁DBP值最低；城市男性在17~34岁年龄段DBP值相近，在35~55岁以上年龄段明显增高；城市女性的DBP水平在15~34岁年龄段DBP值相近，在35~55岁以上年龄段明显增高；农村男性DBP水平在17~18、27~44及55岁以上年龄段相近，而45~54岁年龄段明显增高；农村女性的DBP水平，在15~34岁年龄段相近，35~55岁以上年龄段明显升高（$P<0.05$，表3-3-3、图2-3-13）。在性别之间"城男"在19~44年龄段高于"城女"；"乡男"在17~34岁年龄段明显高于"乡女"（$P<0.05$，见表3-3-3）。

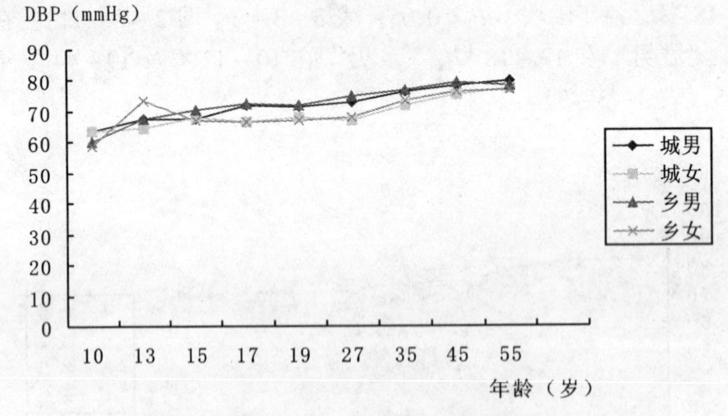

图3-3-13　DBP随年龄增长变化趋势曲线

4）心输出量（CO）　CO水平随年龄的增长而增大，在16岁前增势明显，之后变化平缓，基本保持一相近的水平。城市男性的CO在10~12岁最低，16岁前快速增高，之后基本保持一平稳水平；45岁后明显降低城市女性与男性变化稍有不同，尽管也是10~12岁最低，但变化幅度较小，14岁后基本稳定在相近水平，在17~18岁达最大，而在45岁后又明显降低；农村男性和女性分别与"城男"和"城女"的变化趋势相似（$P<0.05$，表3-3-3、图2-3-14）。在性别之间，"城男"在10~12岁低于、而在15~16及19~55岁以上年龄段又明显大于"城女"；"乡男"在10~14岁年龄段低于"乡女"而在17~18及27~55以上又明显高于"乡女"（$P<0.05$，表3-3-3）。

5）心指数（CI）　CI随年龄的增长也有一些小的波动，19岁前变化较大，组间差别明显，19

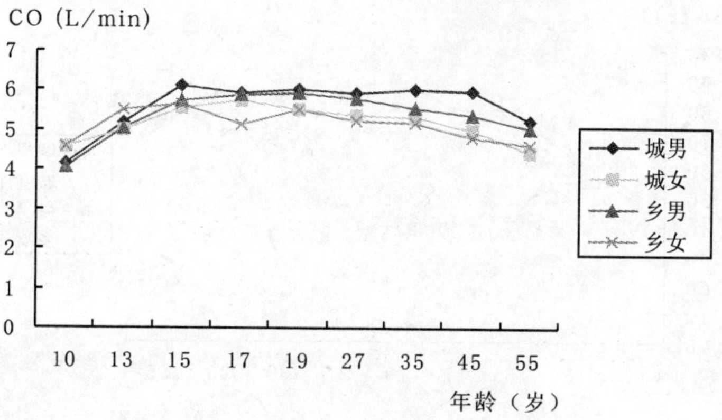

图 2－3－14　CO 随年龄增长变化趋势曲线

岁后水平相近，平缓稍降。城市男性在 10～12 岁最低，15～16 岁最高，其他各年龄段差别不大；城市女性最大值出现在 17～18 岁，35～55 岁以上年龄段明显降低；农村男性最大值出现在 15～16 岁组，其趋势自低而高再缓降，13～26 岁年龄段明显高于 26 岁后各年龄段；农村女性最大值出现在 13～14 岁，10～16 及 19～26 岁年龄段均明显高于 26 岁后各年龄段，45～55 岁以后年龄段明显降低（$P<0.05$，表 3－3－3、图 2－3－15）。在性别之间，“城男”在 10～12 及 17～26 岁年龄段明显低于、而在 15～16 及 45～55 岁以上年龄段又明显高于“城女”；“乡男”在 10～16 及 27～34 岁年龄段明显低于、而在 45～54 岁年龄段显著高于“乡女”（$P<0.05$，表 3－3－3）。

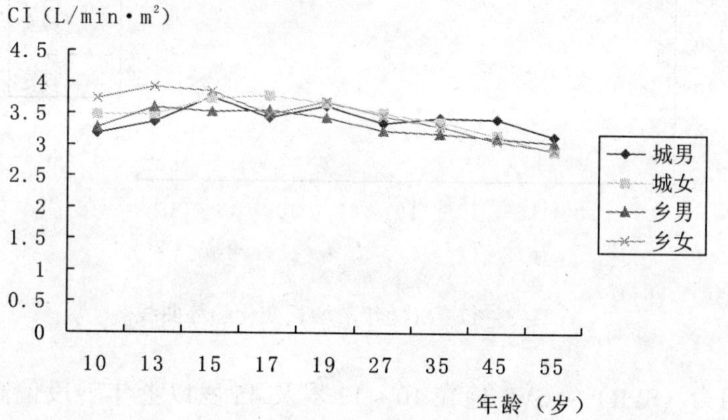

图 2－3－15　CO 随年龄增长变化趋势曲线

6）每搏量（SV）　SV 变化趋势总体上与 CO 相近，但在 19 岁后差别更为明显。城市男性在 10～12 岁最低，16 岁前快速升高，之后基本保持一平稳水平，至 35～44 岁升至最高；城市女性与男性变化稍有不同，尽管也是 10～12 岁最低，但变化幅度较小，16 岁后基本稳定在相近水平，在 19～26 岁升至最高；农村男性与城市男性的趋势相似，16 岁前随年龄快速增高，16 岁后趋缓，但其最大值出现在 19～26 岁；农村女性总的趋势与城女相近（$P<0.05$，表 3－3－3、图 2－3－16）。在城乡之间，差别不甚显著。性别之间差别明显：“城男”除 10～12 岁年龄段外，其余各年龄段均明显高于“城女”；“乡男”除 10～14 岁年龄段外，其余各年龄段也显著高于“乡女”（$P<0.05$，表 3－3－3）。

7）每搏指数（SI）　SI 总的趋势变化较小，在 19～26 岁年龄段几近相同。城市男性在 10～14 年龄段由低逐渐升高，15 岁后基本稳定于一相近的水平；城市女性在 17 岁前缓慢升高，17 后基本稳定于一相近的水平，55 岁以上年龄段明显降低；农村男性在 19 岁前缓慢升高在 19～26 岁达到最高，

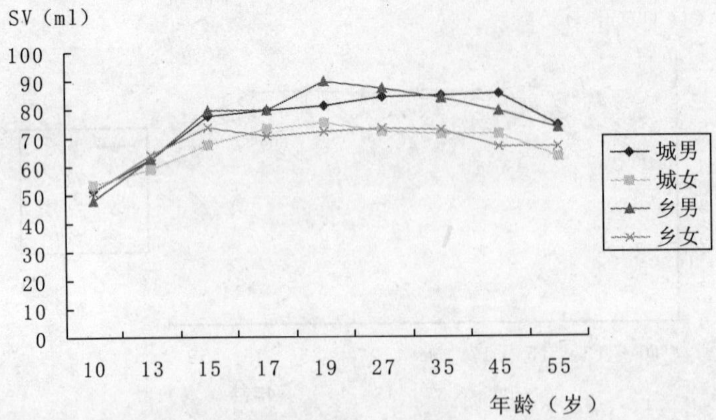

图 2-3-16　SV 随年龄增长变化趋势曲线

55岁以上明显降低；农村女性与农村男性趋势相似，只是最大值出现在15~16岁年龄段，在45~55岁以上年龄段明显降低（$P<0.05$，表3-3-3、图2-3-17）。在性别之间，未见明显的统计学差异(表3-3-3)。

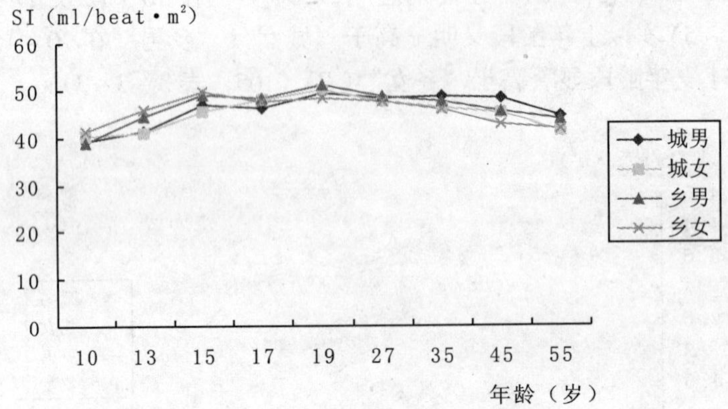

图 2-3-17　SI 随年龄增长变化趋势曲线

8）体循环血管阻力（SVR）　SVR值在10~12岁及45岁以上年龄段偏高，中间（13~44岁）年龄段值相近，变化幅度不大。城市男性在10~14岁及55岁以上年龄段相近，明显高于其他年龄段；城市女性在16岁前及45岁后明显高于其他年龄段；乡农男性变化幅度较小，只在10~12岁及

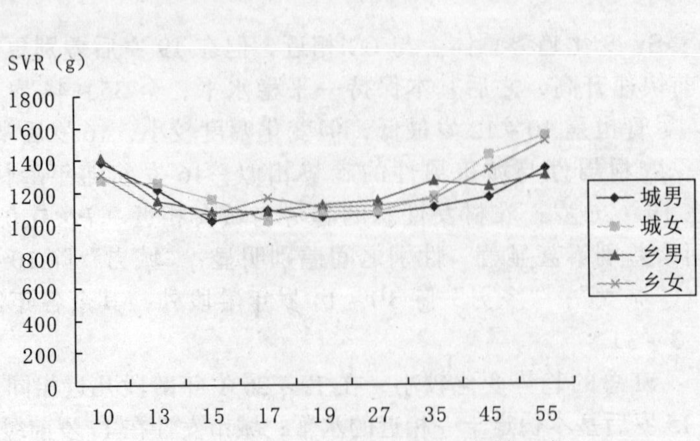

图 2-3-18　SVR 随年龄增长变化趋势曲线

55岁以上年龄段明显高于其他各年龄段；农村女性与男性变化趋势相似，在10～12及45岁后显著高于其他年龄段（$P<0.05$，表3－3－3、图2－3－18）。在城乡之间，差别不甚明显（表3－3－3）。在性别之间“城男”在15～16及35岁以上年龄段明显低于“城女”；“乡男”在10～14岁年龄段明显高于、而在55岁以上年龄段又明显低于“乡女”（$P<0.05$，表3－3－3）。

9）左心作功量（LCW）　LCW与CO、SV的变化趋势相似，在10～12岁最低，16岁前快速增高，变化明显，16岁后变化平缓。城市男性在10～12岁最低，随年龄的增长而快速增加，至16岁后基本稳定在一相近的水平，最大值出现在45～54岁年龄段；城市女性的变化幅度较小，18岁前随年龄的增长而逐渐增高，最大值出现在17～18岁年龄段；农村男性变化趋势与城市男性相似，16岁前快速增高，之后基本稳定在一相近的水平，其最大值出现在45～54岁年龄段，在55岁以上年龄段又明显降低；乡村女性的变化幅度最小，最大值出现在15～16岁年龄段，只10～12岁具有统计学差异（$P<0.05$，表3－3－3、图2－3－19）。在性别之间，差别较明显，“城男”只在10～14岁年龄段与“城女”无明显差别，在其他年龄段均明显高于“城女”；“乡男”分别在10～14岁明显低于、而在17岁以上年龄段又显著高于“乡女”（$P<0.05$，表3－3－3）。

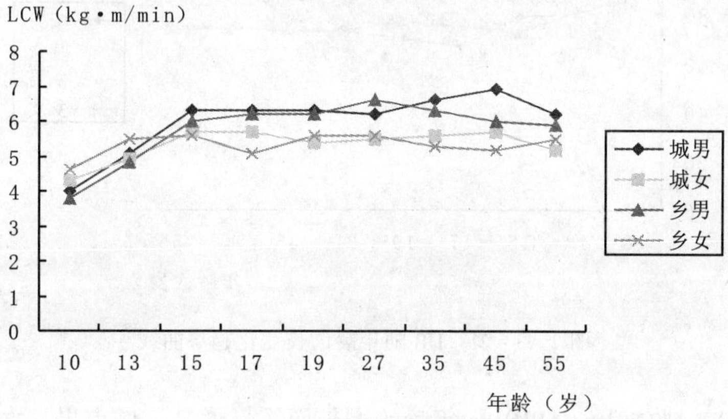

图2－3－19　LCW随年龄增长变化趋势曲线

10）左心射血时间（LVET）　LVET随年龄的增长而增加。城市男性随年龄而持续增加，致55岁以上年龄段最高；城市女性与男性的趋势相似，也在55岁以上年龄段最高；农村男性由10～12岁始，先降至最低，而后持续升高，在45～54岁年龄段达到最高，而在55岁以上年龄段又明显降低；农村女性的趋势与城市男女相似，最大值在55岁以上年龄段（$P<0.05$，表3－3－3、图2－3－20）。在城乡之间，差别不明显（表3－3－3）。在性别之间，“城男”只在19～26岁显著低于“城女”，“乡男”分别在10～14岁年龄段高于及55岁以上年龄段显著低于“乡女”（$P<0.05$，表3－3－3）。

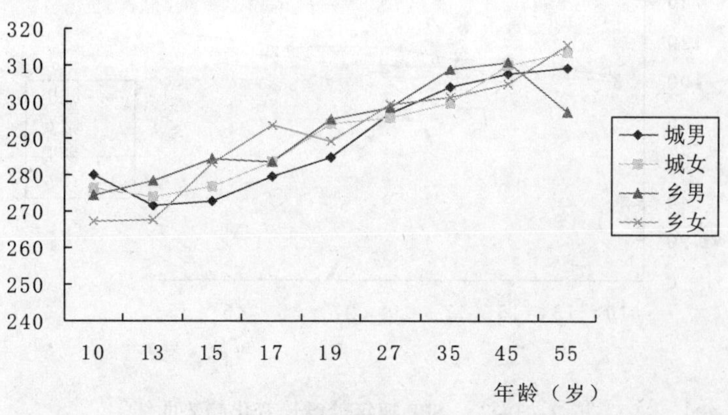

图2－3－20　LVET随年龄增长变化趋势曲线

(4) 广西壮族自治区　广西壮族自治区共检测1106人，其中男性571人，女性535人，检测结果见表3－3－4、3－3－15和3－3－16。

1）心率（HR）　HR随年龄的增长而逐渐降低，在27岁前变化明显，27岁后基本稳定在相近的水平上；城市男性在17岁前随年龄的增长降低较明显，在17～18岁降为最低，稍升后，稳定在相近的水平上；城市女性的趋势与男性相似，在17岁前降低较明显，之后持续缓慢下降，至45～54岁年龄段降为最低；农村男性降幅最小，在15岁降为最低，之后稳定在相近的水平上；农村女性在10～14岁最高，至15岁后稳定于一相近水平（$P<0.05$，表3－3－4、图2－3－21）。在城乡之间，差别不明显，“城男”只在17～26岁年龄段显著低于“乡男”；“城女”只在13～14岁显著低于“乡女”（$P<0.05$，表3－3－4）。在性别之间，“城男”在17～26岁、“乡男”在10～14岁分别显著低于同一地区的女性（$P<0.05$，表3－3－4）。

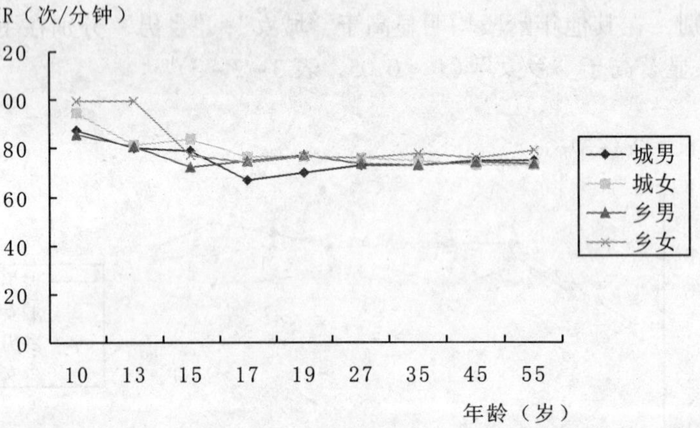

图2－3－21　HR随年龄增长变化趋势曲线

2）收缩压（SBP）　收缩压（SBP）随年龄的增长而缓慢增高，城市男、女性及农村男性的SBP变化趋势相似，均随年龄的增长而缓慢增高；农村女性在10～12岁SBP值为最高，之后下降再缓慢升高。（$P<0.05$，表3－3－4、图2－3－22）。在城乡之间，差别明显，“城男”SBP水平除在13～14、17～18及35～44岁年龄段外，其他年龄段均明显高于“乡男”；“城女”SBP水平在13～14、27～54岁年龄段也显著高于“乡女”（$P<0.05$，表3－3－4）。在性别之间，差别也显著，“城男”SBP水平除在10～14岁年龄段外，其他年龄段均明显高于“城女”；而“乡男”则在10～12及27～54岁年龄段明显高于“乡女”（$P<0.05$，表3－3－4）。

3）舒张压（DBP）　DBP与SBP的趋势相似，随年龄增长而缓慢增高，城市男、女性及农村男

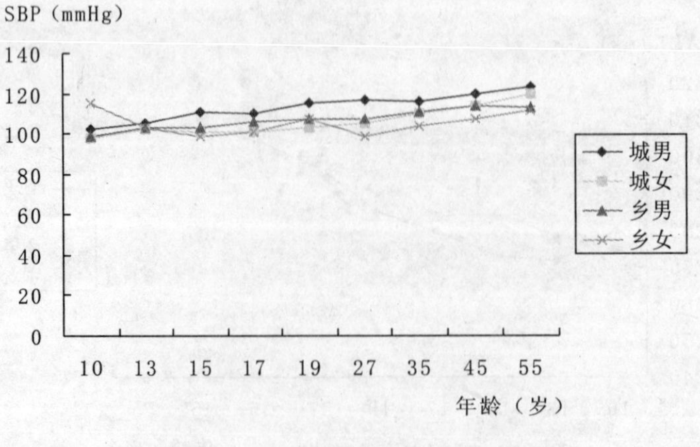

图2－3－22　SBP随年龄增长变化趋势曲线

性的 DBP 变化趋势相似，均随年龄增长而缓慢增高；农村女性的 DBP 水平，在 10～12 岁较高，之后先下降再缓慢升高，至 55 岁以上达最高（$P<0.05$，表 3－3－4、图 2－3－23）。在城乡之间，差别不明显，"城男"和"城女"DBP 水平只在 55 岁以上及 45～54 岁年龄段分别显著高于"乡男"和"乡女"。在性别之间，"城男"和"乡男"DBP 水平分别在 17～44 及 27～44 岁年龄段明显高于"城女"和"乡女"（$P<0.05$，表 3－3－4）。

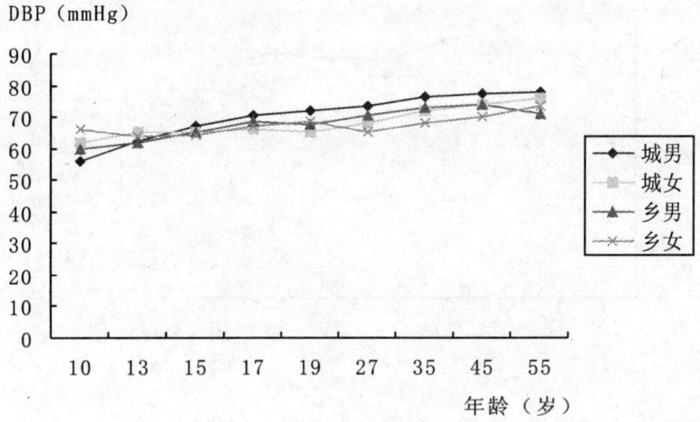

图 2－3－23　DBP 随年龄增长变化趋势曲线

4）心输出量（CO）　CO 水平随年龄的增长而增大，在 16 岁前增势明显，之后变化平缓，基本保持一相近的水平。城市男性的 CO 在 10～12 岁最低，16 岁前快速增高，之后基本保持一平稳水平；15～16 岁达最高。城市女性与男性变化稍有不同，在 55 岁以上年龄段最低，变化幅度相对较小，14 岁后基本稳定在相近水平，在 17～18 岁达最大；而在 45 岁后又明显降低。农村男性与"城男"的变化趋势相似，16 岁前快速增大，最大值出现在 19～26 岁年龄段；农村女性总的趋势与城女相近，变化幅度较小，55 岁以上年龄段降为最低（$P<0.05$，表 3－3－4、图 2－3－24）。在城乡之间，差别极为明显，除"城女"10～12 岁外，其他各年龄段"城男"和"城女"均分别明显高于"乡男"和"乡女"（$P<0.05$，表 3－3－4）。在性别之间，差别也极为显著，"城男"除 10～14 岁、"乡男"除 13～16 岁外，其他各年龄段均分别显著大于"城女"和"乡女"（$P<0.05$，表 3－3－4）。

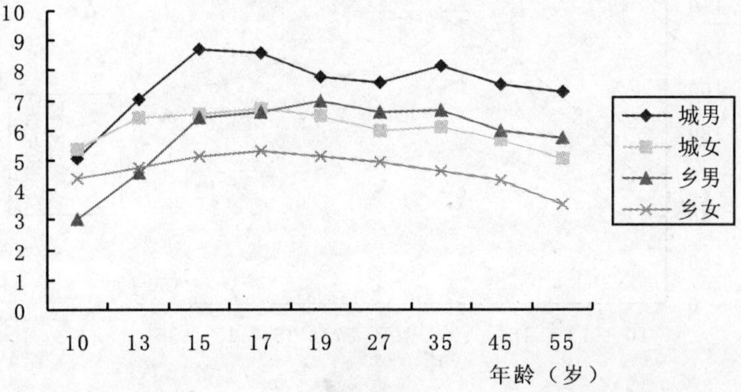

图 2－3－24　CO 随年龄增长变化趋势曲线

5）心指数（CI）　CI 随年龄的增长也有一些小的波动，17 岁前变化较大，组间差别明显，17 岁后水平相近，平缓稍降。城市男性在 16 岁前由最低升至最高，之后缓慢下降；城市女性最大值也出现在 15～16 岁，16 岁后随年龄的增长而缓慢降低，55 岁以上降为最低；农村男性的最大值出现在 19～26 岁组，19 岁前随年龄的增长而升高，其趋势自低而高再缓降；农村女性的最大值出现在 13～14 岁，基本呈现出随年龄的增长而缓慢降低（$P<0.05$，表 3－3－4、图 2－3－25）。在城乡之间，

差别极为明显，除“城男”在19～26岁、“城女”10～12岁外，其他各年龄段“城男”和“城女”均分别明显高于“乡男”和“乡女”（$P<0.05$，表3-3-4）。在性别之间，差别也极为显著，“城男”除10～16岁及19～26岁、“乡男”除13～18岁外，其他各年龄段均分别显著大于“城女”和“乡女”（$P<0.05$，表3-3-4）。

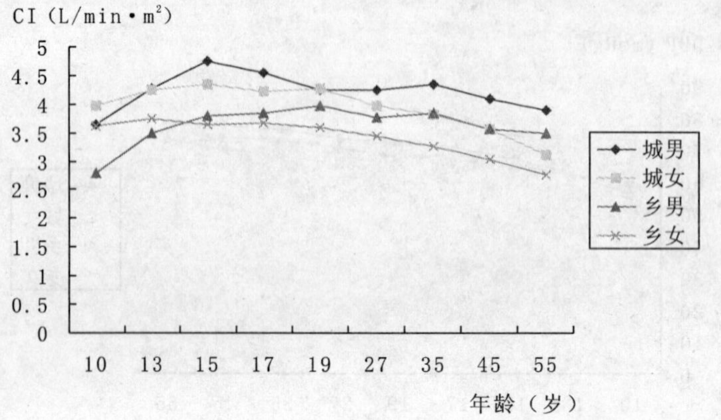

图2-3-25 CI随年龄增长变化趋势曲线

6）每搏量（SV） SV变化趋势总体上与CO相似，但在19岁后组间差别更为明显。城市男性在10～12岁最低，17岁前快速升高并达最大，之后呈下降趋势；城市女性与男性变化稍有不同，尽管也是10～12岁最低，但变化幅度相对较小，14岁后基本稳定在相近水平，在17～18岁达最高；农村男性与城男的趋势相似，只是在15岁前随年龄快速增高，16岁后趋缓，其最大值出现在35～44岁；农村女性总的趋势与城女相近，只是最大值在17～18岁（$P<0.05$，表3-3-4、图2-3-26）。在城乡之间，差别极为明显，除“城女”10～12岁外，其他各年龄段“城男”和“城女”均分别明显高于“乡男”和“乡女”（$P<0.05$，表3-3-4）。在性别之间，差别也极为显著，“城男”除10～14岁、“乡男”除13～14岁外，其他各年龄段均分别显著大于“城女”和“乡女”（$P<0.05$，表3-3-4）。

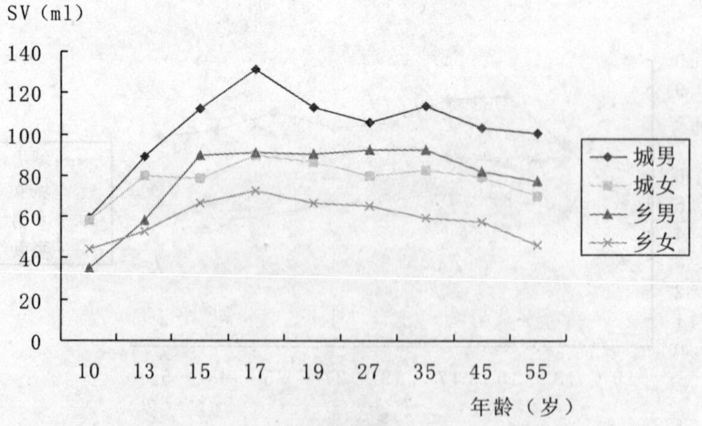

图2-3-26 SV随年龄增长变化趋势曲线

7）每搏指数（SI） SI在17岁前变化较明显，随年龄增长而增大。城市男性在17～18岁达到最高，之后缓慢降低；城市女性变化幅度相对较小，在19～26岁增至最高，之后有所降低；农村男性的变化趋势与城市男性相似，在17～18岁达到最大，之后基本稳定于这一相近的水平；农村女性的变化趋势与城市女性相似，在17～18岁增至最大，之后缓慢持续降低，在55岁以上年龄段降至最低（$P<0.05$，表3-3-4、图2-3-27）。在城乡之间，差别极为明显，除“城男”在55岁以上、

“城女”在10~12及15~16岁年龄段外，其他各年龄段“城男”和“城女”均分别明显高于“乡男”和“乡女”（$P<0.05$，表3-3-4）。在性别之间，差别也极为显著，“城男”除10~14岁、“乡男”除10~16岁年龄段外，其他各年龄段均分别显著大于“城女”和“乡女”（$P<0.05$，表3-3-4）。

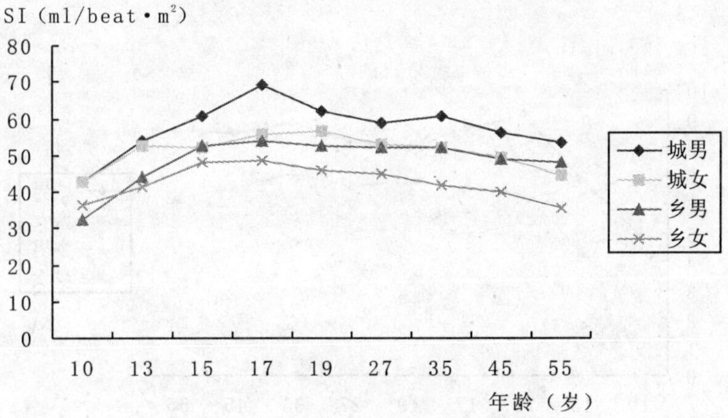

图2-3-27 SI随年龄增长变化趋势曲线

8）体循环血管阻力（SVR） SVR总的趋势呈现出在10~14岁及45岁以上年龄段偏高，中间（15~44岁）年龄段值相近，曲线平缓，变化不大。城市男性变化幅度相对较小，10~12岁值最高，明显高于其他年龄段，之后随年龄的增长而下降，17~18岁降至最低，18岁后缓慢升高；城市女性的变化趋势与男性相似，在45岁前变化较小，而45岁后增加明显，10~12岁与45岁以上年龄段值相近；农村男性在10~12岁为同年龄段最高，15岁前随年龄的增长而快速下降，变化幅度最大，15岁以后年龄段变化较小；而农村女性在17~18岁降为最低，之后，持续上升，在45岁后显著增高，55岁以上年龄段达最大（$P<0.05$，表3-3-4、图2-3-28）。在城乡之间，差别明显，“城男”除19~34岁、“城女”除10~12及17~18岁外，其他各年龄段显著低于“乡男”和“乡女”（$P<0.05$，表3-3-4）。在性别之间差别也很显著，“城男”除10~14岁、“乡男”除10~14及17~18岁外，其他各年龄段均明显低于“城女”和“乡女”（$P<0.05$，表3-3-4）。

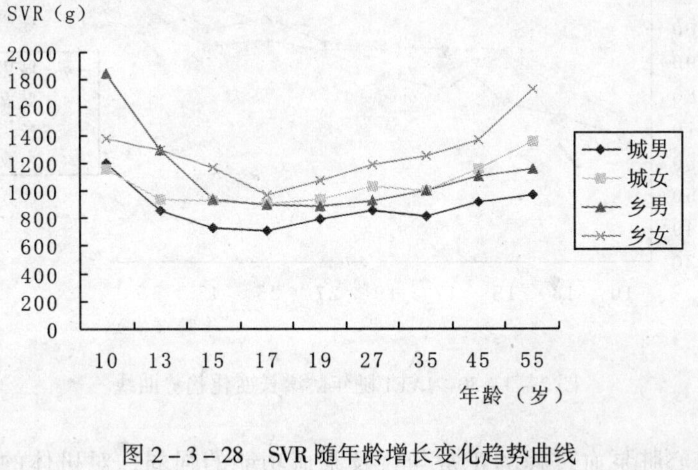

图2-3-28 SVR随年龄增长变化趋势曲线

9）左心作功量（LCW） LCW与CO、SV的变化趋势相似，在10~12岁最低，16岁前变化明显，16岁后变化平缓。城市男性在10~12岁最低，随年龄的增长而快速增加，至16岁后基本稳定在一相近的水平，最大值出现在15~16岁年龄段；城市女性的变化幅度较小，最大值出现在17~18岁年龄段；农村男性的变化趋势与城市男性极为相似，只是最大值出现在19~26岁年龄段；农村女性的变化幅度最小，最大值出现在19~26岁年龄段，26岁后开始下降（$P<0.05$，表3-3-4、图2

-3-29)。在城乡之间，差别显著，除“城女”10~12岁外，其他各年龄段及男性之间，均存在统计学差异（$P<0.05$，表3-3-4）。在性别之间，差别也很明显，“城男”只在10~14岁与“城女”无明显差别，在其他年龄段均明显高于“城女”；“乡男”除13~14岁外，其他各年龄段显著高于“乡女”（$P<0.05$，表3-3-4）。

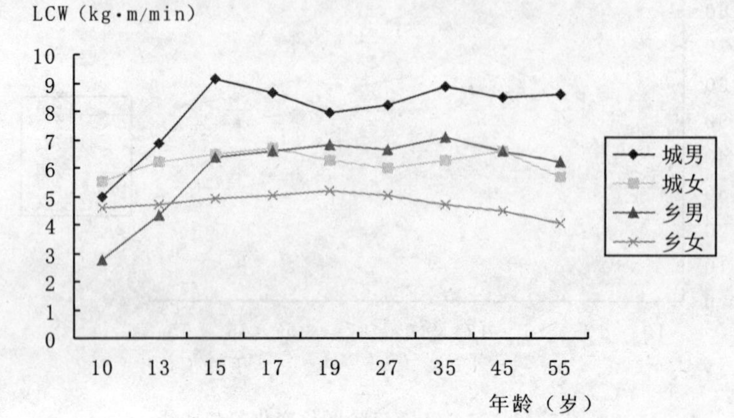

图2-3-29 LCW随年龄增长变化趋势曲线

10）左心射血时间（LVET） LVET随年龄的增长而增加。城市男性随年龄而持续增加，至55岁以上年龄段最高；城市女性与男性的趋势相似，也在55岁以上年龄段最高；农村男性在16岁前持续升高，而后下降，17~18岁降至最低，而后缓慢增高，在55岁以上年龄段达到最高；农村女性的趋势与城市男女相似，最大值在55岁以上年龄段（$P<0.05$，表3-3-4、图2-3-30）。在城乡之间，差别不明显，只“城男”在15~16岁明显低于及45~54岁显著高于“乡男”；“城女”只在15~16岁明显低于“乡女”；其他年龄段及男性之间未见统计学差异（$P<0.05$，表3-3-4）。在性别之间，未发现统计学差异（$P<0.05$，表3-3-4）。

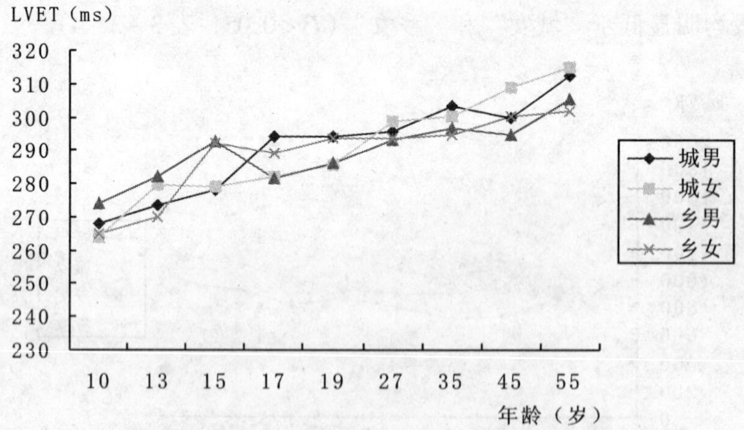

图2-3-30 LVET随年龄增长变化趋势曲线

3. 分析与讨论 心脏泵血过程的正常与否及泵血功能的强弱，对机体的正常活动具有重要影响，心脏功能参数的水平反映了心脏的功能状况，对于评定和判断心脏功能具有决定性意义。循环系统是人体重要的功能系统之一，其心脏功能水平的高低既反映了人体的健康状况，同时也影响着人体其他器官功能的变化。

人体生理常数在科研、教学和临床工作中的作用和重要性毋庸置疑，对于国计民生和社会发展事业均具有重要意义和参考价值。尽管对于人体的心功能常数及其正常变异范围也做过一些初步研究，但是由于技术设备及政策资金等诸多方面的原因，至今还无中国人自己的“人体生理常数数据库”，国人生理常数基础值多以参考国外文献为主。本文的工作是科技部基础性重点项目“人体生理常数数据库”的一部分，即对人体循环系统的功能参数进行了采集、调查和分析。

在北京市的数据采集和调查，主要是利用NCCOM3型无创血流动力学心功能监护仪对北京市部分青少年的心脏功能参数进行了初步的调查。既是数据资料的积累，同时也是为即将在国内其他地区展开大规模的数据采集所进行的探索性工作，由于资金有限，因此在调查的规模和范围均很有限，且检测的指标不多（主要受仪器的限制）。根据受试者的学习、生活环境和发育特点及例数，分为10～15岁和16～22岁两个年龄段组。本文的工作主要内容是利用BioZ. com™数字化无创血流动力学监护系统对河北、浙江和广西三省区受试人群进行的多项循环系统参数的检测和采集。其参数的分布特点和变化趋势如下：

（1）年龄对循环系统参数水平的影响　不同的参数随年龄的增长呈现出不同的变化趋势。主要的心功能参数（SV、SI、CO、CI、LEVT、LCW）随年龄的增长而升高；其明显的变化多出现在16岁前，由较低的水平随年龄的增长而快速升高，之后多稳定在一相近的水平上，尽管个别指标也会有些小的变化和波动，但变化已不明显。HR随年龄的增长而缓慢降至一稳定的水平。SVR的变化特点最有意思，其随年龄增长而呈现的变化趋势不同于其他任何指标，青少年的SVR水平接近甚至超过了中老年人的水平，在10～16岁，SVR由高快速降至一稳定水平，至35岁后，又逐渐升高。已知SVR是影响血压的重要因素，但是本文显示在青少年阶段，两者的变化趋势并不平行；对于这种现象，有些学者认为可能与青少年的小动脉发育有关；但其机制和规律有待重视和探讨。

从以上的分析可知，16岁前，循环系统参数随年龄增长而变化较为明显；这与其他参数的变化趋势相似，尤其与BMI、血清球蛋白、血清白蛋白与球蛋白的比值（A/G）的变化趋势（将另文发表）相似。说明16岁前是青少年生长发育的重要时期，其生长和发育的规律性及重要的生理参数的变化水平值得重视和研究。

（2）性别对循环系统参数水平的影响　男、女之间心功能参数的差别在13岁后逐渐明显，主要的心功能指标（SV、SI、CO、CI、LCW）均在不同程度上呈现出男性高于女性的趋势；其他指标（LVET、HR、BP）男、女之间的差别不甚规律和明显；而SVR在13岁后有些地区呈现出女性高于男性的趋势。这可能与男、女的生长发育特点及其男、女在生活环境和社会实践方面的差异有关。

（3）城、乡之间循环系统参数水平的差别　循环系统参数在不同地区呈现出的城、乡之间的差别不同。在河北和浙江省，这种差别只在个别指标和年龄段存在，总体而论这种城、乡之间的差别不甚明显，更不存在较规律的趋势。而在广西壮族自治区，主要的心功能指标（SV、SI、CO、CI、LCW）城、乡之间的差别却非常明显，城市男、女性均分别高于农村男、女性。在不同地区之间的这种城乡之间差别的不同是否与其经济状况、生活习惯及社会环境有关？值得进一步调查、研究和分析。

（4）地域之间循环系统参数水平的差别　男、女性循环系统参数在三省区之间的差别不同。男性：主要的心功能指标（CO、CI、SV、SI、LCW）在河北和浙江两省之间较为接近，无明显的差别；而在广西壮族自治区其水平显著高于河北和浙江两省（图2－3－31～2－3－35）。SVR的水平曲线则正相反，广西壮族自治区的水平最低，不过三省区之间的差别不甚显著（图2－3－36）。女性：女性的水平曲线其趋势与男性相似，但不甚规律和明显，尽管广西壮族自治区主要心功能指标（CO、. CI、SV、SI、LCW）的水平仍高于河北与浙江两省的水平，但只在个别年龄段有显著性差异（图2－3－37～41）。SVR的水平曲线与男性的趋势相近，广西较低，三省区之间差别不明显（图2－3－42）。

这种差别的存在，是否与三省区受试者的饮食结构和习惯、生活环境及发育特点有关？值得进一步关注和研究。

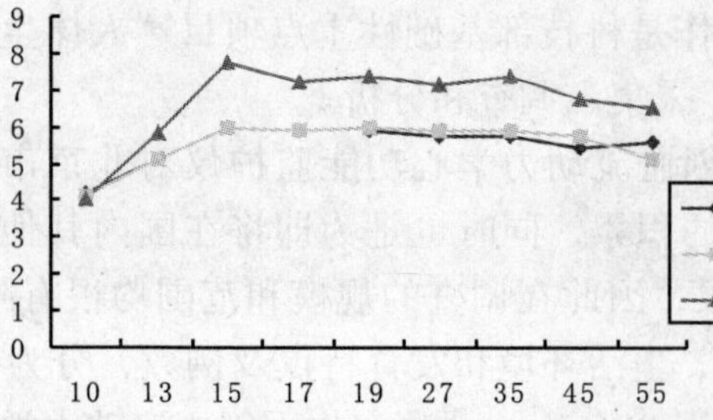

图 2-3-31　男性年龄-CO 均值曲线

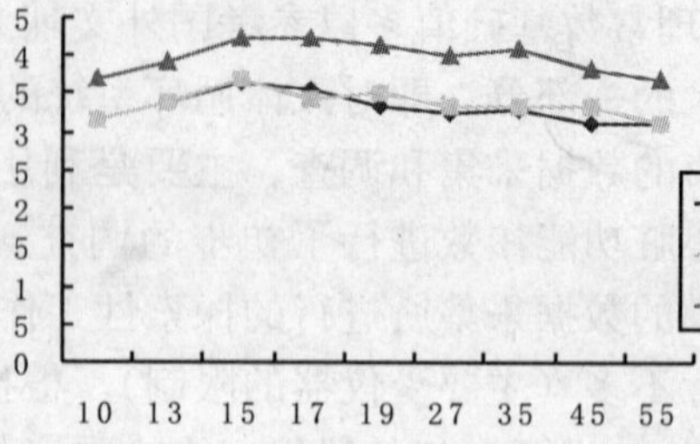

图 2-3-32　男性年龄-CI 均值曲线

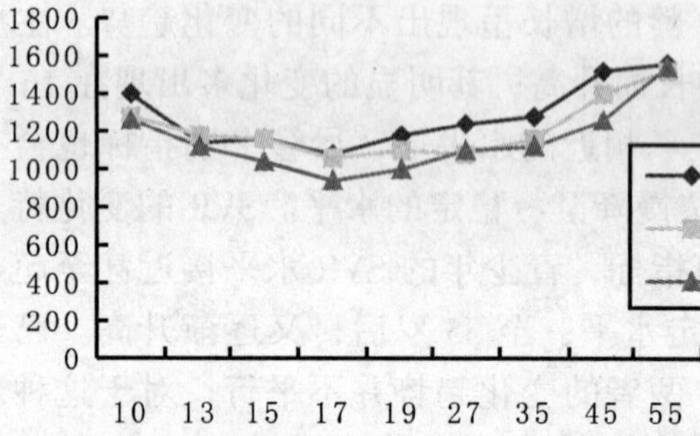

图 2-3-33　男性年龄-SV 均值曲线

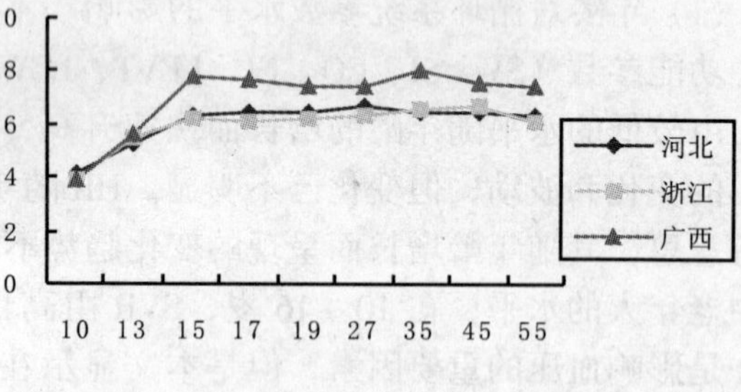

图 2-3-34　男性年龄-SI 均值曲线

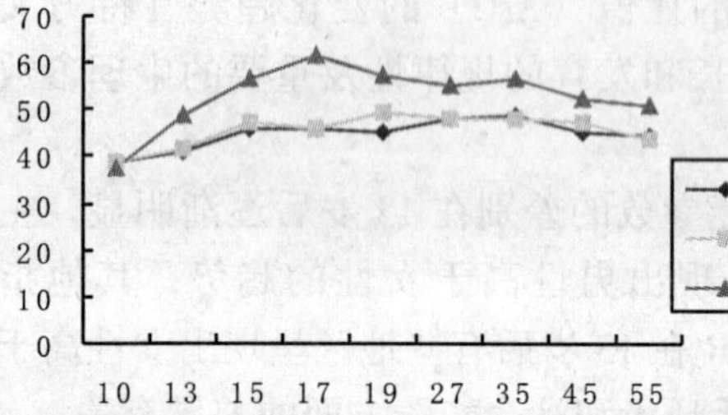

图 2-3-35　男性年龄-LCW 均值曲线

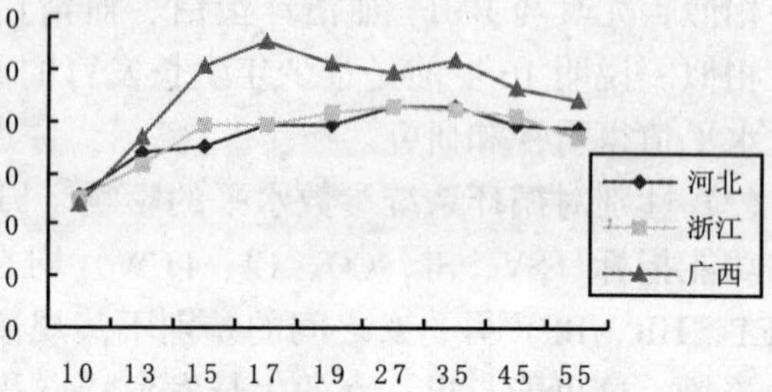

图 2-3-36　男性年龄-SVR 均值曲线

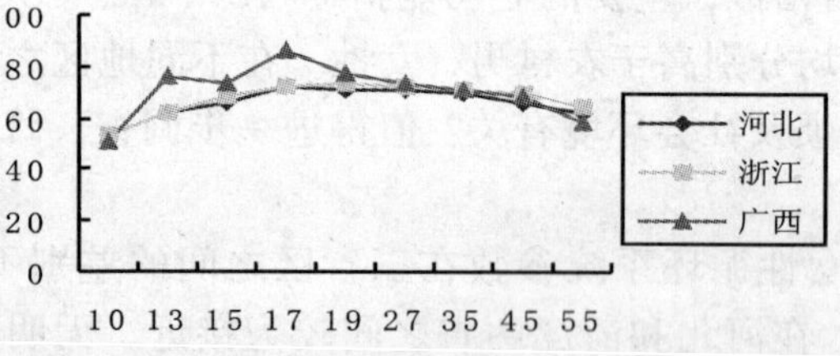

图 2-3-37　女性年龄-CO 均值曲线

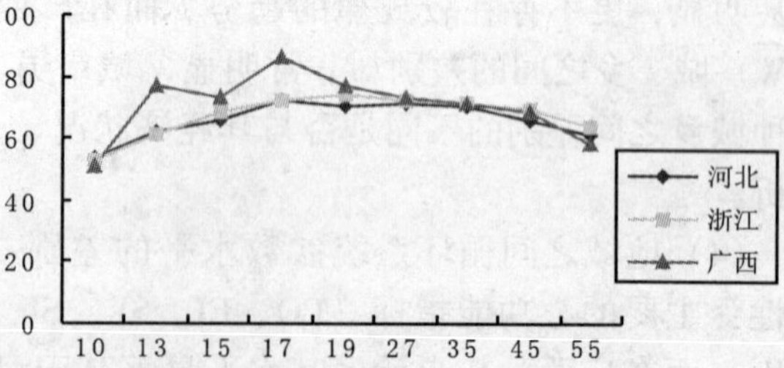

图 2-3-38　女性年龄-CI 均值曲线

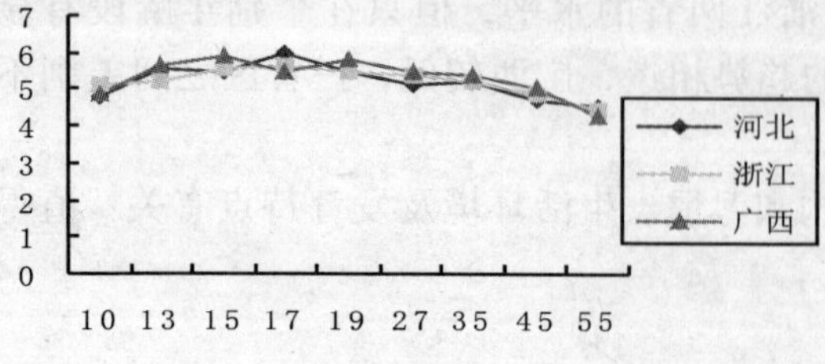

图 2-3-39　女性年龄-SV 均值曲线

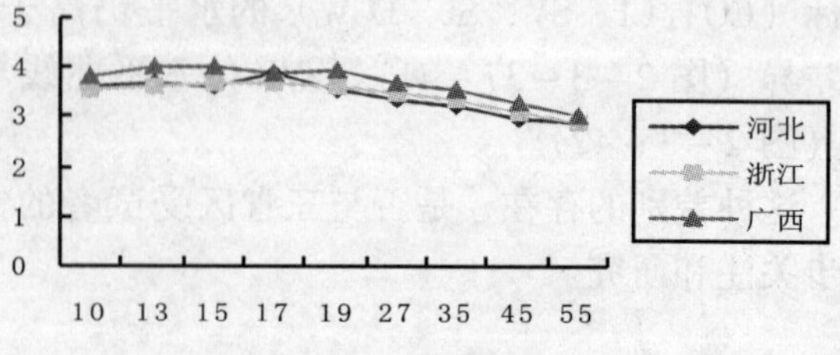

图 2-3-40　女性年龄-SI 均值曲线

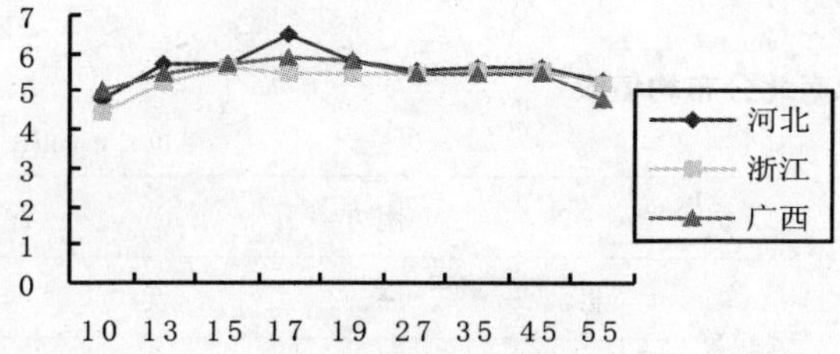

图 2-3-41 女性年龄-LCW 均值曲线

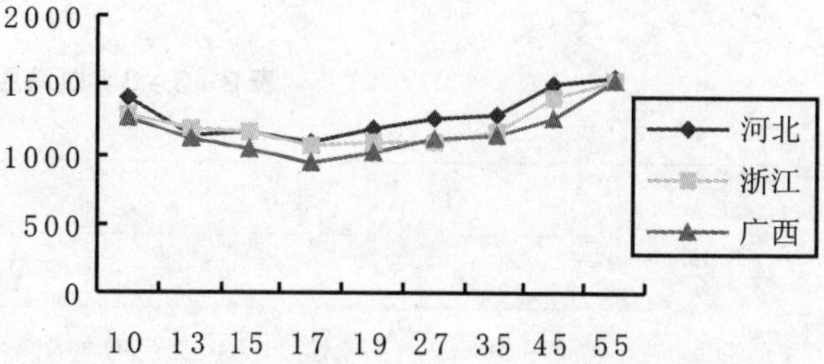

图 2-3-42 女性年龄-SVR 均值曲线

本文所测心功能参数均在安静状况下获得，以最大限度地排除其他因素的干扰和影响，可准确反映受测者心功能水平。应指出的是，心输出量、心指数这些反映心功能状况的主要指标在各个年龄段其均值均高于传统教材的平均数值，当引起科研、教学及临床工作者中的注意。

（二）血液系统

本文血液系统研究调查的指标有以下各项：丙氨酸氨基转移酶（alanine aminotransferase，ALT）、门冬氨酸氨基转移酶（aspirate aminotransferase，AST）、碱性磷酸酶（alkaline phosphatase，ALP）、总蛋白（total protein，TP）、白蛋白（albumin，ALB）、球蛋白（globulin，GLB）、白蛋白/球蛋白比值（albumin/globulin，A/G）、甘油三酯（triglyceride，TG）、总胆固醇（cholesterol，CHO）、高密度脂蛋白胆固醇（high density lipoprotein - cholesterol，HDL - C）、低密度脂蛋白胆固醇（low density lipoprotein - cholesterol，LDL - C）、葡萄糖（glucose，GLU）、钙（calcium，Ca）和无机磷（inorganic phosphorous，IP）。

1．血清胆固醇（CHO）

（1）检测状况　血清胆固醇的测定在河北、浙江和广西三省区进行，共检测人口 5909 人。其中城市居民 3277 人，占总检测人口 55.5%，农村居民 2632 人，占总检测人口 44.5%，北方人口（河北省）2189 人，南方人口（浙江省、广西壮族自治区）3720 人；男性居民 2770 人，女性居民 3139 人。具体年龄、地区和城乡分布见表 2-3-2。

表 2-3-2　血清胆固醇检测人群分布表

单位：人

年龄（岁）	北方				南方				总合计
	城市		农村		城市		农村		
	男	女	男	女	男	女	男	女	
~10	4	3	12	23	23	28	5	12	
11~12	31	18	64	48	113	116	44	28	
13~14	34	27	52	69	116	142	78	98	
15~16	40	22	60	69	137	121	59	77	
17~18	29	42	115	112	121	130	79	70	
19~26	56	90	57	92	120	165	56	100	
27~34	67	70	52	98	90	101	106	90	
35~44	60	75	81	116	119	181	88	67	
45~54	58	40	64	82	113	144	94	58	
55~	29	48	42	38	164	190	38	39	
总计	408	435	599	747	1116	1318	647	639	5，909

（2）检测结果　被调查人口血清胆固醇的南北和城乡分布见表2-3-3和表2-3-4。

表2-3-3　血清胆固醇南北分布均值表

单位：mmol/L

年龄（岁）	北方						南方					
	男			女			男			女		
	n	mean	S	n	mean	S	n	mean	S	n	mean	S
~10	16	3.80	0.56	26	3.95	0.79	28	4.22	0.83	40	4.03	0.70
11~12	95	3.53##	0.62	66	3.75##	0.89	157	4.08	0.66	144	4.12	0.70
13~14	86	3.45##**	0.64	96	3.79#	0.65	194	3.77**	0.67	240	3.98	0.69
15~16	100	3.30##**	0.60	91	3.89	0.65	196	3.61**	0.59	198	3.95	0.66
17~18	144	3.44##**	0.60	154	3.91	0.71	200	3.72**	0.67	200	4.04	0.69
19~26	113	3.61##**	0.73	182	3.84#	0.70	176	3.99	0.67	265	3.99	0.68
27~34	119	4.16##	1.08	168	4.13	0.85	196	4.54**	0.78	191	4.18	0.71
35~44	141	4.19##	0.94	191	4.06##	0.92	207	4.87**	0.78	248	4.54	0.79
45~54	122	4.72	0.92	122	4.75	0.91	207	4.90	0.90	202	4.77	0.86
55~	71	4.97	1.00	86	5.29	1.05	202	4.84**	0.96	229	5.28	0.96

* $P<0.05$ 与同一地区女性比较；** $P<0.01$ 与同一地区女性比较

# $P<0.05$ 与南方地区同性别比较；## $P<0.01$ 与南方地区同性别比较

表2-3-4　血清胆固醇城乡分布均值表

单位：mmol/L

年龄（岁）	城市						农村					
	男			女			男			女		
	n	mean	S	n	mean	S	n	mean	S	n	mean	S
~10	27	4.34##	0.74	31	4.16	0.77	17	3.63	0.59	35	3.86	0.68
11~12	144	3.93	0.71	134	4.07	0.82	108	3.79	0.67	76	3.90	0.71
13~14	150	3.83##**	0.66	169	4.05##	0.68	130	3.49**	0.66	167	3.81	0.67
15~16	177	3.61##**	0.65	143	3.96	0.64	119	3.34**	0.51	146	3.90	0.67
17~18	150	3.62**	0.71	172	3.86##	0.67	194	3.59**	0.61	182	4.10	0.71
19~26	176	3.76#*	0.74	255	3.91	0.69	113	3.96	0.67	192	3.95	0.69
27~34	157	4.18##	0.93	171	4.14	0.78	158	4.62**	0.86	188	4.18	0.77
35~44	179	4.51	1.02	256	4.36	0.99	169	4.67**	0.78	183	4.30	0.71
45~54	171	4.84	0.96	184	4.90##	0.89	158	4.82*	0.85	140	4.58	0.84
55~	193	4.92**	0.97	238	5.32	1.01	80	4.77**	0.96	77	5.17	0.89

* $P<0.05$ 与同一地区女性比较；** $P<0.01$ 与同一地区女性比较

# $P<0.05$ 与农村地区同性别比较；## $P<0.01$ 与农村地区同性别比较

从表2-3-3、表2-3-4和图2-3-43、图2-3-44可见男性血清胆固醇含量在15~16岁前呈下降趋势，从15~16岁开始逐渐升高；女性在19~26岁以前变化较小，在26岁以后开始升高并在44岁以后升高趋势明显；女性在55岁以后血清胆固醇增加的幅度比男性更加明显。

南北方人口之间，我国北方男性居民的血清胆固醇含量在11~12、13~14、15~16、17~18、19~26、27~34和35~44岁各年龄段均显著低于南方男性居民（$P<0.01$）；北方女性居民的血清胆固

醇含量在 11～12 和 35～44 岁年龄段均显著低于南方女性居民（$P<0.01$），在 13～14 岁和 19～26 岁两个年龄段低于南方女性居民（$P<0.05$）。在性别之间，北方男性在 13～14，15～16，17～18 和 19～26 岁年龄段，血清胆固醇显著低于同年龄组北方女性居民（$P<0.01$）；南方男性在 13～14，15～16，17～18 和 55 岁以上年龄段，血清胆固醇显著低于同年龄组南方女性居民（$P<0.01$），27～34 和 35～44 岁年龄段，则显著高于同年龄段南方女性居民。

城乡人口之间，城市男性在～10，13～14，15～16 岁年龄段，血清胆固醇显著高于同年龄组农村男性居民（$P<0.01$），在 19～26 岁年龄段低于农村男性居民（$P<0.05$），在 27～34 年龄段显著低于农村男性居民（$P<0.01$）；城市女性居民在 13～14 和 45～54 岁两个年龄段血清胆固醇水平显著高于农村女性，而在 17～18 岁年龄段显著低于农村女性（$P<0.01$）。

在性别之间，城市男性在 13～14、15～16、17～18 和 55 岁以上年龄段，血清胆固醇显著低于同年龄段城市女性（$P<0.01$），在 19～26 岁年龄段低于同年龄段城市女性（$P<0.05$）；农村男性在 13～14、15～16、17～18 和 55 岁以上年龄段，血清胆固醇显著低于同年龄段农村女性（$P<0.01$），在 27～34 和 35～44 岁两个年龄段显著高于农村女性。

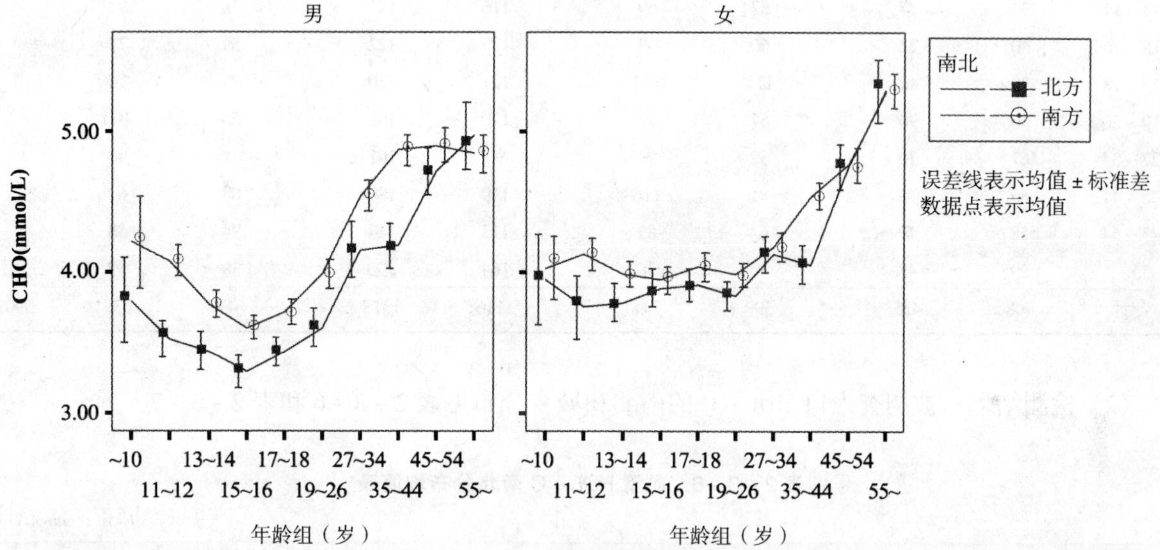

图 2-3-43　被调查居民各年龄组血清胆固醇南北比较

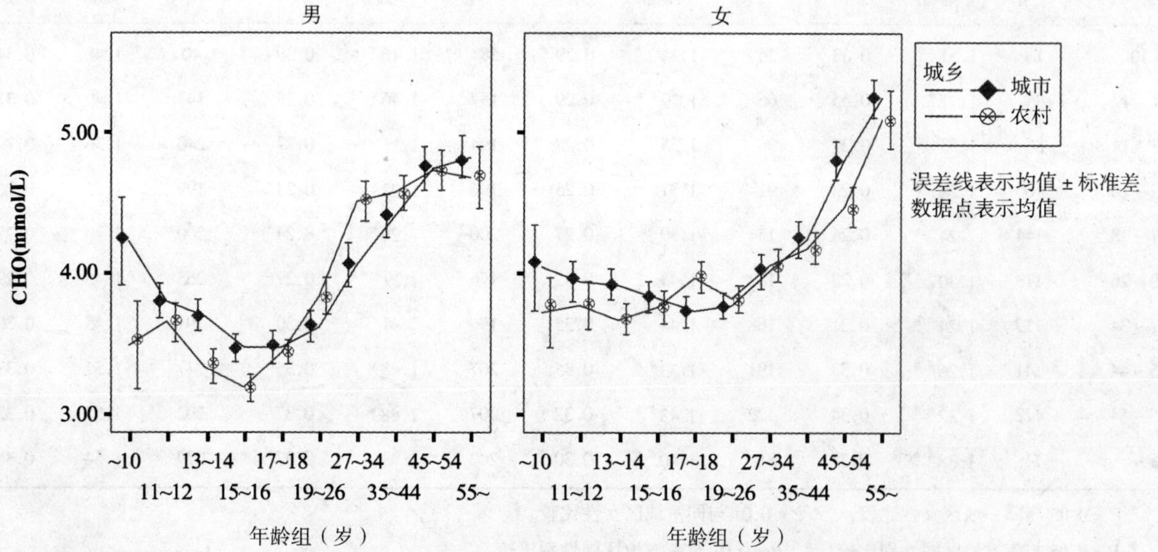

图 2-3-44　被调查居民各年龄组血清胆固醇城乡比较

血清胆固醇在不同人群中分布的百分位数表见数据资料汇总表3-3-17~3-3-20。

2．高密度脂蛋白—胆固醇（HDL-C）

（1）检测状况 血清高密度脂蛋白-胆固醇的测定在河北、浙江和广西壮族自治区三省区进行，共检测人口数5909人。其中城市人口3277人，农村人口2632人；北方居民2189人，南方居民3720人；男性居民2770人，女性居民3139人，同CHO。具体年龄、地区和城乡分布见表2-3-5。

表2-3-5 血清HDL-C检测人群分布表

单位：人

年龄（岁）	北方				北方				合计
	城市		农村		城市		农村		
	男	女	男	女	男	女	男	女	
~10	4	3	12	23	23	28	5	12	
11~12	31	18	64	48	113	116	44	28	
13~14	34	27	52	69	116	142	78	98	
15~16	40	22	60	69	137	122	59	77	
17~18	29	42	115	112	121	130	79	70	
19~26	56	90	57	92	120	165	56	100	
27~34	67	70	52	98	90	101	106	90	
35~44	60	75	81	116	119	180	88	67	
45~54	58	40	64	82	113	144	94	58	
55~	29	48	42	38	164	190	38	39	
合计	408	435	599	747	1116	1318	647	639	5909

（2）检测结果 被调查人口HDL-C的南北和城乡分布见表2-3-6和表2-3-7。

表2-3-6 血清HDL-C南北分布均值表

单位：mmol/L

年龄（岁）	北方						南方					
	男			女			男			女		
	n	mean	S	n	mean	S	n	mean	S	n	mean	S
~10	16	1.51	0.33	26	1.44	0.29	28	1.46	0.30	40	1.48	0.34
11~12	95	1.37$^{\#}$	0.35	66	1.29$^{\#\#}$	0.29	157	1.46	0.29	144	1.49	0.31
13~14	86	1.33	0.27	96	1.35	0.28	194	1.28**	0.27	240	1.36	0.29
15~16	100	1.26**	0.23	91	1.37	0.25	196	1.27*	0.24	199	1.33	0.26
17~18	144	1.24**	0.26	154	1.39	0.27	200	1.29**	0.24	200	1.43	0.27
19~26	113	1.30**	0.28	182	1.43	0.32	176	1.29**	0.27	265	1.45	0.29
27~34	119	1.24$^{\#\#**}$	0.31	168	1.44	0.35	196	1.41	0.30	191	1.45	0.30
35~44	141	1.26$^{\#\#}$	0.33	191	1.33$^{\#\#}$	0.35	207	1.48	0.35	247	1.51	0.33
45~54	122	1.32$^{\#\#*}$	0.34	122	1.43$^{\#\#}$	0.32	207	1.48*	0.37	202	1.55	0.32
55~	71	1.38$^{\#\#}$	0.38	86	1.40$^{\#\#}$	0.30	202	1.49	0.37	229	1.54	0.36

* $P<0.05$ 与同一地区女性比较；** $P<0.01$ 与同一地区女性比较

$^{\#}$ $P<0.05$ 与南方地区同性别比较；$^{\#\#}$ $P<0.01$ 与南方地区同性别比较

表 2-3-7　血清 HDL-C 城市分布均值表

单位：mmol/L

年龄（岁）	城市						农村					
	男			女			男			女		
	n	mean	S	n	mean	S	n	mean	S	n	mean	S
~10	27	1.53	0.32	31	1.55#	0.32	17	1.39	0.27	35	1.39	0.30
11~12	144	1.45	0.34	134	1.46#	0.33	108	1.39	0.28	76	1.36	0.28
13~14	150	1.36##**	0.25	169	1.44##	0.28	130	1.23	0.28	167	1.27	0.26
15~16	177	1.29#**	0.23	144	1.37	0.25	119	1.22**	0.24	146	1.31	0.26
17~18	150	1.28**	0.25	172	1.41	0.28	194	1.26**	0.25	182	1.42	0.26
19~26	176	1.29**	0.28	255	1.47#	0.30	113	1.30**	0.26	192	1.41	0.31
27~34	157	1.31#**	0.32	171	1.48	0.34	158	1.38	0.31	188	1.42	0.31
35~44	179	1.35#*	0.38	255	1.44	0.38	169	1.43	0.33	183	1.42	0.30
45~54	171	1.41**	0.38	184	1.57##	0.31	158	1.43	0.36	140	1.41	0.33
55~	193	1.49	0.36	238	1.51	0.36	80	1.42	0.41	77	1.49	0.33

* $P<0.05$ 与同一地区女性比较；** $P<0.01$ 与同一地区女性比较

\# $P<0.05$ 与农村地区同性别比较；## $P<0.01$ 与农村地区同性别比较

从图 2-3-45 和图 2-3-46 可以看出，HDL-C 随年龄变化并不明显，只是在 13~14 和 15~16 两个年龄组略有下降。

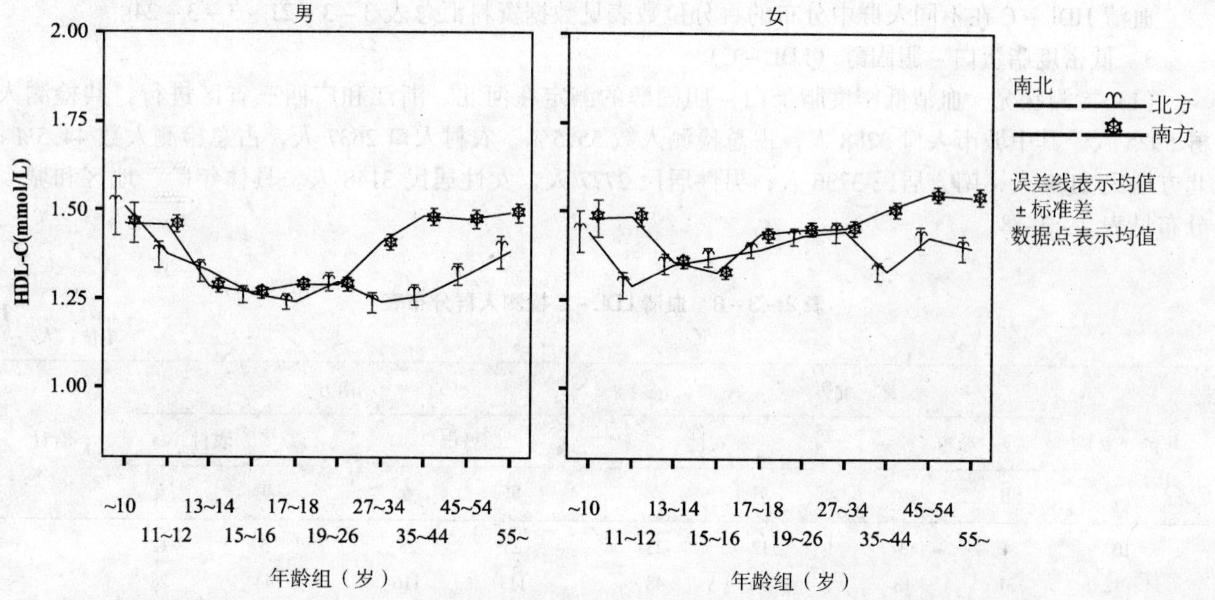

图 2-3-45　被调查居民各年龄组血清 HDL-C 南北比较

1）南北居民之间比较　中老年居民的血清 HDL-C 差异比较明显。南方男性居民的 HDL-C 值在 27~34、35~44、45~54 岁三个年龄段显著高于北方男性居民（$P<0.01$），55 岁以上年龄段高于北方男性居民（$P<0.05$）；南方女性居民在 35~44、45~54 和 55 岁以上三个年龄段显著高于北方女性居民（$P<0.01$）。此外，在 11~12 岁年龄段，南方男性的血清 HDL-C 值高于北方男性（$P<0.05$），南方女性显著高于北方女性（$P<0.01$）。

2）城乡居民之间比较　城市男性居民血清 HDL-C 在 13~14 岁显著高于农村男性居民（$P<$

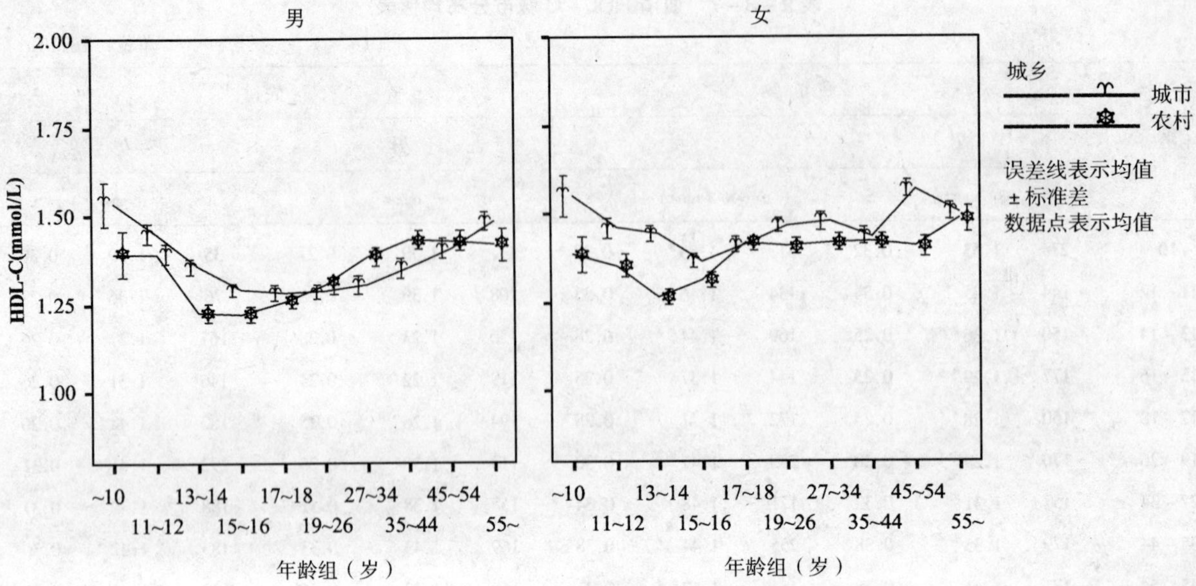

图 2-3-46　被调查居民各年龄组血清 HDL-C 城乡比较

0.01)，在 15~16 岁年龄段高于农村男性（$P<0.05$），在 27~34 和 35~44 岁年龄段低于农村男性居民（$P<0.05$）。对于女性居民的城乡比较显示，在有差异的年龄段，均为城市女性高于农村女性。具体见表 2-3-7。

3）性别之间比较　无论是南方、北方，还是城市、农村，性别比较显示有差异的组别均为女性高于男性。具体见表 2-3-6 和表 2-3-7。

血清 HDL-C 在不同人群中分布的百分位数表见数据资料汇总表 3-3-21~3-3-24。

3．低密度脂蛋白-胆固醇（LDL-C）

(1) 检测状况　血清低密度脂蛋白-胆固醇的测定在河北、浙江和广西三省区进行，共检测人群 5925 人。其中城市人口 3288 人，占总检测人数 55.5%，农村人口 2637 人，占总检测人数 44.5%；北方居民 2189 人，南方居民 3736 人；男性居民 2777 人，女性居民 3148 人。具体年龄、地区和城乡分布见表 2-3-8。

表 2-3-8　血清 LDL-C 检测人群分布表

单位：人

年龄（岁）	北方				南方				合计
	城市		农村		城市		农村		
	男	女	男	女	男	女	男	女	
~10	4	3	12	23	23	28	5	12	
11~12	31	18	64	48	113	116	44	28	
13~14	34	27	52	69	116	142	78	98	
15~16	40	22	60	69	139	122	59	77	
17~18	29	42	115	112	121	131	79	70	
19~26	56	90	57	92	120	165	56	101	
27~34	67	70	52	98	91	101	107	91	
35~44	60	75	81	116	120	180	88	67	
45~54	58	40	64	82	113	145	94	59	
55~	29	48	42	38	165	194	39	39	
合计	408	435	599	747	1121	1324	649	642	5925

（2）检测结果　检测结果见表 2－3－9，2－3－10。

表 2－3－9　血清 LDL－C 南北分布均值表

单位：mmol/L

年龄（岁）	北方						南方					
	男			女			男			女		
	n	mean	S	n	mean	S	n	mean	S	n	mean	S
～10	16	1.90$^{\#}$	0.37	26	2.12	0.61	28	2.30	0.60	40	2.16	0.48
11～12	95	1.84$^{\#\#*}$	0.50	66	2.05	0.62	157	2.20	0.41	144	2.18	0.43
13～14	86	1.82$^{\#\#**}$	0.49	96	2.08	0.50	194	2.10	0.43	240	2.18	0.47
15～16	100	1.75$^{\#\#**}$	0.47	91	2.16$^{\#\#}$	0.49	198	2.13**	0.40	199	2.36	0.48
17～18	144	1.89$^{\#\#**}$	0.48	154	2.21$^{\#\#}$	0.59	200	2.26**	0.50	201	2.47	0.54
19～26	113	2.00$^{\#\#}$	0.58	182	2.09$^{\#\#}$	0.53	176	2.30	0.46	266	2.30	0.45
27～34	119	2.52$^{\#*}$	0.75	168	2.33	0.57	198	2.68**	0.57	192	2.39	0.52
35～44	141	2.47$^{\#\#}$	0.62	191	2.34$^{\#\#}$	0.59	208	2.93**	0.64	247	2.61	0.61
45～54	122	2.83	0.74	122	2.79	0.71	207	2.88	0.71	204	2.77	0.67
55～	71	3.02$^{\#\#}$	0.73	86	3.15	0.81	204	2.69**	0.81	233	3.04	0.85

$^{*}P<0.05$ 与同一地区女性比较；$^{**}P<0.01$ 与同一地区女性比较

$^{\#}P<0.05$ 与南方地区同性别比较；$^{\#\#}P<0.01$ 与南方地区同性别比较

表 2－3－10　血清 LDL－C 城乡分布均值表

单位：mmol/L

年龄（岁）	城市						农村					
	男			女			男			女		
	n	mean	S	n	mean	S	n	mean	S	n	mean	S
～10	27	2.31$^{\#}$	0.61	31	2.12	0.57	17	1.92	0.38	35	2.17	0.50
11～12	144	2.07	0.45	134	2.12	0.50	108	2.07	0.51	76	2.18	0.51
13～14	150	2.09$^{\#\#}$	0.47	169	2.16	0.49	130	1.93**	0.44	167	2.14	0.47
15～16	179	2.07$^{\#\#**}$	0.47	144	2.31	0.49	119	1.91**	0.43	146	2.28	0.49
17～18	150	2.09	0.53	173	2.23$^{\#\#}$	0.53	194	2.12**	0.52	182	2.47	0.59
19～26	176	2.09$^{\#\#}$	0.52	255	2.17$^{\#}$	0.50	113	2.32	0.53	193	2.27	0.49
27～34	158	2.45$^{\#\#**}$	0.63	171	2.27$^{\#\#}$	0.52	159	2.79**	0.62	189	2.45	0.56
35～44	180	2.65$^{\#\#*}$	0.68	255	2.49	0.67	169	2.84**	0.65	183	2.50	0.53
45～54	171	2.80	0.73	185	2.83	0.72	158	2.94**	0.72	141	2.71	0.63
55～	194	2.71$^{\#**}$	0.83	242	3.05	0.87	81	2.93	0.72	77	3.12	0.76

$^{*}P<0.05$ 与同一地区女性比较；$^{**}P<0.01$ 与同一地区女性比较

$^{\#}P<0.05$ 与农村地区同性别比较；$^{\#\#}P<0.01$ 与农村地区同性别比较

从图 2－3－47 和图 2－3－48 可以看到被调查居民血清 LDL－C 水平在 19～26 岁年龄段以后随年龄有较明显的增长，在此前基本波动幅度较小。

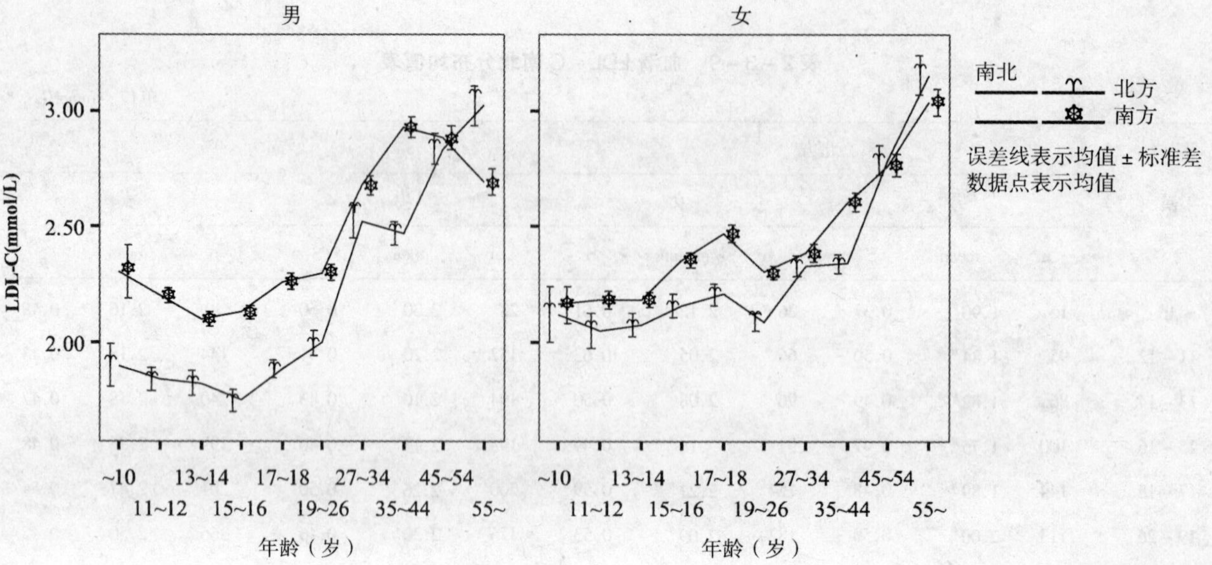

图 2-3-47　被调查居民各年龄组血清 LDL-C 南北比较

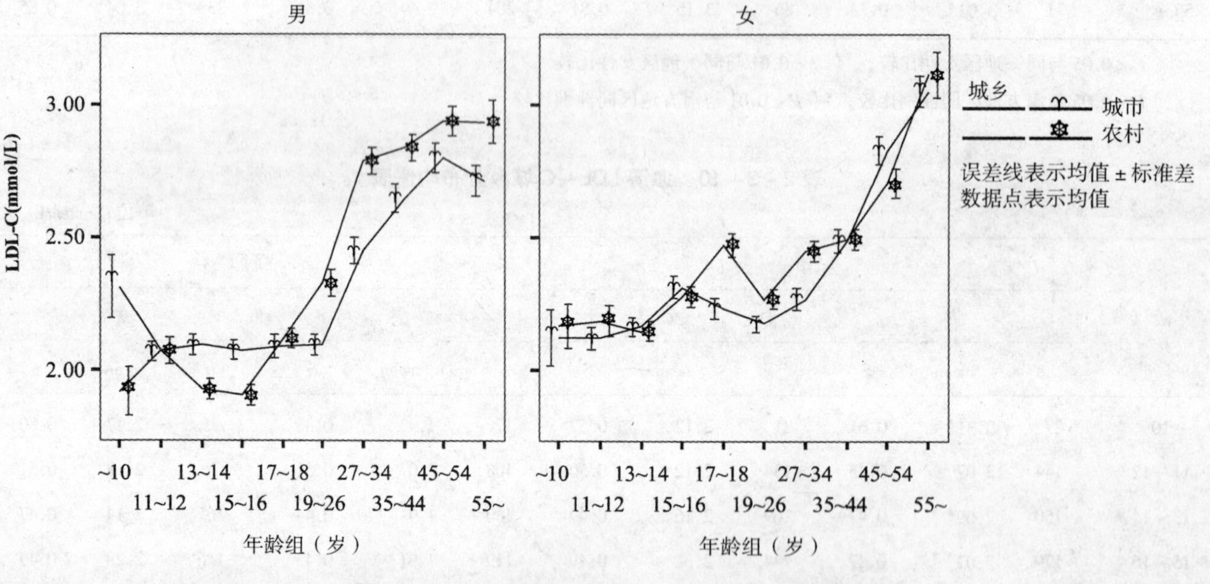

图 2-3-48　被调查居民各年龄组血清 LDL-C 城乡比较

1）南北居民之间比较　南方男性居民与北方男性居民血清 LDL-C 水平比较：在 45 岁以下各年龄段中，均有差异，10 岁以下和 27~34 岁年龄段，南方男性高于北方男性（$P<0.05$），其余年龄段南方男性显著高于北方男性（$P<0.01$）。南方女性居民与北方女性居民血清 LDL-C 水平比较：在 15~16、17~18、19~26 和 35~44 岁四个年龄段，南方显著高于北方（$P<0.01$）；其他年龄段未见差异。

2）城乡居民之间比较　在 10 岁以下、13~14、15~16 岁三个年龄段城市男性居民的 LDL-C 水平高于农村男性，其中在 13~14 和 15~16 岁差别显著（$P<0.01$）；19~26、27~34 和 35~44 岁，城市男性显著低于农村男性（$P<0.01$）；55 岁以上，城市男性的 LDL-C 水平较低（$P<0.05$）。城市女性在 17~18、19~26 和 27~34 三个年龄段低于农村女性，其中 17~18 和 27~34 岁城市女性显著低于农村女性（$P<0.01$）。

3）性别之间比较　城市女性在 15~16 和 55 岁以上两个年龄段显著高于城市男性（$P<0.01$），在

27～34 和 35～44 岁两个年龄段低于城市男性（$P<0.05$）；农村女性在 13～14、15～16 和 17～18 岁三个年龄段显著高于农村男性（$P<0.01$），在 27～34、35～44 和 45～54 岁显著低于农村男性（$P<0.01$）。

血清 LDL－C 在不同人群中分布的百分位数表见数据资料汇总表 3－3－25～3－3－28。

4．血清总蛋白（TP）

（1）检测状况　血清总蛋白的测定在北京市、河北、浙江和广西四省区进行，共检测人群 8914 人。其中城市人口 5529 人，农村人口 3385 人；北方居民 5194 人，南方居民 3720 人；男性居民 4154 人，女性居民 4760 人。具体年龄、地区和城乡分布见表 2－3－11。

表 2－3－11　血清 TP 检测人群分布表

单位：人

年龄（岁）	北方				南方				合计
	城市		农村		城市		农村		
	男	女	男	女	男	女	男	女	
～10	74	86	12	23	23	28	5	12	
11～12	389	357	73	58	113	115	44	28	
13～14	265	278	172	192	116	142	78	98	
15～16	111	138	173	182	137	122	59	77	
17～18	142	231	238	240	121	130	79	70	
19～26	221	350	67	96	120	165	56	100	
27～34	68	75	52	98	90	101	106	90	
35～44	60	75	81	116	119	181	88	67	
45～54	58	40	64	82	113	144	94	58	
55～	29	48	42	38	164	190	38	39	
合计	1417	1678	974	1125	1116	1318	647	639	8914

（2）检测结果　被调查居民 TP 的南北和城乡比较见表 2－3－12 和表 2－3－13。

表 2－3－12　血清 TP 南北分布均值表

单位：g/L

年龄（岁）	北方						南方					
	男			女			男			女		
	n	mean	S	n	mean	S	n	mean	S	n	mean	S
～10	86	73.66	5.11	109	73.04	5.13	28	74.34	4.54	40	73.10	4.87
11～12	462	73.52	5.11	415	73.67##	5.04	157	74.29	4.13	143	75.01	3.70
13～14	437	73.22##**	4.67	470	74.60##	5.37	194	74.87**	4.15	240	76.71	4.06
15～16	284	75.73	4.74	320	76.44	4.87	196	76.15*	4.30	199	76.99	4.12
17～18	380	77.04	4.93	471	77.06	5.02	200	77.30	4.56	200	76.98	4.45
19～26	288	77.12	4.91	446	77.59##	5.02	176	76.68*	3.98	265	75.62	4.55
27～34	120	76.79#**	7.55	173	79.56##	6.52	196	75.40	4.48	191	75.71	4.36
35～44	141	76.27	6.30	191	77.59##	6.86	207	75.54	4.63	248	75.51	4.23
45～54	122	78.13##	5.91	122	78.92##	4.78	207	74.50**	4.77	202	75.92	4.19
55～	71	79.71##	4.78	86	79.98##	4.13	202	73.74	4.51	229	74.48	4.20

* $P<0.05$ 与同一地区女性比较；** $P<0.01$ 与同一地区女性比较

# $P<0.05$ 与南方地区同性别比较；## $P<0.01$ 与南方地区同性别比较

表 2-3-13　血清 TP 城乡分布均值表

单位：g/L

年龄（岁）	城市						农村					
	男			女			男			女		
	n	mean	S	n	mean	S	n	mean	S	n	mean	S
~10	97	73.42#	4.94	114	72.25##	4.93	17	76.27	4.56	35	75.64	4.60
11~12	502	73.12##	4.76	472	73.34##	4.39	117	76.25*	4.62	86	77.68	5.04
13~14	381	73.21##*	4.57	420	74.00##	4.79	250	74.54**	4.47	290	77.23	4.84
15~16	248	75.52	4.63	260	75.44##	4.52	232	76.32**	4.46	259	77.86	4.35
17~18	263	75.70##	4.69	361	76.12##	4.78	317	78.29	4.59	310	78.10	4.72
19~26	341	76.30##	4.25	515	76.42##	4.66	123	78.72	4.99	196	77.98	5.45
27~34	158	75.46*	6.90	176	77.30	6.39	158	76.37*	4.54	188	77.69	5.20
35~44	179	74.98##	5.79	256	75.35##	5.82	169	76.69*	4.72	183	77.78	4.95
45~54	171	76.02	5.33	184	77.02	4.37	158	75.62*	5.67	140	77.08	5.01
55~	193	75.24	4.93	238	75.70	4.87	80	75.37	6.04	77	76.73	4.63

* $P<0.05$ 与同一地区女性比较；** $P<0.01$ 与同一地区女性比较

\# $P<0.05$ 与农村地区同性别比较；## $P<0.01$ 与农村地区同性别比较

从图 2-3-49 可以看到，我国南北方居民的血清总蛋白随年龄变化趋势不同。我国北方居民的血清总蛋白水平呈现随年龄波动增加的趋势；南方被调查男性居民在 17~18 岁以前呈随年龄增加的趋势，在 17~18 岁达到峰值，此后随年龄增加呈下降趋势；南方女性的峰值出现在 15~16 和 17~18 岁两个年龄段，随后略有下降并维持稳定，在 55~年龄段有明显下降。城乡居民的血清 TP 值随年龄变化见图 2-3-50 所示，城乡男性居民的血清总蛋白均在 19~26 岁年龄段达到峰值，然后随年龄下降。农村男性居民的峰值水平较城市居民更明显；城乡女性居民的变化趋势有差异，城市女性居民的血清 TP 水平在 27~34 岁年龄段以前，随年龄增加显著升高，达峰值

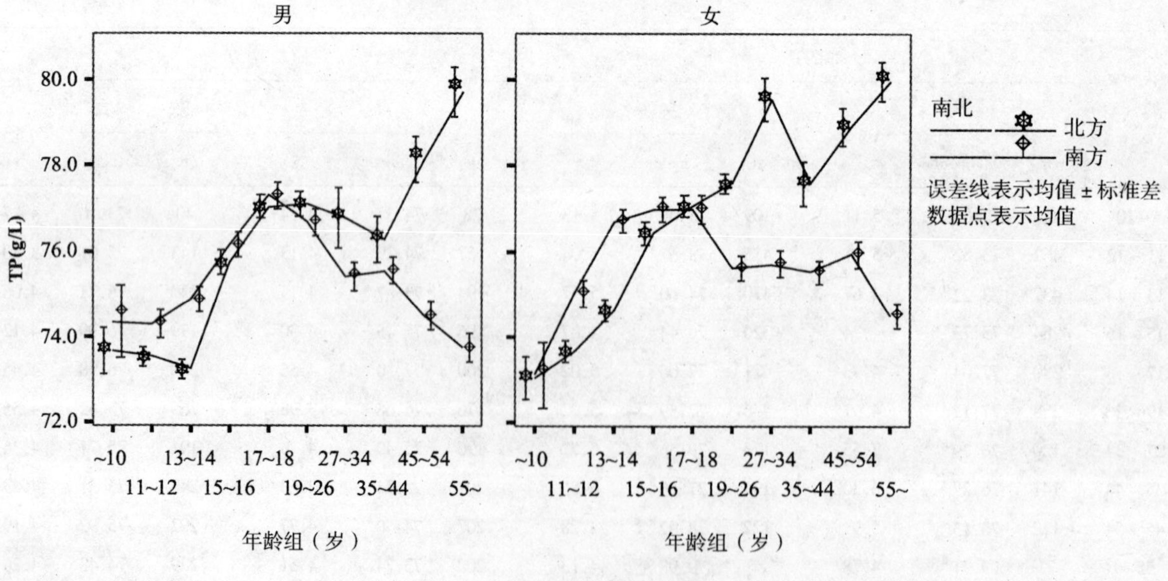

图 2-3-49　被调查居民各年龄组血清 TP 南北比较

后波动下降，农村女性居民的血清总蛋白水平则在 17 ~ 18 岁以前略有增加，随后略有降低，整体变化幅度不是很明显。

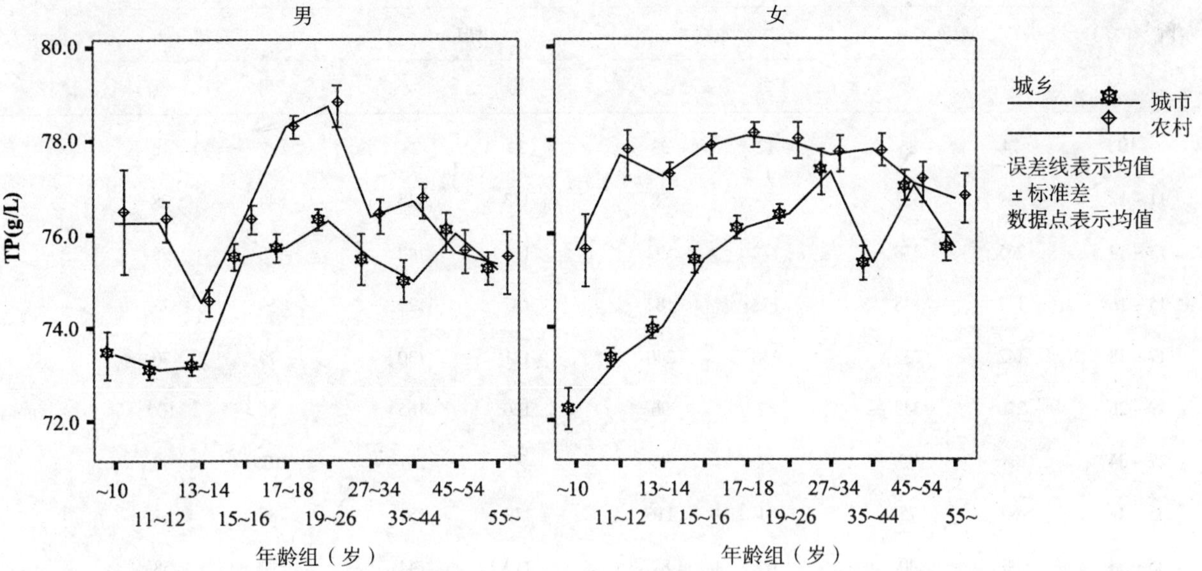

图 2-3-50 被调查居民各年龄组血清 TP 城乡比较

1）南北居民之间比较 45 ~ 54 和 55 岁以上两个年龄段，北方男性居民血清 TP 水平显著高于南方男性居民（$P < 0.01$），27 ~ 34 岁年龄段北方男性居民高于南方男性居民（$P < 0.05$），13 ~ 14 岁年龄段显著低于南方男性居民（$P < 0.01$）；对于女性居民，在 19 岁以上各年龄段，北方均显著高于南方；在 11 ~ 12 和 13 ~ 14 岁两个年龄段南方女性居民显著为高（$P < 0.01$）。

2）城乡居民之间比较 在有差异年龄组，均显示农村居民的血清总蛋白高于同性别同年龄组的城市居民血清总蛋白。男性居民在 11 ~ 12、13 ~ 14、17 ~ 18、19 ~ 26 和 35 ~ 44 岁年龄段有显著性差异（$P < 0.01$），在 ~ 10 岁年龄段有差异（$P < 0.05$）。女性居民则在 26 岁以下各个年龄段及 35 ~ 44 岁年龄段均有显著性差异（$P < 0.01$）。

3）男女之间比较 城市女性居民在 13 ~ 14 和 27 ~ 34 岁两个年龄段高于城市男性居民（$P < 0.05$）；农村女性居民在 13 ~ 14 和 15 ~ 16 两个年龄段显著高于农村男性居民（$P < 0.01$），在 11 ~ 12、27 ~ 34、35 ~ 44 和 45 ~ 54 岁年龄段高于农村男性居民（$P < 0.05$）；北方女性居民在 13 ~ 14 和 27 ~ 34 岁两个年龄段显著高于北方男性居民（$P < 0.01$）；南方女性居民在 13 ~ 14 和 45 ~ 54 岁两个年龄段显著高于南方男性居民（$P < 0.01$），在 15 ~ 16 岁年龄段高于南方男性居民（$P < 0.05$），在 19 ~ 26 岁低于南方男性（$P < 0.05$）。

血清 TP 在不同人群中分布的百分位数表见数据资料汇总表 3-3-29 ~ 3-3-32。

5．血清白蛋白（ALB）

（1）检测状况 血清白蛋白的测定在北京市、河北、浙江和广西四省区市进行，共检测人群 8912 人。其中城市人口 5527 人，农村人口 3385 人，占总检测人数 38.0%；北方居民 5192 人，南方居民 3720 人；男性居民 4153 人，女性居民 4759 人。具体年龄、地区和城乡分布见表 2-3-14。

表 2-3-14 血清 ALB 检测人群分布表

单位：人

年龄（岁）	北方				南方				合计
	城市		农村		城市		农村		
	男	女	男	女	男	女	男	女	
~10	74	86	12	23	23	28	5	12	
11~12	389	357	73	58	113	115	44	28	
13~14	265	278	172	192	116	142	78	98	
15~16	111	138	173	182	137	122	59	77	
17~18	142	231	238	240	121	130	79	70	
19~26	220	349	67	96	120	165	56	100	
27~34	68	75	52	98	90	101	106	90	
35~44	60	75	81	116	119	181	88	67	
45~54	58	40	64	82	113	144	94	58	
55~	29	48	42	38	164	190	38	39	
合计	1416	1677	974	1125	1116	1318	647	639	8912

（2）检测结果　见表 2-3-15，2-3-16。

表 2-3-15 血清 ALB 南北分布均值表

单位：g/L

年龄（岁）	北方						南方					
	男			女			男			女		
	n	mean	S	n	mean	S	n	mean	S	n	mean	S
~10	86	$45.08^{\#\#}$	2.07	109	44.85	1.98	28	46.34^{*}	2.21	40	45.16	1.83
11~12	462	$45.05^{\#\#}$	2.36	415	$44.93^{\#\#}$	2.23	157	46.03	2.26	143	46.30	2.16
13~14	437	$45.37^{\#\#}$	2.47	470	$45.34^{\#\#}$	2.67	194	47.23*	2.26	240	47.76	2.23
15~16	284	$46.33^{\#\#*}$	2.88	320	$45.79^{\#\#}$	2.61	196	47.97^{**}	2.11	199	47.24	2.31
17~18	380	$46.74^{\#\#**}$	2.87	471	$46.10^{\#\#}$	2.76	200	48.29^{**}	2.42	200	46.98	2.49
19~26	287	48.23^{**}	2.68	445	$47.46^{\#\#}$	2.47	176	47.78^{**}	2.60	265	46.17	2.16
27~34	120	47.18	5.60	173	$47.07^{\#\#}$	3.66	196	47.30^{**}	2.52	191	46.00	2.79
35~44	141	45.92^{**}	4.87	191	44.33	5.24	207	46.65^{**}	2.84	248	45.08	2.53
45~54	122	$46.88^{\#\#**}$	3.26	122	45.53	2.70	207	45.57	2.72	202	45.41	2.27
55~	71	$46.71^{\#\#}$	2.76	86	$46.22^{\#\#}$	2.91	202	44.67	2.85	229	44.74	2.76

* $P<0.05$ 与同一地区女性比较；** $P<0.01$ 与同一地区女性比较

$^{\#}$ $P<0.05$ 与南方地区同性别比较；$^{\#\#}$ $P<0.01$ 与南方地区同性别比较

表 2-3-16　血清 ALB 城乡分布均值表

单位：g/L

年龄（岁）	城市						农村					
	男			女			男			女		
	n	mean	S	n	mean	S	n	mean	S	n	mean	S
~10	97	45.24*	2.16	114	44.62##	1.91	17	46.27	2.01	35	45.94	1.69
11~12	502	45.03##	2.23	472	45.04##	2.23	117	46.46	2.20	86	46.64	2.14
13~14	381	46.06	2.49	420	46.04	2.63	250	45.77*	2.64	290	46.35	2.97
15~16	248	47.40##**	2.47	260	46.27	2.39	232	46.59	2.90	259	46.43	2.79
17~18	263	47.34**	2.73	361	46.59#	2.63	317	47.22**	2.89	310	46.09	2.79
19~26	340	47.91#**	2.63	514	47.08	2.36	123	48.47**	2.70	196	46.69	2.61
27~34	158	47.00	4.95	176	46.88#	3.46	158	47.49**	2.52	188	46.15	3.04
35~44	179	45.78##**	4.55	256	44.31#	4.64	169	46.96**	2.65	183	45.37	2.58
45~54	171	46.42#	2.83	184	46.01##	2.19	158	45.64**	3.10	140	44.71	2.55
55~	193	45.43#	2.81	238	45.31	2.90	80	44.63	3.23	77	44.59	2.73

* $P<0.05$ 与同一地区女性比较；** $P<0.01$ 与同一地区女性比较

\# $P<0.05$ 与农村地区同性别比较；## $P<0.01$ 与农村地区同性别比较

从图 2-3-51 可以看到，南方男性居民的血清 ALB 水平在 17~18 岁以前随年龄增长而增加，在 17~18 岁达峰值，随后随年龄增长而降低；北方男性居民的峰值出现在 19~26 岁阶段，随后显著下降，35~44 岁以后又略有上升；北方女性居民的血清 ALB 水平的变化趋势类似于北方男性居民，也在 19~26 岁达高峰，随后显著下降，在 44 岁以后有所升高；南方女性的峰值在 13~14 岁出现，随后随年龄波动下降。

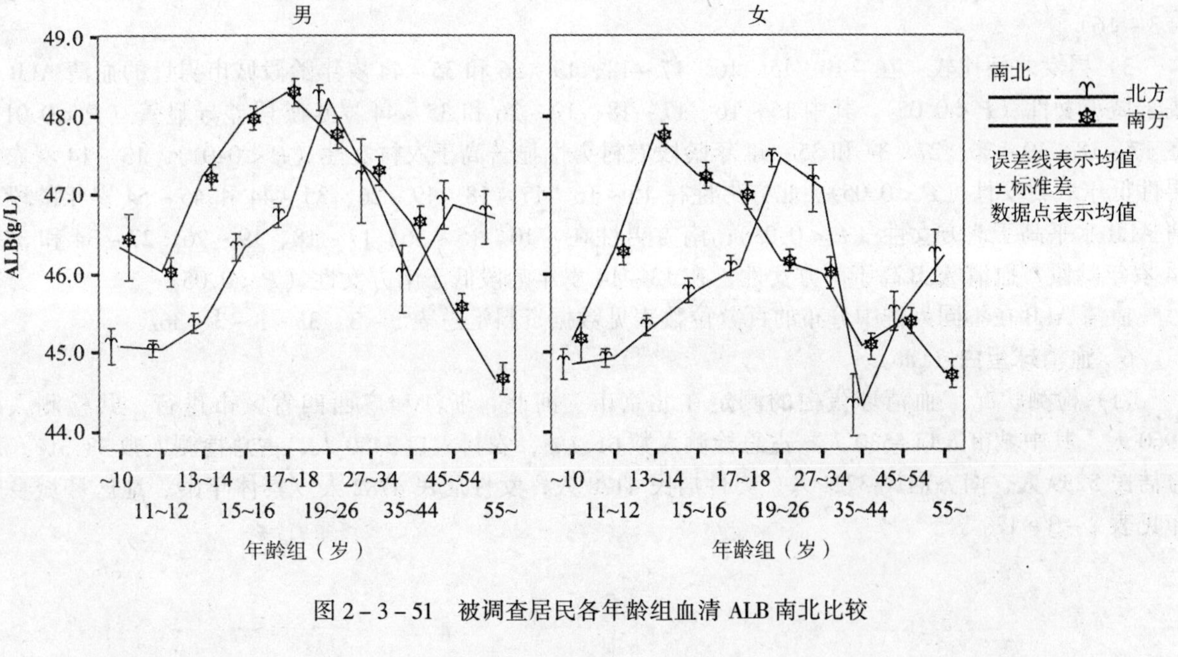

图 2-3-51　被调查居民各年龄组血清 ALB 南北比较

从图2－3－52可以看到，城市男性和农村男性的血清ALB水平在19～26岁以前随年龄增加，随后随年龄波动下降。城市女性在19～26岁达高峰，随后显著下降，35～44岁以后略有上升；农村女性在19～26岁以前，ALB水平变化不大，随后随年龄下降。

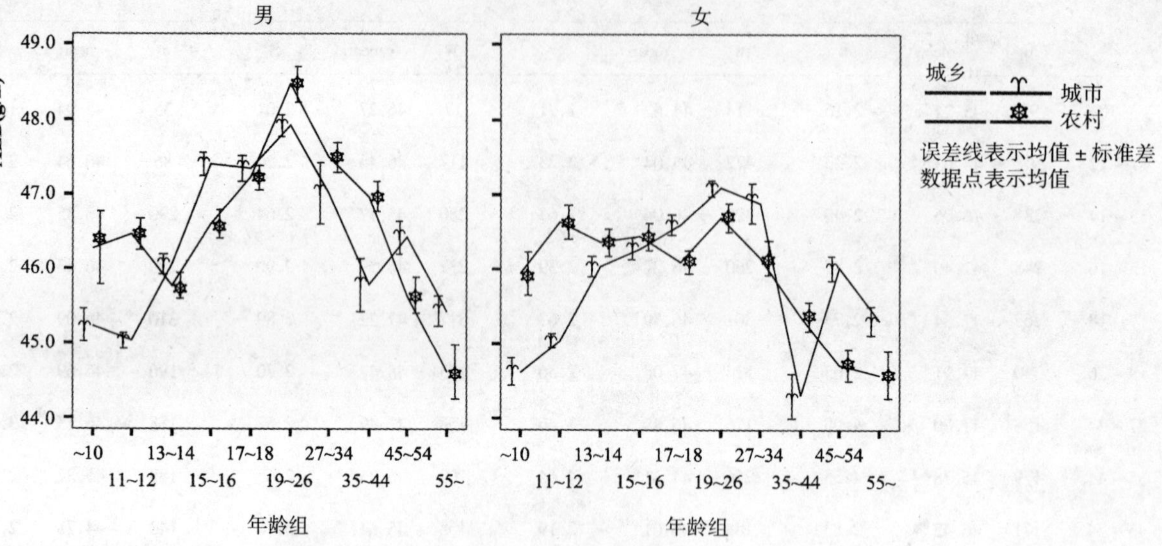

图2－3－52　被调查居民各年龄组血清ALB南北比较

1）南北居民之间比较　北方男性居民与南方男性居民之间比较：～10、11～12、13～14、15～16、17～18岁年龄段，南方男性显著高于北方男性（$P<0.01$），45～54和55岁以上年龄段北方男性显著高于南方男性（$P<0.01$）。北方女性居民与南方女性居民之间比较：11～12、13～14、15～16和17～18岁南方女性显著高于北方女性（$P<0.01$），19～26、27～34以及55岁以上年龄段北方女性显著高于南方女性居民（$P<0.01$）。

2）城乡居民之间比较　城市男性与农村男性居民之间比较：11～12、19～26和35～44岁年龄段农村男性高于农村女性，15～16、45～54和55岁以上年龄段城市男性的血清ALB水平高于农村男性；城市女性与农村女性之间的比较：～10、11～12和35～44岁三个年龄段，城市女性低于农村女性，17～18、27～34和45～54岁三个年龄段城市女性高于农村女性（$P<0.05$）（详见表2－3－16）。

3）男女之间比较　在～10、15～16、17～18、19～26和35～44岁年龄段城市男性的血清ALB值高于城市女性（$P<0.05$），其中15～16、17～18、19～26和35～44岁年龄段差异显著（$P<0.01$）；在17～18、19～26、27～34和35～44年龄段农村男性显著高于农村女性（$P<0.01$），13～14岁农村男性低于农村女性（$P<0.05$）。北方男性在15～16、17～18、19～26、35～44和45～54岁年龄段血清ALB水平高于北方女性（$P<0.05$）；南方男性在～10、15～16、17～18、19～26、27～34和35～44岁年龄段，血清ALB高于南方女性，在13～14岁年龄段低于南方女性（$P<0.05$）。

血清ALB在不同人群中分布的百分位数表见数据资料汇总表3－3－33～3－3－36。

6．血清球蛋白（Glb）

(1) 检测状况　血清球蛋白的测定在北京市、河北、浙江和广西四省区市进行，共检测人群8960人。其中城市人口5530人，占总检测人数61.7%，农村人口3430人，占总检测人数38.3%；北方居民5239人，南方居民3721人；男性居民4178人，女性居民4782人。具体年龄、地区和城乡分布见表2－3－17。

表 2-3-17　血清 GLB 检测人群分布表

单位：人

年龄（岁）	北方				南方				合计
	城市		农村		城市		农村		
	男	女	男	女	男	女	男	女	
~10	74	86	16	25	23	28	5	12	
11~12	389	357	93	77	113	116	44	28	
13~14	265	278	172	192	116	142	78	98	
15~16	111	138	173	182	137	122	59	77	
17~18	142	231	238	240	121	130	79	70	
19~26	221	350	67	96	120	165	56	100	
27~34	68	75	52	98	90	101	106	90	
35~44	60	75	81	116	119	181	88	67	
45~54	58	40	64	82	113	144	94	58	
55~	29	48	42	38	164	190	38	39	
合计	1417	1678	998	1146	1116	1319	647	639	8960

（2）检测结果　被调查居民 GLB 的南北和城乡比较见表 2-3-18 和表 2-3-19。

表 2-3-18　血清 GLB 南北分布均值表

单位：g/L

年龄（岁）	北方						南方					
	男			女			男			女		
	n	mean	S	n	mean	S	n	mean	S	n	mean	S
~10	90	28.66	4.25	111	28.19	4.09	28	28.00	4.83	40	27.94	4.37
11~12	482	28.29	4.09	434	28.57	4.15	157	28.26	3.58	144	28.72	3.29
13~14	437	27.80**	3.46	470	29.31	4.12	194	27.62**	3.35	240	28.95	3.26
15~16	284	29.42##**	3.59	320	30.63##	3.62	196	28.18**	3.51	199	29.72	3.14
17~18	380	30.07##**	3.86	471	30.96##	3.85	200	29.00**	3.73	200	29.89	3.28
19~26	288	28.93**	3.80	446	30.15#	4.05	176	28.89**	3.58	265	29.38	3.62
27~34	120	30.07##**	4.38	173	32.37##	4.43	196	27.90**	3.24	191	29.71	3.57
35~44	141	30.44##**	3.96	191	32.75##	4.47	207	28.89**	3.56	248	30.38	3.65
45~54	122	31.44##**	4.28	122	33.18##	4.07	207	28.93**	3.84	202	30.37	3.87
55~	71	32.69##	3.35	86	33.50##	3.57	202	29.16	3.58	229	29.76	3.37

* $P < 0.05$ 与同一地区女性比较；** $P < 0.01$ 与同一地区女性比较

\# $P < 0.05$ 与南方地区同性别比较；## $P < 0.01$ 与南方地区同性别比较

表 2-3-19 血清 GLB 城乡分布均值表

单位：g/L

年龄（岁）	城市						农村					
	男			女			男			女		
	n	mean	S	n	mean	S	n	mean	S	n	mean	S
~10	97	28.09#	4.27	114	27.63##	4.24	21	30.81	4.46	37	29.69	3.47
11~12	502	27.92##	3.96	473	28.16##	3.80	137	29.83*	3.63	105	31.04	3.83
13~14	381	27.13##**	3.39	420	27.93##	3.64	250	28.69**	3.26	290	31.01	3.39
15~16	248	28.11##**	3.59	260	29.18##	3.34	232	29.77**	3.43	259	31.39	3.24
17~18	263	28.18##**	3.72	361	29.50##	3.51	317	30.96**	3.48	310	31.97	3.50
19~26	341	28.42##**	3.55	515	29.34##	3.75	123	30.25*	3.85	196	31.23	4.02
27~34	158	28.80**	4.31	176	30.43#	4.52	158	28.67**	3.36	188	31.47	3.84
35~44	179	29.30**	4.02	256	30.67##	4.24	169	29.73**	3.55	183	32.41	3.91
45~54	171	29.74**	4.31	184	30.97#	3.95	158	29.97**	4.05	140	32.01	4.38
55~	193	29.82	3.80	238	30.31##	3.83	80	30.60**	3.90	77	32.18	3.35

* $P<0.05$ 与同一地区女性比较；** $P<0.01$ 与同一地区女性比较

\# $P<0.05$ 与农村地区同性别比较；\#\# $P<0.01$ 与农村地区同性别比较

从图 2-3-53 可以看到，我国北方男性居民的血清球蛋白值在 13~14 岁以后呈随年龄增长而增加趋势，仅在 19~26 岁年龄段较前略有下降；南方男性居民的 GLB 值随年龄波动变化不大。我国北方女性居民的 GLB 值随年龄增加而增加，仅在 19~26 岁略有下降，南方女性的 GLB 值随年龄增加略有增加，但幅度不及北方女性。

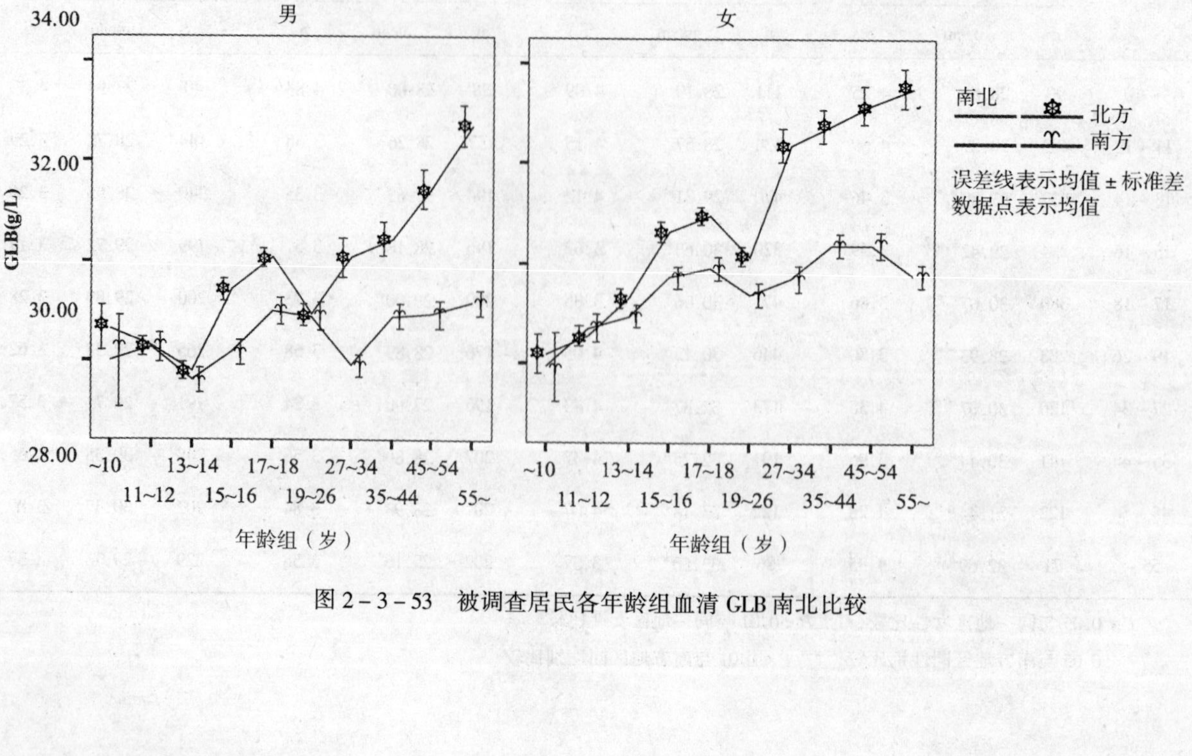

图 2-3-53 被调查居民各年龄组血清 GLB 南北比较

从图 2-3-54 可以看到，城市男性居民的血清球蛋白水平随年龄增加而有所增加（13~14 岁除外）；农村男性居民没有明显的随年龄增加的趋势，不同年龄段之间有较大的波动。城市女性和农村女性血清 GLB 均随年龄增加而波动增加，在各年龄段农村女性的 GLB 均高于同年龄段的城市女性。

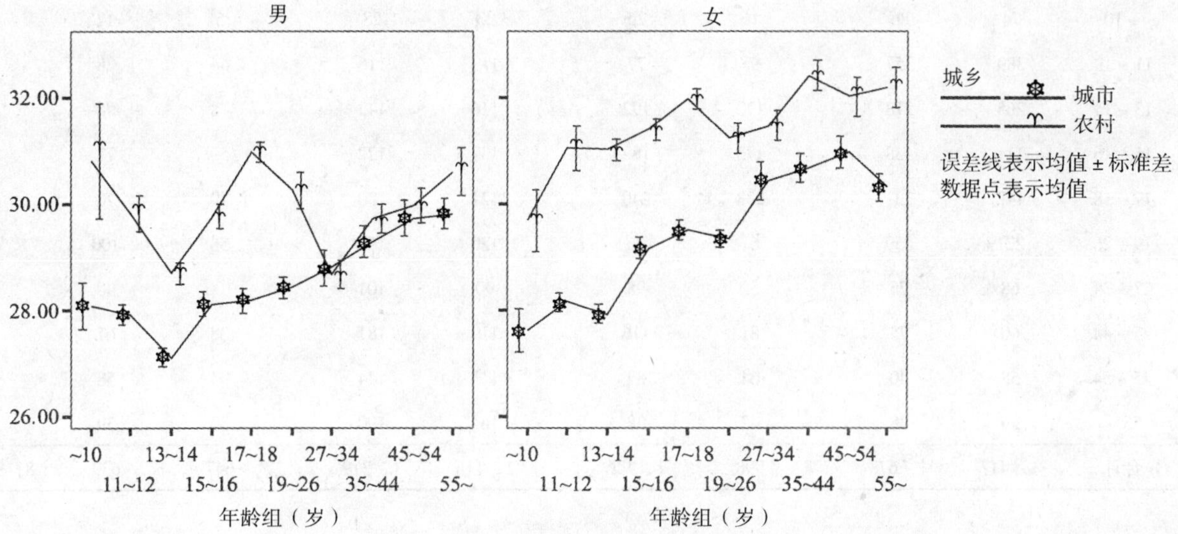

图 2-3-54　被调查居民各年龄组血清 GLB 城乡比较

1）南北居民之间比较　15~16、17~18、27~34、35~44、45~54 和 55 岁以上年龄段，北方男性的血清 GLB 水平均显著高于南方男性（$P<0.01$），北方女性在 15 岁以上各年龄段均高于南方女性（$P<0.05$）（具体见表 2-3-18）。

2）城乡居民之间比较　农村男性在~10、11~12、13~14、15~16、17~18 和 19~26 岁年龄段，血清 GLB 水平高于城市男性（$P<0.05$），农村女性在各年龄段均高于城市女性居民（$P<0.05$）（具体见表 2-3-19）。

3）男女之间比较　北方女性在 13~14、15~16、17~18、19~26、27~34、35~44 和 45~54 岁年龄段，血清 GLB 水平均显著高于北方男性（$P<0.01$）；南方女性在 13~14、15~16、17~18、19~26、27~34、35~44 和 45~54 岁年龄段显著高于南方男性（$P<0.01$）。城市女性在 13~14、15~16、17~18、19~26、27~34、35~44 和 45~54 岁年龄段，血清 GLB 水平均显著高于城市男性（$P<0.01$）；农村女性则在除~10 岁年龄段以外的各年龄段高于农村男性（$P<0.05$）。

血清 GLB 在不同人群中分布的百分位数表见数据资料汇总表 3-3-37~3-3-40。

7．白蛋白/球蛋白（A/G）

（1）检测状况　血清白蛋白/球蛋白的测定在北京市、河北、浙江和广西四省区市进行，共检测人群 8960 人。其中城市人口 5530 人，占总检测人口 61.7%，农村人口 3430 人，占总检测人口 38.3%；北方居民 5239 人，南方居民 3721 人；男性居民 4178 人，女性居民 4782 人。具体年龄、地区和城乡分布见表 2-3-20。

（2）检测结果　见表 2-3-21，2-3-22。

表 2-3-20 血清 A/G 检测人群分布表

单位：人

年龄（岁）	北方				南方				合计
	城市		农村		城市		农村		
	男	女	男	女	男	女	男	女	
~10	74	86	16	25	23	28	5	12	
11~12	389	357	93	77	113	116	44	28	
13~14	265	278	172	192	116	142	78	98	
15~16	111	138	173	182	137	122	59	77	
17~18	142	231	238	240	121	130	79	70	
19~26	221	350	67	96	120	165	56	100	
27~34	68	75	52	98	90	101	106	90	
35~44	60	75	81	116	119	181	88	67	
45~54	58	40	64	82	113	144	94	58	
55~	29	48	42	38	164	190	38	39	
合计	1，417	1，678	998	1，146	1，116	1，319	647	639	8，960

表 2-2-21 血清 A/G 南北分布均值表

单位：g/L

年龄（岁）	北方						南方					
	男			女			男			女		
	n	mean	S	n	mean	S	n	mean	S	n	mean	S
~10	90	1.61	0.22	111	1.61	0.24	28	1.71	0.33	40	1.66	0.28
11~12	482	1.61$^{\#}$	0.23	434	1.59$^{\#}$	0.21	157	1.66	0.23	144	1.63	0.21
13~14	437	1.65$^{\#\#**}$	0.22	470	1.57$^{\#\#}$	0.22	194	1.73**	0.22	240	1.66	0.19
15~16	284	1.59$^{\#\#}$	0.20	320	1.52$^{\#\#**}$	0.18	196	1.73**	0.22	199	1.61	0.18
17~18	380	1.57$^{\#\#**}$	0.22	471	1.51$^{\#\#}$	0.20	200	1.69**	0.21	200	1.59	0.17
19~26	288	1.69**	0.23	446	1.60	0.22	176	1.68**	0.24	265	1.59	0.20
27~34	120	1.53$^{\#\#**}$	0.30	173	1.43$^{\#\#}$	0.19	196	1.71**	0.22	191	1.56	0.20
35~44	141	1.50$^{\#\#**}$	0.24	191	1.36$^{\#\#}$	0.22	207	1.64**	0.23	248	1.50	0.20
45~54	122	1.49$^{\#\#**}$	0.22	122	1.39$^{\#\#}$	0.20	207	1.60**	0.23	202	1.51	0.20
55~	71	1.44$^{\#\#}$	0.17	86	1.41$^{\#\#}$	0.16	202	1.55	0.21	229	1.52	0.20

$^{*}P<0.05$ 与同一地区女性比较；$^{**}P<0.01$ 与同一地区女性比较

$^{\#}P<0.05$ 与南方地区同性别比较；$^{\#\#}P<0.01$ 与南方地区同性别比较

表 2－3－22　血清 A/G 城乡分布均值表

单位：g/L

年龄（岁）	城市						农村					
	男			女			男			女		
	n	mean	S	n	mean	S	n	mean	S	n	mean	S
～10	97	1.65	0.26	114	1.64	0.27	21	1.53	0.22	37	1.57	0.18
11～12	502	1.63#	0.23	473	1.62#	0.22	137	1.58*	0.20	105	1.52	0.18
13～14	381	1.72##**	0.22	420	1.67#	0.22	250	1.61**	0.20	290	1.51	0.18
15～16	248	1.71##**	0.21	260	1.60#	0.18	232	1.59**	0.21	259	1.50	0.18
17～18	263	1.70##**	0.21	361	1.60#	0.19	317	1.54**	0.20	310	1.46	0.18
19～26	341	1.71##**	0.24	515	1.63#	0.22	123	1.63**	0.22	196	1.52	0.19
27～34	158	1.61**	0.31	176	1.52#	0.22	158	1.67**	0.21	188	1.48	0.18
35～44	179	1.57**	0.28	256	1.46#	0.25	169	1.60**	0.20	183	1.42	0.18
45～54	171	1.57**	0.26	184	1.50##	0.21	158	1.55**	0.20	140	1.41	0.19
55～	193	1.54#	0.22	238	1.52##	0.20	80	1.48**	0.17	77	1.38	0.15

* $P<0.05$ 与同一地区女性比较；** $P<0.01$ 与同一地区女性比较

# $P<0.05$ 与农村地区同性别比较；## $P<0.01$ 与农村地区同性别比较

从图 2－3－55 可以看到，我国北方男性居民的 A/G 比值除 19～26 岁年龄段以外，随年龄的增加而减少，南方男性居民则在 27～34 岁以前维持相对稳定，随后随年龄增加而下降；北方女性居民的 A/G 比值随年龄增加而下降（除 19～26 岁年龄外），44 岁以后略有回升；南方女性的 A/G 也随年龄增加而下降，但幅度不及北方女性。

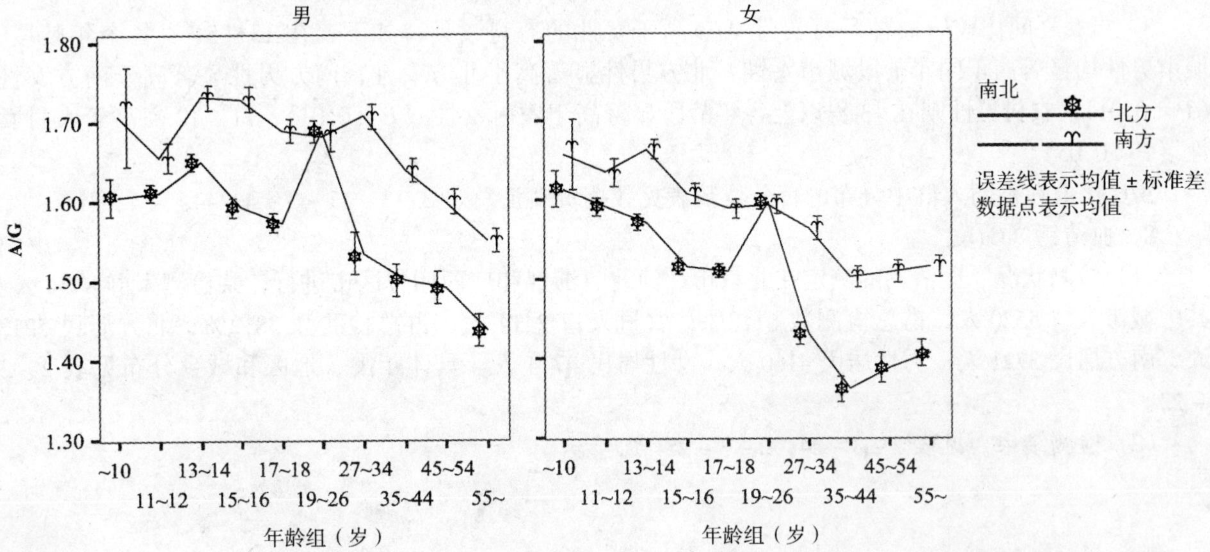

图 2－3－55　被调查居民各年龄组血清 A/G 南北比较

从图 2-3-56 可以看到，城市男性居民的 A/G 在 13~14 岁以前略有升高，随后相对维持恒定，19~26 岁以后，随年龄增加而逐渐降低；农村男性居民 A/G 值的下降出现在 27~34 岁以后。城市女性居民在 35~44 岁以前，A/G 随年龄呈下降趋势，随后略有增加；农村女性，除 19~26 岁年龄段 A/G 比值较前略有增加，总体呈下降趋势。

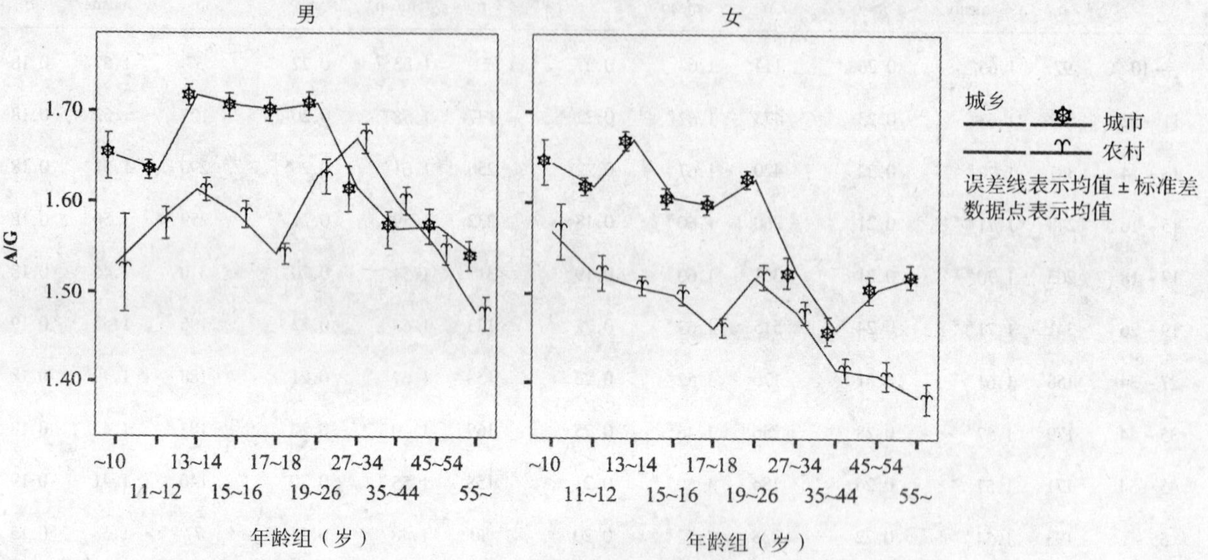

图 2-3-56 被调查居民各年龄组血清 A/G 城乡比较

1）南北居民之间比较　南方居民的 A/G 值普遍高于北方居民（除 19~26 岁年龄段），男性居民和女性居民均在 11~12 岁有差异（$P<0.05$），在 13~14、15~16、17~18、27~34、35~44、45~54 和 55 岁以上年龄段有显著差异（$P<0.01$）。

2）城乡居民之间比较　城市男性居民 A/G 在 11~12 和 55 岁以上年龄段高于农村男性居民（$P<0.05$），在 13~14、15~16、17~18、19~26 岁显著高于农村男性居民（$P<0.01$）；城市女性居民的 A/G 普遍高于农村女性，其中 45~54 和 55 岁以上年龄段有显著差异（$P<0.01$），11~12、13~14、15~16、17~18、19~26、27~34 和 35~44 年龄段有差异（$P<0.05$）。

3）男女之间比较　总体呈现男性 A/G 高于女性的态势，具体如下：在 13~54 岁各个年龄段，城市男性均显著高于同年龄段城市女性，北方男性显著高于北方女性，南方男性显著高于南方女性（$P<0.01$），农村男性则在 13 岁以上各年龄段显著高于农村女性（$P<0.01$），11~12 岁高于农村女性（$P<0.05$）。

A/G 比值在不同人群中分布的百分位数表见数据资料汇总表 3-3-41~3-3-44。

8．血清钙（Ca）

（1）检测状况　血清钙的测定在北京市、河北、浙江和广西四省区市进行，共检测人群 8934 人。其中城市人口 5520 人，占总检测数 61.8%，农村人口 3414 人，占总检测数 38.2%；北方居民 5213 人，南方居民 3721 人；男性居民 4160 人，女性居民 4774 人。具体年龄、地区和城乡分布见表 2-3-22。

（2）检测结果　见表 2-3-24，2-3-25。

表 2-3-23　血清 Ca 检测人群分布表

单位：人

年龄（岁）	北方				南方				合计
	城市		农村		城市		农村		
	男	女	男	女	男	女	男	女	
~10	74	86	13	25	23	28	5	12	
11~12	388	354	85	76	113	116	44	28	
13~14	263	277	172	191	116	142	78	98	
15~16	111	138	173	180	137	122	59	77	
17~18	142	231	237	240	121	130	79	70	
19~26	218	350	67	96	120	165	56	100	
27~34	68	75	52	98	90	101	106	90	
35~44	60	75	81	116	119	181	88	67	
45~54	58	40	64	82	113	144	94	58	
55~	29	48	42	38	164	190	38	39	
合计	1411	1674	986	1142	1116	1319	647	639	8934

表 2-3-24　血清 Ca 南北分布均值表

单位：mmol/L

年龄（岁）	北方						南方					
	男			女			男			女		
	n	mean	S	n	mean	S	n	mean	S	n	mean	S
~10	87	2.33##	0.14	111	2.33##	0.14	28	2.49	0.20	40	2.50	0.20
11~12	473	2.35##	0.15	430	2.34##	0.15	157	2.49	0.19	144	2.48	0.20
13~14	435	2.45#	0.13	468	2.45	0.14	194	2.48	0.18	240	2.46	0.18
15~16	284	2.46##	0.15	318	2.44##	0.13	196	2.57	0.15	199	2.57	0.13
17~18	379	2.47##	0.11	471	2.46##	0.12	200	2.60	0.15	200	2.59	0.14
19~26	285	2.53**	0.12	446	2.50	0.12	176	2.53	0.13	265	2.51	0.13
27~34	120	2.44#	0.22	173	2.45	0.19	196	2.49**	0.12	191	2.43	0.14
35~44	141	2.43**	0.20	191	2.36#	0.21	207	2.46**	0.13	248	2.41	0.14
45~54	122	2.47	0.18	122	2.44	0.15	207	2.43	0.14	202	2.43	0.14
55~	71	2.50##	0.16	86	2.51##	0.16	202	2.38	0.13	229	2.40	0.15

* $P<0.05$ 与同一地区女性比较；** $P<0.01$ 与同一地区女性比较

\# $P<0.05$ 与南方地区同性别比较；## $P<0.01$ 与南方地区同性别比较

表 2－3－25　血清 Ca 城乡分布均值表

单位：mmol/L

年龄（岁）	城市						农村					
	男			女			男			女		
	n	mean	S	n	mean	S	n	mean	S	n	mean	S
～10	97	2.34##	0.17	114	2.32##	0.15	18	2.50	0.08	37	2.54	0.11
11～12	501	2.36##	0.17	470	2.35##	0.17	129	2.50	0.13	104	2.50	0.14
13～14	379	2.46*	0.16	419	2.43##	0.15	250	2.47	0.14	289	2.49	0.16
15～16	248	2.53##**	0.17	260	2.49	0.15	232	2.48	0.15	257	2.49	0.14
17～18	263	2.53	0.16	361	2.52##	0.15	316	2.50*	0.13	310	2.48	0.13
19～26	338	2.53	0.13	515	2.51##	0.13	123	2.54**	0.13	196	2.49	0.12
27～34	158	2.44##	0.20	176	2.44	0.18	158	2.51**	0.12	188	2.44	0.15
35～44	179	2.42##**	0.19	256	2.37##	0.20	169	2.48**	0.12	183	2.41	0.12
45～54	171	2.45	0.17	184	2.44	0.14	158	2.44	0.14	140	2.43	0.15
55～	193	2.40	0.15	238	2.43	0.17	80	2.43	0.13	77	2.44	0.13

* $P<0.05$ 与同一地区女性比较；** $P<0.01$ 与同一地区女性比较

# $P<0.05$ 与农村地区同性别比较；## $P<0.01$ 与农村地区同性别比较

从图 2－3－57 可以看到，我国南北方居民的血钙随年龄变化趋势不同。南方居民，无论男女，在 13～14 岁以前，血钙水平略有下降，随后上升，在 17～18 岁年龄段达高峰，然后随年龄增加呈下降趋势。北方男性和女性居民的变化趋势类似：初始从一相对较低的血钙水平随年龄增加而增加，均在 19～26 岁年龄段达峰值，随后随年龄增加显著下降，值得注意的是 35～44 岁以后，血钙重新升高，并在 55 岁以上年龄段血钙水平接近甚至达到 19～26 岁的峰值水平。

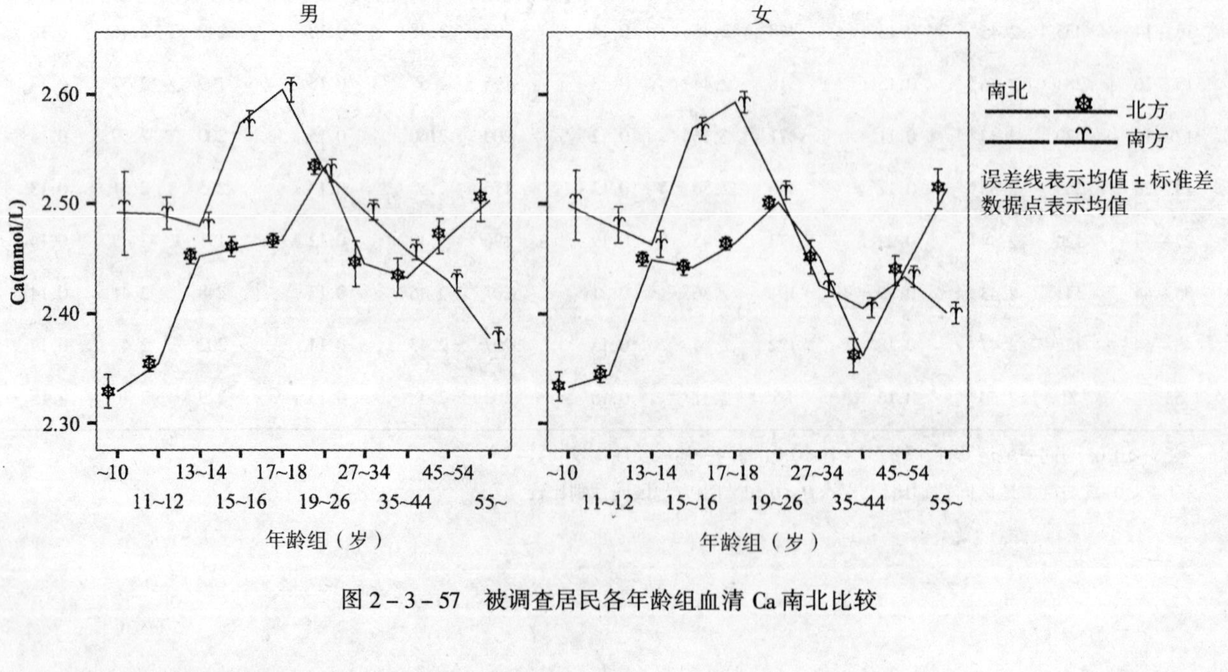

图 2－3－57　被调查居民各年龄组血清 Ca 南北比较

从图 2-3-58 可以看到，我国城乡居民的血钙变化也有明显差异。城市男性居民在 15~16 岁以前有较明显的升高，在 15~16、17~18 岁和 19~26 岁年龄段保持基本稳定，随后出现明显下降，44 岁以后出现波动和轻微反弹；城市女性的变化趋势和城市男性类似，在 17~18 岁年龄段以前有明显的上升趋势，随后有明显下降，也在 44 岁以后有所反弹。农村男性在 10 岁以前年龄段血钙明显高于城市男性，在 13~14 岁年龄段略有下降后，随年龄增加逐步升高，在 19~26 岁年龄段达高峰，随后随年龄增加，逐步下降；农村女性~10 年龄段血钙水平较高，为峰值水平，随后逐步减少，35~44 岁以后，略有回升。

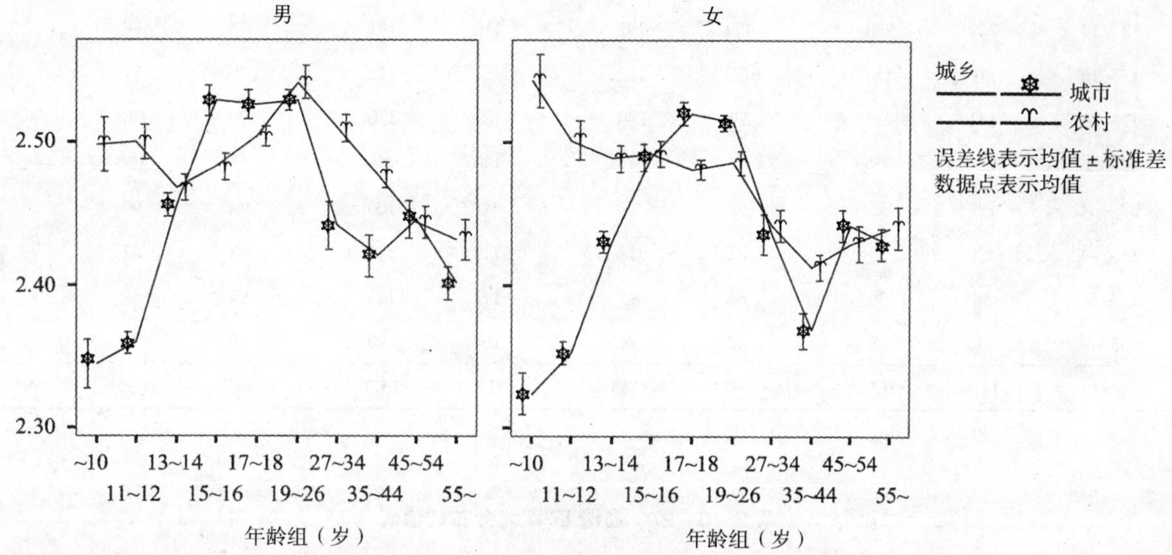

图 2-3-58　被调查居民各年龄组血清 Ca 城乡比较

1）南北居民之间比较　南方男性居民在~10、11~12、15~16 和 17~18 岁年龄段显著高于北方男性（$P<0.01$），在 13~14 和 27~34 岁年龄段高于北方男性（$P<0.05$），仅在 55 岁以上年龄段，北方男性居民的血钙水平显著高于南方男性（$P<0.01$）；南方女性在~10、11~12、15~16、17~18 和 35~44 岁年龄段均高于北方女性，仅在 55 岁以上年龄段显著低于北方女性（$P<0.01$）。

2）城乡居民之间比较　城市男性在~10、11~12、27~34 和 35~44 岁年龄段显著低于农村男性，在 15~16 岁年龄段显著高于农村男性（$P<0.01$）；城市女性则在~10、11~12、13~14 和 35~44 岁年龄段血钙水平显著低于农村女性，在 17~18 和 19~26 岁年龄段显著高于农村女性（$P<0.01$）。

3）男女之间比较　城市男性在 15~16 和 35~44 岁年龄段显著高于城市女性（$P<0.01$）；农村男性在 17~18 岁年龄段高于农村女性（$P<0.05$），在 19~26、27~34 和 35~44 岁年龄段显著高于农村女性（$P<0.01$）。北方男性在 19~26 和 35~44 岁两个年龄段显著高于北方女性，南方男性在 27~34 和 35~44 岁年龄段显著高于南方女性（$P<0.01$）。

血清 Ca 在不同人群中分布的百分位数表见数据资料汇总表 3-3-45~3-3-48。

9．血磷（IP）

（1）检测状况　血磷的测定在北京市、河北、浙江和广西四省区市进行，共检测人群 8950 人。其中城市人口 5524 人，占检测总人数 61.7%，农村人口 3426 人，占检测总人数 38.3%；南方居民 3718 人，北方居民 5232 人；男性居民 4175 人，女性居民 4775 人。具体年龄、地区和城乡分布见表 2-3-26。

（2）检测结果　见表 2-3-27，2-3-28。

表 2-3-26 血清 IP 检测人群分布表

单位：人

年龄（岁）	北方				南方				合计
	城市		农村		城市		农村		
	男	女	男	女	男	女	男	女	
~10	74	86	16	25	23	28	5	12	
11~12	389	356	93	76	113	116	44	28	
13~14	265	278	171	191	116	141	78	98	
15~16	111	138	173	182	137	122	59	77	
17~18	142	231	238	240	121	130	79	70	
19~26	220	350	67	95	120	165	56	100	
27~34	68	75	52	98	90	100	106	90	
35~44	60	75	81	116	119	181	88	67	
45~54	58	39	64	82	112	144	94	58	
55~	29	48	42	38	164	190	38	39	
合计	1416	1676	997	1143	1115	1317	647	639	8950

表 2-3-27 血清 IP 南北分布均值表

单位：mmol/L

年龄（岁）	北方						南方					
	男			女			男			女		
	n	mean	S	n	mean	S	n	mean	S	n	mean	S
~10	90	1.45##**	0.18	111	1.52	0.17	28	1.59	0.21	40	1.54	0.20
11~12	482	1.50##**	0.19	432	1.46#	0.19	157	1.60**	0.21	144	1.51	0.22
13~14	436	1.53**	0.19	469	1.37##	0.18	194	1.51**	0.21	239	1.33	0.19
15~16	284	1.40##**	0.17	320	1.32	0.14	196	1.33	0.24	199	1.30	0.17
17~18	380	1.32##	0.19	471	1.33	0.17	200	1.26**	0.25	200	1.33	0.20
19~26	287	1.24	0.18	445	1.25	0.17	176	1.23*	0.21	265	1.27	0.17
27~34	120	1.16**	0.20	173	1.25#	0.19	196	1.16	0.30	190	1.20	0.24
35~44	141	1.11**	0.22	191	1.18	0.22	207	1.16*	0.24	248	1.21	0.23
45~54	122	1.13**	0.18	121	1.31	0.24	206	1.14**	0.26	202	1.28	0.34
55~	71	1.20**	0.18	86	1.33	0.19	202	1.19**	0.30	229	1.29	0.25

* $P<0.05$ 与同一地区女性比较；** $P<0.01$ 与同一地区女性比较

\# $P<0.05$ 与南方地区同性别比较；\#\# $P<0.01$ 与南方地区同性别比较

表 2－3－28　血清 IP 城乡分布均值表

单位：mmol/L

年龄（岁）	城市						农村					
	男			女			男			女		
	n	mean	S	n	mean	S	n	mean	S	n	mean	S
~10	97	1.45##	0.18	114	1.48##	0.15	21	1.61	0.21	37	1.69	0.16
11~12	502	1.51##**	0.19	472	1.45##	0.19	137	1.57	0.19	104	1.58	0.22
13~14	381	1.53**	0.21	419	1.35	0.18	249	1.52**	0.18	289	1.37	0.19
15~16	248	1.37**	0.22	260	1.32	0.15	232	1.37**	0.18	259	1.31	0.15
17~18	263	1.32	0.20	361	1.33	0.18	317	1.29**	0.22	310	1.34	0.18
19~26	340	1.24	0.19	515	1.25	0.17	123	1.22*	0.20	195	1.27	0.19
27~34	158	1.21##	0.27	175	1.24	0.23	158	1.11**	0.25	188	1.21	0.20
35~44	179	1.15	0.25	256	1.19	0.23	169	1.13**	0.22	183	1.21	0.23
45~54	170	1.16**	0.25	183	1.26#	0.28	158	1.11**	0.21	140	1.34	0.34
55~	193	1.21#**	0.28	238	1.31	0.23	80	1.14**	0.23	77	1.28	0.22

* $P<0.05$ 与同一地区女性比较；** $P<0.01$ 与同一地区女性比较

\# $P<0.05$ 与农村地区同性别比较；## $P<0.01$ 与农村地区同性别比较

从图 2－3－59 和图 2－3－60 可以看到，被调查居民的血磷水平总的变化趋势是随着年龄的增加而逐渐减少，在 44 岁以后略有回升。此外，北方男性和城市男性居民在 ~10 岁、11 ~ 12 和 13 ~ 14 岁还略有升高的趋势。

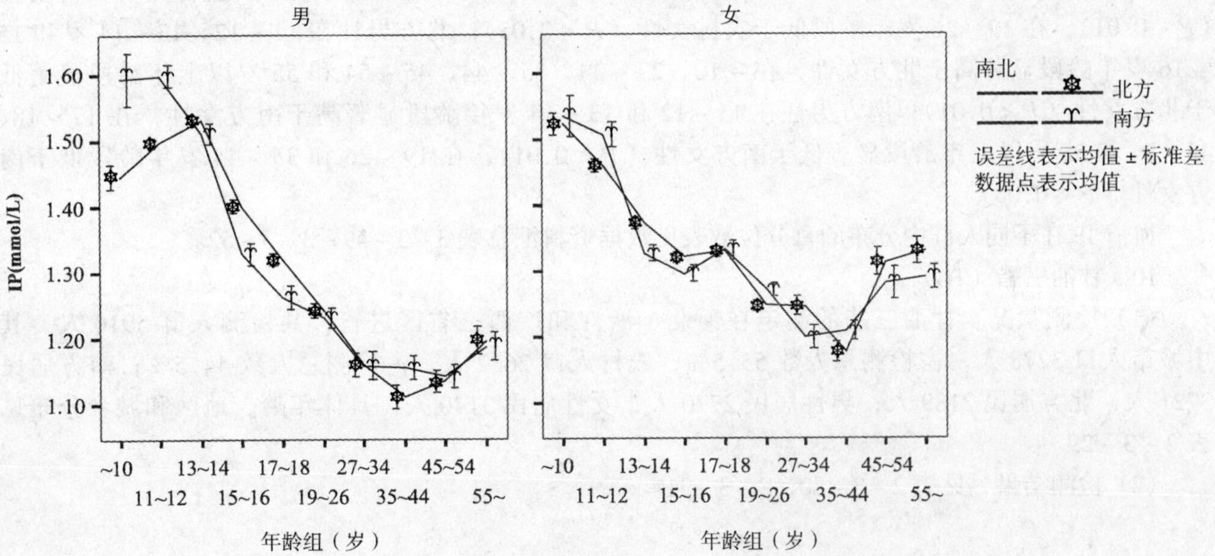

图 2－3－59　被调查居民各年龄组血清 IP 值南北比较

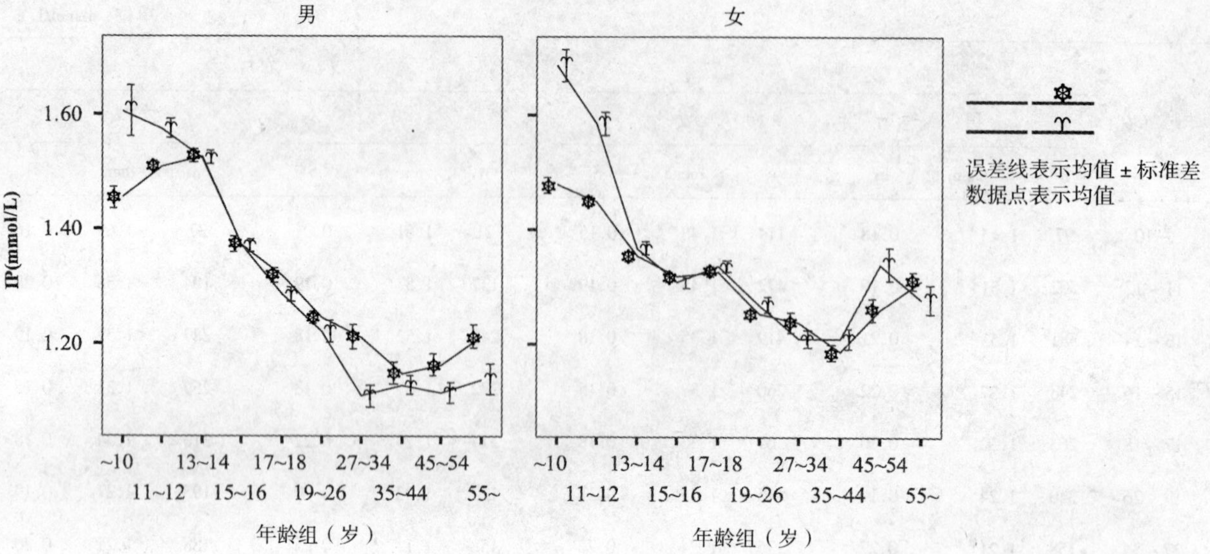

图2－3－60　被调查居民各年龄组血清IP值城乡比较

1）南北居民之间比较　南方男性居民在～10和11～12岁年龄段，血磷水平显著高于北方男性，在15～16和17～18年龄段显著低于北方男性（$P<0.01$）；南方女性在11～12岁年龄段高于北方女性（$P<0.05$），在13～14岁年龄段显著低于北方女性（$P<0.01$），在27～34岁低于北方女性（$P<0.05$）。

2）城乡居民之间比较　城市男性在～10和11～12岁两个年龄段显著低于农村男性，在27～34岁年龄段显著高于农村男性（$P<0.01$），在55岁以上年龄段高于农村男性（$P<0.05$）；城市女性在～10和11～12岁两个年龄段显著低于农村女性（$P<0.01$），在45～54岁年龄段低于农村女性（$P<0.05$）。

3）男女之间比较　城市男性在11～12、13～14和15～16岁显著高于城市女性，在45～54和55岁以上年龄段显著低于城市女性（$P<0.01$）；农村男性在13～14和15～16岁两个年龄段显著高于农村女性，在17～18、27～34、35～44、45～54和55岁以上年龄段显著低于农村女性（$P<0.01$），在19～26岁年龄段低于农村女性（$P<0.05$）；北方男性在11～12、13～14岁和15～16岁年龄段显著高于北方女性，在～10、27～34、35～44、45～54和55岁以上年龄段显著低于北方女性（$P<0.01$）；南方男性在11～12和13～14岁年龄段显著高于南方女性，在17～18、45～54和55岁以上年龄段显著低于南方女性（$P<0.01$），在19～26和35～44岁年龄段低于南方女性（$P<0.05$）。

血清IP在不同人群中分布的百分位数表见数据资料汇总表3－3－49～3－3－52。

10．甘油三酯（TG）

（1）检测状况　甘油三酯的测定在河北、浙江和广西三省区进行，共检测人群5910人。其中城市人口3278人，占检测总人数55.5%，农村人口2632人，占检测总人数44.5%；南方居民3721人，北方居民2189人；男性居民2770人，女性居民3140人。具体年龄、地区和城乡分布见表2－3－29。

（2）检测结果　见表2－3－30，2－3－31。

表 2-3-29 血清 TG 检测人群分布表

单位：人

年龄（岁）	北方				南方				合计
	城市		农村		城市		农村		
	男	女	男	女	男	女	男	女	
~10	4	3	12	23	23	28	5	12	
11~12	31	18	64	48	113	116	44	28	
13~14	34	27	52	69	116	142	78	98	
15~16	40	22	60	69	137	122	59	77	
17~18	29	42	115	112	121	130	79	70	
19~26	56	90	57	92	120	165	56	100	
27~34	67	70	52	98	90	101	106	90	
35~44	60	75	81	116	119	181	88	67	
45~54	58	40	64	82	113	144	94	58	
55~	29	48	42	38	164	190	38	39	
合计	408	435	599	747	1116	1319	647	639	5910

表 2-3-30 南北居民血清 TG 水平统计值表

单位：mmol/L

年龄（岁）	北方								南方							
	男				女				男				女			
	n	median	p25	p75	n	median	p25	p75	n	median	p25	p75	n	median	p25	p75
~10	16	0.67	0.40	1.11	26	0.85	0.63	1.12	28	0.73	0.58	1.16	40	0.75	0.65	0.89
11~12	95	0.67**	0.47	0.94	66	0.91	0.65	1.31	157	0.74**	0.54	0.99	144	0.86	0.70	1.15
13~14	86	0.72$^{\#*}$	0.46	0.96	96	0.80	0.62	1.12	194	0.78*	0.59	1.03	240	0.85	0.63	1.13
15~16	100	0.71$^{\#\#**}$	0.47	0.95	91	0.84	0.56	1.38	196	0.82**	0.60	1.01	199	0.91	0.70	1.19
17~18	144	0.72$^{\#\#}$	0.48	0.98	154	0.67$^{\#\#}$	0.52	0.90	200	0.87	0.66	1.06	200	0.87	0.69	1.12
19~26	113	0.67$^{\#\#}$	0.49	0.87	182	0.67$^{\#}$	0.49	1.00	176	0.88**	0.69	1.18	265	0.74	0.56	0.94
27~34	119	0.78$^{\#\#}$	0.49	1.15	168	0.69$^{\#}$	0.47	0.92	196	1.03**	0.72	1.76	191	0.73	0.58	0.97
35~44	141	0.86$^{\#\#}$	0.58	1.23	191	0.77$^{\#\#}$	0.47	1.08	207	1.28**	0.85	1.93	248	0.88	0.68	1.21
45~54	122	1.08$^{\#}$	0.65	1.61	122	0.97	0.65	1.35	207	1.20**	0.84	1.75	202	0.97	0.73	1.32
55~	71	0.89$^{\#\#**}$	0.62	1.30	86	1.33	0.98	1.92	202	1.10	0.84	1.76	229	1.27	0.91	1.76

* $P<0.05$ 与同一地区女性比较；** $P<0.01$ 与同一地区女性比较

$^{\#}$ $P<0.05$ 与南方地区同性别比较；$^{\#\#}$ $P<0.01$ 与南方地区同性别比较

表2-3-31 城乡居民血清TG水平统计值表

单位：mmol/L

年龄（岁）	城市								农村							
	男				女				男				女			
	n	median	p25	p75	n	median	p25	p75	n	median	p25	p75	n	median	p25	p75
~10	27	0.72	0.56	1.19	31	0.75	0.64	1.06	17	0.69	0.53	0.95	35	0.80	0.63	1.08
11~12	144	0.74**	0.52	0.98	134	0.84	0.67	1.15	108	0.72**	0.49	0.98	76	0.93	0.70	1.22
13~14	150	0.78	0.57	1.03	169	0.77##	0.61	1.02	130	0.74	0.50	0.96	167	0.91	0.68	1.21
15~16	177	0.77#**	0.57	0.98	144	0.87	0.68	1.09	119	0.82**	0.57	1.05	146	0.96	0.68	1.35
17~18	150	0.75#	0.58	1.00	172	0.77	0.61	1.01	194	0.82	0.61	1.10	182	0.84	0.59	1.11
19~26	176	0.78*	0.60	1.09	255	0.71	0.54	0.95	113	0.80*	0.61	1.07	192	0.74	0.53	0.96
27~34	157	0.85**	0.62	1.24	171	0.63##	0.47	0.87	158	1.01**	0.65	1.75	188	0.77	0.59	1.00
35~44	179	0.96**	0.69	1.53	256	0.80	0.61	1.12	169	1.16**	0.81	1.70	183	0.90	0.64	1.21
45~54	171	1.18**	0.81	1.69	184	0.96	0.74	1.30	158	1.18**	0.73	1.73	140	0.98	0.67	1.42
55~	193	1.08**	0.82	1.58	238	1.29	0.92	1.77	80	0.97**	0.69	1.56	77	1.27	0.91	1.82

* $P<0.05$ 与同一地区女性比较；** $P<0.01$ 与同一地区女性比较

\# $P<0.05$ 与农村地区同性别比较；## $P<0.01$ 与农村地区同性别比较

从图2-3-61和图2-3-62可以看到，我国居民血清甘油三酯水平随年龄变化趋势，南北之间和城乡之间差别不大，男女变化模式不同。对于男性居民，在45~54岁年龄段以前（南方男性为35~44岁），甘油三酯水平呈上升趋势，26岁以后上升趋势明显，在54岁（南方男性为44岁）以后，又出现明显的下降。女性居民，在27岁以前血清甘油三酯呈波动状态，27~34岁以后，呈显著升高态势。

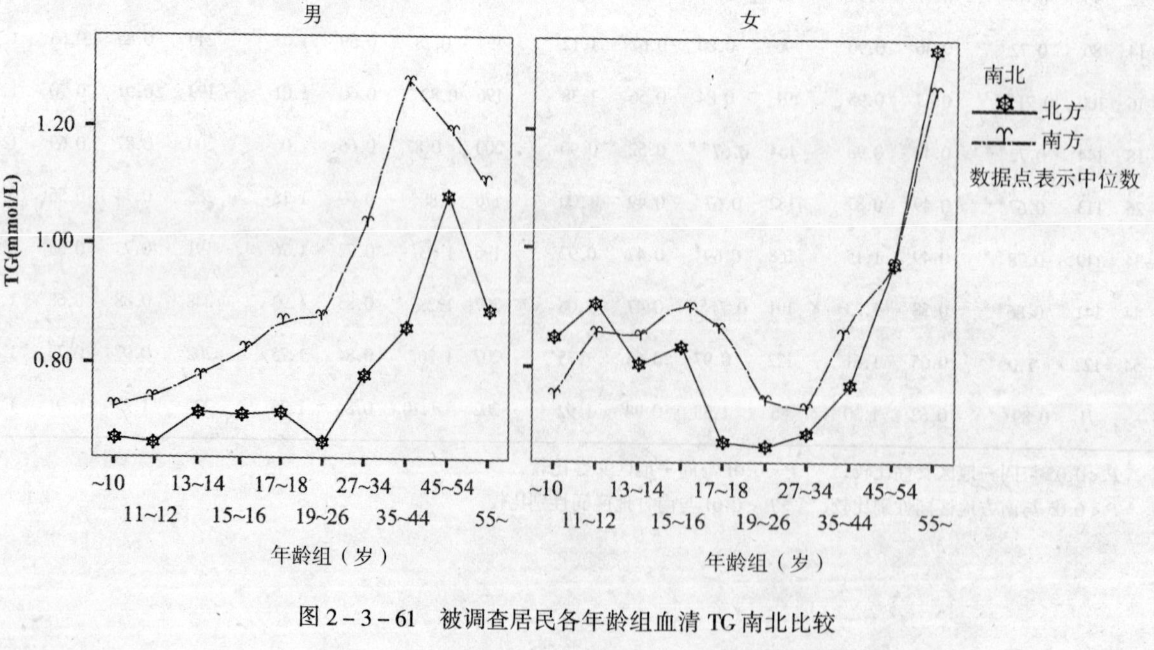

图2-3-61 被调查居民各年龄组血清TG南北比较

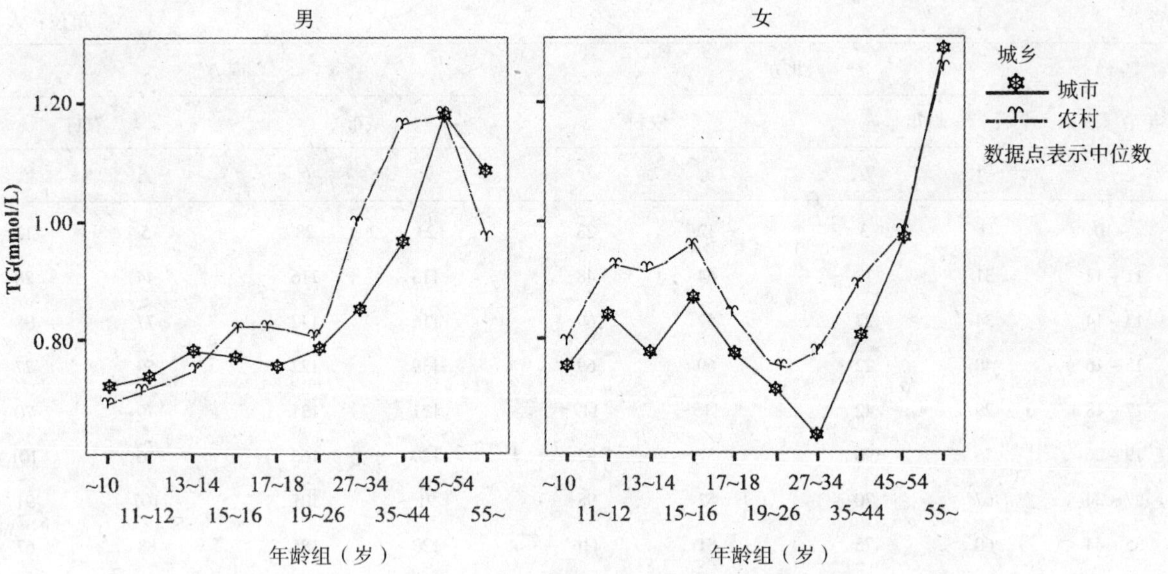

图 2-3-62　被调查居民各年龄组血清 TG 城乡比较

1）南北居民之间比较　13~14 岁及以后各年龄段南方男性居民血清甘油三酯均高于北方男性居民，13~14 和 45~54 岁年龄段有差异（$P<0.05$），其余各年龄段差异显著（$P<0.01$）；南方女性在 17~18 和 35~44 岁年龄段显著高于北方女性（$P<0.01$），在 19~26 和 27~34 年龄段高于北方女性（$P<0.05$）。

2）城乡居民之间比较　农村男性在 15~16 岁和 17~18 岁年龄段，血清甘油三酯高于城市男性（$P<0.05$）；农村女性在 13~14 和 27~34 岁两个年龄段显著高于城市女性（$P<0.01$）。

3）男女之间比较　北方女性在 11~12、15~16 和 55 岁以上三个年龄段显著高于北方男性（$P<0.01$），在 13~14 岁年龄段高于北方男性（$P<0.05$）；南方女性在 11~12 和 15~16 岁年龄段显著高于南方男性（$P<0.01$），在 13~14 岁年龄段高于南方男性（$P<0.05$），在 19~26、27~34、35~44 和 45~54 岁年龄段显著低于南方男性（$P<0.01$）。城市女性在 11~12、15~16 和 55 岁以上年龄段，血清甘油三酯明显高于城市男性，在 27~34、35~44 和 45~54 岁年龄段则显著低于城市男性（$P<0.01$），在 19~26 岁年龄段低于城市男性（$P<0.05$）；农村女性在 11~12、15~16 和 55 岁以上年龄段显著高于农村男性居民（$P<0.01$），在 27~34、35~44 岁和 45~54 岁年龄段显著低于农村男性居民（$P<0.01$），在 19~26 岁低于农村男性居民（$P<0.05$）。

血清 TG 在不同人群中分布的百分位数表见数据资料汇总表 3-3-53~3-3-56。

11．碱性磷酸酶（ALP）

（1）检测状况　血清碱性磷酸酶的测定在河北、浙江和广西三省区进行，共检测人群 5925 人。其中城市人口 3289 人，占检测总人数 55.5%，农村人口 2636 人，占检测总人数 44.5%；南方居民 3736 人，北方居民 2189 人；男性居民 2776 人，女性居民 3149 人。具体年龄、地区和城乡分布见表 2-3-32。

（2）检测结果　见表 2-3-33，2-3-34。

表2-3-32 血清ALP检测人群分布表

单位：人

年龄（岁）	北方				南方			
	城市		农村		城市		农村	
	男	女	男	女	男	女	男	女
~10	4	3	12	23	23	28	5	12
11~12	31	18	64	48	113	116	44	28
13~14	34	27	52	69	116	142	77	98
15~16	40	22	60	69	139	122	59	77
17~18	29	42	115	112	121	131	79	70
19~26	56	90	57	92	120	165	56	101
27~34	67	70	52	98	91	101	107	91
35~44	60	75	81	116	120	181	88	67
45~54	58	40	64	82	113	145	94	59
55~	29	48	42	38	165	194	39	39
合计	408	435	599	747	1121	1325	648	642

表2-3-33 南北居民血清ALP统计值表

单位：U/L

年龄（岁）	北方							
	男				女			
	n	median	p25	p75	n	median	p25	p75
~10	16	290.28$^{\#\#}$	254.00	346.25	26	327.18$^{\#\#}$	281.67	387.45
11~12	95	311.19$^{\#\#}$	259.53	366.54	66	285.36$^{\#\#}$	201.72	404.67
13~14	86	327.80$^{\#\#**}$	250.92	409.59	96	154.98$^{\#}$	118.08	209.72
15~16	100	204.80$^{\#**}$	143.30	271.83	91	119.31$^{\#\#}$	98.40	145.14
17~18	144	126.69**	103.32	162.36	154	87.33$^{\#\#}$	75.03	104.55
19~26	113	97.17$^{\#\#**}$	79.95	120.54	182	76.88$^{\#\#}$	63.96	89.79
27~34	119	81.18$^{\#**}$	61.50	100.86	168	65.19$^{\#\#}$	52.89	76.26
35~44	141	78.72$^{\#**}$	62.73	94.71	191	61.50$^{\#}$	47.97	76.26
45~54	122	87.33$^{\#\#*}$	73.80	99.63	122	81.80$^{\#\#}$	62.73	94.71
55~	71	88.56$^{\#\#**}$	73.80	97.17	86	102.09$^{\#\#}$	84.87	120.54

年龄（岁）	南方							
	男				女			
	n	median	p25	p75	n	median	p25	p75
~10	28	195.75	111.30	240.25	40	244.87	116.07	291.13
11~12	157	255.63**	162.87	332.87	144	215.75	108.12	295.25
13~14	193	274.87**	195.40	363.40	240	139.64	96.55	192.90
15~16	198	170.75**	132.63	234.40	199	100.63	82.63	134.87
17~18	200	131.02**	107.64	168.25	201	75.40	62.40	89.40
19~26	176	76.63**	62.75	97.02	266	54.87	47.63	66.63
27~34	198	72.40**	61.63	86.63	192	52.40	42.52	65.25
35~44	208	71.52**	60.40	84.02	248	56.29	48.87	67.40
45~54	207	72.40**	60.87	91.40	204	64.40	52.52	82.40
55~	204	73.52**	62.54	88.64	233	87.87	74.40	103.40

* $P<0.05$ 与同一地区女性比较；** $P<0.01$ 与同一地区女性比较

# $P<0.05$ 与南方地区同性别比较；## $P<0.01$ 与南方地区同性别比较

表 2-3-34　城乡居民血清 ALP 水平统计值表

单位：U/L

年龄（岁）	城市							
	男				女			
	n	median	p25	p75	n	median	p25	p75
~10	27	200.87##	111.30	268.87	31	230.63##	111.30	282.87
11~12	144	259.08##**	120.84	328.37	134	191.88##	107.06	274.40
13~14	150	257.75##**	166.63	345.63	169	113.87##	92.87	161.40
15~16	179	169.74#**	128.63	240.40	144	94.63##	80.25	117.86
17~18	150	125.52**	99.63	163.63	173	75.40##	60.63	89.63
19~26	176	82.14#**	68.14	103.32	255	61.87	50.87	76.32
27~34	158	73.40**	57.40	93.40	171	54.12##	44.28	67.40
35~44	180	70.26##**	54.76	84.26	256	54.87##	46.69	66.53
45~54	171	77.49**	65.40	93.28	185	66.40##	52.89	84.40
55~	194	75.26**	65.19	92.63	242	87.87##	74.40	103.40

年龄（岁）	农村							
	男				女			
	n	median	p25	p75	n	median	p25	p75
~10	17	295.20	234.93	357.93	35	318.57	255.63	353.01
11~12	108	310.80	251.13	368.09	76	307.45	230.44	396.68
13~14	129	337.40**	250.92	411.40	167	170.97	132.63	237.63
15~16	119	202.63**	137.76	272.63	146	122.40	97.17	153.40
17~18	194	128.52**	109.47	169.74	182	84.87	72.57	99.63
19~26	113	90.40**	72.63	113.16	193	64.40	52.63	81.63
27~34	159	75.63**	63.96	93.40	189	61.50	50.43	75.40
35~44	169	78.72**	65.40	92.25	183	63.96	52.89	76.26
45~54	158	78.72	63.63	97.63	141	75.03	61.40	92.25
55~	81	78.72**	62.73	95.94	77	100.86	84.87	113.16

* $P<0.05$ 与同一地区女性比较；** $P<0.01$ 与同一地区女性比较

# $P<0.05$ 与农村地区同性别比较；## $P<0.01$ 与农村地区同性别比较

从图2-3-63和图2-3-64可以看到，被调查居民的血清ALP水平均显示在青春期的随年龄的显著下降，26岁以后血清ALP水平保持基本稳定。男性居民在13岁以前，ALP水平有所增高。

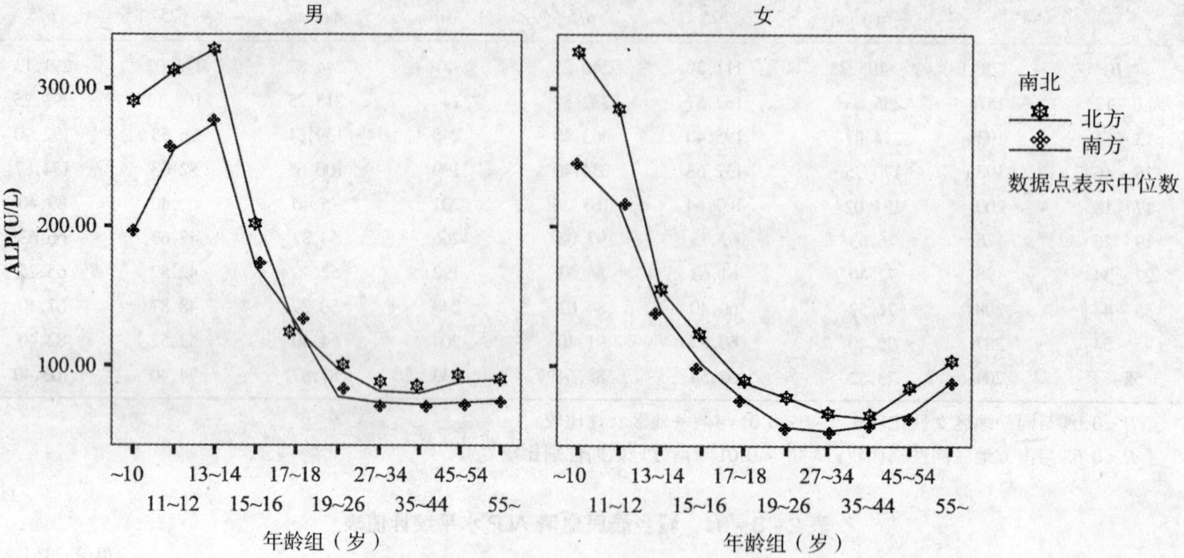

图2-3-63 被调查居民各年龄组血清ALP南北比较

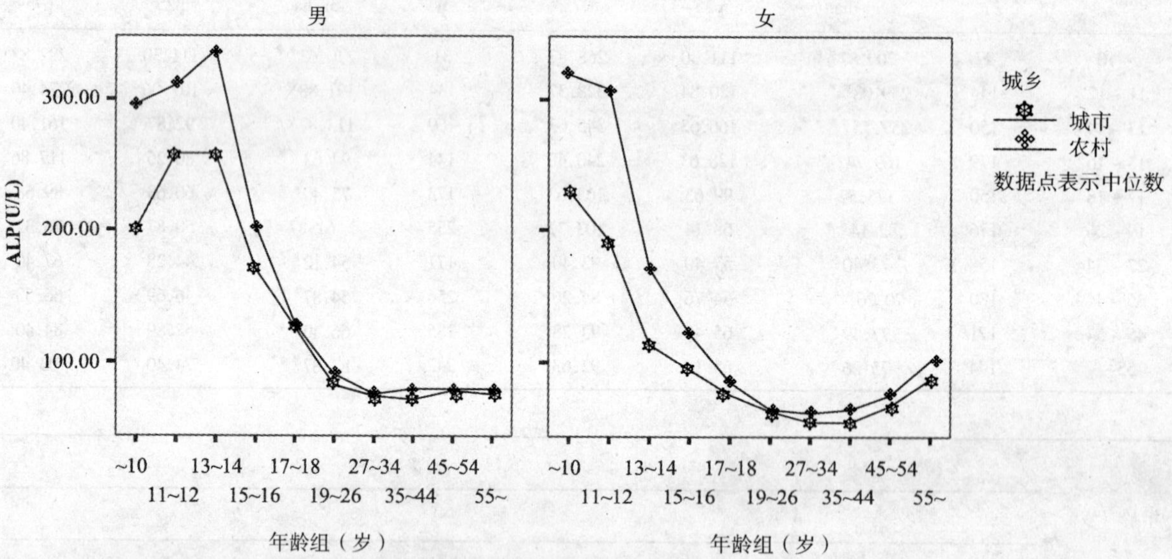

图2-3-64 被调查居民各年龄组血清ALP城乡比较

1）城乡之间比较 显著特征是农村居民ALP水平普遍高于城市居民。具体如下：在~10、11~12、13~14和35~44岁年龄段，农村男性居民的血清ALP水平显著高于城市男性居民（$P<0.01$）；在10岁以前、11~12、13~14、15~16、17~18、27~34、35~44、45~54和55岁以上年龄段农村女性居民的血清ALP水平显著高于城市女性居民（$P<0.01$）。

2）南北之间比较 显著特征是北方居民ALP水平普遍高于南方居民。具体如下：北方女性居民在13~14和35~44岁年龄段高于南方女性（$P<0.05$），其他各年龄段显著高于南方女性（$P<0.01$）；北方男性在15~16、27~34和35~44岁年龄段高于南方男性（$P<0.05$），在~10、11~12、13~14、19~26、45~54和55岁以上年龄段显著高于南方男性（$P<0.01$）。

3）性别之间比较 调查显示男性居民的ALP水平普遍高于同年龄段的女性居民。城市男性的

ALP 水平在 11～54 岁各年龄段均显著高于城市女性居民，农村男性的 ALP 水平在 13～44 岁的各年龄段显著高于农村女性居民；北方男性 ALP 水平在 13～54 岁各年龄段显著高于北方女性，南方男性 ALP 水平在 11～54 岁各年龄段均显著高于南方女性居民（$P<0.01$）。在 55 岁以上年龄段，不同地区组别均显示男性 ALP 水平显著低于女性（$P<0.01$）。

血清 ALP 在不同人群中分布的百分位数表见数据资料汇总表 3－3－57～3－3－60。

12. 血糖

（1）北京市检测状况　在北京市城区和顺义区（农村）对青少年进行了血糖调查，其年龄和性别分布如表 2－3－35 所示。在北京共调查男性居民 1381 人，女性居民 1615 人；城市居民 2242 人，农村居民 754 人。

表 2－3－35　北京市 GLU 检测人群分布表

单位：人

年龄（岁）	城区		顺义		合计
	男	女	男	女	
～10	70	83	0	0	
11～12	358	339	9	13	
13～14	230	251	120	123	
15～16	71	114	113	112	
17～18	113	189	123	127	
19～26	164	260	10	4	
合计	1 006	1 236	375	379	2 996

（2）北京市检测结果　见表 2－3－36。

表 2－3－36　北京市 GLU 城乡分布均值表

年龄（岁）	城市						农村					
	男			女			男			女		
	n	mean	S	n	mean	S	n	mean	S	n	mean	S
～10	70	4.18*	0.38	83	4.05	0.34	0	.	.	0	.	.
11～12	358	4.33	0.45	339	4.36	0.49	9	4.52	0.39	13	4.24	0.34
13～14	230	4.80##	0.47	251	4.75##	0.46	120	4.94	0.42	123	4.92	0.46
15～16	71	4.68	0.46	114	4.60#	0.39	113	4.79	0.47	112	4.73	0.44
17～18	113	4.96##	0.46	189	4.86##	0.51	123	4.52	0.38	127	4.51	0.40
19～26	164	5.08##	0.45	260	5.07##	0.46	10	4.49*	0.19	4	4.19	0.29

* $P<0.05$ 与同一地区女性比较；** $P<0.01$ 与同一地区女性比较

\# $P<0.05$ 与农村地区同性别比较；## $P<0.01$ 与农村地区同性别比较

从图 2－3－65 可以看到，北京城市青少年血糖水平基本随年龄的增加而增加，仅在 15～16 岁比前一年龄段略有下降；农村青少年则 13～14 岁阶段达到最大，以后随年龄略有下降。

1）城乡之间比较　城市男性在 13～14 岁年龄段显著低于农村男性，在 17～18 和 19～26 岁两个

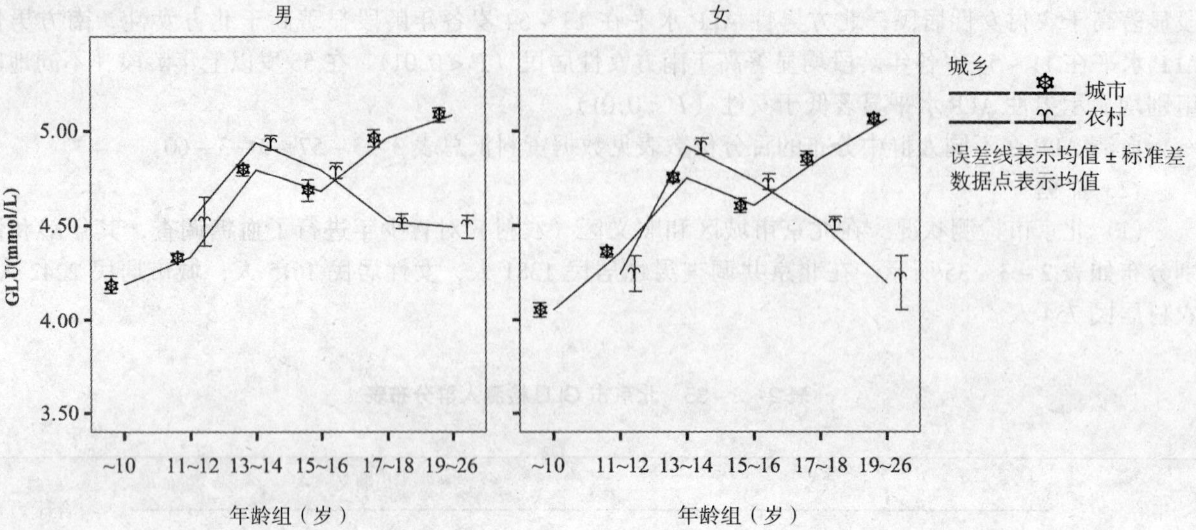

图 2-3-65　被调查北京青少年各年龄组血清 GLU 城乡比较

年龄段显著高于农村男性（$P<0.01$）；城市女性在 13~14 岁显著低于农村女性（$P<0.01$），在 15~16 岁年龄段低于农村女性（$P<0.05$），在 17~18 和 19~26 岁两个年龄段显著高于农村女性（$P<0.01$）。

2）性别之间比较　被调查的北京青少年男女之间的血糖差异并不明显。城市男性仅在 ~10 岁年龄段高于城市女性（$P<0.05$），农村男性在 19~26 岁年龄段高于农村女性（$P<0.05$）。

(3) 浙江省检测状况　在浙江省杭州、绍兴、诸暨和舟山四地进行了居民的血糖调查，共调查居民 2251 人，其中男性居民为 1024 人，女性居民为 1227 人；城市居民为 1729 人；农村居民为 522 人。具体年龄、性别和地区分布如表 2-3-37 所示。

表 2-3-37　浙江省 GLU 检测人群分布表

单位：人

年龄（岁）	杭州		绍兴		诸暨		舟山		合计
	男	女	男	女	男	女	男	女	
~10	8	11	6	4	5	12	9	13	
11~12	36	41	27	31	31	24	47	40	
13~14	32	59	27	27	30	31	30	25	
15~16	7	6	58	57	27	30	35	28	
17~18	2	2	54	65	26	24	29	26	
19~26	15	19	43	79	22	63	29	39	
27~34	14	27	16	22	33	28	12	19	
35~44	18	36	12	29	20	28	43	60	
45~54	22	22	4	23	31	29	37	18	
55~	69	65	8	15	14	14	36	36	
合计	223	288	255	352	239	283	307	304	2251

（4）浙江省检测结果　见表 2-3-38。

表 2-3-38　浙江省 GLU 城乡分布均值表

单位：mmol/L

年龄（岁）	城市						农村					
	男			女			男			女		
	n	mean	S	n	mean	S	n	mean	S	n	mean	S
~10	23	4.83**	0.45	28	4.52	0.35	5	4.46	0.59	12	4.31	0.33
11~12	110	4.89##	0.49	112	4.80##	0.38	31	4.42	0.52	24	4.54	0.48
13~14	89	4.58*	0.57	111	4.77	0.46	30	4.49*	0.38	31	4.72	0.40
15~16	100	4.78#	0.50	91	4.72	0.42	27	4.49	0.48	30	4.70	0.33
17~18	85	4.81##	0.54	93	4.71	0.45	26	4.56	0.35	24	4.58	0.52
19~26	87	4.46#	0.51	137	4.45#	0.43	22	4.76	0.55	63	4.63	0.58
27~34	42	4.55	0.66	68	4.53#	0.58	33	4.83	0.66	28	4.79	0.41
35~44	73	4.63	0.68	125	4.63	0.58	20	4.73	0.49	28	4.79	0.61
45~54	63	4.69	0.69	63	4.76	0.52	31	4.81	0.68	29	4.76	0.63
55~	113	4.85	0.77	116	4.79	0.57	14	4.60	0.64	14	4.97	0.66

* $P<0.05$ 与同一地区女性比较；** $P<0.01$ 与同一地区女性比较

# $P<0.05$ 与农村地区同性别比较；## $P<0.01$ 与农村地区同性别比较

从图 2-3-66 可以看到，浙江省被调查居民的血糖水平随年龄波动并不是分明显。

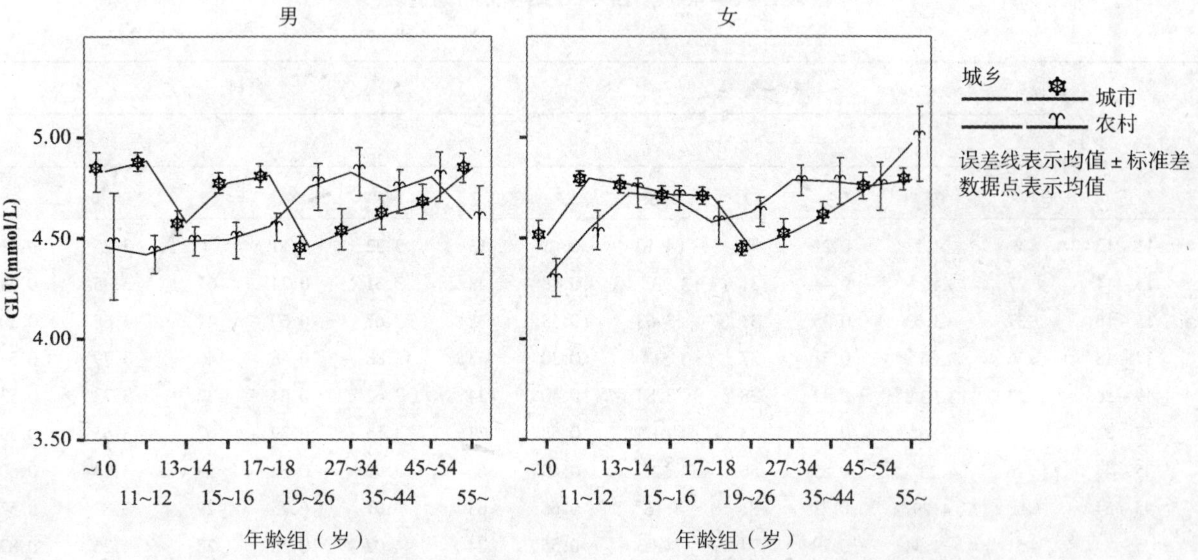

图 2-3-66　被调查浙江省居民各年龄组血清 GLU 城乡比较

1）城乡之间比较　对于男性居民，城市居民年在 11~12 和 17~18 岁年龄段血糖水平显著高于农村居民（$P<0.01$），在 15~16 岁年龄段高于农村居民，在 19~26 岁年龄段低于农村居民（$P<0.05$）；对于女性居民，城市居民在 11~12 岁年龄段血糖水平显著高于农村居民（$P<0.01$），在 19~26 和 27~34 岁两个年龄段低于农村居民（$P<0.05$）。

2）性别之间比较　城市男性居民在 10 岁以前年龄段血糖水平显著高于城市女性（$P<0.01$），

在13～14岁年龄段低于城市女性（$P<0.05$）；农村男性血糖水平在13～14岁年龄段低于农村女性（$P<0.05$）。

（5）广西壮族自治区检测状况　在广西壮族自治区南宁市和宾阳县两市县进行了居民的血糖调查，共调查居民1470人，其中男性居民为739人，女性居民为731人；城市居民为706人；农村居民为764人。具体年龄、性别和地区分布如表2－3－39所示。

表2－3－39　广西GLU检测人群分布表

单位：人

年龄（岁）	南宁		宾阳		
	男	女	男	女	
11～12	3	4	13	4	
13～14	27	31	48	67	
15～16	37	31	32	47	
17～18	36	37	53	46	
19～26	33	28	34	37	
27～34	48	33	73	62	
35～44	46	56	68	39	
45～54	50	81	63	29	
55～	51	74	24	25	
合计	331	375	408	356	1 470

（6）广西壮族自治区检测结果　见表2－3－40

表2－3－40　广西GLU城乡分布均值表

单位：mmol/L

年龄（岁）	城市						农村					
	男			女			男			女		
	n	mean	S	n	mean	S	n	mean	S	n	mean	S
11～12	3	4.17	0.21	4	4.10	0.41	13	3.32	0.31	4	3.25	0.31
13～14	27	3.87##	0.44	31	3.73##	0.48	48	3.31	0.24	67	3.35	0.34
15～16	37	3.63	0.35	31	3.63	0.38	32	3.67	0.60	47	3.68	0.50
17～18	36	3.64##	0.31	37	3.51##	0.30	53	3.88	0.48	46	3.79	0.54
19～26	33	3.93##	0.42	28	3.84	0.40	34	3.62	0.34	37	3.73	0.53
27～34	48	3.86##	0.55	33	4.01##	0.58	73	3.55	0.39	62	3.65	0.59
35～44	46	4.23##	0.55	56	4.22##	0.49	68	3.90	0.53	39	3.73	0.60
45～54	50	4.29#	0.77	81	4.16#	0.66	63	3.97	0.75	29	3.82	0.57
55～	51	4.34	0.79	74	4.23	0.55	24	4.02	0.56	25	4.26	0.89

* $P<0.05$ 与同一地区女性比较；** $P<0.01$ 与同一地区女性比较

\# $P<0.05$ 与农村地区同性别比较；## $P<0.01$ 与农村地区同性别比较

图2－3－67所示，广西城市居民的血糖水平在17～18岁以前略有下降，以后随年龄增长略有增加；农村居民则在17～18岁以前略有增加，随后血糖水平有所下降，在27～34岁以后又呈上升趋势。

1）城乡之间比较　城市男性居民在13～14、19～26、27～34和35～44岁年龄段，血糖水平显著

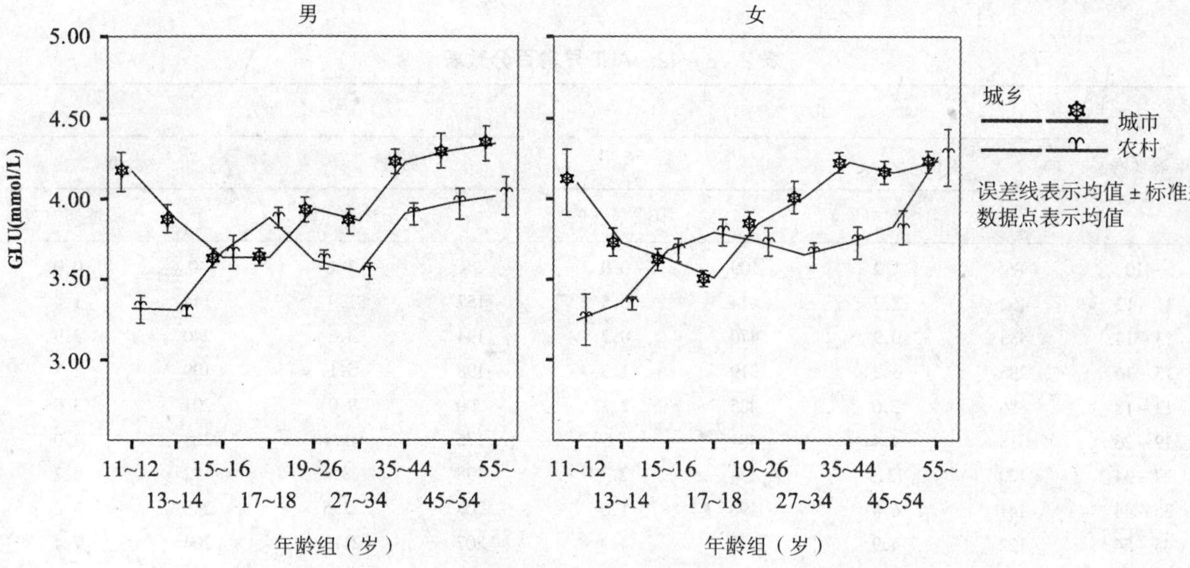

图 2-3-67　被调查广西居民各年龄组血清 GLU 城乡比较

高于农村男性（$P<0.01$），在 45~54 岁年龄段高于农村男性（$P<0.05$），在 17~18 岁年龄段显著低于农村男性居民（$P<0.01$）；城市女性血糖水平在 13~14、27~34 和 35~44 岁年龄段显著高于农村女性（$P<0.01$），在 45~54 岁年龄段高于农村男性（$P<0.05$），在 17~18 岁年龄段显著低于农村男性（$P<0.01$）。

2）性别之间比较　广西被调查居民在各年龄段均未显示血糖水平存在男女之间的统计差异。

13．丙氨酸氨基转移酶（ALT）

（1）检测状况　血清 ALT 水平调查在北京市、河北、浙江和广西四省区市进行，共调查人群 9013 人。其中，城市人口 5625 人，占总检测人数 62.4%，农村人口 3388 人，占总检测人数 37.6%；北方居民 5276 人，南方居民 3737 人；男性居民 4196 人，女性居民 4817 人，具体见表 2-3-41。

表 2-3-41　血清 ALT 调查人群分布表

单位：人

年龄（岁）	北方				南方				合计
	城市		农村		城市		农村		
	男	女	男	女	男	女	男	女	
~10	74	86	12	23	23	28	5	12	
11~12	389	356	73	58	113	116	44	28	
13~14	263	278	172	192	116	142	78	98	
15~16	112	137	173	182	139	122	59	77	
17~18	148	246	238	239	121	131	79	70	
19~26	251	385	67	96	120	165	56	101	
27~34	68	76	52	98	91	101	107	91	
35~44	60	75	81	115	120	181	88	67	
45~54	58	40	64	82	113	145	94	59	
55~	29	48	42	38	165	194	39	39	
合计	1 452	1 727	974	1 123	1 121	1 325	649	642	9 013

（2）检测结果　见表2-3-42。

表2-3-42　ALT异常百分数表

年龄（岁）	北方				南方			
	男性		女性		男性		女性	
	n	阳性率（%）	n	阳性率（%）	n	阳性率（%）	n	阳性率（%）
~10	86	1.2	109	0.0	28	7.1	40	0.0
11~12	462	2.2	414	0.5	157	1.9	144	1.4
13~14	435	0.9	470	0.2	194	3.6	240	2.9
15~16	285	3.2	319	1.3	198	5.1	199	2.5
17~18	386	2.6	485	2.3	200	9.0	201	3.0
19~26	318	4.4	481	3.5	176	11.4	265	3.0
27~34	120	13.3	174	2.3	198	28.8	192	5.7
35~44	141	6.4	190	1.6	208	22.6	248	5.2
45~54	122	4.9	122	4.9	207	21.3	204	7.4
55~	71	1.4	86	3.5	204	11.3	233	7.7

将血清ALT值高于各地正常标准值的上限作为异常，计算不同组别发生异常的阳性率。

1）南北方之间比较　通过表2-3-42可以看到，南方男性仅在11~12岁年龄段，ALT异常的阳性率略低于北方男性居民，其他年龄段均高于北方男性居民。南方男性居民ALT异常阳性率最高的年龄段为27~34和35~44岁，北方男性则在27~34岁年龄段。南方女性在19~26岁以外的各年龄段，ALT异常的发生率也高于北方女性。南方女性ALT异常的阳性率有随年龄增加的趋势。

2）男女之间比较　北方男性在除45~54岁以外的各年龄段，ALT异常的阳性率均高于同年龄段的北方女性居民。南方男性在各年龄段ALT异常阳性率均高于南方女性居民。

14．门冬氨酸氨基转移酶（AST）

（1）检测状况　此次共调查浙江省和广西壮族自治区居民2605人。浙江省调查杭州和舟山两市共1124人，广西壮族自治区调查南宁市和宾阳县两市县共1481人。其中，男性人口1274人，女性居民1331人。具体见表2-3-43。

表2-3-43　血清AST调查人群分布表

单位：人

年龄（岁）	杭州		舟山		南宁		宾阳		合计
	男	女	男	女	男	女	男	女	
~10	8	11	9	13	0	0	0	0	
11~12	36	41	47	40	3	4	13	4	
13~14	32	59	30	25	27	31	48	67	
15~16	7	6	35	28	37	31	32	47	
17~18	2	2	29	26	36	38	53	46	
19~26	15	19	29	39	33	28	34	38	
27~34	14	27	12	19	49	33	74	62	
35~44	18	36	43	60	47	56	68	39	
45~54	22	22	37	18	50	82	63	30	
55~	70	66	36	36	51	77	25	25	
合计	224	289	307	304	333	380	410	358	2 605

（2）检测结果　见表 2－3－44。

表 2－3－44　AST 异常百分数表

年龄（岁）	浙江				广西			
	男性		女性		男性		女性	
	n	阳性率（%）	n	阳性率（%）	n	阳性率（%）	n	阳性率（%）
～10	17	11.76	24	0.00	0		0	
11～12	83	3.61	81	0.00	16	18.75	8	0.00
13～14	62	1.61	84	0.00	75	6.67	98	7.14
15～16	42	0.00	34	0.00	69	10.14	78	1.28
17～18	31	9.68	28	7.14	89	8.99	84	3.57
19～26	44	2.27	58	0.00	67	14.93	66	9.09
27～34	26	3.85	46	0.00	123	26.83	95	4.21
35～44	61	4.92	96	1.04	115	21.74	95	5.26
45～54	59	10.17	40	2.50	113	15.04	112	8.93
55～	106	6.60	102	5.88	76	19.74	102	13.73

1）浙江、广西两省区之间比较　通过表 2－3－44 可以看到，广西壮族自治区男性居民的血清 ALT 异常阳性率仅在 17～18 岁年龄段略低于浙江省男性居民，其他年龄段异常阳性率均高于浙江省男性居民。广西壮族自治区女性居民也仅在 17～18 岁年龄段，ALT 异常阳性率低于浙江省女性居民。

2）男女之间比较　浙江省男性居民在除 15～16 岁以外的各年龄段，ALT 异常的阳性率均高于浙江省女性居民。在各年龄段，广西壮族自治区男性居民 ALT 异常阳性率除 13～14 岁年龄段外均高于同省的女性居民。

15．讨论　血液生化检查是常规体检和临床诊断的常用方法，其检测值与人种、性别、年龄和生长发育不同阶段密切相关，同时也受生活地域、经济条件、职业、生活习惯、饮食结构等诸多因素影响。目前，国外的同类调查也多为一项或几项生化指标的调查，或针对某一特定人群的调查。较大规模全面调查我国居民的血液生化值对于详细了解我国人口的身体素质、制定符合我国人口特征的血液生化正常值范围均有重要的理论和实际意义。

本项目较大规模血液生化指标调查共检测了丙氨酸氨基转移酶（ALT）、门冬氨酸氨基转移酶（AST）、碱性磷酸酶（ALP）、总蛋白（TP）、白蛋白（ALB）、球蛋白（GLB）、白蛋白/球蛋白比值（A/G）、甘油三酯（TG）、总胆固醇（CHO）、高密度脂蛋白胆固醇（HDL－C）、低密度脂蛋白胆固醇（LDL－C）、葡萄糖（GLU）、钙（Ca）和无机磷（IP）十四项指标，这些指标反映了人体蛋白质、脂肪、糖三大物质代谢状况、人体生长发育水平、肝功能水平，并与临床高发的心脑血管疾病密切相关。

对于本文研究调查的 14 项生化指标，我们根据其在人群中是否呈正态分布采用了不同的统计分析方法。依据文献记录和本调查各项指标的分布直方图，确定 CHO、HDL－C、LDL－C、GLU、Ca、IP、TP、ALB、GLB 和 A/G 比值呈正态或近似正态分布，采用统计参考值为均值和标准差，利用 t 检验来比较两组之间的差异；ALP 和 TG 呈偏态分布（图 2－3－68），我们采用的统计参考值为中位数、25%和 75%，即第 25 百分位数，第 75 百分位数，利用 Mann－Whitney 检验比较两组之间的差异。ALT 和 AST 由于不同地区采用的正常值差别较大，故不同地区采用不同的正常值标准，计算其发生异常的阳性率并进行分析比较。

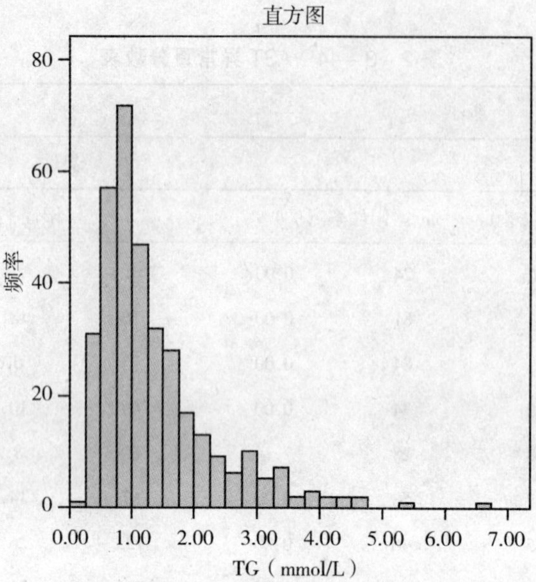

图2-3-68　TG呈偏态分布示例

本文研究调查的各指标分布特点和变化趋势如下：

（1）年龄对血液生化指标的影响　随年龄变化的不同趋势可以分成以下4类：

1）随年龄呈增长趋势　呈此种变化的指标有：CHO、LDL-C、GLB和TG。值得注意的是与脂肪代谢密切相关的CHO、LDL-C和TG均在19~26岁年龄段以后呈现明显的增长趋势。

2）随年龄呈下降趋势　此类指标有ALB、A/G比值、IP和ALP。IP的下降趋势主要集中在27~34岁年龄段以前，ALP的下降趋势集中在19~26岁年龄段以前。

3）随年龄变化不明显　HDL-C在整个年龄范围内虽然有波动，但基本保持稳定。

4）不同年龄阶段和（或）不同人群呈现不同变化趋势　TP和Ca的变化趋势存在南北差别和城乡差别，但是同一地区的男女居民的变化趋势相似。

（2）性别对血液生化指标的影响　性别因素对不同生化指标的影响不同。例如，对于CHO，在青少年生长发育阶段女性的水平较男性高，到55岁以上又出现女性CHO水平较高的现象；TG在青少年发育阶段女性水平较高，进入到中老年阶段后，男性的TG水平较高；对于另一种有保护性作用的HDL-C，女性的水平在多个年龄段高于男性。血清ALB是在15~44岁年龄段男性水平比较高，A/G比值和GLB则呈现多个年龄段的女性高于男性的特征。血磷是和人的生长发育密切相关的生化指标，它在发育阶段男性水平高于女性，进入中老年后，男性的血磷水平又低于女性。血钙的性别差异并不十分明显，在老年阶段也没有出现性别差异。另外，值得注意的是，ALT和AST的异常发生率几乎在所有年龄组均是男性较高。

（3）南北地域差别对血液生化指标的影响　和脂肪代谢相关的血液生化指标CHO和TG呈现南方居民水平高于北方居民的现象，HDL-C则是在高年龄阶段南方居民水平较高，LDL-C是中青年阶段南方居民水平较高。血清TP水平随年龄发展趋势有南北差异，进入中老年阶段后，北方居民的TP持续增加，南方居民的TP水平下降，北方居民的TP水平较高。血清ALB则是在青少年阶段，南方居民水平较高；老年阶段则是北方居民血清ALB水平较高。北方居民的GLB随年龄增加的趋势更加明显，在绝大多数年龄段，北方居民此值较高。因此，总体上南方居民的A/G比值较高。血钙水平则是在青少年阶段南方水平较高，老年阶段是北方居民的血钙水平较高。ALP水平北方普遍高于南方。在绝大多数年龄段，南方居民的ALT异常阳性率较高。

（4）城乡差别对血液生化指标的影响　城乡之间的差别没有性别和南北地域之间差别明显。差别比较明显的指标有TP、GLB和A/G比值。对于TP，农村青中年居民的血清TP水平高于城市居民。

GLB 也是农村居民水平较高，农村女性更加明显，农村男性则是在青少年阶段高于城市男性。

影响各种人体血液生化指标的因素很多，既有人体生理、疾病相关了因素，也有经济、社会发展因素，本文所报告的不同指标的南北差异、性别差异和城乡差异仅仅是这些因素作用的综合结果。

（三）呼吸系统

1．检测概况　肺功能参数在北京、河北、浙江、广西四省区市共检测 4216 例，其中城市居民 2302 例，占检测总数 54.6%，乡村居民 1914 例，占检测总数 46.4%，其性别及年龄分布的详细资料如表 2－3－45 所示。

表 2－3－45　肺功能检测人群分布表（人）

年龄（岁）	城市			农村			合计
	男	女	合计	男	女	合计	
10～12	145	147	292	95	117	212	
13～14	168	154	322	123	115	238	
15～16	129	88	217	115	86	201	
17～18	108	106	214	115	100	215	
19～26	169	190	359	107	100	207	
27～34	118	118	236	110	117	227	
35～44	108	141	249	157	133	290	
45～54	95	110	205	126	77	203	
≥55	98	109	207	76	46	122	
合计			2301			1915	4216

（1）抽样方法　项目分别在北京、河北、浙江、广西四省区市的人群中采用分层不等概率二阶整群抽样的原则，以四省市为主层，主层下分为城市和农村 2 个分层，其中北京：北京城区、郊区；河北：城市～唐山、衡水，农村～唐海、景县；浙江：城市～杭州、绍兴、舟山，农村～诸暨；广西：城市～南宁，农村～宾阳等共 11 个点，涉及不同职业、文化、生活水平的人群，年龄分布在 10～80 岁。表 2－3－45 所示接受肺功能检测人群占体检合格人数的 12%～16%（北京 4.7%）。

（2）正常人标准　参考调查表显示的健康状况、家族史、个人嗜好如吸烟史、环境因素等状况，选例要求既往无主要脏器疾病，心肺听诊、心电图检测无异常、血压正常，血液生化检查（肝功能、血糖等）正常；肺功能检测中排除肺容量指标实测值占预计值的比例低于 80%者、反映气道功能的指标：25%呼气流速（25% forced expiratory flow FEF25%）、FEF50%、FEF75%中有 2 项低于 80%者；测试中配合不好者及大量吸烟者。

2　检测结果

（1）北京市　共检测 465 人，其中男性 216 人，女性 249 人，检测结果见数据资料汇总表 3－3－61，北京地区选例城区及郊区的大、中、小学校，年龄在 10～23 岁之间，结果表明：城区与城郊人群肺功能测定值比较没有明显差异（$P>0.05$）；根据上述两区地理位置接近，城郊选例太少（男 45、女 53）将其作为一个整体进行统计。

1）肺容量指标　性别之间存在着显著差异（$P<0.01$）；年龄段之间的比较，VT：男性 16 岁前增长明显，随后呈下降趋势，18 岁以后下降较快；女性 10～12 岁为峰值、随年龄增长逐渐下降，二者均在 15～18 岁呈上升趋势、18 岁达峰值，然后开始下降（图 2－3－69）。BF、ERV（男性）、IC、VC 随年龄增长而增高（图 2－3－70～2－3－73），16 岁前增长迅速（$P<0.01$）其后下降或维持在峰

值水平线上下，女性ERV在13~14岁达到峰值并持续至18岁后呈下降状态；BF在女性16岁前增长平缓、16~18岁明显下降（$P<0.05$），IC、VC增长趋势与男性相似但增长速度平缓（$P>0.05$）（图2-3-70~2-3-73）。

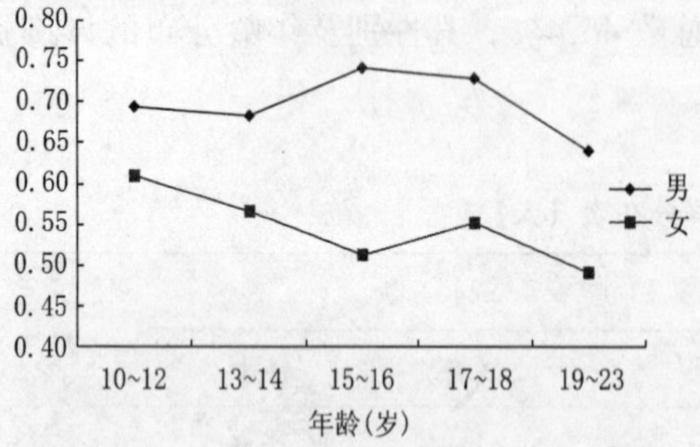

图2-3-69 不同年龄段潮气量的比较

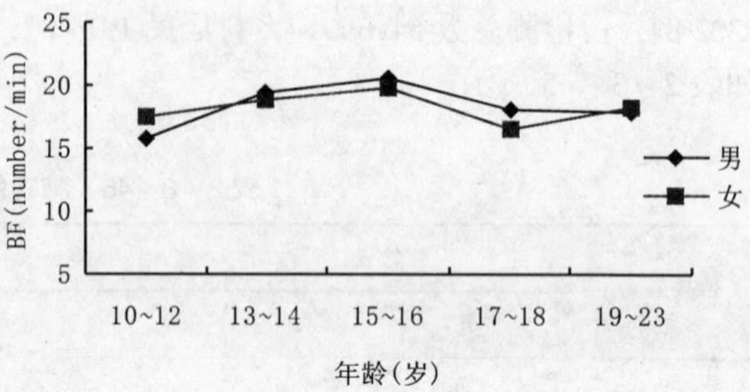

图2-3-70 不同年龄段呼吸频率比较

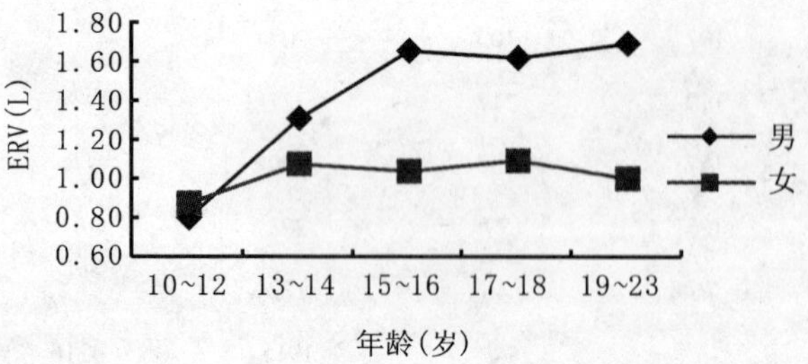

图2-3-71 不同年龄段补呼气量比较

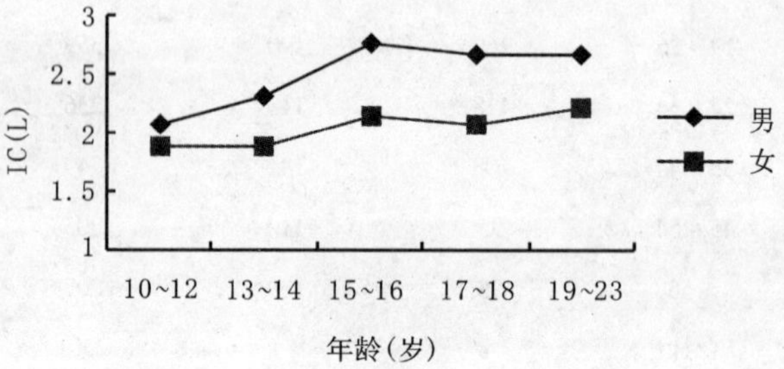

图2-3-72 不同年龄段深吸气量比较

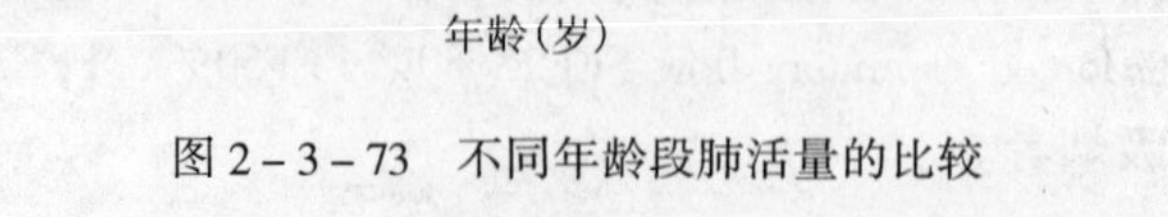

图2-3-73 不同年龄段肺活量的比较

2）肺通气指标 性别之间存在显著性差异（$P<0.01$）；FVC、FEV1、MVV在10~16岁增长显著、达峰值（$P<0.01$），16岁以后维持在峰值水平或略降（图2-3-74、2-3-75、2-3-78）；男性MV在16前增长迅速（$P<0.01$），16岁后呈明显下降趋势（$P<0.05$），女性10~12岁为峰值并随年龄段上升呈缓慢下降趋势（图2-3-77）；无论男性或女性FEV1/FVC均表现在13~14岁年龄段达到峰值（$P<0.01$）然后基本上保持在峰值水平（图2-3-76）。

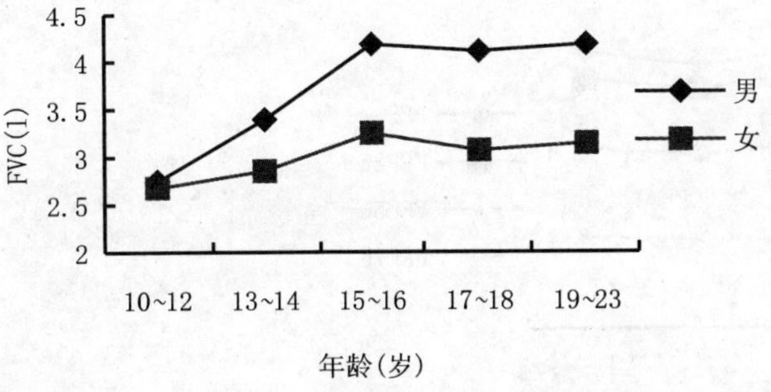

图 2-3-74　不同年龄段用力呼气肺活量比较

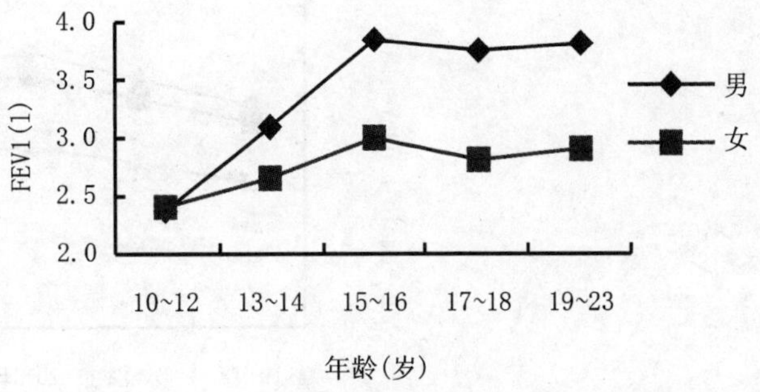

图 2-3-75　不同年龄段用力呼气一秒量比较

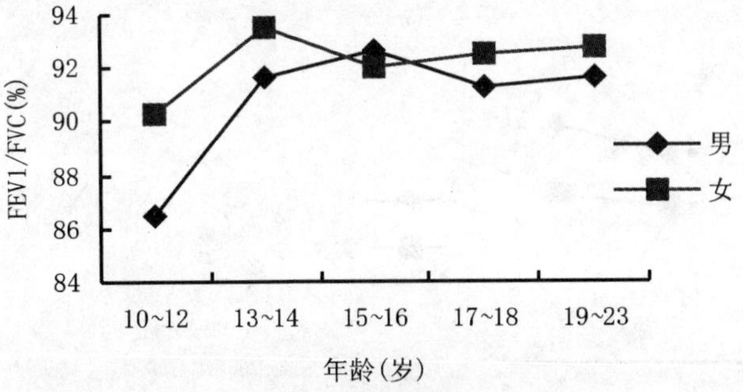

图 2-3-76　不同年龄段用力呼气一秒率比较

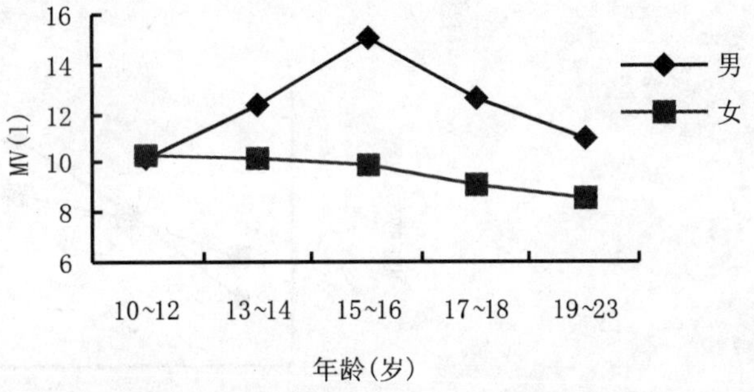

图 2-3-77　不同年龄段每分通气量比较

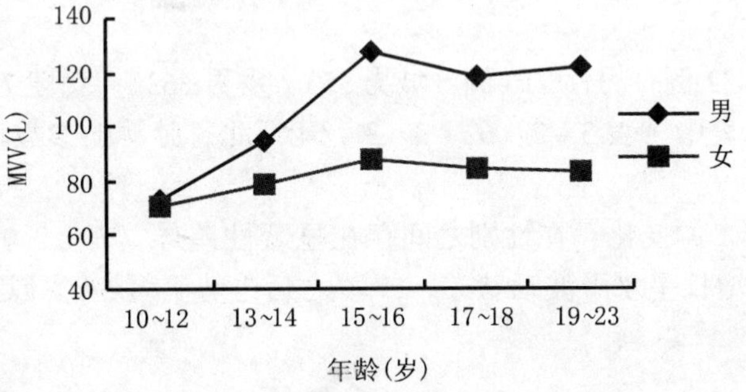

图 2-3-78　不同年龄段最大通气量比较

3）流速容量环指标　5 项指标男性 16 前增长显著（$P<0.01$），17～18 岁增长平缓或略下降、18～23 岁呈上升趋势，其中 PEF、FEF25 更为明显（分别 $P<0.01$，$P<0.05$）；女性 PEF、FEF25 在 16 岁前增长明显（$P<0.01$），其后趋于平缓；FEF50%、FEF75%、MMEF10～14 岁增长明显（$P<0.01$），缓慢增长至 16 岁（$P>0.05$），其后变化变化趋势同男性（图 2-3-79～2-3-81）。

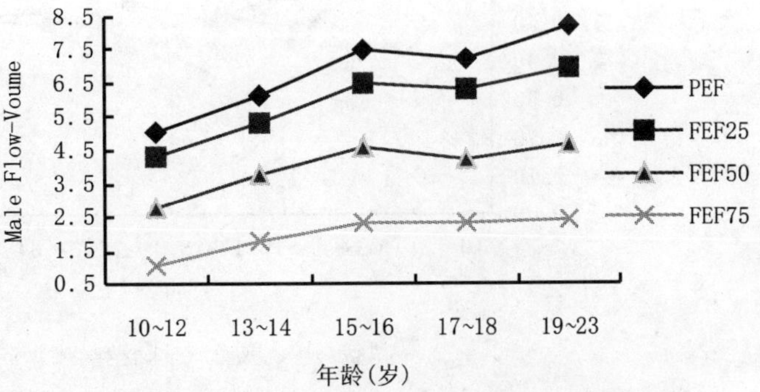

图 2-3-79　男性各年龄组－流速容量环指标比较

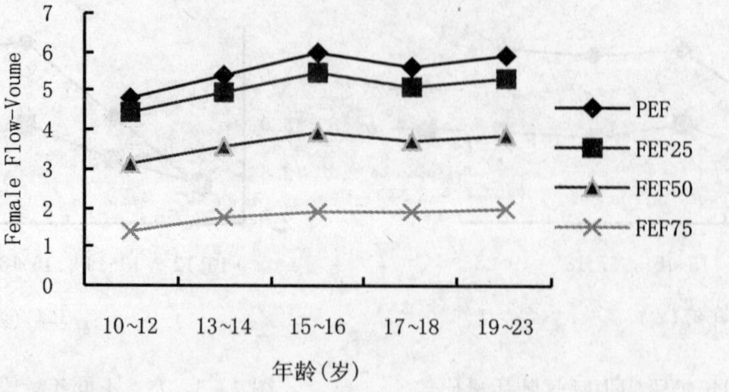

图 2-3-80　女性各年龄组-流速容量环指标比较

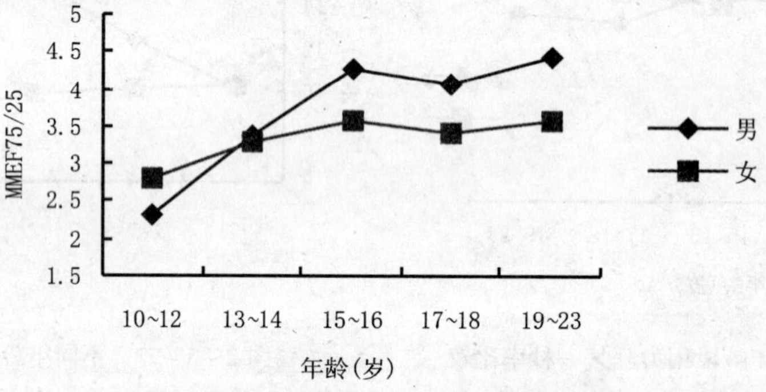

图 2-3-81　不同年龄组中段呼气流速的比较

（2）河北省　检测 1432 例，男性 716 例（城男 353、乡男 363）；女性 716 例（城 369、乡女 347），检测结果见数据资料汇总表中“表 3-3-62～3-3-64 河北省肺功能参数均值表”。

肺容量指标

1）潮气量（VT）　VT 的变化：在性别之间存在显著性差异（$P<0.01$），其增长与年龄增长无关，27 岁之前 VT 随年龄增长呈水平波动状态，27 岁之后趋势平缓 54 岁以后有上升趋势（图 2-3-82）。

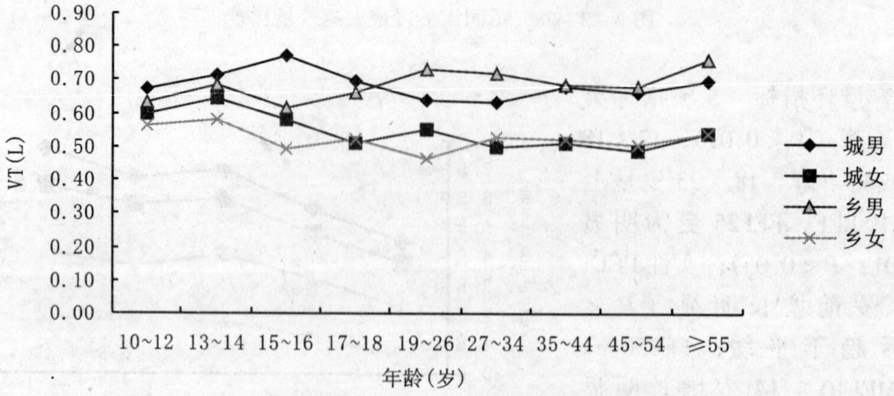

图 2-3-82　VT 随年龄增长变化趋势曲线

2）呼吸频率（BF）　BF 随年龄的增长整体上呈平缓下降趋势，具体变化为：城市 16 岁前、乡村 14 岁前呈现下降趋势（$P<0.05$），随后城市 16～18 岁快速增长达峰值并持续至 26 岁（$P<0.05$），27～34 岁下降至 13～14 岁水平，以后趋于平缓；乡村男性呈平缓下降趋势，女性 10～12 岁为峰值、15～16 岁后呈缓慢下降 35～34 岁呈现平缓上升（图 2－3－83）。

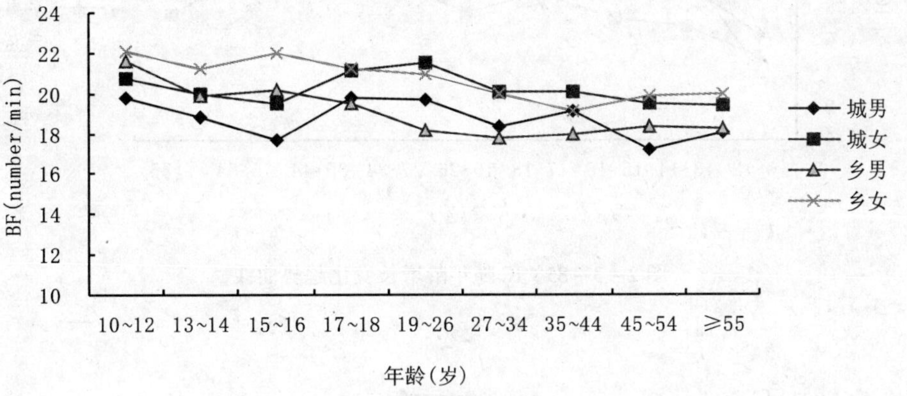

图 2－3－83　BF 随年龄增长变化趋势曲线

3）补呼气量（ERV）　ERV 的变化趋势呈现出：城市在 10～14 岁增长迅速（$P<0.01$），14～18 岁变化平缓，18～26 岁缓慢增长，男性持续到 34 岁、女性 44 岁后明显下降；乡村 10～16 岁增长迅速（$P<0.01$），女性 16 岁为峰值、随后开始下降，男性继续增长到 18 岁后开始下降，乡村男女 ERV 均在 34 岁后开始下降、女性 54 岁后呈上升（图 2－3－84）。

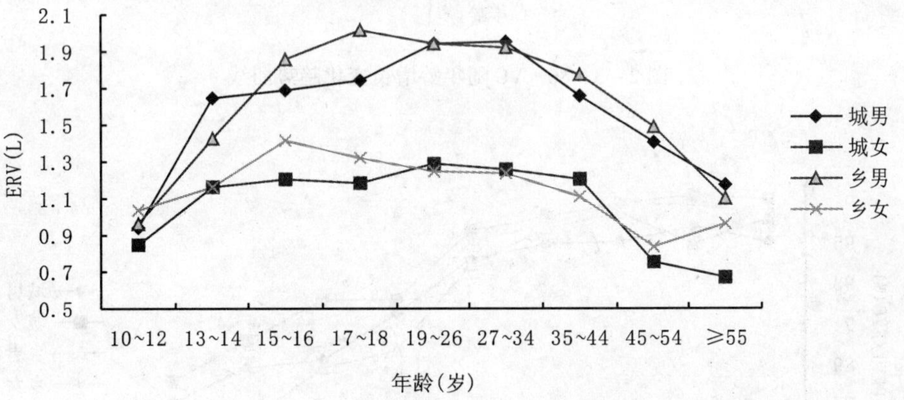

图 2－3－84　ERV 随年龄增长变化趋势曲线

4）深吸气量（IC）　IC 随年龄增长表现出 18 岁前增长明显（$P<0.01$），以后趋于平缓略升高。性别之间差距明显（$P<0.01$）；城市男性 16 岁前、乡村男性 14 岁前增长显著（$P<0.01$）城乡之间差距不明显（$P>0.05$）（图 2－3－85）。

5）肺活量（VC）　VC 随年龄增长而增高，男性 10～16 岁、女性 10～14 岁为突增期（$P<0.01$），随后持续增长至 27～34 岁开始下降；性别之间存在明显差异（$P<0.05$），城乡之间差异不明显（$P>0.05$）（图 2－3－86）。

6）用力呼气肺活量（FVC）　FVC 随年龄增长的变化趋势同 VC。

7）用力呼气一秒量（FEV1）　FEV1 随年龄增长的变化趋势同 VC。

8）一秒率（FEV1/FVC）　FEV1/FVC 随年龄增长呈现出：26 岁前为水平缓慢下降（$P>0.05$），26 岁后各组均呈现明显下降（$P<0.05$），各组变化趋势一致（图 2－3－87）。

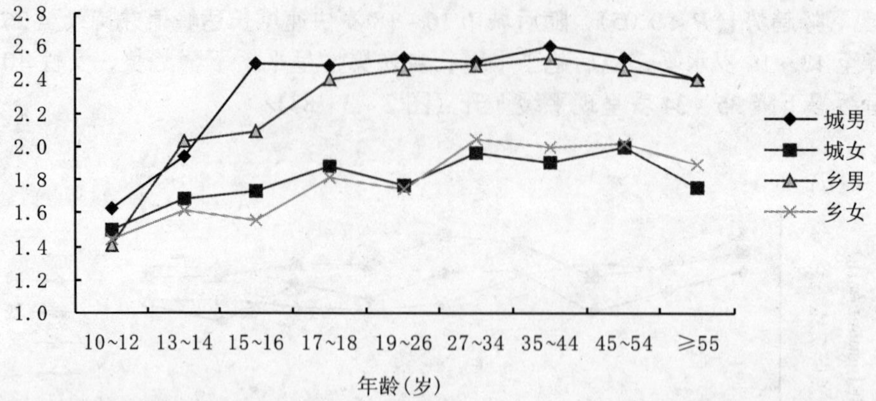

图 2－3－85　IC 随年龄增长变化趋势曲线

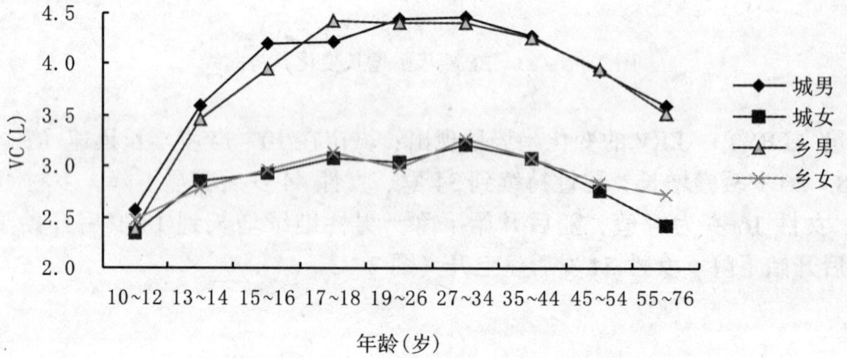

图 2－3－86　VC 随年龄增长变化趋势曲线

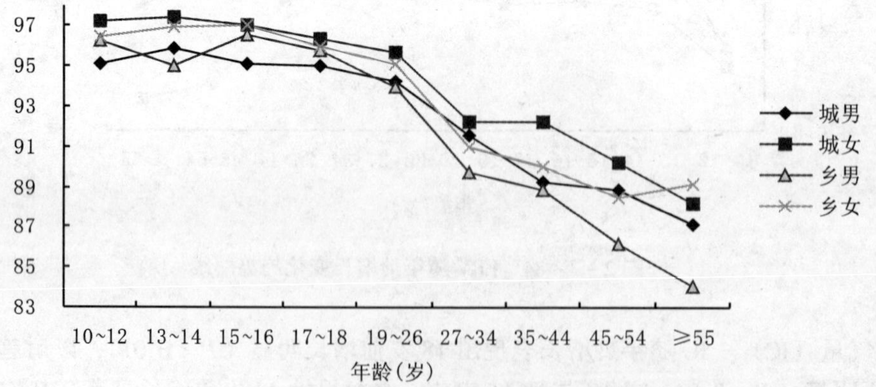

图 2－3－87　FEV1/FVC 随年龄增长变化趋势曲线

9）每分通气量（MV）　MV 随年龄增长、各组变化趋势相似即 MV 增高与年龄增长无关，曲线呈现出水平上下波动，性别之间有差异，城乡之间无差异，45 岁以后乡村高于城市（图 2－3－88）。

10）最大通气量（MVV）　MVV 随年龄增长变化趋势：男性 10～16 岁、女性 10～14 为 MV 突增期（$P<0.01$）；农村男性快速增长可达 18 岁，然后保持该水平稳定到 44 岁呈明显下降（$P<0.01$）；城市男性持续缓慢增长至 34 岁达峰值，然后缓慢下降至 44 岁，其值与 19～26 岁数值相近，44 岁后明显下降（$P<0.05$）；农村女性同乡村男性一样持续增长至 44 岁随后明显下降，但降至 54 岁后保

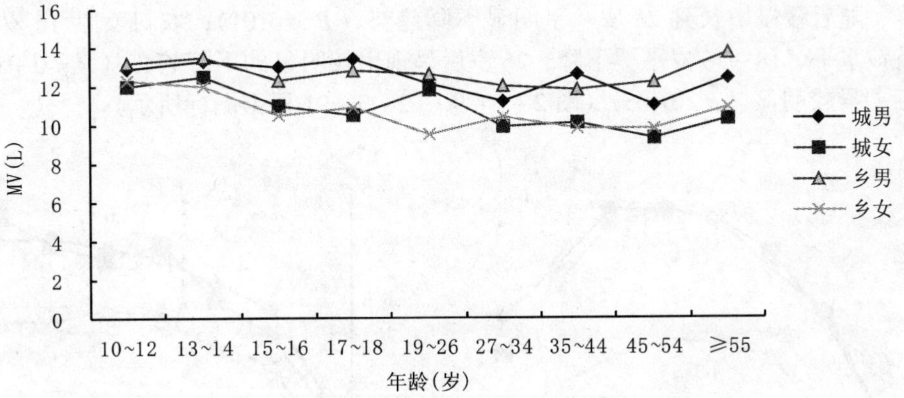

图 2-3-88　MV 随年龄增长变化趋势曲线

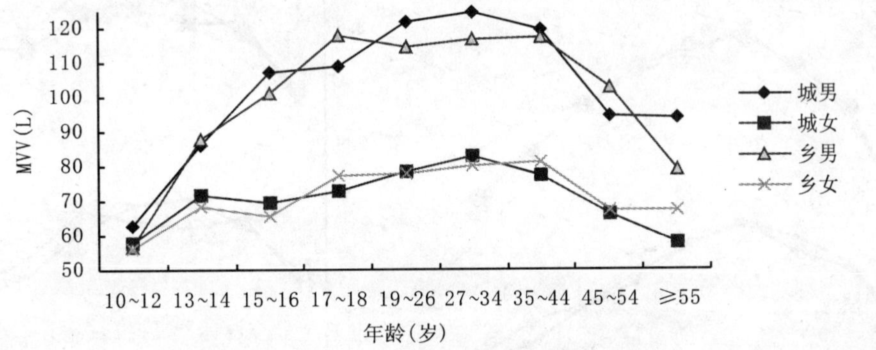

图 2-3-89　MVV 随年龄增长变化趋势曲线

持该水平，其次是农村女性 18 岁前增长不如乡村男性，且呈阶梯样增长；城市女性快速增长到 14 岁，然后缓慢增长到 27~34 岁后开始下降（图 2-3-89）。

11）~14）呼气流量-容积曲线（图 2-3-90、2-3-91）。

11）最高呼气流速（PEF）。

12）25%呼气流速（FEF25%）。

13）50%呼气流速（FEF50%）。

14）75%呼气流速（FEF75%）。

PEF 随年龄增长呈现出：男性 18 岁以前增长迅速，10~16 岁为突增期（$P<0.01$）；34 岁前城乡之间差别不明显，45 岁以后城乡对比差异较明显（$P<0.05$）；城男 19~26 岁后 PEF 随年龄增长上升平缓，34 岁为峰值并持续 44 岁开始下降（$P<0.01$）（图 2-3-90 上 1）；女性 10~14 岁为生长突增期（$P<0.01$），然后城市女性持续增长至 44 岁开始明显下降（$P<0.01$）；农村女性快速增长到 18 岁，18~34 岁为缓慢下降、35~44 岁升至峰值，后呈明显下降趋势（$P<0.01$），除农村女性 35~44 岁外，城乡比较差异不明显（图 2-3-91 上 1）。性别之间比较差异显著（$P<0.01$）（图 2-3-90、2-3-91 根据图标所示）。

FEF25%随年龄增长的变化趋势与 PEF 相似，随年龄增加快速增长至 18 岁后上升趋势平缓并持续至 34 岁开始下降，45 岁后城乡比较有差异（$P<0.05$）；女性 10~14 增长迅速（$P<0.01$），然后增长速度减慢升至 26 岁保持水平至 44 岁开始明显下降（$P<0.01$）；乡村女性迅速增长至 18 岁，19~34 岁呈平缓下降状态、35~44 岁略升高，接近 18 岁水平、随后开始呈明显下降趋势（图 2-3-90、2-3-91 根据图标所示）。

FEF50%随年龄增长的变化趋势显示：男性快速增长至 18 岁即开始呈现出明显下降趋势，45 岁前城乡之间差异不明显，45 岁以后有差异（$P<0.05$）；城市女性 10 ~ 14 岁前增长迅速（$P<0.01$），15 ~ 16 岁略降、随后缓慢增长到 26 岁、呈明显下降趋势（$P<0.01$）；农村女性 16 岁前增长迅速、16 ~ 18 岁保持该水平、18 ~ 26 岁平缓下降、26 岁后呈现出较明显的下降趋势（$P<0.05$），城乡之间比较：55 岁后差异较明显（$P<0.05$）（图 2 - 3 - 90、2 - 3 - 91 根据图标所示）。

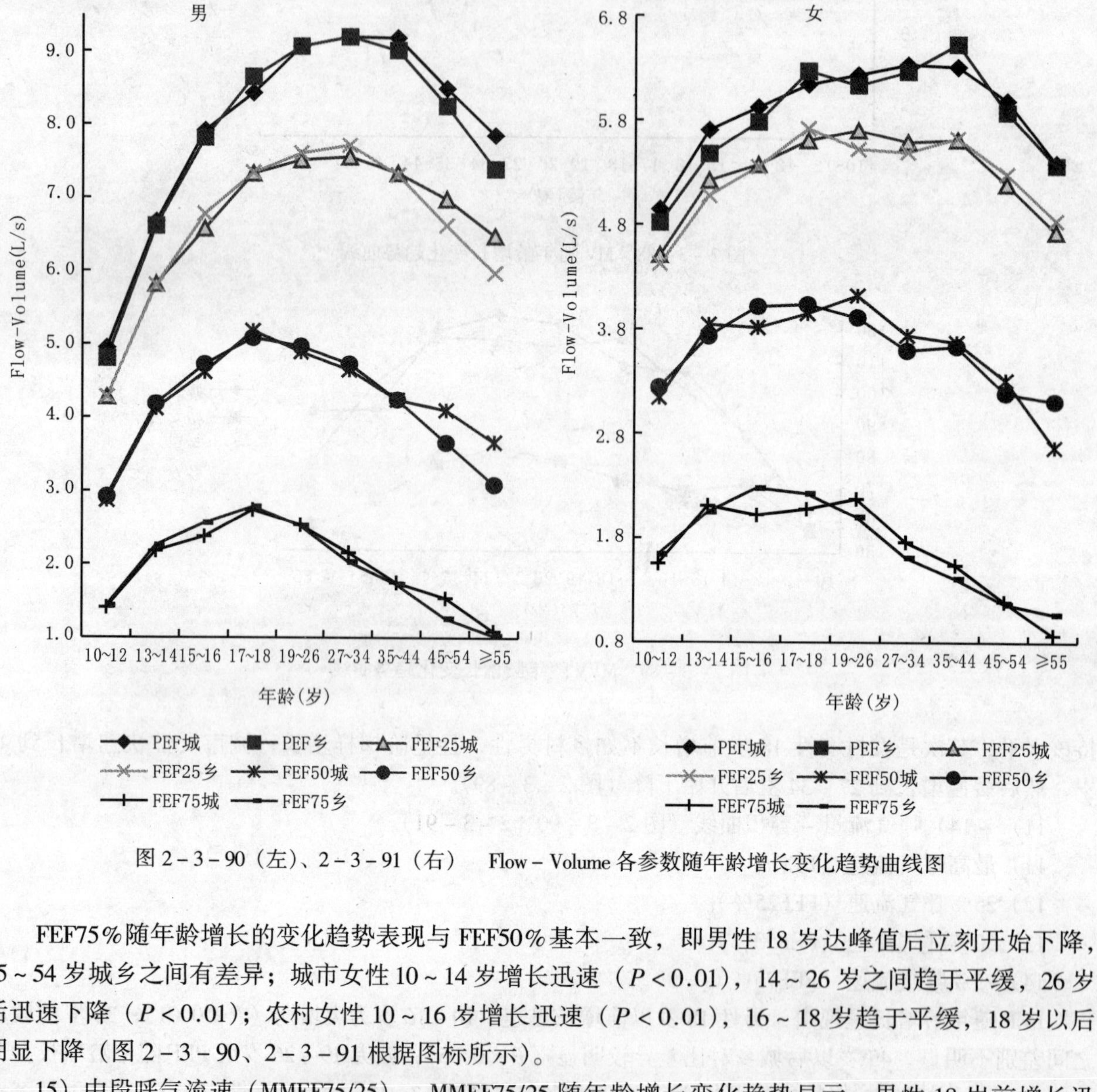

图 2 - 3 - 90（左）、2 - 3 - 91（右）　Flow - Volume 各参数随年龄增长变化趋势曲线图

FEF75%随年龄增长的变化趋势表现与 FEF50%基本一致，即男性 18 岁达峰值后立刻开始下降，45 ~ 54 岁城乡之间有差异；城市女性 10 ~ 14 岁增长迅速（$P<0.01$），14 ~ 26 岁之间趋于平缓，26 岁后迅速下降（$P<0.01$）；农村女性 10 ~ 16 岁增长迅速（$P<0.01$），16 ~ 18 岁趋于平缓，18 岁以后明显下降（图 2 - 3 - 90、2 - 3 - 91 根据图标所示）。

15）中段呼气流速（MMEF75/25）　MMEF75/25 随年龄增长变化趋势显示：男性 18 岁前增长迅速，随后开始明显下降，45 岁后城乡之间差异明显。城市女性 10 ~ 14 岁增长迅速、14 ~ 26 岁平缓增长、26 岁以后明显下降；乡村女性则 16 岁前增长迅速，随后即开始明显下降。女性城乡之间的比较：15 ~ 18 岁乡村高于城市，19 ~ 44 岁城市高于乡村，55 岁以后乡村高于城市。性别之间比较差异有显著性 $P<0.05$（图 2 - 3 - 92）。

（3）广西壮族自治区　广西共检测人数 1021 例，其中男性 569 例；女性 452 例。检测结果见数据资料汇总表 3 - 3 - 65 ~ 3 - 3 - 67。

1）潮气量（VT）　VT 随年龄增长变化趋势显示：各组均表现为与年龄增长无关，随年龄增长 VT 呈水平波动，差异很小；城市男性在 10 ~ 14 岁呈现下降，14 ~ 16 岁出现较明显的上升趋势，16 ~ 44 岁基本上处于同一水平，45 ~ 54 岁与 15 ~ 16 岁相近；农村男性 10 ~ 16 岁呈下降趋势 17 ~ 26 岁为峰值，其后保持在相近水平；男性城乡比较，15 ~ 16 岁、34 岁以后存在显著性差异。城市女性 10 ~

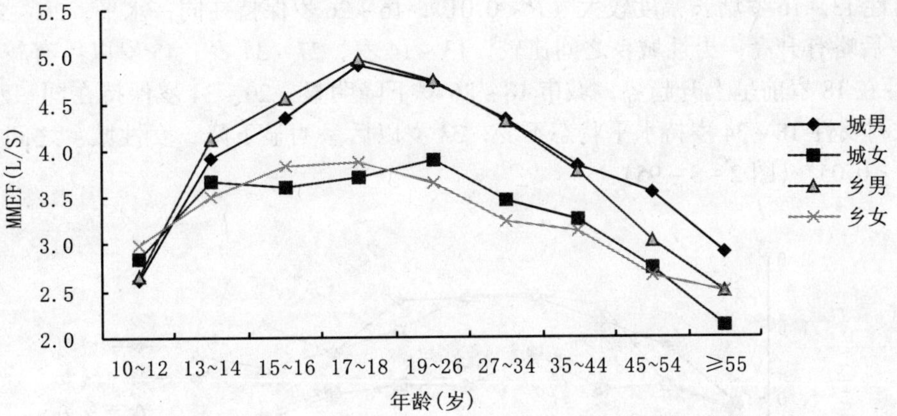

图 2-3-92　中段呼气流速（MMEF75/25）

14 岁呈上升趋势，14~34 岁处于平缓下降状态，35~44 岁缓慢上升至 26 岁水平、其后基本保持在该水平不变；农村女性则表现为 10~16 岁明显下降 16 岁后保持在该水平基本无变化。女性城乡之间的比较：15~26 岁、35~44 岁、55 岁以后差异比较明显（图 2-3-93）。

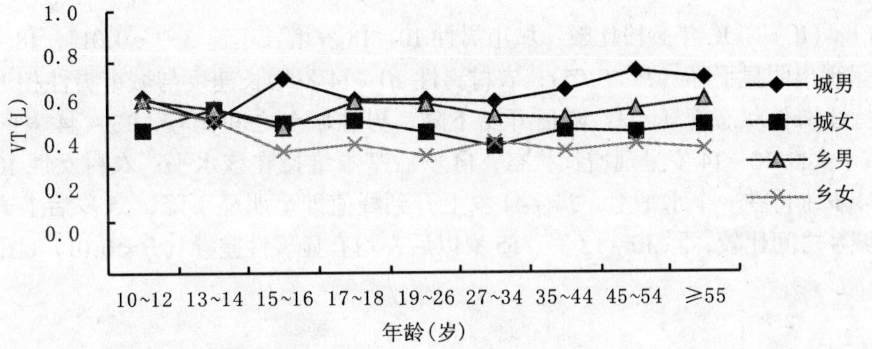

图 2-3-93　VT 随年龄增长变化趋势曲线

2）呼吸频率（BF）　BF 随年龄增长呈现出上下水平波动，数值变化与年龄增长无关；男性 15~16 岁、44 岁以后城乡之间比较有较明显差异（$P<0.01$）。女性 13~18 岁、26 岁以后城乡比较差异有显著性（$P<0.01$）（图 2-3-94）。

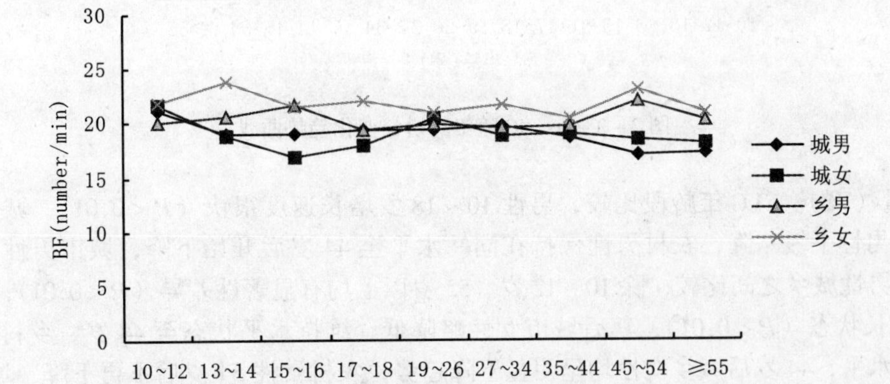

图 2-3-94　BF 随年龄增长变化趋势曲线

3）补呼气量（ERV）　ERV年龄段之间的比较：城市男性18岁达峰值、持续至34岁后呈下降趋势；农村男性13～16岁增长幅度较大（$P<0.01$），16～26岁保持在同一水平，26～54岁呈现出明显下降，55岁后略有升高；男性城乡之间比较，13～14岁、27～34岁、45岁以后有较明显差异（$P<0.05$）；女性在18岁前呈上升趋势，城市18～26岁下降明显、26～34岁保持在同一水平，34岁后开始下降；农村女性18～34岁持水平状态不变，34岁以后呈明显下降；女性城乡之间比较，19～34岁有差异（$P<0.05$）（图2－3－95）。

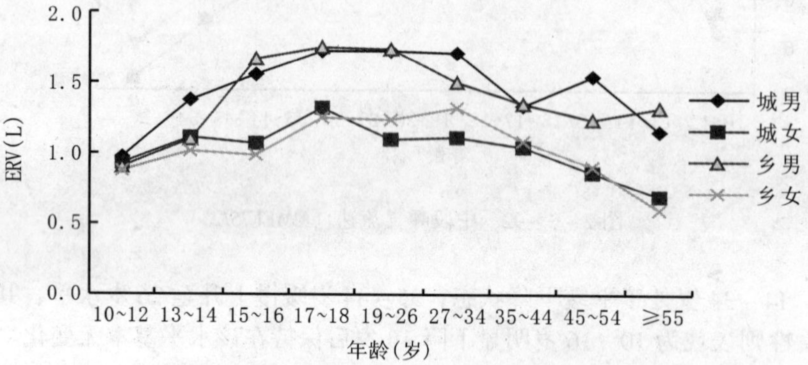

图2－3－95　ERV随年龄增长变化趋势曲线

4）深吸气量（IC）　IC年龄段比较：城市男性10～18岁增长迅速（$P<0.01$），18～44岁维持在该水平，44岁后呈现出明显下降（$P<0.05$）；农村男性10～14岁增长速度与城市男性相近，14岁后低于城市、呈现出持续增长状态至44岁，随后开始下降；男性城乡之间比较，13～44岁间均有明显差异（$P<0.01$）；城市女性10～14岁呈现增长状态，14岁后基本维持在该水平；农村女性10～16岁呈现增长状态，16～34岁维持在一个水平上，34～44岁上升到峰值即呈明显下降，55岁后上升至城市女性同一水平；女性城乡之间比较，除10～12岁、55岁以后，均有显著性差异（$P<0.01$）（图2－3－96）。

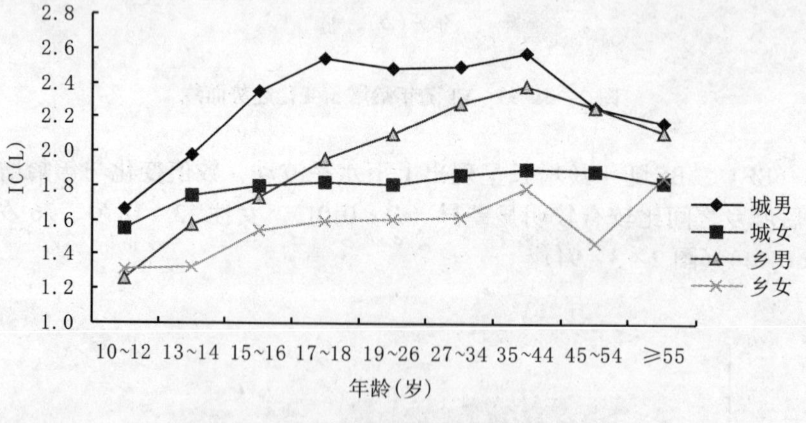

图2－3－96　IC随年龄增长变化趋势曲线

5）肺活量（VC）　VC年龄段比较，男性10～18岁增长速度很快（$P<0.01$），城乡表现一致；18～34岁城市男性平缓略降，农村男性保持在同一水平至44岁后开始下降，城市男性34岁后呈现出下降趋势；男性城乡之间比较，除10～12岁、55岁以上均有显著性差异（$P<0.01$）；女性在10～18岁呈现出增长状态（$P<0.01$），其后城市女性略降低、维持水平状态至44岁、乡村18～44岁基本上处于同一水平，44岁后城乡女性均呈明显下降趋势，农村女性54岁后不再下降，城乡比较，10～18岁、45～54岁明显（$P<0.01$）（图2－3－97）。

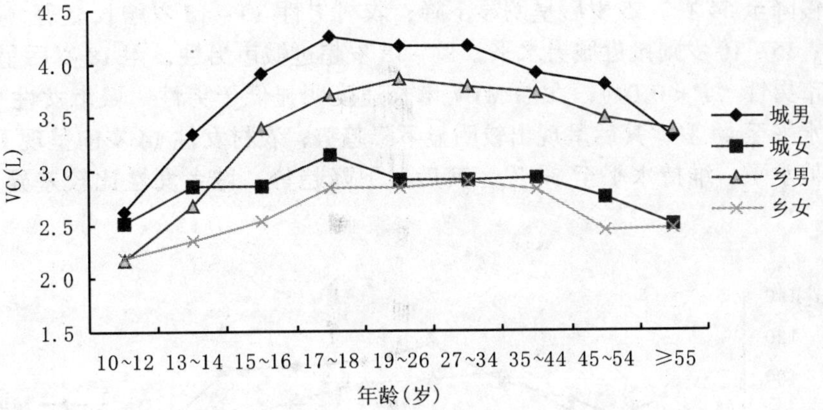

图 2-3-97　VC 随年龄增长变化趋势曲线

6）用力呼气肺活量（FVC）　FVC 随年龄增长变化趋势与 VC 一致。

7）用力呼气一秒量（FEV1）　FEV1 随年龄增长变化趋势同 VC。

8）一秒率（FEV1/FVC%）　FEV1/FVC% 随年龄增长变化趋势：26 岁前增长平缓（$P>0.05$），26 岁后呈现出明显下降（$P<0.05$），城、乡、男、女变化一致；男性城乡之间比较，除 13~14 岁、34 岁前差异明显（$P<0.01$）其后无明显差异；女性城乡之间比较，13~16 岁、45 岁以后差异有显著性（$P<0.05$）；34 岁前农村高于城市、34 岁后城市高于农村（图 2-3-98）。

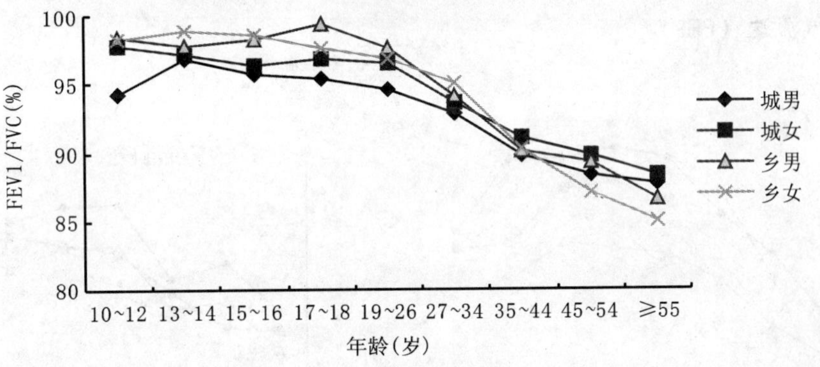

图 2-3-98　FEV1/FVC% 随年龄增长变化趋势曲线

9）每分通气量（MV）　MV 年龄组比较：无论男女，均与年龄增长无关，数值变化呈现出水平波动状态，城乡之间无显著性差异（$P>0.05$）（图 2-3-99）。

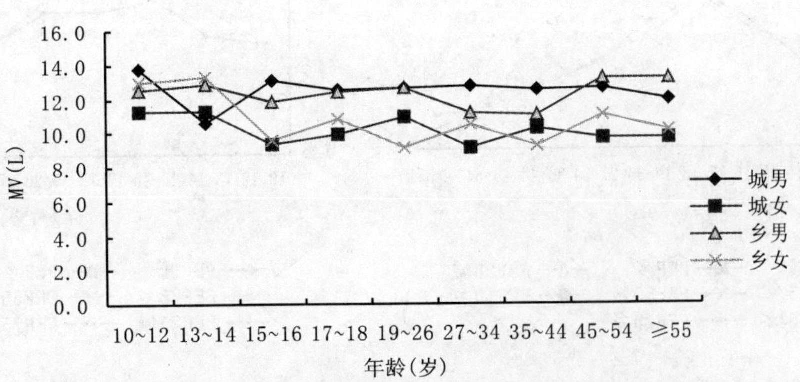

图 2-3-99　MV 随年龄增长变化趋势曲线

10）最大通气量（MVV） MVV随年龄增长变化趋势：城市男性10～26岁呈持续增长，26岁后呈下降趋势，缓慢降至54岁、55岁后呈明显下降；农村男性10～18岁增长显著（$P<0.01$），14岁前显著低于城男、15～16岁则接近城男水平，17～18岁超过城市男性，但18岁后呈现出明显下降趋势，显著低于城市男性（$P<0.01$）；女性MVV增长速度明显低于男性，城市女性平缓增长至26岁达峰值，维持该水平至44岁，其后呈现出较明显下降趋势；农村女性14岁前呈现下降趋势，14～26岁平缓上升至峰值水平、维持水平至34岁，其后呈下降趋势，城乡女性比较差异显著（$P<0.01$）（图2－3－100）。

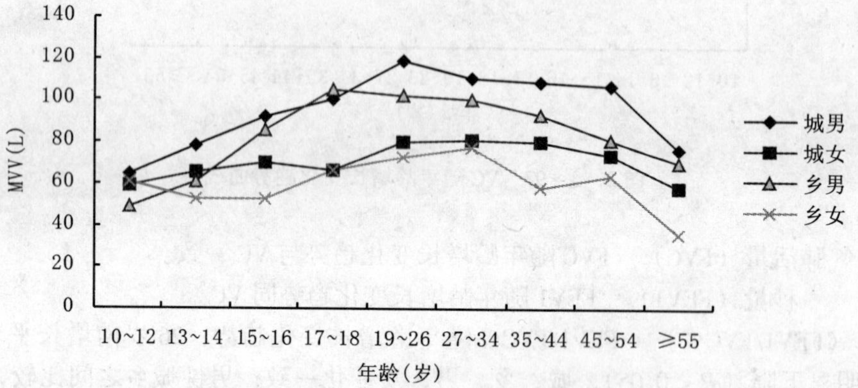

图2－3－100 MVV随年龄增长变化趋势曲线

11）～14）呼气流量－容积曲线（图2－3－101、2－3－102）。

11）最高呼气流速（PEF）。

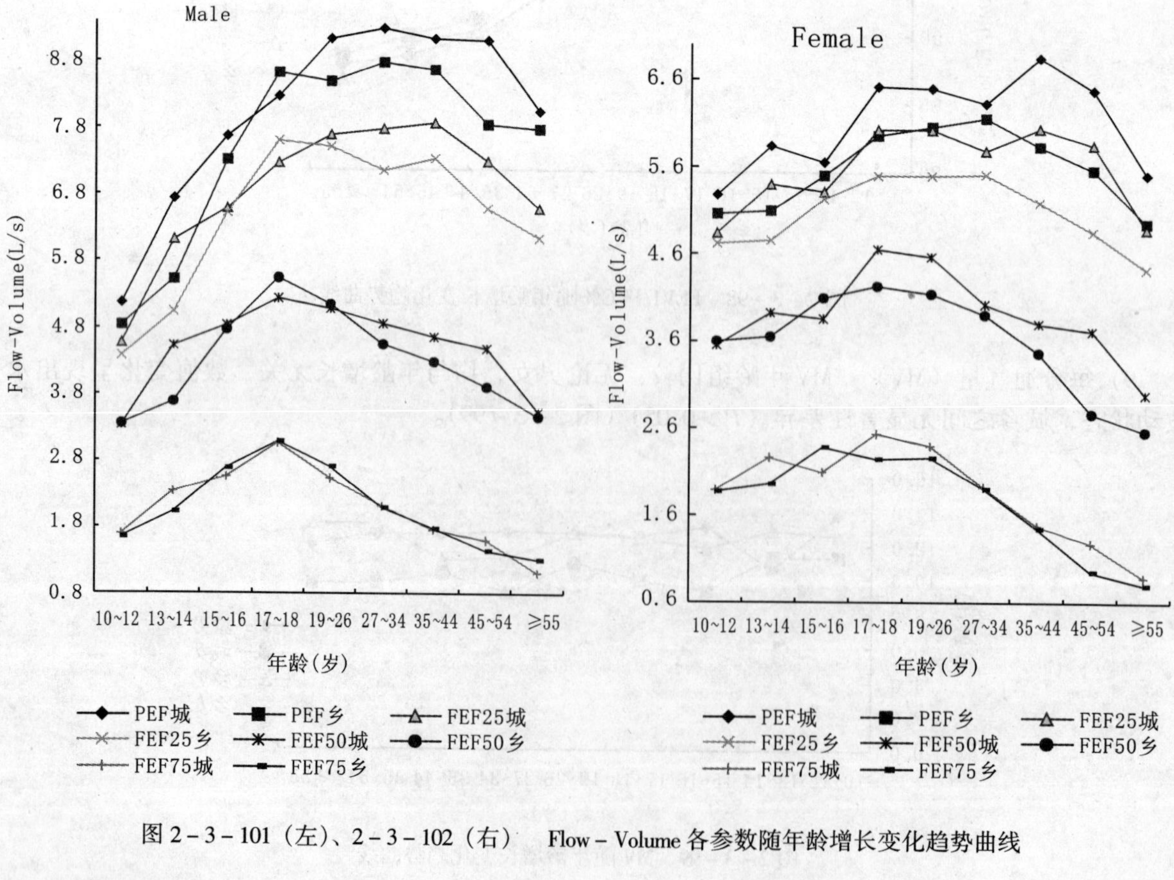

图2－3－101（左）、2－3－102（右） Flow－Volume各参数随年龄增长变化趋势曲线

12）25%呼气流速（FEF25%）。

13）50%呼气流速（FEF50%）。

14）75%呼气流速（FEF75%）。

PEF 随年龄增长变化趋势：城市男性快速增长至 26 岁，然后保持该水平至 54 岁，55 岁后明显下降；农村男性 10～18 岁增长显著（$P<0.01$），18 岁超过城市男性，18 岁后增长平缓并维持到 44 岁呈现下降趋势，55 岁后趋于平缓；城乡之间的比较 13～14 岁，19～54 岁差异有显著性（$P<0.05$）（图 2－3－101 上）；城市女性 PEF 随年龄增长呈现的变化为阶梯样上升，持续至 44 达峰值，其中 15～16 岁、27～34 岁出现低谷，45 岁后呈现出明显下降趋势；农村女性 13～34 岁呈持续增长状态、13～18 岁增长显著，34 岁后呈现出明显下降，城乡之间的比较除 10～12 岁、15～16 岁、27～34 岁差异不明显、余均有显著性差异（$P<0.01$）（图 2－3－101、2－3－102 根据图标所示）。

FEF25%随年龄增长变化趋势：城市男性 44 岁前与其在 PEF 的变化基本一致、不同之处是 44 后即开始明显下降；农村男性与其 PEF 的变化也大致相似，不同的是 55 岁后呈下降趋势；女性 FEF25%随年龄变化趋势与其在 PEF 的变化趋势基本一致，但下降或升高的坡度趋于平缓，无论男性或女性、城乡对比状况同 PEF（图 2－3－101、2－3－102 根据图标所示）。

FEF50%随年龄增长变化趋势：男性 18 岁达峰值，随后呈明显下降，农村男 10～18 岁增长显著（$P<0.01$），17～18 岁超过城男，下降坡度亦超过城男，13～14 岁、45～54 岁城乡差异明显；城市女性 18 岁达峰值，18 岁后呈下降趋势；农村女性 13～16 岁上升趋势明显，18 岁达峰值，18 岁后呈平缓下降，34 岁以后下降显著（图 2－3－101、2－3－102 根据图标所示）。

FEF75%随年龄增长变化趋势：男性 10～18 岁增长速度很快、18 岁达峰值，其后呈现出明显下降；城乡之间差别不明显（图 2－3－101 下）；城市女性亦 18 岁达峰值、18 岁后呈下降趋势；农村女性 16 岁为峰值、平缓降低至 26 岁后开始明显下降（图 2－3－101、2－3－102 根据图标所示）。

15）中段呼气流速（MMEF75/25）　MMEF75/25 随年龄增长变化趋势：除农村女性外、其余各组均在 18 岁达到峰值，随后呈现出明显下降趋势；农村女 16 岁达峰值、持续至 26 岁，然后呈现明显下降趋势；城乡之间的比较，男性 13～14 岁、45～54 岁差异有显著性；女性 13～14 岁、17～26 岁、35 岁以后差异有显著性（图 2－3－103）。

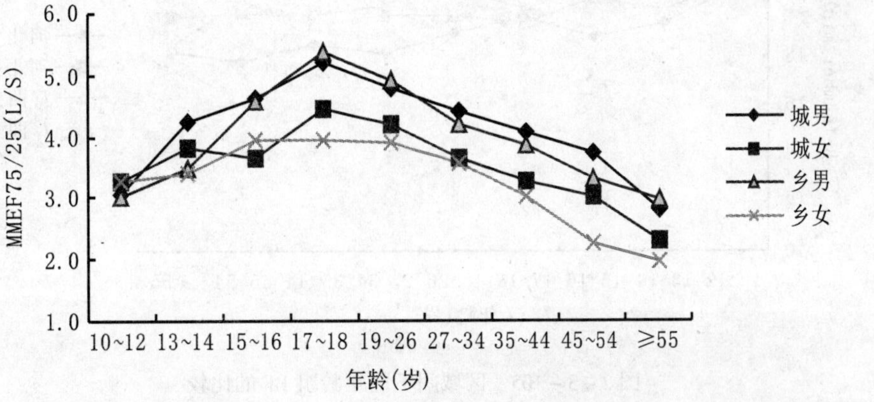

图 2－3－103　MMEF 随年龄增长变化趋势曲线

（4）浙江省　浙江省检测人数为 1298 例，其中男性 661 例，女性 637 例。检测结果见数据资料汇总表 3－3－68～3－3－70。浙江地区因乡村检测例数少（乡村 287 例，城市 1011 例）无法进行城乡对比分析，从略。

（5）南北之间的比较　选择河北与广西进行比较，河北省 1432 例、广西壮族自治区 1021 例。二省区分别在城乡比较中有不同的结果，即河北省在城市与农村的比较中差异不明显（$P>0.05$），而广西壮族自治区的城市和农村差异显著（$P<0.05$）。在以下的比较中表现肺容量、肺通气功能的指标中，河北省的数值多数高于广西壮族自治区；而表现气道功能的指标，广西则普遍高于河北。

1）肺容量指标

潮气量（VT）比较　南北比较中，男性VT除10~12岁、45~54岁年龄组外，其余7个年龄组河北均高于广西，其中13~14岁年龄组差异有显著性（$P<0.05$）；女性则在17~18岁、45~54岁组河北低于广西，其余各年龄组多数高于广西，55岁后两者持平（图2-3-104）。

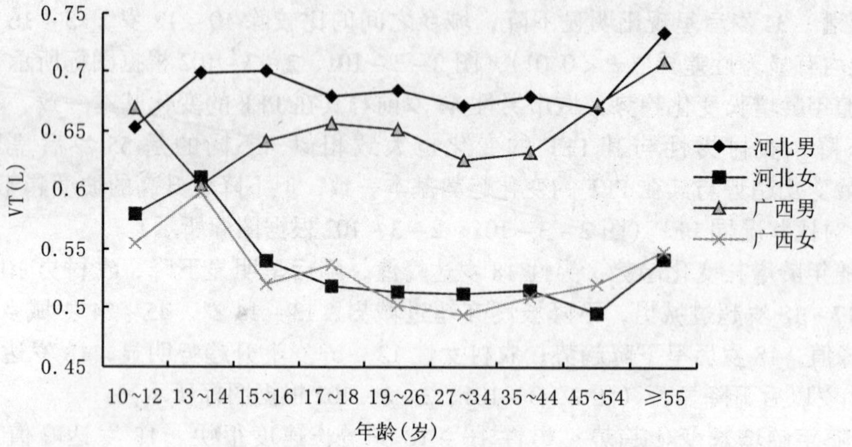

图2-3-104　南北间不同年龄组VT比较

呼吸频率（BF）比较　BF在男性中，多数年龄组广西高于河北，其中27~34岁、45~54岁组差异有显著性（$P<0.05$、$P<0.01$）14岁之前，55岁之后两者接近；女性15~26岁间的3个年龄组及55岁后河北高于广西，其余各组两省区接近或广西略高（图2-3-105）。

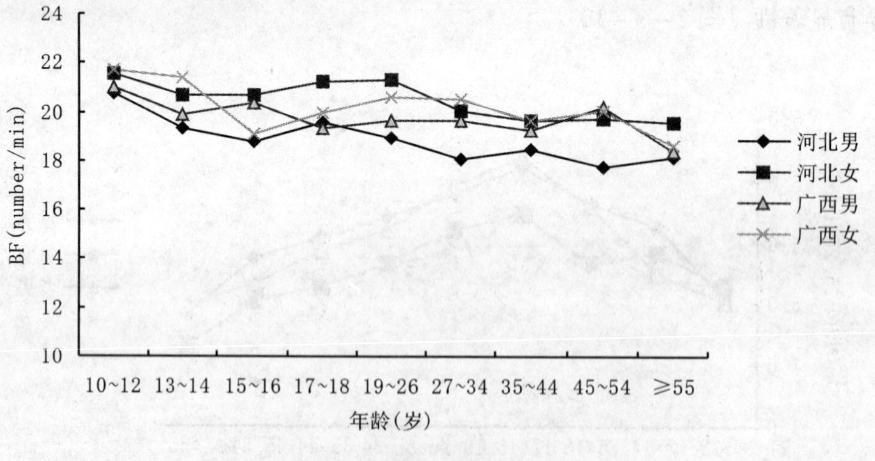

图2-3-105　区域间不同年龄组BF的比较

补呼气量（ERV）比较　ERV在男性，河北明显高于广西，13~44岁差异均有显著性（$P<0.01$），仅在55岁后广西略高于河北，10~12岁两者接近；女性则有5个年龄组河北高于广西，其中15~16岁组差异有显著性（$P<0.01$），仅45~54岁组河北略低于广西17~18岁两省数值相同（图2-3-106）。

深吸气量（IC）比较　IC省间的比较：除10~12岁年龄组外，男性IC各年龄组均河北高于广西，其中13~26岁、45岁后（$P<0.01$）；女性亦表现出多个年龄组河北高于广西，其中27~34岁、

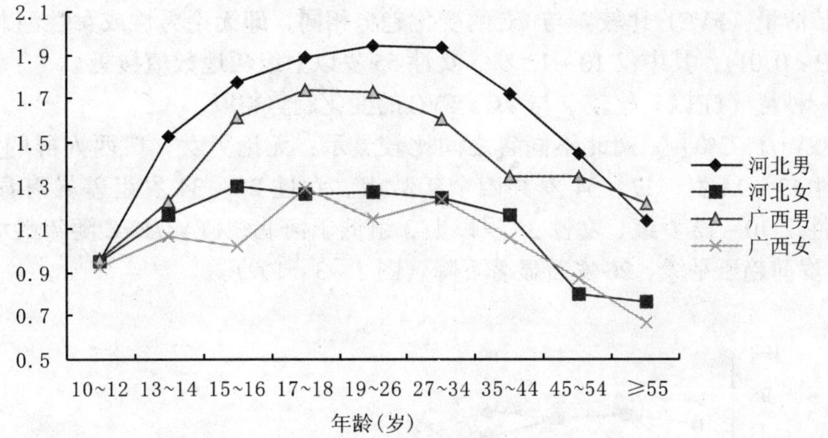

图 2-3-106　区域间不同年龄组 ERV 的比较

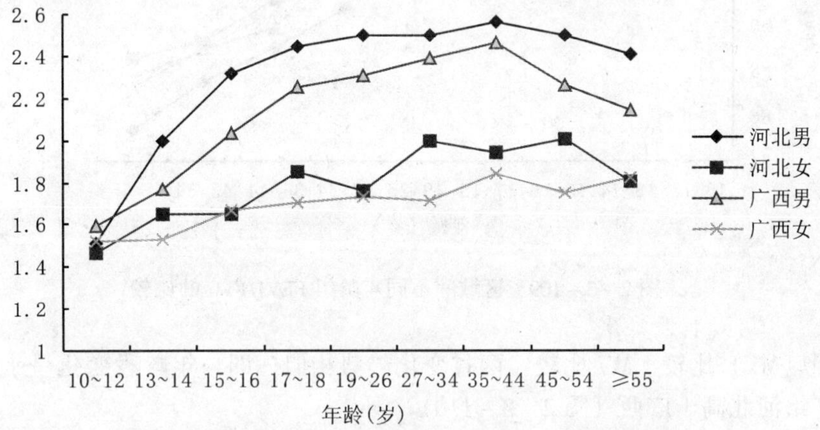

图 2-3-107　区域间不同年龄组 IC 的比较

45~54 岁组差异有显著性（$P<0.01$），10~12 岁组同男性一样略低于广西，另有 15~16 岁、19~26 岁、55 岁以上数值基本一样（图 2-3-107）。

肺活量（VC）比较　VC 二省之间的比较显示：无论男性或女性河北人群的 VC 均明显高于广西，男性除 10~12 岁年龄组均有显著性差异（$P<0.01$）；女性 13~16 岁、27~44 岁共 4 个年龄组差异有显著性（$P<0.01$）仅 10~12 岁、女性 55 岁以上组两地数值接近（图 2-3-108）。

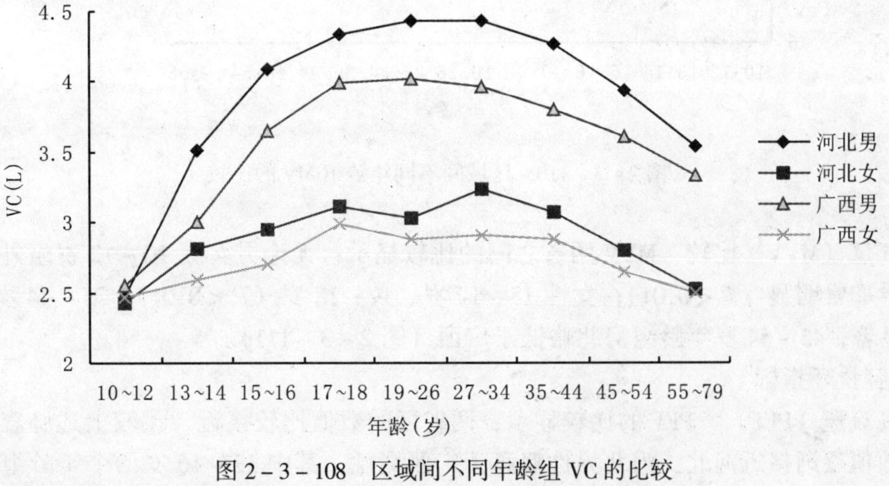

图 2-3-108　区域间不同年龄组 VC 的比较

2）肺通气指标

用力呼气肺活量（FVC）比较　与VC的变化趋势相同，即无论男性或女性河北人群的FVC均明显高于广西（$P<0.01$），其中仅10～12岁、女性55岁以上组两地数值接近。

用力呼气一秒量（FEV1）比较　与VC、FVC的变化趋势相同。

一秒率（FEV1/FVC%）　南北不同省之间比较显示：无论男女，广西人群的FEV1/FVC均明显高于河北，男性13～14岁、17～34岁共四个年龄组、女性27～34岁组差异有显著性（$P<0.01$、$P<0.05$），男性仅10～12岁组、女性35岁以上3组低于河北；FEV1/FVC随年龄增长变化趋势两地区相似，即26岁前趋于平缓、26岁后显著下降（图2－3－109）。

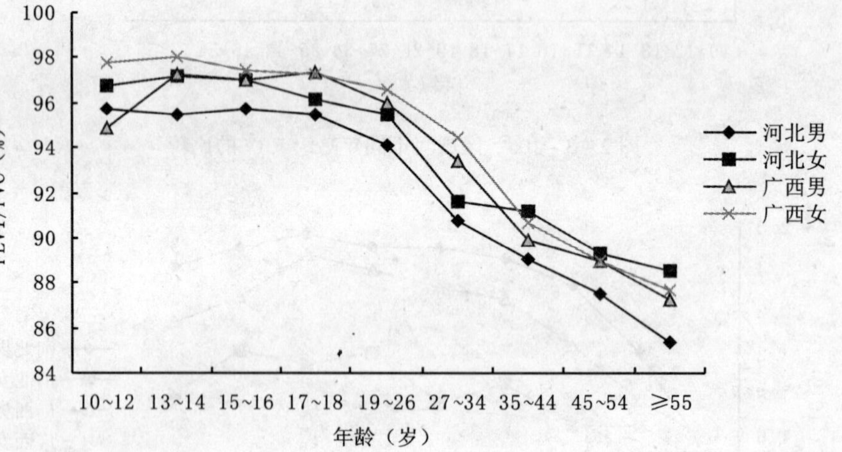

图2－3－109　区域间不同年龄组FEV1/FVC的比较

每分通气量（MV）比较　MV比较：两省变化趋势相似，即与年龄段变化呈水平波动，男性MV有6组、女性7组河北高于广西（图2－3－110）。

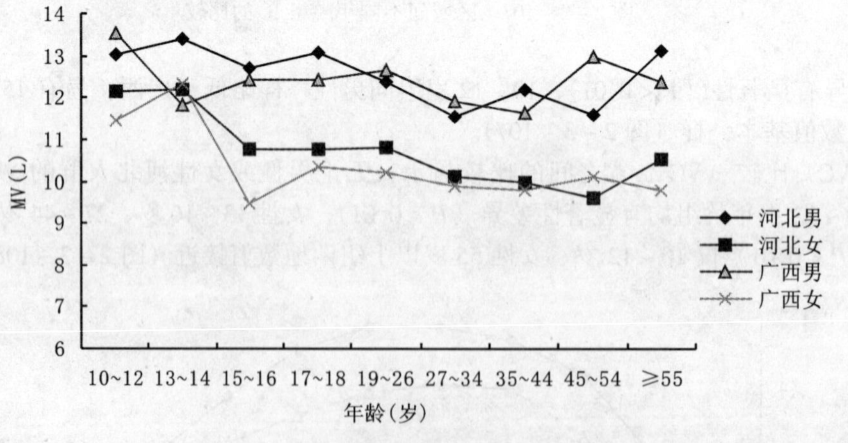

图2－3－110　区域间不同年龄组MV的比较

最大通气量（MVV）比较　MVV两省之间的比较显示：无论男女除10～12岁组外均河北高于广西，男性差异非常明显（$P<0.01$）；女性13～14岁、17～18岁（$P<0.01$）、35～44岁年龄组（$P<0.05$）差异显著，45～54岁年龄组河北略低于广西（图2－3－111）。

3）流速容量环指标

最高呼气流速（PEF）　PEF的比较显示：两省区的数值比较接近，比较上述肺容量及肺通气指标，广西的数值逐渐接近河北，河北男性略高于广西男性，其中13～16岁两个年龄组差异有显著性

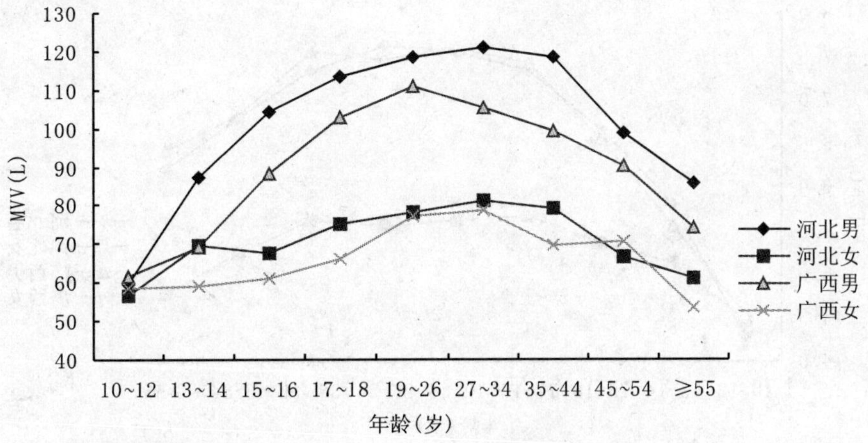

图 2－3－111　区域间不同年龄组 MVV 的比较

（$P<0.01$、$P<0.05$）；两地区女性则数值基本相同，10～12 岁组、45～54 岁组则广西高于河北，前者差异有显著性（$P<0.05$）；其余各组基本上数值相同（图 2－3－112）。

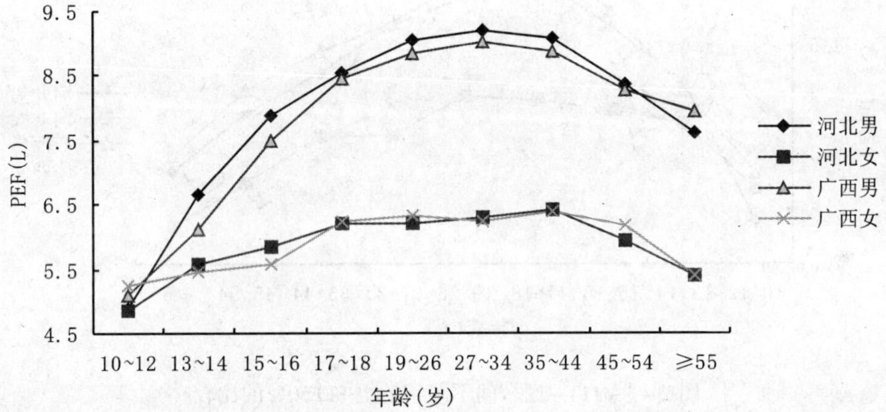

图 2－3－112　区域间不同年龄组 PEF 的比较

25%呼气流速（FEF25%）　FEF25%的比较显示：男性 FEF25%数值广西与河北更加接近，其中有些年龄组广西超过河北；女性 10～12 岁（$P<0.05$）、19～26 岁、45～54 岁年龄组广西高于河北，其余组与河北相近（图 2－3－113）。

50%呼气流速（FEF50%）　FEF50%的比较显示：广西多数年龄组 FEF50%已高于河北，其中男性 10～12 岁组（$P<0.01$）、17～26 岁组及 35 岁以上 3 个年龄组均明显超过河北；女性 10～12 岁、17～34 岁明显高于河北，有 7 个年龄组在河北之上，其中 10～12 岁（$P<0.01$）、17～26 岁（$P<0.05$）三个年龄组差异显著（图 2－3－114）。

75%呼气流速（FEF75%）　FEF75%比较显示的结果与 FEF50%比较相似，二省区的变化趋势非常一致，即 18 岁前升高显著，18 岁达峰值后迅速下降，广西男性在 10～12 岁、15～26 岁、45 岁以上共 6 个年龄组高于河北，其中 10～12 岁（$P<0.01$）、17～18 岁（$P<0.05$）差异有显著性；女性则在 10～12 岁、15～34 岁高于河北，其中 10～12 岁（$P<0.01$）、27～34 岁（$P<0.05$）差异有显著性（图 2－3－115）。

中段呼气流速（MMEF75/25）　MMEF75/25 的变化趋势与 FEF50%相似，多数年龄组广西高于河北，其中男性 10～12 岁（$P<0.01$）、15～26 岁 3 个年龄组及 35 岁以上年龄组均高于河北；女性 10～12 岁、17～34 岁广西明显高于河北，其中 10～12 岁（$P<0.01$）、17～18 岁（$P<0.05$）差异有显

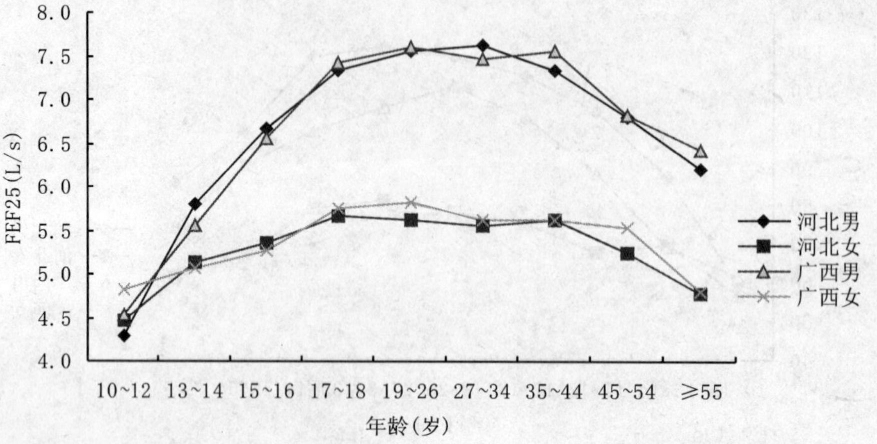

图 2-3-113　区域间不同年龄组 FEF25%的比较

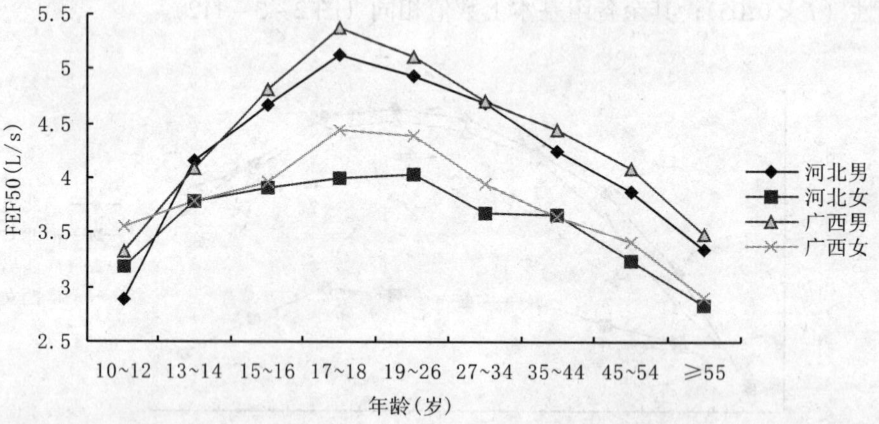

图 2-3-114　区域间不同年龄组 FEF50%的比较

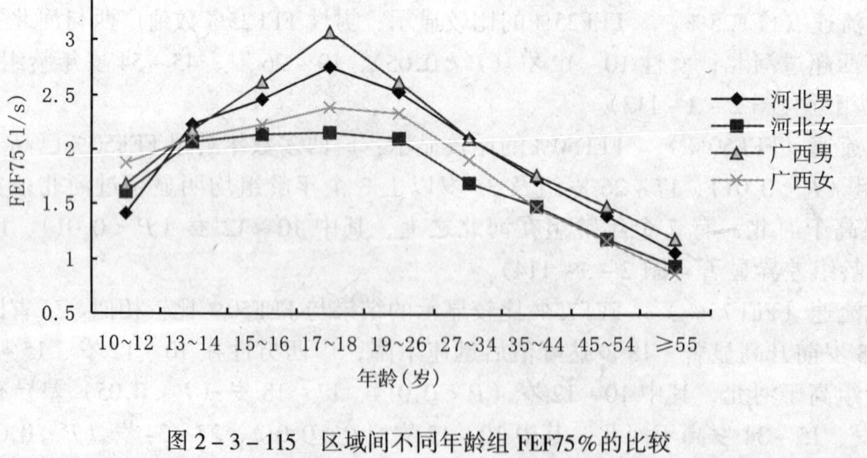

图 2-3-115　区域间不同年龄组 FEF75%的比较

著性（图 2-3-116）。

（6）年龄、身高、体重对肺功能的影响　将河北省检测人群 1432 例按不同性别各分为三个年龄组：11~18 岁；19~44 岁；≥45 岁，各组取年龄、身高、体重做自变量，各项肺功能指标作因变量

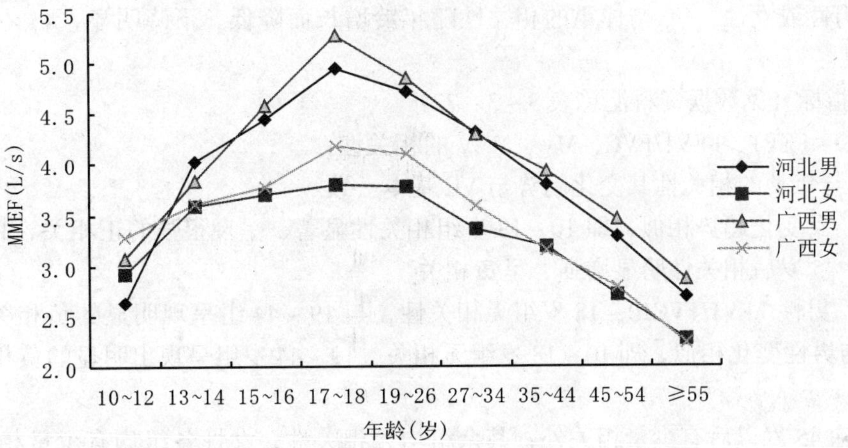

图 2-3-116 区域间不同年龄组 MMEF75/25 的比较

进行相关性分析，结果如下：

1）肺容量指标（数据资料汇总表 3-3-71）

年龄与 VT、BF、ERV、IC、VC 的相关性：

VT、BF：男性 VT、BF 与不同年龄组均无相关性；女性 VT 与 10~18 岁、BF 与 19~44 岁年龄组相关有显著性，但相关系数很小，45 岁后无相关性。

ERV：男性 ERV 与各年龄组均有相关性，其中 10~18 岁有非常显著的正相关；19~44 岁相关性很少呈现负值；45 岁以后仍呈现负相关但相关性增强，女性 ERV 则表现出随年龄增长相关性减弱的趋势，10~18 岁呈正相关，但与男性比较女性相关明显减弱，19~44 岁呈较弱的负相关，45 岁以后无相关性。

IC：男性 10~18 岁组呈较强的正相关，其他年龄组无相关性；女性各年龄组均有相关性，发生趋势是 10~18 岁呈正相关，19~44 岁组相关性减弱，45 岁后相关性增强但呈现负相关。

VC：无论男性或女性在 10~18 岁组相关性显著、呈正相关，19~44 岁组无相关性，45 岁以后相关性显著、呈负相关。

身高与 VT、BF、ERV、IC、VC 的相关性：

VT：男性除 10~18 岁组与身高有较弱相关外，其余均无相关性；女性 19~44 岁组相关有显著性但相关系数极低、无意义，其余各组均表现出与身高无相关性。

BF：无论男性或女性表现趋势一样，即 10~18 岁组有极弱的负相关、其余各组均无相关性。

ERV：男性或女性表现趋势一样，45 岁以后无相关性，10~18 岁组呈现出正相关，相关性显著，男性大于女性，19~44 岁相关性减弱，男性减弱幅度大，19~44 岁已与女性数值接近。

IC：男性或女性表现趋势一致，10~18 岁相关性很强，19~44 岁相关明显减弱，45 岁后相关性增强。

VC：无论男性或女性，各年龄组 VC 增长均与身高增长有很强的相关性，相关系数较其他肺功能指标明显增高，趋势是随年龄增长相关逐渐减弱。

体重与 VT、BF、ERV、IC、VC 的相关性：

VT：男性 10~19 岁年龄组，男、女 45 岁以后呈很弱相关，其余组无相关性。

BF：男、女 10~18 岁，男性 45 岁以上组呈很弱的负相关，其余各组无相关性。

ERV：男性 10~18 岁年龄组表现很强的相关性、相关显著，女性与男性比较相关性弱但仍相关显著；19~44 岁年龄组男性相关性明显减弱，呈负相关，女性无相关性；45 岁以后男、女均相关性增强呈负相关。

IC：各年龄组均有显著相关，男性大于女性；男性表现出 10~18 岁最高、19~44 岁明显降低、

45岁后再增高，女性则随年龄增长逐渐下降。

VC：无论男性或女性，VC与体重的相关性随年龄增长而降低、下降明显，45岁后无论男女VC与体重无相关性。

2）肺通气指标（见数据资料汇总表3-3-72）

年龄与FVC、FEV1、FEV1/FVC、MV、MVV的相关性：

FVC：FVC与年龄的相关性其变化趋势与VC基本一致。

FEV1：男、女变化趋势相似，即10~18岁组相关性显著、呈现很强的正相关，19~44岁则显著降低呈负相关，45岁后相关性明显增强、呈负相关。

FEV1/FVC：男性FEV1/FVC10~18岁组无相关性，与19~44组呈现明显的负相关，45岁后相关性减弱；女性与男性变化相似，即10~18岁组无相关、19~44岁组呈现出明显的负相关，但45岁后无相关性。

MV：男性除45岁以后有少量相关外，其余组均无相关性；女性各组均有少量相关但数值很小，无实际意义。

MVV：男、女在10~18岁年龄组均呈较明显相关，45岁后相关性相对减弱，中间19~44岁组无相关性。

身高与FVC、FEV1、FEV1/FVC、MV、MVV的相关性：

FVC：FVC与身高的相关性同VC。

FEV1：FEV1与身高的关系在各个年龄组均有较明显的相关，以10~18岁最强，以后逐渐减弱，女性在45岁后与19~44岁相关性数值接近比其略高。

FEV1/FVC：FEV1/FVC与身高的相关性各年龄组除男性10~18岁、女性19~44岁有很弱的负相关外，其余组均无相关性。

MV：除女性19~44岁组有少量相关外，其余组均无相关性。

MVV：男、女均表现出随年龄增长相关性减弱趋势，男性10~18岁组相关性显著，其后下降幅度大，女性呈缓慢下降趋势。

体重与FVC、FEV1、FEV1/FVC、MV、MVV的相关性：

FVC：FVC与体重的相关性同VC。

FEV1：无论男女，FEV1与体重的相关性在10~18岁年龄组呈现非常显著，其后随年龄增加明显降低，45岁后无相关性。

FEV1/FVC：男性10~18、19~44岁呈现很弱的负相关；女性19~44岁呈现负相关，其余组无相关性。

MV：除女性45岁以上有很小相关外、其余各年龄组均无相关性。

MVV：男性10~18岁年龄组有很强的相关性，其余组无相关性；女性则10~18岁组有较明显相关（较男性明显弱），19~44岁组显著降低，45岁后无相关性。

3）流速容量环（见数据资料汇总表3-3-73）

年龄与PEF、FEF25%、FEF50%、FEF75%的相关性：

PEF：男性PEF与10~18岁有很强的相关性，19~44岁无相关、45岁后则呈现明显的负相关；女性的变化趋势与男性相似，10~18岁相关性很强，19~44岁无相关、45岁后相关显著并呈现负相关。

FEF25%：变化趋势与PEF基本一致，即男、女均表现出10~18岁呈很强的相关性、男性大于女性，19~44岁无相关、45岁后呈现明显的负相关，女性大于男性。

FEF50%：FEF50与各年龄组均有相关性，男、女均表现出10~18岁相关最为密切，但男性明显大于女性，19~44岁二者均相关性明显减弱、呈现负相关，45岁后则相关性增强、呈负相关，女性大于男性。

FEF75%：男性FEF75与年龄的相关性10~18岁最为密切，随年龄增长相关逐渐下降，19~44、

45 岁后呈负相关；女性则 19～44 岁组相关最为密切，呈负相关，45 岁以上组相关性小于 19～44 岁组、呈负相关，但相关系数略大于 10～18 岁组。

MMEF：男性 MMEF 在 10～18 岁年龄组相关非常密切，19～44 岁相关性明显降低、呈负相关，45 岁后相关性增强、呈负相关；女性与男性变化趋势相似，10～18 岁相关密切但比男性明显降低，19～44 岁年龄组下降、亦呈负相关，45 岁后相关性增强、呈负相关，女性相关性降低的幅度较男性小。

身高与 PEF、FEF25%、FEF50%、FEF75%的相关性：

PEF：PEF 与身高的关系在各年龄组均表现出密切相关，男、女变化趋势相似，即 10～18 岁最为密切，随年龄增长相关性减弱；男性 10～18 岁组相关性明显大于女性，下降幅度亦大于女性。

FEF25%：男性 10～18 岁组相关密切，随后相关性明显下降，45 岁后无相关性；女性 10～18 岁组亦相关密切，其后亦明显降低，19～44、45 岁组相关性相近，相关性显著。

FEF50%：男性 10～18 岁相关密切随后显著降低，45 岁后无相关性；女性在 10～18 岁相关密切，19～44 岁则无相关、45 岁后相关性明显。

FEF75%：FEF75 与身高的相关性变化基本上与 FEF50%相近，即男性 10～18 岁相关密切随后显著降低，45 岁后无相关性；女性亦在 10～18 岁相关密切，19～44 岁无相关、45 岁后相关性明显。

MMEF75/25：男、女均在 10～18 岁相关密切，男性随后呈下降趋势，45 岁后无相关性；女性则在 19～44 岁组基本上无相关，45 岁后相关性增强。

体重与 PEF、FEF25、FEF50、FEF75 的相关性：

PEF：无论男性或女性其相关性均随年龄增长而降低，10～18 岁呈密切相关，其后明显降低，女性 45 岁后无相关性，男性亦呈很小相关。

FEF25%：FEF25%与体重相关性变化趋势与 PEF 相似，即男、女均在 10～18 岁表现很强的相关性，随年龄增长相关性明显降低，降低幅度大于 PEF，男、女均表现出 45 岁后无相关性。

FEF50%：男、女均表现为 10～18 岁年龄段 FEF50 与体重有较明显的相关，而其余年龄无相关性。

FEF75%：男性在 10～18 岁有较明显的相关，其余年龄组基本上无相关性；女性在 10～18 岁有相关性，19～44 岁相关性降低并呈现负值，45 岁后无相关性。

MMEF75/25：同 FEF50 的变化趋势相似，即男、女均表现为 10～18 岁年龄组 FEF50 与体重有较明显的相关，而其余年龄无相关性。

（7）回归分析　根据上述相关分析结果，进一步做回归分析，年龄分组与“相关分析”同，即 10～18 岁、19～44 岁、≥45 岁等三个年龄组。回归分析将年龄、身高、体重做自变量，各项肺功能参数做因变量，选择“逐步回归”法，即根据设定的标准在计算过程中逐步加入有显著性意义的变量和剔除无显著性意义的变量，直到所建立的方程式中不再有可加入和剔除的变量为止；逐步回归的剔选变量准则：以 F 值所对应的 P 值为剔选变量准则，$P \leqslant 0.05$ 则该变量被选入方程；$P \geqslant 0.10$ 该变量被剔除方程。结果见数据资料汇总表 3－3－74～3－3－83，入选方程均有显著性意义；未入选方程亦列入表中、等号后以“……”代替。

3．讨论

（1）关于肺功能的人群检测　进行大规模的人群肺功能检测意义在于：实时地采集到分布更广泛的不同地区、不同经济状况、不同文化、不同职业、不同民族等生活状况各异的人群肺功能数据。比较以往的全国肺功能检测，本项目调查的人群所涉及的职业更加广泛，如工人、农民、教师、干部、学生、离退休人员、自由职业者等各行各业，在被检测地区具有代表性。同时，本项目以一支检测队伍（北京、河北、广西为同一测定人员），同样标准、同样仪器、贯穿南北进行肺功能检测，使不同地区的人群肺功能状况对比尽可能地排除了人为因素、增加了可比性。比较其他生理检测，肺功能测定要求较高，如测定中质量控制的具体实施情况、测试结果的合格率，人群检测中控制局面的能力及调动被测试者配合检测的能力等。同时，人群检测的时间性强、样本量大、采集数据较常规检测亦有一定的局限性，如不可能像常规检测一样有足够的时间让被测试者处在同一个检测水平或某个时间段等；在北方地区，成年男子60%～65%吸烟、某些特定人群（如工厂）比率更高，如果加入“不吸烟”这一因素，会因此失去那部分人群的数据。

(2) 检测指标选择　在测定指标的选择中，本项目首先考虑到无创伤、便于操作等因素，同时又能较全面地体现肺功能的情况，项目选择15项指标。肺容量部分除肺总量（TLC），功能残气量和残气量（FRC、RV）外，其余指标尽量选入项目并加入了呼吸频率（BF）；通气功能的指标选择、参考了临床较常用的检测指标如FVC（用力呼气肺活量）、FEV1（用力呼气一秒量）、FEV1/FVC（一秒率），其中FEV1是临床上常用的检测大小气道气流阻塞的肺功能指标，而大气道阻塞对FEV1的影响较为显著；其余指标如PEF、FEF25%、FEF50%、FEF75%、MMEF75/25等，近年来广泛用于小气道功能测定，均被选入本项目的检测范围。

(3) 结果分析

1) 城乡之间的比较　除浙江省因乡村选例太少未能进行城乡比较外，北京地区选择城区与城郊比较、但与河北省同样显示出城乡之间各项肺功能指标没有显著性差异（$P>0.05$），对比之下广西壮族自治区城乡之间差异明显。广西的城乡比较显示出，肺容量与肺通气指标（VT、BF、IC、VC、FVC、MVV、FEV1、FEV1/FVC等）均城市大于乡村，差异显著（除FEV1、FEV1/FVC两项指标 $P<0.05$、其余均 $P<0.01$），而表现小气道功能的几项指标PEF、FEF25%、FEF50%、FEF75%、MMEF75/25等则城乡之间的差距明显缩小，无显著性差异（$P>0.05$）。广西壮族自治区的结果提示，在大小气道功能方面其乡村要优于城市。

广西壮族自治区的城乡比较差异明显，其可能的因素是抽样地点南宁（城市）、宾阳（农村）在地理位置（相对距离较远）、经济文化、生活习惯较其他地区的城乡差异相对大一些，如宾阳为少数民族集中的地区，参加检测人群的86%～87%为少数民族（以壮族为主），其生活习惯及生活水平与南宁市人群有一定差距（较河北省抽样的城乡差别要大），推测上述因素也是影响人群肺功能状况的因素之一。

2) 南、北地区之间的比较　河北省与广西壮族自治区的比较中表现出：肺容量与肺通气功能（VT、ERV、IC、VC、FVC、FEV1、MVV等大多数指标）河北大于广西；而表现大小气道功能的指标如FEV1/FVC、PEF、FEF25%、FEF50%、FEF75%、MMEF75/25则二省相近或广西高于河北。选择二省作比较，除地域的差别外，在检测条件上也控制的较好，如前所述尽量排除了人为因素的干扰，上述河北与广西的比较结果差异明显。

北方人在身高上较南方人占有优势，这对其肺功能值有一定的影响，如本研究表现肺容量、肺通气的参数河北明显高于广西，但是在体现大小气道功能的各项参数来说、河北人群的检测结果并未因身高因素而高于广西，这一现象值得探讨。气道功能障碍可因多种原因引起，排除疾病状态、对于大众来说，人群所处的地理环境、大气污染状况、湿度等是不容忽视的原因，北方地区相对来说空气比较干燥，可能会对人群的呼吸系统如容易出现问题的小气道功能有一定的影响。

3) 人群肺功能参数的变化趋势　在检测的15项肺功能参数中，各地区的人群肺功能状况均表现出一些共同的发展趋势，如潮气量呼吸频率，每分通气量与年龄增长无明显的关系；多项肺功能参数显示：男性10～16岁、女性10～14岁为肺功能增长突增期；用力呼气最高流速，最大通气量（PEF、MVV等）可持续增长至34～44岁，其他肺容量、肺通气、呼气流速的指标（ERV、IC、VC、FVC、FEF25%等）可增长至26～34岁等；另外，大多数肺功能参数在18岁即达到或接近峰值、一秒率在26岁前各年龄段差别不明显，而26岁后呈现出明显的下降趋势，转折明显；而与小气道功能相关的各项指标（FEF50%、FEF75%、MMEF75/25）18岁前迅速增长、18岁后则明显下降，各地显示的结果近似。

比较来说，表现大小气道功能的指标相对下降较早，如将PEF、FEF25%、FEF50%、FEF75%、MMEF75/25 5个指标放在一起比较，可见指标达到峰值后开始下降的年龄逐渐缩短，PEF34～44岁、FEF25%26～34岁，而后三个指标则在18岁达到峰值后即开始下降，表现为与年龄相关并较为敏感，而且无论城乡、男女变化趋势一致。

4）年龄、身高、体重对肺功能的影响　相关分析结果显示　三个年龄组中 VT、BF 与年龄、身高、体重的相关性很小或无相关性，而且多数 BF 呈负相关；在 11～18 岁组 ERV、IC、VC 三项指标与年龄、身高、体重均有较大的相关性、以 VC 更为明显，三个因素中身高对肺功能各指标的影响最大；对比之下年龄、身高、体重与 19～44 岁组相关性最小，其中年龄因素显示出无相关性或相关系数很低；年龄因素对 45 岁以上人群肺功能值的影响增强、呈现负相关，即 45 岁后随年龄增长肺功能参数呈现下降趋热；身高、体重对各个年龄组都有影响，其中对大多数肺功能指标来说身高的影响更明显；但在 45 岁以上年龄组 VC 的增长与体重增长无相关性或相关系数很小。

肺通气指标的比较　11～18 岁组 MV、FEV1/FVC 与年龄、身高、体重无相关或相关性很小，而 FVC、FEV1、MVV 则与上述三个因素均有明显的相关性，其中身高影响最大；而在 19～44 岁、45 岁以上两个年龄组，年龄、身高、体重与上述指标的相关性较之 11～18 岁年龄组有明显减弱，其中 45 岁以上年龄组体重与上述指标无相关性。在上述三个年龄组的相关性比较中，19～44 岁组 FEV1/FVC 与年龄有明显的负相关。

呼气流量－溶积曲线指标比较　反映气道功能的指标（PEF、FEF25%、FEF50%、FEF75%、MMEF75/25），各地区 11～18 岁组上述肺功能指标与年龄、身高、体重均有相关性，19～44 岁组相关性明显降低，其中指标变化与年龄基本无相关性；45 岁以上组身高、体重的影响与 19～44 岁组相近或略降。三个影响因素中，年龄对反映气道功能的指标影响较大，表现为 11～18 岁组相关性高、19～44 岁组基本上无相关性、45 岁以上组相关性增强并呈现出负相关。

综上所述，年龄对肺功能的影响在不同的年龄阶段存在着差别，如少年期（11～18 岁）呈明显的正相关，成年期（19～44 岁）逐渐无相关性，开始并随年龄增长负相关增强，45 岁后相关性明显增强呈负值。

身高对肺功能的影响在各个年龄组均较为明显，11～18 岁最为密切，其后随年龄增长相关性减弱，比较而言，身高对肺功能的影响较年龄、体重的影响更为明显。

体重对肺功能的影响在少年期相关密切，对女性较男性影响大一些，体重对肺功能的影响随年龄增长而降低，45 岁后体重对肺功能的影响很小或无影响。

在 11～18 岁年龄组，年龄、身高、体重对肺功能参数增长的影响均比较大，呈现密切相关；成年人群中情况各有不同、其中身高对肺容量及肺通气功能的影响更为明显。

身高与体重之间有着较密切的关系，从对肺功能参数的影响来说，有时候考虑身高因素，体重的影响就非常有限。体重与肺功能的关系较为复杂，肌肉增长可增加肺功能，过度肥胖将使肺功能下降。通常认为人体的脂肪是过剩能量的储存形式，在生理功能活性上是相对惰性部分，目前因营养过剩导致肥胖或为保持身材（或疾病等情况）导致消瘦情况比较多，这两者都将导致肺容量和通气功能的下降，年龄对肺功能的影响本研究更多地表现在大小气道的功能方面，年龄与该项功能相关密切。

（四）骨骼系统

1．检测概况　超声骨密度指标在河北、浙江和广西三省区中检测 7388 人，其中城市人口 4281 人，占总人数 57.9%，农村人口 3107 人，占总人数 42.1%；男性 3404 人，占总人数 46.1%，女性 3984 人，占总人数 53.9%。性别和年龄分布的详细资料如表 2－3－46 所示。

2．检测结果

（1）河北省　河北省共调查了唐山、衡水、唐海和景县四市县 2820 名城市、农村人口，其中男性 1374 人，女性 1446 人；其中唐山、衡水市的城市居民 1443 名，唐海、景县的农村人口 1377 名。性别和年龄分布的详细资料如表 2－3－47 所示。

表 2-3-46 骨密度检测人群分布表

单位：人

年龄（岁）	城市			农村			
	男	女	合计	男	女	合计	
~10	31	48	79	20	22	42	
11~12	187	180	367	115	100	215	
13~14	188	198	386	152	164	316	
15~16	176	148	324	134	146	280	
17~18	119	158	277	156	129	285	
19~26	222	317	539	106	150	256	
27~34	202	261	463	129	203	332	
35~44	215	360	575	215	279	494	
45~54	275	364	639	250	195	445	
55~	299	333	632	213	229	442	
合计	1914	2367	4281	1490	1617	3107	7388

表 2-3-47 河北省调查人群年龄、性别、地区和城乡分布

年龄（岁）	城市						农村					
	唐山		衡水		合计		唐海		景县		合计	
	女	男	女	男	女	男	女	男	女	男	女	男
~10	10	2	2	3	12	5	8	5	3	6	11	11
11~12	23	27	12	29	35	56	26	28	20	28	46	56
13~14	30	31	19	33	49	64	44	49	24	27	68	76
15~16	19	25	26	31	45	56	38	32	34	35	72	67
17~18	16	12	27	23	43	35	42	46	17	23	59	69
19~26	40	21	57	58	97	79	39	28	26	23	65	51
27~34	56	36	49	43	105	79	52	21	36	32	88	53
35~44	69	53	55	50	124	103	71	52	33	33	104	85
45~54	25	30	86	82	111	112	59	56	56	47	115	103
55~	60	54	58	61	118	115	45	53	34	46	79	99
合计	348	291	391	413	739	704	424	370	283	300	707	670

被调查人员的身高、体重和体重指数等一般状况见数据资料汇总表 3-3-84。结果显示城乡男女的身高、体重均随年龄的增长呈现先升高后下降的趋势，而 BMI 则随年龄增长逐步升高。

河北省城市、农村男女各年龄组的骨密度分布情况见表 3-3-48。表 3-3-48 显示，城市男性居民从年龄小于 10 岁到 15~16 岁年龄组，骨密度硬度指数逐步增加，15~26 岁达到峰值并维持在较高的水平，此后，随年龄增加逐步下降；农村男性人口的骨密度硬度指数在 17~18 岁以前随年龄增长逐步增加，17~18 岁达到峰值，此后随年龄增长逐步减少。城市女性和农村女性的骨密度硬度指数在 17~18 岁之前随年龄增长，19~54 岁阶段略有下降但维持在相对稳定的水平，55 岁以后呈明显下降趋势。

表 2-3-48　河北省城市农村男女各年龄组骨密度硬度指数表

年龄（岁）	城市						农村					
	女			男			女			男		
	n	mean	S	n	mean	S	n	mean	S	n	mean	S
~10	12	82.68	8.40	5	80.09	11.47	11	80.22	10.27	11	82.80	10.64
11~12	35	91.96	11.98	56	88.32	12.64	46	85.44	14.71	56	81.61	10.66
13~14	49	93.99	15.58	64	86.51	14.89	68	89.17	14.69	76	82.94	11.64
15~16	45	96.58	17.45	56	99.53	16.75	72	90.36	13.21	67	85.56	15.40
17~18	43	99.54	15.52	35	98.46	14.86	59	96.28	16.56	69	101.97	21.51
19~26	97	99.69	15.78	79	100.76	20.58	65	94.00	15.73	51	98.02	17.73
27~34	105	94.63	15.96	79	96.88	17.11	88	94.64	16.92	53	92.96	17.82
35~44	124	94.52	14.68	103	93.00	15.79	104	96.34	16.65	85	94.85	16.40
45~54	111	92.98	15.40	112	94.08	17.25	115	87.96	15.75	103	90.00	16.15
55~	118	79.71	16.12	115	90.09	20.25	79	73.46	15.18	99	84.13	16.56
合计	739	92.69	16.61	704	93.74	17.78	707	89.73	16.94	670	89.76	17.36

河北省城市农村人口各年龄组骨密度性别间比较（图 2-3-117）结果显示，在 13~14 岁年龄组，城市男性的骨密度硬度指数低于城市女性（$P<0.05$），农村男性也显著低于农村女性（$P<0.01$）；在 15~44 岁之间，无论城乡，男女硬度指数均无明显差异；在年龄大于 55 岁的年龄段，城市男性的骨密度显著高于城市女性（$P<0.01$），农村男性也显著高于农村女性（$P<0.01$）。河北省不同性别骨密度硬度指数城乡间的比较如图 2-3-118 所示，11~12 岁、15~16 岁以及大于 55 岁年龄段，城市男性骨密度硬度指数显著高于农村男性（分别为 $P<0.01$，$P<0.01$ 和 $P<0.05$），11~12 岁、15~16 岁、45~54 岁以及大于 55 岁年龄段，城市女性显著高于农村女性（分别为 $P<0.01$，$P<0.05$，$P<0.05$ 和 $P<0.01$），其余年龄段，城乡男性及女性均无显著性差别。

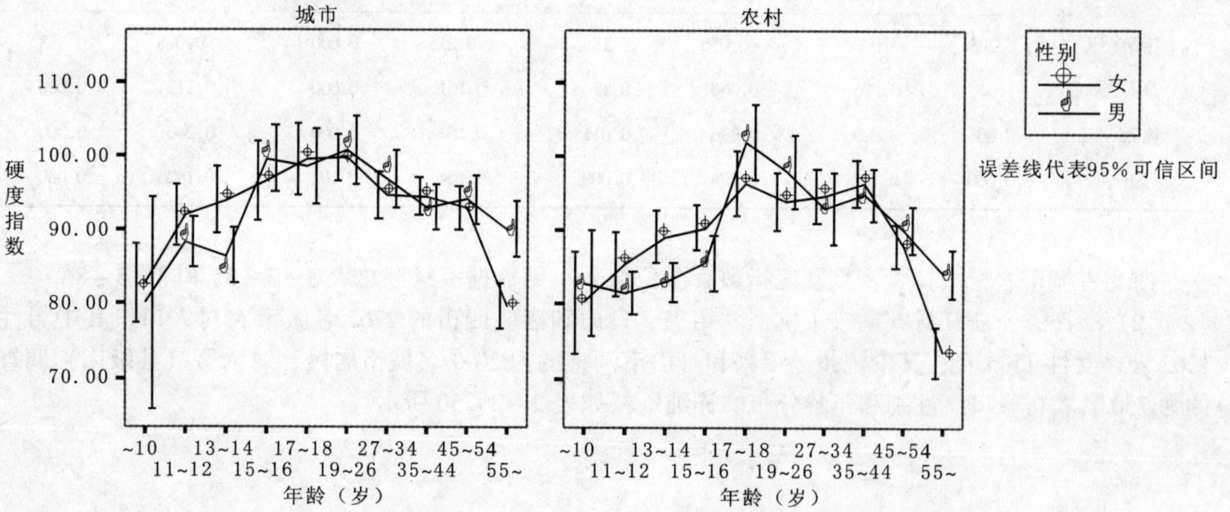

图 2-3-117　河北省城乡居民各年龄组骨密度硬度指数性别比较

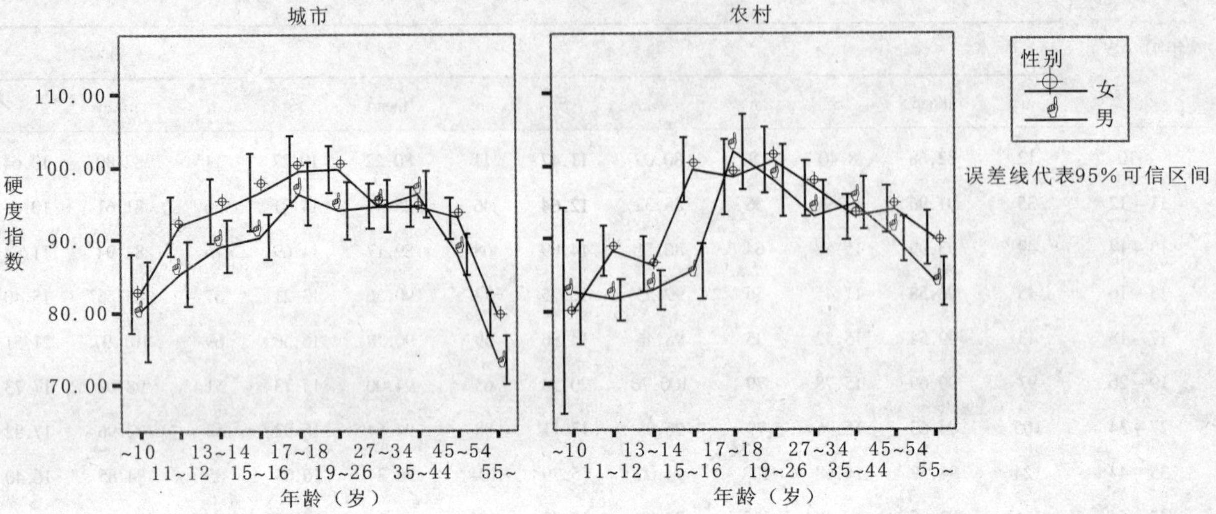

图 2-3-118 河北省居民各年龄组骨密度硬度指数城乡比较

骨密度硬度指数与年龄、身高、体重及BMI的相关性分析（表2-3-49）显示，城市及农村女性硬度指数与年龄均呈显著的负相关（$P<0.001$），而城市及农村男性的硬度指数与年龄无显著的负相关（$P>0.05$）；城市及农村女性硬度指数与身高均呈显著的正相关（分别为 $P<0.01$ 和 $P<0.001$），农村男性的硬度指数与身高亦呈显著的正相关（$P<0.001$）；城市女性硬度指数与体重及BMI均无显著的相关性，而农村女性的硬度指数与体重和BMI均呈显著的正相关（分别为 $P<0.001$ 和 $P<0.01$），城市和农村男性的硬度指数与体重及BMI均呈显著的正相关（P 值如表2-3-49所示）。

表 2-3-49 河北省不同性别的骨密度与年龄、身高、体重、BMI的相关性（pearson 相关）

参数	城市女 SI		城市男 SI		农村女 SI		农村男 SI	
	R	P	R	P	R	P	R	P
年龄	-0.293	0.000	-0.056	0.135	-0.215	0.000	-0.028	0.463
身高	0.104	0.005	0.060	0.114	0.161	0.000	0.212	0.000
体重	-0.003	0.929	0.096	0.011	0.163	0.000	0.240	0.000
BMI	-0.060	0.102	0.098	0.009	0.104	0.005	0.182	0.000

河北省城市农村人口骨密度硬度指数百分位数分布见数据资料汇总表3-3-85和3-3-86。

（2）浙江省　浙江省共调查了杭州、绍兴、舟山和诸暨四市的2767名城市农村人口，其中男性1262人，女性1505人；其中杭州、绍兴和舟山市调查的为2017名城市居民，对诸暨（县级市）调查的为750名农村人口。性别和年龄分布的详细资料如表2-3-50所示。

表 2-3-50　浙江省调查人群年龄、性别、地区和城乡分布

单位：人

年龄（岁）	城市								农村（诸暨）	
	杭州		绍兴		舟山		合计			
	女	男	女	男	女	男	女	男	女	男
~10	16	13	6	7	14	6	36	26	11	9
11~12	39	36	34	23	22	28	95	87	33	33
13~14	61	41	28	26	28	28	117	95	21	30
15~16	17	17	23	47	31	26	71	90	33	35
17~18	16	10	40	28	22	26	78	64	31	34
19~26	43	22	68	57	76	38	187	117	37	28
27~34	38	20	44	26	37	46	119	92	33	15
35~44	51	20	48	19	47	38	146	77	97	57
45~54	32	46	50	16	51	45	133	107	23	69
55~	65	89	49	18	25	34	139	141	65	56
合计	378	314	390	267	353	315	1121	896	384	366

被观察人员的身高、体重和体重指数等一般状况见数据资料汇总表 3-3-87。结果显示城乡男女的身高、体重均随年龄的增长呈现先升高后下降的趋势，BMI 则随年龄增长逐渐升高，无下降趋势。

浙江省城市农村男女各年龄段的骨密度分布情况（表 2-3-51）显示，浙江省男性居民骨密度硬度指数在 17 岁之前随年龄增长而增加。城市男性的硬度指数在 17 岁到 26 岁阶段，达到高峰并维持相对稳定的水平，26 岁以后随年龄增加逐渐下降。农村男性骨密度硬度指数在 17~18 岁达到高峰后，随年龄增加逐渐下降。女性居民的骨密度硬度指数也在 17~18 岁年龄段达到高峰，随后略有下降，55 岁以后显著下降。

表 2-3-51　浙江省城乡男女各年龄组骨密度硬度指数表

年龄（岁）	城市						农村					
	女			男			女			男		
	n	mean	S	n	mean	S	n	mean	S	n	mean	S
~10	36	83.55	12.98	26	73.70	9.50	11	80.26	19.03	9	88.40	9.35
11~12	95	83.35	14.89	87	79.63	10.80	33	91.03	17.85	33	88.88	14.16
13~14	117	90.82	15.62	95	89.30	14.90	21	87.02	21.33	30	89.48	16.31
15~16	71	95.57	14.03	90	97.22	23.05	33	96.65	15.10	35	101.90	17.87
17~18	78	97.97	18.14	64	101.95	19.63	31	101.05	18.54	34	108.09	19.68
19~26	187	96.74	17.49	117	103.08	23.13	37	96.31	14.49	28	97.64	19.96
27~34	119	92.51	19.42	92	96.39	23.35	33	94.56	17.63	15	96.32	13.14
35~44	146	96.49	21.17	77	94.81	22.02	97	93.24	15.81	57	87.64	20.24
45~54	133	91.92	19.34	107	91.26	18.82	23	91.02	23.68	69	85.44	21.17
55~	139	76.74	18.05	141	86.18	21.74	65	71.82	20.19	56	85.82	23.11
合计	1121	91.04	19.06	896	92.35	21.40	384	89.91	19.90	366	91.61	20.58

表 2-3-52 为骨密度硬度指数与年龄、身高、体重及 BMI 的相关性分析，城市女性及农村男女硬度指数与年龄均呈显著的负相关（$P<0.001$），但城市男性硬度指数与年龄无显著的负相关（$P>$

0.05）；城市男女及农村女性硬度指数与身高均呈显著的正相关（$P<0.001$），农村男性的硬度指数与身高无显著的相关性（$P>0.05$）；城市男、女性硬度指数与体重有显著相关性（$P<0.001$），农村男、女性硬度指数与体重无显著相关性（$P>0.05$）；城市女性和农村男女的硬度指数与BMI均无显著的相关性，但城市男性硬度指数与BMI呈显著的正相关（$P<0.001$）。

表2-3-52 浙江省不同性别的骨密度与年龄、身高、体重、BMI的相关性（pearson相关）

参数	城市女SI		城市男SI		农村女SI		农村女SI	
	R	*P*	R	*P*	R	*P*	R	*P*
年龄	-0.158	0.000	-0.054	0.104	-0.333	0.000	-0.237	0.000
身高	0.187	0.000	0.245	0.000	0.206	0.000	0.081	0.124
体重	0.118	0.000	0.205	0.000	0.009	0.864	0.020	0.704
BMI	0.049	0.102	0.140	0.000	-0.096	0.061	-0.018	0.737

浙江省城乡居民骨密度硬度指数百分位数分布见数据资料汇总表3-3-88和3-3-89。

（3）广西壮族自治区 广西壮族自治区共调查了南宁和宾阳两市县的1801名人口，其中女性1033人，男性768人；南宁市城市人口821人，宾阳县农村人口980人。性别和年龄分布的详细资料如表2-3-53所示。

表2-3-53 广西壮族自治区调查人群年龄、性别、地区和城乡分布情况

年龄（岁）	城市（南宁）		农村（宾阳）	
	女	男	女	男
11~12	50	44	21	26
13~14	32	29	75	46
15~16	32	30	41	32
17~18	37	20	39	53
19~26	33	26	48	27
27~34	37	31	82	61
35~44	90	35	78	73
45~54	120	56	57	78
55~	76	43	85	58
合计	507	314	526	454

被调查人员的身高、体重和体重指数等一般状况见数据资料汇总表3-3-90。结果显示城市农村男女的身高、体重与其他省相似，均随年龄的增长呈现先升高后下降的趋势，BMI则随年龄增长逐渐升高，无下降趋势。

广西壮族自治区城市农村男女各年龄段的骨密度分布情况见表2-3-54。结果表明，广西地区城市男性被调查居民的骨密度硬度指数从11岁起，随年龄增长，逐渐增加，至17~18岁达到峰值，此后随年龄增长逐步下降；农村被调查的男性居民，峰值出现在19~26岁年龄段，随后骨密度硬度指数随年龄增加逐渐减低。广西壮族自治区城市女性被调查居民的骨密度硬度指数从11岁起，也逐年增加，但增加幅度较同年龄段男性小，在17~18岁达到高峰后，骨密度硬度有所降低，在19~54岁保持较稳定的水平，55岁以后，硬度指数明显下降；农村女性被调查居民的骨密度硬度指数经历青春期增长后，在17~54岁均保持在较为稳定的水平，55岁以后，骨密度也明显下降。

表 2-3-54　广西壮族自治区城乡男女各年龄组骨密度硬度指数表

年龄（岁）	城市						农村					
	女			男			女			男		
	n	mean	sD	n	mean	sD	n	mean	sD	n	mean	sD
11~12	50	92.08	12.28	44	85.57	10.85	21	82.07	11.68	26	80.07	8.73
13~14	32	97.93	13.21	29	98.16	21.28	75	92.90	12.22	46	87.64	12.86
15~16	32	102.38	20.55	30	105.17	19.32	41	96.93	15.04	32	95.46	18.05
17~18	37	107.91	14.49	20	120.00	26.0	39	99.82	15.10	53	98.05	21.84
19~26	33	97.22	24.18	26	109.54	23.34	48	102.24	17.59	27	108.60	23.83
27~34	37	98.09	20.79	31	103.45	22.80	82	96.53	21.03	61	97.77	20.12
35~44	90	96.74	15.15	35	95.33	21.49	78	104.31	17.91	73	90.87	20.40
45~54	120	94.32	18.06	56	94.00	19.19	57	94.89	17.25	78	93.67	23.02
55~	76	82.33	19.83	43	86.46	19.01	85	68.11	17.58	58	85.58	20.23
合计	507	94.92	18.76	314	97.26	21.95	526	92.62	20.56	454	92.87	20.81

图 2-3-119 为广西壮族自治区城乡居民骨密度硬度指数的性别比较，如图所示，在 11~12 岁，城市男性居民的骨密度硬度指数显著低于城市女性（$P<0.05$）；17~18 和 19~26 岁两个年龄段，城市男性居民高于城市女性居民（$P<0.05$）；35~44 岁之间和 55 岁以后，农村男性的骨密度硬度指数显著高于农村女性（$P<0.01$）。图 2-3-120 显示了广西壮族自治区居民各年龄组骨密度硬度指数的城乡比较，结果显示，在 11~12 岁，城市男性居民的骨密度硬度指数高于农村男性（$P<0.05$），城市女性居民的骨密度硬度指数显著高于农村女性（$P<0.01$）；13~14 和 15~16 岁年龄段，城市男性居民的骨密度硬度指数均高于农村男性（$P<0.05$）；17~18 岁，城市男性居民的骨密度硬度指数显著高于农村男性（$P<0.01$）；35~44 岁，城市女性居民的骨密度硬度指数高于农村女性（$P<0.05$）；55 岁以后城市女性显著高于农村女性（$P<0.05$）。

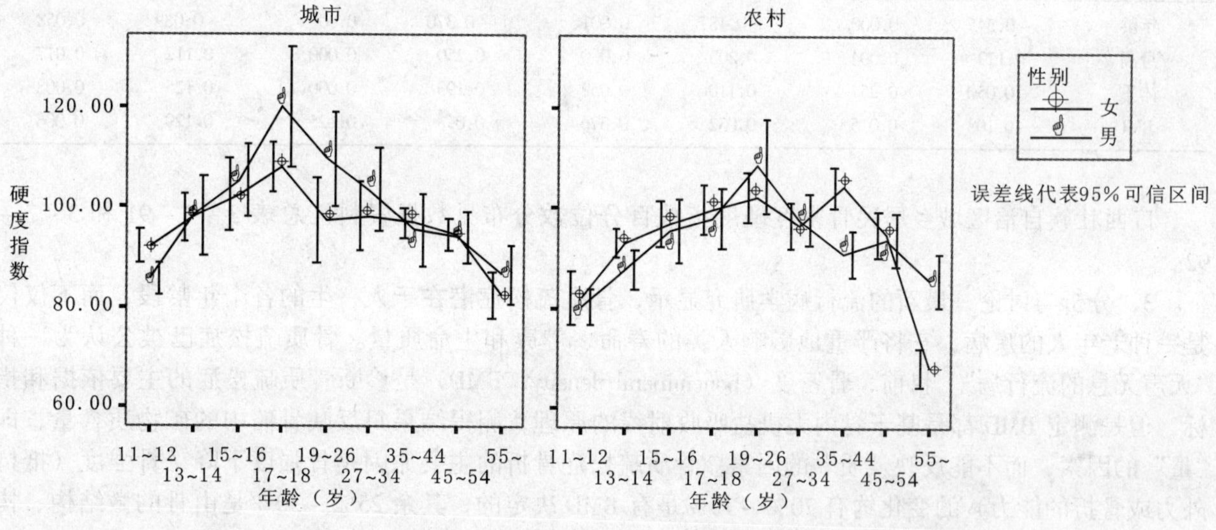

图 2-3-119　广西壮族自治区城乡居民各年龄组骨密度硬度指数性别比较

骨密度硬度指数与年龄、身高、体重及 BMI 的相关性分析如表 2-3-55 所示，城市及农村女性硬度指数与年龄均呈显著的负相关（$P<0.001$），城市男性硬度指数与年龄也呈显著的负相关（$P<0.01$），但农村男性硬度指数与年龄无显著的相关性；城市男女及农村男女硬度指数与身高均有明显

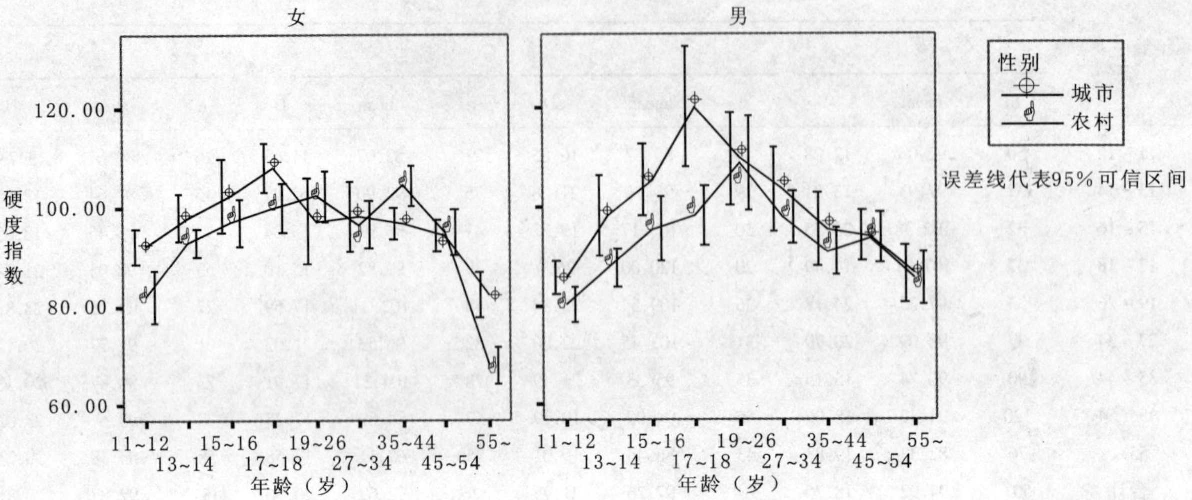

图 2-3-120　广西壮族自治区居民各年龄组骨密度硬度指数城乡比较

的相关性（P 值见表 2-3-55），农村男性的硬度指数与身高亦呈显著的正相关（$P<0.01$）；城市男性和女性与体重均无明显的相关性，农村女性和男性硬度指数与体重则有显著的相关性（分别为 $P<0.001$ 和 $P<0.01$）；除城市男性外，城市女性及农村男女硬度指数与 BMI 均有显著的相关性（P 值见表 2-3-55）。

表 2-3-55　广西壮族自治区不同性别的骨密度与年龄、身高、体重、BMI 的相关性（pearson 相关）

参数	城市				农村			
	女		男		女		男	
	SI	P	SI	P	SI	P	SI	P
年龄	-0.245	0.000	-0.187	0.001	-0.370	0.000	-0.089	0.058
身高	0.129	0.004	0.203	0.000	0.250	0.000	0.112	0.017
体重	-0.050	0.257	0.110	0.052	0.193	0.000	0.125	0.008
BMI	-0.108	0.015	0.032	0.576	0.098	0.025	0.129	0.006

广西壮族自治区城乡居民骨密度硬度指数百分位数分布见数据资料汇总表 3-3-91 和 3-3-92。

3．分析与讨论　最新的流行病学研究显示，骨质疏松症潜在于人一生的各个年龄段，而不仅仅是一种老年人的疾病，它将严重地影响人类的寿命、健康和生命质量。骨质疏松症已被公认为一种“无声无息的流行病”。目前，骨密度（bonemineral density，BMD）是诊断骨质疏松症的主要依据和指标，但是测定 BMD 都是基于骨内无机盐吸收射线的原理，测得结果只反映骨骼中的矿物质含量，即“量”的因素，而不能反映“质”的因素。骨质疏松症骨折的主要原因是骨强度下降，骨强度（抵抗外力或骨折的能力）的变化约有 70%～75%是有 BMD 决定的，其余 25%～30%是由骨的微结构、构造和重建状态等因素协同作用的结果。定量超声骨密度测量技术（QUS）测量骨的声速（SOS）、宽波段超声衰减（BUA）及硬度指数（SI），可同时反映骨的密度、微结构、弹性和脆性，从生物力学角度考虑，QUS 可能优于单纯的 BMD 测量。此外，由于测量 BMD 的 X 线或 CT 检测方法费用昂贵、操作繁琐、具有放射性等缺点，难以用于大规模的普查，尤其在发展中国家。而 QUS 的广泛运用使得大范围正常人群骨状况的调查成为可能。目前，世界上已积累了大量 QUS 的正常数据，但大多为西方国家，且对象多为成年和老年女性，青少年、男性相对较少。本文作为科技部基础性重点项目

“人体生理常数数据库”的一部分，对中国健康人群的QUS的分布状况进行了大规模的调查分析，获得了我国南北方城乡不同性别、不同年龄人群的QUS的分布情况，并分析了性别、年龄、身高、体重及BMI对QUS的影响，结果分析如下。

（1）骨密度（硬度指数，SI）随年龄的变化趋势　研究表明，人类骨量随年龄的增长大体可分为骨量增长期（从出生至20岁）、骨量缓慢增长期（从20～30岁）、骨量峰值相对稳定期（从30～40岁，骨密度处于一生的峰值期）、骨量丢失前期（女性从40～49岁、男性从40～64岁，骨量呈轻微丢失）、骨量快速丢失期（主要见于女性绝经后1～10年，男性不存在快速骨丢失期）、骨量缓慢丢失期（65岁以后，女性骨量丢失速率降低到绝经前水平，男性较以前出现一些轻微的骨量快速丢失）6个时期。国内多数研究显示，我国男性骨密度峰值年龄在20～29岁之间，女性骨密度峰值年龄在20～39岁之间。也有研究显示，我国男性、女性骨密度峰值年龄均在10～19岁之间，认为我国人群在青春期基本完成了骨松质的骨量积累。本研究发现，20岁以前是骨密度快速增长期，不同地区城乡男性和女性的骨密度峰值大多出现在17～18岁，并均在44岁以前保持较高水平。在不同研究中骨密度峰值出现时间不一致，可能与测量仪器、测量部位、被测人群的年龄分布等不同有关。数据分析时年龄分组的不同也可能造成了峰值出现时间的不同。

许多研究证实，无论男女，在达到峰值骨密度之后，骨密度便开始降低，特别是女性，在绝经期后的十年中出现骨量的快速丢失。国外曾有报道，在青年阶段（20～40岁）已开始出现轻微的骨丢失。在本研究中也出现了同样的情况，而且，27岁以后的骨密度已明显低于峰值。特别是女性，在54岁以后出现骨密度的快速降低，而在这一时间我国女性恰已基本绝经。统计数据显示，虽然男性骨密度降低早于女性，但男性骨密度峰值高于女性，且54岁以后骨密度降低幅度小于女性，此时，女性骨密度已显著低于男性。绝经后的快速骨丢失可能是女性骨密度低的重要原因。有关研究认为，女性绝经后骨量的丢失主要与卵巢功能衰退、雌激素减低有关。绝经妇女随着年龄的增加，骨内膜吸收进行性增加，皮质内孔隙增大致使皮质小梁化而引起骨强度下降；其次，衰老引起胃肠功能减退，肾脏功能减退引起1，25（OH）$_2$D$_3$合成减少，肠道钙吸收减少，尿钙排除增多，血浆降钙素水平降低，甲状旁腺素水平增高，从而造成骨代谢负平衡。而男性骨密度随年龄下降，其可能原因是雄激素、生长激素、胰岛素成长因子－1（IGF－1）分泌减少。有研究表明这些激素均与骨形成有关。

总之，尽管国内外关于骨密度峰值年龄的文献报道不太一致，但都存在相似的规律，即无论男性或女性一般在达到骨量最高值（峰值骨量）后，会逐渐减少。35岁以前，特别是20岁以前（骨量增长期）是影响骨密度峰值的关键时期，此时骨密度峰值水平低，则老年后患骨质疏松症的危险性会大大增加。因此，了解我国青少年及中青年人群骨密度水平和骨峰值的形成时间，对防治骨质疏松症十分重要。

（2）骨密度的影响因素　骨质疏松症长期以来被认为是一种病因不明的代谢性骨病，经过近些年的流行病学调查，以及临床资料分析，病理生理、超微结构、分子生物学等技术的应用，对其病因学、危险因素和发病机制有了新的认识。骨质疏松的发生是多因素共同作用的结果，概括起来，骨质疏松的发生与年龄、性别、身高、体重、营养、种族、遗传、内分泌、生活方式、物理因素、免疫、疾病状态、药物治疗等多种因素有关。

1）性别　刘忠厚等人使用单光子吸收法（SPA）对北京3833例3～90岁的健康男、女桡骨中远1/3处骨密度进行测定，结果表明15岁以后各年龄组男性骨密度均高于女性。美国第三次全国健康和营养调查使用DEXA对7116例20岁以上男、女股骨骨密度进行测定，各族男性股骨骨密度均显著高于同年龄女性，男性经年龄调整后的股骨颈骨密度比女性约高3%。特别是女性绝经后，男性骨密度显著高于女性。大多数研究表明，同种族、同年龄女性骨质疏松患病率高于男性，可能是由于女性绝经后雌激素水平陡然下降所致。

本研究显示，13岁以前女性骨密度略高于男性，身高、体重也如此，表明女性发育可能早于男性。但以后的各项指标男性均高于女性，在3个省区，城乡均出现相同趋势，男性骨密度峰值高于女性。54岁以后男性骨密度与女性骨密度的差异显著，而中青年阶段男女骨密度差异不十分显著。在调整身高、体重、BMI的影响后，亦不能改变以上趋势。

2）年龄、身高、体重、BMI　年龄是骨质疏松的一个重要危险因素，可能与老年人成骨细胞功能下降、肠钙吸收减弱、血清15-羟维生素D下降有关。本研究数据显示，3省区的城乡男女骨密度硬度指数大多与年龄呈显著的负相关。

许多文献报道身高、体重、BMI均与骨密度有相关性。本研究也显示硬度指数与这几种因素有相关性。这可能是由于体胖者的体重对骨骼的物理负荷较大，以及通过脂肪组织使雄激素向雌激素转换等因素，减少了骨吸收的作用，体重对骨骼物理性刺激的降低可直接成为骨质疏松的危险因素。而由于较高的身高预示着较重的体重，因此身高也与骨密度呈现相关性。我国佛山市对585例成年中国人的骨密度、骨量、脂肪含量以及其他体质指数进行测量，结果表明随着年龄的增长，骨密度、骨量、体重会逐渐降低，身材矮小的人其骨密度、骨量、体重也会较低，患骨质疏松、低骨量改变的可能性较大。用DEXA对辽宁地区1731例40~79岁的中老年人群BMD测定的研究结果显示体重、身高、BMI与腰椎（正位$L_2 \sim L_4$）骨密度的相关系数分别为0.352、0.126和0.384。

但是本研究中，3个省区城乡男女的身高、体重及BMI与硬度指数的相关性不尽相同，提示这几种因素对SI的影响程度在不同人群可能不同，尚需进一步研究。

3）其他影响因素　许多研究表明种族、遗传、饮食（如钙的摄入量等）、运动、生活方式（如吸烟、饮酒、摄入咖啡因等）以及疾病和药物等也是骨密度的重要影响因素，但本研究对这些方面未进行深入调查，乃一大缺憾。

（3）城乡之间骨密度比较分析　本研究3个省区的城市与农村男性骨密度差异情况不尽相同，如在河北省，11~12岁、15~16岁及54岁以上的城市男性的骨密度硬度指数均大于农村男性，11~12岁、15~16岁及44岁以上的城市女性硬度指数均显著高于农村女性，广西壮族自治区也呈现大致相同的结果，而在浙江省，除了小于10岁及11~12岁的农村男性硬度指数高于城市男性外，其余年龄组及城市和农村的女性之间均无显著差异。出现这种结果的原因可能是由于收入的不同造成城市人口营养摄入优于农村人口，从国家统计局的统计数据可以看出，3省区城市居民收入均高于农村居民，河北省和广西壮族自治区尤其突出。同时，随着生活水平的提高，城市人口已越来越重视体育锻炼，从而弥补了重体力劳动的不足。关于人均收入水平对骨密度影响方面尚需进一步研究。

（4）不同地域骨密度的比较分析　本研究选取了北方的河北和南方的浙江和广西三个省区，图2-3-121至图2-3-124显示了3省区城乡男女骨密度硬度指数的比较。从图2-3-121可以看出，浙江省城市女性11~12岁、13~14岁、17~18岁、27~34岁及54岁以上年龄组的骨密度显著低于

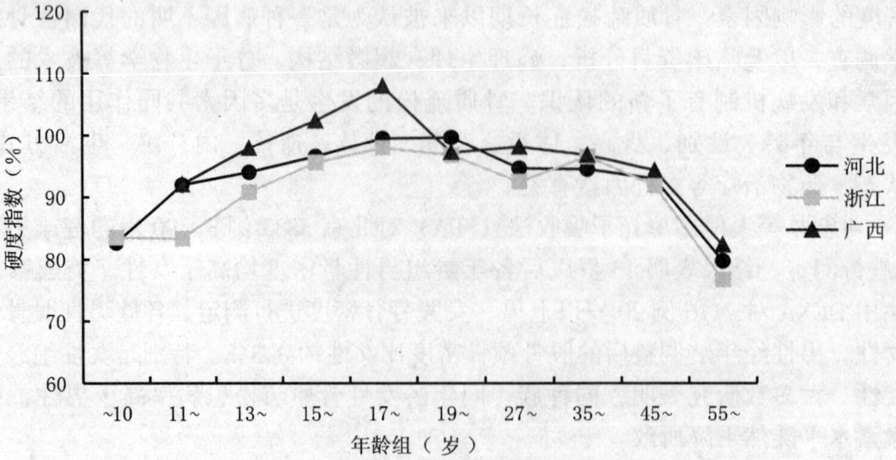

图2-3-121　河北、浙江省和广西壮族自治区城市女性骨密度硬度指数随年龄变化比较

同年龄组广西壮族自治区及河北省城市女性的骨密度，另外 17～18 岁的河北省城市女性的硬度指数也显著低于同年龄组广西壮族自治区的城市女性；河北省 15～16 岁、19～26 岁、35～44 岁、45～54 岁年龄组的农村女性硬度指数显著低于同年龄组的浙江或广西的农村女性（图 2－3－122）；同样，河北省不论城市或农村，许多年龄组男性的硬度指数都低于同年龄组广西或浙江的男性。此结果说明中国南北方人群的骨密度硬度指数存在显著性差异，与北京中日友好医院所进行的“不同国家和地区峰值骨密度对比性研究”结果一致。

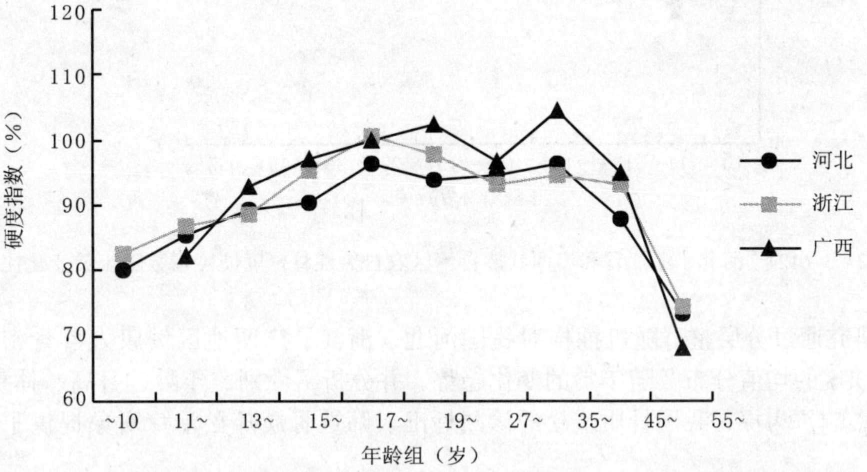

图 2－3－122　河北、浙江省和广西壮族自治区农村女性骨密度硬度指数随年龄变化比较

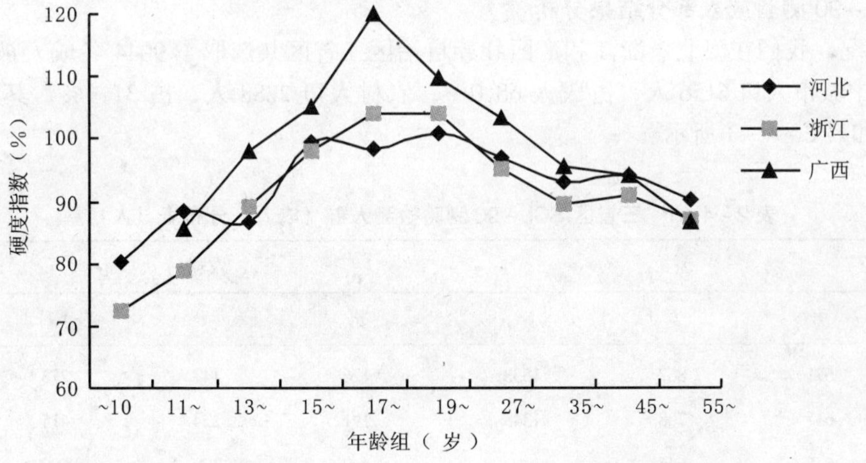

图 2－3－123　河北、浙江省和广西壮族自治区城市男性骨密度硬度指数随年龄变化比较

南北方的这种差异可能是由于不同地区，城市、农村人民收入水平不同，进而影响身体营养状况，从而导致骨密度水平的不同。根据国家统计局公布的数据，2002 年河北省城镇居民人均可支配收入 6678.7 元，农民人均纯收入 2685.2 元；浙江省城镇居民人均可支配收入 11716 元，农村居民人均纯收入 4940 元。显然浙江省人均收入高于河北省。许多研究提示，饮食钙与骨代谢密切相关。澳大利亚的一项长达 4 年的补钙试验显示，54～74 岁服用安慰剂的绝经后妇女（每天摄入钙 952 ± 109mg）髋部和踝部骨丢失显著高于补钙 4 年者（每天摄入 1988 ± 90mg），提示补钙可以降低绝经后妇女髋部和踝部骨丢失。我国厦门的一项研究对 126 例中老年人群进行检测，并调查其膳食情况，经 Logistic 多元回归分析，结果表明蔬菜的摄入量与骨质疏松症明显相关。收入水平对营养摄入有较大影响，而发育期营养状况直接影响青少年的骨骼发育。

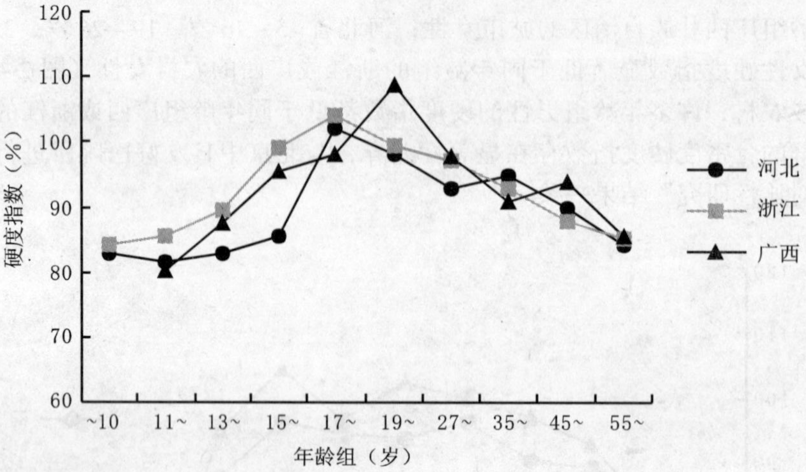

图 2-3-124　河北、浙江省和广西壮族自治区农村男性骨密度硬度指数随年龄变化比较

总之，本研究通过分层整群随机抽样对我国河北、浙江、广西地区健康人群骨密度的调查，获得了我国人群 QUS 的均值分布及随年龄的变化趋势，并分析了性别、年龄、身高、体重、BMI、城乡地域对 QUS 的影响，为探讨我国骨质疏松的诊断标准、筛选骨质疏松治疗对象提供了可靠的参考数据。

四、心理状态

（一）SCL-90 测验成人部分结果分析

1．检测概况　我们在河北、浙江和广西壮族自治区三省区共选取了 9044 名成人被试进行了 SCL-90 测验，其中城市人口 6156 人，占成人 68.0%，农村人口 2888 人，占 31.9%，其性别和年龄分布的详细资料如表 2-4-1 所示。

表 2-4-1　三省区 SCL-90 测验检测人群（成人）分布表（人）

年龄（岁）	城市			农村			合计
	男	女	小计	男	女	小计	
19~26	671	867	1538	126	147	273	1811
27~34	637	708	1345	191	224	415	1760
35~44	547	646	1193	299	389	688	1881
45~54	384	394	778	288	275	563	1341
55 以上	586	716	1302	384	565	949	2251
合计	2825	3331	6156	1288	1600	2888	9044

2．检测结果

（1）河北省　河北省共检测成人 2574 人，其中城市居民 1787 人，农村居民 787 人，男性 1360 人，女性 1214 人，其性别和年龄分布的详细资料如表 2-4-2 所示。

表 2-4-2 SCL-90 测验检测人群（河北成人）分布表（人）

年龄（岁）	城市			农村			合计
	男	女	小计	男	女	小计	
19~26	254	194	448	64	73	137	585
27~34	332	221	553	79	82	161	714
35~44	254	179	433	67	106	173	606
45~54	94	59	153	57	113	170	323
55 以上	90	110	200	69	77	146	346
	1024	763	1787	336	451	787	2574

SCL-90 测验共包括十个不同因子，分别为躯体化、强迫症状、人际敏感、抑郁、焦虑、敌对、恐怖、偏执、精神病性和其他，河北省成人 SCL-90 测验在数据资料汇总表中 3-4-1~3-4-50 呈现了这 10 个因子测验的结果。

1）躯体化 SCL-90 测验的躯体化因子在河北省 4 市县的详细情况见数据汇总表 3-4-2~3-4-5，趋势曲线见图 2-4-1。本文分别对不同年龄阶段的城市男性、城市女性、农村男性和农村女性在躯体化因子上的得分进行了平均数的多重比较，结果如下。

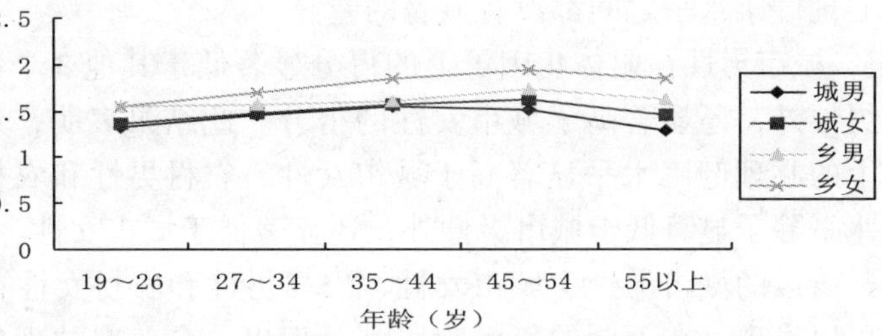

图 2-4-1 躯体化因子随着年龄增长变化趋势曲线

城市男性在躯体化因子上的得分随着年龄的增长表现出如下的趋势：19~26 岁年龄段与 55 岁以上的成人之间的得分没有显著差异，而这两个年龄阶段的得分却都显著低于另外三个年龄阶段的得分，处于中间的三个年龄阶段的得分之间却没有显著的差异。此结果表明，年龄在 27~54 岁之间的成人在躯体化因子上的心理健康水平不如年龄比他们小或者比他们大的成人的心理健康水平。

城市女性在躯体化因子上的得分随着年龄的增长表现出如下的趋势：年龄在 19~26 岁之间的城市女性的得分显著低于其他 4 个年龄阶段的城市女性的得分，而其他 4 个年龄段的城市女性的得分之间却没有显著的差异。此结果表明，在城市女性这个群体中，年龄在 19~26 岁的城市女性在躯体化因子上的心理健康水平高于另外 4 个比他们年龄大的城市女性的心理健康水平，而另外 4 个年龄比较大群体在躯体化因子上的心理健康水平之间却没有显著的差异。

农村男性在躯体化因子上的得分随着年龄的增长表现出如下的趋势：5 个不同的年龄段的农村男性在躯体化因子上的得分没有显著的差异。此结果表明，农村男性在躯体化因子上的心理健康水平随着年龄的变化没有显著的变化。

农村女性在躯体化因子上的得分随着年龄的增长表现如下的趋势：除了 19~26 岁的农村女性在躯体化因子上的得分显著低于其他 4 个不同的年龄段的农村女性的得分外，其他 4 个不同的年龄段的农村女性在躯体化因子上的得分之间都没有显著的差异。此结果表明，19~26 岁的农村女性在躯体化因子上的心理健康水平高于另外 4 个年龄段的农村女性，而另外的 4 个年龄段的农村女性在躯体化因子上的心理健康水平之间却没有显著的差异。

综合上面的结果，我们可以发现，城市男性、城市女性、农村男性和农村女性4个不同的群体在躯体化因子上的得分随着年龄的增长表现出不同的趋势，可见这4个群体之间并不是完全同质的群体，因此，为了进一步了解这4个不同群体之间的差异，我们又对这4个不同群体在躯体化因子得分的差异进行了分析，结果如下。

在19~26岁年龄组，城市男性在躯体化因子上的得分显著低于另外3个组，而其他3个组之间却没有显著的差异。此结果表明，在19~26岁年龄组中，城市男性在躯体化因子上的心理健康水平显著高于另外3个组，而另外3个组在躯体化因子上的心理健康水平之间没有显著的差异。

在27~34岁年龄组，农村女性在躯体化因子上的得分显著高于城市男性和城市女性的得分，而其他组的得分之间都没有显著的差异，此结果表明，在27~34岁年龄组中，农村女性在躯体化因子上的心理健康水平显著低于城市男性和城市女性，而其他组在躯体化因子上的心理健康水平之间都没有显著的差异。

在35~44岁年龄组，表现出与27~34岁年龄组相同的特点，即农村女性在躯体化因子上的得分显著高于城市男性和城市女性的得分，而其他组的得分之间都没有显著的差异，此结果表明，在35~44岁年龄组中，农村女性在躯体化因子上的心理健康水平显著低于城市男性和城市女性，而其他组在躯体化因子上的心理健康水平之间都没有显著的差异。

在45~54岁年龄组，也表现出与27~34岁年龄组相同的特点，即农村女性在躯体化因子上的得分显著高于城市男性和城市女性的得分，而其他组的得分之间都没有显著的差异，此结果表明，在45~54岁年龄组中，农村女性在躯体化因子上的心理健康水平显著低于城市男性和城市女性，而其他组在躯体化因子上的心理健康水平之间都没有显著的差异。

在55岁以上年龄组，城市男性在躯体化因子上的得分显著低于其他3个组的得分，农村女性的得分除了显著高于城市男性外，还显著高于城市女性的得分。此结果表明，在55岁以上年龄组中，城市男性在躯体化因子上的心理健康水平显著高于城市女性、农村男性和农村女性，农村女性在躯体化因子上的心理健康水平除了显著低于城市男性外，还显著低于城市女性。

综合以上对不同年龄阶段的城市男性、城市女性、农村男性和农村女性在躯体化因子上的心理健康水平的分析，我们可以发现，在不同的年龄阶段都呈现出一个普遍的现象，即城市男性在躯体化因子上的心理健康水平显著好于其他3组，而农村女性在躯体化因子上的心理健康水平却显著不如其他3组。

2）强迫症状　SCL-90测验的强迫症状因子在河北省4市县的详细情况见数据汇总表3-4-7~3-4-10，趋势曲线见图2-4-2。我们分别对不同年龄段的城市男性、城市女性、农村男性和农村女性在强迫症状因子上的得分进行了平均数的多重比较，结果如下。

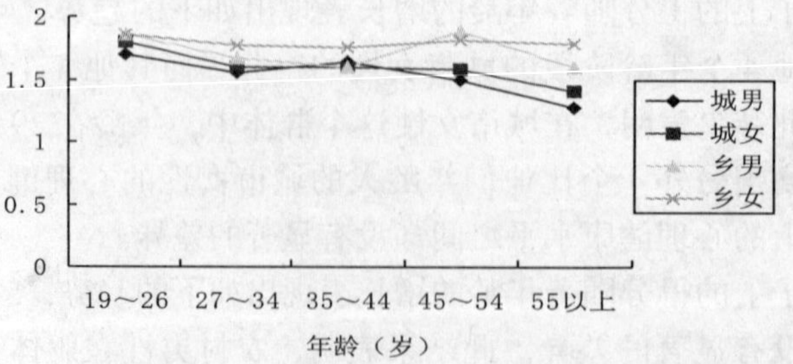

图2-4-2　强迫症状因子随着年龄增长变化趋势曲线

城市男性在强迫症状因子上的得分随着年龄的增长表现出如下的趋势：19~26岁年龄组除与35~44岁组在强迫症状因子上的得分没有显著差异外，与其他3组的得分相比，都显著地高于其他3

组的得分。55岁以上组的得分均显著低于其他4个年龄组，35~44岁组除了与19~26组和55岁以上组之间有显著差异外，与其他两个年龄组之间都没有显著的差异。此结果表明，年龄在19~26岁之间的成人在强迫症状因子上的心理健康水平不如年龄比他们大的成人的心理健康水平，而年龄在55岁以上的成人在强迫症状因子上的心理健康水平高于比他们年龄小的成人。

城市女性在强迫症状因子上的得分随着年龄的增长表现出如下的趋势：年龄在19~26岁之间的城市女性的得分除了与45~54岁年龄组没有显著差异外，她们的得分显著高于其他3个年龄组的城市女性的得分，55岁以上年龄组的得分除了与45~54岁年龄组没有显著差异外，她们的得分都显著低于其他3个年龄组，而45~54岁年龄组与任何一个年龄组都没有显著的差异。此结果表明，在城市女性这个群体中，45~54岁年龄组在强迫症状因子上的心理健康水平与其他年龄组没有显著差异，年龄在19~26岁的城市女性在强迫症状因子上的心理健康水平低于另外3个比他们年龄大的城市女性，年龄在55岁以上的城市女性在强迫症状因子上的心理健康水平高于另外3个年龄比她们小的城市女性。

农村男性在强迫症状因子上的得分随着年龄的增长表现出如下的趋势：5个不同的年龄段的农村男性在强迫症状因子上的得分没有显著的差异。此结果表明，农村男性在强迫症状因子上的心理健康水平随着年龄的变化没有显著的变化。

农村女性在强迫症状因子上的得分随着年龄的增长表现出如下的趋势：5个不同的年龄段的农村女性在强迫症状因子上的得分没有显著的差异。此结果表明，农村女性在强迫症状因子上的心理健康水平随着年龄的变化没有显著的变化。

综合上面的结果，我们可以发现，城市男性、城市女性、农村男性和农村女性4个不同的群体在强迫症状因子上的得分随着年龄的增长表现出不同的趋势，可见这4个群体之间并不是完全同质的群体，因此，为了进一步了解这4个不同群体之间的差异，我们又对这4个不同群体在强迫症状因子上的得分的差异进行了分析，结果如下。

在19~26岁年龄组、27~34岁年龄组和35~44岁年龄组中，城市男性、城市女性、农村男性和农村女性中的任何二组之间的差异都没有达到显著水平。此结果表明，在19~26岁年龄组、27~34岁年龄组和35~44岁年龄组中，城市男性、城市女性、农村男性和农村女性中的任何二组在强迫症状因子上的心理健康水平之间都没有显著的差异。

在45~54岁年龄组，城市男性在强迫症状因子上的得分显著低于农村男性和农村女性组，除了这一差异外，其他任何两组的差异都没有达到显著水平。此结果表明，在45~54岁年龄组中，城市男性在强迫症状因子上的心理健康水平显著高于农村男性和农村女性，而其他组在强迫症状因子上的心理健康水平之间都没有显著的差异。

在55岁以上年龄组，城市男性在强迫症状因子上的得分显著低于农村男性和农村女性组，城市女性在强迫症状因子上的得分也显著低于农村女性组，此外，其他任何两组的差异都没有达到显著水平。此结果表明，在45~54岁年龄组中，城市男性在强迫症状因子上的心理健康水平显著高于农村男性和农村女性，城市女性在强迫症状因子上的心理健康水平显著高于农村女性，而其他组在强迫症状因子上的心理健康水平之间都没有显著的差异。

综合以上对不同年龄段的城市男性、城市女性、农村男性和农村女性在强迫症状因子上的心理健康水平的分析，我们可以发现，几乎在不同的年龄段都呈现出一个普遍的现象，即城市男性在强迫症状因子上的心理健康水平显著好于农村男性和农村女性，而农村女性在强迫症状因子上的心理健康水平却显著不如城市男性和城市女性。

3）人际敏感　SCL-90测验的人际敏感因子在河北省四市县的详细情况见数据汇总表3-4-12~3-4-15，趋势曲线见图2-4-3。我们分别对不同年龄段的城市男性、城市女性、农村男性和农村女性在人际敏感因子上的得分进行了平均数的多重比较，结果如下。

城市男性在人际敏感因子上的得分随着年龄的增长表现出如下的趋势：19~26岁年龄组除与35~44岁组在人际敏感因子上的得分没有显著差异外，与其他3组的得分相比，都显著高于其他3组

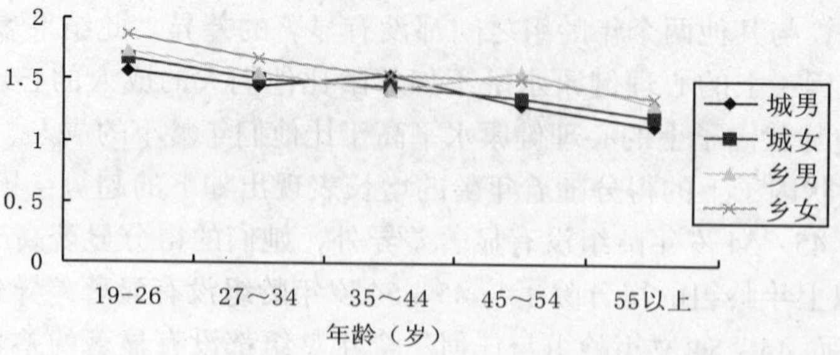

图 2－4－3 人际敏感因子随着年龄增长变化趋势曲线

的得分。55 岁以上组的得分均显著低于其他 4 个年龄组，35～44 岁组除了与 19～26 岁组和 55 岁以上组之间有显著差异外，与其他两个年龄组之间都没有显著的差异。此结果表明，年龄在 19～26 岁之间的成人在人际敏感因子上的心理健康水平不如年龄比他们大的成人的心理健康水平，而年龄在 55 岁以上的成人在人际敏感因子上的心理健康水平高于比他们年龄小的成人。

城市女性在人际敏感因子上的得分随着年龄的增长表现出如下的趋势：年龄在 19～26 岁之间的城市女性的得分除了与 45～54 岁年龄组没有显著差异外，她们的得分显著高于其他 3 个年龄组的城市女性的得分，55 岁以上年龄组的得分除了与 45～54 岁年龄组没有显著差异外，她们的得分都显著低于其他 3 个年龄组，而 45～54 岁年龄组与任何一个年龄组都没有显著的差异。此结果表明，在城市女性这个群体中，45～54 岁年龄组在人际敏感因子上的心理健康水平与其他年龄组没有显著差异，年龄在 19～26 岁的城市女性在人际敏感因子上的心理健康水平低于另外 3 个比他们年龄大的城市女性，年龄在 55 岁以上的城市女性在人际敏感因子上的心理健康水平高于另外 3 个年龄比她们小的城市女性。

农村男性在人际敏感因子上的得分随着年龄的增长表现出如下趋势：5 个不同年龄组的农村男性在人际敏感因子上的得分没有显著的差异。此结果表明，农村男性在人际敏感因子上的心理健康水平随着年龄的变化没有显著的变化。

农村女性在人际敏感因子上的得分随着年龄的增长表现出如下的趋势：5 个不同年龄组的农村女性在人际敏感因子上的得分没有显著的差异。此结果表明，农村女性在人际敏感因子上的心理健康水平随着年龄的变化没有显著的变化。

综合上面的结果，我们可以发现，城市男性、城市女性、农村男性和农村女性 4 个不同的群体在人际敏感因子上的得分随着年龄的增长表现出不同的趋势，可见这 4 个群体之间并不是完全同质的群体，因此，为了进一步了解这 4 个不同群体之间的差异，我们又对这 4 个不同群体在人际敏感因子上得分的差异进行了分析，结果如下。

在 19～26 岁年龄组、27～34 岁年龄组和 35～44 岁年龄组中，城市男性、城市女性、农村男性和农村女性中的任何二组之间的差异都没有达到显著水平。此结果表明，在 19～26 岁年龄组、27～34 岁年龄组和 35～44 岁年龄组中，城市男性、城市女性、农村男性和农村女性中的任何二组在人际敏感因子上的心理健康水平之间都没有显著的差异。

在 45～54 岁年龄组，城市男性在人际敏感因子上的得分显著低于农村男性和农村女性组，除了这一差异外，其他任何两组的差异都没有达到显著水平。此结果表明，在 45～54 岁年龄组中，城市男性在人际敏感因子上的心理健康水平显著高于农村男性和农村女性，而其他组在人际敏感因子上的心理健康水平之间都没有显著的差异。

在 55 岁以上年龄组，城市男性在人际敏感因子上的得分显著低于农村男性和农村女性组，城市女性在人际敏感因子上的得分也显著低于农村女性组，此外，其他任何两组的差异都没有达到显著水平。此结果表明，在 45～54 岁年龄组中，城市男性在人际敏感因子上的心理健康水平显著高于农村男性和农村女性，城市女性在人际敏感因子上的心理健康水平显著高于农村女性，而其他组在人际敏感因子上的心理健康水平之间都没有显著的差异。

综合以上对不同年龄段的城市男性、城市女性、农村男性和农村女性在人际敏感因子上的心理健康水平的分析，我们可以发现，几乎在不同的年龄段都呈现出一个普遍的现象，即城市男性在人际敏感因子上的心理健康水平显著好于农村男性和农村女性，而农村女性在人际敏感因子上的心理健康水平却显著不如城市男性和城市女性。

4）抑郁　SCL－90 测验的抑郁因子在河北省四市县的详细情况见数据汇总表 3－4－17～3－4－20，趋势曲线见图 2－4－4。我们分别对不同年龄阶段的城市男性、城市女性、农村男性和农村女性在抑郁因子上的得分进行了平均数的多重比较，结果如下。

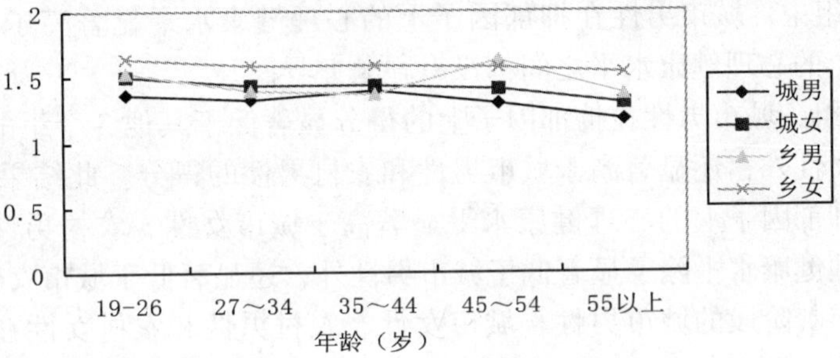

图 2－4－4　抑郁因子随着年龄增长变化趋势曲线

城市男性在抑郁因子上的得分随着年龄的增长表现出如下趋势：在 55 岁以上的年龄段的样本人群得分显著低于其他年龄段得分，得分存在显著差异。此结果表明，在城市男性这个群体中，年龄在 55 岁以上的成人在心理健康水平高于其他年龄段人群的心理健康水平。

城市女性在抑郁因子上的得分随着年龄的增长表现出如下趋势：年龄在 19～26 岁、27～34 岁之间的城市女性的得分显著低于 55 岁以上年龄段的城市女性，得分之间存在显著的差异，而其他年龄段之间得分没有显著差异。此结果表明，在城市女性这个群体中，年龄在 19～34 岁的城市女性在抑郁因子上的心理健康水平高于 35 岁以上城市女性的心理健康水平，而年龄大于 55 岁群体在抑郁因子上的心理健康水平高于其他年龄阶段城市女性。

农村男性在抑郁因子上的得分随着年龄的增长表现出如下趋势：5 个不同的年龄段的农村男性在抑郁因子上的得分没有显著的差异。此结果表明，农村男性在抑郁因子上的心理健康水平随着年龄的变化没有显著的变化。

农村女性在抑郁因子上的得分随着年龄的增长表现出如下趋势：5 个不同年龄段的农村女性在抑郁因子上的得分没有显著的差异。此结果表明，农村女性在抑郁因子上的心理健康水平随着年龄的变化没有显著的变化。

综合上面的结果，我们可以发现，城市男性、城市女性、农村男性和农村女性 4 个不同的群体在抑郁因子上的得分随着年龄的增长表现出不同的趋势，可见这 4 个群体之间并不是完全同质的群体，因此，为了进一步了解这 4 个不同群体之间的差异，我们又对这 4 个不同群体在抑郁因子上得分的差异进行了分析，结果如下。

在 19～26 岁年龄组，城市男性和城市女性、农村女性存在显著性差异，城市男性和农村男性之间没有显著差异；城市女性和农村女性之间也没有显著差异。城市男性在抑郁因子的得分低于其他 3 组，而农村女性得分高于其他 3 组。此结果表明，在 19～26 岁年龄组中，城市和农村在抑郁因子上的心理健康水平城乡之间没有显著性差异，农村女性在抑郁因子上的心理健康水平显著低于城市男性、女性和农村男性；城市男性在抑郁因子上的心理健康水平高于其他 3 组。

在 27～34 岁年龄组，城市男性和城市女性存在显著性差异，城市男性、女性和农村男性、女性之间没有显著差异；城市男性在抑郁因子的得分低于其他 3 组，而农村女性得分高于其他 3 组。此结果表明，在27~34岁年龄组中，城乡在抑郁因子上的心理健康水平没有显著性差异；农村女性在抑郁因子上的得分显著高于城市男性和城市女性的得分，而其他组的得分之间都没有显著的差异，说明其他组在抑郁因子上的心理健康水平之间都没有显著差异。

在35~44岁年龄组，表现出农村女性和男性之间的显著差异，农村女性在抑郁因子上的得分显著高于城市男性和城市女性的得分，而其他组的得分之间都没有显著的差异，此结果表明，在35~44岁年龄组中，农村女性在抑郁因子上的心理健康水平显著低于城市男性和城市女性，而其他组在抑郁因子上的心理健康水平之间都没有显著的差异。

在45~54岁年龄组，城市男性和农村男性、农村女性之间有显著性差异。城市男性在抑郁因子上的得分显著低于城市男性和城市女性的得分，而其他组的得分之间都没有显著的差异，此结果表明，在45~54岁年龄组中，城市男性在抑郁因子上的心理健康水平显著高于城市男性和城市女性，而其他组在抑郁因子上的心理健康水平之间都没有显著差异。

在55岁以上年龄组，城市男性在抑郁因子上的得分显著低于其他3个组的得分，农村女性的得分除了显著高于城市女性外，还显著高于城市男性和农村男性的得分。此结果表明，在55岁以上年龄组中，城市男性在抑郁因子上的心理健康水平显著高于城市女性、农村男性和农村女性，农村女性在抑郁因子上的心理健康水平除了显著低于城市男性外，还显著低于城市女性。

、综合以上对不同年龄阶段的城市男性、城市女性、农村男性和农村女性在抑郁因子上的心理健康水平的分析，我们可以发现，在不同的年龄段都呈现出一个普遍的现象，即城市男性在抑郁因子上的心理健康水平显著好于其他3组，而农村女性在抑郁因子上的心理健康水平却显著不如其他3组。

5）焦虑　SCL－90测验的焦虑因子在河北省四市县的详细情况见数据汇总表心理状态3－4－22~3－4－25，趋势曲线见图2－4－5。本文分别对不同年龄段的城市男性、城市女性、农村男性和农村女性在焦虑因子上的得分进行了平均数的多重比较，结果如下。

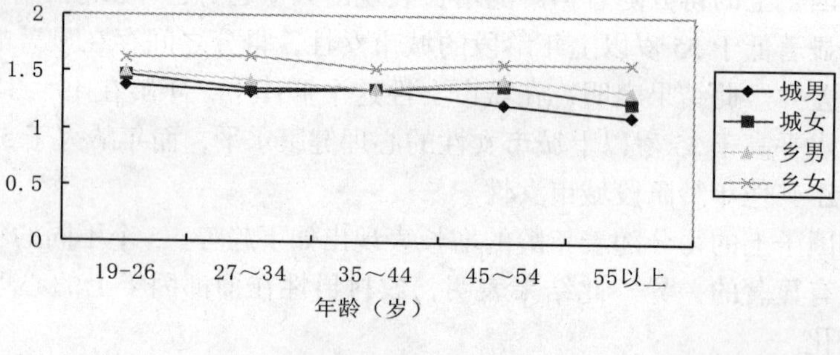

图2－4－5　焦虑因子随着年龄增长变化趋势曲线

城市男性在焦虑因子上的得分随着年龄的增长表现出如下趋势：19~26岁年龄组的得分和45~54岁、55岁以上年龄组存在显著差异。27~34岁年龄组的得分和55岁以上年龄组存在显著差异，和其他3组没有显著差异。35~44岁年龄组和45岁以上两个年龄组存在显著差异。55岁以上年龄组和其他4组在焦虑因子上的得分明显偏低，与其他4个年龄组之间都没有显著差异。此结果表明，年龄在55岁以上的成人在焦虑因子上的得分低于其他4个年龄组的人群，其心理健康水平高于比他们年龄小的成人。

城市女性在焦虑因子上的得分随着年龄的增长表现出如下趋势：年龄在19~26岁之间的城市女性的得分除了与45~54岁年龄组没有显著差异外，她们的得分显著高于其他3个年龄组的城市女性的得分，55岁以上年龄组的得分与19~26、27~34岁年龄组有显著差异，她们的得分都显著低于其他2个年龄组，而45~54岁年龄组与任何一个年龄组都没有显著的差异。此结果表明，在城市女性这个群体中，45~54岁年龄组在焦虑因子上的心理健康水平与其他年龄组没有显著差异。此结果表明，年龄在19~26岁的城市女性在焦虑因子上的心理健康水平低于另外4个比他们年龄大的城市女性。

农村男性在焦虑因子上的得分随着年龄的增长表现出如下趋势：5个不同年龄段的农村男性在焦虑因子上的得分没有显著的差异。此结果表明，农村男性在焦虑因子上的心理健康水平随着年龄的变化没有显著的变化。

农村女性在焦虑因子上的得分随着年龄的增长表现出如下趋势：5个不同年龄段的农村女性在焦虑因子上的得分没有显著的差异。此结果表明，农村女性在焦虑因子上的心理健康水平随着年龄的变化没有显著的变化。

综合上面的结果，我们可以发现，城市男性、城市女性、农村男性和农村女性4个不同的群体在焦虑因子上的得分随着年龄的增长表现出不同的趋势，可见这4个群体之间并不是完全同质的群体，因此，为了进一步了解这4个不同群体之间的差异，我们又对这4个不同群体在焦虑因子上的得分的差异进行了分析，结果如下。

在19～26岁年龄组，城市男性和城市女性、农村女性之间存在显著性差异，和农村男性没有显著性差异，城市女性和农村女性之间不存在显著性差异。此结果表明，在19～26岁年龄组，在焦虑因子的得分上，男性心理健康水平没有城乡差异，女性也不存在显著城乡差异。

27～34岁年龄组中，城市男性和农村男性之间的差异没有达到显著水平，农村女性和城市女性之间存在显著差异，农村女性在焦虑因子得分高于城市女性。此结果表明，在24～37岁年龄组，城市女性在焦虑因子上的心理健康水平高于农村女性。

在35～44岁年龄组，城市男性和农村男性得分不存在显著性差异，但城市女性和农村女性的得分存在显著性差异。城市女性在焦虑因子上的得分显著低于农村女性。此结果表明，农村女性在焦虑因子的心理健康水平低于城市女性。

在45～54岁年龄组，城市男性在焦虑因子上的得分显著低于农村男性和农村女性组，除了这一差异外，其他任何两组的差异都没有达到显著水平。此结果表明，在45～54岁年龄组中，城市男性在焦虑因子上的心理健康水平显著高于农村男性和农村女性，而其他组在焦虑因子上的心理健康水平之间都没有显著的差异。

在55岁以上年龄组，城市男性在焦虑因子上的得分显著低于农村男性和农村女性组，城市女性在焦虑因子上的得分也显著低于农村女性组，此外，其他任何两组的差异都没有达到显著水平。此结果表明，在55岁以上年龄组中，城市男性在焦虑因子上的心理健康水平显著高于农村男性和农村女性，城市女性在焦虑因子上的心理健康水平显著高于农村女性，而其他组在焦虑因子上的心理健康水平之间都没有显著的差异。

通过以上对不同年龄阶段的城市男性、城市女性、农村男性和农村女性在焦虑因子上的心理健康水平的分析，我们可以发现，几乎在不同的年龄段都呈现出一个普遍的现象，即城市男性在焦虑因子上的心理健康水平显著好于农村男性和农村女性，而农村女性在焦虑因子上的心理健康水平却显著不如城市男性和城市女性。

综合以上对不同年龄段的城市男性、城市女性、农村男性和农村女性在焦虑因子上的心理健康水平的分析，我们可以发现，城市男性在焦虑因子上的心理健康水平显著优于城市女性、农村男性和农村女性，而农村女性在焦虑因子上的心理健康水平却显著弱于另外3组。

6）敌对 SCL-90测验的敌对因子在河北省四市县的详细情况见数据汇总表3-4-27～3-4-30，趋势曲线见图2-4-6。本文分别对不同年龄段的城市男性、城市女性、农村男性和农村女性在敌对因子上的得分进行了平均数的多重比较，结果如下。

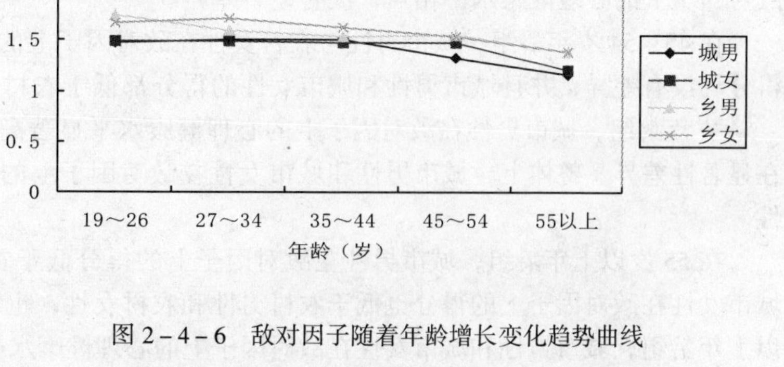

图2-4-6 敌对因子随着年龄增长变化趋势曲线

城市男性在敌对因子上的得分

随着年龄的增长表现出如下趋势：19~26岁、27~34岁和35~44岁3个年龄组的城市男性在敌对因子上的得分均显著高于45~54岁和55岁以上的两个年龄组。此结果表明，19~26岁、27~34岁和35~44岁3个年龄组的城市男性在敌对因子上的心理健康水平显著低于45~54岁和55岁以上的两个年龄组。

城市女性在敌对因子上的得分随着年龄的增长表现出如下的趋势：年龄在19~26岁、27~34岁、35~44岁和45~54岁年龄组的城市女性在敌对因子上的得分没有显著性差异；55岁以上年龄组的得分低于其他4个年龄组中的任何一组，并都有显著差异；35~44岁年龄组的得分低于19~26岁和27~34岁两个年龄组，而高于45~54岁和55岁以上两个年龄组。此结果表明，在城市女性这个群体中，19~54岁之间的城市女性在敌对因子上的心理健康水平没有显著差异，55岁以上的城市女性在敌对因子上的心理健康水平高于另外4个比他们年龄小的城市女性，35~44岁是一个重要的分界线，随着年龄的增长，城市女性在敌对因子上的心理健康水平越来越高。

农村男性在敌对因子上的得分随着年龄的增长表现出如下的趋势：在5个年龄组中，只有19~26岁与55岁以上两组在敌对因子上的得分有显著性差异，而19~26岁、27~34岁、35~44岁和45~54岁4组之间没有显著性差异，并且，55岁以上农村男性的得分低于其他任何一组。此结果表明，55岁以上农村男性在敌对因子上的心理健康水平高于19~54岁之间的4组。

农村女性在敌对因子上的得分随着年龄的增长表现出如下趋势：55岁以上年龄组的农村女性在敌对因子上的得分低于其他4组，并且与19－26岁和27~34岁两组有显著性差异，35~44岁年龄组的得分低于19~26岁和27~34岁两个年龄组，而高于45~54岁和55岁以上两个年龄组。此结果表明，随着年龄的增长，农村女性在敌对因子上的心理健康水平越来越高，55岁以上年龄组在敌对因子上的心理健康水平要显著高于19~26岁和27~34岁两组，35~44岁是农村女性心理健康水平的分界线。

综合上面的结果，我们可以发现，城市男性、城市女性、农村男性和农村女性4个不同的群体在敌对因子上的得分随着年龄的增长表现出不同的趋势，可见这4个群体之间并不是完全同质的群体，因此，为了进一步了解这4个不同群体之间的差异，我们又对这4个不同群体在敌对因子上得分的差异进行了分析，结果如下。

在19~26岁年龄组，农村男性在敌对因子上的得分显著高于城市男性和城市女性，而与农村女性没有显著性差异；除此之外，城市男性和城市女性的得分低于农村男性和农村女性。此结果表明，农村男性在敌对因子上的心理健康水平显著低于城市男性和城市女性，但与农村女性不存在显著性差异，此外，城市男性和城市女性在敌对因子上的心理健康水平高于农村男性和农村女性。

在27~34岁年龄组，只有城市女性和农村女性在敌对因子上的得分有显著性差异，并且，在整体上，城市男性和城市女性的得分低于农村男性和农村女性。此结果表明，在27~34岁年龄组，城市女性在敌对因子上的心理健康水平高于农村女性，整体上，城市男性和城市女性在敌对因子上的心理健康水平都要高于农村男性和农村女性。

在35~44岁年龄组，城市男性、城市女性、农村男性和农村女性4组之间在敌对因子得分上都没有显著性差异。此结果表明，在35~44岁年龄组，城市男性、城市女性、农村男性和农村女性在敌对因子上的心理健康水平相当，没有显著差异。

在45~54岁年龄组，城市男性与农村女性在敌对因子上的得分有显著差异，其他各组两两之间得分均没有差异，并且城市男性和城市女性的得分都低于农村男性和农村女性。此结果表明，在45~54岁年龄组，城市男性在敌对因子上的心理健康水平显著高于农村女性，其他各组两两之间不存在显著性差异。整体上，城市男性和城市女性在敌对因子上的心理健康水平高于农村男性和农村女性。

在55岁以上年龄组，城市男性在敌对因子上的得分低于农村男性和农村女性，并有显著差异；城市女性在敌对因子上的得分也低于农村男性和农村女性，也都有显著差异。此结果表明，在55岁以上年龄组，城市男性和城市女性在敌对因子上的心理健康水平都显著高于农村男性和农村女性。

综合以上对不同年龄阶段的城市男性、城市女性、农村男性和农村女性在敌对因子上的心理健康水平的分析，我们可以发现，在不同的年龄段都呈现出一个普遍的现象，即城市男性和城市女性在敌对因子上的心理健康水平显著好于农村男性和农村女性。

7）恐怖 SCL－90测验的恐怖因子在河北省四市县的详细情况见数据汇总表3－4－32～3－4－35，趋势曲线见图2－4－7。本文分别对不同年龄段的城市男性、城市女性、农村男性和农村女性在恐怖因子上的得分进行了平均数的多重比较，结果如下。

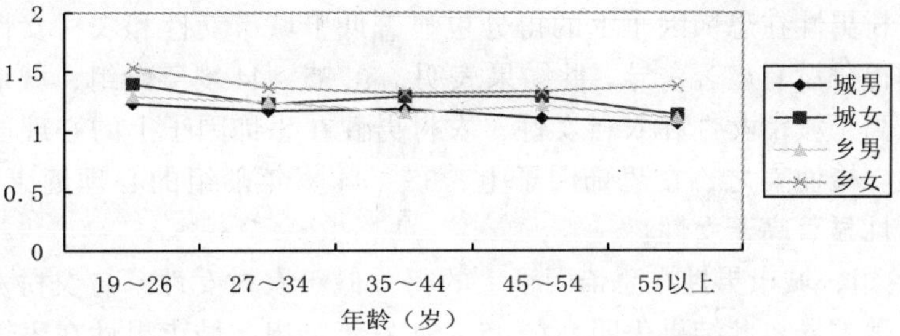

图2－4－7 恐怖因子随着年龄增长变化趋势曲线

城市男性在恐怖因子上的得分随着年龄的增长表现出如下的趋势：19～26岁年龄组在恐怖因子上的得分显著高于27～34岁和45～54岁及55岁以上年龄组，与35～44岁年龄组没有显著性差异；55岁以上年龄组的得分显著低于19～26岁、27～34岁和35～44岁3个年龄组，而与45～54岁年龄组没有显著性差异。此结果表明，55岁以上年龄组在恐怖因子上的心理健康水平显著高于19～26岁、27～34岁和35～44岁年龄组，而与45～54岁年龄组没有显著差异。大体上，随着年龄的增长，城市男性在恐怖因子上的心理健康水平越来越高。

城市女性在恐怖因子上的得分随着年龄的增长表现出如下趋势：55岁以上年龄组的城市女性在恐怖因子上的得分显著低于19～26岁、27～34岁和35～44岁3个年龄组，另外，19～26岁年龄组的得分与27～34岁年龄组的得分有显著差异，其他各组两两之间没有显著差异。此结果表明，55岁以上年龄组的城市女性在恐怖因子上的心理健康水平显著高于19～44岁3个年龄组，19～26岁年龄组在恐怖因子上的心理健康水平显著低于27～34岁年龄组。

农村男性在恐怖因子上的得分随着年龄的增长表现出如下趋势：19～26岁年龄组与55岁以上年龄组在恐怖因子上的得分有显著差异，其他各组两两之间均没有显著差异，但是从整体上看，55岁年龄组的得分低于其他4组。此结果表明，19～26岁年龄组的农村男性在恐怖因子上的心理健康水平显著低于55岁以上年龄组，55岁以上年龄组的农村男性在恐怖因子上的心理健康水平在整体上优于前4个年龄组，随着年龄的增长，农村男性在恐怖因子上的心理健康水平越来越高。

农村女性在恐怖因子上的得分随着年龄的增长表现出如下趋势：各年龄组的农村女性在恐怖因子上的得分均没有显著性差异，但是35～44岁年龄组的得分略低于其他4组。此结果表明，各年龄组的农村女性在恐怖因子上的心理健康水平没有显著差异，但是35～44岁年龄组要略好于其他4个年龄组。

综合上面的结果，我们可以发现，城市男性、城市女性、农村男性和农村女性4个不同的群体在恐怖因子上的得分随着年龄的增长表现出不同的趋势，可见这4个群体之间并不是完全同质的群体，因此，为了进一步了解这4个不同群体之间的差异，我们又对这4个不同群体在恐怖因子上得分的差异进行了分析，结果如下。

在19～26岁年龄组，城市男性在恐怖因子上的得分显著低于城市女性和农村女性，但与农村男性没有显著差异，除此之外，农村女性的得分显著高于农村男性，而与城市女性相比，没有显著的差异。此结果表明，在19～26岁年龄组，城市男性在恐怖因子上的心理健康水平显著高于城市女性和农村女性，与农村男性没有显著差异；农村女性在恐怖因子上的心理健康水平显著低于农村男性，但与城市女性没有显著差异。

在27～34岁年龄组，城市男性在恐怖因子上的得分显著低于城市女性和农村女性，但与农村男性没有显著差异，此外，城市女性的得分显著低于农村女性，而农村男性与其他各组之间均没有显著差异。此结果表明，在27～34岁年龄组，城市男性在恐怖因子上的心理健康水平显著高于城市女性和农村女性，与农村男性相比较，没有显著差异；城市女性在恐怖因子上的心理健康水平显著高于农村女性。

在35～44岁年龄组，城市男性在恐怖因子上的得分显著低于城市女性和农村女性，而与农村男性没有显著差异；农村男性在恐怖因子上的得分也显著低于城市女性和农村女性；城市女性和农村女性在恐怖因子上的得分没有显著差异。此结果表明，在35～44岁年龄组，城市男性在恐怖因子上的心理健康水平显著高于城市女性和农村女性，农村男性在恐怖因子上的心理健康水平也显著高于城市女性和农村女性。概而言之，在恐怖因子上，35～44岁年龄组的心理健康水平没有城乡差异，而只有性别差异，男性显著高于女性。

在45～54岁年龄组，城市男性在恐怖因子上的得分低于农村女性，与农村女性有显著差异；其他各组之间均没有显著差异。此结果表明，在45～54岁年龄组，城市男性在恐怖因子上的心理健康水平显著高于农村女性，其他各组没有差异。

在55岁以上年龄组，农村女性在恐怖因子上的得分显著高于城市男性、城市女性和农村男性各组；其他3组两两之间得分没有显著差异。此结果表明，在55岁以上年龄组，农村女性在恐怖因子上的心理健康水平显著低于城市男性、城市女性和农村男性，属于最差的群体。

综合以上对不同年龄阶段的城市男性、城市女性、农村男性和农村女性在躯体化因子上的心理健康水平的分析，我们可以发现，在不同的年龄段都呈现出一个普遍的现象，即城市男性在躯体化因子上的心理健康水平显著好于其他3组，而农村女性在躯体化因子上的心理健康水平却显著不如其他3组。

8）偏执　SCL－90测验的偏执因子在河北省4市县的详细情况见数据汇总表3－4－37～3－4－40，趋势曲线见图2－4－8。本文分别对不同年龄段的城市男性、城市女性、农村男性和农村女性在偏执因子上的得分进行了平均数的多重比较，结果如下。

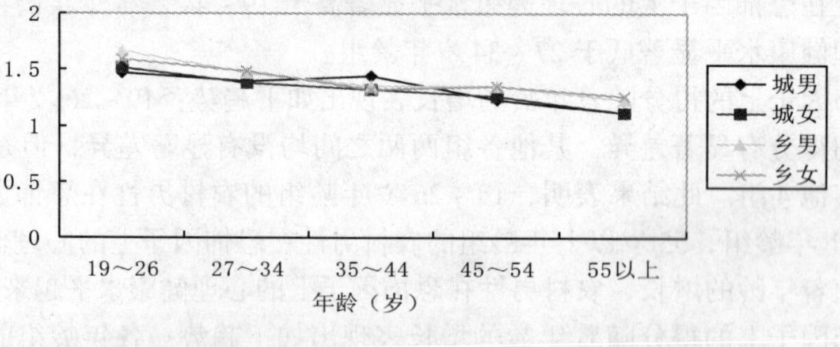

图2－4－8　偏执因子随着年龄增长变化趋势曲线

城市男性在偏执因子上的得分随着年龄的增长表现出如下趋势：19～26岁、27～34岁、35～44岁3个年龄段的得分相互之间均没有显著差异，但这3个年龄段得分显著高于45～54岁及55岁以上年龄段得分。此外，45～54岁年龄段得分显著高于55岁以上年龄段得分。此结果表明，45～54岁及55岁以上年龄相对较长群体在偏执因子上的心理健康水平优于年轻群体。

城市女性在偏执因子上的得分随着年龄的增长表现出如下趋势：年龄在19～26岁之间的城市女性得分显著高于其他4个年龄段的城市女性得分。此外，27～34岁、35～44岁两个年龄段与55岁以上3组得分存在显著差异，即前两组得分显著高于55岁以上组得分。该结果表明，在城市女性这个群体中，19～26岁城市女性在偏执因子上的心理健康水平显著低于另外4个年龄相对较长组；而且随着年龄增长，城市女性在偏执因子上的心理健康水平逐渐提高。

农村男性在偏执因子上的得分随着年龄的增长表现出如下趋势：19~26岁年龄段农村男性在偏执因子上的得分除了与27~34岁年龄段得分没有显著差异外，与其他3组相比，均显著高于其他3组的得分。此外，27~34岁年龄段的得分显著高于55岁以上年龄段得分。此结果表明，农村年轻男性，尤其是19~26岁年龄段男性在偏执因子上的心理健康水平比年龄较长3组低，而其他组之间在偏执因子上的心理健康水平不存在显著差异。

农村女性在偏执因子上的年龄特征与农村男性表现一致，也是19~26岁农村女性在偏执因子上的心理健康水平相对低于其他4个年龄段，并且与35岁以上相对年长的3个年龄组有显著差异，而其他组之间在偏执因子上的心理健康水平不存在显著差异。

综合上面的结果，我们可以发现，城市男性、城市女性、农村男性和农村女性4个不同的群体在偏执因子上的得分随着年龄的增长表现出不同的趋势，可见这4个群体之间并不是完全同质的群体，因此，为了进一步了解这4个不同群体之间的差异，我们又对这4个不同群体在偏执因子上的得分的差异进行了分析，结果如下。

在19~26岁、27~34岁、45~54岁年龄组，城市男性、城市女性、农村男性以及农村女性分别与同龄组其他群体相比，他们在偏执因子上的得分均没有显著差异。这表明，在这3个年龄组中，4个群体与同龄组其他群体相比，他们在偏执因子上的心理健康水平差异均不显著。

在35~44岁年龄组，城市男性在偏执因子上的得分显著高于城市女性，而其他两两之间的得分相互比较都没有显著差异。这说明在35~44岁年龄组中，城市男性在偏执因子上的心理健康水平显著低于城市女性，而其他两两之间在偏执因子上的心理健康水平都没有显著差异。

在55岁以上年龄组，农村女性在偏执因子上的得分显著高于城市男性和城市女性，而其他组的得分相互之间均没有显著差异。此结果表明，在55岁以上年龄组中，农村女性在偏执因子上的心理健康水平显著低于城市男性和城市女性，而其他组之间在偏执因子上的心理健康水平均没有显著差异。

综合以上对不同年龄段的城市男性、城市女性、农村男性和农村女性在偏执因子上的心理健康水平的分析，我们可以发现，除了35~44岁、55岁以上两个年龄段中的部分群体在偏执因子上的心理健康水平存在显著差异外，大多数年龄段的城市或农村群体在偏执因子上的心理健康水平不存在显著差异。

9）精神病性　SCL-90测验的精神病性因子在河北省4市县的详细情况见数据汇总表3-4-42~3-4-45，趋势曲线见图2-4-9。本文分别对不同年龄段的城市男性、城市女性、农村男性和农村女性在精神病性因子上的得分进行了平均数的多重比较，结果如下。

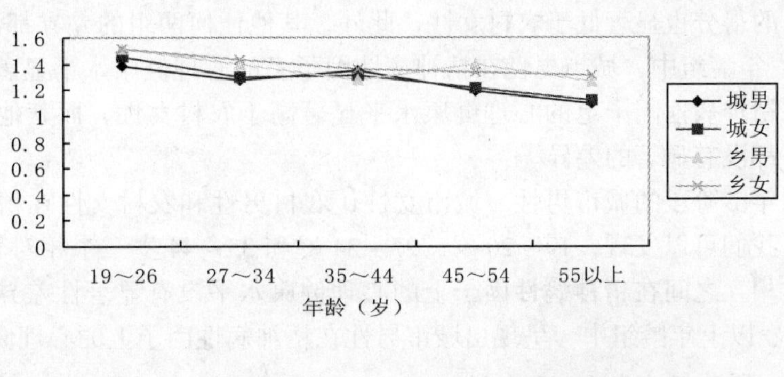

图2-4-9　精神病性因子随着年龄增长变化趋势曲线

城市男性在精神病性因子上的得分随着年龄的增长表现出如下趋势：19~26岁年龄组与35~44岁组得分不存在显著差异，但与另外3组相比，其得分均显著较高。55岁以上年龄组得分与45~54岁组没有显著差异，但显著低于其他3个年龄组。此外，35~44岁年龄组得分显著高于45~54岁年龄组得分。此结果表明，19~26岁组在精神病性因子上的心理健康水平显著低于除了35~44岁年龄组之外的各年龄组，35~44岁年龄组的成人在精神病性因子上的心理健康水平显著低于比他们更年长的两个年龄组，而55岁以上年龄组在精神病性因子上的心理健康水平相对最好。

城市女性在精神病性因子上的得分随着年龄的增长表现出如下趋势：年龄在19～26岁之间的城市女性得分均显著高于其他4个年龄组的城市女性得分，55岁以上年龄组得分除了与45～54岁年龄组没有显著差异外，与其他3个年龄组得分相比都相对较低，而且其差异达到了显著水平。此结果表明，在城市女性这个群体中，19～26岁城市女性在精神病性因子上的心理健康水平显著低于另外4组年龄相对较长的城市女性，55岁以上的城市女性在精神病性因子上的心理健康水平显著高于3个年龄相对较小组的城市女性。

农村男性在精神病性因子上的得分随着年龄的增长表现出如下趋势：19～26岁段的农村男性得分显著高于35～44岁以及55岁以上两个年龄组得分，而其他各组的得分相互之间均没有显著差异。此结果表明，除了19～26岁年龄组农村男性在精神病性因子上的心理健康水平显著低于35～44岁以及55岁以上两个年龄组外，其他年龄组的农村男性在精神病性因子上的心理健康水平没有显著差异。

农村女性在精神病性因子上的得分随着年龄的增长表现出如下趋势：19～26岁年龄组农村女性得分显著高于55岁以上年龄组得分，而其他各组的得分相互之间均没有显著差异。此结果表明，除了19～26岁年龄组农村女性在精神病性因子上的心理健康水平显著低于55岁以上年龄组外，其他年龄组的农村女性在精神病性因子上的心理健康水平随着年龄的变化没有呈现出显著性差异。

综合上面的结果，我们可以发现，城市男性、城市女性、农村男性和农村女性4个不同的群体在精神病性因子上的得分随着年龄的增长表现出不同的趋势，可见这4个群体之间并不是完全同质的群体，因此，为了进一步了解这4个不同群体之间的差异，我们又对这4个不同群体在精神病性因子上得分的差异进行了分析，结果如下。

在19～26岁、27～34岁和35～44岁年龄组中，城市男性、城市女性、农村男性和农村女性分别与同龄组其他群体相比，他们在精神病性因子上的得分差异都没有达到显著水平。此结果表明，在19～26岁、27～34岁和35～44岁年龄组中，城市男性、城市女性、农村男性和农村女性中分别与同龄组其他群体相比，他们在精神病性因子上的心理健康水平差异都不显著。

在45～54岁年龄组，城市男性在精神病性因子上的得分显著低于农村女性群体，除了这一差异外，其他任何两组的差异都没有达到显著水平。此结果表明，在45～54岁年龄组中，城市男性在精神病性因子上的心理健康水平显著高于农村女性，而其他任何两组在精神病性因子上的心理健康水平都没有显著差异。

在55岁以上年龄组，城市男性在精神病性因子上的得分显著低于农村男性和农村女性，城市女性在精神病性因子上的得分也显著低于农村女性，此外，其他任何两组的差异都没有达到显著水平。此结果表明，在55岁年龄组中，城市男性在精神病性因子上的心理健康水平显著高于农村男性和农村女性，城市女性在精神病性因子上的心理健康水平显著高于农村女性，而其他各组在精神病性因子上的心理健康水平都没有显著的差异。

综合以上对不同年龄阶段的城市男性、城市女性、农村男性和农村女性在精神病性因子上的心理健康水平的分析，我们可以发现，19～26岁、27～34岁和35～44岁三个相对较年轻的年龄组中，城市与农村各个群体相互之间在精神病性因子上的心理健康水平没有显著性差异，而在相对较年长的45～54岁以及55岁以上年龄组中，呈现出城市男性在精神病性因子上的心理健康水平相对较好的特点。

10）其他　SCL－90测验的其他因子在河北省四市县的详细情况见数据汇总表3－4－47～3－4－50，趋势曲线见图2－4－10。本文分别对不同年龄段的城市男性、城市女性、农村男性和农村女性在其他因子上的得分进行了平均数的多重比较，结果如下。

城市男性在其他因子上的得分随着年龄的增长表现出如下趋势：55岁以上年龄组在其他因子上的得分显著低于另外4个年龄组。此结果表明，55岁以上年龄的群体在其他因子上的心理健康水平显著高于其他各年龄组。

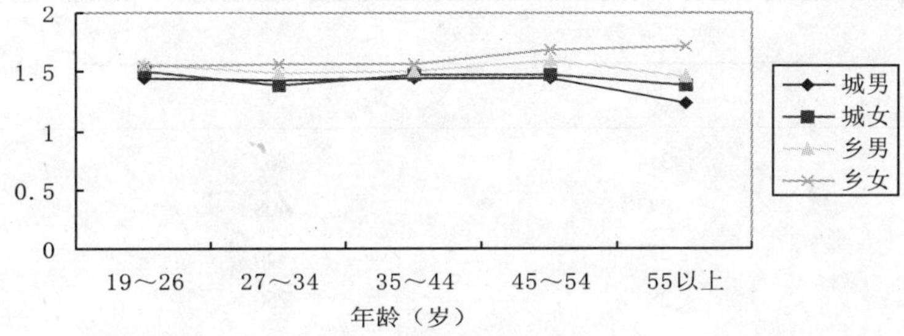

图 2-4-10　其他因子随着年龄增长变化趋势曲线

城市女性在其他因子上的得分随着年龄的增长表现出如下趋势：19~26 岁之间的城市女性在其他因子上的得分显著高于 27~34 岁年龄组的城市女性得分。除此之外，其他各年龄组得分相互之间比较均没有显著差异。由此可见，在城市女性这个群体中，19~26 岁城市女性在其他因子上的心理健康水平显著低于 27~34 岁年龄组的城市女性，而其他任何两个年龄组的城市女性在其他因子上的心理健康水平不存在显著差异。

农村男性、农村女性在其他因子上的得分并未表现出随着年龄增长而显著变化的趋势。这表明农村男性和农村女性不论处于什么年龄阶段，他们在其他因子上的心理健康水平都不存在显著差异。

综合上面的结果，我们可以发现，城市男性、城市女性、农村男性和农村女性四个不同的群体在其他因子上的得分随着年龄的增长表现出不同的趋势，可见这 4 个群体之间并不是完全同质的群体，因此，为了进一步了解这四个不同群体之间的差异，我们又对这 4 个不同群体在其他因子上得分的差异进行了分析，结果如下。

在 19~26 岁和 35~44 岁年龄组中，城市男性、城市女性、农村男性和农村女性分别与同龄组其他群体相比，任何二组之间的差异都没有达到显著水平。此结果表明，在 19~26 岁和 35~44 岁年龄组中，城市男性、城市女性、农村男性和农村女性中与同龄组其他群体相比，任何二组之间在其他因子上的心理健康水平都不存在显著差异。

在 27~34 年龄组，农村女性在其他因子上的得分显著高于城市女性群体，除了这一差异外，其他任何两组的得分差异都没有达到显著水平。这表明，在 27~34 岁年龄组中，农村女性在其他因子上的心理健康水平显著低于城市女性，而其他各组之间在其他因子上的心理健康水平都没有显著差异。

在 45~54 岁年龄组，农村女性在其他因子上的得分显著高于城市男性群体，除此之外，其他任何两组的差异都没有达到显著水平。这表明，在 45~54 岁年龄组中，农村女性在其他因子上的心理健康水平显著低于城市男性，而其他各组之间在其他因子上的心理健康水平都没有显著差异。

在 55 岁以上年龄组，城市男性在其他因子上的得分显著低于城市女性、农村男性和农村女性，而农村女性在其他因子上的得分显著高于城市男性、城市女性以及农村男性群体。此外，其他任何两组的得分差异都没有达到显著水平。由此可见，在 55 岁以上年龄组中，城市男性在其他因子上的心理健康水平显著高于其他三组群体，农村女性在其他因子上的心理健康水平显著低于其他三组群体，而其余各组之间在其他因子上的心理健康水平都不存在显著差异。

综合以上对不同年龄段的城市男性、城市女性、农村男性和农村女性在其他因子上的心理健康水平的分析，我们可以发现，19~26 岁和 35~44 岁两个年龄组的城市、农村群体在其他因子上的心理健康水平不存在显著差异，而在其他 3 个年龄阶段，农村女性在其他因子上的心理健康水平都显著较低。

(2) 浙江省　浙江省共检测 4173 人，男性 1729 人，女性 2444 人，其性别和年龄分布的详细资料如表 2-4-3 所示。

表 2-4-3　测验检测人群（浙江成人）分布表（人）

年龄（岁）	性别		合计
	男	女	
19～26	314	562	876
27～34	243	408	651
35～44	277	436	713
45～54	289	250	539
55以上	606	788	1394
合计	1729	2444	4173

SCL－90测验共包括10个不同因子，分别为躯体化、强迫症状、人际敏感、抑郁、焦虑、敌对、恐怖、偏执、精神病性和其他，浙江省成人SCL－90测验在数据资料汇总表中3－4－51～3－4－100，呈现了这10个因子测验的结果。

1）性别与成人的心理健康的关系　本文分别对不同年龄段的男女成人在10个不同因子上的得分进行了比较，结果发现，在不同的年龄段，男女成人在某个因子上的差异呈现出不同的趋势。

19～26岁的成人，10个因子中只有2个因子（抑郁和恐怖）存在着显著的性别差异，而且都是男性的得分低于女性的得分，表明男性在抑郁和恐怖两个因子上的心理健康水平好于女性。

27～34岁的成人，10个因子中只有两个因子（偏执和精神病性）不存在显著的性别差异，其他的8个因子都是女性的得分显著高于男性，说明女性在这些因子上的心理健康水平不如男性。

35～44岁的成人，10个因子中有4个因子（躯体化、焦虑、偏执和精神病性）存在着显著的性别差异，其中的躯体化和焦虑两个因子女性的得分高于男性的得分，说明女性在这两个因子上的心理健康水平不如男性，偏执和精神病性两个因子男性的得分高于女性，说明男性在这两个因子上的心理健康水平不如女性。

45～54岁的成人，10个因子中有6个因子（强迫症状、人际敏感、抑郁、敌对、偏执和精神病性）存在着显著的性别差异，而且都是男性的得分高于女性，说明男性在这些因子上的心理健康水平不如女性。

55岁以上的成人，10个因子中有6个因子（躯体化、强迫症状、抑郁、焦虑、恐怖和其他）存在着显著的性别差异，而且都是女性得分显著高于男性得分，说明女性在这些因子上的心理健康水平不如男性。

2）年龄与成人的心理健康的关系　我们分别对男女成人在不同年龄段的心理健康水平进行比较，结果如下。

躯体化　SCL－90测验的躯体化因子在浙江省4市的详细情况见数据汇总表3－4－52～3－4－55，趋势曲线见图2－4－11。本文5个不同年龄组的男性在躯体化因子上得分的两两比较结果显示出3对有显著差异的组，分别是19～26岁组与45～54岁组，27～34岁组与45～54岁组，55岁以上组与45～54岁组，而且这3组的差异均是45～54岁组显著高于另外的3组。此结果表明，45～54岁组是一个在躯体化因子上健康水平比较低的一个年龄组。

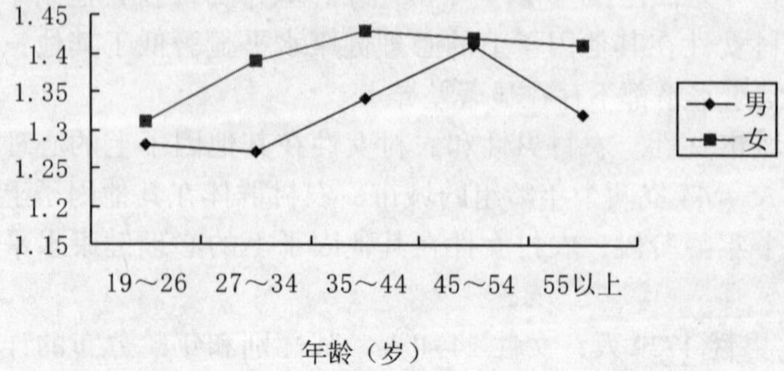

图2－4－11　躯体化因子随着年龄增长变化趋势曲线

女性在躯体化因子上的得分呈现了以下的趋势，除了19～26岁组与其他4组之间存在着显著差异外，而且均是19～26岁组显著低于其他4组，其他组间的差异都没有达到显著水平。此结果表明，19~26岁组在躯体化因子上的健康水平好于比他们年龄大的女性。

强迫症状　SCL-90测验的强迫症状因子在浙江省4市的详细情况见数据汇总表3-4-52~3-4-55，趋势曲线见图2-4-12。男性在强迫症状因子上随着年龄的变化表现出如下趋势，除了19~26岁组与其他4组之间以及45~54岁组与55岁以上组之间存在着显著差异外，这些组间差异均是前者高于后者，其他的组间差异均没有达到显著水平。此结果表明，19~26岁的男性在强迫症状因子上的心理健康水平显著低于其他4个年龄组，45~54岁组在强迫症状因子上的心理健康水平显著低于55岁以上组。

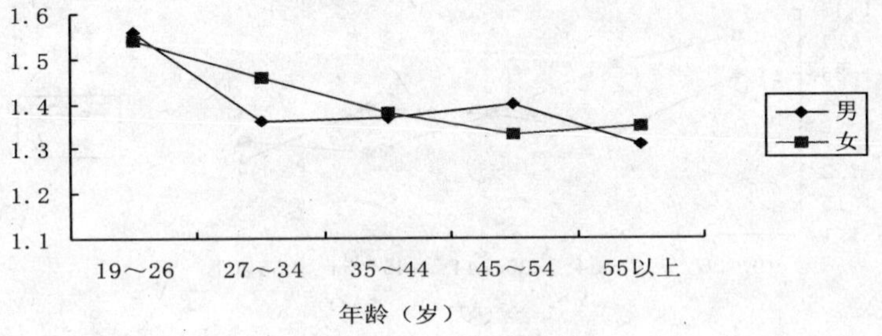

图2-4-12　强迫症状因子随着年龄增长变化趋势曲线

女性在强迫症状因子上却表现出不同的趋势，这种趋势使得我们可以把年龄阶段划分为两个整体，一个是由19~26岁的成人和27~34岁的成人组成的整体，一个是由另外3个年龄组成人组成的整体，前者在强迫症状因子上的得分显著高于后者，而且，前者内部的两个组之间的差异也达到了显著水平，后者内部各组得分的差异并没有达到显著水平。结果表明，女性在强迫症状因子上的心理健康水平有随着年龄增长逐渐向好的方面发展的趋势，但是，到了35岁以后，这种不断发展的趋势就停止了。

人际敏感　SCL-90测验的人际敏感因子在浙江省4市的详细情况见数据汇总表3-4-62~3-4-65，趋势曲线见图2-4-13。男性在人际敏感因子上的得分的变化趋势如下，19~26岁组的得分显著高于其他4组，55岁以上组的得分显著低于其他4组，除此之外，任意两组的组间差异均没有达到显著水平。此结果表明，年龄较小的男性成人人际敏感因子的心理健康水平比较差，年龄在27~54岁区间的男性在人际敏感因子上的心理健康水平保持恒定，过55岁之后，人际敏感因子的心理健康水平有一个质的飞跃。

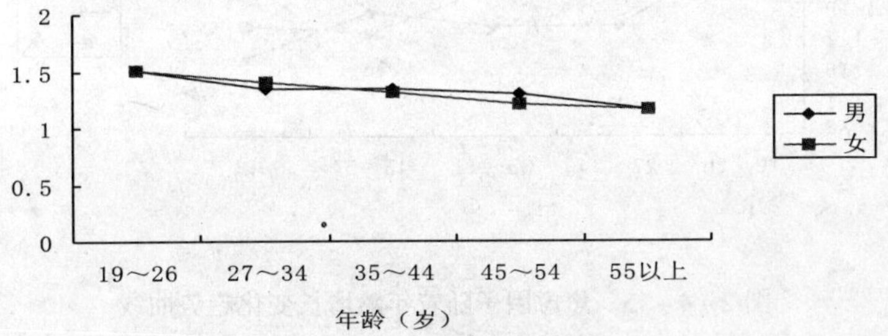

图2-4-13　人际敏感因子随着年龄增长变化趋势曲线

女性在人际敏感因子上的得分变化趋势如下，除了45~54岁组与55岁以下组之间的差异没有达到显著水平外，其他各组的差异均达到了显著水平，而且是随着年龄的增长得分逐渐降低。此结果表明，女性在人际敏感因子上的心理健康水平有随年龄增长逐渐好转的趋势，但到了54岁时出现了高原现象。

抑郁　SCL－90测验的抑郁因子在浙江省四市的详细情况见数据汇总表3－4－67～3－4－70，趋势曲线见图2－4－14。男性在抑郁因子上的得分表现了以下特点，只有3个组间差异达到了显著水平，分别是19～26岁组与27～34岁组，19～26岁组与55岁以上组，45～54岁组与55岁以上组，上述的3组差异均是年龄小的组高于年龄大的组。此结果表明，男性在抑郁因子上得分并没有随着年龄的增长表现出有规律性的变化，19～26岁组在抑郁因子上的心理健康水平相对较差，55岁以上组相对较好。

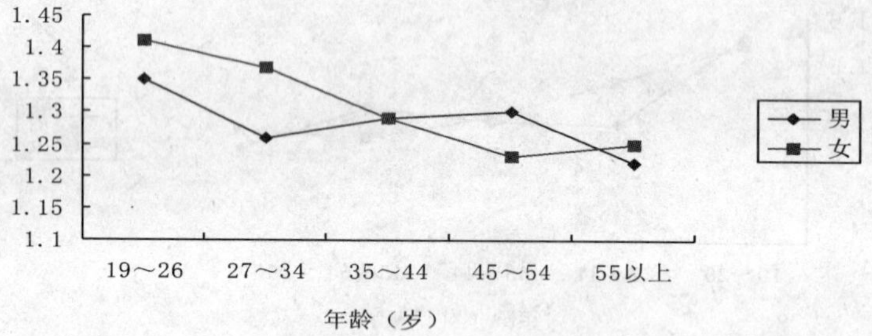

图2－4－14　抑郁因子随着年龄增长变化趋势曲线

女性在抑郁因子上却表现出不同的趋势，这种趋势使得我们可以把年龄阶段划分为两个整体，一个是由19～26岁的成人和27～34岁的成人组成的整体，一个是由另外3个年龄组成人组成的整体，前者在抑郁因子上的得分基本上显著高于后者，而且，两个整体内部的组间差异未达到显著水平。此结果表明，女性在抑郁因子上的心理健康水平有随着年龄增长逐渐向好的方面发展的趋势，但是，到了35岁以后，这种不断发展的趋势就停止了。

焦虑　SCL－90测验的焦虑因子在浙江省四市的详细情况见数据汇总表3－4－72～3－4－75，趋势曲线见图2－4－15。男性在焦虑因子上的得分呈现出以下特点，19～26岁组的得分显著高于其他4个组，55岁以上组的得分除了显著低于19～26岁组外，还显著低于45～54岁组，除了上面提到的组间差异达到了显著水平外，其他的组间差异都没有达到显著水平。此结果表明，19～26岁组在焦虑因子上的心理健康水平较差，而55岁以上组在焦虑因子上的心理健康水平相对较好。

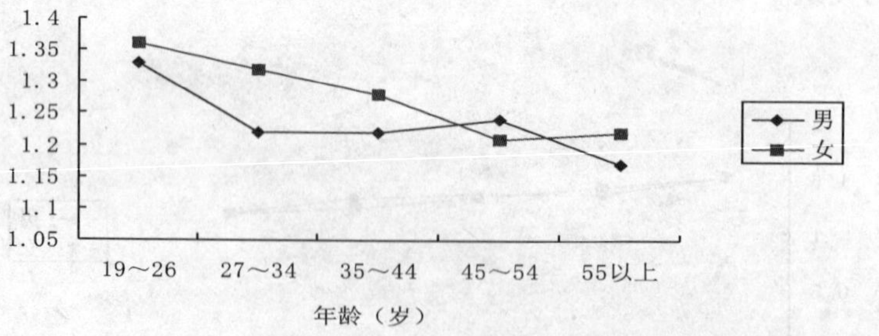

图2－4－15　焦虑因子随着年龄增长变化趋势曲线

女性在焦虑因子上的得分呈现出以下特点，19～26岁组的得分除了与27～34岁组的得分之间没有显著差异外，与其他3个组的差异都达到了显著水平，而且是显著高于其他3个组的得分。45～54岁组和55岁以上组，除了它们之间的差异没有达到显著水平外，它们与其他3个年龄组的差异均达到了显著水平，而且是显著低于其他3个组的得分。此结果表明，19～26岁组在焦虑因子上的心理健康水平较差，而45～54岁组和55岁以上组在焦虑因子上的心理健康水平相对较好。

敌对　SCL－90测验的敌对因子在浙江省4市的详细情况见数据汇总表3－4－77～3－4－80，趋势曲线见图2－4－16。男性在敌对因子上得分随年龄增长表现以下趋势，19～26岁组的得分除与27～34岁组的得分没有显著差异外，与其他3个组的差异都达到了显著水平，而且是显著高于其他3个组的得分。55岁以上组的得分显著低于其他4个组的得分。此结果表明，19～26岁男性组在敌对因子上的心理健康水平相对较差，而55岁以上组则相对较好。

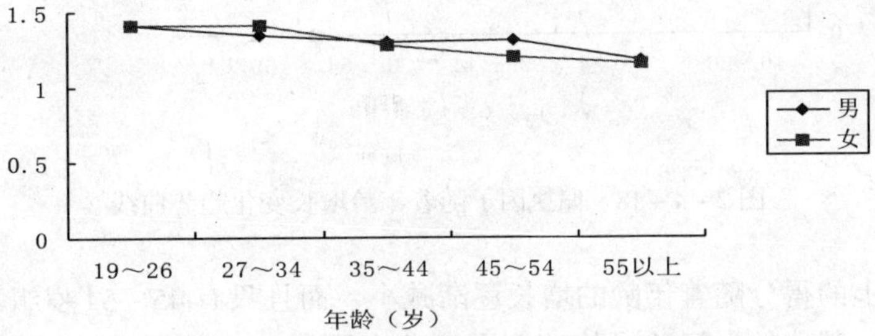

图2－4－16　敌对因子随着年龄增长变化趋势曲线

虽然19～26岁女性组与27～34岁女性组以及45～54岁女性组与55岁以上组在敌对因子上得分的差异未达到显著水平，但是，其他的所有组间差异都达到了显著水平，女性在敌对因子上的得分在总体上表现出随年龄增长逐渐下降的趋势。因此，虽然女性在年龄较小的阶段和年龄较大的阶段时敌对因子的心理健康水平保持恒定，但从总体上看，女性在敌对因子上的心理健康水平有随着年龄增长逐渐好转的趋势。

恐怖　SCL－90测验的恐怖因子在浙江省四市的详细情况见数据汇总表3－4－82～3－4－85，趋势曲线见图2－4－17。只有19～26岁男性在恐怖因子上的得分与其他4个年龄组的得分存在着显著的差异，而且是前者显著高于后者，其他组间差异均不显著。此结果表明，19～26岁男性在恐怖因子上的心理健康水平比其他年龄组差。

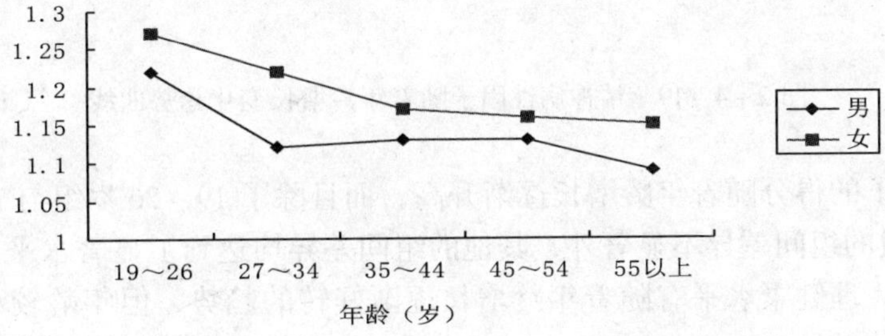

图2－4－17　恐怖因子随着年龄增长变化趋势曲线

女性在恐怖因子上的得分具有以下特点，19～26岁的男性除了与27～34岁的男性之间没有显著差异外，与其他3个年龄组的差异均达到了显著水平，而且是高于其他3个年龄组的得分。55岁以上组除了与19～26岁组和27～34岁组的差异达到了显著水平外，与其他几组的差异并未达到显著水平。此结果表明，女性年龄较小时在恐怖因子上的心理健康水平较差，年龄较大时在恐怖因子上的心理健康水平较好。

偏执　SCL－90测验的偏执因子在浙江省四市的详细情况见数据汇总表3－4－87～3－4－90，趋势曲线见图2－4－18。男性除了19～26岁组与其他4个年龄组之间以及55岁以上组与其他4个年龄组之间的差异达到了显著水平外，其他的组间差异均不显著，而且得分是随着年龄增长逐渐减小。

此结果表明，男性在偏执因子上的心理健康水平在年龄较小时较差，在年龄较大时较好。

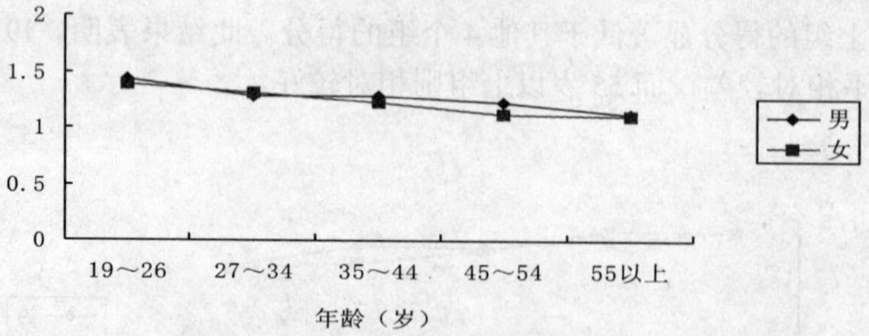

图 2-4-18 偏执因子随着年龄增长变化趋势曲线

女性在偏执因子上的得分随着年龄的增长逐渐减小，而且只有 45~54 岁组与 55 岁以上组的组间差异未达到显著水平，其他的组间差异均达到了显著水平。此结果表明，女性在偏执因子上的心理健康水平有随着年龄增长逐渐好转的倾向。

精神病性 SCL-90 测验的精神病性因子在浙江省四市的详细情况见数据汇总表 3-4-92~3-4-95，趋势曲线见图 2-4-19。男性除了 19~26 岁组与其他 4 个年龄组之间以及 55 岁以上组与其他 4 个年龄组之间的差异达到了显著水平外，其他的组间差异均不显著，而且得分是随着年龄增长逐渐减小。此结果表明，男性在精神病性因子上的心理健康水平在年龄较小时较差，在年龄较大时较好。

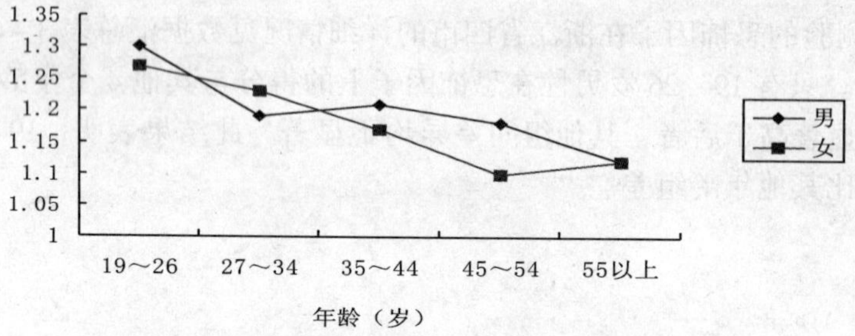

图 2-4-19 精神病性因子随着年龄增长变化趋势曲线

女性的精神病因子的得分随着年龄增长逐渐升高，而且除了 19~26 岁组与 27~34 岁组以及 45~54 岁组与 55 岁以上组的组间差异不显著外，其他的组间差异均达到了显著水平。此结果表明，女性在精神病性因子上的心理健康水平有随着年龄增长逐渐好转的趋势，但年龄较小两个组间和年龄较大的两个组间没有显著差异。

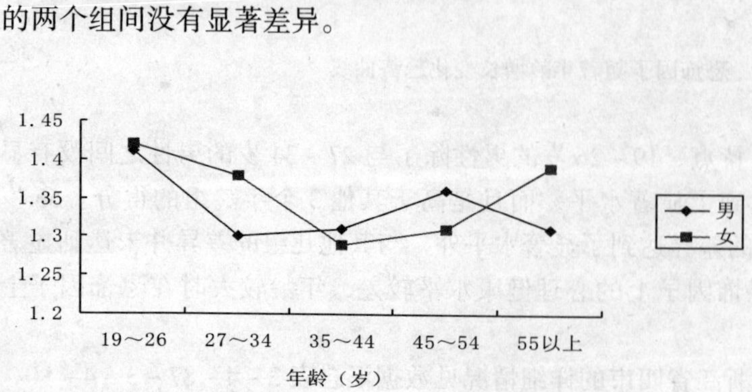

图 2-4-20 其他因子随着年龄增长变化趋势曲线

其他 SCL-90 测验的其他因子在浙江省四市的详细情况见数据汇总表 3-4-97~3-4-100，趋势曲线见图 2-4-20。不同年龄组男性在其他因子上得分的组间差异只有 3 个达到了显著水平，分别是 19~26 岁组与 27~34 岁组，19~26 岁组与 35~44 岁组和 19~26 岁组与 55 岁以上组，而且均是前者大于后者。此结果表明，男性在年龄较小时在其他因子上的心理健康水平较差。

不同年龄组女性在其他因子上得分的组间差异有5个达到了显著水平，均是35~44岁组和45~54岁组与其他组的差异达到了显著水平，而且这两组的得分相对较低，分别体现为：35~44岁与除了45~54岁组之外的其他3组，45~54岁组与19~26岁组和55岁以上组。此结果表明，女性在其他因子上的心理健康水平在35~54年龄段相对较好。

广西壮族自治区　广西壮族自治区共检测2297人，其中城市居民1109人，农村居民1188人，男性1024人，女性1273人（表2-4-4）。

表2-4-4　SCL-90测验检测人群（广西成人）分布表（人）

年龄（岁）	城市			农村			合计
	男	女	小计	男	女	小计	
19~26	125	142	267	40	43	83	350
27~34	86	118	204	88	103	191	395
35~44	114	140	254	134	174	308	562
45~54	110	120	230	122	127	249	479
55以上	61	93	154	144	213	357	511
合计	496	613	1109	528	660	1188	2297

SCL-90测验共包括10个不同因子，分别为躯体化、强迫症状、人际敏感、抑郁、焦虑、敌对、恐怖、偏执、精神病性和其他，数据资料汇总表3-4-101~3-4-130呈现了广西壮族自治区成人SCL-90测验10个因子测验的结果。

1）躯体化　SCL-90测验的躯体化因子在广西两市县的详细情况见数据汇总表3-4-102~3-4-103，趋势曲线见图2-4-21。本文分别对不同年龄阶段的城市男性、城市女性、农村男性和农村女性在躯体化因子上的得分进行了平均数的多重比较，结果如下。

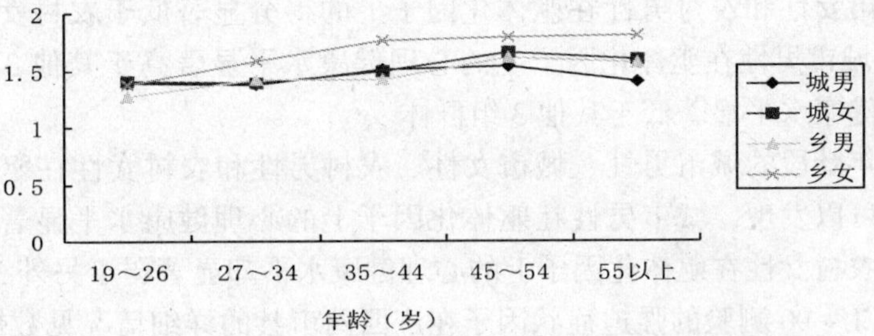

图2-4-21　躯体化因子随着年龄增长变化趋势曲线

城市男性在躯体化因子上的得分随着年龄的增长表现出如下趋势：5个不同年龄阶段的城市男性在躯体化因子上的得分没有显著的差异。这表明，城市男性在躯体化因子上的心理健康水平随着年龄的变化没有显著的变化。

城市女性在躯体化因子上的得分随着年龄的增长表现出如下的趋势：19~26岁、27~34岁两个年龄段的城市女性在躯体化因子上的得分分别显著低于45~54岁以及55岁以上两个年龄段的得分，而其他各年龄段在该因子上的得分差异均不显著。这表明，年龄在19~34岁之间的城市女性在躯体化因子上的心理健康水平优于年龄在45岁以上2个年龄段的城市女性。

农村男性在躯体化因子上的得分随着年龄的增长表现出如下趋势：19~26岁、35~44岁两个年龄段的农村男性在躯体化因子上的得分分别显著低于45~54岁以及55岁以上两个年龄段的得分，而其他各年龄段在该因子上的得分差异均不显著。这表明，19～26岁以及35～44岁之间的农村男性在躯体化因子上的心理健康水平优于年龄在45岁以上的2组农村男性。

农村女性在躯体化因子上的得分随着年龄的增长表现如下趋势：19～26岁的农村女性在躯体化因子上的得分显著低于比他们年长的其他4个不同年龄段的农村女性，而27～34岁的农村女性在躯体化因子上的得分也显著低于比他们年长的其他3个不同年龄段的农村女性。此结果表明，19～34岁年龄段的农村女性在躯体化因子上的心理健康水平高于另外3个年龄段的农村女性。

综合上面的结果，我们可以发现，城市男性、城市女性、农村男性和农村女性四个不同的群体在躯体化因子上的得分随着年龄的增长表现出不同趋势，可见这4个群体之间并不是完全同质的群体，因此，为了进一步了解这4个不同群体之间的差异，我们又对这四个不同群体躯体化因子得分的差异进行了分析，结果如下。

在19～26岁年龄组中，城市男性、城市女性、农村男性和农村女性中的任何两组在躯体化因子上得分的相互比较其差异都没有达到显著水平。此结果表明，在19～26岁年龄组中的任何两个群体在躯体化因子上的心理健康水平相互比较都不存在显著差异。

在27～34岁年龄组，农村女性在躯体化因子上的得分显著高于城市男性和城市女性的得分，而其他任何两组的得分之间都没有显著的差异，此结果表明，在27～34岁年龄组中，农村女性在躯体化因子上的心理健康水平显著低于城市男性和城市女性，而其他组之间在躯体化因子上的心理健康水平都没有显著的差异。

在35～44岁年龄组，农村女性在躯体化因子上的得分显著高于城市男性、城市女性和农村男性的得分，而其他的组间比较不存在显著差异。由此可见，在35～44岁年龄组中，农村女性在躯体化因子上的心理健康水平显著低于城市男性、城市女性和农村男性，而其他组间在躯体化因子上的心理健康水平都没有显著的差异。

在45～54岁年龄组，农村女性在躯体化因子上的得分显著高于城市男性得分，而其他组的得分相互之间不存在显著差异。这说明，在45～54岁年龄组中，农村女性在躯体化因子上的心理健康水平显著低于城市男性，而其他组之间在躯体化因子上的心理健康水平不存在显著差异。

在55岁以上年龄组，除了城市女性与农村男性在躯体化因子上的得分不存在显著差异外，其他各组的得分均存在显著差异。其中，城市男性在躯体化因子上的得分显著低于城市女性、农村男性和农村女性，而且城市女性和农村男性在躯体化因子上的得分显著低于农村女性。此结果表明，在55岁以上年龄组中，城市男性在躯体化因子上的心理健康水平显著高于其他3组群体，农村女性在躯体化因子上的心理健康水平显著低于其他3组群体。

综合以上对不同年龄段的城市男性、城市女性、农村男性和农村女性在躯体化因子上的心理健康水平的分析，我们可以发现，城市男性在躯体化因子上的心理健康水平显著优于城市女性、农村男性和农村女性，而农村女性在躯体化因子上的心理健康水平却显著弱于另外3组。

2）强迫症状　SCL－90测验的强迫症状因子在广西两市县的详细情况见数据汇总表3－4－105～3－4－106，趋势曲线见图2－4－22。本文分别对不同年龄段的城市男性、城市女性、农村男性和农

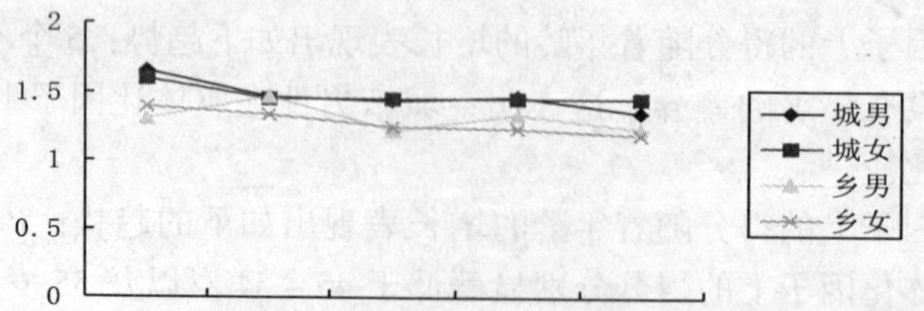

图2－4－22　强迫症状因子随着年龄增长变化趋势曲线

村女性在强迫症状因子上的得分进行了平均数的多重比较，结果如下。

城市男性在强迫症状因子上的得分随着年龄的增长表现出如下趋势：19～26岁年龄组的城市男性在强迫症状因子上的得分显著高于35～44岁以及55岁以上年龄组的得分。其他年龄组之间在该因子上的得分均没有显著的差异。此结果表明，19～26岁之间的城市男性在强迫症状因子上的心理健康水平不如35～44岁及55岁以上年龄组的水平。

城市女性在强迫症状因子上的得分随着年龄的增长表现出如下趋势：5个不同年龄段的城市女性在强迫症状因子上的得分没有显著的差异。这表明，城市女性在强迫症状因子上的心理健康水平随着年龄的变化没有显著的变化。

农村男性在强迫症状因子上的得分随着年龄的增长表现出如下的趋势：27～34岁年龄组的农村男性在强迫症状因子上的得分显著高于35～44岁以及55岁以上年龄组的得分。其他年龄组相互之间在该因子上的得分均没有显著的差异。由此可发现，27～34岁之间的农村男性在强迫症状因子上的心理健康水平不如35～44岁年龄组及55岁以上年龄组的水平。

农村女性在强迫症状因子上的得分随着年龄的增长表现出如下趋势：55岁以上年龄段的农村女性在强迫症状因子上的得分显著低于19～26岁以及27～34岁两个年龄段的得分，而其他年龄段的农村女性在强迫症状因子上的得分差异不显著。这说明，55岁以上的农村女性在强迫症状因子上的心理健康水平要好于相对较年轻的19～34岁农村女性，而其他年龄段农村女性的心理健康水平差异不显著。

综合上面的结果，我们可以发现，城市男性、城市女性、农村男性和农村女性四个不同的群体在强迫症状因子上的得分随着年龄的增长表现出不同的趋势，可见这四个群体之间并不是完全同质的群体，因此，为了进一步了解这4个不同群体之间的差异，我们又对这4个不同群体在强迫症状因子上得分的差异进行了分析，结果如下。

在19～26岁年龄组，城市男性在强迫症状因子上的得分显著高于农村男性和农村女性，城市女性在强迫症状因子上的得分也显著高于农村男性和农村女性，但城市男性和城市女性之间，以及农村男性和农村女性之间的差异不显著。这说明不论男性或女性，19～26岁年龄组的城市群体在强迫症状因子上的心理健康水平均显著低于农村群体。

在27～34岁年龄组，城市男性、城市女性、农村男性和农村女性中的任何两组之间在强迫症状因子上的得分都没有显著差异。此结果表明，该年龄组的任何两个群体在强迫症状因子上的心理健康水平相互比较都没有显著差异。

在35～44岁年龄组，城市男性在强迫症状因子上的得分显著高于农村男性和农村女性，城市女性在强迫症状因子上的得分也显著高于农村男性和农村女性，但城市男性和城市女性之间，以及农村男性和农村女性之间的差异性不显著。这说明不论男性或女性，35～44岁年龄组的城市群体在强迫症状因子上的心理健康水平均显著低于农村群体。

在45～54岁年龄组，农村女性在强迫症状因子上的得分显著低于城市男性和城市女性，除了这一差异外，其他任何两组的差异都没有达到显著水平。此结果表明，在45～54岁年龄组中，农村女性在强迫症状因子上的心理健康水平显著高于城市男性和城市女性，而其他组相互之间在强迫症状因子上的心理健康水平都没有显著的差异。

在55岁以上年龄组，城市女性在强迫症状因子上的得分显著高于农村男性和农村女性，除此之外，其他任何两组的差异都没有达到显著水平。这说明，在55岁以上年龄组中，城市女性在强迫症状因子上的心理健康水平显著低于农村男性和农村女性，而其他组之间在强迫症状因子上的心理健康水平都没有显著的差异。

综合以上对不同年龄段的城市男性、城市女性、农村男性和农村女性在强迫症状因子上的心理健康水平的分析，我们可以发现，城市群体在强迫症状因子上的心理健康水平显著弱于农村群体，这个特征在19～26岁以及35～44岁年龄段表现得尤为明显。

3）人际敏感　SCL－90测验的人际敏感因子在广西两市县的详细情况见数据汇总表3－4－108～

3-4-109，趋势曲线见图2-4-23。本文分别对不同年龄段的城市男性、城市女性、农村男性和农村女性在人际敏感因子上的得分进行了平均数的多重比较，结果如下。

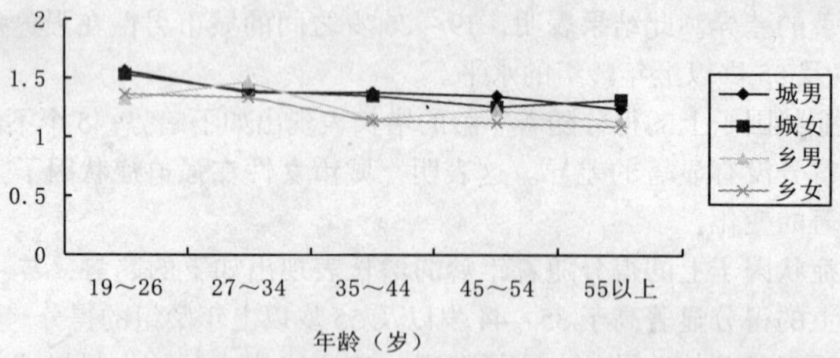

图2-4-23　人际敏感因子随着年龄增长变化趋势曲线

城市男性在人际敏感因子上的得分随着年龄的增长表现出如下趋势：19~26岁年龄组的城市男性在人际敏感因子上的得分显著高于45~54岁和55岁以上两个年龄组的得分，除此之外，其他各年龄组的得分都没有显著的差异。这表明，19~26岁之间的城市男性在人际敏感因子上的心理健康水平不如年龄比他们大的45岁以上2个年龄组，而且这种水平差异已经达到显著水平。其他各年龄组的心理健康水平不存在显著差异。

城市女性在人际敏感因子上的得分随着年龄的增长表现出如下趋势：19~26岁之间的城市女性在人际敏感因子上的得分显著高于35岁以上的3个年龄组，此外，27~34岁年龄组的得分还显著高于45岁以上2个年龄组的得分。其他年龄组之间没有显著差异。整体而言，在城市女性这个群体中，年龄较轻的城市女性在人际敏感因子上的心理健康水平显著弱于比他们年长的城市女性。

农村男性在人际敏感因子上的得分随着年龄的增长表现出如下趋势：27~34岁年龄组的农村男性在人际敏感因子上的得分显著高于比他们年长的3个年龄组得分，而在其他各年龄段不存在显著差异。此结果表明，27~34岁的农村男性在人际敏感因子上的心理健康水平低于比他们年长的农村男性。

农村女性在人际敏感因子上的得分随着年龄的增长表现出如下的趋势：19~26岁的农村女性在人际敏感因子上的得分显著高于比他们年长的其他4个不同年龄段的农村女性，而27~34岁的农村女性在人际敏感因子上的得分也显著高于比他们年长的其他3个不同年龄段的农村女性。该结果说明，19~34岁年龄段的农村女性在人际敏感因子上的心理健康水平显著低于另外3个高年龄段的农村女性。

综合上面的结果，我们可以发现，城市男性、城市女性、农村男性和农村女性4个不同的群体在人际敏感因子上的得分随着年龄的增长表现出不同的趋势，可见这4个群体之间并不是完全同质的群体，因此，为了进一步了解这4个不同群体之间的差异，我们又对这4个不同群体在人际敏感因子上得分的差异进行了分析，结果如下。

在19~26岁年龄组，农村男性在人际敏感因子上的得分显著低于城市男性和城市女性。除了这一差异外，其他任何两组得分的差异都没有达到显著水平。这说明，在19~26岁年龄组中，农村男性在人际敏感因子上的心理健康水平显著高于城市男性和城市女性，而其他组在人际敏感因子上的心理健康水平都没有显著的差异。

在27~34岁年龄组，城市男性、城市女性、农村男性和农村女性之间的差异都没有达到显著水平。此结果表明，在该年龄组中的任何两组在人际敏感因子上的心理健康水平都没有显著的差异。

在35~44岁年龄组，城市男性在人际敏感因子上的得分显著高于农村男性和农村女性，城市女性在人际敏感因子上的得分也显著高于农村男性和农村女性，但城市男性和城市女性之间，以及农村男性和农村女性之间的差异性不显著。这说明不论男性或女性，35~44岁年龄段的城市群体在人际敏感因子上的心理健康水平均显著低于农村群体。

在45～54岁年龄组，农村男性在人际敏感因子上的得分显著低于城市男性和城市女性组，除了这一差异外，其他任何两组的差异都没有达到显著水平。此结果表明，在45～54岁年龄组中，农村男性在人际敏感因子上的心理健康水平显著高于城市男性和城市女性，而其他组之间在人际敏感因子上的心理健康水平都没有显著的差异。

在55岁以上年龄组，城市男性在人际敏感因子上的得分显著高于农村女性，城市女性在人际敏感因子上的得分显著高于农村男性和农村女性。除此之外，其他任何两组的差异都没有达到显著水平。此结果表明，在55岁以上年龄组中，城市男性在人际敏感因子上的心理健康水平显著低于农村女性，城市女性在人际敏感因子上的心理健康水平显著低于农村男性和农村女性。而其他组之间在人际敏感因子上的心理健康水平都不存在显著差异。

综合以上对不同年龄段的城市男性、城市女性、农村男性和农村女性在人际敏感因子上的心理健康水平的分析，我们可以发现，城市群体在人际敏感因子上的心理健康水平显著低于农村群体，这个特征在35～44岁年龄段表现得尤为明显。

4）抑郁　SCL－90测验的抑郁因子在广西两市县的详细情况见数据汇总表3－4－111～3－4－112，趋势曲线见图2－4－24。本文分别对不同年龄段的城市男性、城市女性、农村男性和农村女性在抑郁因子上的得分进行了平均数的多重比较，结果如下。

城市男性、城市女性在抑郁因子上的得分表现出一致的年龄增长特征，也就是说5个不同年龄段的城市男性和城市女性在抑郁因子上的得分都没有显著的差异。这表明，城市男性和城市女性在抑郁因子上的心理健康水平没有随着年龄变化而显著变化。

农村男性在抑郁因子上的得分随着年龄的增长表现出如下趋势：35～44岁年龄段的农村男性在抑郁因子上的得分显著低于27～34岁和45～54岁两个年龄段的得分，而其他各年龄段在该因子上的得分差异均不显著。这表明35～44岁的农村男性在抑郁因子上的心理健康水平优于27～34岁和45～54岁两个年龄段的农村男性，而与年纪较长或较年轻的另两个年龄段的农村男性相比，他们在该因子上的得分差异不显著。

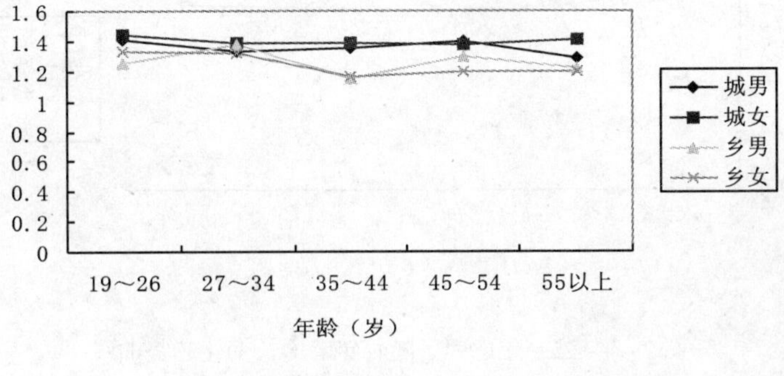

图2－4－24　抑郁因子随着年龄增长变化趋势曲线

农村女性在抑郁因子上的得分随着年龄的增长表现如下趋势：27～34岁的农村女性在抑郁因子上的得分显著高于35～44岁年龄段的农村女性，而在其他年龄段，任何两组之间的得分差异都不显著。此结果表明，27～34岁年龄段的农村女性在抑郁因子上的心理健康水平低于35～44岁年龄段的农村女性，其他各年龄段的农村女性在抑郁因子上的心理健康水平差异不显著。

综合上面的结果，我们可以发现，城市男性、城市女性、农村男性和农村女性4个不同的群体在抑郁因子上的得分随着年龄的增长表现出不同的趋势，可见这4个群体之间并不是完全同质的群体，因此，为了进一步了解这4个不同群体之间的差异，我们又对这4个不同群体抑郁因子得分的差异进行了分析，结果如下。

在19～26岁年龄组中，城市女性在抑郁因子上的得分显著高于农村男性得分，而其他各组的得分之间都没有显著的差异。此结果表明，在19~26岁年龄组中，城市女性在抑郁因子上的心理健康水平显著低于农村男性，而其他各组之间在抑郁因子上的心理健康水平差异都不显著。

在27~34岁年龄组，无论是城市男性或城市女性，还是农村男性或农村女性，各组在抑郁因子上的得分都没有显著差异。这说明，在27~34岁年龄组中，4个不同的群体在抑郁因子上的心理健康水平差异不显著。

在35~44岁年龄组，城市男性在抑郁因子上的得分显著高于农村男性和农村女性的得分，城市女性在抑郁因子上的得分也显著高于农村男性和农村女性，而其他组的得分之间不存在显著差异。由此可见，在35~44岁年龄组中，城市男性在抑郁因子上的心理健康水平显著低于农村男性和农村女性，城市女性在抑郁因子上的心理健康水平也显著低于农村男性和农村女性，其他各组之间在抑郁因子上的心理健康水平都没有显著的差异。

在45~54岁年龄组，农村女性在抑郁因子上的得分显著低于城市男性和城市女性的得分，而其他任何组间比较都不存在显著差异。这说明，在45~54岁年龄组中，农村女性在抑郁因子上的心理健康水平显著高于城市男性和城市女性。除此之外，其他各组之间在抑郁因子上的心理健康水平不存在显著差异。

在55岁以上年龄组，城市女性在抑郁因子上的得分显著高于农村男性和农村女性，除此之外，其他各组的得分差异均不显著。此结果表明，在55岁以上年龄组中，城市女性在抑郁因子上的心理健康水平显著低于农村男性和农村女性，其他各组在抑郁因子上的心理健康水平差异均不显著。

综合以上对不同年龄段的城市男性、城市女性、农村男性和农村女性在抑郁因子上的心理健康水平的分析，我们可以发现，城市群体在抑郁因子上的心理健康水平不如农村群体，特别是城市女性在抑郁因子上的心理健康水平明显较低。

5）焦虑　SCL-90测验的焦虑因子在广西两市县的详细情况见数据汇总表3-4-114~3-4-115，趋势曲线见图2-4-25。本文分别对不同年龄段的城市男性、城市女性、农村男性和农村女性在焦虑因子上的得分进行了平均数的多重比较，结果如下。

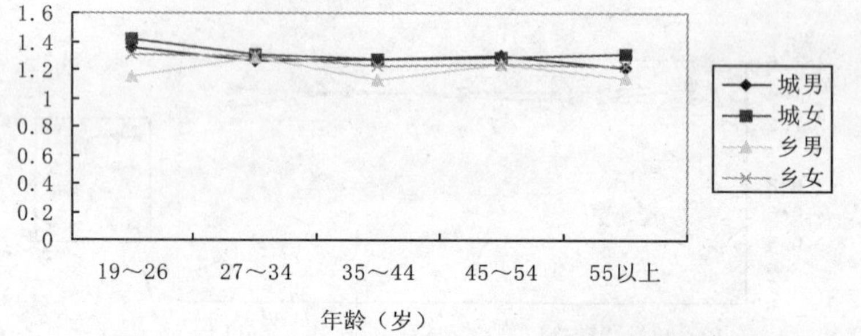

图2-4-25　焦虑因子随着年龄增长变化趋势曲线

城市男性、城市女性和农村女性在焦虑因子上的得分都体现出一致的年龄增长趋势，即城市男性、城市女性和农村女性3个群体在焦虑因子上的得分都没有体现出因处于不同年龄段所造成的显著性差异。这表明，城市男性、城市女性和农村女性在焦虑因子上的心理健康水平没有显著的年龄差异。

农村男性在焦虑因子上的得分随着年龄的增长表现出如下趋势：27~34岁年龄组的农村男性在焦虑因子上的得分显著高于35~44岁以及55岁以上年龄组的得分。其他年龄组在该因子上的得分相互之间均没有显著的差异。由此可发现，27~34岁之间的农村男性在焦虑因子上的心理健康水平不如35~44岁年龄组及55岁以上年龄组的水平，其他年龄组在该因子上的心理健康水平没有显著的差异。

综合上面的结果，我们可以发现，城市男性、城市女性、农村男性和农村女性4个不同的群体在焦虑因子上的得分随着年龄的增长表现出不同的趋势，可见这4个群体之间并不是完全同质的群体，因此，为了进一步了解这4个不同群体之间的差异，我们又对这4个不同群体在焦虑因子上得分的差异进行了分析，结果如下。

在19~26岁年龄组，农村男性在焦虑因子上的得分显著低于城市男性和城市女性，其他各组得分之间的差异不显著。这说明在19~26岁年龄段，农村男性在焦虑因子上的心理健康水平均显著高于城市男性和城市女性。其他各组在焦虑因子上的心理健康水平彼此差异不显著。

在27~34岁和45~54岁两个年龄组，城市男性、城市女性、农村男性和农村女性中的任何一个群体在焦虑因子上的得分与同年龄组其他群体比较都没有显著差异。此结果表明，这两个年龄组的任何一群体与同龄其他群体在焦虑因子上的心理健康水平相互比较都没有显著差异。

在35~44岁年龄组，农村男性在焦虑因子上的得分均显著低于其他3组得分，其他各组之间在焦虑因子上得分的差异性不显著。这说明农村男性在焦虑因子上的心理健康水平均显著高于其他3组水平，其他各组之间在焦虑因子上的心理健康水平差异性不显著。

在55岁以上年龄组，农村男性在焦虑因子上的得分显著低于城市女性和农村女性，除此之外，其他各组在该因子上的得分差异均不显著。此结果表明，在55岁以上年龄组中，农村男性在焦虑因子上的心理健康水平显著高于城市女性和农村女性，其他各组之间在焦虑因子上的心理健康水平差异均不显著。

综合以上对不同年龄阶段的城市男性、城市女性、农村男性和农村女性在焦虑因子上的心理健康水平的分析，我们可以发现，城市群体在焦虑因子上的心理健康水平不如农村群体，尤其是农村男性在焦虑因子上的心理健康水平相对其他组而言较好。

6）敌对　SCL－90测验的敌对因子在广西两市县的详细情况见数据汇总表3－4－117~3－4－118，趋势曲线见图2－4－26。本文分别对不同年龄段的城市男性、城市女性、农村男性和农村女性在敌对因子上的得分进行了平均数的多重比较，结果如下。

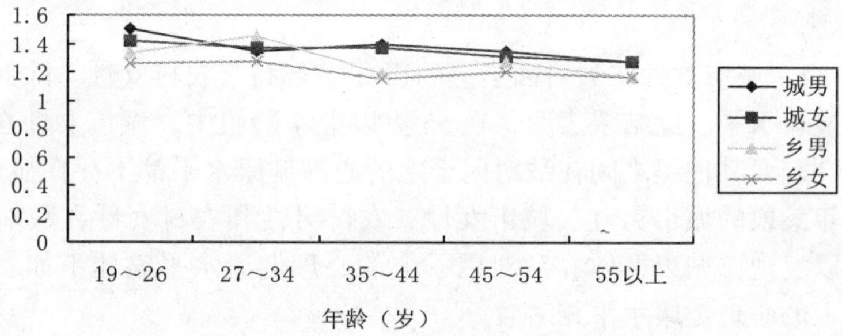

图2－4－26　敌对因子随着年龄增长变化趋势曲线

城市男性在敌对因子上的得分随着年龄的增长表现出如下趋势：19~26岁年龄组的城市男性在敌对因子上的得分显著高于55岁以上年龄组的得分，除此之外，其他各年龄组的得分都没有显著的差异。这表明，19~26岁之间的城市男性在敌对因子上的心理健康水平不如年龄比他们大的55岁以上群体，而且这种水平差异已经达到显著水平。其他各年龄组的心理健康水平不存在显著差异。

城市女性在敌对因子上的得分随着年龄的增长表现出如下趋势：5个年龄组的城市女性在敌对因子上的得分相互之间都没有显著差异。这说明，5个不同年龄组的群体在敌对因子上的心理健康水平差异均不显著。

农村男性在敌对因子上的得分随着年龄的增长表现出如下趋势：27~34岁年龄组的农村男性在敌对因子上的得分分别显著高于比他们年长的35~44岁和55岁以上两个年龄组得分，而其他各年龄组得分相互比较得出的差异均没有达到显著水平。此结果表明，27~34岁的农村男性在敌对因子上的心理健康水平不如35~44岁和55岁以上的两组农村男性。其他各年龄组在敌对因子上的心理健康水平相互之间均不存在显著差异。

农村女性在敌对因子上的得分随着年龄的增长表现出如下的趋势：27~34岁的农村女性在敌对

因子上的得分显著高于35~44岁年龄段的农村女性，而在其他各年龄段的得分相互比较均不存在显著差异。该结果说明，27~34岁年龄段的农村女性在敌对因子上的心理健康水平显著低于35~44岁年龄段的农村女性，其他各年龄段在敌对因子上的心理健康水平都没有显著差异。

综合上面的结果，我们可以发现，城市男性、城市女性、农村男性和农村女性4个不同的群体在敌对因子上的得分随着年龄的增长表现出不同的趋势，可见这4个群体之间并不是完全同质的群体，因此，为了进一步了解这4个不同群体之间的差异，我们又对这4个不同群体在敌对因子上得分的差异进行了分析，结果如下。

在19~26岁年龄组，城市男性在敌对因子上的得分显著高于农村女性。除了这一差异外，其他任何两组得分相互比较都没有显著差异。这说明，在19~26岁年龄组中，城市男性在敌对因子上的心理健康水平显著低于农村女性的水平，而其他各组在敌对因子上的心理健康水平相互比较都没有显著的差异。

在27~34岁年龄组，农村男性在敌对因子上的得分显著高于农村女性，其他任何两组得分的差异都没有达到显著水平。此结果表明，在该年龄组中，农村男性在敌对因子上的心理健康水平显著低于农村女性。此外，其他任何两组在敌对因子上的心理健康水平差异都没有达到显著水平。

在35~44岁年龄组，城市男性在敌对因子上的得分显著高于农村男性和农村女性，城市女性在敌对因子上的得分也显著高于农村男性和农村女性，但城市男性和城市女性之间，以及农村男性和农村女性之间的差异不显著。这说明不论男性或女性，35~44岁年龄段的城市群体在敌对因子上的心理健康水平均显著低于农村群体的水平。其他各组在敌对因子上的心理健康水平差异都没有达到显著水平。

在45~54岁年龄组，城市男性在敌对因子上的得分显著高于农村女性，除了这一差异外，其他任何两组得分的差异都没有达到显著水平。此结果表明，在45~54岁年龄组中，城市男性在敌对因子上的心理健康水平显著低于农村女性，而其他各组在敌对因子上的心理健康水平相互比较都没有显著的差异。

在55岁以上年龄组，城市女性在敌对因子上的得分显著高于农村女性。除此之外，其他任何两组的差异都没有达到显著水平。此结果表明，在55岁以上年龄组中，城市女性在敌对因子上的心理健康水平不如农村女性，而其他组之间在敌对因子上的心理健康水平都不存在显著差异。

综合以上对不同年龄段的城市男性、城市女性、农村男性和农村女性在敌对因子上的心理健康水平的分析，我们可以发现，城市群体在敌对因子上的心理健康水平整体不如农村群体水平，而且农村女性在敌对因子上的心理健康水平相对较好。

7）恐怖　SCL-90测验的恐怖因子在广西两市县的详细情况见数据汇总表3-4-120~3-4-121，趋势曲线见图2-4-27。本文分别对不同年龄段的城市男性、城市女性、农村男性和农村女性在恐怖因子上的得分进行了平均数的多重比较，结果如下。

城市男性在恐怖因子上的得分随着年龄的增长表现出如下趋势：19~26岁年龄组的城市男性在恐怖因子上的得分显著高于27~34岁和55岁以上两个年龄段的得分。除此之外，其他各年龄组的得分都没有显著的差异。这表明，19~26岁之间的城市男性在恐怖因子上的心理健康水平不如年龄比他们大的27~34岁和55岁以上的城市男性，而且这种水平差异已经达到显著水平。其他各年龄组的心理健康水平相互比较均不存在显著差异。

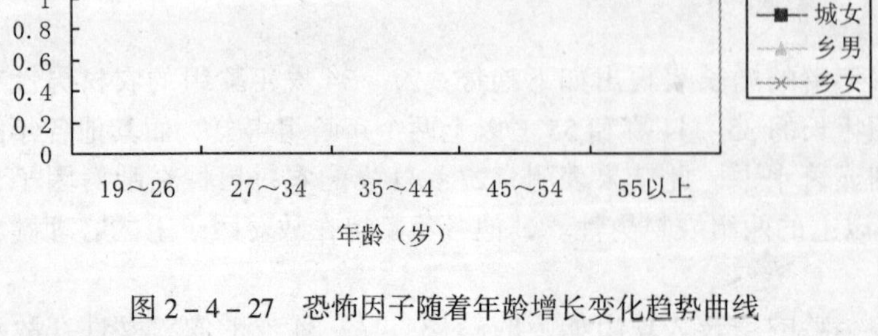

图2-4-27　恐怖因子随着年龄增长变化趋势曲线

城市女性在恐怖因子上的得分随着年龄的增长表现出如下趋势：

19~26岁年龄段的城市女性在恐怖因子上的得分显著高于比他们年长的45~54岁年龄组的得分，而在其他各年龄段均不存在显著差异。此结果表明，19~26岁的城市女性在恐怖因子上的心理健康水平不如45~54岁的城市女性。其他各年龄阶段在恐怖因子上的心理健康水平相互比较均不存在显著差异。

农村男性在恐怖因子上的得分随着年龄的增长表现出如下趋势：27~34岁年龄段的农村男性在恐怖因子上的得分显著高于比他们年长的35~44岁年龄组得分，而其他各年龄段的得分相互比较没有显著差异。此结果表明，27~34岁的农村男性在恐怖因子上的心理健康水平低于35~44岁的农村男性。其他各年龄段在恐怖因子上的心理健康水平相互比较均不存在显著差异。

农村女性在恐怖因子上的得分随着年龄的增长表现出如下趋势：5个年龄段的农村女性在恐怖因子上的得分两两比较都没有显著差异。这说明，5个不同年龄组的农村女性在恐怖因子上的心理健康水平差异均不显著。

综合上面的结果，我们可以发现，城市男性、城市女性、农村男性和农村女性4个不同的群体在恐怖因子上的得分随着年龄的增长表现出不同的趋势，可见这4个群体之间并不是完全同质的群体，因此，为了进一步了解这4个不同群体之间的差异，我们又对这4个不同群体在恐怖因子上得分的差异进行了分析，结果如下。

在19~26岁年龄组，农村男性在恐怖因子上的得分显著低于城市男性和城市女性。除了这一差异外，其他任何两组得分的差异都没有达到显著水平。这说明，在19~26岁年龄组中，农村男性在恐怖因子上的心理健康水平与城市男性和城市女性相比而言较好，而其他各组在恐怖因子上的心理健康水平差异都未达到显著水平。

在27~34岁年龄组，城市男性在恐怖因子上的得分显著低于城市女性，而其他任何两组得分的差异都没有达到显著水平。此结果表明，在该年龄组中，城市男性在恐怖因子上的心理健康水平好于城市女性。其他各组相互比较，他们在恐怖因子上的心理健康水平差异都没有达到显著水平。

在35~44岁年龄组，农村男性在恐怖因子上的得分显著低于其他3个群体。此外，城市男性、城市女性和农村女性相互比较而言，其得分的差异都没有达到显著水平。这表明，在该年龄组中，农村男性在恐怖因子上的心理健康水平分别明显优于城市男性、城市女性和农村女性。对后3组在恐怖因子上的心理健康水平进行相互比较发现，其差异都没有达到显著水平。

在45~54岁年龄组，对城市男性、城市女性、农村男性以及农村女性在恐怖因子上的得分相互比较发现均没有显著差异。这表明，在该年龄段，4个群体在恐怖因子上的心理健康水平不存在显著差异。

在55岁以上年龄组，农村男性在恐怖因子上的得分显著低于城市女性、农村女性。除此之外，其他任何两组的差异都没有达到显著水平。此结果表明，在55岁以上年龄组中，农村男性在恐怖因子上的心理健康水平好于城市女性和农村女性，而其他各组之间在恐怖因子上的心理健康水平都不存在显著差异。

综合以上对不同年龄段的城市男性、城市女性、农村男性和农村女性在恐怖因子上的心理健康水平的分析，我们可以发现，除了45~54岁年龄组各个群体在恐怖因子上的心理健康水平没有显著性差异外，在其他各年龄段，农村男性在恐怖因子上的心理健康水平均相对较好。

8）偏执　SCL-90测验的偏执因子在广西两市县的详细情况见数据汇总表3-4-123~3-4-124，趋势曲线见图2-4-28。本文分别

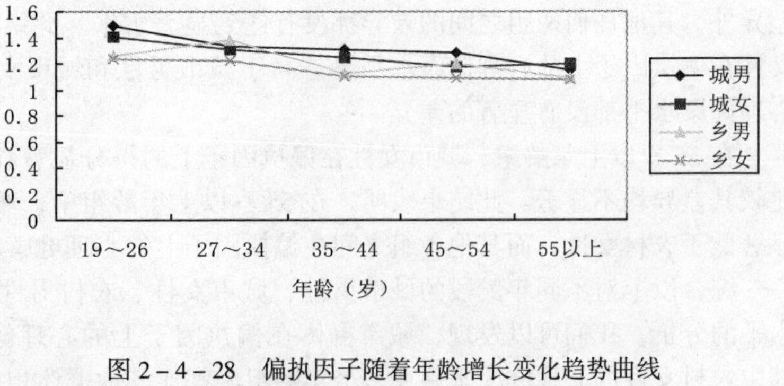

图2-4-28　偏执因子随着年龄增长变化趋势曲线

对不同年龄段的城市男性、城市女性、农村男性和农村女性在偏执因子上的得分进行了平均数的多重比较，结果如下。

城市男性在偏执因子上的得分随着年龄的增长表现出如下趋势：19～26岁年龄段的城市男性在偏执因子上的得分显著高于45～54岁以及55岁以上两个年龄段的得分。此外，27～34岁年龄段得分在偏执因子上的得分显著高于55岁以上年龄段的得分。在其他年龄段，各组得分之间均没有显著差异。这表明，年龄相对较长的城市男性在偏执因子上的心理健康水平相对高于年轻群体。

城市女性在偏执因子上的得分随着年龄的增长表现出如下趋势：年龄在19～26岁之间的城市女性得分显著高于35岁以上的3个年龄段城市女性得分。此外，27～34岁年龄段的城市女性在该因子的得分显著高于45～54岁年龄组得分。该结果表明，在城市女性这个群体中，19～26岁城市女性在偏执因子上的心理健康水平不如另外3组年龄相对较长的群体；而且随着年龄增长，城市女性在偏执因子上的心理健康水平也有所降低。

农村男性在偏执因子上的得分随着年龄的增长表现出如下趋势：19～26岁年龄段农村男性在偏执因子上的得分显著高于55岁以上年龄组得分。27～34岁年龄段的农村男性得分显著高于比他们年长的其他3个年龄组得分，而其他各组之间在偏执因子上的得分相互比较不存在显著差异。此结果表明，农村年轻男性，尤其是27～34岁年龄段男性在偏执因子上的心理健康水平比年龄较长组的水平要低。

农村女性在偏执因子上的年龄特征与农村男性表现一致：也就是19～26岁年龄段农村女性在偏执因子上的心理健康水平显著低于55岁以上年龄组水平，27～34岁年龄段的农村女性与年长于他们的其他3个年龄组相比，其在偏执因子上的心理健康水平明显相对较低，而其他各组之间在偏执因子上的心理健康水平不存在显著差异。

综合上面的结果，我们可以发现，城市男性、城市女性、农村男性和农村女性4个不同的群体在偏执因子上的得分随着年龄的增长表现出不同的趋势，可见这4个群体之间并不是完全同质的群体，因此，为了进一步了解这4个不同群体之间的差异，我们又对这4个不同群体在偏执因子上得分的差异进行了分析，结果如下。

在19～26岁年龄组，城市男性在偏执因子上的得分显著高于农村男性和农村女性，城市女性在偏执因子上的得分显著高于农村女性。但其他各组之间比较，这种差异不显著。这表明城市男性在偏执因子上的心理健康水平明显不如农村男性和农村女性，城市女性在偏执因子上的心理健康水平显著低于农村女性。其他各组之间在偏执因子上的心理健康水平差异都不显著。

在27～34岁年龄组，城市男性、城市女性、农村男性以及农村女性在偏执因子上的得分相互比较均没有显著差异。这表明，在该年龄段，4个群体在偏执因子上的心理健康水平不存在显著差异。

在35～44岁年龄组，城市男性在偏执因子上的得分显著高于农村男性和农村女性，城市女性在偏执因子上的得分也显著高于农村男性和农村女性，但城市男性和城市女性之间，以及农村男性和农村女性之间的差异性不显著。这说明不论男性或女性，35～44岁年龄段的城市群体在偏执因子上的心理健康水平都明显不如农村群体的水平。

在45～54岁年龄组，农村女性在偏执因子上的得分显著低于城市男性和城市女性组，除了这一差异外，其他任何两组之间的差异都没有达到显著水平。此结果表明，在45～54岁年龄组中，农村女性在偏执因子上的心理健康水平显著高于城市男性和城市女性，而其他各组之间在偏执因子上的心理健康水平都没有显著的差异。

在55岁以上年龄组，城市女性在偏执因子上的得分显著高于农村女性，而其他各组的得分相互比较其差异均不显著。此结果表明，在55岁以上年龄组中，城市女性在偏执因子上的心理健康水平显著低于农村女性，而其他各组之间在偏执因子上的心理健康水平均没有显著差异。

综合以上对不同年龄段的城市男性、城市女性、农村男性和农村女性在偏执因子上的心理健康水平的分析，我们可以发现，城市群体在偏执因子上的心理健康水平整体上不如农村群体的水平，其中农村女性的心理健康水平在多个年龄组中都比其他群体相对较好。

9）精神病性 SCL－90测验的精神病性因子在广西两市县的详细情况见数据汇总表3－4－126～3－4－127，趋势曲线见图2－4－29。本文分别对不同年龄段的城市男性、城市女性、农村男性和农村女性在精神病性因子上的得分进行了平均数的多重比较，结果如下。

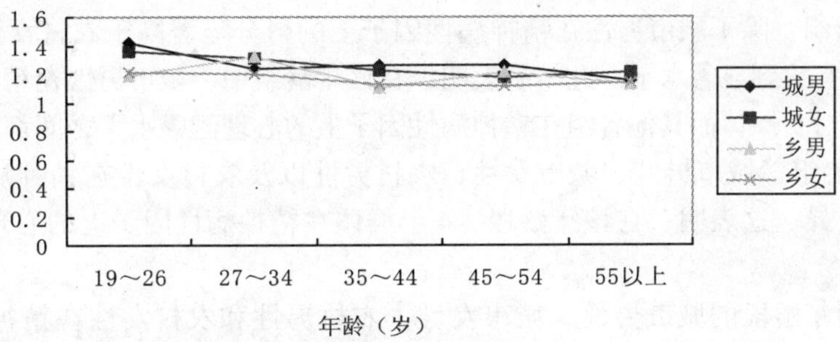

图2－4－29 精神病性因子随着年龄增长变化趋势曲线

城市男性在精神病性因子上的得分随着年龄的增长表现出如下趋势：19～26岁年龄组的城市男性在精神病性因子上的得分显著高于27～34岁、45～54岁以及55岁以上3个年龄组。除此之外，其他各年龄组得分相比均不存在显著差异。此结果表明，19～26岁之间的群体在精神病性因子上的心理健康水平显著低于除了35～44岁年龄段之外的各年龄组城市男性。此外，其他各年龄组在精神病性因子上的心理健康水平差异也都不显著。

城市女性在精神病性因子上的得分随着年龄的增长表现出如下趋势：19～26岁之间的城市女性在精神病性因子上的得分显著高于35～44岁和45～54岁两个年龄段的城市女性得分。27～34岁年龄段的得分显著高于45～54岁年龄组得分。其他各组得分之间的差异不显著。此结果表明，在城市女性这个群体中，19～26岁城市女性在精神病性因子上的心理健康水平显著低于比他们年长的35～44岁和45～54岁两个年龄段城市女性，27～34岁的城市女性在精神病性因子上的心理健康水平显著低于45～54岁年龄段的年长城市女性，其他各组在精神病性因子上的心理健康水平相互比较其差异均不显著。

农村男性在精神病性因子上的得分随着年龄的增长表现出如下趋势：27～34岁年龄段的农村男性得分显著高于35～44岁以及55岁以上两个年龄段的得分，而其他各组的得分相互之间均没有显著差异。此结果表明，除了27～34岁年龄组农村男性在精神病性因子上的心理健康水平显著低于35～44岁以及55岁以上两个年龄组外，其他各年龄组的农村男性在精神病性因子上的心理健康水平都没有显著差异。

农村女性在精神病性因子上的得分随着年龄的增长表现出如下趋势：5个年龄段的农村女性在精神病性因子上的得分相互比较均没有显著差异。这表明，各年龄组农村女性在精神病性因子上的心理健康水平没有随着年龄的增长呈现出显著性变化。

综合上面的结果，我们可以发现，城市男性、城市女性、农村男性和农村女性4个不同的群体在精神病性因子上的得分随着年龄的增长表现出不同的趋势，可见这4个群体之间并不是完全同质的群体，因此，为了进一步了解这4个不同群体之间的差异，我们又对这4个不同群体在精神病性因子上得分的差异进行了分析，结果如下。

在19～26岁年龄组，城市男性在精神病性因子上的得分显著高于农村男性和农村女性，城市女性在精神病性因子上的得分显著高于农村男性。除此之外，其他组之间相互比较，这种差异不显著。这表明城市男性在精神病性因子上的心理健康水平不如农村男性和农村女性，城市女性在精神病性因子上的心理健康水平不如农村男性。其他各组在精神病性因子上的健康水平的差异性不显著。

在27～34岁年龄组，城市男性、城市女性、农村男性以及农村女性在精神病性因子上的得分均没有显著差异。这表明，在该年龄段，4个群体在精神病性因子上的心理健康水平不存在显著差异。

在35～44岁年龄组，也表现出与19～26岁年龄组相同的特点，即城市男性在精神病性因子上的得分显著高于农村男性和农村女性，城市女性在精神病性因子上的得分也显著高于农村男性，而其他各组之间的差异性不显著。这说明城市男性在精神病性因子上的心理健康水平均显著低于农村男性和农村女性，城市女性在精神病性因子上的健康水平也显著低于农村男性。其他各组在精神病性因子上的健康水平的差异性不显著。

在45~54岁年龄组，除了城市男性在精神病性因子上的得分显著高于农村女性这一差异外，其他任何两组的差异都没有达到显著水平。此结果表明，在该年龄组中，城市男性在精神病性因子上的心理健康水平显著低于农村女性，而其他各组在精神病性因子上的心理健康水平之间都没有显著差异。

在55岁以上年龄组，城市男性、城市女性、农村男性以及农村女性在精神病性因子上的得分相互比较均没有显著差异。这表明，在该年龄段，4个群体在精神病性因子上的心理健康水平不存在显著差异。

综合以上对不同年龄段的城市男性、城市女性、农村男性和农村女性在精神病性因子上的心理健康水平的分析，我们可以发现，除了27~34岁和55岁以上年龄组城市与农村各个群体精神病性因子上的心理健康水平相互比较在没有显著性差异外，在其他各年龄段，均呈现出农村群体相对好于城市群体的特点。

10）其他　SCL-90测验的其他因子在广西壮族自治区两市县的详细情况见数据汇总表3-4-129~3-4-130，趋势曲线见图2-4-30。本文分别对不同年龄阶段的城市男性、城市女性、农村男性和农村女性在其他因子上的得分进行了平均数的多重比较，结果如下。

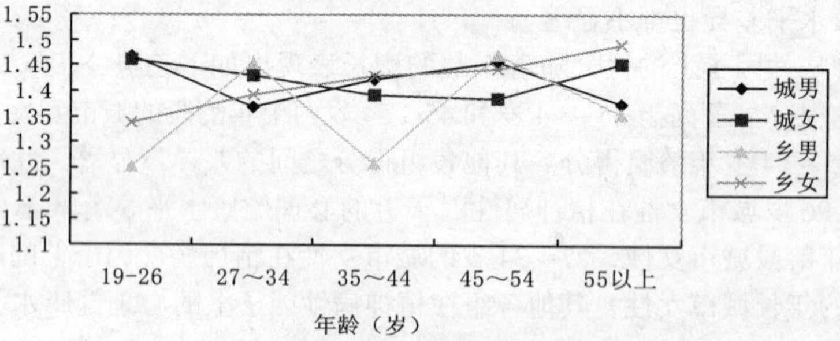

图2-4-30　其他因子随着年龄增长变化趋势曲线

城市男性、城市女性和农村女性在其他因子上的得分并未表现出随着年龄增长而显著变化的趋势。这表明城市男性、城市女性和农村女性不论处于什么年龄段，他们在其他因子上的心理健康水平都不存在显著差异。

农村男性在其他因子上的得分随着年龄的增长表现出如下趋势：19~26岁年龄段的农村男性在其他因子的得分显著低于27~34岁以及45~54岁两个年龄段的得分，35~44岁年龄段的得分也显著低于27~34岁和45~54岁两个年龄段的得分。而其他各组的得分相互之间均没有显著差异。此结果表明，19~26岁年龄组农村男性在其他因子上的心理健康水平显著高于27~34岁以及45~54岁两个年龄组，35~44岁年龄段的农村男性在其他因子上的心理健康水平显著高于27~34岁和45~54岁两个年龄段，其他年龄组的农村男性在其他因子上的心理健康水平相互比较都没有显著差异。

综合上面的结果，我们可以发现，城市男性、城市女性、农村男性和农村女性4个不同的群体在其他因子上的得分随着年龄的增长表现出不同的趋势，可见这4个群体之间并不是完全同质的群体，因此，为了进一步了解这4个不同群体之间的差异，我们又对这4个不同群体在其他因子上得分的差异进行了分析，结果如下。

在19~26岁年龄组，农村男性在其他因子上的得分显著低于城市男性和城市女性。在其他各组之间相互比较发现这种差异不显著。这表明农村男性在其他因子上的心理健康水平明显优于城市男性和城市女性，19~26年龄段的其他各组在该因子上的心理健康水平差异不显著。

在27~34岁、45~54岁两个年龄组，城市男性、城市女性、农村男性以及农村女性分别与同龄组其他群体相比，他们在其他因子上的得分差异均没有达到显著水平。这表明，这两个年龄段的4组群体在其他因子上的心理健康水平分别不存在显著差异。

在35～44年龄组，农村男性在其他因子上的得分显著低于其他3组同年龄段群体，除此之外，城市男性、城市女性以及农村女性任何两组的差异都没有达到显著水平。这表明，在35～44岁年龄组中，农村男性在其他因子上的心理健康水平显著高于其他各组水平，而城市男性、城市女性和农村女性在其他因子上的心理健康水平相比较都没有显著差异。

在55岁以上年龄组，农村男性在其他因子上的得分显著低于农村女性。此外，其他任何两组的差异都没有达到显著水平。由此可见，在55岁以上年龄组中，农村男性在其他因子上的心理健康水平显著高于农村女性，其余各组在其他因子上的心理健康水平差异均不显著。

综合以上对不同年龄段的城市男性、城市女性、农村男性和农村女性在其他因子上的心理健康水平的分析，我们可以发现，除了27～34岁和45～54岁年龄组各个群体在其他因子上的心理健康水平没有显著性差异外，在其他各年龄段，农村男性在其他因子上的心理健康水平均相对较好。

（二）SCL－90测验学生部分结果分析

1．检测概况　我们在河北、浙江省和广西壮族自治区三省共选取了10356名学生被试施测SCL－90测验，其中农村学生3824人，城市学生6532人。其性别和年龄分布的详细资料如表2－4－5所示。

表2－4－5　SCL－90测验检测人群（学生）分布表（人）

年龄（岁）	城市			农村			合计
	男	女	小计	男	女	小计	
10～12	676	664	1340	277	306	583	1923
13～14	820	782	1602	462	500	962	2564
15～16	760	729	1489	598	745	1343	2832
17～18	771	919	1690	451	347	798	2488
19～23	196	215	411	86	52	138	549
合计	3223	3309	6532	1874	1950	3824	10356

2．检测结果

（1）河北省　河北省共检测3540人，其中农村学生1742人，城市学生1798人，男生1586人，女生1954人，其性别和年龄分布的详细资料如表2－4－6所示。

表2－4－6　SCL－90测验检测人群（河北学生）分布表（人）

年龄（岁）	农村			城市			合计
	男	女	小计	男	女	小计	
10～12	50	98	148	36	36	72	220
13～14	210	244	454	134	166	300	754
15～16	306	410	716	263	289	552	1268
17～18	208	157	365	230	400	630	995
19～23	41	18	59	108	136	244	303
合计	815	927	1742	771	1027	1798	3540

学生SCL－90测验共包括10个不同因子，分别为躯体化、强迫症状、人际敏感、抑郁、焦虑、敌对、恐怖、偏执、精神病性和其他，数据资料汇总表3－4－131～3－4－180呈现了这十个因子测验的结果。

1）躯体化　学生SCL-90测验的躯体化因子在河北省4市县的详细情况见数据汇总表3-4-132~3-4-135，趋势曲线见图2-4-31。本文分别对不同年龄组的城市男生、城市女生、农村男生和农村女生在躯体化因子上的得分进行了平均数的多重比较，结果如下。

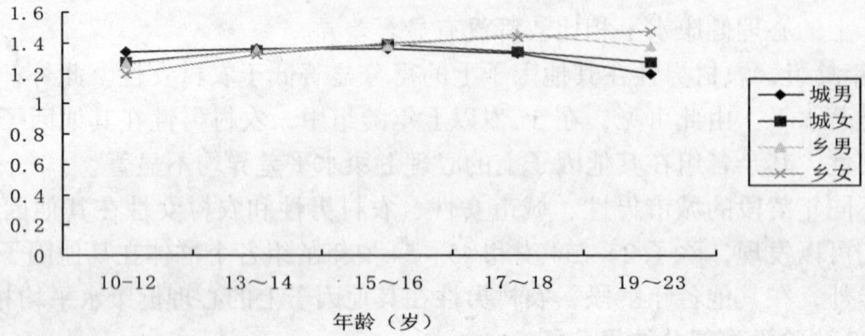

图2-4-31　躯体化因子随着年龄增长变化趋势曲线

城市男生在躯体化因子上的得分随着年龄的增长表现出如下趋势：19~23岁年龄组的城市男生在躯体化因子上的得分显著低于除10~12岁以外的另3个年龄组。除此之外，对其他年龄组在该因子上的得分进行比较发现均没有显著的差异。此结果表明，19~23岁年龄组的城市男生在躯体化因子上的心理健康水平与13岁以上的3个年龄组相比较好。其他年龄组在该因子上的心理健康水平差异不显著。

城市女生在躯体化因子上的得分随着年龄的增长表现出如下趋势：除了15~16岁年龄组的城市女生在躯体化因子上的得分显著高于19~23岁年龄组外，其他各年龄组在该因子上的得分相互比较均没有显著的差异。此结果表明，15~16岁年龄组的城市女生在躯体化因子上的心理健康水平不如19~23岁年龄组，除此之外，其他各年龄组在躯体化因子上的心理健康水平相互比较均没有显著差异。

农村男生在躯体化因子上的得分随着年龄的增长表现出如下趋势：15~16岁年龄段的农村男生在躯体化因子上的得分显著高于比他们年少的两个年龄组，但其他各年龄组在该因子上的得分差异均不显著。这表明，15~16岁年龄段的农村男生在躯体化因子上的心理健康水平不如比他们年少的两个年龄组，除此之外，其他各年龄组在该因子上的心理健康水平的比较均没有显著差异。

农村女生在躯体化因子上的得分随着年龄的增长表现如下的趋势：10~12岁的农村女生在躯体化因子上的得分显著低于除19~23岁以外的另3个年龄组。同时，13~14岁年龄段得分显著低于15~16岁和17~18岁两个年龄段。其他各年龄组在该因子上的得分差异均不显著。这表明，10~12岁年龄段的农村女生在躯体化因子上的心理健康水平明显超过除19~23岁以外的另3个年龄组，13~14岁年龄段在该因子上的心理健康水平也超过15~16岁和17~18岁的水平。此外，其他各年龄组在该因子上的心理健康水平差异均不显著。

综合上面的结果，我们可以发现，城市男生、城市女生、农村男生和农村女生4个不同的群体在躯体化因子上的得分随着年龄的增长表现出不同的趋势，可见这4个群体之间并不是完全同质的群体，因此，为了进一步了解这4个不同群体之间的差异，我们又对这4个不同群体躯体化因子得分的差异进行了分析，结果如下。

在10~12岁、13~14岁和15~16岁年龄组中，城市男生、城市女生、农村男生和农村女生中的任何一个群体与同龄组其他群体比较发现其差异都没有达到显著水平。此结果表明，这些年龄组中的任何一个群体与同龄组其他群体比较而言，他们在躯体化因子上的心理健康水平差异均不显著。

在17~18岁年龄组，城市男生在躯体化因子上的得分显著低于农村男生和农村女生，而且农村女生在躯体化因子上的得分显著高于城市男生和城市女生。其他各组的得分之间都没有显著的差异。

此结果表明，在 17～18 岁年龄组中，城市男生在躯体化因子上的心理健康水平明显好于农村男生和农村女生，农村女生在躯体化因子上的心理健康水平比城市男生和城市女生差。其他各组在躯体化因子上的心理健康水平比较都没有显著的差异。

在 19～23 岁年龄组，城市男生在躯体化因子上的得分显著低于农村男生和农村女生，而其他各组的得分之间不存在显著差异。由此可见，在 19～23 岁年龄组中，城市男生在躯体化因子上的心理健康水平好于农村男生和农村女生，而其他组在躯体化因子上的心理健康水平相互比较都没有显著的差异。

综合以上对不同年龄组的城市男生、城市女生、农村男生和农村女生在躯体化因子上的心理健康水平的分析，我们可以发现，在大多数年龄段城市男生在躯体化因子上的心理健康水平相对好于农村男生和农村女生，而农村女生在躯体化因子上的心理健康水平却比城市群体较差。

2）强迫症状　学生 SCL－90 测验的强迫症状因子在河北省 4 市县的详细情况见数据汇总表 3－4－137～3－4－140。趋势曲线见图 2－4－32。本文分别对不同年龄组的城市男生、城市女生、农村男生和农村女生在强迫症状因子上的得分进行了平均数的多重比较，结果如下。

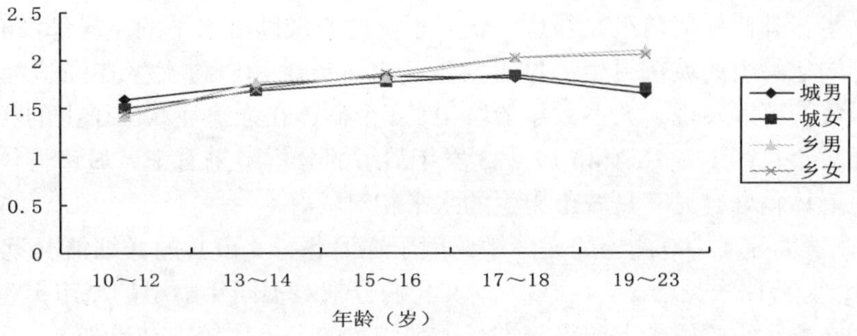

图 2－4－32　强迫症状因子随着年龄增长变化趋势曲线

城市男生在强迫症状因子上的得分随着年龄的增长表现出如下趋势：除了 15～16 岁年龄组的城市男生在强迫症状因子上的得分显著高于 19～23 岁年龄组外，其他年龄组在该因子上的得分相互比较均没有显著的差异。此结果表明，15～16 岁年龄组的城市男生在强迫症状因子上的心理健康水平不如 19～23 岁年龄组，其他年龄组在该因子上的心理健康水平相互比较均没有显著的差异。

城市女生在强迫症状因子上的得分随着年龄的增长表现出如下趋势：10～12 岁年龄组的城市女生在强迫症状因子上的得分显著低于 15～16 岁和 17～18 岁两个年龄组。此外，17～18 岁年龄组得分显著高于除 15～16 岁以外的另 3 个年龄组。其他年龄组在该因子上的得分相互比较均没有显著的差异。此结果表明，10～12 岁年龄组的城市女生在强迫症状因子上的心理健康水平与 15～16 岁和 17～18 岁两个年龄组相比较好，17～18 岁年龄组在强迫症状因子上的心理健康水平与除 15～16 岁以外的另 3 个年龄组相比，其水平较差。其他年龄组在该因子上的心理健康水平相互比较均没有显著的差异。

农村男生在强迫症状因子上的得分随着年龄的增长表现出如下趋势：除了 13～14 岁和 15～16 岁以及 17～18 岁和 19～23 岁两两之间相互比较不存在显著差异外，其他各组的比较都存在显著差异。这些差异表现在：10～12 岁年龄组的农村男生在强迫症状因子上的得分显著低于比他们年长的另 4 个年龄组，19～23 岁年龄组得分显著高于比他们年少的另外 3 个年龄组。此结果表明，随着年龄的增长，农村男生在强迫症状因子上的心理健康问题有越来越加重的趋势。

农村女生在强迫症状因子上的得分随着年龄的增长表现出如下趋势：10～12 岁年龄段农村女生在强迫症状因子上的得分显著低于另外 4 个年龄组，17～18 岁年龄段的农村女生在该因子上的得分显著高于相对年少的 3 个年龄组，此外，13～14 岁的农村女生在该因子上的得分也显著低于 15～16

岁年龄组。这说明，每个年龄组的农村女生在强迫症状因子上的心理健康水平都比年长于他们的各年龄组较好，比更年少的各年龄组水平要差。

综合上面的结果，我们可以发现，城市男生、城市女生、农村男生和农村女生4个不同的群体在强迫症状因子上的得分随着年龄的增长表现出不同的趋势，可见这4个群体之间并不是完全同质的群体，因此，为了进一步了解这4个不同群体之间的差异，我们又对这4个不同群体在强迫症状因子上得分的差异进行了分析，结果如下。

在相对较年少的3个年龄组中，城市男生、城市女生、农村男生和农村女生中的任何一组与同龄组的其他群体比较发现其差异都没有达到显著水平。此结果表明，这3个年龄组中的任何一组与同龄组其他群体在强迫症状因子上的心理健康水平差异均不显著。

在17～18岁年龄组，城市男生在强迫症状因子上的得分显著低于农村男生和农村女生，城市女生在强迫症状因子上的得分也显著低于农村男生和农村女生，但城市男生和城市女生之间，以及农村男生和农村女生之间的差异不显著。这说明该年龄组的城市群体在强迫症状因子上的心理健康水平比农村群体较好。

在19～23年龄组，农村男生在强迫症状因子上的得分显著高于城市男生和城市女生，除此之外，其他任何两组的差异都没有达到显著水平。这说明农村男生在强迫症状因子上的心理健康水平不如城市男生和城市女生，其他任何两组在强迫症状因子上的心理健康水平的差异都没有达到显著水平。

综合以上对不同年龄组的城市男生、城市女生、农村男生和农村女生在强迫症状因子上的心理健康水平的分析，我们可以发现，大多数年龄段中，4个群体在强迫症状因子上的相互比较都不存在显著差异。但从相对年长的17～18岁和19～23岁年龄组的分析结果看来，城市群体在该因子上的心理健康水平比农村群体稍好，尤其是城市男生的水平相对较好。

3）人际敏感　学生SCL－90测验的人际敏感因子在河北省4市县的详细情况见数据汇总表3－4－142～3－4－145，趋势曲线见图2－4－33。本文我们分别对不同年龄组的城市男生、城市女生、农村男生和农村女生在人际敏感因子上的得分进行了平均数的多重比较，结果如下。

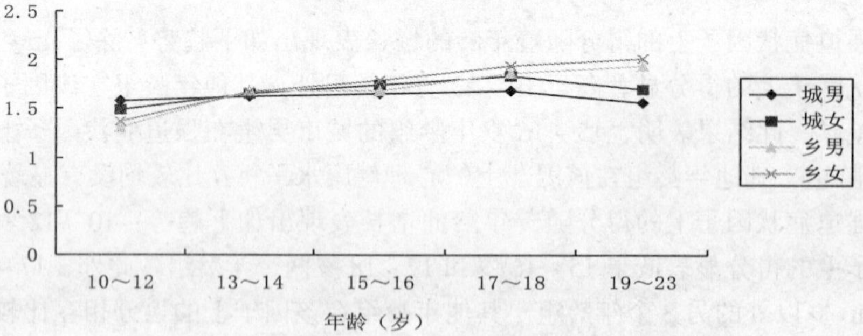

图2－4－33　人际敏感因子随着年龄增长变化趋势曲线

城市男生在人际敏感因子上的得分没有体现出因处于不同年龄组所造成的显著性年龄差异。这表明，他们在人际敏感因子上的心理健康水平没有显著的年龄增长特征。

城市女生在人际敏感因子上的得分随着年龄的增长表现出如下趋势：17～18岁年龄组的城市女生在人际敏感因子上的得分显著高于10～12岁以及13～14岁两个年龄组，除此之外，其他年龄组在该因子上的得分相互比较均没有显著的差异。此结果表明，17～18岁年龄组的城市女生在人际敏感因子上的心理健康水平不如10～12岁以及13～14岁的水平，其他年龄组在该因子上的心理健康水平差异不显著。

农村男生在人际敏感因子上的得分随着年龄的增长表现出如下趋势：除了13～14岁和15～16岁以及17～18岁和19～23岁之间两两比较不存在显著差异外，其他各组比较都存在显著差异。其中，

10～12 岁年龄组的农村男生在人际敏感因子上的得分显著低于比他们年长的另 4 个年龄组，17～18 岁和 19～23 岁年龄组得分分别高于比他们年少的 3 个年龄组，并且其差异达到了显著水平。由此可见，农村男生在人际敏感因子上的不良心理状况呈现随着年龄增长逐渐加重的趋势。

农村女生在人际敏感因子上的得分随着年龄的增长表现出如下趋势：10～12 岁年龄组的农村女生在人际敏感因子上的得分显著低于比他们年长的 4 个年龄组，除此之外，13～14 岁年龄组在该因子上的得分显著低于 17～18 岁年龄组，其他各组比较都不存在显著差异。这说明，10～12 岁年龄组的农村女生在人际敏感因子上的心理健康水平优于其他 4 个年龄组，13～14 岁年龄组在该因子上的心理健康水平也优于 17～18 岁年龄组，其他各组在人际敏感因子上的心理健康水平比较都不存在显著差异。

综合上面的结果，我们可以发现，城市男生、城市女生、农村男生和农村女生 4 个不同的群体在人际敏感因子上的得分随着年龄的增长表现出不同的趋势，可见这 4 个群体之间并不是完全同质的群体，因此，为了进一步了解这 4 个不同群体之间的差异，我们又对这 4 个不同群体在人际敏感因子上得分的差异进行了分析，结果如下。

在 10～12 岁和 13～14 岁年龄组，城市男生、城市女生、农村男生和农村女生 4 个群体分别与同龄组其他群体相比较，其在人际敏感因子上的得分差异都没有达到显著水平。这说明，这 4 个群体与同龄组其他群体的相互比较下，他们在人际敏感因子上的心理健康水平都没有显著的差异。

在 15～16 岁年龄组，城市男生在人际敏感因子上的得分显著低于农村女生，除此之外，其他任何两组得分的差异都没有达到显著水平。这说明，15～16 岁的城市男生在人际敏感因子上的心理健康水平胜于农村女生，其他各组在人际敏感因子上的心理健康水平都没有显著的差异。

在 17～18 岁年龄组，城市男生在人际敏感因子上的得分显著低于其他 3 组得分。除了这一差异外，其他任何两组的差异都没有达到显著水平。此结果表明，在 17～18 岁年龄组中，城市男生在人际敏感因子上的心理健康水平明显好于另外 3 组，其他各组在人际敏感因子上的心理健康水平比较都没有显著的差异。

在 19～23 岁年龄组，城市男生在人际敏感因子上的得分显著低于农村男生和农村女生，而农村男生在该因子上的得分显著高于城市男生和城市女生。除了这一差异外，其他任何两组的差异都没有达到显著水平。此结果表明，在 19～23 岁年龄组中，城市男生在人际敏感因子上的心理健康水平优于农村男生和农村女生，而农村男生在该因子上的心理健康水平不如城市男生和城市女生，其他任何两组在该因子上的心理健康水平差异都没有达到显著水平。

综合以上对不同年龄组的城市男生、城市女生、农村男生和农村女生在人际敏感因子上的心理健康水平的分析，我们可以发现，在前两个相对年少的年龄组中，各群体之间的心理健康水平差异并不显著，但在其他年龄组中，城市男生在人际敏感因子上的心理健康水平相对较好。

4）抑郁　学生 SCL－90 测验的抑郁因子在河北省 4 市县的详细情况见数据汇总表 3－4－147～3－4－150，趋势曲线见图 2－4－34。本文分别对不同年龄组的城市男生、城市女生、农村男生和农村女生在抑郁因子上的得分进行了平均数的多重比较，结果如下。

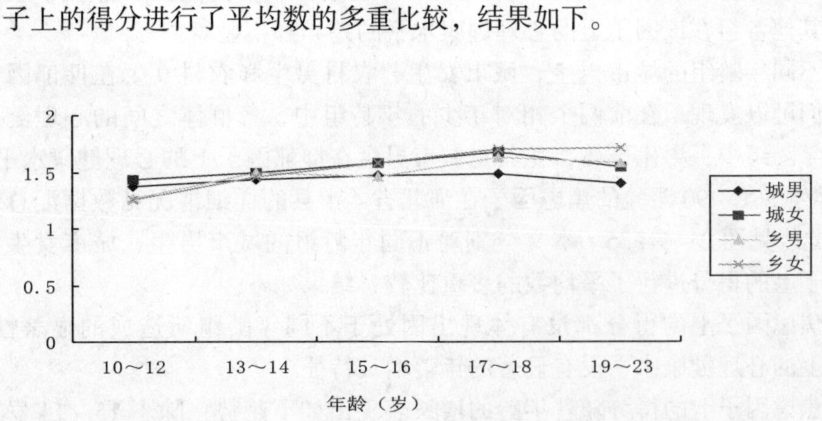

图 2－4－34　抑郁因子随着年龄增长变化趋势曲线

城市男生在抑郁因子上的得分都没有体现出因处于不同年龄组所造成的显著性差异。这表明，他们在抑郁因子上的心理健康水平没有显著的年龄增长特征。

城市女生在抑郁因子上的得分随着年龄的增长表现出如下趋势：13～14岁年龄组的城市女生在抑郁因子上的得分显著低于17～18岁年龄组。除此之外，其他年龄组在该因子上的得分相互比较均没有显著的差异。此结果表明，13～14岁年龄组的城市女生在抑郁因子上的心理健康水平明显超过17～18岁年龄组水平。其他年龄组在该因子上的心理健康水平互相比较均没有显著的差异。

农村男生在抑郁因子上的得分随着年龄的增长表现出如下趋势：10～12岁年龄组的农村男生在抑郁因子上的得分显著低于另外4个较年长的年龄组。此外，15～16岁年龄组的农村男生在抑郁因子上的得分显著低于17～18岁年龄组。其他各年龄组在该因子上的得分差异均不显著。这表明10～12岁年龄组的农村男生在抑郁因子上的心理健康水平优于另外4个较年长的年龄组，15～16岁年龄组的农村男生在抑郁因子上的心理健康水平也比17～18岁年龄组较好。其他各年龄组在该因子上的心理健康水平差异均不显著。

农村女生在抑郁因子上的得分随着年龄的增长表现出如下的趋势：10～12岁年龄组的农村女生在抑郁因子上的得分显著低于其他4个年龄组，15～16岁年龄组的得分显著高于比他们年少的两个年龄组，17～18岁年龄组得分也显著高于10～12岁和13～14岁两个年龄组得分。由此可见，农村女生在抑郁因子上的不良心理状况呈现出随年龄增长而逐渐加重的趋势。

综合上面的结果，我们可以发现，城市男生、城市女生、农村男生和农村女生4个不同的群体在抑郁因子上的得分随着年龄的增长表现出不同的趋势，可见这4个群体之间并不是完全同质的群体，因此，为了进一步了解这4个不同群体之间的差异，我们又对这4个不同群体抑郁因子得分的差异进行了分析，结果如下。

在10～12岁和13～14岁年龄组，城市男生、城市女生、农村男生和农村女生分别与同龄组其他群体相比较，其在抑郁因子上的得分差异都没有达到显著水平。这说明，这两个年龄段的4个群体与同龄群体相比，他们在抑郁因子上的心理健康水平都没有显著的差异。

在15～16岁年龄组，城市男生在抑郁因子上的得分显著低于农村女生，同时，农村男生在抑郁因子上的得分显著低于城市女生和农村女生，而其他组的得分之间不存在显著差异。由此可见，在15～16岁年龄组中，城市男生在抑郁因子上的心理健康水平比农村女生好，农村男生在该因子上的心理健康水平比城市女生和农村女生好，其他各组在该因子上的心理健康水平的差异都不显著。

在17～18岁年龄组，城市男生在抑郁因子上的得分显著低于另外3个群体的得分，除了这一差异外，其他各组得分之间都不存在显著差异。这说明，在17～18岁年龄组中，城市男生在抑郁因子上的心理健康水平比另外3个群体较好，其他各组在该因子上的心理健康水平相互比较都不存在显著差异。

在19～23岁年龄组，城市男生在抑郁因子上的得分显著低于城市女生，除此之外，其他各组在该因子上的得分都没有显著差异。这说明，在该年龄组中，城市男生在抑郁因子上的心理健康水平优于城市女生，其他各组在该因子上的心理健康水平的差异都不显著。

综合以上对不同年龄组的城市男生、城市女生、农村男生和农村女生在抑郁因子上的心理健康水平的分析，我们可以发现，在前两个相对年少的年龄组中，各群体之间的心理健康水平差异并不显著，但在其他年龄组中，男生群体，尤其是城市男生在抑郁因子上的心理健康水平相对较好。

5）焦虑　学生SCL－90测验的焦虑因子在河北省4市县的详细情况见数据汇总表3－4－152～3－4－155，趋势曲线见图2－4－35。本文分别对不同年龄组的城市男生、城市女生、农村男生和农村女生在焦虑因子上的得分进行了平均数的多重比较，结果如下。

城市男生在焦虑因子上的得分都没有体现出因处于不同年龄组所造成的显著性差异。这表明，他们在焦虑因子上的心理健康水平没有显著的年龄增长特征。

城市女生在焦虑因子上的得分随着年龄的增长表现出如下趋势：除了13～14岁年龄组的城市女生在焦虑因子上的得分显著低于17～18岁年龄组之外，其他各年龄组在该因子上的得分相互比较都

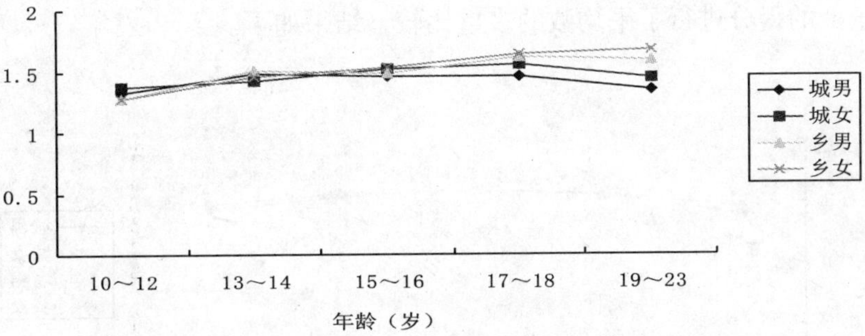

图 2-4-35　焦虑因子随着年龄增长变化趋势曲线

没有显著的差异。由此可发现，除了 13~14 岁之间的城市女生在焦虑因子上的心理健康水平明显好于 17~18 岁年龄组之外，其他各年龄组在该因子上的心理健康水平都没有显著的差异。

农村男生在焦虑因子上的得分随着年龄的增长表现出如下趋势：10~12 岁年龄组的农村男生在焦虑因子上的得分显著低于另外 4 个年龄段得分，另外，15~16 岁年龄段农村男生在焦虑因子上的得分也显著低于 17~18 岁年龄组得分，而其他各年龄组在该因子上的得分差异均不显著。这表明 10~12 岁年龄组的农村男生在焦虑因子上的心理健康水平相对另外 4 个年龄组较好，15~16 岁年龄段农村男生在焦虑因子上的心理健康水平相对 17~18 岁年龄段较好，其他各年龄段在该因子上的得分差异均不显著。

农村女生在焦虑因子上的得分随着年龄的增长表现出如下趋势：10~12 岁年龄组的农村女生在焦虑因子上的得分显著低于另外 4 个年龄组得分，此外，17~18 岁年龄段农村女生在焦虑因子上的得分显著高于比他们年少的 10~12 岁和 13~14 岁两个年龄段。其他各年龄段在该因子的得分差异均不显著。这表明 10~12 岁年龄组的农村女生在焦虑因子上的心理健康水平胜于另外 4 个年龄段，17~18 岁年龄段农村女生在焦虑因子上的心理健康水平不如 10~12 岁和 13~14 岁两个年龄组。其他各年龄组在该因子的心理健康水平差异均不显著。

综合上面的结果，我们可以发现，城市男生、城市女生、农村男生和农村女生 4 个不同的群体在焦虑因子上的得分随着年龄的增长表现出不同的趋势，可见这 4 个群体之间并不是完全同质的群体，因此，为了进一步了解这 4 个不同群体之间的差异，我们又对这 4 个不同群体在焦虑因子上得分的差异进行了分析，结果如下。

在 10~12 岁、13~14 岁和 15~16 岁 3 个相对年少的年龄组内，城市男生、城市女生、农村男生和农村女生中的任何一个群体在焦虑因子上的得分与同年龄组其他群体比较都没有显著差异。此结果表明，这 3 个年龄组中的任何一个群体与同龄组其他群体在焦虑因子上的心理健康水平差异均不显著。

在 17~18 岁年龄组，城市男生在焦虑因子上的得分均显著低于其他 3 组得分，除此之外，其他各组在焦虑因子上得分的差异性不显著。这说明城市男生在焦虑因子上的心理健康水平明显优于其他 3 组水平，其他各组在该因子上的心理健康水平差异性不显著。

在 19~23 岁年龄组，城市男生在焦虑因子上的得分显著低于农村男生和农村女生两个年龄组，除此之外，其他各组在该因子上的得分差异均不显著。这种结果说明，在 19~23 岁年龄组中，城市男生在焦虑因子上的心理健康水平优于农村男生和农村女生组，其他各组在焦虑因子上的心理健康水平差异均不显著。

综合以上对不同年龄组的城市男生、城市女生、农村男生和农村女生在焦虑因子上的心理健康水平的分析，我们可以发现，在前 3 个相对年少的年龄组中，各群体之间的心理健康水平差异并不显著，但在其他年龄组中，城市群体，尤其是城市男生在焦虑因子上的心理健康水平相对较好。

6）敌对　学生 SCL－90 测验的敌对因子在河北省 4 市县的详细情况见数据汇总表 3－4－157～3－4－160，趋势曲线见图 2－4－36。本文分别对不同年龄组的城市男生、城市女生、农村男生和农村女生在敌对因子上的得分进行了平均数的多重比较，结果如下。

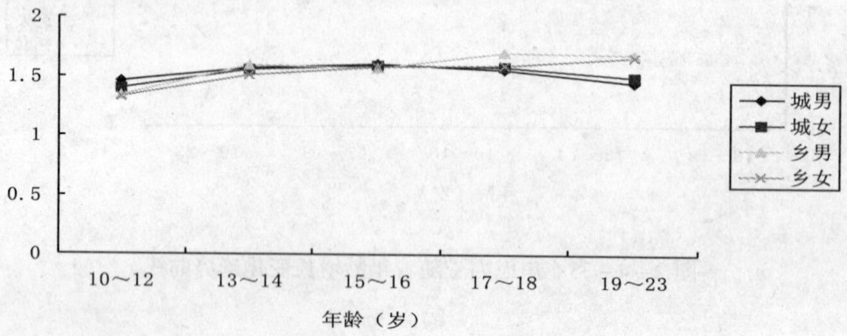

图 2－4－36　敌对因子随着年龄增长变化趋势曲线

城市男生和城市女生在敌对因子上的得分都没有体现出因处于不同年龄组所造成的显著性年龄差异。这表明，他们在敌对因子上的心理健康水平没有显著的年龄增长特征。

农村男生在敌对因子上的得分随着年龄的增长表现出如下趋势：10～12 岁年龄组的农村男生在敌对因子上的得分显著低于年长于他们的其他 4 个年龄组，除此之外，其他各年龄组的得分之间都没有显著的差异。这表明，10～12 岁的农村男生在敌对因子上的心理健康水平比其他 4 个年龄组相对较好，而且他们的差异已经达到显著水平。其他各年龄组的心理健康水平不存在显著差异。

农村女生在敌对因子上的得分随着年龄的增长表现出如下趋势：10～12 岁年龄组的农村女生在敌对因子上的得分显著低于除 19～23 岁以外的另外 3 个年龄组得分，除此之外，其他各年龄组相互比较得出的差异均不显著。这表明 10～12 岁年龄组的农村女生在敌对因子上的心理健康水平优于除 19～23 岁以外的另外 3 个年龄组，其他各年龄组在敌对因子上的心理健康水平相互比较均不显著。

综合上面的结果，我们可以发现，城市男生、城市女生、农村男生和农村女生 4 个不同的群体在敌对因子上的得分随着年龄的增长表现出不同的趋势，可见这 4 个群体之间并不是完全同质的群体，因此，为了进一步了解这 4 个不同群体之间的差异，我们又对这 4 个不同群体在敌对因子上得分的差异进行了分析，结果如下。

在 10～12 岁、13～14 岁、15～16 岁以及 19～23 岁这些年龄组，城市男生、城市女生、农村男生和农村女生中的任何一个群体在焦虑因子上的得分与同年龄组其他群体比较都没有显著差异。此结果表明，这些年龄组中的任何一个群体与其他同龄群体在焦虑因子上的心理健康水平差异均不显著。

在 17～18 岁年龄组，城市男生在敌对因子上的得分显著低于农村男生，除了这一差异外，其他任何两组得分的差异都没有达到显著水平。此结果表明，在 17～18 岁年龄组中，城市男生在敌对因子上的心理健康水平优于农村男生，而其他各组在敌对因子上的心理健康水平相互比较都没有显著的差异。

综合以上对不同年龄组的城市男生、城市女生、农村男生和农村女生在敌对因子上的心理健康水平的分析，我们可以发现，除了 17～18 岁年龄组外，其他 4 个年龄组中，城市男生、城市女生、农村男生和农村女生在敌对因子上的心理健康水平差异都未达到显著水平，城市男生在该因子上的心理健康水平相对较好。

7）恐怖　学生 SCL－90 测验的恐怖因子在河北省 4 市县的详细情况见数据汇总表 3－4－162～3－4－165，趋势曲线见图 2－4－37。本文分别对不同年龄组的城市男生、城市女生、农村男生和农村女生在恐怖因子上的得分进行了平均数的多重比较，结果如下。

城市男生在恐怖因子上的得分随着年龄的增长表现出如下趋势：13～14 岁年龄组的城市男生在

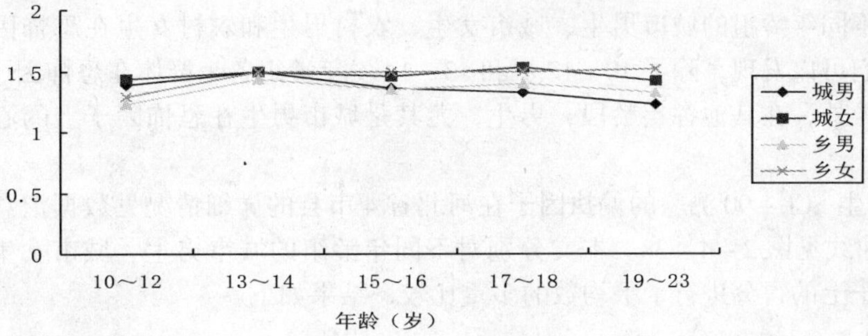

图 2-4-37　恐怖因子随着年龄增长变化趋势曲线

恐怖因子上的得分显著高于 19~23 岁年龄组，而其他各年龄组得分之间均不存在显著差异。此结果表明，13~14 岁年龄组的城市男生在恐怖因子上的心理健康水平比 19~23 岁年龄组较差。其他各年龄组在该因子上的心理健康水平相互比较都没有显著差异。

城市女生在恐怖因子上的得分都没有体现出因处于不同年龄组所造成的显著性差异。这表明，他们在恐怖因子上的心理健康水平没有显著的年龄增长特征。

农村男生在恐怖因子上的得分随着年龄的增长表现出如下趋势：10~12 岁年龄组的农村男生在恐怖因子上的得分低于除 19~23 岁以外的另 3 个年龄组，其差异分别达到了显著水平。其他各年龄组的得分相互比较没有显著差异。此结果表明，10~12 岁的农村男生在恐怖因子上的心理健康水平优于除 19~23 岁以外的另 3 个年龄组，其他各年龄组在恐怖因子上的心理健康水平相互比较均不存在显著差异。

农村女生在恐怖因子上的年龄增长特征与农村男生的特征表现一致，即 10~12 岁年龄组的农村女生在恐怖因子上的得分显著低于除 19~23 岁以外的另 3 个年龄组，其他各年龄组的得分相互比较没有显著差异。这表明，10~12 岁的农村女生在恐怖因子上的心理健康水平优于除 19~23 岁以外的另 3 个年龄组，其他各年龄组在该因子上的心理健康水平相互比较均没有显著的差异。

综合上面的结果，我们可以发现，城市男生、城市女生、农村男生和农村女生 4 个不同的群体在恐怖因子上的得分随着年龄的增长表现出不同的趋势，可见这 4 个群体之间并不是完全同质的群体，因此，为了进一步了解这 4 个不同群体之间的差异，我们又对这 4 个不同群体在恐怖因子上得分的差异进行了分析，结果如下。

在 10~12 岁和 13~14 岁年龄组，城市男生、城市女生、农村男生以及农村女生在恐怖因子上的得分与同龄组其他群体相互比较发现他们的得分之间均没有显著差异。这表明，在 10~12 岁和 13~14 岁年龄组，这 4 个群体在恐怖因子上的心理健康水平与他们同龄组其他群体相比较均不存在显著差异。

在 15~16 岁年龄组，城市男生在恐怖因子上的得分显著低于城市女生和农村女生，同时，农村男生在恐怖因子上的得分也显著低于城市女生和农村女生，城市男生和农村男生以及城市女生和农村女生之间比较其差异不显著。这表明，不论是地处城市或农村，男生在恐怖因子上的心理健康水平总是好于女生，但城市男生和农村男生以及城市女生和农村女生两两之间在恐怖因子上的心理健康水平差异不显著。

在 17~18 岁年龄组，城市男生在恐怖因子上的得分显著低于城市女生和农村女生，而城市女生在该因子上的得分显著高于城市男生和农村男生。其余各组的差异都未达到显著水平。该结果说明，城市男生在恐怖因子上的心理健康水平优于城市女生和农村女生，而城市女生在该因子上的心理健康水平与城市男生和农村男生比较相对较低。

在 19~23 岁年龄组，城市男生在恐怖因子上的得分显著低于城市女生。除此之外，其他任何两组的差异都没有达到显著水平。此结果表明，在该年龄组中，城市男生在恐怖因子上的心理健康水平超过城市女生，而其他各组在恐怖因子上的心理健康水平相互比较都不存在显著差异。

综合以上对不同年龄组的城市男生、城市女生、农村男生和农村女生在恐怖因子上的心理健康水平的分析，我们可以发现，除了10~12岁和13~14岁年龄组各个群体在恐怖因子上的心理健康水平没有显著性差异外，在其他各年龄段，男生，尤其是城市男生在恐怖因子上的心理健康水平相对较好。

8）偏执　学生SCL-90测验的偏执因子在河北省4市县的详细情况见数据汇总表3-4-167~3-4-170，趋势曲线见图2-4-38。本文分别对不同年龄组的城市男生、城市女生、农村男生和农村女生在偏执因子上的得分进行了平均数的多重比较，结果如下。

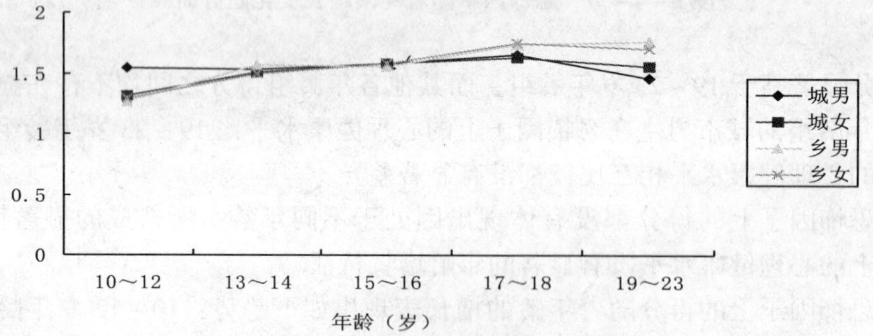

图2-4-38　偏执因子随着年龄增长变化趋势曲线

城市男生在偏执因子上的得分随着年龄的增长表现出如下趋势：17~18岁年龄段的城市男生在偏执因子上的得分显著高于19~23岁年龄组。在其他年龄组，对各组得分进行比较发现均没有显著差异。这表明，17~18岁年龄段的城市男生在偏执因子上的心理健康水平不如19~23岁年龄组，其他各年龄组在偏执因子上的心理健康水平没有显著差异。

城市女生在偏执因子上的得分随着年龄的增长表现出如下趋势：10~12岁之间的城市女生在偏执因子上的得分显著低于除13~14岁以外的另外3个年龄组，除此之外，其余各组得分比较均没有显著的差异。该结果表明，10~12岁之间的城市女生在偏执因子上的心理健康水平优于除13~14岁以外的另外3个年龄组，其余各组在偏执因子上的心理健康水平比较均没有显著差异。

农村男生在偏执因子上的得分随着年龄的增长表现出如下趋势：10~12岁年龄段的农村男生在偏执因子上的得分显著低于比他们年长的4个年龄组，同时，17~18岁的农村男生在偏执因子上的得分显著高于比他们年少的3个年龄组。除此之外，其他各年龄组在该因子上的得分差异均不显著。这表明在这4组群体中，10~12岁年龄段的农村男生在偏执因子上的心理健康水平最好，17~18岁的农村男生在该因子上的心理健康水平相对最差。

农村女生在偏执因子上的得分随着年龄的增长表现出如下趋势：10~12岁年龄段的农村女生在偏执因子上的得分显著低于除19~23岁以外的其他3个年龄组，而17~18岁的农村女生在偏执因子上的得分显著高于比他们年少的其他3个年龄组。19~23岁的农村女生与其他3组相比都没有显著差异。这表明在这4组群体中，10~12岁年龄段的农村女生在偏执因子上的心理健康水平最好，17~18岁的农村女生在该因子上的心理健康水平相对最差，19~23岁的农村女生与其他3组相比在该因子上的心理健康水平差异不显著。

综合上面的结果，我们可以发现，城市男生、城市女生、农村男生和农村女生4个不同的群体在偏执因子上的得分随着年龄的增长表现出不同趋势，可见这4个群体之间并不是完全同质的群体，因此，为了进一步了解这4个不同群体之间的差异，我们又对这4个不同群体在偏执因子上得分的差异进行了分析，结果如下。

在 10~12 岁、13~14 岁、15~16 岁以及 19~23 岁这些年龄组，城市男生、城市女生、农村男生和农村女生中的任何一个群体在偏执因子上的得分与同年龄组其他群体比较都没有显著差异。此结果表明，这些年龄组中的任何一个群体与其他同龄群体在偏执因子上的心理健康水平差异均不显著。

在 17~18 岁年龄组，城市男生在偏执因子上的得分显著低于农村男生，除了这一差异外，其他任何两组得分的差异都没有达到显著水平。此结果表明，在 17~18 岁年龄组中，城市男生在偏执因子上的心理健康水平优于农村男生，而其他各组在敌对因子上的心理健康水平相互比较都没有显著的差异。

综合以上对不同年龄组的城市男生、城市女生、农村男生和农村女生在偏执因子上的心理健康水平的分析，我们可以发现，除了 17~18 岁年龄组外，在其他 4 个年龄组中，城市男生、城市女生、农村男生和农村女生在偏执因子上的心理健康水平差异都未达到显著水平。此外，城市男生在该因子上的心理健康水平比农村男生相对较好。

9）精神病性　学生 SCL-90 测验的精神病性因子在河北省 4 市县的详细情况见数据汇总表 3-4-172~3-4-175，趋势曲线见图 2-4-39。本文分别对不同年龄组的城市男生、城市女生、农村男生和农村女生在精神病性因子上的得分进行了平均数的多重比较，结果如下。

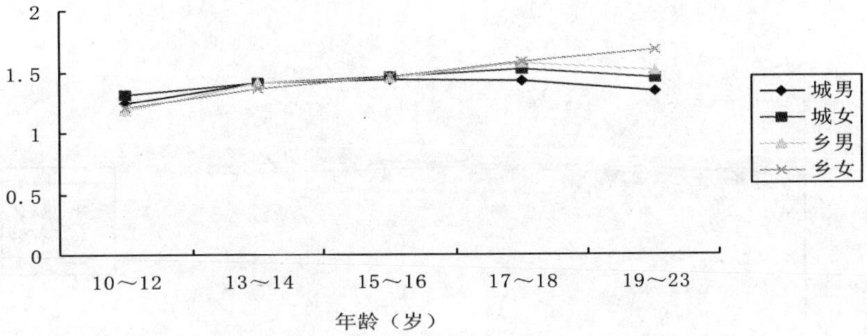

图 2-4-39　精神病性因子随着年龄增长变化趋势曲线

城市男生和城市女生在精神病性因子上的得分都没有体现出因处于不同年龄组所造成的显著性差异。这表明，他们在精神病性因子上的心理健康水平没有体现出显著的年龄增长特征。

农村男生在精神病性因子上的得分随着年龄的增长表现出如下趋势：10~12 岁年龄段的农村男生在精神病性因子上的得分显著低于另外 4 个年龄组，而 17~18 岁的农村男生在该因子上的得分显著高于比他们年少的其他 3 个年龄组。这表明在这 4 组群体中，10~12 岁年龄段的农村男生在精神病性因子上的心理健康水平最好，17~18 岁的农村男生在该因子上的心理健康水平与 3 组相对年少的群体相比最差。

农村女生在精神病性因子上的得分随着年龄的增长表现出如下趋势：19~23 岁年龄段的农村女生与除 10~12 岁以外的 3 个年龄段比较，他们在精神病性因子上的得分不存在显著差异，除此之外，其他各组得分相互比较得出的差异都达到了显著水平。其中，10~12 岁年龄组的农村女生在精神病性因子上的得分显著低于比他们年长的 4 个年龄组，15~16 岁和 17~18 岁两个年龄组得分分别高于比他们年少的年龄组，而且他们的差异也达到了显著水平。由此可见，10~12 岁年龄组的农村女生在精神病性因子上的心理健康水平相对最好，随着年龄的增长，他们在该因子上的精神病性特征有逐渐加重的趋势。

综合上面的结果，我们可以发现，城市男生、城市女生、农村男生和农村女生 4 个不同的群体在精神病性因子上的得分随着年龄的增长表现出不同的趋势，可见这 4 个群体之间并不是完全同质的群体，因此，为了进一步了解这 4 个不同群体之间的差异，我们又对这 4 个不同群体在精神病性因子上得分的差异进行了分析，结果如下。

在前3个相对较年少的年龄组，城市男生、城市女生、农村男生以及农村女生4个群体在精神病性因子上的得分与他们同龄组各群体相互比较均没有显著的差异。这表明，这3个年龄组的4个群体在精神病性因子上的心理健康水平与他们同龄组各群体比较都不存在显著差异。

在17～18岁年龄组，城市男生在偏执因子上的得分显著低于其他3个年龄组，除此之外，其他各年龄组得分相互比较不存在显著差异。这说明城市男生在偏执因子上的心理健康水平胜于其他3个年龄组，其他各年龄组在该因子上的心理健康水平相互比较不存在显著差异。

在19～23岁年龄组，城市男生在精神病性因子上的得分显著低于农村男生。除此之外，其他任何两组的差异都没有达到显著水平。由此可见，在19～23岁年龄组中，城市男生在精神病性因子上的心理健康水平明显好于农村男生。其余各组在精神病性因子上的心理健康水平差异均不显著。

综合以上对不同年龄组的城市男生、城市女生、农村男生和农村女生在精神病性因子上的心理健康水平的分析，我们可以发现，除了前3个相对较年少的年龄组外，其他各年龄组中，城市男生、城市女生、农村男生以及农村女生4个群体与同龄组其他群体比较，他们在精神病性因子上的心理健康水平差异显著，主要表现为城市男生在偏执因子上的心理健康水平相对较好。

10）其他　学生SCL－90测验的其他因子在河北省4市县的详细情况见数据汇总表3－4－177～3－4－180，趋势曲线见图2－4－40。本文分别对不同年龄组的城市男生、城市女生、农村男生和农村女生在其他因子上的得分进行了平均数的多重比较，结果如下。

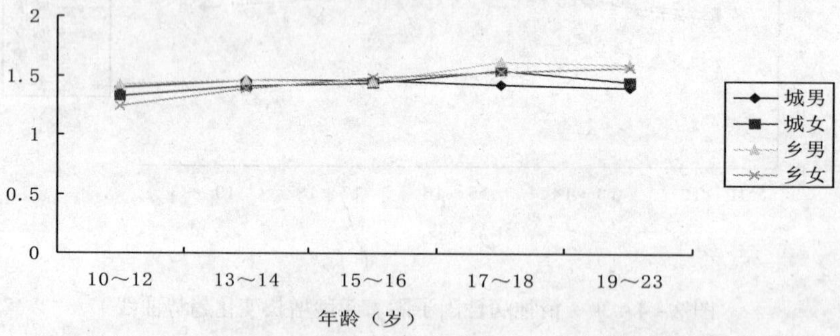

图2－4－40　其他因子随着年龄增长变化趋势曲线

城市男生在其他因子上的得分并未表现出随着年龄增长而显著变化的趋势。这表明城市男生不论处于什么年龄组，他们在其他因子上的心理健康水平都不存在显著差异。

城市女生在其他因子上的得分随着年龄的增长表现出如下的趋势：17～18岁年龄组的城市女生在其他因子的得分显著高于比他们年少的3个年龄组，除此之外，其他各组的得分相互之间没有显著差异。此结果表明，17～18岁年龄组的城市女生在其他因子的心理健康水平明显不如比他们年少的3个年龄组，其他各年龄组的心理健康水平相互比较均没有显著差异。

农村男生在其他因子上的得分随着年龄的增长表现出如下趋势：除了17～18岁年龄组的农村男生在其他因子上的得分显著高于13～14岁和15～16岁两个年龄组得分外，其他各年龄组得分相互比较均没有显著差异。这表明17～18岁年龄组的农村男生在其他因子上的心理健康水平不如13～14岁和15～16岁两个年龄组，除此之外，其他各年龄组在该因子上的心理健康水平相互比较均没有显著差异。

农村女生在其他因子上的得分随着年龄的增长表现出如下趋势：10～12岁年龄段的农村女生在其他因子上的得分显著低于比他们年长的其他4个年龄组，17～18岁年龄组的农村女生在其他因子上的得分显著高于10～12岁和13～14岁两个年龄组。这表明在这4组群体中，10～12岁年龄段的农村女生在其他因子上的心理健康水平最好，17～18岁的农村男生在该因子上的心理健康水平不如比他们年少的群体。

综合上面的结果，我们可以发现，城市男生、城市女生、农村男生和农村女生4个不同的群体在其他因子上的得分随着年龄的增长表现出不同的趋势，可见这4个群体之间并不是完全同质的群体，因此，为了进一步了解这4个不同群体之间的差异，我们又对这4个不同群体在其他因子上得分的差异进行了分析，结果如下。

在10～12岁、13～14岁、15～16岁以及19～23岁这些年龄组，城市男生、城市女生、农村男生和农村女生中的任何一个群体在其他因子上的得分与同年龄组其他群体比较都没有显著差异。此结果表明，这些年龄组中的任何一个群体与其他同龄群体在其他因子上的心理健康水平差异均不显著。

在17～18岁年龄组，城市男生在其他因子上的得分显著低于城市女生和农村男生，除此之外，其他任何两组的差异都没有达到显著水平。从这些比较可以看出，城市男生在其他因子上的心理健康水平优于城市女生和农村男生，其他任何两组在其他因子上的心理健康水平差异都没有达到显著水平。

综合以上对不同年龄组的城市男生、城市女生、农村男生和农村女生在其他因子上的心理健康水平的分析，我们可以发现，除了17～18岁年龄组外，其他4个年龄组中，城市男生、城市女生、农村男生和农村女生在偏执因子上的心理健康水平差异都未达到显著水平。此外，城市男生在该因子上的心理健康水平比农村男生相对较好。

（2）浙江省　浙江省共检测4466人，男生2321人，女生2145人，其性别和年龄分布的详细资料如表2－4－7所示。

表2－4－7　SCL－90测验检测人群（浙江学生）分布表（人）

年龄（岁）	性别		合计
	男	女	
10～12	654	641	1295
13～14	614	548	1162
15～16	460	427	887
17～18	507	446	953
19～23	86	83	169
合计	2321	2145	4466

学生SCL－90测验共包括10个不同因子，分别为躯体化、强迫症状、人际敏感、抑郁、焦虑、敌对、恐怖、偏执、精神病性和其他，数据资料汇总表3－4－181～3－4－230呈现了这10个因子测验的结果。

1）性别与学生的心理健康的关系　我们分别对不同年龄段的男女学生在10个不同因子上的得分进行了比较，结果发现，在不同的年龄段，男女学生在某个因子上的差异呈现出不同的趋势。

10～12岁的学生，10个因子中只有2个因子（敌对和其他）存在着显著的性别差异，而且都是男生的得分高于女生的得分，表明男生在敌对和其他两个因子上的心理健康水平不如女生。

13～14岁的学生，10个因子中只有1个因子（恐怖）存在着显著的性别差异，女生的得分高于男生，说明女生在这个因子上的心理健康水平不如男生。

15～16岁的学生，10个因子中有4个因子（抑郁、焦虑、恐怖和精神病性）存在着显著的性别差异，而且都是女生的得分高于男生的得分，说明女生在这4个因子上的心理健康水平不如男生。

17～18岁的学生，10个因子中有5个因子（抑郁、焦虑、恐怖、偏执和其他）存在着显著的性别差异。其中的4个因子（抑郁、焦虑、恐怖和其他）的性别差异表现为女生得分高于男生，表明女生在这4个因子上的心理健康水平不如男生；另一个因子的性别差异表现为男生在偏执因子上的得分显著高于女生的得分，说明男生在偏执因子上的心理健康水平不如女生。

19～23岁的学生，10个因子中没有一个因子存在着显著的性别差异。

2）年龄与学生的心理健康的关系　我们分别对男女学生在不同年龄段的心理健康水平进行比较，结果如下。

躯体化　学生SCL－90测验的躯体化因子在浙江省4市的详细情况见数据汇总表3－4－182～3－4－185，趋势曲线见图2－4－41。男生在躯体化因子上的表现使得我们可以把年龄段归为两个整体，一个整体是由10～12岁的学生和13～14岁的学生组成，另外一个整体是由15～16岁的学生、17～18岁的学生和19～23岁的学生组成，在各个整体的内部都没有显著的差异，但这两个整体之间都存在着显著的差异，即10～12岁的学生和13～14岁的学生在躯体化因子上的得分都显著低于15～16岁的学生、17～18岁的学生和19～23岁的学生。此结果表明前者在躯体化因子上的心理健康水平要好于后者。

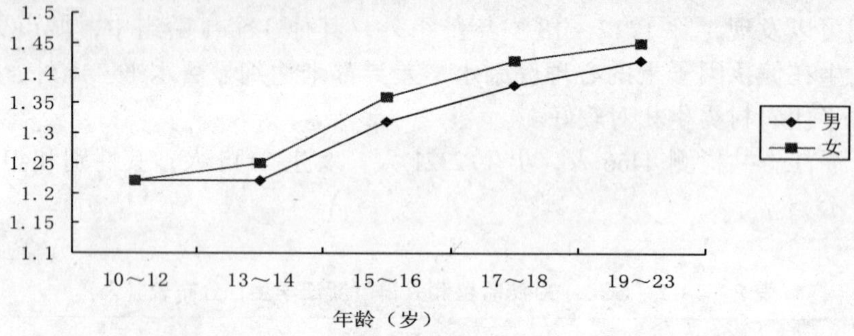

图2－4－41　躯体化因子随着年龄增长变化趋势曲线

女生在躯体化因子上的表现同样可以使得我们把年龄段分成两个整体，划分方法与男生的相同，即一个整体是由10～12岁的学生和13～14岁的学生组成，另外一个整体是由15～16岁的学生、17～18岁的学生和19～23岁的学生组成。但这两个整体的性质却与男生的有所不同，在第一个整体内部不同年龄段学生的得分有着显著的差异，其余的特点与男生相同，即在第二个整体内部不同年龄段学生的得分差异没有达到显著水平，第一个整体的任一年龄组得分都显著低于第二个整体的任一年龄组得分。此结果表明，随着年龄的增长，女生在躯体化因子上的心理健康水平有着逐渐恶化的趋势，但发展到一定阶段之后，恶化的趋势就停止了。

强迫症状　学生SCL－90测验的强迫症状因子在浙江省4市的详细情况见数据汇总表3－4－187～3－4－190，趋势曲线见图2－4－42。男生在强迫症状因子上随着年龄的变化表现出如下趋势，强迫症状因子得分随着年龄的增长有着逐渐升高的趋势，除了17～18岁的学生与19～23岁的学生得分之间没有显著差异外，其他任何两个年龄组得分之间都存在着显著的差异。此结果表明，男生在强迫症状因子上的心理健康水平有随着年龄的增长逐渐恶化的趋势，但到了17～18岁的时候，出现了

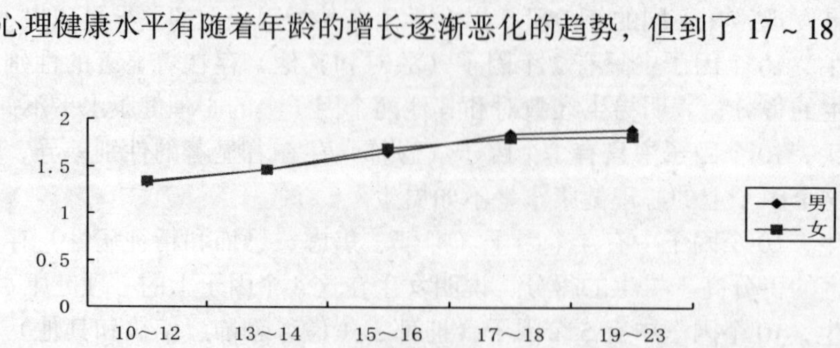

图2－4－42　强迫症状因子随着年龄增长变化趋势曲线

高原现象。

女生在强迫症状因子上却表现出不同的趋势，这种趋势仍然使得我们可以把年龄段划分为两个整体，一个是由10～12岁的学生和13～14岁的学生组成的整体，一个是由另外3个年龄组学生组成的整体，前者在强迫症状因子上的得分显著低于后者，而且，前者内部的两个组之间的差异也达到了显著水平，后者内部各组得分的差异并没有达到显著水平。结果表明，女生在强迫症状因子上的心理健康水平有随着年龄增长恶化的趋势，但是，到了15岁以后，这种恶化的趋势就停止了。

人际敏感　学生SCL－90测验的人际敏感因子在浙江省4市的详细情况见数据汇总表3－4－192～3－4－195，趋势曲线见图2－4－43。男女生在人际敏感因子上的得分的变化趋势表现出相同的趋势，即有随年龄增长逐渐升高的趋势，但是，17～18岁的学生与19～23岁的学生的得分之间并没有显著差异，其中15～16岁学生与19～23岁学生的得分之间也没有达到显著差异。此结果表明，学生人际敏感因子的心理健康水平随着年龄增长逐渐恶化，但是，到了17～18岁的时候，这种趋势就停止了。15～16岁的学生在人际敏感因子上的水平并没有与19～23岁的学生存在本质的差异，这说明他们在人际敏感因子上的心理健康水平也比较差。

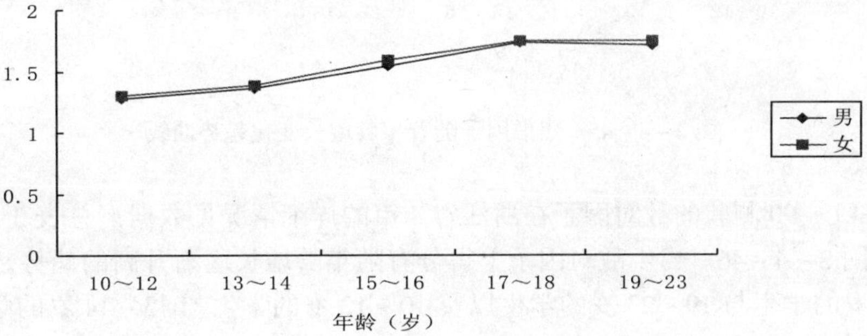

图2－4－43　人际敏感因子随着年龄增长变化趋势曲线

抑郁　学生SCL－90测验的抑郁因子在浙江省4市的详细情况见数据汇总表3－4－197～3－4－200，趋势曲线见图2－4－44。男女生在抑郁因子上的得分的变化趋势表现出相同的趋势，即有随年龄增长逐渐升高的趋势，但是，15～16岁的学生和17～18岁的学生与19～23岁的学生以及10～12岁的学生与13～14岁的学生的得分之间并没有显著差异。此结果表明，学生抑郁因子的心理健康水平随着年龄增长逐渐恶化，但是，在低年龄段比较稳定，到了17～18岁的时候，这种趋势就停止了。15～16岁的学生在抑郁因子上的表现并没有与19～23岁的学生有本质的差异，说明他们在抑郁因子上的心理健康水平也比较差。

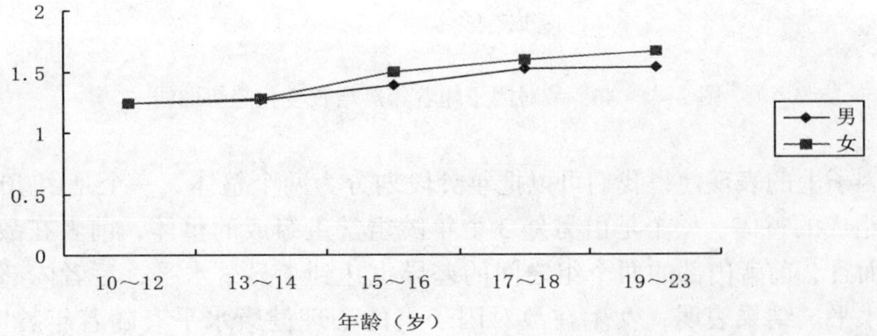

图2－4－44　抑郁因子随着年龄增长变化趋势曲线

焦虑　学生SCL-90测验的焦虑因子在浙江省4市的详细情况见数据汇总表3-4-202~3-4-205，趋势曲线见图2-4-45。男女生在焦虑因子上的表现基本上呈现相同的趋势，随着年龄的增长，得分逐渐上升。但年龄较小的两个组和年龄较大的两个组的得分之间没有显著差异，另外15~16岁的学生与19~23岁的学生的得分之间的差异也没有达到显著水平。此结果表明，男女生在焦虑因子上的心理健康水平有随着年龄增长逐渐恶化的趋势，但年龄较小两个组间和年龄较大的两个组间没有显著差异。15~16岁的学生在焦虑因子上的表现并没有与19~23岁的学生有本质的差异，说明他们在焦虑因子上的心理健康水平也比较差。

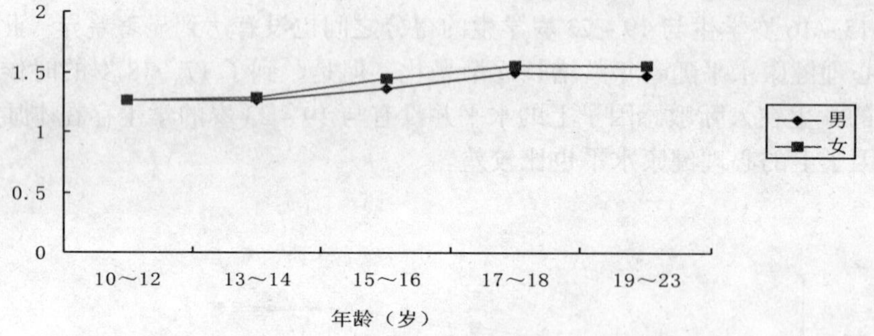

图2-4-45　焦虑因子随着年龄增长变化趋势曲线

敌对　学生SCL-90测验的敌对因子在浙江省4市的详细情况见数据汇总表3-4-207~3-4-210，趋势曲线见图2-4-46。男生敌对因子上得分有随年龄增长逐渐升高的趋势，但是，15~16岁的学生和17~18岁的学生与19~23岁的学生以及10~12岁的学生与13~14岁的学生的得分之间并没有显著差异。此结果表明，学生敌对因子的心理健康水平随着年龄增长逐渐恶化，但是，在低年龄段比较稳定，到了17~18岁的时候，这种趋势就停止了。15~16岁的学生在敌对因子上的表现并没有与19~23岁的学生有本质的差异，说明他们在敌对因子上的心理健康水平也比较差。

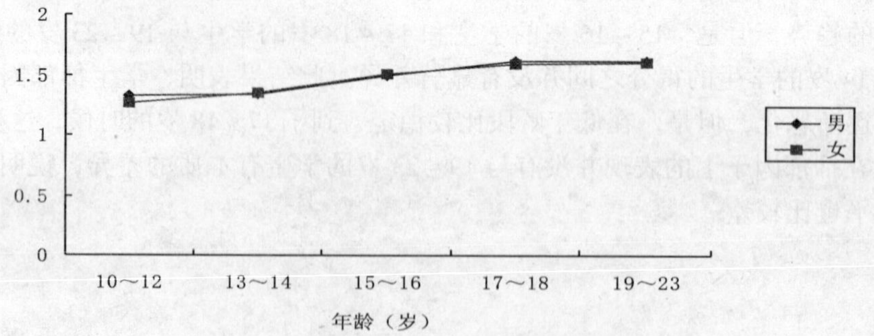

图2-4-46　敌对因子随着年龄增长变化趋势曲线

女生在敌对因子上的表现使得我们可以把年龄段划分为两个整体，一个是由10~12岁的学生和13~14岁的学生组成的整体，一个是由另外3个年龄组学生组成的整体，前者在敌对因子上的得分显著低于后者，而且，前者内部的两个组之间的差异也达到了显著水平，后者内部各组得分的差异并没有达到显著水平。结果表明，女生在敌对因子上的心理健康水平有随着年龄增长恶化的趋势，但是，到了15岁以后，这种恶化的趋势就停止了。

恐怖　学生SCL-90测验的恐怖因子在浙江省4市的详细情况见数据汇总表3-4-212~3-4-215，趋势曲线见图2-4-47。男生在恐怖因子上不同年龄段的组间差异只有两对达到了显著水平，分别是 10～12 岁的学生和 17～18 岁的学生，13～14 岁的学生与 17～18 岁的学生。此结果表明，男生在恐怖因子上的得分并没有随着年龄的变化表现出有一定规律的变化，17～18 岁的学生在恐怖因子上的心理健康水平比 10～14 岁的学生差。

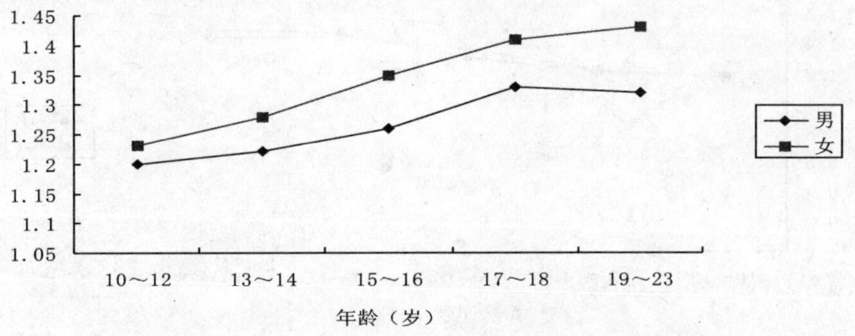

图 2-4-47　恐怖因子随着年龄增长变化趋势曲线

女生在恐怖因子上的表现可以使五个年龄段合并为两个，一个是 10～14 岁学生，另一个是 15～23 岁的学生，在这两个整体的内部，不同年龄组之间没有显著的差异，但是，第一个整体内的所有年龄段的学生的得分都显著低于第二个整体内的所有年龄段的学生的得分。此结果表明，女生在恐怖因子的心理健康水平在 14 和 15 岁之间出现了分界期，前一阶段要好于后一阶段。

偏执　学生 SCL-90 测验的偏执因子在浙江省 4 市的详细情况见数据汇总表 3-4-217～3-4-220，趋势曲线见图 2-4-48。男生除了 10～12 岁的学生与 13～14 岁的学生以及 17～18 岁的学生与 19～23 岁的学生的得分之间没有达到显著差异外，其他各组的差异都达到了显著水平，其中 15～16 岁的学生与 19～23 岁的学生的得分之间的差异达到了边缘显著水平（$P=0.051$）。此结果表明，男生在偏执因子上的心理健康水平有随着年龄增长逐渐恶化的趋势，但年龄较小两个组间和年龄较大的两个组间没有显著差异。

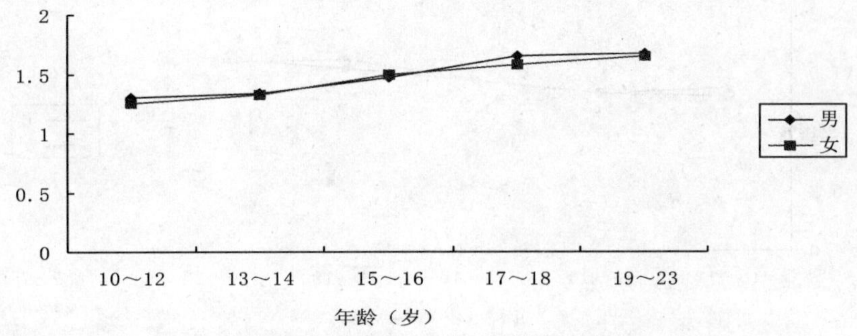

图 2-4-48　偏执因子随着年龄增长变化趋势曲线

女生在偏执因子上的表现使得我们可以把年龄段划分为两个整体，一个是由 10～12 岁的学生和 13～14 岁的学生组成的整体，一个是由另外 3 个年龄组学生组成的整体，前者在偏执因子上的得分显著低于后者，而且，前者内部的两个组之间的差异也达到了显著水平，后者内部各组得分的差异并没有达到显著水平。结果表明，女生在偏执因子上的心理健康水平有随着年龄增长恶化的趋势，但是，到了 15 岁以后，这种恶化的趋势就停止了。

精神病性　学生 SCL-90 测验的精神病性因子在浙江省 4 市的详细情况见数据汇总表 3-4-222～3-4-225，趋势曲线见图 2-4-49。男生除了 10～12 岁的学生与 13～14 岁的学生以及 17～18 岁的学生与19～23岁的学生的得分之间没有达到显著差异外，其他各组的差异都达到了显著水平。此结果表明，男生在精神病性因子上的心理健康水平有随着年龄增长逐渐恶化的趋势，但年龄较小两个组间和年龄较大的两个组间没有显著差异。

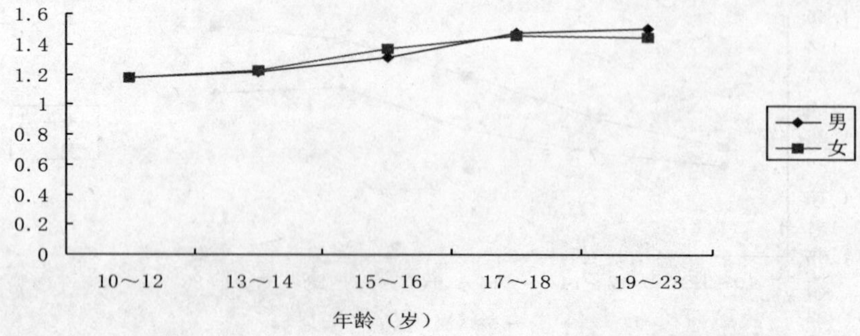

图2-4-49　精神病性因子随着年龄增长变化趋势曲线

女生的精神病因子随着年龄增长的变化趋势与男生基本相同，惟一不同之处在于15～16岁的学生与19～23岁的学生之间的差异没有达到显著水平。此结果表明，女生在精神病性因子上的心理健康水平有随着年龄增长逐渐恶化的趋势，但年龄较小两个组间和年龄较大的两个组间没有显著差异。

其他　学生SCL-90测验的其他因子在浙江省4市的详细情况见数据汇总表3-4-227～3-4-230，趋势曲线见图2-4-50。根据男生在其他因子上的表现，我们可以把年龄组重新划分为两大组，第一大组为10～16岁，第二大组为17～23岁。第一大组内所有年龄组的得分都显著低于第二大组内的所有年龄组的得分，第一大组内除13～14岁的学生与15～16岁的学生的得分之间出现了显著差异外，其他各组之间的差异都没有达到显著水平。第二大组内两个年龄组得分之间没有达到显著水平。此结果表明，年龄较小的大组在其他因子上的心理健康水平要好于年龄较大的大组，16、17岁是其他因子出现差异的年龄。

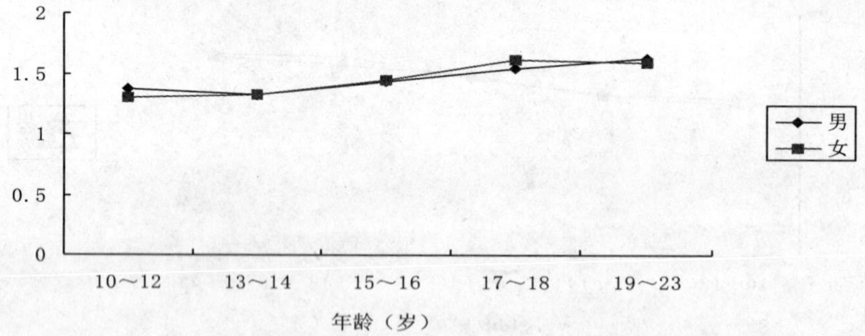

图2-4-50　其他因子随着年龄增长变化趋势曲线

女生在其他因子上的表现基本上呈现了如下的趋势，随着年龄的增长，得分逐渐上升。但年龄较小的两个组和年龄较大的两个组的得分之间没有显著差异，另外15～16岁的学生与19～23岁的学生的得分之间的差异也没有达到显著水平。此结果表明，女生在其他因子上的心理健康水平有随着年龄增长逐渐恶化的趋势，但年龄较小两个组间和年龄较大的两个组间没有显著差异。15～16岁的学生在其他因子上的表现并没有与19～23岁的学生有本质的差异，说明他们在其他因子上的心理健康水平也比较差。

3）　广西壮族自治区　广西壮族自治区共检测2350人，其中城市学生1303人，农村学生1047

人，男生 1190 人，女生 1160 人，其性别和年龄分布的详细资料如表 2－4－8 所示。

表 2－4－8　SCL－90 测验检测人群（广西学生）分布表（人）

年龄（岁）	农村			城市			合计
	男	女	小计	男	女	小计	
10～12	48	37	85	165	158	323	408
13～14	151	156	307	173	168	341	648
15～16	141	195	336	188	153	341	677
17～18	141	108	249	136	155	291	540
19～23	42	28	70	5	2	7	77
合计	523	524	1047	667	636	1303	2350

学生 SCL－90 测验共包括 10 个不同因子，分别为躯体化、强迫症状、人际敏感、抑郁、焦虑、敌对、恐怖、偏执、精神病性和其他，数据资料汇总表 3－4－231～3－4－260 呈现了这 10 个因子测验的结果。

1）躯体化　学生 SCL－90 测验的躯体化因子在广西壮族自治区两市县的详细情况见数据汇总表 3－4－232～3－4－233，趋势曲线见图 2－4－51。本文对不同年龄组的城市男生、城市女生、农村男生和农村女生在躯体化因子上的得分进行了平均数的多重比较，结果如下。

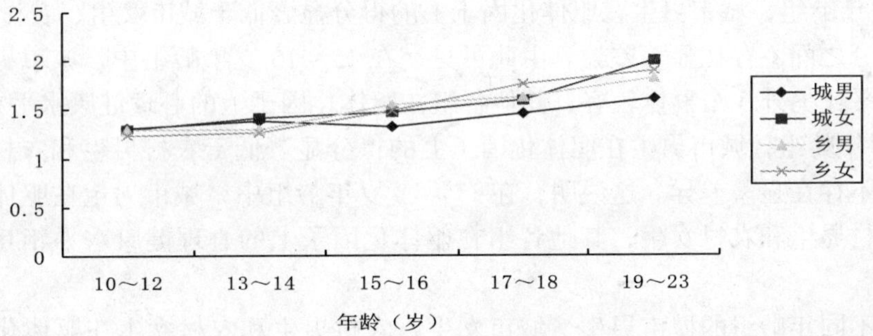

图 2－4－51　躯体化因子随着年龄增长变化趋势曲线

城市男生在躯体化因子上的得分随着年龄的增长表现出如下趋势：17～18 岁年龄组的城市男生在躯体化因子上的得分显著高于 10～12 岁以及 15～16 岁年龄组的得分。除此之外，其他年龄组在该因子上的得分相互比较均没有显著的差异。此结果表明，17～18 岁年龄组的城市男生在躯体化因子上的心理健康水平不如 10～12 岁以及 15～16 岁年龄组。其他年龄组在该因子上的心理健康水平没有显著的差异。

城市女生在躯体化因子上的得分随着年龄的增长表现出如下趋势：10～12 岁年龄组的城市女生在躯体化因子上的得分显著低于 15～16 岁和 17～18 岁年龄组，13～14 岁年龄组的城市女生在躯体化因子上的得分显著低于 17～18 岁年龄组。除此之外，其他各年龄组在该因子上的得分相互比较均没有显著的差异。此结果表明，10～12 岁年龄组的城市女生在躯体化因子上的心理健康水平优于 15～16 岁以及 17～18 岁年龄组，13～14 岁年龄组的城市女生在躯体化因子上的心理健康水平优于 17～18 岁年龄组，其他各年龄组在该因子上的心理健康水平相互比较均没有显著的差异。

农村男生在躯体化因子上的得分随着年龄的增长表现出如下趋势：10～12 岁年龄段的农村男生在躯体化因子上的得分与 13～14 岁年龄段没有显著差异，但这两个年龄段分别与比他们年长的另外

3个年龄组差异显著，即他们的得分显著低于15岁以上的3个年龄组。其他各年龄组在该因子上的得分差异均不显著。这表明，10~14岁年龄段的农村男生在躯体化因子上的心理健康水平超过年龄在15~23岁农村男生的水平，除此之外，其他各年龄组在该因子上的心理健康水平差异均不显著。

农村女生在躯体化因子上的得分随着年龄的增长表现如下趋势：10~14岁年龄段的农村女生在躯体化因子上的年龄特点与农村男生一致，即10~12岁年龄段的农村男生在躯体化因子上的得分与13~14岁年龄组没有显著差异，但这两个年龄段的得分显著低于15岁以上的3个年龄组。此外，15~16岁年龄段的农村女生在躯体化因子上的得分显著低于比他们年长的两个年龄组。其他各年龄组在该因子上的得分差异均不显著。此结果表明，低年龄段的农村女生在躯体化因子上的心理健康水平胜于相对较年长的年龄组。

综合上面的结果，我们可以发现，城市男生、城市女生、农村男生和农村女生4个不同的群体在躯体化因子上的得分随着年龄的增长表现出不同的趋势，可见这4个群体之间并不是完全同质的群体，因此，为了进一步了解这4个不同群体之间的差异，我们又对这4个不同群体躯体化因子得分的差异进行了分析，结果如下。

在10~12岁和19~23岁年龄组中，城市男生、城市女生、农村男生和农村女生中的任何一个群体与同龄组的其他群体比较发现其差异都没有达到显著水平。此结果表明，这两个年龄组中的任何一个群体与同龄组其他群体比较而言，他们在躯体化因子上的心理健康水平差异均不显著。

在13~14岁年龄组，农村女生在躯体化因子上的得分显著低于城市男生和城市女生，而且农村男生在该因子上的得分显著低于城市女生。其他各组的得分之间都没有显著的差异，此结果表明，在13~14岁年龄组中，农村女生在躯体化因子上的心理健康水平明显优于城市男生和城市女生，农村男生在该因子上的心理健康水平比城市女生好，其他组在躯体化因子上的心理健康水平比较都没有显著的差异。

在15~16岁年龄组，城市男生在躯体化因子上的得分显著低于城市女生、农村男生和农村女生，而其他各组的得分之间不存在显著差异。由此可见，在15~16岁年龄组中，城市男生在躯体化因子上的心理健康水平比另外3个群体较好，其他各组在躯体化因子上的心理健康水平差异不显著。

在17~18岁年龄组，城市男生在躯体化因子上的得分显著低于农村男生和农村女生，而其他组的得分相互之间不存在显著差异。这说明，在17~18岁年龄组中，城市男生在躯体化因子上的心理健康水平好于农村男生和农村女生，其他各组在躯体化因子上的心理健康水平相互比较不存在显著差异。

综合以上对不同年龄组的城市男生、城市女生、农村男生和农村女生在躯体化因子上的心理健康水平的分析，我们可以发现，除了10~12岁和19~23岁年龄段4个群体在躯体化因子上的心理健康水平差异不显著外，在其他年龄段，他们都与同龄其他群体之间有显著的差异。但只有从15~16岁和17~18岁两个年龄段可以看出，城市男生在躯体化因子上的心理健康水平相对较好。

2）强迫症状　学生SCL-90测验的强迫症状因子在广西壮族自治区两市县的详细情况见数据汇总表3-4-235~3-4-236，趋势曲线见图2-4-52。本文分别对不同年龄组的城市男生、城市女生、农村男生和农村女生在强迫症状因子上的得分进行了平均数的多重比较，结果如下。

城市男生在强迫症状因子上的得分随着年龄的增长表现出如下趋势：10~12岁年龄组的城市男生在强迫症状因子上的得分显著低于除19~23岁以外的另3个年龄组得分，17~18岁年龄组得分显著高于13~14岁和15~16岁年龄组。其他年龄组在该因子上的得分相互比较均没有显著的差异。此结果表明，10~12岁年龄组的城市男生在强迫症状因子上的心理健康水平超过除19~23岁以外的另3个年龄组，17~18岁年龄组在该因子上的心理健康水平不如13~14岁和15~16岁年龄组水平。其他年龄组在该因子上的心理健康水平相互比较均没有显著的差异。

城市女生在强迫症状因子上的得分随着年龄的增长表现出如下趋势：10~12岁年龄组的城市女生在强迫症状因子上的得分显著低于除19~23岁以外的另3个年龄组得分，17~18岁年龄组得分显著高于10~12岁和13~14岁年龄组。其他年龄组在该因子上的得分差异不显著。此结果表明，10~

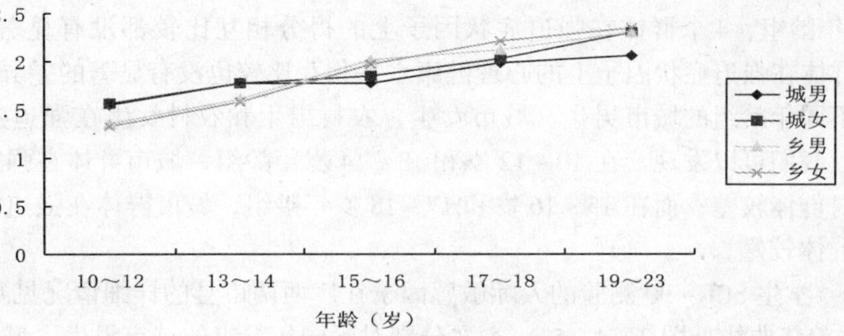

图 2-4-52　强迫症状因子随着年龄增长变化趋势曲线

12 岁年龄组的城市女生在强迫症状因子上的心理健康水平优于除 19～23 岁以外的另 3 个年龄组，17～18 岁年龄组在该因子上的心理健康水平比 13～14 岁和 15～16 岁年龄组较差。其他年龄组在该因子上的心理健康水平相互比较均没有显著的差异。

农村男生在强迫症状因子上的得分随着年龄的增长表现出如下趋势：除了 15～16 岁、17～18 岁和 19～23 岁 3 个年龄组农村男生之间相互比较不存在显著差异外，其他各组比较都存在显著差异。其中，10～12 岁年龄组的农村男生在强迫症状因子上的得分显著低于比他们年长的另 4 个年龄组，13～14 岁年龄组得分也显著低于比他们年长的另外 3 个年龄组。此结果表明，随着年龄的增长，农村男生在强迫症状因子上的心理健康问题有越来越加重的趋势。

农村女生在强迫症状因子上的得分随着年龄的增长表现出如下趋势：除了 17～18 岁和 19～23 岁两个年龄段的农村女生在强迫症状因子上的得分相互比较不存在显著差异外，其他各组之间的比较都存在显著差异。每个年龄组的农村女生在强迫症状因子上的得分都显著高于比他们年长的各年龄组得分，显著低于比他们年少的各年龄组得分。这说明，农村女生在强迫症状因子上的心理健康水平呈现出很规律的年龄增长特征，而且每个年龄组的因子水平变化都非常显著。

综合上面的结果，我们可以发现，城市男生、城市女生、农村男生和农村女生 4 个不同的群体在强迫症状因子上的得分随着年龄的增长表现出不同的趋势，可见这 4 个群体之间并不是完全同质的群体，因此，为了进一步了解这 4 个不同群体之间的差异，我们又对这 4 个不同群体在强迫症状因子上得分的差异进行了分析，结果如下。

在 10～12 岁年龄组，城市男生在强迫症状因子上的得分显著高于农村男生和农村女生，城市女生在强迫症状因子上的得分也显著高于农村男生和农村女生，但城市男生和城市女生之间，以及农村男生和农村女生之间的差异不显著。这说明不论男性或女性，10～12 岁年龄段的城市群体在强迫症状因子上的心理健康水平均比农村群体较差。

13～14 岁年龄组在强迫症状因子上的特征与 10～12 岁表现一致，即城市男生在强迫症状因子上的得分显著高于农村男生和农村女生，城市女生在强迫症状因子上的得分也显著高于农村男生和农村女生，但城市男生和城市女生之间，以及农村男生和农村女生之间的差异性都不显著。这说明不论男性或女性，13～14 岁年龄段的城市学生群体在强迫症状因子上的心理健康水平比农村学生群体较差。

在 15～16 岁年龄组，城市男生在强迫症状因子上的得分显著低于农村男生和农村女生，农村男生在强迫症状因子上的得分显著高于城市男生和城市女生。其他任何两组的差异都没有达到显著水平。此结果表明，在 15～16 岁年龄组中，城市男生在强迫症状因子上的心理健康水平优于农村男生和农村女生，农村男生在该因子上的心理健康水平不如城市男生和城市女生。其他组在该因子上的心理健康水平相互比较都没有显著的差异。

在 17～18 岁年龄组，城市男生在强迫症状因子上的得分显著低于农村女生，除此之外，其他任何两组的差异都没有达到显著水平。这说明，在17~18岁年龄组中，城市男生在强迫症状因子上的心理健康水平超过农村女生，而其他各组在该因子上的心理健康水平相比而言都没有显著的差异。

在19~23岁年龄组，4个群体在强迫症状因子上的得分相互比较都没有显著性差异。这说明，该年龄组的4个群体在强迫症状因子上的心理健康水平相互比较也没有显著的差异。

综合以上对不同年龄组的城市男生、城市女生、农村男生和农村女生在强迫症状因子上的心理健康水平的分析，我们可以发现，在10~12岁和13~14岁年龄组，城市群体在强迫症状因子上的心理健康水平比农村群体较差；而在15~16岁和17~18岁年龄组，城市群体在强迫症状因子上的心理健康水平比农村群体较好。

3）人际敏感　学生SCL-90测验的人际敏感因子在广西两市县的详细情况见数据汇总表3-4-238~3-4-240，趋势曲线见图3-4-53。本文分别对不同年龄组的城市男生、城市女生、农村男生和农村女生在人际敏感因子上的得分进行了平均数的多重比较，结果如下。

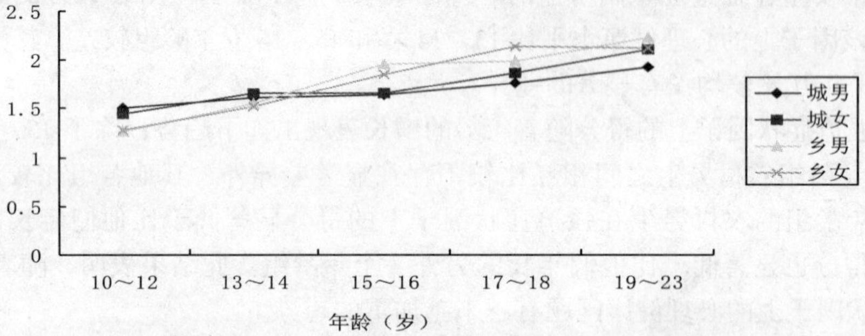

图2-4-53　人际敏感因子随着年龄增长变化趋势曲线

城市男生在人际敏感因子上的得分随着年龄的增长表现出如下趋势：除了10~12岁年龄组的城市男生在人际敏感因子上的得分显著低于17~18岁年龄组外，其他各年龄组的得分相互比较都没有显著的差异。这表明，10~12岁之间的城市男生在人际敏感因子上的心理健康水平超过年龄比他们大的17~18岁群体，除此之外，其他各年龄组的心理健康水平比较都不存在显著差异。

城市女生在人际敏感因子上的得分随着年龄的增长表现出如下趋势：10~12岁年龄组的城市女生在人际敏感因子上的得分显著低于除19~23岁以外的另3个年龄组，17~18岁年龄组得分显著高于比他们年少的3个年龄组。除此之外，其他年龄组在该因子上的得分相互比较均没有显著的差异。此结果表明，10~12岁年龄组的城市女生在人际敏感因子上的心理健康水平优于除19~23岁以外的另3个年长年龄组，17~18岁年龄组在该因子上的心理健康水平明显不如比他们年少的3个年龄组。其他年龄组在该因子上的心理健康水平互相比较都没有显著的差异。

农村男生在人际敏感因子上的得分随着年龄的增长表现出如下趋势：除了15~16岁、17~18岁和19~23岁3个年龄组农村男生之间相互比较不存在显著差异外，其他各组比较都有显著差异。其中，10~12岁年龄组的农村男生在人际敏感因子上的得分显著低于比他们年长的另4个年龄组，13~14岁年龄组得分也显著低于比他们年长的另外4个年龄组。由此可见，农村男生在人际敏感因子上的不良心理状况呈现出随着年龄增长逐渐加重的趋势。

农村女生在人际敏感因子上的得分随着年龄的增长表现出如下趋势：除了17~18岁和19~23岁两个年龄段的农村女生在人际敏感因子上的得分相互比较不存在显著差异外，其他各组之间的比较都存在显著差异。每个年龄组的农村女生在人际敏感因子上的得分都显著高于比他们年长的各年龄组得分，显著低于比他们年少的各年龄组得分。这说明，农村女生在人际敏感因子上的心理健康水平呈现出很规律的年龄增长特征，而且每个年龄组的因子水平变化都非常显著。

综合上面的结果，我们可以发现，城市男生、城市女生、农村男生和农村女生4个不同的群体在人际敏感因子上的得分随着年龄的增长表现出不同的趋势，可见这4个群体之间并不是完全同质的群体，因此，为了进一步了解这4个不同群体之间的差异，我们又对这4个不同群体在人际敏感因子上的得分的差异进行了分析，结果如下。

在10~12岁年龄组，城市男生在人际敏感因子上的得分显著高于农村男生和农村女生，城市女生在该因子上的得分也显著高于农村女生。除此之外，其他任何两组得分的差异都没有达到显著水平。这说明，在10~12岁年龄组中，城市男生在人际敏感因子上的心理健康水平不如农村男生和农村女生，城市女生在该因子上的心理健康水平也不如农村女生，而其他组在人际敏感因子上的心理健康水平经过比较都没有显著的差异。

在13~14岁和19~23岁年龄组，4个群体分别与同龄组其他群体相比较，他们在人际敏感因子上的得分差异都没有达到显著水平。这说明，城市男生、城市女生、农村男生和农村女生与同龄群体相互比较，他们在该因子上的心理健康水平都没有显著的差异。

在15~16岁年龄组，城市男生在人际敏感因子上的得分显著低于农村男生和农村女生，城市女生在人际敏感因子上的得分也显著低于农村男生和农村女生，但城市男生和城市女生之间，以及农村男生和农村女生之间的差异性不显著。这说明不论男性或女性，15~16岁年龄段的城市群体在人际敏感因子上的心理健康水平都比农村群体较好。

在17~18岁年龄组，城市男生在人际敏感因子上的得分显著低于农村男生和农村女生组，农村女生在该因子上的得分显著高于城市男生和城市女生组。而其他任何两组的差异都没有达到显著水平。此结果表明，在17~18岁年龄组中，城市男生在人际敏感因子上的心理健康水平明显好于农村男生和农村女生，农村女生在该因子上的心理健康水平不如城市男生和城市女生。而其他组在人际敏感因子上的心理健康水平比较都没有显著的差异。

综合以上对不同年龄组的城市男生、城市女生、农村男生和农村女生在人际敏感因子上的心理健康水平的分析，我们可以发现，在10~12岁年龄组，城市群体在人际敏感因子上的心理健康水平整体上不如农村群体，而15~16岁和17~18岁年龄段的分析结果与此相反，即城市群体在人际敏感因子上的心理健康水平相对农村群体而言要好一些。

4）抑郁　学生SCL-90测验的抑郁因子在广西两市县的详细情况见数据汇总表3-4-241~3-4-242，趋势曲线见图2-4-54。本文分别对不同年龄组的城市男生、城市女生、农村男生和农村女生在抑郁因子上的得分进行了平均数的多重比较，结果如下。

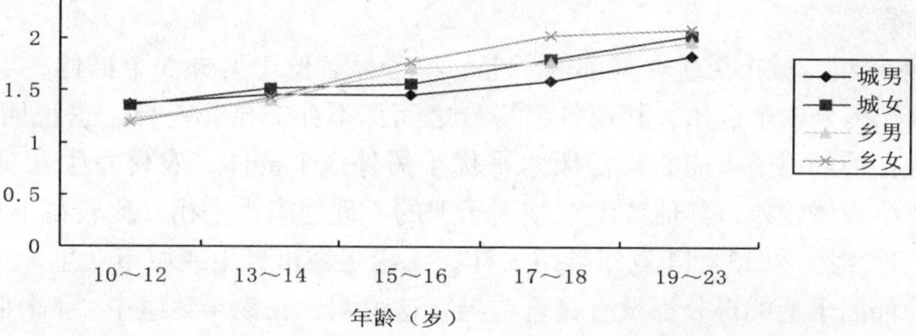

图2-4-54　抑郁因子随着年龄增长变化趋势曲线

城市男生在抑郁因子上的年龄特征与他们在人际敏感因子上的年龄特征表现一致，即除了10~12岁年龄组的城市男生在抑郁因子上的得分显著低于17~18岁年龄组外，其他各年龄组的得分相互比较都没有显著的差异。这表明，10~12岁的城市男生在人际敏感因子上的心理健康水平好于17~18岁群体，除此之外，其他各年龄组的心理健康水平都不存在显著差异。

城市女生在抑郁因子上的年龄特征与他们在人际敏感因子上的年龄特征也表现一致，即10~12

岁年龄组的城市女生在抑郁因子上的得分显著低于除19~23岁以外的另3个年龄组得分，17~18岁年龄组得分显著高于比他们年幼的3个年龄组得分。除此之外，其他年龄组在该因子上的得分相互比较均没有显著的差异。此结果表明，10~12岁年龄组的城市女生在抑郁因子上的心理健康水平胜于除19~23岁以外的另3个年龄组，17~18岁年龄组在该因子上的心理健康水平明显不如比他们年少的3个年龄组。其他年龄组在该因子上的心理健康水平互相比较均没有显著的差异。

农村男生在抑郁因子上的得分随着年龄的增长表现出如下趋势：10~12岁年龄组的农村男生在抑郁因子上的得分显著低于除13~14岁以外的另外3个较年长年龄组，13~14岁的农村男生在抑郁因子上的得分显著低于比他们年长的另外3个年龄组。除此之外，其他各年龄组在该因子上的得分差异均不显著。这表明较年少的10~14岁2个年龄组农村男生在抑郁因子上的心理健康水平胜于比他们年长的另外3个年龄组。

农村女生在抑郁因子上的得分随着年龄的增长表现出如下趋势：除了相对较年长的3个年龄组农村女生之间相互比较不存在显著差异外，其他各组比较都存在显著差异。其中，10~12岁年龄组的农村女生在抑郁因子上的得分显著低于比他们年长的4个年龄组，13~14岁年龄组得分也显著低于比他们年长的另外3个年龄组。由此可见，农村女生在抑郁因子上的不良心理状况呈现出随着年龄增长逐渐加重的趋势。

综合上面的结果，我们可以发现，城市男生、城市女生、农村男生和农村女生4个不同的群体在抑郁因子上的得分随着年龄的增长表现出不同的趋势，可见这4个群体之间并不是完全同质的群体，因此，为了进一步了解这4个不同群体之间的差异，我们又对这4个不同群体抑郁因子得分的差异进行了分析，结果如下。

在10~12岁年龄组中，城市男生在抑郁因子上的得分显著高于农村女生，而其他各组的得分之间都没有显著的差异。此结果表明，在10~12岁年龄组中，城市男生在抑郁因子上的心理健康水平不如农村女生，而其他各组在抑郁因子上的心理健康水平差异都不显著。

在13~14岁年龄组，无论是城市男生或城市女生，还是农村男生或农村女生，各组在抑郁因子上的得分相互比较都没有显著差异。这说明，在13~14岁年龄组中，4个不同的同龄群体在抑郁因子上的心理健康水平差异不显著。

在15~16岁年龄组，城市男生在抑郁因子上的得分显著低于农村男生和农村女生，农村女生在抑郁因子上的得分显著高于城市男生和城市女生，而其他组的得分之间不存在显著差异。由此可见，在15~16岁年龄组中，城市男生在抑郁因子上的心理健康水平好于农村男生和农村女生，农村女生在抑郁因子上的心理健康水平不如城市男生和城市女生，其他各组在抑郁因子上的心理健康水平比较都没有显著的差异。

在17~18岁年龄组，城市男生在抑郁因子上的得分显著低于另外3个群体，农村女生在抑郁因子上的得分显著高于另外3个群体，其他各组得分之间都不存在显著差异。这说明，在17~18岁年龄组中，城市男生在抑郁因子上的心理健康水平优于另外3个群体，农村女生在抑郁因子上的心理健康水平比另外3个群体较差，其他各组在该因子上的心理健康水平相互比较都不存在显著差异。

在19~23岁年龄组，和13~14岁年龄组一样，无论是城市男生或城市女生，还是农村男生或农村女生，各组在抑郁因子上的得分都没有显著差异。这说明，在该年龄组中，4个群体在抑郁因子上的心理健康水平差异不显著。

综合以上对不同年龄组的城市男生、城市女生、农村男生和农村女生在抑郁因子上的心理健康水平的分析，我们可以发现，在10~12岁年龄组，城市男生在人际敏感因子上的心理健康水平整体上不如农村女生，而15~16岁和17~18岁年龄段的分析结果整体上与此相反，即城市群体在人际敏感因子上的心理健康水平比农村群体较好。

5）焦虑　学生SCL-90测验的焦虑因子在广西两市县的详细情况见数据汇总表3-4-244~3-4-245，趋势曲线见图2-4-55。本文分别对不同年龄组的城市男生、城市女生、农村男生和农村女生在焦虑因子上的得分进行了平均数的多重比较，结果如下。

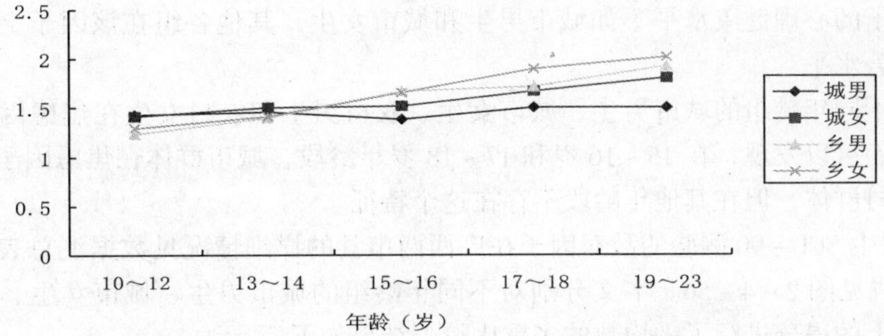

图 3-4-55　焦虑因子随着年龄增长变化趋势曲线

城市男生在焦虑因子上的得分都没有体现出因处于不同年龄组所造成的显著性年龄差异。这表明，他们在焦虑因子上的心理健康水平没有显著的年龄增长特征。

城市女生在焦虑因子上的得分随着年龄的增长表现出如下趋势：10~12 岁和 13~14 岁年龄组的城市女生在焦虑因子上的得分分别显著低于 17~18 岁年龄组的得分。其他年龄组在该因子上的得分相互比较都没有显著的差异。由此可发现，10~12 岁和 13~14 岁年龄组的城市女生在焦虑因子上的心理健康水平明显好于 17~18 岁年龄组。其他年龄组在该因子上的心理健康水平没有显著的差异。

农村男生在焦虑因子上的得分随着年龄的增长表现出如下趋势：10~12 岁年龄组的农村男生在焦虑因子上的得分显著低于除 13~14 岁年龄段以外的另外 3 个年龄组，13~14 岁年龄组的农村男生在焦虑因子上的得分显著低于比他们年长的另外 3 个年龄组。除此之外，其他各年龄组在该因子上的得分差异均不显著。这表明年长的农村男生在焦虑因子上的心理健康水平不如相对年少的农村男生，体现出随着年龄增长而水平逐渐降低的特点。

农村女生在焦虑因子上的得分随着年龄的增长表现出如下趋势：10~12 岁年龄组的农村女生在焦虑因子上的得分显著低于除 13~14 岁以外的另外 3 个年龄组，13~14 岁年龄段的农村女生在焦虑因子上的得分显著低于比他们年长的另外 3 个年龄组。这与农村男生在该因子上的年龄特征相似。除 17~18 岁和 19~23 岁之间不存在显著差异外，各年龄段在该因子的得分均显著高于比他们年少的群体得分。这表明较小年龄组的农村女生在焦虑因子上的心理健康水平整体上优于比他们年长的年龄组。并且随着年龄增长，农村女生的焦虑水平也表现出随着年龄逐渐增高的趋势。

综合上面的结果，我们可以发现，城市男生、城市女生、农村男生和农村女生 4 个不同的群体在焦虑因子上的得分随着年龄的增长表现出不同的趋势，可见这 4 个群体之间并不是完全同质的群体，因此，为了进一步了解这 4 个不同群体之间的差异，我们又对这 4 个不同群体在焦虑因子上得分的差异进行了分析，结果如下。

在 10~12 岁年龄组，农村男生在焦虑因子上的得分显著低于城市男生和城市女生，其他各组得分之间的差异不显著。这说明在 10~12 岁年龄段，农村男生在焦虑因子上的心理健康水平均比城市男生和城市女生较好。其他各组在该因子上的心理健康水平彼此差异不显著。

在 13~14 岁和 19~23 岁两个年龄组，城市男生、城市女生、农村男生和农村女生中的任何一个群体在焦虑因子上的得分与同年龄组其他群体比较都没有显著差异。此结果表明，这两个年龄组中的任何一个群体在焦虑因子上的心理健康水平与同龄其他群体比较都没有显著差异。

在 15~16 岁年龄组，城市男生在焦虑因子上的得分均显著低于其他 3 组得分，而且城市女生在该因子的得分显著低于农村男生，除此之外，其他任何两组在焦虑因子上得分的差异不显著。这说明城市男生在焦虑因子上的心理健康水平明显优于其他 3 组水平，城市女生在该因子的心理健康水平也优于农村男生，其他各组在该因子上的心理健康水平差异性不显著。

在 17~18 岁年龄组，城市男生在焦虑因子上的得分显著低于其他 3 个群体，农村女生在该因子的得分显著高于城市男生和城市女生。除此之外，其他各组在该因子上的得分差异均不显著。这种结果说明，在17~18岁年龄组中，城市男生在焦虑因子上的心理健康水平比其他3个群体相对较好，农村女生在该因子的心理健康水平不如城市男生和城市女生，其他各组在该因子上的心理健康水平差异都未达到显著水平。

综合以上对不同年龄组的城市男生、城市女生、农村男生和农村女生在焦虑因子上的心理健康水平的分析，我们可以发现，在15~16岁和17~18岁年龄段，城市群体在焦虑因子上的心理健康水平整体上胜于农村群体，但在其他年龄段不存在这个特征。

6）敌对　学生SCL-90测验的敌对因子在广西两市县的详细情况见数据汇总表3-4-247~3-4-248，趋势曲线见图2-4-56。本文分别对不同年龄组的城市男生、城市女生、农村男生和农村女生在敌对因子上的得分进行了平均数的多重比较，结果如下。

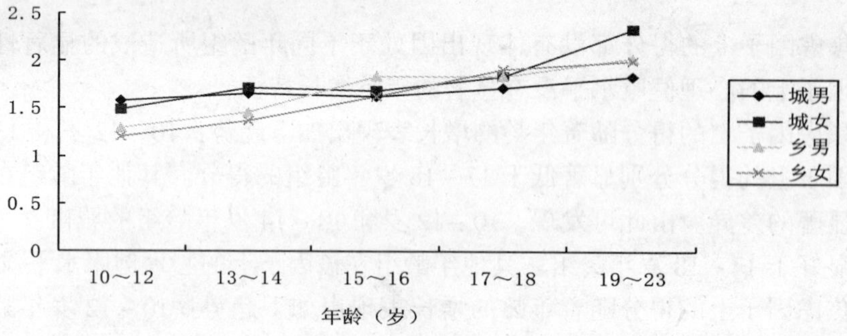

图2-4-56　敌对因子随着年龄增长变化趋势曲线

城市男生在敌对因子上的得分随着年龄的增长表现出如下的趋势：5个年龄组的城市男生在敌对因子上的得分相互比较都没有显著差异。这说明，5个不同年龄组的城市男生群体在敌对因子上的心理健康水平差异均不显著。

城市女生在敌对因子上的得分随着年龄的增长表现出如下的趋势：10~12岁年龄组的城市女生在敌对因子上的得分显著低于13~14岁、15~16岁和17~18岁3个年龄段，除此之外，其他各年龄组的得分都没有显著的差异。这表明，10~12岁之间的城市女生在敌对因子上的心理健康水平超过除19~23岁年龄段以外的3个年龄组，而且这种水平差异已经达到显著水平。其他各年龄组的心理健康水平比较不存在显著差异。

农村男生在敌对因子上的得分随着年龄的增长表现出如下的趋势：10~12岁年龄组的农村男生在敌对因子上的得分显著低于除13~14岁年龄段以外的另外3个年龄组，13~14岁年龄段的农村男生在敌对因子上的得分显著低于比他们年长的另外3个年龄组。除此之外，其他各年龄组在该因子上的得分差异均不显著。这表明年长的农村男生在敌对因子上的心理健康水平不如相对年少的农村男生，体现出随着年龄增长而水平逐渐降低的特点。

农村女生在敌对因子上的得分随着年龄的增长表现出如下的趋势：10~12岁年龄组的农村女生在敌对因子上的得分显著低于除13~14岁年龄段以外的另外3个年龄组，13~14岁年龄段的农村女生在敌对因子上的得分也显著低于比他们年长的另外3个年龄组。这与农村男生在该因子上的年龄特征相似。除17~18岁和19~23岁之间不存在显著差异外，各年龄段在该因子的得分均显著高于年龄相对较小的群体。这表明较小年龄组的农村女生在敌对因子上的心理健康水平整体上优于比他们年长的年龄组。并且随着年龄增长，农村女生的敌对水平也呈现出逐渐增高的趋势。

综合上面的结果，我们可以发现，城市男生、城市女生、农村男生和农村女生4个不同的群体在敌对因子上的得分随着年龄的增长表现出不同的趋势，可见这4个群体之间并不是完全同质的群体，因此，为了进一步了解这4个不同群体之间的差异，我们又对这4个不同群体在敌对因子上得分的差异进行了分析，结果如下。

在10~12岁年龄组，城市男生在敌对因子上的得分显著高于农村男生和农村女生。农村女生在敌对因子上的得分显著低于城市男生和城市女生。除此之外，其他任何两组得分相互比较都没有显著差异。这说明，在10~12岁年龄组中，城市男生在敌对因子上的心理健康水平不如农村男生和农村女生的水平，农村女生在该因子上的心理健康水平比城市男生和城市女生要好。其他各组在敌对因子上的心理健康水平相互比较都没有显著的差异。

在13~14岁年龄组，城市男生在敌对因子上的得分显著高于农村男生和农村女生，城市女生在敌对因子上的得分也显著高于农村男生和农村女生。除此之外，城市男生和城市女生之间，以及农村男生和农村女生之间的差异均不显著。这说明不论男性或女性，该年龄组城市群体在敌对因子上的心理健康水平都比农村群体的水平要低。

在15~16岁年龄组，农村男生在敌对因子上的得分显著高于城市男生和农村女生，除此之外，其他各组在敌对因子上的得分差异都没有达到显著水平。这说明农村男生在敌对因子上的心理健康水平比城市男生和农村女生要差，其他各组在敌对因子上的心理健康水平差异都没有达到显著水平。

在17~18岁年龄组，城市男生在敌对因子上的得分显著低于农村女生，除了这一差异外，其他任何两组得分的差异都没有达到显著水平。此结果表明，在17~18岁年龄组中，城市男生在敌对因子上的心理健康水平优于农村女生，而其他各组在敌对因子上的心理健康水平相互比较都没有显著的差异。

在19~23岁年龄组，城市男生、城市女生、农村男生和农村女生中的任何两组在敌对因子上的得分相互比较都没有显著差异。此结果表明，在该年龄组中，上述4组群体中的任何两组在敌对因子上的心理健康水平进行比较都没有显著差异。

综合以上对不同年龄组的城市男生、城市女生、农村男生和农村女生在敌对因子上的心理健康水平的分析，我们可以发现，在10~12岁和13~14岁年龄组，城市学生群体在敌对因子上的心理健康水平整体上不如农村学生群体，而其他年龄段在这一特征上表现不明显。

7）恐怖　学生SCL-90测验的恐怖因子在广西两市县的详细情况见数据汇总表3-4-250~3-4-251，趋势曲线见图2-4-57。本文分别对不同年龄组的城市男生、城市女生、农村男生和农村女生在恐怖因子上的得分进行了平均数的多重比较，结果如下。

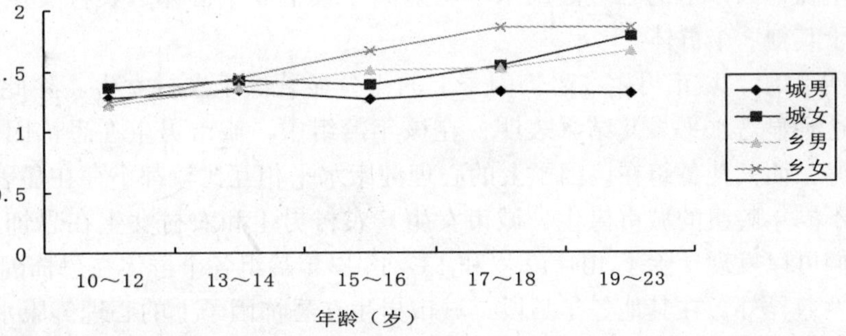

图2-4-57　恐怖因子随着年龄增长变化趋势曲线

城市男生在恐怖因子上的得分随着年龄的增长表现出如下的趋势：5个年龄段的城市男生在恐怖因子上的得分两两比较都没有显著差异。这说明，5个不同年龄组的城市男生在恐怖因子上的心理健康水平差异均不显著。

城市女生在恐怖因子上的得分随着年龄的增长表现出如下的趋势：17~18岁年龄组的城市女生在恐怖因子上的得分显著高于10~12岁和15~16岁两个年龄组得分，而其他各年龄组得分之间不存在显著差异。此结果表明，17~18岁年龄组的城市女生在恐怖因子上的心理健康水平不如10~12岁和15~16岁两个年龄组。其他各年龄组在恐怖因子上的心理健康水平相互比较均不存在显著差异。

农村男生在恐怖因子上的得分随着年龄的增长表现出如下的趋势：10~12岁和13~14岁年龄组的农村男生在恐怖因子上的得分低于比他们年长的15岁以上的3个年龄组，并且分别达到了显著水平。其他各年龄组的得分相互比较没有显著差异。此结果表明，10~12岁和13~14岁年龄组的农村男生在恐怖因子上的心理健康水平优于比他们年长的农村男生。其他各年龄组在恐怖因子上的心理健康水平相互比较均不存在显著差异。

农村女生在恐怖因子上的得分随着年龄的增长表现出如下的趋势：除了相对较年长的3个年龄组农村女生之间相互比较不存在显著差异外，其他各组比较都存在显著差异。其中，10~12岁年龄组的农村女生在恐怖因子上的得分显著低于另外4个年龄组，13~14岁年龄组得分也显著低于比他们年长的另外3个年龄组。由此可见，随着年龄的增长，农村女生在恐怖因子上的不良状况呈现出逐渐严重的趋势。

综合上面的结果，我们可以发现，城市男生、城市女生、农村男生和农村女生4个不同的群体在恐怖因子上的得分随着年龄的增长表现出不同的趋势，可见这4个群体之间并不是完全同质的群体，因此，为了进一步了解这4个不同群体之间的差异，我们又对这4个不同群体在恐怖因子上得分的差异进行了分析，结果如下。

在10~12岁和13~14岁年龄组，对城市男生、城市女生、农村男生以及农村女生在恐怖因子上的得分与其同龄组群体相互比较发现他们的得分之间均没有显著差异。这表明，这两个年龄段的4个群体在恐怖因子上的心理健康水平与同龄组各个群体比较均不存在显著差异。

在15~16岁年龄组，除了城市女生和农村男生相互比较没有显著差异外，其余各组的差异都达到显著水平。其中，城市男生在恐怖因子上的得分显著低于其他3个群体，农村女生在该因子上的得分又显著高于其他3个群体。这表明，城市女生和农村男生之间在恐怖因子上的心理健康水平差异不显著，而城市男生在恐怖因子上的心理健康水平明显高于其他3个群体，农村女生在该因子上的心理健康水平明显低于其他3个群体。

在17~18岁年龄组，4个群体相互比较得出的结果与15~16岁年龄组的结果一致。也就是说除了城市女生和农村男生相互比较得到的差异没有达到显著水平外，其余各组的差异都达到显著水平。其中，城市男生在恐怖因子上的得分显著低于其他3个群体，农村女生在该因子上的得分显著高于其他3个群体。这结果说明，城市女生和农村男生在恐怖因子上的心理健康水平差异没有达到显著水平，而城市男生在该因子上的心理健康水平明显高于其他3个群体，农村女生在该因子上的心理健康水平明显低于其他3个群体。

在19~23岁年龄组，城市男生在恐怖因子上的得分显著低于农村女生。除此之外，其他任何两组的差异都没有达到显著水平。此结果表明，在该年龄组中，城市男生在恐怖因子上的心理健康水平比农村女生较好，而其他各组在该因子上的心理健康水平相互比较都不存在显著差异。

综合以上对不同年龄组的城市男生、城市女生、农村男生和农村女生在恐怖因子上的心理健康水平的分析，我们可以发现，除了10~12岁和13~14岁年龄组各个群体在恐怖因子上的心理健康水平比较没有显著性差异外，在其他各年龄段，城市男生在恐怖因子上的心理健康水平相对较好。

8）偏执　学生SCL-90测验的偏执因子在广西两市县的详细情况见数据汇总表3-4-253~3-4-254，趋势曲线见图2-4-58。本文分别对不同年龄组的城市男生、城市女生、农村男生和农村女生在偏执因子上的得分进行了平均数的多重比较，结果如下。

城市男生在偏执因子上的得分随着年龄的增长表现出如下的趋势：10~12岁年龄段的城市男生在偏执因子上的得分显著低于17~18岁年龄段。在其他年龄组，对各组得分进行比较发现均没有显著差异。这表明，10~12岁年龄段的城市男生在偏执因子上的心理健康水平明显优于17~18岁年龄段，而其他年龄组在该因子上的心理健康水平比较没有显著差异。

城市女生在偏执因子上的得分随着年龄的增长表现出如下的趋势：10~12岁年龄段的城市女生在偏执因子上的得分显著低于比他们年长的其他4个年龄组，而19~23岁年龄段的城市女生得分显

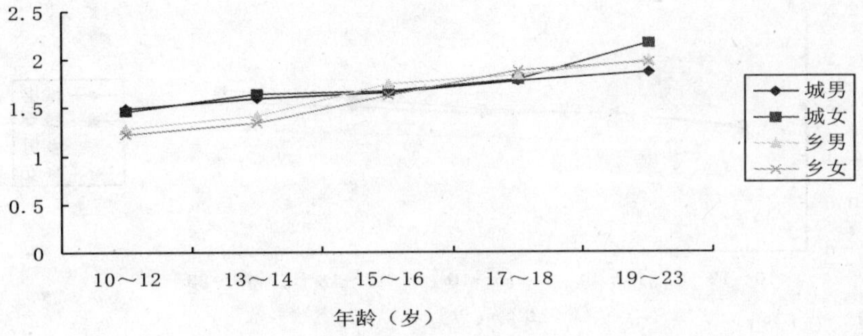

图 2-4-58　偏执因子随着年龄增长变化趋势曲线

著高于比他们年少的其他 4 个年龄组。该结果表明，10～12 岁年龄段的城市女生在偏执因子上的心理健康水平最好，而 19～23 岁年龄段的城市女生在该因子上的心理健康水平最差。

农村男生在偏执因子上的得分随着年龄的增长表现出如下的趋势：10～12 岁年龄组的农村男生在偏执因子上的得分显著低于除 13～14 岁年龄组以外的另外 3 个年龄组，13～14 岁年龄段的农村男生在偏执因子上的得分也显著低于比他们年长的 3 个年龄组。除此之外，其他各年龄组在该因子上的得分差异均不显著。这表明年少的农村男生在偏执因子上的心理健康水平比年长的农村男生相对较好。

农村女生在偏执因子上的得分随着年龄的增长表现出如下的趋势：除了 10～12 岁和 13～14 岁以及 17～18 岁和 19～23 岁年龄组两两比较不存在显著差异外，其余各组的比较均呈现出显著性差异。具体表现在：10～12 岁和 13～14 岁年龄组的农村女生在偏执因子上的得分显著低于比他们年长的其他 3 个年龄组；而 17～18 岁和 19～23 岁年龄组的农村女生在该因子上的得分显著高于比他们年少的其他 3 个年龄组。这表明年少的农村女生在偏执因子上的心理健康水平比年长的农村女生相对较好。

综合上面的结果，我们可以发现，城市男生、城市女生、农村男生和农村女生 4 个不同的群体在偏执因子上的得分随着年龄的增长表现出不同的趋势，可见这 4 个群体之间并不是完全同质的群体，因此，为了进一步了解这 4 个不同群体之间的差异，我们又对这 4 个不同群体在偏执因子上得分的差异进行了分析，结果如下。

在 10～12 岁年龄组，城市男生在偏执因子上的得分显著高于农村男生和农村女生，城市女生在偏执因子上的得分也显著高于农村女生。其他各组之间比较，这种差异不显著。这表明城市男生在偏执因子上的心理健康水平明显不如农村男生和农村女生，城市女生在偏执因子上的心理健康水平也比农村女生较差。其他各组在偏执因子上的心理健康水平相互比较其差异都不显著。

在 13～14 岁年龄组，城市男生和城市女生在偏执因子上的得分均高于农村男生和农村女生，并且达到了显著水平。但城市男生和城市女生之间，以及农村男生和农村女生之间的差异性不显著。这说明不论男性或女性，13～14 岁年龄组的城市学生群体在偏执因子上的心理健康水平都明显不如农村学生群体的水平。

在 15～16 岁、17～18 岁和 19～23 岁年龄组，城市男生、城市女生、农村男生以及农村女生在偏执因子上的得分与他们同龄组各群体相互比较均没有显著差异。这表明，这些年龄段的 4 个群体在偏执因子上的心理健康水平与他们同龄组各个群体比较都没有显著差异。

综合以上对不同年龄组的城市男生、城市女生、农村男生和农村女生在偏执因子上的心理健康水平的分析，我们可以发现，当上述 4 个群体在偏执因子上的心理健康水平相互比较有显著差异时，主要体现在城市群体在该因子上的心理健康水平整体上不如农村群体的水平。

9）精神病性　学生 SCL-90 测验的精神病性因子在广西两市县的详细情况见数据汇总表 3-4-256，3-4-257，趋势曲线见图 2-4-59。本文分别对不同年龄组的城市男生、城市女生、农村男生和农村女生在精神病性因子上的得分进行了平均数的多重比较，结果如下。

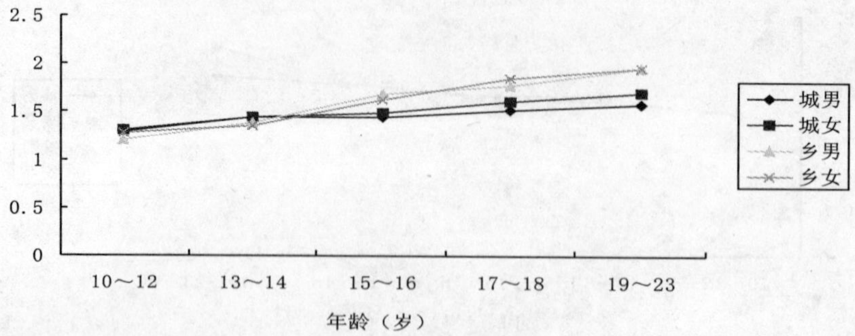

图 2-4-59　精神病性因子随着年龄增长变化趋势曲线

城市男生在精神病性因子上的得分随着年龄的增长表现出如下的趋势：10~12 岁年龄组的城市男生在精神病性因子上的得分显著低于除 19~23 岁年龄组以外的其他 3 个年龄组，除此之外，其他各年龄组得分相比均不存在显著差异。此结果表明，10~12 岁年龄组的城市男生在精神病性因子上的心理健康水平胜于除 19~23 岁年龄组以外的其他 3 个年龄组，而其他各年龄组在该因子上的心理健康水平差异都不显著。

城市女生在精神病性因子上的得分随着年龄的增长表现出如下的趋势：10~12 岁年龄组的城市女生在精神病性因子上的得分显著低于其他 4 个年龄组，13~14 岁年龄组的城市女生在该因子上的得分也显著低于比他们年长的 17 岁以上的两个年龄组。其他各年龄组得分相比均不存在显著差异。此结果表明，10~12 岁的城市女生在精神病性因子上的心理健康水平比其他 4 个年龄组相对较好，13~14 岁年龄组的城市女生在该因子上的心理健康水平也优于比他们年长的 17~18 岁和 19~23 岁两个年龄组，其他各年龄组在该因子上的心理健康水平差异都不显著。

农村男生在精神病性因子上的得分随着年龄的增长表现出如下的趋势：除了 15~16 岁、17~18 岁和 19~23 岁 3 个年龄组农村男生之间相互比较不存在显著差异外，其他各组比较都存在显著差异。其中，10~12 岁年龄组的农村男生在精神病性因子上的得分显著低于比他们年长的另 4 个年龄组，13~14 岁年龄组得分也显著低于比他们年长的另外 3 个年龄组。由此可见，高年龄组在精神病性因子上的心理健康水平相对较差，而低年龄组在该因子上的心理健康水平相对较好。随着年龄的增长，农村男生在精神病性因子上的不良状况有加重的趋势。

农村女生在精神病性因子上的年龄增长特征与他们偏执因子上的年龄特征表现一致，即除了 10~12 岁和 13~14 岁，以及 17~18 岁和 19~23 岁年龄组两两比较不存在显著差异外，其余各组的比较均呈现出显著性差异。具体表现在：10~12 岁和 13~14 岁年龄组的农村女生在精神病性因子上的得分显著低于比他们年长的 3 个年龄组；而 17~18 岁和 19~23 岁年龄组的农村女生在该因子上的得分显著高于比他们年少的 3 个年龄组。这表明相对年少的农村女生在该因子上的心理健康水平总是比相对年长的农村女生较好。

综合上面的结果，我们可以发现，城市男生、城市女生、农村男生和农村女生 4 个不同的群体在精神病性因子上的得分随着年龄的增长表现出不同的趋势，可见这 4 个群体之间并不是完全同质的群体，因此，为了进一步了解这 4 个不同群体之间的差异，我们又对这 4 个不同群体在精神病性因子上得分的差异进行了分析，结果如下。

在 10~12 岁和 13~14 岁年龄组，城市男生、城市女生、农村男生以及农村女生 4 个群体在精神病性因子上的得分与他们同龄组各群体相互比较均没有显著差异。此结果表明，这两个年龄段的 4 个群体在精神病性因子上的心理健康水平与他们同龄组各群体相互比较都不存在显著差异。

在 15~16 岁和 17~18 岁年龄组，城市男生和城市女生在偏执因子上的得分都高于农村男生和农村女生，并且达到了显著水平。但城市男生和城市女生之间，以及农村男生和农村女生之间的差异性却不显著。这说明不论男性或女性，15～16岁和17～18岁年龄段的城市学生群体在偏执因子上的心理健康水平都明显不如农村学生群体的水平。

在19～23岁年龄组，城市女生在精神病性因子上的得分显著低于农村男生和农村女生。除此之外，其他任何两组的差异都没有达到显著水平。由此可见，在19～23岁年龄组中，城市女生在精神病性因子上的心理健康水平明显好于农村男生和农村女生。其余各组在精神病性因子上的心理健康水平差异均不显著。

综合以上对不同年龄组的城市男生、城市女生、农村男生和农村女生在精神病性因子上的心理健康水平的分析，我们可以发现，除了10～12岁和13～14岁年龄组城市与农村各个群体在精神病性因子上的心理健康水平相互比较没有显著性差异外，在15～16岁和17～18岁年龄组，呈现出农村学生群体在该因子上的心理健康水平相对好于城市学生群体的特点。

10）其他　学生SCL－90测验的其他因子在广西两市县的详细情况见数据汇总表3－4－259、3－4－260，趋势曲线见图2－4－60。本文分别对不同年龄组的城市男生、城市女生、农村男生和农村女生在其他因子上的得分进行了平均数的多重比较，结果如下。

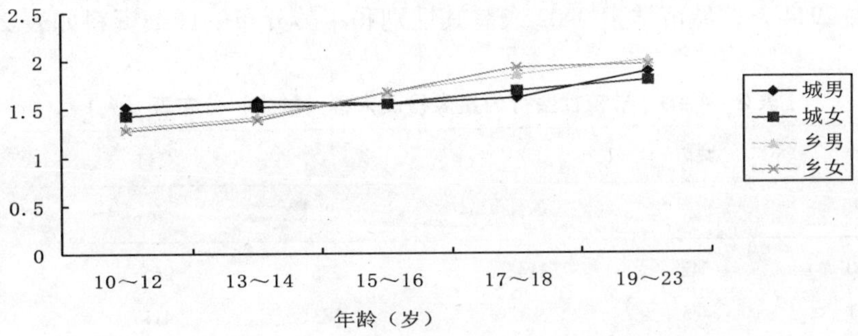

图2－4－60　其他因子随着年龄增长变化趋势曲线

城市男生在其他因子上的得分并未表现出随着年龄增长而显著变化的趋势。这表明城市男生不论处于什么年龄组，他们在其他因子上的心理健康水平都不存在显著的年龄增长差异。

城市女生在其他因子上的得分随着年龄的增长表现出如下的趋势：17～18岁年龄组的城市女生在其他因子的得分显著高于10～12岁和13～14岁两个年龄组，而其他各组的得分相互之间均没有显著差异。此结果表明，17～18岁年龄组的城市女生在其他因子的心理健康水平明显不如10～12岁和13～14岁两个年龄组，而其他各组的心理健康水平相互比较均没有显著差异。

农村男生在其他因子上的得分随着年龄的增长表现出如下的趋势：10～12岁和13～14岁年龄组的农村男生在其他因子上的得分显著低于比他们年长的3个年龄组；而19～23岁年龄组的农村男生在该因子上的得分显著高于16岁以下的3个年龄组。这表明年少的农村男生在其他因子上的心理健康水平比年长的农村男生相对较好。

农村女生在其他因子上的得分随着年龄的增长表现出如下的趋势：10～12岁和13～14岁年龄组的农村女生在其他因子上的得分显著低于比他们年长的其他3个年龄组；这与农村男生的年龄特征相同。而17～18岁年龄组的农村女生在其他因子上的得分显著高于比他们年少的其他3个年龄组。这也说明了年少的农村女生在其他因子上的心理健康水平比年长的农村女生相对较好。

综合上面的结果，我们可以发现，城市男生、城市女生、农村男生和农村女生4个不同的群体在其他因子上的得分随着年龄的增长表现出不同的趋势，可见这4个群体之间并不是完全同质的群体，因此，为了进一步了解这4个不同群体之间的差异，我们又对这4个不同群体在其他因子上得分的差异进行了分析，结果如下。

在10～12岁年龄组，城市男生在其他因子上的得分显著高于农村男生和农村女生。除此之外，其他各组之间相互比较差异都不显著。这表明城市男生在其他因子上的心理健康水平不如农村男生和农村女生，其他各组在该因子上的心理健康水平差异均不显著。

在13～14岁和17～18岁年龄组，城市男生在其他因子上的得分均显著高于农村男生和农村女生，而农村女生在其他因子上的得分均显著低于城市男生和城市女生。除此之外，其他任何两组的差异都没有达到显著水平。从这些比较可以看出，城市男生在其他因子上的心理健康水平不如农村男生和农村女生，而农村女生在该因子上的心理健康水平却优于城市男生和城市女生。除此之外，其他任何两组在该因子上的心理健康水平进行比较，他们的差异都没有达到显著水平。

在15～16岁和19～23岁两个年龄组，城市男生、城市女生、农村男生以及农村女生分别与同龄组其他群体相比，他们在其他因子上的得分差异均没有达到显著水平。这表明，这两个年龄组的4组群体在其他因子上的心理健康水平与同龄组其他群体相互比较都没有显著差异。

综合以上对不同年龄组的城市男生、城市女生、农村男生和农村女生在其他因子上的心理健康水平的分析，我们可以发现：在大多数年龄组，城市学生群体在其他因子上的心理健康水平总体上不如农村学生群体。

（三）学校社会行为

1．检测概况　本工作在河北、浙江和广西3省区共对6846名在校学生进行学校社会行为量表测试，其中农村学生2944人，城市学生3902人。其性别和年龄分布的详细资料如表2－4－9所示。

表2－4－9　学校社会行为量表检测人群（学生）分布表（人）

年龄（岁）	城市			农村			合计
	男	女	小计	男	女	小计	
10～12	600	542	1142	276	265	541	1683
13～14	491	485	976	383	411	794	1770
15～16	391	328	719	410	455	865	1584
17～18	458	445	903	319	279	598	1501
19～21	91	71	162	89	57	146	308
合计	2031	1871	3902	1477	1467	2944	6846

2．检测结果

（1）河北省　河北省共检测835人，其中农村学生487人，城市学生348人，其性别和年龄分布的详细资料如表2－4－10所示。

表2－4－10　学校社会行为量表检测人群（河北学生）分布表（人）

年龄（岁）	城市			农村			合计
	男	女	小计	男	女	小计	
10～12	70	60	130	2	0	2	132
13～14	62	76	138	62	76	138	276
15～16	39	33	72	110	106	216	288
17～18	4	4	8	72	59	131	139
合计	175	173	348	246	241	487	835

学校社会行为量表共包括6个不同因子，分别为：人际交往技能；自我管理技能；学业技能；敌对－易怒；反社会－攻击性；冲动性－强求。数据资料汇总表3－4－261～3－4－278呈现了这6个因子测验的结果。

1）人际交往技能　学校社会行为量表的人际交往技能因子在河北省两市县的详细情况见数据汇总表3-4-262~3-4-263。本文分别对不同年龄组的城市男生、城市女生、农村男生和农村女生在人际交往技能因子上的得分进行了平均数的多重比较，结果如下。

在城市男生组和城市女生组，由于17岁以上的两个年龄段样本量不足，我们仅分析了其他3个年龄段在人际交往技能因子上的得分差异，可以发现每个群体中的任何两个年龄段得分之间的差异都没有达到显著水平。此结果说明这3个年龄组的人际交往技能与同组其他年龄段比较都没有体现出因处于不同年龄组所造成的显著性年龄差异。

在农村男生组，由于10~12岁年龄段样本量不足，我们仅分析了其他4个年龄段在人际交往技能因子上的得分差异，可以发现任何两个年龄段得分之间的差异都没有达到显著水平。该结果说明这4个年龄组的人际交往技能水平相互之间都没有显著差异。

在农村女生组，由于10~12岁和19~21岁年龄段样本量不足，我们仅分析了其他3个年龄段在人际交往技能因子上的得分差异，可以发现任何两个年龄段得分之间的差异都没有达到显著水平。该结果说明这3个年龄组的人际交往技能水平相互之间都没有显著差异。

为了进一步了解城市男生、城市女生、农村男生以及农村女生之间的差异，我们对这4个不同群体人际交往技能因子得分的差异进行了分析，结果如下。

在10~12岁年龄段，除了农村群体样本量不足未参与分析外，城市男生和城市女生在人际交往技能因子上的得分差异不显著。这说明，该年龄组中城市男生的人际交往技能和城市女生比较其差异未达到显著水平。

在13~14岁年龄组，城市男生在人际交往技能因子上的得分显著低于城市女生和农村女生，而且农村女生在该因子上的得分显著高于城市男生和农村男生。其他各组的得分之间都没有显著的差异。该结果表明，在13~14岁年龄组，城市男生的人际交往技能不如城市女生和农村女生，农村女生的人际交往技能超过城市男生和农村男生。其他各组在该因子上的水平比较没有显著的差异。

在15~16岁年龄组，城市男生在人际交往技能因子上的得分显著低于农村男生和农村女生，农村女生在人际交往技能因子上的得分显著高于城市男生和城市女生，而其他各组的得分之间不存在显著差异。由此可见，在15~16岁年龄组中，城市男生的人际交往技能比农村学生群体较差，农村女生的人际交往技能比城市学生群体较好，而其他组在该因子上的水平比较都没有显著的差异。

在17~18岁年龄段，除了城市群体样本量不足未参与分析外，农村男生和农村女生在人际交往技能因子上的得分差异不显著。这说明，该年龄组中农村男生的人际交往技能和农村女生比较其差异未达到显著水平。

在19~21岁年龄段，城市群体样本量和农村女生样本量不足，未做分析。

综合以上对不同年龄组的城市男生、城市女生、农村男生和农村女生在人际交往技能因子上的水平分析，我们可以发现，在13~14岁和15~16岁年龄段，不论处于城市还是农村，城市男生的人际交往技能总体上表现较差，而农村女生的人际交往技能相对较好。

2）自我管理技能　学校社会行为量表的自我管理技能因子在河北省两市县的详细情况见数据汇总表3-4-265~3-4-266。本文分别对不同年龄组的城市男生、城市女生、农村男生和农村女生在自我管理技能因子上的得分进行了平均数的多重比较，结果如下。

在城市男生和城市女生组，由于17岁以上的两个年龄段样本量不足，我们仅分析了其他3个年龄段在自我管理技能因子上的得分差异，可以发现每个群体中的任何两个年龄段得分之间的差异都没有达到显著水平。此结果说明这3个年龄组的自我管理技能与同组其他年龄段比较都没有体现出因处于不同年龄组所造成的显著性年龄差异。

在农村男生组，由于10~12岁年龄段样本量不足，我们仅分析了其他4个年龄段在自我管理技能因子上的得分差异，可以发现任何两个年龄段得分之间的差异都没有达到显著水平。该结果说明这4个年龄组的自我管理技能水平相互之间的差异都不显著。

在农村女生组，由于10~12岁和19~21岁年龄段样本量不足，我们仅分析了其他3个年龄段在自我管理技能因子上的得分差异，可以发现任何两个年龄段得分之间的差异都没有达到显著水平。该结果说明这3个年龄组的自我管理技能水平相互之间都没有显著差异。

为了进一步了解城市男生、城市女生、农村男生以及农村女生之间的差异，我们对这4个不同群体自我管理技能因子得分的差异进行了分析，结果如下。

在10~12岁年龄段，除了农村群体样本量不足未参与分析外，城市男生和城市女生在自我管理技能因子上的得分差异不显著。这说明，该年龄组中城市男生的自我管理技能和城市女生比较其差异未达到显著水平。

在13~14岁年龄组，不同群体在自我管理技能因子上的差异与人际交往技能因子的差异表现相同，即城市男生在自我管理技能因子上的得分显著低于城市女生和农村女生，而且农村女生在该因子上的得分显著高于城市男生和农村男生。其他各组的得分之间都没有显著的差异。这表明，在13~14岁年龄组，城市男生的自我管理技能不如城市女生和农村女生，农村女生的自我管理技能超过城市男生和农村男生。其他各组的自我管理技能相互比较没有显著的差异。

在15~16岁年龄组，不同群体在自我管理技能因子上的差异与人际交往技能因子上的差异表现相同，即城市男生在该因子上的得分显著低于农村男生和农村女生，农村女生在该因子上的得分显著高于城市男生和城市女生，而其他各组的得分之间不存在显著差异。由此可见，在15~16岁年龄组中，城市男生的自我管理技能比农村学生群体较差，农村女生的自我管理技能比城市学生群体较好，而其他组在该因子上的水平比较都没有显著的差异。

在17~18岁年龄段，除了城市群体样本量不足未参与分析外，农村男生和农村女生在自我管理技能因子上的得分差异不显著。这说明，该年龄组中农村男生的自我管理技能和农村女生比较其差异未达到显著水平。

在19~21岁年龄段，城市群体样本量和农村女生样本量不足，未做分析。

综合以上对不同年龄组的城市男生、城市女生、农村男生和农村女生在自我管理技能因子上的水平分析，我们可以发现，在13~14岁和15~16岁年龄段，不论处于城市还是农村，城市男生的自我管理技能相对较差，农村女生的自我管理技能相对较好。

3）学业技能　学校社会行为量表的学业技能因子在河北省两市县的详细情况见数据汇总表3-4-268~3-4-269。本文分别对不同年龄组的城市男生、城市女生、农村男生和农村女生在学业技能因子上的得分进行了平均数的多重比较，结果如下。

在城市男生和城市女生组，由于17岁以上的两个年龄段样本量不足，我们仅分析了其他3个年龄段在学业技能因子上的得分差异，可以发现每个群体中的任何两个年龄段得分之间的差异都没有达到显著水平。此结果说明这3个年龄段的学业技能与同组其他年龄段比较都没有体现出因处于不同年龄段所造成的显著性年龄差异。

在农村男生组，由于10~12岁年龄段样本量不足，我们仅分析了其他4个年龄段在学业技能因子上的得分差异，可以发现任何两个年龄段得分之间的差异都没有达到显著水平。该结果说明这4个年龄段的学业技能水平相互比较都没有显著差异。

在农村女生组，由于10~12岁和19~21岁年龄段样本量不足，我们仅分析了其他3个年龄段在学业技能因子上的得分差异，可以发现任何两个年龄段得分之间的差异都没有达到显著水平。该结果说明这3个年龄段的学业技能水平之间的差异都不显著。

为了进一步了解城市男生、城市女生、农村男生以及农村女生之间的差异，我们对这四个不同群体学业技能因子得分的差异进行了分析，结果如下。

在10~12岁年龄段，除了农村群体样本量不足未参与分析外，城市男生和城市女生在学业技能因子上的得分差异不显著。这说明，该年龄组中城市男生的学业技能和城市女生比较其差异未达到显著水平。

在13~14岁年龄组，不同群体在学业技能因子上的差异与人际交往技能及自我管理技能因子上的差异表现相同，即城市男生在学业技能因子上的得分显著低于城市女生和农村女生，而且农村女生在学业技能因子上的得分显著高于城市男生和农村男生。其他各组的得分之间都没有显著的差异。这表明，在13~14岁年龄组，城市男生的学业技能不如城市女生和农村女生，农村女生的学业技能比城市男生和农村男生好很多，其他各组的学业技能比较没有显著的差异。

在15~16岁年龄组，农村女生在学业技能因子上的得分显著高于城市男生和农村男生，除此之外，其他各组的得分之间不存在显著差异。由此可见，在15~16岁年龄组中，农村女生的学业技能明显超过城市男生和农村男生，其他各组在学业技能因子上的水平比较均没有显著的差异。

在17~18岁年龄段，除了城市群体样本量不足未参与分析外，农村男生和农村女生在学业技能因子上的得分差异不显著。这说明，该年龄组中农村男生的学业技能和农村女生比较其差异未达到显著水平。

在19~21岁年龄段，城市群体样本量和农村女生样本量不足，未做分析。

综合以上对不同年龄组的城市男生、城市女生、农村男生和农村女生在学业技能因子上的水平分析，我们可以发现，在13~14岁和15~16岁年龄段，城市男生的学业技能相对最弱，农村女生的学业技能相对最好，而其他年龄段未表现出这类特征。

4）敌对-易怒　学校社会行为量表的敌对-易怒因子在河北省两市县的详细情况见数据汇总表3-4-271~3-4-272。本文分别对不同年龄组的城市男生、城市女生、农村男生和农村女生在敌对-易怒因子上的得分进行了平均数的多重比较，结果如下。

在城市男生组和城市女生组，由于17岁以上的两个年龄段样本量不足，我们仅分析了其他3个年龄段在敌对-易怒因子上的得分差异，可以发现每个群体中的任何两个年龄段得分之间的差异都没有达到显著水平。此结果说明这三个年龄段的敌对-易怒水平与同组其他年龄段比较都没有体现出因处于不同年龄段所造成的显著性年龄差异。

在农村男生组，由于10~12岁年龄段样本量不足，我们仅分析了其他4个年龄段在敌对-易怒因子上的得分差异，可以发现除了13~14岁年龄段的农村男生在敌对-易怒因子上的得分显著高于19~21岁年龄段外，其他各年龄段的得分相互比较都没有显著差异。这表明，13~14岁农村男生的敌对-易怒水平显著高于19-21岁年龄段，其他各年龄段的敌对-易怒水平相互比较均不存在显著差异。

在农村女生组，由于10~12岁和19~21岁年龄段样本量不足，我们仅分析了其他3个年龄段在敌对-易怒因子上的得分差异，可以发现13~14岁年龄段的农村女生在敌对-易怒因子上的得分显著高于比他们年长的15~16岁和17~18岁年龄段，除此之外，其他各年龄段的得分相互之间都没有显著差异。这表明，13~14岁年龄段农村女生的敌对-易怒水平超过15~16岁和17~18岁年龄段，其他各年龄段的敌对-易怒水平相互比较均不存在显著差异。

为了进一步了解城市男生、城市女生、农村男生以及农村女生之间的差异，我们对这4个不同群体敌对-易怒因子得分的差异进行了分析，结果如下。

在10~12岁年龄段，除了农村群体样本量不足未参与分析外，城市男生和城市女生在敌对-易怒因子上的得分差异不显著。这说明，该年龄组中城市男生的敌对-易怒水平和城市女生比较其差异未达到显著水平。

在13~14岁年龄组，城市女生在敌对-易怒因子上的得分显著低于城市男生和农村男生，此外，其他各组的得分之间都没有显著的差异。这表明，在13~14岁年龄组，城市男生和农村男生的敌对-易怒水平比城市女生高，并达到了显著水平。其他各组在该因子上的水平比较没有显著的差异。

在15~16岁年龄组，农村女生在敌对-易怒因子上的得分显著低于城市男生，除此之外，其他各组的得分之间不存在显著差异。由此可见，在15~16岁年龄组中，农村女生的敌对-易怒水平显著低于城市男生，其他各组在该因子上的水平比较都没有显著的差异。

在17~18岁年龄段，除了城市群体样本量不足未参与分析外，农村男生和农村女生在敌对-易怒因子上的得分差异不显著。这说明，该年龄组中农村男生和农村女生的敌对-易怒水平差异不显著。

在19～21岁年龄段，城市群体样本量和农村女生样本量不足，未做分析。

综合以上对不同年龄组的城市男生、城市女生、农村男生和农村女生在敌对－易怒因子上的水平分析，我们可以发现，在13～14岁和15～16岁年龄段，城市男生和农村男生的敌对－易怒水平相对较高，城市男生和农村女生的敌对－易怒水平相对较低。

5）反社会－攻击性　学校社会行为量表的反社会－攻击性因子在河北省两市县的详细情况见数据汇总表3－4－274～3－4－275。本文分别对不同年龄组的城市男生、城市女生、农村男生和农村女生在反社会－攻击性因子上的得分进行了平均数的多重比较，结果如下。

在城市男生组和城市女生组，由于17岁以上的两个年龄段样本量不足，我们仅分析了其他3个年龄段在反社会－攻击性因子上的得分差异，可以发现每个群体中的任何两个年龄段得分之间的差异都没有达到显著水平。此结果说明这3个年龄段的反社会－攻击性水平与同组其他年龄段比较都没有表现出因处于不同年龄组所造成的显著性年龄差异。

在农村男生组，由于10～12岁年龄段样本量不足，我们仅分析了其他4个年龄段在反社会－攻击性因子上的得分差异，可以发现除了13～14岁年龄段的农村男生在反社会－攻击性因子上的得分显著高于19～21岁年龄段外，其他各年龄段的得分相互比较都没有显著差异。这表明，13～14岁年龄段农村男生的反社会－攻击性水平明显超过19～21岁年龄段，其他各年龄段的反社会－攻击性水平相互比较均不存在显著差异。

在农村女生组，由于10～12岁和19～21岁年龄段样本量不足，我们仅分析了其他3个年龄段在反社会－攻击性因子上的得分差异，可以发现任何两个年龄段得分之间的差异都没有达到显著水平。该结果说明这3个年龄段的反社会－攻击性水平相互之间的差异都不显著。

为了进一步了解城市男生、城市女生、农村男生以及农村女生之间的差异，我们对这4个不同群体反社会－攻击性因子得分的差异进行了分析，结果如下。

在10～12岁年龄段，除了农村群体样本量不足未参与分析外，城市男生和城市女生在反社会－攻击性因子上的得分差异不显著。这说明，该年龄组中城市男生的反社会－攻击性和城市女生比较其差异未达到显著水平。

在15～16岁年龄组，农村女生在反社会－攻击性因子上的得分显著低于城市男生和农村男生，除此之外，其他各组的得分之间不存在显著差异。由此可见，在15～16岁年龄组中，城市男生和农村男生的反社会－攻击性水平显著高于农村女生，其他各组在该因子上的水平比较都没有显著的差异。

在17～18岁年龄段，除了城市群体样本量不足未参与分析外，农村男生和农村女生在反社会－攻击性因子上的得分差异不显著。这说明，该年龄组中农村男生和农村女生的反社会－攻击性水平比较其差异未达到显著水平。

在19～21岁年龄段，城市群体样本量和农村女生样本量不足，未做分析。

综合以上对不同年龄组的城市男生、城市女生、农村男生和农村女生在反社会－攻击性因子上的水平分析，我们可以发现，在15～16岁年龄段，无论处于城市还是农村，男生群体的反社会－攻击性水平都相对较高，其他年龄段未表现出类似特点。

6）冲动性－强求　学校社会行为量表的冲击性－强求因子在河北省两市县的详细情况见数据汇总表3－4－277～3－4－278。本文分别对不同年龄组的城市男生、城市女生、农村男生和农村女生在冲动性－强求因子上的得分进行了平均数的多重比较，结果如下。

在城市男生组和城市女生组，由于17岁以上的两个年龄段样本量不足，我们仅分析了其他3个年龄段在冲动性－强求因子上的得分差异，可以发现每个群体中的任何两个年龄组得分之间的差异都没有达到显著水平。此结果说明这3个年龄段的冲动性－强求水平与同组其他年龄段比较都没有表现出因处于不同年龄段所造成的显著性年龄差异。

在农村男生组，由于10～12岁年龄段样本量不足，我们仅分析了其他4个年龄段在冲动性－强求因子上的得分差异，可以发现任何两个年龄段得分之间的差异都没有达到显著水平。该结果说明这4个年龄组的冲动性－强求水平相互之间的差异均不显著。

在农村女生组，由于10～12岁和19～21岁年龄段样本量不足，我们仅分析了其他3个年龄段在冲动性－强求因子上的得分差异，可以发现任何两个年龄段得分之间的差异都没有达到显著水平。该结果说明这3个年龄组的冲动性－强求水平相互比较都没有显著的差异。

为了进一步了解城市男生、城市女生、农村男生以及农村女生之间的差异，我们对这4个不同群体冲动性－强求因子得分的差异进行了分析，结果如下。

在10～12岁年龄段，除了农村群体样本量不足未参与分析外，城市男生和城市女生在冲动性－强求因子上的得分差异不显著。这说明，该年龄组中城市男生的冲动性－强求水平和城市女生比较其差异未达到显著水平。

在13～14岁年龄组，城市女生在冲动性－强求因子上的得分显著低于城市男生和农村男生，除此之外，其他各组的得分之间不存在显著差异。由此可见，在13～14岁年龄组中，城市男生和农村男生的冲动性－强求水平明显超过城市女生，其他各组在该因子上的水平比较都没有显著的差异。

在15～16岁年龄组，农村女生在冲动性－强求因子上的得分显著低于城市男生，除此之外，其他各组的得分之间不存在显著差异。由此可见，在15～16岁年龄组中，城市男生的冲动性－强求水平比农村女生较高，其他各组的冲动性－强求水平比较均没有显著的差异。

在17～18岁年龄段，除了城市群体样本量不足未参与分析外，农村男生和农村女生在冲动性－强求因子上的得分差异不显著。这说明，该年龄组中农村男生的冲动性－强求水平与农村女生相比其差异未达到显著水平。

在19～21岁年龄段，城市群体样本量和农村女生样本量不足，未做分析。

综合以上对不同年龄组的城市男生、城市女生、农村男生和农村女生在冲动性－强求因子上的水平分析，我们可以发现，在13～14岁和15～16岁年龄段，无论处于城市还是农村，男生群体的冲动性－强求水平都相对较高，其他年龄段未表现出类似特点。

（2）浙江省　浙江省共检测学校社会行为量表3493人，其中男学生1818人，女学生1675人，其性别和年龄分布的详细资料如表2－4－11所示。

表2－4－11　学校社会行为量表检测人群（浙江学生）分布表（人）

年龄（岁）	性别		合计
	男	女	
10～12	539	512	1051
13～14	414	383	797
15～16	366	335	701
17～18	414	373	787
19～21	85	72	157
合计	1818	1675	3493

学校社会行为量表共包括6个不同因子，分别为人际交往技能、自我管理技能、学业技能、敌对－易怒、反社会－攻击性和冲动性－强求，数据资料汇总表3－4－279～3－4－308呈现了这6个因子测验的结果。

1）性别与学校社会行为　本工作分别对不同年龄阶段的学生在学校社会行为量表中的6个因子的得分进行了独立样本T检验，结果如下。

在10～12岁、13～14岁、15～16岁和17～18岁4个不同年龄段内，男女学生在所有因子上的差异均达到了显著水平，男生的社会能力分量表的3个因子得分均显著低于女生，而反社会行为分量表的3个因子却显著高于女生。此结果表明，男生这4个不同年龄段，社会能力均不如女生，反社会行为均比女生多。

在19~21岁年龄段，男女学生的社会能力和反社会行为的差异与在前4个年龄段的表现不同。女生只是在社会能力分量表中的两个因子（自我管理技能和学业技能）上的表现好于男生，在其他因子上男女学生之间的差异都没有达到显著水平。此结果表明，在19~21岁，虽然女生的社会能力好于男生，但是她们的反社会行为与男生却没有本质差别。

2）年龄与学校社会行为　人际交往技能　学校社会行为量表的人际交往技能因子在浙江省四市的详细情况见数据汇总表3-4-280~3-4-283。本文分别对不同年龄组在人际交往技能因子上的得分进行了平均数的多重比较，结果如下。

不同年龄组男生之间的组间差异基本上都达到了显著水平，只有3个组间差异没有达到显著水平，分别是10~12岁年龄组与13~14岁年龄组，15~16岁年龄组与19~21岁年龄组以及17~18岁年龄组与19~21岁年龄组。达到了显著水平的组间差异有一个共同特点，即年龄小的组得分小于年龄大的组的得分。此结果表明，男生的人际交往技能基本上有一个随着年龄增长逐渐提高的趋势。

不同年龄组女生之间的组间差异只有4个达到了显著水平，分别是10~12岁年龄组与15~16岁年龄组、10~12岁年龄组与17~18岁年龄组、13~14岁年龄组与17~18岁年龄组以及19~21岁年龄组与17~18岁年龄组，他们之间的差异均是前者小于后者。这个结果表明，女生在17~18岁时人际交往技能发展得比较好，随着年龄的增长反而出现了“反弹”的现象。

自我管理技能　学校社会行为量表的自我管理技能因子在浙江省四市的详细情况见数据汇总表3-4-285~3-4-288。本文分别对不同年龄组在自我管理技能因子上的得分进行了平均数的多重比较，结果如下。

不同年龄组男生之间的组间差异只有两个未达到显著水平，它们分别是13~14岁年龄组与19~21岁年龄组以及15~16岁年龄组与19~21岁年龄组，其他的组间差异均达到了显著水平，除了17~18岁年龄组的得分显著高于比他们年龄大的19~21岁年龄组的得分外，其他的达到显著水平的组间差异均是年龄较小组的得分显著低于年龄较大组。此结果表明，男生在自我管理技能上有随着年龄增长逐渐提高的趋势，但是发展到17~18岁时达到了高峰，随着年龄的再次增长反而出现了“反弹”的现象。

不同年龄组女生之间的组间差异呈现以下的特点：10~12岁年龄组的得分显著低于其他4个年龄组，17~18岁年龄组的得分除了与15~16岁年龄组没有显著差异外，与其他3个年龄组相比，均显著高于其他3个年龄组。此结果说明，10~12岁是自我管理技能相对较差的年龄段，17~18岁则是自我管理技能较强的年龄段，到了19~21岁这种技能反而出现了下降的趋势。

学业技能　学校社会行为量表的学业技能因子在浙江省四市的详细情况见数据汇总表3-4-290~3-4-293。本文不同年龄段的男生之间的组间差异呈现出以下特点：10~12岁年龄组的得分显著低于15~16岁、17~18岁年龄组和19~21岁年龄组，17~18岁年龄组的得分显著高于10~12岁年龄组、13~14岁年龄组和15~16岁年龄组，其他的组间差异均没有达到显著水平。此结果表明，10~12岁是男生学业技能较差的年龄段，17~18岁则是男生的学业技能较好的年龄段。

不同年龄段的女生之间的组间差异呈现出以下特点：10~12岁年龄组的得分显著低于其他的4个年龄组的得分，13~14岁年龄组的得分显著低于17~18岁年龄组的得分，除此之外，其他的组间差异均没有达到显著水平。此结果表明，女生在10~12岁时，学业技能相对较差。

敌对-易怒　学校社会行为量表的敌对-易怒因子在浙江省4市的详细情况见数据汇总表3-4-295~3-4-298。本文不同年龄段的男生之间的组间差异呈现出以下特点：17~18岁年龄组的得分显著低于10~12岁年龄组、13~14岁年龄组和15~16岁年龄组，除此之外，其他的任何组间差异均未达到显著水平。此结果说明，17~18岁有较少的敌对-易怒情绪。

不同年龄段的女生之间的组间差异呈现出以下特点：15~16岁年龄组的得分和17~18岁的得分均显著低于比他们年龄小的两个年龄组（10~12岁年龄组和13~14岁年龄组）的得分，除此之外，17~18岁年龄组的得分还显著低于19~21岁组的得分。此结果表明，15~18岁女生的敌对-易怒情绪较少。

反社会－攻击性 学校社会行为量表的反社会－攻击性因子在浙江省四市的详细情况见数据汇总表3－4－300～3－4－303。本文不同年龄段的男生之间的组间差异呈现出以下特点：17～18岁组的得分显著低于比他们年龄小的3个年龄组的得分，除此之外，其他任何两组的组间差异均未达到显著水平。此结果表明，17～18岁的男生的反社会－攻击性行为相对较少。

不同年龄段的女生之间的组间差异呈现出以下特点：15～16岁年龄组的得分和17～18岁的得分均显著低于比他们年龄小的两个年龄组（10～12岁年龄组和13～14岁年龄组）的得分，除此之外，任意两组的组间差异均未达到显著水平。此结果说明，15～18岁的女生的反社会－攻击性行为相对较少。

冲动性－强求 学校社会行为量表的冲动性－强求因子在浙江省四市的详细情况见数据汇总表3－4－305～3－4－308。本文不同年龄段的男生之间的组间差异呈现出以下特点：17～18岁组的得分显著低于比他们年龄小的3个组的得分，除此之外上，任何两组的组间差异均未达到显著水平。此结果表明，17～18岁男生的在冲动性－强求因子上的表现较好。

不同年龄段的女生之间的组间差异呈现出以下特点：15～16岁年龄组的得分和17～18岁的得分均显著低于比他们年龄小的两个年龄组（10～12岁年龄组和13～14岁年龄组）的得分，除此之外，任意两组的组间差异均未达到显著水平。此结果说明，15～18岁的女生在冲动性－强求因子上的表现较好。

（3）广西壮族自治区 广西壮族自治区进行的学校社会行为检测共2470人，其中农村学生1305人，城市学生1165人，其性别和年龄分布的详细资料如表2－4－12所示。

表2－4－12 学校社会行为量表检测人群（广西学生）分布表（人）

年龄（岁）	城市			农村			合计
	男	女	小计	男	女	小计	
10～12	186	163	349	79	72	151	500
13～14	129	128	257	207	233	440	697
15～16	142	112	254	144	197	341	595
17～18	141	152	293	146	136	282	575
19～21	8	4	12	53	38	91	103
合计	606	559	1165	629	676	1305	2470

学校社会行为量表共包括6个不同因子，分别为人际交往技能、自我管理技能、学业技能、敌对－易怒、反社会－攻击性和冲动性－强求，见数据资料汇总表3－4－309～3－4－326呈现了这6个因子测验的结果。

1）人际交往技能 学校社会行为量表的人际交往技能因子在广西两市县的详细情况见数据汇总表3－4－310～3－4－311。本文分别对不同年龄组的城市男生、城市女生、农村男生和农村女生在人际交往技能因子上的得分进行了平均数的多重比较，结果如下。

城市男生在人际交往技能因子上的得分随着年龄的增长表现出如下的趋势：10～12岁年龄段的城市男生在人际交往技能因子上的得分显著低于13～14岁和17～18岁年龄组。除此之外，其他各年龄组的得分相互比较都没有显著差异。这表明，10～12岁城市男生的人际交往技能水平显著低于13～14岁和17～18岁年龄组，其他各年龄组的人际交往技能水平相互比较均不存在显著差异。

城市女生在人际交往技能因子上的得分随着年龄的增长表现出如下的趋势：除了19～21岁年龄段样本量较少不予考虑外，其他4个年龄段的城市女生在人际交往技能因子上的得分相互比较都没有显著的差异。此结果说明，这4个年龄段城市女生的人际交往技能水平相互之间均没有显著的差异。

农村男生在人际交往技能因子上的得分随着年龄的增长表现出如下的趋势：10～12岁年龄段的农村男生在人际交往技能因子上的得分显著低于比他们年长的其他4个年龄组，此外，13～14岁年龄段的农村男生在该因子上的得分显著高于15～16岁和17～18岁两个年龄组，其他各年龄组的得分相互比较都没有显著差异。这表明，10～12岁年龄段农村男生的人际交往技能水平不如其他4个年龄组，13～14岁年龄段农村男生的人际交往技能水平比15～16岁和17～18岁两个年龄组相对较高，其他各年龄组的人际交往技能水平相互比较均不存在显著差异。

农村女生在人际交往技能因子上的得分随着年龄的增长表现出如下的趋势：10～12岁年龄组农村女生在人际交往技能因子上的得分与17～18岁年龄组比较差异并不显著，但他们分别显著低于其他3个年龄组。除此之外，其他各年龄组的得分差异均不显著。这表明10～12岁年龄组农村女生的人际交往技能和17～18岁年龄组相比没有显著差异，但这两组的人际交往技能都不如其他3个年龄组，其他各年龄组的人际交往技能水平相互比较均没有显著的差异。

综合上面的结果，我们可以发现，城市男生、城市女生、农村男生和农村女生4个不同的群体在人际交往技能因子上的得分随着年龄的增长表现出不同的趋势，可见这4个群体之间并不是完全同质的群体，因此，为了进一步了解这4个不同群体之间的差异，我们又对其进行了分析，结果如下。

在10～12岁年龄组，城市女生在人际交往技能因子上的得分显著高于另外3个群体，除此之外，其他各组的得分之间都没有显著的差异。这表明在10～12岁年龄组，城市女生的人际交往技能水平比其他3个群体相对较好。其他各组的人际交往技能水平相互比较没有显著差异。

在13～14岁年龄组，城市男生在人际交往技能因子上的得分显著低于农村女生，而其他各组的得分之间都没有显著的差异。该结果说明，在13～14岁年龄组，城市男生的人际交往技能水平不如农村女生，其他各组的人际交往技能水平相互之间没有显著的差异。

在15～16岁年龄组，城市男生在人际交往技能因子上的得分显著低于城市女生和农村女生，农村女生在该因子上的得分显著高于其他3个群体。除此之外，其他各组的得分之间不存在显著差异。由此可见，在15～16岁年龄组中，城市男生的人际交往技能水平比女生群体较差，农村女生的人际交往技能水平是4个群体中最好的，其他组的人际交往技能水平相互比较都没有显著的差异。

在17～18岁年龄组，农村男生在人际交往技能因子上的得分显著低于城市女生，而其他各组的得分之间都没有显著的差异。此结果表明，在17～18岁年龄组，农村男生的人际交往技能水平不如城市女生，其他各组在该因子上的水平差异不显著。

在19～21岁年龄段中，除了城市男生和城市女生的样本量相对较小不参与分析外，农村男生和农村女生在人际交往技能因子上的得分相互比较没有显著差异。这说明该年龄段的两个农村群体人际交往技能水平相互比较差异不显著。

综合以上对不同年龄组的城市男生、城市女生、农村男生和农村女生在人际交往技能因子上的水平分析，我们可以发现，在大多数年龄段，女生群体的人际交往技能水平整体上比男生群体相对较好。

2）自我管理技能　学校社会行为量表的自我管理技能因子在广西两市县的详细情况见数据汇总表3－4－313～3－4－314。本文分别对不同年龄组的城市男生、城市女生、农村男生和农村女生在自我管理技能因子上的得分进行了平均数的多重比较，结果如下。

城市男生在自我管理技能因子上的得分随着年龄的增长表现出如下的趋势：10～12岁年龄段的城市男生在自我管理技能因子上的得分明显不如17～18岁年龄组，除此之外，其他各年龄组的得分相互比较都没有显著差异。这表明，10～12岁城市男生的自我管理技能比17～18岁年龄组差，其他各年龄组的自我管理技能水平相互比较均不存在显著差异。

城市女生在自我管理技能因子上的得分随着年龄的增长表现出如下的趋势：除了19～21岁年龄段样本量较少不予考虑之外，其他4个年龄段的城市女生在自我管理技能因子上的得分相互比较都没有显著的差异。该结果说明，这 4 个年龄段城市女生的自我管理技能水平相互比较都没有显著的差异。

农村男生在自我管理技能因子上所表现的年龄特征与人际交往技能因子上的年龄特征一致，即 10～12 岁年龄段的农村男生在自我管理技能因子上的得分显著低于比他们年长的其他 4 个年龄组，同时，13～14 岁年龄段的农村男生在该因子上的得分显著高于除 19～21 岁以外的 3 个年龄组，其他各年龄组的得分相互比较都没有显著差异。这表明，10～12 岁年龄段农村男生的自我管理技能水平显著低于比他们年长的其他 4 个年龄组，13～14 岁年龄组农村男生的自我管理技能比除 19～21 岁以外的另 3 个年龄组相对较好，其他各年龄组的自我管理技能水平相互之间的差异都不显著。

农村女生在自我管理技能因子上所表现的年龄特征与人际交往技能因子上的年龄特征一致，即 10～12 岁年龄段农村女生在自我管理技能因子上的得分与 17～18 岁年龄组比较差异并不显著，但它们分别显著低于其他 3 个年龄组。除此之外，其他各年龄组的得分差异均不显著。这表明 10～12 岁农村女生的自我管理技能和 17～18 岁年龄组相比没有显著差异，但这两组的自我管理技能都不如其他 3 个年龄组，其他各年龄组的自我管理技能水平相互比较均没有显著的差异。

综合上面的结果，我们可以发现，城市男生、城市女生、农村男生和农村女生 4 个不同的群体在自我管理技能因子上的得分随着年龄的增长表现出不同的趋势，可见这 4 个群体之间并不是完全同质的群体，因此，为了进一步了解这 4 个不同群体之间的差异，我们又对其进行了分析，结果如下。

在 10～12 岁年龄组，城市女生在自我管理技能因子上的得分显著高于另外 3 个群体，除此之外，其他各组的得分之间都没有显著的差异。该结果表明，在 10～12 岁年龄组，城市女生的自我管理技能比其他三个群体相对较好。其他各组在该因子上的水平比较没有显著的差异。

在 13～14 岁年龄组，城市男生在自我管理技能因子上的得分显著低于另外 3 个群体，同时，农村女生在该因子上的得分显著高于城市男生和农村男生。其他各组的得分之间都不存在显著差异。这表明，在 13～14 岁年龄组，城市男生的自我管理技能水平在 4 个群体中是最差的，农村女生的自我管理技能相对男生群体而言较好，其他各组在该因子上的水平比较没有显著的差异。

在 15～16 岁年龄组，城市男生在自我管理技能因子上的得分显著低于城市女生和农村女生，农村女生在该因子上的得分显著高于其他 3 个群体，而其他各组的得分之间不存在显著差异。由此可见，在 15～16 岁年龄组中，城市男生的自我管理技能比女生群体较差，农村女生的自我管理技能是 4 个群体中最好的，其他组在该因子上的水平相互比较都没有显著的差异。

在 17～18 岁年龄组，城市女生在自我管理技能因子上的得分显著高于其他三个群体，除此之外，其他各组的得分之间都没有显著的差异。此结果表明，在 17～18 岁年龄组，城市女生的自我管理技能相对其他 3 个群体最好，其他各组的自我管理技能水平比较没有显著的差异。

在 19～21 岁年龄段中，除了城市男生和城市女生的样本量相对较小不参与分析外，其他两个群体在自我管理技能因子上得分的差异没有达到显著水平。这说明，农村男生和农村女生的自我管理技能水平差异不显著。

综合以上对不同年龄组的城市男生、城市女生、农村男生和农村女生在自我管理技能因子上的水平分析，我们可以发现，除了 19～21 岁年龄段，其他年龄段不论是城市还是农村，女生群体的自我管理技能整体上比男生群体较好。

3）学业技能　学校社会行为量表的学业技能因子在广西两市县的详细情况见数据汇总表 3－4－316～3－4－317。本文分别对不同年龄组的城市男生、城市女生、农村男生和农村女生在学业技能因子上的得分进行了平均数的多重比较，结果如下。

城市男生在学业技能因子上的得分随着年龄的增长表现出如下的趋势：17～18 岁年龄段的城市男生在学业技能因子上的得分显著高于 10～12 岁和 15～16 岁年龄组，除此之外，其他各年龄组的得分相互比较都没有显著差异。这表明，17～18 岁城市男生与比他们年少的 10～12 岁和 15～16 岁年龄组相比，其学业技能强很多，其他各年龄组的学业技能水平相互比较均不存在显著差异。

城市女生在学业技能因子上的得分随着年龄的增长表现出如下的趋势：除了19~21岁年龄段样本量较少不予考虑之外，其他4个年龄段的城市女生在学业技能因子上的得分相互比较都没有显著的差异。这说明，4个年龄段城市女生的学业技能水平相互比较都没有显著的差异。

农村男生在学业技能因子上所表现的年龄特征与人际交往技能、自我管理技能两个因子的年龄特征一致，即10~12岁年龄段的农村男生在学业技能因子上的得分显著低于比他们年长的4个年龄组，而且13~14岁年龄段的农村男生在该因子上的得分显著高于除19~21岁年龄段以外的另三个年龄组，其他各年龄组的得分相互比较都没有显著差异。这表明，10~12岁年龄段农村男生的学业技能不如比他们年长的4个年龄组，13~14岁年龄组农村男生的学业技能水平胜于除19~21岁年龄组以外的3个年龄组，其他各年龄组的学业技能水平相互比较均不存在显著差异。

农村女生在学业技能因子所表现的年龄特征与人际交往技能、自我管理因子的年龄特征一致，即10~12岁年龄段农村女生在学业技能因子上的得分与17~18岁组比较差异并不显著，但它们分别显著低于其他3个年龄组。除此之外，其他各年龄组的得分差异均不显著。这表明10~12岁农村女生的学业技能和17~18岁年龄组相比没有显著差异，但这两组的学业技能都不如其他3个年龄组，其他各年龄组的学业技能水平相互比较均没有显著的差异。

综合上面的结果，我们可以发现，城市男生、城市女生、农村男生和农村女生4个不同的群体在学业技能因子上的得分随着年龄的增长表现出不同的趋势，可见这4个群体之间并不是完全同质的群体，因此，为了进一步了解这4个不同群体之间的差异，我们又对其进行了分析，结果如下。

在10~12岁年龄组，城市女生在学业技能因子上的得分显著高于另外3个群体，而且农村女生在该因子的得分显著高于农村男生。除此之外，其他各组的得分之间都没有显著的差异。这表明，在10~12岁年龄组，城市女生的学业技能比其他3个群体相对较好，农村女生的学业技能也比农村男生较好，其他各组在该因子上的水平比较没有显著的差异。

在13~14岁年龄组，除了农村男生和城市女生在学业技能因子上的得分差异不显著外，其他各个群体之间比较差异均显著。主要表现在：城市男生在学业技能因子上的得分显著低于另外3个群体，同时，农村女生在该因子上的得分显著高于另外3个群体。这结果表明，在13~14岁年龄组，城市男生的学业技能与其他3个群体比较而言水平最差，农村女生的学业技能与其他3个群体比较而言水平最好。

在15~16岁年龄组，城市男生在学业技能因子上的得分显著低于城市女生和农村女生，农村女生在学业技能因子上的得分显著高于其他3个群体，除此之外，其他各组的得分之间不存在显著差异。由此可见，在15~16岁年龄组中，城市男生的学业技能比女生群体较差，农村女生的学业技能是4个群体中最好的，其他组在该因子上的水平相互比较都没有显著的差异。

在17~18岁年龄组，城市女生在学业技能因子上的得分显著高于另3个群体，除此之外，其他各组的得分之间都没有显著的差异。此结果表明，在17~18岁年龄组，城市女生的学业技能与另3个群体比较而言是最好的，其他各组在该因子上的水平比较没有显著的差异。

在19~21岁年龄段中，除了城市男生和城市女生的样本量相对较小不参与分析外，农村男生和农村女生在学业技能因子上的得分的差异都没有达到显著水平。该结果说明，这两个群体的学业技能水平差异相互比较没有显著差异。

综合以上对不同年龄组的城市男生、城市女生、农村男生和农村女生在学业技能因子上的水平分析，我们可以发现，在大多数年龄段，不论城市还是农村，女生群体的学业技能相对男生群体而言较好，男生的学业技能较差。

4）敌对－易怒　学校社会行为量表的敌对－易怒因子在广西两市县的详细情况见数据汇总表3－4－319~3－4－320。本文分别对不同年龄组的城市男生、城市女生、农村男生和农村女生在敌对－易怒因子上的得分进行了平均数的多重比较，结果如下。

城市男生在敌对－易怒因子上的得分随着年龄的增长表现出如下的趋势：17~18岁年龄段的城市男生在敌对－易怒因子上的得分显著低于13~14岁年龄组，除此之外，其他各年龄组的得分相互比较都没有显著差异。这表明，17～18岁城市男生在敌对－易怒因子上的反社会问题比13～14岁年龄组较少，其他各年龄组的敌对－易怒水平相互比较均不存在显著差异。

城市女生在敌对－易怒因子上的得分随着年龄的增长表现出如下的趋势：除了19～21岁年龄段样本量较少不予考虑之外，其他4个年龄段的城市女生在敌对－易怒因子上的得分相互比较都没有显著的差异。该结果说明，4个年龄段城市女生的敌对－易怒水平相互比较都没有显著的差异。

农村男生在敌对－易怒因子上的得分随着年龄的增长表现出如下的趋势：10～12岁年龄段的农村男生在该因子上的得分显著高于比他们年长的4个年龄组，同时，13～14岁年龄段的农村男生在该因子上的得分显著低于除19～21岁以外的3个年龄组，其他各年龄组的得分相互比较都没有显著差异。这表明，10～12岁年龄段农村男生在敌对－易怒因子上的反社会问题超过比他们年长的其他4个年龄组，13～14岁年龄段的农村男生在该因子上的反社会问题少于除19～21岁以外的3个年龄组，其他各年龄组的敌对－易怒水平相互比较均不存在显著差异。

农村女生在敌对－易怒因子上的得分随着年龄的增长表现出如下的趋势：17～18岁年龄段的农村女生在该因子上的得分显著高于其他4个年龄组，除此之外，其他各年龄组的得分相互比较都没有显著差异。这表明，17～18岁年龄段农村女生的敌对－易怒水平显著高于其他4个年龄组，而其他各年龄组的敌对－易怒水平相互比较均不存在显著差异。

综合上面的结果，我们可以发现，城市男生、城市女生、农村男生和农村女生4个不同的群体在敌对－易怒因子上的得分随着年龄的增长表现出不同的趋势，可见这4个群体之间并不是完全同质的群体，因此，为了进一步了解这4个不同群体之间的差异，我们又对其进行了分析，结果如下。

在10～12岁年龄组，除了城市女生和农村女生在敌对－易怒因子上的得分没有显著差异外，其他各个群体之间的比较均有显著差异。主要体现在：城市男生在该因子的得分显著高于城市女生和农村女生。农村男生在敌对－易怒因子上的得分显著高于另外3个群体。此结果表明，城市男生的敌对－易怒水平显著高于城市女生和农村女生，而且农村男生的敌对－易怒水平也显著高于另外3个群体。

在13～14岁年龄组，除了农村男生和城市女生在敌对－易怒因子上的得分差异不显著外，其他各个群体之间比较差异均显著。主要表现在：城市男生在敌对－易怒因子上的得分显著高于另外3个群体，同时，农村女生在敌对－易怒因子上的得分显著低于另外3个群体。该结果说明，在13～14岁年龄组，城市男生在敌对－易怒因子上的反社会问题与其他3个群体比较而言相对最多，农村女生的敌对－易怒水平与其他3个群体比较而言相对最低。

在15～16岁年龄组，城市男生在敌对－易怒因子上的得分显著高于城市女生和农村女生，农村男生在该因子上的得分也显著高于城市女生和农村女生，除此之外，其他各组的得分之间不存在显著差异。由此可见，在15～16岁年龄组中，不论城市还是农村，男生群体的敌对－易怒水平都比女生群体高。其他组在该因子上的反社会水平相互比较都没有显著的差异。

在17～18岁年龄组，城市女生在敌对－易怒因子上的得分显著低于其他3个群体，除此之外，其他各组的得分之间都没有显著的差异。此结果表明，在17～18岁年龄组，城市女生的敌对－易怒水平相对其他3个群体最低。其他各组在该因子上的水平比较没有显著的差异。

在19～21岁年龄段中，除了城市男生和城市女生的样本量相对较小不予考虑外，农村男生和农村女生在敌对－易怒因子上的得分的差异都没有达到显著水平。此结果表明，这两个群体的敌对－易怒水平差异不显著。

综合以上对不同年龄组的城市男生、城市女生、农村男生和农村女生在敌对－易怒因子上的水平分析，我们可以发现，除了19～21年龄段外，其他年龄段中不论是城市还是农村，男生群体在敌对－易怒因子上的反社会问题整体上多于女生群体，而且这种差异达到了显著水平。

5）反社会－攻击性　学校社会行为量表的反社会－攻击性因子在广西两市县的详细情况见数据汇总表3－4－322～3－4－323。本文分别对不同年龄组的城市男生、城市女生、农村男生和农村女生在反社会－攻击性因子上的得分进行了平均数的多重比较，结果如下。

城市男生在反社会－攻击性因子上的得分随着年龄的增长表现出如下的趋势：除了19～21岁年龄段样本量较少不予考虑之外，其他4个年龄段的城市男生在反社会－攻击性因子上的得分相互比较都没有显著的差异。此结果说明，4个年龄段城市男生的反社会－攻击性水平相互之间都没有显著的差异。

城市女生在反社会－攻击性因子上的得分随着年龄的增长表现出如下的趋势：除了15～16岁年龄组的城市女生在反社会－攻击性因子上的得分显著高于17～18岁年龄组外，其他各年龄组的得分相互比较都没有显著差异。这表明，除了15～16岁年龄段城市女生的反社会－攻击性水平明显超过17～18岁年龄组外，其他各年龄组的反社会－攻击性水平相互比较均不存在显著差异。

农村男生在反社会－攻击性因子上的得分随着年龄的增长表现出如下的趋势：10～12岁年龄段的农村男生在反社会－攻击性因子上的得分显著高于比他们年长的4个年龄组，同时，17～18岁年龄段的农村男生在该因子上的得分也显著高于19～21岁年龄组，除此之外，其他各年龄组的得分相互比较都没有显著差异。这表明，10～12岁年龄段农村男生的反社会－攻击性超过比他们年长的4个年龄组，17～18岁年龄段农村男生的反社会～攻击性也比19～21岁年龄组较高，其他各年龄组的反社会－攻击性水平相互比较均不存在显著差异。

农村女生在反社会－攻击性因子上的得分随着年龄的增长表现出如下的趋势：10～12岁年龄段农村女生在该因子上的得分与17～18岁组比较差异并不显著，但它们分别显著高于其他3个年龄组。除此之外，其他各年龄组的得分差异均不显著。这表明10～12岁农村女生的反社会－攻击性和17～18岁年龄组相比没有显著差异，但这两组学生的反社会－攻击性都超过其他3个年龄组，其他各年龄组的反社会－攻击性相互之间均没有显著的差异。

综合上面的结果，我们可以发现，城市男生、城市女生、农村男生和农村女生4个不同的群体在反社会－攻击性因子上的得分随着年龄的增长表现出不同的趋势，可见这4个群体之间并不是完全同质的群体，因此，为了进一步了解这4个不同群体之间的差异，我们又对其进行了分析，结果如下。

在10～12岁年龄组，除了城市女生和农村女生在反社会－攻击性因子上的得分没有显著差异外，其他各个群体之间的比较均有显著差异。主要体现在：城市男生在该因子的得分显著高于城市女生和农村女生，农村男生在该因子上的得分显著高于另外3个群体。此结果表明，城市男生的反社会－攻击性水平显著高于城市女生和农村女生，农村男生的反社会－攻击性水平也显著高于另外3个群体。

在13～14岁年龄组，除了农村男生和城市女生在反社会－攻击性因子上的得分差异不显著外，其他各个群体之间比较差异均显著。主要表现在：城市男生在该因子上的得分显著高于另外3个群体，同时，农村女生在该因子上的得分显著低于另外3个群体。这表明，在13～14岁年龄组，城市男生的反社会－攻击性与其他3个群体比较而言其水平最高，农村女生的反社会－攻击性在这4个群体中是最低的。

在15～16岁年龄组，城市男生在反社会－攻击性因子上的得分显著高于城市女生和农村女生，农村女生在反社会－攻击性因子上的得分显著低于其他3组，除此之外，其他各组的得分之间不存在显著差异。由此可见，在15～16岁年龄组中，城市男生的反社会－攻击性比城市女生和农村女生较高，而农村女生的反社会－攻击性比其他3组较低，其他组在该因子上的水平相互比较都没有显著的差异。

在17～18岁年龄组，城市女生在反社会－攻击性因子上的得分显著低于其他3组，除此之外，其他各组的得分之间都没有显著的差异。此结果表明，在17～18岁年龄组，城市女生的反社会－攻击性是4个群体中最低的，其他各组在该因子上的水平比较没有显著的差异。

在19～21岁年龄段中，除了城市男生和城市女生的样本量相对较小不参与分析外，农村男生和农村女生在反社会－攻击性因子上的得分的差异都没有达到显著水平。此结果表明，这两个群体的反社会－攻击性水平差异相互比较没有显著差异。

综合以上对不同年龄组的城市男生、城市女生、农村男生和农村女生在反社会－攻击性因子上的水平分析，我们可以发现，除了19～21年龄段外，其他年龄段中不论是城市还是农村，男生群体的反社会－攻击性整体上高于女生群体，而且这种差异达到了显著水平。

6）冲动性－强求　学校社会行为量表的冲动性－强求因子在广西两市县的详细情况见数据汇总表3－4－325～3－4－326。本文分别对不同年龄组的城市男生、城市女生、农村男生和农村女生在冲动性－强求因子上的得分进行了平均数的多重比较，结果如下。

城市男生在冲动性－强求因子上的得分随着年龄的增长表现出如下的趋势：17～18岁年龄段的城市男生在该因子上的得分显著低于比他们年少的3个年龄组，除此之外，其他各年龄组的得分相互比较都没有显著差异。这表明，17～18岁城市男生的冲动性－强求水平显著低于比他们年少的3个年龄组，其他各年龄组的冲动性－强求水平相互比较均不存在显著差异。

城市女生在冲动性－强求因子上的得分随着年龄的增长表现出如下的趋势：除了19～21岁年龄段样本量较少不予考虑之外，其他4个年龄段的城市女生在冲动性－强求因子上的得分相互比较都没有显著的差异。此结果说明，4个年龄段城市女生的冲动性－强求水平相互比较都没有显著的差异。

农村男生在冲动性－强求因子上的得分随着年龄的增长表现出如下的趋势：10～12岁年龄段的农村男生在冲动性－强求因子上的得分显著高于比他们年长的4个年龄组，同时，13～14岁年龄段的农村男生在冲动性－强求因子上的得分显著低于除15～16岁以外的3个年龄组，其他各年龄组的得分相互比较都没有显著差异。这表明，10～12岁年龄段农村男生的冲动性－强求水平超过比他们年长的4个年龄组，13～14岁年龄组农村男生的冲动性－强求水平显著低于除15～16岁以外的3个年龄组，其他各年龄组的冲动性－强求水平相互比较均不存在显著差异。

农村女生在冲动性－强求因子上的得分随着年龄的增长表现出如下的趋势：17～18岁年龄段的农村女生在该因子上的得分显著高于其他4个年龄组，15～16岁年龄段的农村女生得分显著高于13～14岁年龄段。除此之外，其他各年龄组的得分相互比较都没有显著差异。这表明，17～18岁年龄段农村女生的冲动性－强求水平比其他4个年龄组相对较高，15～16岁年龄段农村女生的冲动性－强求水平也超过13～14岁年龄组，其他各年龄组的冲动性－强求水平相互比较均不存在显著差异。

综合上面的结果，我们可以发现，城市男生、城市女生、农村男生和农村女生4个不同的群体在冲动性－强求因子上的得分随着年龄的增长表现出不同的趋势，可见这4个群体之间并不是完全同质的群体，因此，为了进一步了解这4个不同群体之间的差异，我们又对其进行了分析，结果如下。

在10～12岁年龄组，除了城市女生和农村女生在冲动性－强求因子上的得分没有显著差异外，其他各组之间的比较均有显著差异。主要体现在：城市男生在该因子的得分显著高于城市女生和农村女生，而农村男生在该因子上的得分也显著高于另外3个群体。此结果表明，城市男生的冲动性－强求水平显著高于城市女生和农村女生，农村男生的冲动性－强求水平也明显超过另外3个群体。

在13～14岁年龄组，除了城市女生和农村女生在冲动性－强求因子上的得分差异不显著外，其他组之间比较差异均显著。主要表现在：城市男生在冲动性－强求因子上的得分显著高于另外3个群体，同时，农村男生在该因子上的得分也显著高于城市女生和农村女生组。这表明，在13～14岁年龄组，城市男生的冲动性－强求水平在这4个群体中是最高的，农村男生的冲动性－强求水平也显著高于城市女生和农村女生组。

在15～16岁年龄组，城市男生在冲动性－强求因子上的得分显著高于其他3个群体，农村女生在冲动性－强求因子上的得分显著低于城市男生和农村男生，除此之外，其他各组的得分之间不存在显著差异。由此可见，在15～16岁年龄组中，城市男生的冲动性－强求水平比其他3个群体较高，农村女生的冲动性－强求水平比男生群体较低，其他组在该因子上的水平相互比较都没有显著的差异。

在17~18岁年龄组，城市女生在冲动性－强求因子上的得分显著低于其他3个群体，同时，农村男生在该因子上的得分显著高于城市男生和城市女生。除此之外，其他各组的得分之间都没有显著的差异。此结果表明，在13~14岁年龄组，城市女生的冲动性－强求水平在四个群体之中是最低的，农村男生的冲动性－强求水平超过城市男生和城市女生，其他各组在该因子上的水平比较没有显著的差异。

在19~21岁年龄段中，除了城市男生和城市女生的样本量相对较小不参与分析外，农村男生在冲动性－强求因子的得分显著高于农村女生。此结果说明，农村男生的冲动性－强求水平超过农村女生。

综合以上对不同年龄组的城市男生、城市女生、农村男生和农村女生在冲动性－强求因子上的水平分析，我们可以发现，除了19~21年龄段不参与分析外，其他年龄段中不论是城市还是农村，男生群体的冲动性－强求水平整体上都超过女生群体，而且这种差异达到了显著水平。

（四）瑞文标准推理测验结果

1．参加测验的被试的年龄分布　瑞文推理测验选择河北省唐山市、唐海县、景县进行，共测试7279人，去掉少于50人的年龄段，有效样本量为7212人，其年龄分布见表2－4－13。

表2－4－13　被试的年龄分布

年龄	人数
9.5	50
10	114
10.5	153
11	179
11.5	216
12	268
12.5	215
13	218
13.5	329
14	367
14.5	314
15	257
15.5	453
16	470
16.5	478
17	1184
20	816
30	838
40	201
50	92
总体	7212

2．不同年龄段的百分等级表　见表2－4－14。

表2－4－14　不同年龄阶段的百分等级表

	年龄																			
%	9.5	10	10.5	11	11.5	12	12.5	13	13.5	14	14.5	15	15.5	16	16.5	17	20	30	40	50
5	14.55	27	27	27	29	30	29	29	35	35.4	33.5	34.9	40	42	40	41	33.85	30	19.1	13.65
10	16.1	29.5	30	32	33	32	35	33	39	39	38	40.8	44	46	44.9	45	42	37	29	17.6
25	34	37.75	37	38	40	39	42	41.75	44	45	46	46	48	49	49	49	48	44	36	30.25
50	41	44	43	44	46	45	48	49	50	49	50	51	52	52	52	53	53	51	44	40
75	46	50	47	49	49	49	52	52	53	53	52.25	54	55	55	55	55	56	54	49	47
90	50	53	50	53	53	52	54.4	55	55	55	55	56	57	57	57	57	58	57	53	51
95	51.9	54	52.3	53	54.15	54	56	57	56	56	56	57	58	58	57	58	58	57	54.9	53.35

测验结果表明，与张厚粲20世纪80年代主修的瑞文标准推理测验的常模相比，所有年龄段的百分等级分数都高于已有常模，说明已有的常模已不适合，急需进行量表的重新修订，建立全国新的常模。

（五）艾森克人格问卷

艾森克人格问卷在北京市测试，选取4所小学、4所中学及1所大学进行，共取得有效样本量2976人，其中男生1426人，占总样本量的44.97%；女生1745人，占总样本量的55.03%，其中少年版样本 1551 人。样本总体分布情况见表 2－4－15、2－4－22。

1．艾森克人格测验（少年版）

（1）艾森克人格测验（少年版）的人数分布　从表 2－4－15 可知，在全体 1551 名被试样本中，女生为 846 人，占总数的 54.5%，男生为 705 人，占总数的 45.5%，男女生人数差异不大。除了 10 岁组外，其他年龄组的被试比例基本相同。所有被试的平均年龄为 12.37±1.29。

表 2－4－15　艾森克人格测验（少年版）人数分布情况

		总数	10 岁	11 岁	12 岁	13 岁	14 岁
总体	n	1551	140	301	346	375	389
	%		9.0	19.4	22.3	24.2	25.1
女生	n	846	85	153	192	203	213
	%	54.5	10.0	18.1	22.7	24.0	25.2
男生	n	705	55	148	154	172	176
	%	45.5	7.8	21.0	21.8	24.4	25.0

表 2－4－16　艾森克人格量表（少年版）的信度

	Cronbach a	分半信度
P 量表	0.69	0.63
E 量表	0.69	0.75
N 量表	0.83	0.86
L 量表	0.74	0.76

（2）测验量表（少年版）的信度和内容效度　从表 2－4－16 可知，艾森克人格测验少年版的 4 个分量表的内部一致性信度在 0.69～0.83 之间，分半信度在 0.63～0.86 之间，可见该测验少年版具有较好的信度。

根据心理测验理论，一个量表各分量表得分之间及其与总量表之间的相关系数，可以作为衡量量表内容效度的指标。而一个内容效度较好的量表应是分量表之间的相关较低，而分量表与总量表之间的相关较高。在本量表中，除了 L 量表外，另 3 个分量表（P、E、N）与总量表的相关系数较高，而分量表之间的相关则较低，相关系数在 0.03～0.494 之间，这说明艾森克人格测验少年版的内容效度是可接受的，见表 3－4－17。

表 2－4－17　艾森克人格量表（少年版）的内容效度

	P 量表	E 量表	N 量表	L 量表
P 量表				
E 量表	－0.03			
N 量表	0.465	－0.179		
L 量表	－0.494	0.064	－0.379	
总量表	0.433	0.514	0.567	0.165

表2-4-18 艾森克人格量表（少年版）的平均数和标准差

		P		E		N		L		总体	
	N	M	Std	M	Std	M	Std	M	Std	M	Std
总体	1551	3.65	2.56	12.89	3.76	6.93	4.34	11.54	3.68	35.02	6.11
女生	846	3.32	2.35	12.69	3.82	7.24	4.41	11.95	3.76	35.26	5.99
男生	705	4.04	2.74	13.13	3.69	6.55	4.23	11.05	3.53	34.79	6.25
女生 10岁	85	2.86	1.76	13.21	3.20	6.58	4.48	13.67	3.27	36.32	5.56
11岁	153	2.78	1.91	12.90	3.55	6.27	4.66	13.19	3.90	35.14	5.35
12岁	192	3.58	2.69	12.37	3.78	7.17	4.29	12.09	3.70	35.22	6.34
13岁	203	3.55	2.39	12.62	3.97	7.46	4.18	11.31	3.57	34.94	5.93
14岁	213	3.45	2.39	12.70	4.11	8.07	4.38	10.86	3.52	35.08	6.32
男生 10岁	55	4.27	2.71	13.53	3.62	5.8	3.80	11.6	3.99	35.2	5.31
11岁	148	3.57	2.32	13.28	3.51	5.49	4.17	11.69	3.39	34.01	5.99
12岁	154	3.72	2.81	12.89	3.55	6.47	4.27	11.72	3.61	34.80	6.46
13岁	172	4.49	2.86	13.18	3.90	6.93	4.13	10.29	3.23	34.90	6.41
14岁	176	4.20	2.82	13.05	3.78	7.39	4.30	10.55	3.52	35.19	6.43

（3）测验量表的平均数和标准差 从表2-4-18可知，被试在P量表和N量表上的得分普遍较低，而在E量表和L量表上的得分则较高。这说明10岁~14岁的被试精神质和焦虑、抑郁情绪普遍较低，而性格较倾向于外向，且掩饰性较高，这一人格特点同样表现在不同性别、不同年龄的被试群体中。

在不同的性别上，男生的精神质、外向性水平要高于女生，而女生的情绪性和掩饰性要高于男生。在不同年龄的女生中，12岁女生在P量表上的得分最高，10岁的女生最为外向，14岁的女生最为焦虑、担心，10岁的女生掩饰性最强。同时，10岁的女生在总量表上的得分最高。在不同年龄的男生中，13岁的男生精神质量表得分最高，10岁的男生最外向，14岁的男生情绪上最为焦虑和担心，12岁的男生掩饰性最强。同时，10岁的男生在总量表上的得分最高。

表2-4-19 测验量表的百分等级

总评	P	E	N	L	总分
25	2	10	3	9	31
50	3	13	7	12	35
75	5	16	10	14	39

（4）测验量表的百分等级 百分等级可以表明在常模团体中低于该分数的人数百分比，从表2-4-19中我们可以知道不同的原始分数所代表的人数百分比。以P量表为例，有25%的被试得分低于2分，有50%的被试得分低于3分，有75%的人得分低于5分。

（5）人格四种类型及其人数分布 根据陈仲庚1985年对艾森克人格量表少年版进行修订时所制订的区分二维人格标准，我们以E、N量表的T分数50为标准，将人格类型划分成不同的四种。将E量表得分低于50、N量表得分低于50界定为内向稳定型人格类型；将E量表得分低于50，N量表得分高于50界定为内向不稳型人格特点；将E量表得分高于50，N量表得分低于50界定为外向稳定型人格特点，将E、N量表均高于50的界定为外向不稳型人格特点。

结果发现，在所有的10~14岁的被试人群中，外向稳定型人格所占的比例最大，其次分别为外向不稳型人格、内向不稳型人格，而在少年中内向稳定型人格人数最少（表2-4-20）。在不同的性别上也表现出了基本相同的趋势，无论是女生还是男生，都是外向稳定型人格人数最多，内向稳定型人格人数最少。而在不同的年龄上，10岁~13岁的被试中外向稳定型人格最多，而14岁被试外向不稳型人格最多。同时，无论哪个年龄段的被试人群，都是内向型人格人数偏少。

表 2-4-20　四种性格类型

	总体
内向稳定	287（18.5%）
内向不稳定	376（24.2%）
外向稳定	488（31.5%）
外向不稳定	400（25.8%）

2．艾森克人格测验（成人版）

表 2-4-21　艾森克人格测验成人版高中生人数分布情况

		总数	15 岁	16 岁	17 岁	18 岁及 18 岁以上
总体	N	1425	342	452	437	194
	%		24.0	31.7	30.7	13.6
女生	N	764	207	245	228	84
	%	53.6	27.1	32.1	29.8	11.0
男生	N	661	135	207	209	110
	%	46.4	20.4	31.3	31.6	6.6

（1）艾森克人格测验（成人版）的人数分布　艾森克人格测验（成人版）被试人群包括高中生和大学生两个部分，高中生的人数分布见表 2-4-21。从表 2-4-21 显示，除了 18 岁这个年龄段外，其他年龄组的被试人数分布基本相同。所有高中生的平均年龄为 16.34±0.99。

表 2-4-22　艾森克人格量表成人版的信度

	Cronbach　a	分半信度
P 量表	0.62	0.52
E 量表	0.80	0.78
N 量表	0.80	0.77
L 量表	0.54	0.52

大学生的总人数为 195 人，其中女生 135 人，占总数的 69.2%，男生为 60 人，占总数的 30.8%。所有大学生的平均年龄为 19.74±1.54。

（2）艾森克人格测验量表（成人版）的信度和内容效度　从表 2-4-22 可知，艾森克人格测验成人版的四个分量表的内部一致性信度在 0.54～0.80 之间，分半信度在 0.52～0.78 之间，可见该测验成人版具有较好的信度。

从表 2-4-23 可知，该量表成人版各分量表之间的相关系数较低，而除了 L 量表外，各分量表与总量表之间的相关则从 0.433～0.567，这说明艾森克人格测验成人版的内容效度是可接受的。

表 2-4-23　艾森克人格量表成人版的内容效度

	P 量表	E 量表	N 量表	L 量表
P 量表				
E 量表	-0.03			
N 量表	0.465	-0.179		
L 量表	-0.494	0.064	-0.379	
总量表	0.433	0.514	0.567	0.165

表2-4-24　艾森克人格测验量表中高中生的平均数和标准差

		P		E		N		L		总体	
	N	M	Std	M	Std	M	Std	M	Std	M	Std
总体	1425	6.29	3.00	13.06	4.34	11.74	4.80	10.59	3.03	41.68	5.95
女生	764	6.07	2.95	13.24	4.26	12.36	4.91	11.04	2.95	42.72	5.80
男生	661	6.55	3.03	12.85	4.42	11.02	4.56	40.06	3.04	40.48	5.90
女 15岁	207	5.53	2.75	13.94	4.43	11.75	5.05	11.24	2.89	42.45	5.84
16岁	245	6.06	2.88	13.58	4.02	12.04	4.73	11.21	2.87	42.89	5.82
17岁	228	6.37	3.03	12.52	4.29	13.26	4.96	10.79	3.05	42.93	5.67
生 18岁及以上	84	6.67	3.21	12.45	4.35	12.38	4.68	10.79	3.05	42.29	5.99
男 15岁	135	5.58	2.64	14.04	4.23	9.64	4.09	10.39	3.12	39.64	5.57
16岁	207	6.66	3.00	12.39	4.41	11.08	4.56	9.82	2.99	39.94	6.04
17岁	209	6.91	3.25	12.69	4.54	11.44	4.77	10.07	3.03	41.11	6.05
生 18岁及以上	110	6.83	2.89	12.59	4.22	11.82	4.34	11.10	3.05	41.34	5.56

（3）测验量表的平均数和标准差　从表2-4-24可知，高中生在P量表上的得分较低，而在E、N、L量表上的得分相对要高一些，同样的人格特点也表现在不同年龄、不同性别的被试上。在不同的性别上，男生在精神质（P量表）上的得分要高于女生，而女生要比男生更外向、更焦虑和善于掩饰。在不同年龄的女生中，18岁及以上的女生在精神质量表上的得分最高，15岁的女生最外向，17岁的女生最焦虑和抑郁，而15岁的女生最善于掩饰。在不同年龄段的男生中，17岁的男生精神质量表得分最高，15岁的男生最外向，18岁的男生最焦虑、担忧和懂得掩饰。

在大学生人群中，大学生普遍在P量表上的得分较低，而在E、N和L量表上的得分较高，这一趋势也表现在不同性别的被试者中。其中，男生在精神质（P）和内外向（E）上的得分要高于女生，而女生在神经质（N）和掩饰性（L）上的得分要高于男生。

表2-4-25　测验量表的百分等级

	P量表	E量表	N量表	L量表	总分
高中生					
25%	4	10	8	8	38
50%	6	13	12	11	42
75%	8	17	15	13	46
大学生					
25%	4	10	9	9	39
50%	6	14	13	11	43
75%	8	17	16	13	48
女生 25%	4	10	10	9	40
50%	6	14	13	11	43
75%	7	16	17	14	48
男生 25%	5	11	8	8.25	38.25
50%	6	15	12	10	43
75%	8.75	17.75	16	12	47.75

(4) 测验量表的百分等级　表 2-4-25 列出了高中生和大学生各分量表的百分等级，如在 P 量表中，有 25%的高中生得分低于 4 分，有一半的高中生得分低于 6 分，而有 75%的被试得分低于 8 分。

(六) 数字划消测验

1. 数字划消测验的人数分布　数字划消测验在北京市测试。选取四所小学、四所中学进行，共取得有效样本量 4872 人，其中男生 2418 人，占 49.6%；女生 2454 人，占 50.4%。小学生 1823 人，占 37.4%；初中生 1492 人，占 30.6%；高中生 1557 人，占 32.0%。样本的人数分布见表 2-4-26。

表 2-4-26　数字划消测验人数分布

		小学	初中	高中
总体	N	1823	1492	1557
	%	37.4	30.6	32.0
男生	N	932	747	739
	%	38.5	30.9	30.6
女生	N	891	745	818
	%	36.3	30.4	33.3
7~9 岁	N	681	0	0
	%	100.0		
10~12 岁	N	1045	176	0
	%	85.6	14.4	
13~15 岁	N	96	1185	316
	%	6.0	74.2	19.8
16 岁以上	N	1	131	1241
	%	0.1	9.5	90.4

表 2-4-27　数字划消测验的平均数和标准差

	测验一						测验二						测验三					
	正		误		漏		正		误		漏		正		误		漏	
	M	Std.	M	Std.	M	Std.	M	Std.	M	Std.	M	Std.	M	Std.	M	Std.	M	Std.
总体	39.82	8.26	0.06	1.19	2.42	3.31	37.81	9.57	0.84	7.74	3.32	4.67	24.88	7.82	1.05	4.04	4.80	5.82
男生	39.02	8.55	0.08	1.53	2.61	3.48	36.82	9.91	1.06	9.25	3.56	4.97	24.26	7.98	1.17	4.24	4.99	5.97
女生	40.61	7.89	3.2	0.070	2.23	3.11	38.79	9.13	0.62	5.89	2.88	4.33	25.49	7.61	0.93	3.83	4.62	5.67
小学	33.34	8.57	7.08	1.03	3.40	3.94	29.94	9.54	1.15	6.85	4.32	5.20	19.51	6.72	1.50	5.00	5.44	6.11
初中	42.11	6.23	0.10	1.83	2.28	2.93	40.63	6.88	1.20	11.45	3.27	5.00	26.30	6.50	0.83	3.55	4.87	6.00
高中	45.08	3.09	3.85	0.11	1.39	2.11	44.10	4.26	0.17	3.11	1.92	3.20	29.79	6.20	0.74	3.12	3.98	5.16
7~9 岁	27.39	6.83	5.87	0.91	3.22	4.05	24.32	7.82	1.09	6.323	3.80	4.69	15.86	5.70	1.51	4.54	4.68	4.99
10~12 岁	37.08	7.42	7.29	1.06	3.36	3.81	33.92	8.52	0.75	4.85	4.38	5.06	22.11	6.36	1.19	4.22	5.55	6.42
13~15 岁	42.49	6.16	6.37	1.34	2.26	3.18	41.11	7.06	1.31	11.57	3.05	4.94	26.94	6.68	1.00	4.28	4.51	5.80
16 岁以上	45.16	2.70	3.71	1.22	1.37	1.96	43.93	4.52	0.22	3.37	2.11	3.55	29.29	6.49	0.75	3.19	4.55	5.63

2. 数字划消测验的平均数和标准差　从表 2-4-27 可知，在 3 个测验中，正确率呈现逐渐下降的趋势，而错误率和遗漏率则呈增加趋势。这一特点同样表现在不同性别、不同年级、不同年龄的被试身上。

3. 数字划消测验的净分　根据数字划消测验说明中的公式：净分 = 粗分（全部划掉字数）-（错划 + 1/2 漏划），算出三种测验的净分以及不同性别、年级青少年的净分。净分的结果见表 2-4-28。

表 2-4-28 数字划消测验的净分

	测验一净分		测验二净分		测验三净分	
	M	Std	M	Std	M	Std
总体	38.59	8.88	36.19	10.79	22.46	9.37
女生	39.48	8.50	37.34	10.27	23.18	9.14
男生	37.69	9.16	35.01	11.17	21.73	9.53
7~9岁	25.78	6.89	22.42	8.53	13.52	6.77
10~12岁	35.40	7.91	31.74	9.57	19.33	7.99
13~15岁	41.36	6.90	39.59	8.85	24.68	8.49
16岁以上	44.47	3.41	42.87	5.94	27.02	8.52

由上表可知，在总体上，测验一的净分为38.59，测验二净分的为36.19，而测验三净分的为22.46。可见，随着练习时间的拉长，青少年的注意力呈现下降的趋势。

在不同的性别上，女生在3个测验上的注意力要比男生要长。而随着年龄的增长，青少年在3个测验上的注意力也明显增长。

表 2-4-29 不同净分的百分等级

		净分一	净分二	净分三
总体				
	25%	33	30	16.5
	50%	42.5	39.5	24
	75%	45.5	44	29.5
男生	25%	31.75	28.5	16.0
	50%	41.0	38.0	23.0
	75%	45.5	44.0	28.5
女生	25%	35.0	32	17.63
	50%	42.5	41.0	24.5
	75%	45.5	45.5	29.5
7~9岁	25%	21.5	18.0	9.0
	50%	25.5	23.0	13.5
	75%	29.5	27.5	18.0
10~12岁	25%	30.0	27.0	15.0
	50%	36.5	32.5	20.5
	75%	42.0	38.5	24.0
13~15岁	25%	39.5	36.5	21.5
	50%	44.0	42.0	26.0
	75%	45.5	45.5	30.0
16岁以上	25%	44.0	41.0	24.0
	50%	45.5	44.0	28.5
	75%	47.0	47.0	32.5

4. 不同净分的百分等级　表2-4-29列出了3个测验中注意力净分的百分等级以及不同性别、不同年龄的百分等级。如在测验一中，有25%的人净分低于33分，有50%的人净分低于42.5分，有75%的人净分低于45.5分。

第三部分　数据资料汇总表

一、概况

（一）完成调查点的人群分布情况
（二）人群的年龄、受教育程度情况表
（三）婚姻、民族和职业情况表

表 3-1-1　全国 4 省区市调查研究人群分布情况

省市	城乡				总计
	城市	%	农村	%	
北京	10118	73.6	3628	26.4	13746
河北	6542	54.2	5538	45.8	12080
浙江	8977	71.8	3530	28.2	12507
广西	3275	51.7	3060	48.3	6335
合计	28912	64.7	15756	35.3	44668

表 3-1-2　各市县调查研究人群性别情况

	性别				
	男	%	女	%	总计
北京市	4987	49.3	5131	50.7	10118
顺义	1719	47.4	1909	52.6	3628
唐海	1053	42.7	1413	57.3	2466
唐山	1933	55.4	1558	44.6	3491
景县	1519	49.4	1553	50.6	3072
衡水	1568	51.4	1483	48.6	3051
杭州	1719	49.1	1783	50.9	3502
绍兴	1361	45.7	1614	54.3	2975
诸暨	1322	43.9	1692	56.1	3014
舟山	1515	50.2	1501	49.8	3016
南宁	1520	46.4	1755	53.6	3275
宾阳	1430	46.7	1630	53.3	3060
合计	21646	48.5	23022	51.5	44668

表 3-1-3　符合调查研究要求样本的城乡和性别分布情况

	城市				农村		
	男性	女性	合计		男性	女性	合计
北京市	4599	4734	9333	顺义	1657	1865	3522
唐山	1620	1435	3055	唐海	959	1288	2247
衡水	1234	1304	2538	景县	1186	1322	2508
杭州	1503	1600	3103	诸暨	1239	1625	2864
绍兴	1319	1545	2864	宾阳	1393	1609	3002
舟山	1384	1364	2748				
南宁	1460	1674	3134				
合计	13119	13656	26775		6434	7709	14143

表3-1-4 城乡调查研究人群的年龄分布情况

年龄组（岁）	城市				合计	农村				合计
	男性	%	女性	%		男性	%	女性	%	
7~8	628	48.7	662	51.3	1290	33	45.2	40	54.8	73
9~10	1268	52.2	1161	47.8	2429	164	44.6	204	55.4	368
11~12	1911	52.1	1756	47.9	3667	484	50.3	478	49.7	962
13~14	2293	51.9	2124	48.1	4417	972	47.9	1055	52.1	2027
15~16	1767	50.0	1766	50.0	3533	1283	45.3	1551	54.7	2834
17~18	1487	47.6	1639	52.4	3126	1091	50.6	1065	49.4	2156
19~26	1210	45.1	1473	54.9	2683	556	42.2	763	57.8	1319
27~34	670	44.8	826	55.2	1496	449	38.8	709	61.2	1158
35~44	654	43.2	859	56.8	1513	536	39.5	822	60.5	1358
45~54	546	53.2	481	46.8	1027	467	44.3	587	55.7	1054
>55	685	43.0	909	57.0	1594	399	47.8	435	52.2	834
合计	13119	49.0	13656	51.0	26775	6434	45.5	7709	54.5	14143

表3-1-5 北京地区调查研究不同年龄段人群描述

北京	年龄组	城乡	例数	平均数	标准差	最小值	最大值
男性	青少年	城市	4364	12.7	2.9	7.0	18.0
		农村	1504	15.7	1.7	10.0	18.0
	青壮年	城市	235	20.3	1.5	19.0	29.0
		农村	153	19.2	0.5	19.0	21.0
女性	青少年	城市	4384	12.8	3.0	7.0	18.0
		农村	1751	15.7	1.6	10.0	18.0
	青壮年	城市	350	20.1	1.8	19.0	33.0
		农村	114	19.2	0.4	19.0	21.0

表3-1-6 河北省调查研究不同年龄段人群描述

河北	年龄组	城乡	例数	平均数	标准差	最小值	最大值
男性	青少年	城市	1311	14.6	2.4	9.0	18.0
		农村	1244	14.7	2.3	9.0	18.0
	青壮年	城市	1257	29.1	6.9	19.0	44.0
		农村	565	30.8	7.5	19.0	44.0
	中年	城市	230	49.9	3.7	45.0	59.0
		农村	242	51.6	4.0	45.0	59.0
	老年	城市	56	65.9	5.2	60.0	82.0
		农村	94	65.9	5.0	60.0	84.0
女性	青少年	城市	1254	14.9	2.4	10.0	18.0
		农村	1336	14.5	2.2	7.0	18.0
	青壮年	城市	1234	28.7	7.2	19.0	44.0
		农村	856	31.8	7.1	19.0	44.0
	中年	城市	185	50.9	4.3	45.0	59.0
		农村	348	50.4	3.8	45.0	59.0
	老年	城市	66	65.5	4.1	60.0	78.0
		农村	70	65.9	4.5	60.0	82.0

表 3-1-7 浙江省调查研究不同年龄段人群描述

浙江	年龄组	城乡	例数	平均数	标准差	最小值	最大值
男性	青少年	城市	2853	13.1	3.0	7.0	18.0
		农村	588	13.3	3.1	7.0	18.0
	青壮年	城市	621	28.3	8.8	19.0	44.0
		农村	447	31.6	6.4	19.0	44.0
	中年	城市	334	52.0	4.2	45.0	59.0
		农村	172	51.2	4.0	45.0	59.0
	老年	城市	398	67.7	5.5	60.0	89.0
		农村	32	64.4	3.4	60.0	70.0
女性	青少年	城市	2670	13.1	3.1	7.0	18.0
		农村	568	12.8	3.0	7.0	18.0
	青壮年	城市	978	29.8	8.5	19.0	44.0
		农村	859	30.0	6.7	19.0	44.0
	中年	城市	351	53.3	4.5	45.0	59.0
		农村	158	50.4	3.7	45.0	59.0
	老年	城市	510	66.7	5.0	60.0	91.0
		农村	40	66.8	4.9	60.0	78.0

表 3-1-8 广西壮族自治区调查研究不同年龄段人群描述

广西	年龄组	城乡	例数	平均数	标准差	最小值	最大值
男性	青少年	城市	826	14.1	2.5	9.0	18.0
		农村	691	14.5	2.2	7.0	18.0
	青壮年	城市	421	30.2	7.8	19.0	44.0
		农村	376	32.3	8.0	19.0	44.0
	中年	城市	152	49.1	3.4	45.0	59.0
		农村	197	50.9	4.0	45.0	59.0
	老年	城市	61	67.8	4.7	60.0	79.0
		农村	129	66.9	5.5	60.0	86.0
女性	青少年	城市	800	14.2	2.6	8.0	18.0
		农村	738	14.6	2.0	9.0	18.0
	青壮年	城市	596	30.8	7.6	19.0	44.0
		农村	465	33.3	7.4	19.0	44.0
	中年	城市	215	50.3	4.2	45.0	59.0
		农村	210	50.8	4.0	45.0	59.0
	老年	城市	63	65.4	4.6	60.0	82.0
		农村	196	67.3	5.5	60.0	86.0

表 3-1-9 不同年龄段人群文化程度分布

年龄组	城市				农村			
	小学及以下	初中	高中或中专	大学及以上	小学及以下	初中	高中或中专	大学及以上
青少年	6632	6197	5633	0	1423	2819	4178	0
青壮年	98	1196	2716	1569	379	917	1303	1177
中年	416	477	387	140	617	275	272	151
老年	739	151	148	116	447	73	30	11
合计	7885	8021	8884	1825	2866	4084	5783	1339

表3-1-10 城乡调查研究人群的文化程度分布

	地区	小学及以下	%	初中	%	高中或中专	%	大学及以上	%	合计
城市	北京	3445	36.9	3246	34.8	2637	28.3	0	0.00	9328
	河北	729	13.0	1304	23.3	2656	47.5	904	16.2	5593
	浙江	3201	37.3	2376	27.7	2282	26.6	714	8.4	8573
	广西	510	16.3	1095	35.1	1309	41.9	207	6.7	3121
	合计	7885	29.6	8021	30.1	8884	33.4	1825	6.9	26615
农村	北京	65	1.8	1015	28.8	2317	65.8	125	3.6	3522
	河北	1231	25.9	1574	33.1	1659	34.9	291	6.1	4755
	浙江	646	22.8	514	18.2	1000	35.2	677	23.8	2837
	广西	924	31.2	981	33.2	807	27.3	246	8.3	2958
	合计	2866	20.4	4084	29.0	5783	41.1	1339	9.5	14072

表3-1-11 不同年龄段民族的分布情况

年龄组	城市			农村		
	汉族	少数民族	合计	汉族	少数民族	合计
青少年	17956	506	18462	7254	1166	8420
青壮年	5194	498	5692	3323	512	3835
中年	1378	89	1467	1079	248	1327
老年	1130	24	1154	342	219	561
合计	25658	1117	26775	11998	2145	14143

表3-1-12 各市县民族分布情况

城乡	地区	民族				合计
		汉族	%	少数民族	%	
城市	北京市	9333	100.0	0	0.0	9333
	唐山	3053	99.9	2	0.1	3055
	衡水	2517	99.2	21	0.8	2538
	杭州	3092	99.7	11	0.3	3103
	绍兴	2855	99.7	9	0.3	2864
	舟山	2744	99.8	4	0.2	2748
	南宁	2064	65.9	1070	34.1	3134
	合计	25658	95.8	1117	4.2	26775
农村	顺义	3522	100.0	0	0.0	3522
	唐海	2246	99.9	1	0.1	2247
	景县	2506	99.9	2	0.1	2508
	诸暨	2859	99.8	5	0.2	2864
	宾阳	865	28.8	2137	71.2	3002
	合计	11998	84.8	2145	15.2	14143

表3－1－13　城乡不同年龄段职业分布情况

职业	城市				农村			
	青少年	青壮年	中年	老年	青少年	青壮年	中年	老年
工人	5	2738	788	114	1	554	100	11
农民	1	95	200	563	4	1144	774	459
干部	0	250	235	200	0	621	150	18
教师	1	200	46	78	0	409	120	25
学生	18424	1869	9	3	8373	598	33	5
其他	12	372	80	123	37	338	82	11
合计	18443	5524	1358	1081	8415	3664	1259	529

表3－1－14　城乡不同年龄段婚姻情况

婚姻	城市				农村			
	青少年	青壮年	中年	老年	青少年	青壮年	中年	老年
未婚	18429	2606	27	12	7240	747	32	6
已婚	0	2948	1336	955	1157	2959	1207	426
离婚	2	52	18	14	0	7	1	4
再婚	0	14	19	12	0	8	4	0
丧偶	0	15	32	156	0	7	16	66
合计	18431	5635	1432	1149	8397	3728	1260	502

二、一般健康状况

（一）人群的身高情况

表3－2－1　4省区市各年龄段身高情况表

身高（cm）			青少年		青壮年		中年		老年	
			n	$\bar{x}\pm s$	n	$\bar{x}\pm s$	n	$\bar{x}\pm s$	n	$\bar{x}\pm s$
河北省	城市	男	1311	162.8±12.3	1257	170.4±6.0	230	168.5±5.8	56	167.1±6.1
		女	1254	156.9±7.4	1234	158.6±5.3	185	157.6±5.2	66	154.3±6.0
	农村	男	1244	161.3±12.5	565	169.6±6.1	242	167.4±6.3	94	165.5±4.9
		女	1336	154.9±8.5	856	157.6±5.6	348	156.8±5.6	70	153.2±5.4
浙江省	城市	男	2828	155.0±16.6	614	169.9±5.9	333	167.9±5.8	396	162.8±6.7
		女	2656	150.1±12.4	973	158.8±5.2	348	157.5±5.4	502	153.3±6.0
	农村	男	585	153.3±16.9	447	170.9±5.2	172	169.2±6.2	31	166.9±6.5
		女	567	147.5±13.6	852	159.8±4.5	158	158.8±4.9	40	155.9±5.6
广西	城市	男	821	159.0±13.5	417	166.0±6.0	151	164.6±5.1	60	164.9±5.3
		女	797	152.8±8.4	596	155.4±5.1	213	155.4±5.1	62	153.8±4.9
	农村	男	680	151.9±12.4	371	164.2±5.9	194	161.5±5.9	126	159.3±5.9
		女	730	148.2±7.6	458	152.5±5.4	205	150.0±5.3	187	147.2±5.5
北京市	城市	男	4323	154.0±16.6						
		女	4328	150.7±13.0						
	农村	男	1497	166.6±9.3						
		女	1742	158.0±6.0						

表 3-2-2 北京市不同性别城乡人群身高百分位数（方案）分布

	男性				女性			
	城市		农村		城市		农村	
	青少年	青壮年	青少年	青壮年	青少年	青壮年	青少年	青壮年
例数	4323	204	1497	152	4328	312	1742	114
缺失值	41	31	7	1	56	38	9	0
均数	154.0	173.9	166.6	173.4	150.7	161.2	158.0	159.2
标准差	16.6	6.1	9.3	5.6	13.0	5.6	6.0	4.7
2.5	123.5	162.0	143.4	162.9	122.0	150.5	145.0	150.8
5.0	126.6	164.0	148.1	163.7	125.5	153.0	148.0	152.3
10.0	131.3	165.9	153.6	166.6	130.5	154.6	150.6	153.1
25.0	140.7	170.0	161.9	170.0	142.0	157.4	154.5	155.9
50.0	154.3	174.0	168.0	173.8	154.0	161.0	158.3	159.1
75.0	168.5	178.4	173.1	177.4	160.5	165.0	162.0	162.5
90.0	175.0	181.6	177.0	180.2	165.0	168.0	165.1	165.1
97.5	181.0	185.0	181.2	183.9	169.4	173.0	168.8	168.2

表 3-2-3 北京市城市人群不同年龄组身高描述

年龄组（岁）	男性					女性				
	n	mean	S	min.	max.	n	mean	S	min.	max.
7～8	417	127.9	5.7	112.0	145.5	433	126.6	6.1	112.0	143.5
9～10	633	137.1	6.8	115.3	159.1	595	137.2	7.1	117.1	162.4
11～12	988	147.8	8.2	120.0	170.5	913	148.8	8.1	121.2	173.0
13～14	1161	160.2	9.4	126.1	191.0	1101	157.2	6.1	129.9	177.0
15～16	642	170.5	6.9	144.0	193.2	697	160.8	5.3	140.3	177.0
17～18	482	174.6	5.9	154.5	191.0	589	161.1	5.8	141.0	179.0
19～26	203	173.9	6.1	154.4	187.0	307	161.2	5.6	135.0	178.4

表 3-2-4 北京市郊区农村人群身高描述

年龄组（岁）	男性					女性				
	n	mean	S	min.	max.	n	mean	S	min.	max.
9～10	3	140.0	2.6	138.0	142.9	3	140.2	4.0	136.1	144.0
11～12	57	146.1	7.4	134.5	166.5	60	146.4	6.0	133.8	162.3
13～14	315	159.2	8.8	132.5	183.4	345	156.0	5.6	137.4	170.3
15～16	602	167.9	6.7	146.2	189.5	738	158.6	5.3	139.9	174.2
17～18	520	171.9	5.7	151.3	189.0	596	159.6	5.2	146.0	174.2
19～26	152	173.4	5.6	157.4	187.0	114	159.2	4.7	144.5	170.8

表 3-2-5 河北省不同性别城乡人群身高百分位数（方案）分布

	男性								女性							
	城市				农村				城市				农村			
	青少年	青壮年	中年	老年	青少年	青壮年	中年	老年	青少年	青壮年	中年	老年	青少年	青壮年	中年	老年
例数	1311	1257	230	56	1244	565	242	94	1254	1234	185	66	1336	856	348	70
缺失值	0	0	0	0	0	0	0	0	0	0	0	0	0	0	0	0
均数	162.8	170.4	168.5	167.1	161.3	169.6	167.4	165.5	156.9	158.6	157.6	154.3	154.9	157.6	156.8	153.2
标准差	12.3	6.0	5.8	6.1	12.5	6.1	6.3	4.9	7.4	5.3	5.2	6.0	8.5	5.6	5.6	5.4
2.5	137.1	159.3	157.5	156.7	133.4	156.8	153.1	155.5	139.6	148.7	148.0	141.4	134.2	146.5	146.7	141.7
5.0	140.1	161.2	160.0	157.0	137.0	159.3	156.5	156.0	143.1	150.3	149.0	144.2	137.2	148.2	148.6	144.0
10.0	143.8	162.8	161.5	158.2	141.8	162.0	159.0	158.0	147.3	152.1	150.2	146.1	142.3	151.0	150.0	147.0
25.0	154.1	166.5	164.0	161.6	153.5	166.0	163.8	162.4	153.2	154.9	154.0	150.4	151.2	154.0	152.7	148.6
50.0	166.0	170.2	168.5	167.6	164.0	170.0	167.7	166.0	157.6	158.3	157.6	154.6	156.0	158.0	156.9	153.7
75.0	172.0	174.1	173.0	172.0	170.3	174.0	172.0	169.0	161.7	162.1	161.5	158.1	160.5	161.4	160.1	156.3
90.0	176.6	178.0	176.3	175.0	175.0	177.2	174.9	171.0	165.3	165.4	163.3	161.1	164.0	164.2	164.0	161.0
97.5	180.7	182.6	179.5	176.1	180.0	180.5	179.0	174.6	169.4	169.4	169.1	166.0	168.0	167.8	168.3	162.0

表 3-2-6 河北省城市人群不同年龄组身高描述

年龄组（岁）	男性					女性				
	n	mean	S	min.	max.	n	mean	S	min.	max.
9～10	50	142.2	6.6	131.4	159.7	57	143.7	6.8	128.2	157.0
11～12	300	147.9	7.7	126.6	167.4	201	149.5	7.1	131.1	167.4
13～14	257	162.8	8.8	126.7	187.2	253	158.9	5.4	143.1	174.0
15～16	344	169.7	6.6	144.3	187.2	335	159.5	5.3	145.6	175.6
17～18	360	171.6	6.0	151.2	187.4	408	159.1	5.6	134.1	196.1
19～26	471	170.9	6.0	154.7	188.0	488	158.5	5.4	145.7	175.8
27～34	462	170.2	5.8	150.7	188.5	444	158.3	5.2	142.4	176.0
35～44	324	170.1	6.3	149.1	198.8	302	159.0	5.2	143.1	171.5
45～54	194	168.7	5.9	151.2	181.4	139	157.8	5.4	144.7	173.9
>55	92	167.2	5.7	156.0	179.7	112	155.3	5.6	140.0	171.9

表 3-2-7 河北省农村人群不同年龄组身高描述

河北农村年龄组（岁）	男性身高					女性身高				
	n	mean	S	min.	max.	n	mean	S	min.	max.
9～10	50	139.3	9.3	126.0	174.0	65	139.7	10.5	124.0	173.0
11～12	190	144.5	8.8	113.0	169.0	203	146.7	9.2	105.0	176.0
13～14	309	158.5	9.0	132.0	179.0	353	155.7	5.9	131.0	172.0
15～16	390	166.9	6.2	149.0	186.0	471	157.6	5.3	136.0	174.5
17～18	305	171.2	6.4	144.0	188.0	242	159.8	5.2	141.8	174.0
19～26	189	170.5	6.5	148.0	188.0	221	157.8	6.3	120.1	172.0
27～34	175	170.0	5.9	154.0	186.0	292	157.5	5.1	139.0	167.8
35～44	201	168.6	5.7	154.8	191.0	343	157.6	5.6	133.0	173.0
45～54	176	167.5	6.6	148.7	184.0	290	157.1	5.6	143.0	180.0
>55	160	166.1	5.2	153.5	179.4	128	154.1	5.4	141.0	168.0

表3-2-8 浙江省不同性别城乡身高百分位数（方案）分布

身高	男性								女性							
	城市				农村				城市				农村			
	青少年	青壮年	中年	老年	青少年	青壮年	中年	老年	青少年	青壮年	中年	老年	青少年	青壮年	中年	老年
例数	2828	614	333	396	585	447	172	31	2656	973	348	502	567	852	158	40
缺失值	25	7	1	2	3	0	0	1	14	5	3	8	1	7	0	0
均数	155.0	169.9	167.9	162.8	153.3	170.9	169.2	166.9	150.1	158.8	157.5	153.3	147.5	159.8	158.8	155.9
标准差	16.6	5.9	5.8	6.7	16.9	5.2	6.2	6.5	12.4	5.2	5.4	6.0	13.6	4.5	4.9	5.6
2.5	123.8	157.1	156.4	149.5	122.0	160.0	158.0	154.0	123.0	149.6	146.1	141.5	118.0	150.0	149.0	145.5
5.0	127.0	160.4	158.5	150.7	124.0	162.0	160.0	157.0	126.0	151.0	148.8	143.3	121.0	152.0	150.0	147.5
10.0	131.0	163.0	160.0	154.0	130.0	165.0	163.0	158.0	130.0	152.4	150.5	145.3	126.0	155.0	152.0	149.5
25.0	141.0	166.0	164.2	158.3	139.0	168.0	167.0	163.0	142.0	155.0	154.0	149.5	137.0	157.0	156.0	152.0
50.0	158.8	170.0	168.0	163.0	157.0	170.0	170.0	166.0	153.8	158.4	158.0	153.5	152.0	160.0	159.0	155.5
75.0	169.0	174.0	172.0	167.5	168.0	174.0	172.0	172.0	159.0	162.0	161.0	157.2	158.0	163.0	162.0	159.0
90.0	174.2	177.0	175.3	171.0	172.0	178.0	176.0	175.0	163.0	165.8	165.0	161.0	162.0	165.0	165.0	163.0
97.5	179.5	182.0	179.2	178.0	177.0	181.0	180.0	179.0	167.0	169.0	167.5	165.5	165.0	168.0	168.0	169.0

表3-2-9 浙江省城市人群不同年龄组身高描述

年龄组（岁）	男性					女性				
	n	mean	S	min.	max.	n	mean	S	min.	max.
7~8	209	128.4	5.8	116.0	144.0	226	127.0	5.8	98.0	142.0
9~10	487	135.6	7.4	90.0	162.2	422	135.5	7.4	112.0	157.3
11~12	475	147.0	8.7	122.0	176.0	494	149.5	7.6	124.0	168.0
13~14	663	160.6	8.9	135.5	190.0	566	156.1	5.9	126.9	172.0
15~16	551	169.2	6.7	128.5	189.7	529	158.3	5.3	139.0	174.0
17~18	443	171.6	5.6	153.0	190.5	419	159.7	5.0	146.0	177.0
19~26	329	170.2	5.9	146.0	186.5	420	158.6	5.3	140.0	180.0
27~34	95	169.4	6.6	152.7	182.0	210	158.1	4.7	142.5	170.0
35~44	190	169.7	5.6	152.0	189.0	343	159.5	5.2	145.2	178.0
45~54	214	169.0	5.7	152.9	184.3	172	158.6	5.1	131.0	170.0
>55	515	163.5	6.6	144.0	180.5	678	154.2	6.0	133.5	177.3

表3-2-10 浙江省农村人群不同年龄组身高描述

年龄组（岁）	男性					女性				
	n	mean	S	min.	max.	n	mean	S	min.	max.
7~8	32	125.9	6.0	109.0	135.0	37	123.8	7.0	109.0	138.0
9~10	95	131.8	7.5	112.0	152.0	127	132.2	8.8	112.0	163.0
11~12	117	143.8	7.9	127.0	163.0	114	148.1	8.1	123.0	164.0
13~14	108	158.6	9.7	121.0	175.0	97	156.4	6.0	134.0	171.0
15~16	124	166.9	6.0	145.0	179.0	107	157.2	5.0	144.0	169.0
17~18	109	169.9	5.5	157.0	186.0	85	157.7	4.6	148.0	169.0
19~26	120	171.6	5.6	155.0	187.0	327	159.7	4.1	150.0	172.0
27~34	162	170.6	5.1	152.0	185.0	277	159.4	4.7	135.0	178.0
35~44	165	170.6	5.0	156.0	182.0	248	160.3	4.9	143.5	180.0
45~54	134	169.5	6.1	130.0	188.0	133	158.9	5.0	148.0	172.0
>55	69	167.5	6.4	151.0	180.0	65	156.7	5.1	144.0	172.0

表 3-2-11 广西壮族自治区不同性别城乡身高百分位数（方案）分布

	男性								女性							
	城市				农村				城市				农村			
	青少年	青壮年	中年	老年	青少年	青壮年	中年	老年	青少年	青壮年	中年	老年	青少年	青壮年	中年	老年
例数	821	417	151	60	680	371	194	126	797	596	213	62	730	458	205	187
缺失值	5	4	1	1	11	5	3	3	3	0	2	1	8	7	5	9
均数	159.0	166.0	164.6	164.9	151.9	164.2	161.5	159.3	152.8	155.4	155.4	153.8	148.2	152.5	150.0	147.2
标准差	13.5	6.0	5.1	5.3	12.4	5.9	5.9	5.9	8.4	5.1	5.1	4.9	7.6	5.4	5.3	5.5
2.5	131.0	155.0	154.0	153.9	126.0	152.0	150.0	146.0	131.1	145.5	145.5	142.3	129.0	141.0	139.0	135.0
5.0	134.1	157.3	155.3	155.3	129.5	154.0	152.0	150.0	135.6	147.5	147.5	148.0	134.0	144.0	141.0	138.0
10.0	139.0	159.0	157.6	158.1	134.0	157.0	154.0	152.0	141.1	149.0	148.8	148.5	138.0	145.0	144.0	140.0
25.0	150.3	162.0	161.5	161.1	142.0	160.0	157.0	155.0	148.5	152.0	152.0	150.2	144.0	149.0	147.0	143.5
50.0	162.1	166.0	165.0	164.8	154.0	164.0	162.0	160.0	154.2	155.0	155.0	153.2	149.0	153.0	150.0	148.0
75.0	169.0	170.0	168.2	168.5	162.0	168.0	165.0	163.0	158.3	158.6	159.0	156.5	153.0	156.0	153.0	151.0
90.0	174.2	173.5	171.0	171.8	166.0	172.0	170.0	167.0	161.6	162.2	161.5	160.6	157.0	159.0	157.0	154.0
97.5	179.0	179.0	174.5	175.5	171.0	175.0	173.0	170.0	166.5	165.8	165.3	164.2	160.0	163.0	159.0	156.0

表 3-1-12 广西壮族自治区城市人群不同年龄组身高描述

年龄组（岁）	男性					女性				
	n	mean	S	min.	max.	n	mean	S	min.	max.
9~10	95	136.1	8.6	93.9	154.2	84	137.4	7.9	120.8	156.7
11~12	138	147.5	8.6	130.4	168.5	145	149.3	6.7	132.1	165.0
13~14	204	158.9	8.3	136.0	176.5	194	154.7	5.7	138.6	173.8
15~16	215	167.6	5.8	152.5	183.0	183	156.2	4.9	144.4	168.5
17~18	169	170.3	6.2	154.0	184.5	190	157.1	5.4	142.5	174.5
19~26	169	166.2	6.7	142.1	185.4	218	155.3	5.1	143.3	168.5
27~34	111	165.8	5.5	153.5	182.0	166	155.0	4.9	141.0	174.8
35~44	137	165.8	5.4	153.5	181.5	212	155.7	5.1	140.0	169.0
45~54	137	164.8	5.2	151.7	178.0	167	155.9	5.1	140.5	174.0
>55	74	164.7	5.2	153.3	176.0	108	153.8	4.9	141.8	165.6

表 3-2-13 广西壮族自治区农村人群不同年龄组身高描述

年龄组（岁）	男性					女性				
	n	mean	S	min.	max.	n	mean	S	min.	max.
9~10	14	129.0	4.6	124.0	137.0	9	129.9	7.2	118.0	142.0
11~12	117	135.6	6.8	118.0	155.0	101	138.3	7.6	121.0	161.0
13~14	237	148.8	8.5	126.0	170.0	258	147.8	5.6	128.0	163.0
15~16	155	159.3	6.3	141.0	175.0	226	150.8	5.2	135.0	170.0
17~18	156	163.4	5.7	143.0	177.0	136	153.3	5.3	130.0	164.0
19~26	94	164.3	5.5	149.0	175.0	97	153.0	5.2	138.0	167.0
27~34	109	165.2	6.1	150.0	176.0	133	152.5	5.1	138.0	166.0
35~44	168	163.5	5.9	149.0	180.0	228	152.2	5.6	139.0	166.0
45~54	155	161.3	5.9	140.0	173.0	159	150.6	5.2	136.0	175.0
>55	165	160.0	6.0	143.0	177.0	233	147.4	5.4	129.0	162.0

（二）人群的体重情况

表3-2-14　4省区市各年龄段体重情况表

体重（kg）			青少年 n	青少年 $\bar{x}\pm S$	青壮年 n	青壮年 $\bar{x}\pm s$	中年 n	中年 $\bar{x}\pm s$	老年 n	老年 $\bar{x}\pm s$
河北省	城市	男	1311	54.5±13.8	1257	67.7±10.1	230	69.8±9.0	56	67.2±8.9
		女	1254	50.6±9.6	1234	56.0±7.5	185	61.7±7.7	66	58.7±7.8
	农村	男	1244	51.0±12.4	565	64.8±9.8	242	64.5±9.9	94	60.1±8.5
		女	1336	47.0±9.5	856	55.5±8.4	348	58.9±8.7	70	52.9±8.4
浙江省	城市	男	2816	46.0±14.4	613	61.7±8.8	331	65.0±9.1	393	58.1±8.9
		女	2651	42.1±11.3	968	52.7±6.9	348	57.0±7.8	506	53.8±8.6
	农村	男	585	44.5±13.7	445	66.4±8.2	172	67.2±8.8	31	60.8±7.9
		女	567	39.8±11.2	852	53.4±6.9	157	58.6±7.3	40	53.9±8.3
广西	城市	男	820	49.3±13.2	417	58.8±8.5	150	63.0±7.7	60	65.4±9.5
		女	797	44.5±9.4	595	49.9±6.8	212	55.5±7.8	62	56.7±8.5
	农村	男	679	42.0±10.2	371	59.1±8.5	194	57.7±8.1	126	52.4±8.9
		女	730	40.4±7.6	458	48.1±6.2	205	47.8±7.4	187	42.9±6.9
北京市	城市	男	4333	47.4±16.2	204	66.5±10.1				
		女	4342	43.7±12.8	312	54.4±7.8				
	农村	男	1492	56.5±11.6	152	64.9±8.8				
		女	1746	51.4±8.5	114	53.9±7.1				

表3-2-15　北京市不同性别城乡人群体重百分位数（方案）分布

体重（kg）	男性				女性			
	城市		农村		城市		农村	
	青少年	青壮年	青少年	青壮年	青少年	青壮年	青少年	青壮年
例数	4333	204	1492	152	4342	312	1746	114
缺失值	31	31	12	1	42	38	5	0
均数	47.4	66.5	56.5	64.9	43.7	54.4	51.4	53.9
标准差	16.2	10.1	11.6	8.8	12.8	7.8	8.5	7.1
2.5	22.6	50.8	34.0	50.5	21.7	43.0	34.7	40.0
5.0	24.6	52.0	37.1	53.8	23.5	44.4	38.4	41.9
10.0	27.4	55.4	41.4	55.3	26.3	46.0	41.7	44.1
25.0	34.1	60.0	49.4	58.3	33.8	49.0	46.0	49.3
50.0	45.8	65.0	56.3	63.8	44.0	53.0	50.8	53.9
75.0	58.2	71.7	63.1	69.5	52.1	58.7	56.2	58.4
90.0	70.0	80.2	71.4	76.7	60.5	65.0	62.2	62.2
97.5	82.3	91.0	81.5	88.7	70.3	73.4	69.9	72.5

表3-2-16　北京市城市人群不同年龄组体重（kg）描述

年龄组（岁）	男性 n	男性 mean	男性 S	男性 min.	男性 max.	女性 n	女性 mean	女性 S	女性 min.	女性 max.
7~8	417	27.5	6.5	17.7	55.3	434	25.7	4.8	16.4	47.7
9~10	633	33.6	8.2	18.6	68.6	597	32.0	7.4	19.6	62.2
11~12	988	41.9	10.7	20.0	81.0	913	40.3	9.4	19.8	80.0
13~14	1163	51.2	12.7	24.1	93.0	1100	48.2	9.5	24.7	90.5
15~16	644	61.4	12.1	31.0	96.5	708	52.8	8.9	33.3	91.5
17~18	488	65.8	11.4	39.5	100.9	590	54.7	9.2	36.5	89.0
19~26	203	66.5	10.1	45.0	102.0	307	54.4	7.8	37.0	80.0

表 3－2－17　北京市农村人群不同年龄组体重（kg）描述

年龄组（岁）	男性					女性				
	n	mean	S	min.	max.	n	mean	S	min.	max.
9～10	3	32.0	5.3	27.6	37.9	3	27.0	2.1	24.8	29.0
11～12	57	38.7	8.7	25.5	68.0	60	36.3	6.9	25.3	58.4
13～14	314	49.4	11.5	29.0	100.7	347	47.8	8.2	28.9	82.9
15～16	601	57.4	10.0	33.3	92.5	739	52.6	7.9	33.1	82.9
17～18	517	61.8	9.3	38.1	93.6	97	53.6	7.0	39.1	80.0
19～26	152	64.9	8.8	48.4	89.9	114	53.9	7.1	36.7	76.7

表 3－2－18　河北省不同性别城乡人群体重百分位数（方案）分布

体重（kg）	男性								女性							
	城市				农村				城市				农村			
	青少年	青壮年	中年	老年	青少年	青壮年	中年	老年	青少年	青壮年	中年	老年	青少年	青壮年	中年	老年
例数	1311	1257	230	56	1244	565	242	94	1254	1234	185	66	1336	856	348	70
缺失值	0	0	0	0	0	0	0	0	0	0	0	0	0	0	0	0
均数	54.5	67.7	69.8	67.2	51.0	64.8	64.5	60.1	50.6	56.0	61.7	58.7	47.0	55.5	58.9	52.9
标准差	13.8	10.1	9.0	8.9	12.4	9.8	9.9	8.5	9.6	7.5	7.7	7.8	9.5	8.4	8.7	8.4
2.5	29.6	50.4	52.7	49.6	27.3	49.0	48.0	43.1	31.1	43.4	46.2	45.0	28.0	41.0	41.4	36.3
5.0	31.6	52.1	54.8	53.8	29.9	51.0	50.3	49.1	33.9	44.9	49.4	46.0	30.0	43.0	45.0	37.9
10.0	35.0	54.9	57.8	54.9	33.4	53.1	53.0	50.7	38.0	46.9	52.0	48.1	33.3	45.0	48.0	40.5
25.0	45.0	60.0	63.3	61.1	42.0	58.0	58.0	54.4	45.2	50.5	57.0	52.7	41.0	49.1	53.0	48.3
50.0	55.1	67.1	69.8	67.4	52.0	63.3	63.0	59.5	50.5	55.2	61.2	58.9	47.0	55.0	59.0	52.9
75.0	63.3	74.5	75.6	73.0	59.0	71.0	71.6	65.1	56.3	61.0	66.7	64.9	53.0	61.1	65.0	58.6
90.0	72.0	81.6	82.2	80.0	66.0	78.0	78.0	71.1	62.2	66.2	71.8	70.0	59.0	66.8	70.0	65.5
97.5	83.7	87.6	86.8	86.8	75.0	85.7	85.5	78.1	69.4	72.4	76.6	72.0	66.8	72.6	76.0	69.3

表 3－2－19　河北省城市人群不同年龄组体重（kg）描述

年龄组（岁）	男性					女性				
	n	mean	S	min.	max.	n	mean	S	min.	max.
9～10	50	37.9	10.4	25.7	67.0	57	38.4	9.8	23.9	65.0
11～12	300	40.9	10.0	22.8	77.0	201	41.9	9.7	24.9	75.4
13～14	257	54.2	12.5	27.2	91.8	253	51.2	9.0	31.4	87.5
15～16	344	61.0	10.7	41.4	96.0	335	53.0	7.3	36.2	80.2
17～18	360	62.3	9.2	40.9	96.5	408	54.2	7.3	37.7	84.2
19～26	471	64.5	9.7	45.0	97.0	488	53.8	7.2	37.3	89.5
27～34	462	68.8	9.9	44.7	97.0	444	56.4	7.4	40.0	82.1
35～44	324	70.6	9.7	45.8	118.5	302	59.0	7.2	39.5	79.6
45～54	194	70.0	9.2	47.9	95.7	139	61.4	7.8	40.5	88.0
＞55	92	67.9	8.5	45.8	87.3	112	60.2	7.9	41.8	76.9

表3-2-20　河北省农村人群不同年龄组体重（kg）描述

年龄组（岁）	男性					女性				
	n	mean	S	min.	max.	n	mean	S	min.	max.
9~10	50	33.8	9.3	21.0	62.0	65	32.5	8.1	23.0	59.0
11~12	190	36.8	9.2	17.0	73.0	203	39.1	9.8	25.0	75.0
13~14	309	48.0	9.6	25.0	83.2	353	46.8	8.4	28.0	81.0
15~16	390	55.3	8.7	33.0	82.0	471	50.1	7.0	28.0	76.0
17~18	305	60.3	9.0	35.0	92.7	242	52.0	7.2	35.0	73.0
19~26	189	62.8	9.3	35.0	97.0	221	51.7	7.7	29.0	72.0
27~34	175	67.4	10.2	39.0	101.0	292	56.6	8.4	36.0	77.0
35~44	201	64.5	9.3	34.0	95.0	343	56.9	8.0	28.0	77.0
45~54	176	63.9	9.2	39.0	98.0	290	59.1	8.7	35.0	84.6
>55	160	62.7	10.1	39.0	89.0	128	55.2	9.0	31.8	79.0

表3-2-21　浙江省不同性别城乡人群体重百分位数（方案）分布

体重（kg）	男性								女性							
	城市				农村				城市				农村			
	青少年	青壮年	中年	老年	青少年	青壮年	中年	老年	青少年	青壮年	中年	老年	青少年	青壮年	中年	老年
例数	2816	613	331	393	585	445	172	31	2651	968	348	506	567	852	157	40
缺失值	37	8	3	5	3	2	0	1	19	10	3	4	1	7	1	0
均数	46.0	61.7	65.0	58.1	44.5	66.4	67.2	60.8	42.1	52.7	57.0	53.8	39.8	53.4	58.6	53.9
标准差	14.4	8.8	9.1	8.9	13.7	8.2	8.8	7.9	11.3	6.9	7.8	8.6	11.2	6.9	7.3	8.3
2.5	22.3	48.0	48.1	42.0	22.0	51.0	50.0	40.5	21.4	42.0	43.5	38.8	19.3	41.5	45.0	39.2
5.0	24.6	49.0	50.0	44.9	24.0	53.0	50.5	50.0	23.5	42.9	45.4	40.5	21.2	43.0	48.0	40.4
10.0	27.2	51.0	52.5	47.0	26.1	56.0	55.0	54.8	26.1	44.6	47.0	43.0	23.5	45.0	48.0	41.5
25.0	34.3	55.0	58.4	51.3	32.2	61.0	61.0	56.0	33.5	48.0	51.0	47.3	30.7	48.0	55.0	47.5
50.0	45.9	61.0	65.2	57.5	45.9	66.0	67.0	59.5	43.0	52.0	57.0	53.5	41.8	53.0	59.0	54.0
75.0	56.7	67.0	71.0	64.7	54.7	71.0	74.0	65.0	50.0	56.9	62.8	59.7	48.0	58.0	63.0	60.0
90.0	64.8	74.9	77.0	70.0	61.4	76.0	80.0	70.0	56.0	61.5	68.1	65.1	53.4	62.0	66.0	64.4
97.5	74.0	80.0	83.3	77.0	71.3	85.0	83.0	85.0	64.0	69.2	71.3	70.8	59.8	69.0	75.0	67.8

表3-2-22　浙江省城市人群不同年龄组体重（kg）描述

年龄组（岁）	男性					女性				
	n	mean	S	min.	max.	n	mean	S	min.	max.
7~8	201	27.2	5.7	17.6	45.3	224	25.8	5.3	17.0	45.3
9~10	488	32.1	7.6	18.5	65.2	422	30.4	7.1	15.5	65.8
11~12	472	39.1	8.9	19.0	73.4	493	39.7	8.1	22.5	76.0
13~14	661	48.5	10.9	26.0	92.0	566	45.5	8.0	25.3	85.0
15~16	549	56.9	9.7	30.0	97.0	529	49.6	7.4	34.5	81.5
17~18	445	60.0	8.6	42.0	92.2	417	51.2	6.8	34.4	73.1
19~26	328	58.7	7.3	38.0	85.0	419	50.2	5.7	36.9	75.0
27~34	95	63.7	9.1	47.4	81.0	208	52.0	6.2	37.0	69.5
35~44	190	65.9	8.9	44.4	86.5	341	56.0	7.3	40.0	83.0
45~54	212	65.8	8.7	46.5	87.0	172	57.1	7.6	39.4	77.1
>55	512	59.4	9.4	39.0	88.0	682	54.6	8.6	32.4	82.2

表 3-2-23 浙江省农村人群不同年龄组体重（kg）描述

年龄组（岁）	男性					女性				
	n	mean	S	min.	max.	n	mean	S	min.	max.
7~8	32	25.4	3.7	15.8	34.0	38	23.1	4.0	17.2	34.0
9~10	95	28.9	5.8	18.7	54.7	126	28.0	6.7	17.9	54.0
11~12	117	38.4	8.8	21.9	64.8	114	37.9	6.8	21.5	63.7
13~14	108	45.6	10.1	24.9	91.0	97	44.8	7.2	27.3	67.9
15~16	124	53.6	8.2	34.0	90.8	107	48.4	5.3	35.0	61.0
17~18	109	58.7	7.4	45.0	79.9	85	50.9	5.3	42.4	67.4
19~26	120	65.0	8.9	47.0	93.0	328	51.2	5.8	35.0	75.0
27~34	161	66.4	8.6	45.0	95.0	276	52.5	6.2	37.0	71.0
35~44	164	67.4	7.2	50.0	85.0	248	57.2	7.5	39.6	80.0
45~54	134	68.0	8.1	50.0	90.0	132	58.6	7.4	42.0	79.5
>55	69	62.6	9.5	40.5	85.0	65	55.7	8.1	38.0	69.0

表 3-2-24 广西壮族自治区不同性别城乡人群体重百分位数（方案）分布

体重（kg）	男性								女性							
	城市				农村				城市				农村			
	青少年	青壮年	中年	老年	青少年	青壮年	中年	老年	青少年	青壮年	中年	老年	青少年	青壮年	中年	老年
例数	820	417	150	60	679	371	194	126	797	595	212	62	730	458	205	187
缺失值	6	4	2	1	12	5	3	3	3	1	3	1	8	7	5	9
均数	49.3	58.8	63.0	65.4	42.0	59.1	57.7	52.4	44.5	49.9	55.5	56.7	40.4	48.1	47.8	42.9
标准差	13.2	8.5	7.7	9.5	10.2	8.5	8.1	8.9	9.4	6.8	7.8	8.5	7.6	6.2	7.4	6.9
2.5	25.0	45.5	48.5	50.0	24.0	45.0	43.0	40.0	25.0	39.0	42.0	40.5	25.0	37.0	36.0	32.0
5.0	27.3	47.0	50.0	50.5	25.5	47.0	45.0	40.0	27.5	40.0	45.0	42.5	26.0	39.0	37.0	33.0
10.0	30.5	49.5	52.8	51.8	28.0	49.0	48.0	42.0	31.0	42.0	46.0	45.0	30.0	41.0	38.0	35.0
25.0	39.5	53.0	59.0	57.8	34.0	53.0	52.0	46.0	39.0	45.0	50.3	50.0	35.0	44.0	42.0	38.0
50.0	50.0	58.0	62.5	64.8	43.0	58.0	57.0	50.0	45.0	49.0	54.5	56.0	41.0	47.0	47.0	42.0
75.0	58.0	63.0	68.5	73.0	50.0	65.0	63.0	58.0	50.0	54.0	61.5	64.0	46.0	52.0	52.0	47.0
90.0	65.0	71.0	73.8	77.3	55.0	71.0	69.0	66.0	56.0	59.5	65.0	68.0	49.0	56.0	59.0	52.0
97.5	78.0	78.0	78.0	83.0	60.0	78.0	74.0	71.0	62.5	66.0	72.5	72.0	54.0	62.0	62.0	60.0

表 3-2-25 广西壮族自治区城市人群不同年龄组体重（kg）描述

年龄组（岁）	男性					女性				
	n	mean	S	min.	max.	n	mean	S	min.	max.
9~10	95	31.8	7.5	21.5	57.0	84	30.8	8.7	19.5	67.5
11~12	138	38.9	10.0	24.0	78.0	145	40.2	8.4	21.0	64.0
13~14	204	49.0	10.7	26.5	87.0	194	44.9	7.3	28.5	75.0
15~16	214	56.4	9.3	35.0	87.0	183	49.3	7.3	32.5	75.0
17~18	169	58.9	8.3	43.5	85.4	190	48.8	6.2	35.0	75.0
19~26	169	56.6	8.2	30.5	87.0	217	46.8	4.9	36.5	66.0
27~34	111	58.6	8.0	45.5	88.5	166	49.6	6.6	37.0	71.0
35~44	137	61.6	8.7	45.0	86.5	212	53.4	6.9	39.0	78.0
45~54	136	63.0	7.7	42.0	80.5	167	55.8	7.9	33.5	79.0
>55	74	65.0	9.2	49.0	90.5	107	55.7	8.1	39.5	73.0

表3-2-26 广西壮族自治区农村人群不同年龄组体重（kg）描述

年龄组（岁）	男性					女性				
	n	mean	S	min.	max.	n	mean	S	min.	max.
9~10	14	25.8	4.1	22.0	37.0	9	25.2	4.1	19.0	34.0
11~12	117	29.6	5.0	18.0	46.0	101	30.6	6.3	20.0	52.0
13~14	237	38.1	6.4	23.0	60.0	258	38.4	5.8	25.0	60.0
15~16	154	48.1	5.8	35.0	67.0	226	44.3	5.1	33.0	60.0
17~18	156	52.4	5.4	40.0	65.0	136	46.1	4.7	34.5	68.0
19~26	94	55.4	6.0	43.0	74.0	97	45.9	4.3	35.0	56.0
27~34	109	61.2	8.9	44.5	82.0	133	47.5	6.2	29.0	64.0
35~44	168	59.9	8.8	38.0	87.0	228	49.3	6.7	35.0	70.0
45~54	155	57.7	8.0	37.5	85.0	159	48.5	7.3	34.0	68.0
>55	165	53.6	9.0	38.0	77.0	233	43.4	7.1	28.0	65.0

（三）人群的体重指数情况

表3-2-27 4省区市各年龄段体重指数情况表

体重指数（BMI）			青少年		青壮年		中年		老年	
			n	$\bar{x}\pm s$	n	$\bar{x}\pm s$	n	$\bar{x}\pm s$	n	$\bar{x}\pm s$
河北省	城市	男	1311	20.3±3.4	1257	23.3±3.1	230	24.6±2.7	56	24.0±2.7
		女	1254	20.4±3.1	1234	22.3±2.6	185	24.8±2.8	66	24.6±2.7
	农村	男	1244	19.3±2.9	565	22.5±3.0	242	23.0±3.0	94	21.9±2.8
		女	1336	19.4±2.9	856	22.3±3.0	348	23.9±3.2	70	22.5±3.2
浙江省	城市	男	2810	18.6±3.1	613	21.4±2.7	331	23.0±2.7	392	21.9±2.8
		女	2650	18.3±3.0	968	20.9±2.4	347	23.0±2.8	500	22.8±3.0
	农村	男	584	18.4±2.9	445	22.7±2.4	172	23.4±2.4	31	21.8±2.8
		女	566	17.9±2.8	851	20.9±2.4	157	23.2±2.5	40	22.2±3.1
广西	城市	男	820	19.2±3.2	417	21.3±2.7	150	23.2±2.6	60	24.0±2.8
		女	797	18.9±3.0	595	20.7±2.5	212	23.0±2.8	61	23.9±3.1
	农村	男	679	17.9±2.0	371	21.9±2.6	194	22.1±2.6	126	20.6±3.1
		女	730	18.2±2.3	458	20.7±2.5	205	21.2±2.9	187	19.8±2.7
北京市	城市	男	4317	19.4±3.8	204	22.0±2.9				
		女	4325	18.8±3.5	312	20.9±2.9				
	农村	男	1491	20.2±3.1	151	21.6±2.5				
		女	1742	20.5±2.9	114	21.2±2.6				

表3-2-28 北京市不同性别城乡人群体重指数百分位数（方案）分布

体重指数（BMI）	男性				女性			
	城市		农村		城市		农村	
	青少年	青壮年	青少年	青壮年	青少年	青壮年	青少年	青壮年
例数	4317	204	1491	151	4325	312	1742	114
缺失值	47	31	13	2	59	38	9	0
均数	19.4	22.0	20.2	21.6	18.8	20.9	20.5	21.2
标准差	3.8	2.9	3.1	2.5	3.5	2.9	2.9	2.6
2.5	14.0	17.3	15.4	18.0	13.6	16.4	15.4	17.1
5.0	14.4	17.8	16.0	18.4	14.1	17.2	16.2	17.5
10.0	15.1	18.6	16.7	18.7	14.8	17.8	17.2	18.3
25.0	16.5	20.0	18.1	19.7	16.2	18.8	18.6	19.5
50.0	18.6	21.5	19.7	21.1	18.3	20.5	20.2	21.3
75.0	21.7	23.7	21.8	23.1	20.8	22.5	22.3	22.5
90.0	25.0	26.3	24.4	25.0	23.7	25.3	24.5	24.7
97.5	28.1	28.3	28.1	27.9	27.0	28.1	27.2	28.2

表 3-2-29 北京市城市人群不同年龄组体重指数（BMI）描述

年龄组（岁）	男性					女性				
	n	mean	S	min.	max.	n	mean	S	min.	max.
7～8	417	16.7	2.9	12.4	28.5	433	16.0	2.2	12.0	25.1
9～10	632	17.7	3.1	11.9	28.7	595	16.8	2.8	11.2	28.3
11～12	987	19.0	3.6	11.1	29.7	913	18.0	3.1	10.7	29.6
13～14	1159	19.7	3.7	10.3	29.9	1098	19.4	3.3	12.7	29.7
15～16	641	21.1	3.6	13.9	30.0	697	20.4	3.1	14.5	29.9
17～18	481	21.6	3.5	15.1	29.8	589	21.1	3.1	15.5	30.0
19～26	203	22.0	2.9	15.4	29.9	307	21.0	2.9	15.1	29.4

表 3-2-30 北京市农村人群不同年龄组体重指数（BMI）描述

年龄组（岁）	男性					女性				
	n	mean	S	min.	max.	n	mean	S	min.	max.
9～10	3	16.4	3.1	14.3	19.9	3	13.7	0.3	13.4	14.0
11～12	57	18.0	3.2	13.7	28.5	60	16.9	2.5	13.2	23.1
13～14	314	19.3	3.2	12.8	30.0	345	19.6	3.0	14.0	29.8
15～16	600	20.3	3.0	13.7	29.9	738	20.9	2.9	14.2	30.0
17～18	517	20.9	2.8	13.7	29.9	596	21.0	2.5	15.2	28.9
19～26	151	21.6	2.5	17.2	29.3	114	21.2	2.6	15.3	29.2

表 3-2-31 河北省不同性别城乡人群体重指数百分位数（方案）分布

体重指数（BMI）	男性								女性							
	城市				农村				城市				农村			
	青少年	青壮年	中年	老年	青少年	青壮年	中年	老年	青少年	青壮年	中年	老年	青少年	青壮年	中年	老年
例数	1311	1257	230	56	1244	565	242	94	1254	1234	185	66	1336	856	348	70
缺失值	0	0	0	0	0	0	0	0	0	0	0	0	0	0	0	0
均数	20.3	23.3	24.6	24.0	19.3	22.5	23.0	21.9	20.4	22.3	24.8	24.6	19.4	22.3	23.9	22.5
标准差	3.4	3.1	2.7	2.7	2.9	3.0	3.0	2.8	3.1	2.6	2.8	2.7	2.9	3.0	3.2	3.2
2.5	15.0	18.0	19.1	19.0	14.7	17.6	17.8	16.4	14.9	17.6	19.1	18.8	14.7	16.8	17.8	16.5
5.0	15.5	18.4	20.1	19.4	15.2	18.0	18.5	17.5	15.6	18.3	20.4	20.6	15.2	17.5	18.6	17.4
10.0	16.1	19.1	20.9	20.3	16.0	18.8	19.2	18.6	16.6	19.0	21.6	21.0	15.9	18.5	19.7	18.1
25.0	17.9	20.8	22.8	21.5	17.3	20.3	20.4	20.2	18.4	20.3	23.0	22.5	17.4	20.1	21.4	20.1
50.0	19.7	23.1	24.6	24.4	18.9	22.1	22.6	22.1	20.2	22.1	24.8	24.7	19.2	22.2	24.1	22.8
75.0	22.2	25.7	26.5	25.9	20.8	24.6	25.5	23.3	22.3	23.9	26.9	26.6	21.2	24.5	26.5	24.6
90.0	25.2	27.6	27.9	27.7	23.1	26.8	27.1	25.8	24.7	25.8	28.5	28.0	23.4	26.5	28.1	26.4
97.5	28.7	29.4	29.3	29.2	26.7	28.9	29.0	27.9	27.3	27.9	29.7	29.7	25.8	28.5	29.4	28.6

表3-2-32 河北省城市人群不同年龄组体重指数（BMI）描述

年龄组（岁）	男性					女性				
	n	mean	S	min.	max.	n	mean	S	min.	max.
9～10	50	18.5	3.7	14.2	29.9	57	18.4	3.6	13.7	26.4
11～12	300	18.5	3.2	13.6	29.1	201	18.6	3.2	12.7	28.4
13～14	257	20.3	3.5	14.2	30.0	253	20.3	3.3	13.9	29.3
15～16	344	21.1	3.3	15.6	29.8	335	20.8	2.6	15.6	28.5
17～18	360	21.1	2.8	15.2	30.0	408	21.4	2.7	14.5	29.7
19～26	471	22.0	3.0	15.9	30.0	488	21.4	2.6	15.0	29.6
27～34	462	23.8	3.0	17.2	30.0	444	22.5	2.6	16.1	29.6
35～44	324	24.4	2.8	16.8	30.0	302	23.3	2.4	17.1	29.9
45～54	194	24.5	2.7	17.6	29.9	139	24.6	2.7	17.1	29.9
>55	92	24.3	2.6	18.1	29.4	112	24.9	2.8	17.3	29.9

表3-2-33 河北省农村人群不同年龄组体重指数（BMI）描述

年龄组（岁）	男性					女性				
	n	mean	S	min.	max.	n	mean	S	min.	max.
9～10	50	17.1	2.8	12.6	26.7	65	16.4	2.0	12.6	22.6
11～12	190	17.4	2.8	10.4	29.9	203	17.9	2.9	13.3	28.7
13～14	309	19.0	2.8	13.5	29.4	353	19.2	2.9	13.2	29.6
15～16	390	19.8	2.8	14.0	29.7	471	20.2	2.6	14.1	29.4
17～18	305	20.5	2.5	15.8	29.8	242	20.4	2.5	14.7	29.0
19～26	189	21.6	2.8	15.9	29.6	221	20.8	2.9	14.4	29.2
27～34	175	23.3	3.1	16.4	29.8	292	22.8	3.0	16.0	29.9
35～44	201	22.7	2.9	14.2	29.7	343	22.9	2.8	14.5	29.7
45～54	176	22.7	2.8	17.2	29.4	290	23.9	3.2	15.4	29.9
>55	160	22.7	3.2	15.2	29.5	128	23.2	3.4	14.7	29.9

表3-2-34 浙江省不同性别城乡人群体重指数百分位数（方案）分布

体重指数（BMI）	男性								女性							
	城市				农村				城市				农村			
	青少年	青壮年	中年	老年	青少年	青壮年	中年	老年	青少年	青壮年	中年	老年	青少年	青壮年	中年	老年
例数	2810	613	331	392	584	445	172	31	2650	968	347	500	566	851	157	40
缺失值	43	8	3	6	4	2	0	1	20	10	4	10	2	8	1	0
均数	18.6	21.4	23.0	21.9	18.4	22.7	23.4	21.8	18.3	20.9	23.0	22.8	17.9	20.9	23.2	22.2
标准差	3.1	2.7	2.7	2.8	2.9	2.4	2.4	2.8	3.0	2.4	2.8	3.0	2.8	2.4	2.5	3.1
2.5	13.8	17.2	18.3	17.0	13.9	18.4	18.6	15.8	13.5	17.0	17.8	17.2	13.4	17.1	18.6	16.8
5.0	14.4	17.6	18.8	17.5	14.5	18.8	19.1	17.3	14.0	17.5	18.6	18.0	13.8	17.6	18.9	17.5
10.0	15.0	18.0	19.4	18.3	15.2	19.6	20.3	18.7	14.6	18.1	19.4	19.0	14.4	18.1	20.0	18.3
25.0	16.4	19.3	21.0	19.8	16.4	21.2	21.9	20.2	16.1	19.1	21.0	20.5	15.8	19.2	21.5	19.6
50.0	18.2	21.1	23.2	21.7	18.0	22.5	23.4	21.4	18.0	20.6	22.8	22.8	17.8	20.6	23.2	21.7
75.0	20.4	23.1	25.0	23.6	20.0	24.2	25.0	23.8	20.1	22.3	24.7	25.1	19.7	22.4	24.9	24.5
90.0	22.9	25.2	26.3	25.7	21.9	25.9	26.9	24.4	22.3	24.2	27.0	26.9	21.7	24.1	26.9	26.6
97.5	26.2	27.2	27.8	27.9	25.7	27.6	28.1	29.1	25.1	26.3	28.9	28.5	23.5	26.6	27.9	27.3

表 3-2-35 浙江省城市人群不同年龄组体重指数（BMI）描述

年龄组（岁）	男性 n	mean	S	min.	max.	女性 n	mean	S	min.	max.
7~8	201	16.4	2.5	12.1	25.6	224	15.9	2.5	11.7	25.6
9~10	486	17.3	3.0	10.5	29.7	422	16.4	2.6	10.9	27.1
11~12	471	17.9	2.9	9.3	29.3	493	17.6	2.7	12.0	28.9
13~14	661	18.6	3.1	13.1	29.8	566	18.6	2.8	12.9	29.8
15~16	548	19.8	2.8	10.9	29.8	528	19.7	2.6	14.1	29.3
17~18	443	20.3	2.6	14.5	29.8	417	20.1	2.4	12.7	28.6
19~26	328	20.3	2.2	12.3	28.3	419	20.0	2.0	15.8	28.6
27~34	95	22.2	2.7	17.6	28.6	208	20.8	2.4	15.8	28.4
35~44	190	22.9	2.6	16.6	29.4	341	22.0	2.4	15.1	29.8
45~54	212	23.0	2.6	16.1	29.8	172	22.6	2.6	17.8	29.6
>55	511	22.1	2.9	15.3	29.9	675	22.9	3.0	14.1	29.9

表 3-2-36 浙江省农村人群不同年龄组体重指数（BMI）描述

年龄组（岁）	男性 n	mean	S	min.	max.	女性 n	mean	S	min.	max.
7~8	32	16.0	1.6	13.0	19.8	37	14.9	1.4	12.8	20.1
9~10	94	16.5	2.3	12.2	28.3	126	15.9	2.2	12.4	25.3
11~12	117	18.4	3.0	13.5	27.3	114	17.2	2.4	13.6	27.9
13~14	108	18.0	2.9	11.5	29.7	97	18.3	2.6	14.0	26.9
15~16	124	19.2	2.6	14.7	29.3	107	19.6	2.0	15.0	25.1
17~18	109	20.3	2.3	15.5	28.5	85	20.4	1.7	17.3	26.3
19~26	120	22.0	2.4	17.4	28.4	327	20.1	1.9	15.6	27.7
27~34	161	22.8	2.5	16.3	29.7	276	20.7	2.3	15.1	28.0
35~44	164	23.1	2.1	18.2	28.4	248	22.2	2.6	15.4	29.6
45~54	134	23.7	2.3	18.0	29.9	132	23.2	2.5	17.5	29.9
>55	69	22.3	2.7	15.8	29.1	65	22.6	3.0	16.6	27.8

表 3-2-37 广西壮族自治区不同性别城乡人群体重指数百分位数（方案）分布

体重指数（BMI）	男性 城市 青少年	青壮年	中年	老年	农村 青少年	青壮年	中年	老年	女性 城市 青少年	青壮年	中年	老年	农村 青少年	青壮年	中年	老年
例数	820	417	150	60	679	371	194	126	797	595	212	61	730	458	205	187
缺失值	6	4	2	1	12	5	3	3	3	1	3	2	8	7	5	9
均数	19.2	21.3	23.2	24.0	17.9	21.9	22.1	20.6	18.9	20.7	23.0	23.9	18.2	20.7	21.2	19.8
标准差	3.2	2.7	2.6	2.8	2.0	2.6	2.6	3.1	3.0	2.5	2.8	3.1	2.3	2.5	2.9	2.7
2.5	14.0	17.0	18.2	18.7	14.1	17.4	17.7	16.0	13.9	16.8	17.9	18.7	13.9	16.6	16.2	15.7
5.0	14.5	17.5	18.7	20.2	14.6	18.4	18.1	16.4	14.6	17.3	18.4	19.1	14.4	16.9	17.0	16.3
10.0	15.4	18.3	20.1	20.3	15.2	19.0	19.1	17.1	15.2	17.8	19.5	19.7	15.2	17.9	17.8	16.7
25.0	17.0	19.4	21.3	21.7	16.4	20.0	20.2	18.4	16.7	18.8	21.1	21.9	16.7	19.0	19.1	17.8
50.0	18.7	21.0	23.5	23.7	17.9	21.5	21.7	19.7	18.6	20.2	22.4	23.8	18.3	20.4	21.1	19.3
75.0	20.9	23.0	25.2	25.7	19.3	23.6	23.9	22.9	20.6	22.2	24.9	26.5	19.7	22.1	22.9	21.5
90.0	23.2	25.1	26.3	27.9	20.6	25.8	25.9	24.9	22.6	24.2	26.9	28.2	21.1	24.0	25.7	23.3
97.5	27.4	27.2	28.0	29.2	21.8	27.3	27.5	26.3	25.9	26.3	29.1	29.4	22.8	26.4	27.6	26.2

表 3-2-38　广西城市性别、年龄组体重指数（BMI）描述

年龄组（岁）	男性 n	男性 mean	男性 S	男性 min.	男性 max.	女性 n	女性 mean	女性 S	女性 min.	女性 max.
9~10	95	17.1	3.5	12.1	29.5	84	16.1	3.1	11.5	28.5
11~12	138	17.6	3.1	12.1	29.4	145	17.9	2.9	11.8	29.6
13~14	204	19.3	3.2	13.7	29.4	194	18.7	2.7	13.6	28.1
15~16	214	20.0	2.9	14.9	29.2	183	20.2	2.9	14.8	29.0
17~18	169	20.3	2.5	15.1	29.8	190	19.8	2.3	15.5	28.1
19~26	169	20.4	2.2	15.1	27.2	217	19.4	1.8	15.4	24.9
27~34	111	21.3	2.4	16.1	29.1	166	20.6	2.4	15.8	28.4
35~44	137	22.4	2.9	16.3	29.9	212	22.0	2.6	16.9	29.3
45~54	136	23.2	2.6	16.8	29.5	167	22.9	2.8	16.7	29.8
>55	74	23.9	2.7	18.2	29.9	106	23.5	3.0	17.3	29.8

表 3-2-39　广西农村性别、年龄组体重指数（BMI）描述

年龄组（岁）	男性 n	男性 mean	男性 S	男性 min.	男性 max.	女性 n	女性 mean	女性 S	女性 min.	女性 max.
9~10	14	15.4	1.5	13.9	19.7	9	14.9	1.1	13.7	16.9
11~12	117	16.0	1.6	12.9	21.6	101	15.9	2.0	12.6	26.0
13~14	237	17.1	1.5	12.5	22.3	258	17.5	1.9	13.5	25.0
15~16	154	18.9	1.5	15.4	23.9	226	19.5	1.8	16.0	26.7
17~18	156	19.6	1.4	16.8	23.1	136	19.6	1.9	16.4	27.8
19~26	94	20.5	1.7	16.4	26.1	97	19.6	1.7	16.2	24.1
27~34	109	22.4	2.7	16.3	28.2	133	20.4	2.4	15.1	26.2
35~44	168	22.3	2.6	16.2	29.0	228	21.3	2.6	15.6	29.9
45~54	155	22.1	2.7	13.6	28.7	159	21.4	2.9	13.7	29.0
>55	165	20.9	2.9	15.3	28.4	233	19.9	2.7	14.6	30.0

三、主要器官系统功能状况

（一）循环系统

表 3-3-1　北京地区心功能参数均值表

	年龄（岁）	城市 男 n	城市 男 $\bar{x}\pm s$	城市 女 n	城市 女 $\bar{x}\pm s$	农村 男 n	农村 男 $\bar{x}\pm s$	农村 女 n	农村 女 $\bar{x}\pm s$
CO	10~15	68	6.28±1.77*	83	7.03±1.44#	33	5.80±1.20*	34	6.49±1.30#
	16~22	70	6.58±1.76#	109	6.67±1.64#	14	7.22±2.83	18	6.23±1.20#
CI	10~15	68	3.99±0.97**	83	4.93±0.95	33	3.85±0.78	34	4.58±0.94##
	16~22	70	3.76±0.89**##	109	4.38±1.03	14	4.23±1.35	18	4.24±0.84
SV	10~15	68	76.15±22.62	83	81.79±18.88	33	72.16±20.08*	34	70.79±17.99**
	16~22	70	85.31±23.94	109	82.38±21.41	14	94.39±39.95	18	77.21±17.14#
LVET	10~15	68	300.15±18.36	83	296.15±17.80	33	290.25±24.38	34	286.05±22.80**#
	16~22	70	301.75±23.44	109	295.50±22.00	14	294.30±19.89	18	289.40±26.67

* $P<0.05$ vs 城市-女；# $P<0.05$ vs 农村-男；** $P<0.01$ vs 城市-女；## $P<0.01$ vs 农村-男

表 3-3-2　河北省心功能参数均值表

	年龄（岁）	城市				农村			
		男		女		男		女	
		n	$\bar{x} \pm s$	n	$\bar{x} \pm s$	n	$\bar{x} \pm s$	n	$\bar{x} \pm s$
HR	10～12	30	79.80 ± 10.51*	23	84.82 ± 12.90*@	37	86.40 ± 16.13*#	28	96.35 ± 18.97*
	13～14	30	77.35 ± 12.34*#@	30	86.86 ± 12.87*	37	89.83 ± 14.25*	42	92.92 ± 14.36*
	15～16	46	75.56 ± 10.73*#@	32	83.37 ± 13.58*	41	86.75 ± 14.18*	42	88.40 ± 15.55*
	17～18	42	74.14 ± 11.95*#	39	84.84 ± 13.04*	12	81.25 ± 15.32*	10	82.60 ± 13.25
	19～26	48	74.79 ± 12.67*	51	76.88 ± 8.68*	24	75.70 ± 10.60*	29	78.48 ± 14.43
	27～34	41	68.53 ± 6.63#	51	72.64 ± 7.61	25	67.76 ± 11.25#	42	74.04 ± 10.88
	35～44	50	68.36 ± 9.82	67	71.00 ± 10.45@	45	66.44 ± 9.96#	58	77.27 ± 13.75
	45～54	42	71.83 ± 13.44	41	70.95 ± 9.15	50	67.38 ± 9.24	48	71.47 ± 12.35
	≥55	27	69.96 ± 10.81	43	72.06 ± 7.32	41	71.12 ± 10.30	26	73.19 ± 10.19
SBP	10～12	30	102.97 ± 12.43*	23	100.96 ± 12.03*	37	99.73 ± 10.86*	26	102.23 ± 9.27*
	13～14	20	119.10 ± 8.90#@	30	111.13 ± 12.46	37	107.89 ± 10.03*	42	107.71 ± 10.31
	15～16	46	114.13 ± 13.89*	32	108.31 ± 12.57	41	117.73 ± 11.72*#	42	109.64 ± 10.45
	17～18	42	117.74 ± 11.19	39	112.54 ± 9.68*	12	120.92 ± 7.53	9	118.67 ± 9.06*
	19～26	46	117.96 ± 12.72#	51	107.14 ± 11.14	24	123.04 ± 11.85#	29	112.10 ± 11.32
	27～34	41	119.71 ± 11.14#@	51	107.08 ± 13.58	25	126.16 ± 9.86#	42	109.10 ± 9.28
	35～44	50	115.28 ± 11.19#@	67	109.90 ± 10.88@	45	120.89 ± 11.57#	58	114.67 ± 11.79*
	45～54	42	122.69 ± 11.17	37	122.11 ± 13.86*	49	121.39 ± 11.40	47	119.26 ± 12.26*
	≥55	27	130.59 ± 10.38*	42	126.93 ± 12.02*	41	128.83 ± 13.07#	26	121.88 ± 13.35*
DBP	10～12	30	67.69 ± 9.32*@	23	68.88 ± 8.46	37	62.16 ± 9.56*	26	66.23 ± 8.81*
	13～14	20	75.85 ± 10.26@	30	74.46 ± 8.72@	37	63.59 ± 8.89*	42	64.88 ± 6.94*
	15～16	46	72.53 ± 10.54*	32	68.19 ± 10.38*	41	68.44 ± 9.02*	42	64.67 ± 8.83*
	17～18	42	70.10 ± 8.96*	39	71.82 ± 6.43	12	71.75 ± 9.27*	9	75.11 ± 5.75
	19～26	46	76.07 ± 7.00#	51	70.67 ± 8.12	24	76.00 ± 7.34#	29	71.45 ± 7.65
	27～34	41	77.80 ± 6.78#	50	71.91 ± 7.86	25	78.08 ± 6.79#	42	72.05 ± 7.57
	35～44	50	77.84 ± 6.34#	67	73.75 ± 7.82	45	76.98 ± 9.14	58	76.07 ± 6.69*
	45～54	42	78.90 ± 8.51	37	78.92 ± 8.16*	49	79.12 ± 7.97	47	76.79 ± 8.23*
	≥55	27	80.52 ± 6.27#	42	74.90 ± 7.78	41	79.49 ± 6.98#	26	73.73 ± 8.64
CO	10～12	30	4.360 ± .932*	23	4.743 ± .715	37	4.054 ± .886*#	28	4.696 ± .809*
	13～14	20	5.215 ± 1.272*	30	5.507 ± .719	37	5.084 ± 1.009*#	42	5.526 ± .746*
	15～16	46	5.913 ± .915#	32	5.294 ± .926@	41	6.129 ± 1.105	42	5.690 ± .707*
	17～18	42	5.693 ± .930	39	5.644 ± .961*@	12	6.242 ± .880	10	6.350 ± 1.070*
	19～26	48	5.821 ± .944	51	5.478 ± .782	24	5.783 ± .947	29	5.355 ± .977
	27～34	41	5.798 ± .815#	51	5.155 ± .928	25	5.712 ± 1.109#	42	5.152 ± .903
	35～44	50	6.062 ± 1.046#@	67	5.185 ± .960	45	5.529 ± .932#	58	5.134 ± .832
	45～54	42	5.643 ± .923#@	41	4.659 ± .843*	50	5.164 ± .783*#	48	4.702 ± .713*
	≥55	27	5.393 ± .844#	42	4.543 ± .708*	41	5.327 ± .947#	26	4.438 ± .985*
CI	10～12	30	3.183 ± .384#	23	3.574 ± .509*	37	3.143 ± .472#	28	3.600 ± .380*
	13～14	20	3.325 ± .660#	30	3.640 ± .444*	37	3.451 ± .429#	42	3.833 ± .482*
	15～16	46	3.502 ± .414*@	32	3.475 ± .490@	41	3.798 ± .605*	42	3.879 ± .363*
	17～18	42	3.381 ± .480#@	39	3.690 ± .503*	12	3.700 ± .413*	10	4.030 ± .497*
	19～26	48	3.367 ± .427#	51	3.563 ± .458*	24	3.342 ± .452	29	3.476 ± .595
	27～34	41	3.293 ± .414	51	3.273 ± .597	25	3.224 ± .389	42	3.369 ± .509
	35～44	50	3.356 ± .491	67	3.224 ± .535	45	3.209 ± .467	58	3.310 ± .500
	45～54	42	3.174 ± .464#	41	2.885 ± .488*	50	3.010 ± .385	48	2.963 ± .369*
	≥55	27	3.081 ± .490#	42	2.852 ± .399*	41	3.120 ± .420	26	2.881 ± .617*

续 表

	年龄（岁）	城市				农村			
		男		女		男		女	
		n	$\bar{x} \pm s$	n	$\bar{x} \pm s$	n	$\bar{x} \pm s$	n	$\bar{x} \pm s$
SV	10~12	30	55.13 ± 11.99*@	23	56.78 ± 10.26*	37	48.30 ± 12.92*#	28	50.50 ± 12.99*
	13~14	20	68.35 ± 15.63*@	30	64.53 ± 11.24*	37	57.62 ± 12.73*	42	60.74 ± 11.78*
	15~16	46	79.24 ± 14.07#@	32	64.53 ± 11.72*	41	71.98 ± 14.54*	42	66.48 ± 13.78
	17~18	42	77.90 ± 12.99*#	39	68.08 ± 15.10	12	78.08 ± 11.33*	10	77.30 ± 10.00
	19~26	48	79.81 ± 15.35#	51	71.84 ± 10.28	24	77.04 ± 13.32*#	29	69.14 ± 12.01
	27~34	41	85.27 ± 13.25#	51	71.51 ± 13.21	25	87.32 ± 16.45#	42	70.79 ± 13.26
	35~44	50	89.52 ± 14.90#@	67	73.96 ± 13.67@	45	82.27 ± 15.90#	58	67.36 ± 12.12
	45~54	42	80.90 ± 17.51#	41	66.32 ± 12.66*	50	77.04 ± 11.80*#	48	66.04 ± 15.78
	≥55	27	78.30 ± 13.75#	42	62.30 ± 11.95*	41	75.68 ± 12.158#	26	61.12 ± 13.77*
SI	10~12	30	40.50 ± 5.43*@	23	42.56 ± 5.93@	37	37.18 ± 7.32*	28	38.21 ± 5.84*
	13~14	20	43.55 ± 8.86*@	30	42.56 ± 7.21	37	39.05 ± 6.80*	42	42.16 ± 7.63*
	15~16	46	46.89 ± 6.12#	32	40.93 ± 9.62	41	44.56 ± 8.33*	42	45.07 ± 7.87
	17~18	42	46.14 ± 6.05	39	44.38 ± 7.85	12	46.33 ± 7.08	10	49.20 ± 4.75
	19~26	48	45.87 ± 7.18	51	46.47 ± 6.19	24	44.66 ± 6.31	29	44.62 ± 7.61
	27~34	41	48.34 ± 6.71	51	45.33 ± 7.94	25	48.32 ± 6.22	42	45.92 ± 7.42
	35~44	50	49.46 ± 6.37#	67	46.05 ± 7.76@	45	48.42 ± 5.33#	58	43.44 ± 6.92
	45~54	42	45.30 ± 8.76*#	41	40.95 ± 6.64*	50	45.10 ± 6.81#	48	42.27 ± 7.02*
	≥55	27	44.66 ± 7.67*#	42	39.92 ± 5.42*	41	44.46 ± 6.06*#	26	39.46 ± 7.81*
LVET	10~12	30	285.60 ± 15.31*@	23	282.86 ± 19.22*@	37	273.62 ± 28.11*	28	261.92 ± 25.14*
	13~14	20	280.50 ± 21.06*@	30	277.46 ± 27.34*@	37	264.86. ± 24.22*	42	264.66 ± 24.75*
	15~16	46	281.32 ± 16.19*@	32	277.75 ± 22.47*	41	266.75 ± 24.73*	42	271.14 ± 26.06*
	17~18	42	283.50 ± 17.86*	39	279.82 ± 21.54*	12	272.25 ± 25.76*	10	277.90 ± 18.18
	19~26	48	280.20 ± 22.71*#	51	290.00 ± 14.31*	24	281.79 ± 23.77*	29	290.51 ± 28.87
	27~34	41	305.36 ± 20.27	51	304.21 ± 18.39@	25	305.28 ± 22.52	42	295.09 ± 23.28
	35~44	50	307.90 ± 23.86	67	308.97 ± 25.82@	45	309.13 ± 23.40#	58	297.24 ± 25.42
	45~54	42	305.26 ± 30.08	41	310.39 ± 27.06	50	308.68 ± 24.46	48	313.95 ± 25.10
	≥55	27	324.85 ± 25.27*	43	327.11 ± 34.26*	41	312.46 ± 31.71	26	312.30 ± 33.33*
SVR	10~12	23	1364.26 ± 259.59	19	1261.26 ± 280.46	34	1538.38 ± 424.49*#	27	1334.11 ± 257.48
	13~14	18	1123.27 ± 233.52	30	1138.06 ± 210.17*	37	1255.81 ± 290.31	41	1146.21 ± 316.16
	15~16	46	1082.76 ± 192.22*#	32	1202.68 ± 264.65	41	1045.65 ± 218.02*	42	1110.52 ± 230.86
	17~18	41	1179.02 ± 267.67@	38	1189.47 ± 256.58@	12	994.00 ± 132.87	10	985.60 ± 142.52*
	19~26	46	1142.02 ± 194.56	49	1182.46 ± 202.22	24	1164.08 ± 243.00	28	1180.64 ± 216.16
	27~34	39	1239.1538 ± 494.19	49	1274.34 ± 312.56	24	1193.12 ± 242.90	42	1223.35 ± 201.91
	35~44	47	1134.80 ± 213.96#	65	1252.13 ± 296.44	37	1216.05 ± 240.49	53	1311.67 ± 275.70
	45~54	41	1260.78 ± 330.19#	40	1568.17 ± 415.59*	47	1381.10 ± 290.39*	43	1458.76 ± 278.04*
	≥55	27	1311.59 ± 218.40#	42	1532.47 ± 316.77*	41	1353.90 ± 313.10*#	21	1581.95 ± 424.22*
LCW	10~12	23	4.065 ± 1.184*	19	4.584 ± .846*	34	4.335 ± 1.404*	27	5.007 ± 1.417
	13~14	18	5.300 ± 1.028*#	30	5.790 ± 1.087	37	5.332 ± 1.281*	40	5.625 ± .811
	15~16	46	6.339 ± 1.258#	32	5.631 ± 1.389	41	6.495 ± 1.385#	41	5.890 ± .903
	17~18	41	6.409 ± 1.309	38	6.334 ± 1.385*	12	6.558 ± 1.390	10	6.730 ± 1.538*
	19~26	46	6.460 ± 1.355#	49	5.955 ± .992	24	6.483 ± 1.276#	28	5.596 ± 1.323
	27~34	38	6.592 ± 1.224#	49	5.573 ± 1.352	24	6.933 ± 1.578#	42	5.466 ± 1.371
	35~44	47	6.857 ± 1.460#@	65	5.613 ± 1.221	38	6.076 ± 1.200*	53	5.688 ± 1.150
	45~54	41	6.785 ± 1.350#@	40	5.687 ± 1.238	46	6.050 ± 1.135*	43	5.558 ± 1.310
	≥55	27	6.400 ± 1.175#	43	5.197 ± 1.243	41	6.402 ± 1.497#	21	5.371 ± 1.466

* $P<0.05$ vs 27~34；# $P<0.05$ vs 女（同区）；@ $P<0.05$ vs 农村（同性）

表 3-3-3 浙江省心功能参数均值表

	年龄（岁）	城市				农村			
		男		女		男		女	
		n	$\bar{x} \pm s$	n	$\bar{x} \pm s$	n	$\bar{x} \pm s$	n	$\bar{x} \pm s$
HR	10~12	78	82.42 ± 12.25*	89	87.61 ± 12.15*	32	84.71 ± 10.58$^{*\#}$	24	91.75 ± 14.09*
	13~14	70	82.84 ± 12.28*	104	85.28 ± 12.11*	26	81.61 ± 11.97*	24	86.62 ± 10.86*
	15~16	87	80.80 ± 12.02*	72	83.51 ± 13.88*	22	72.72 ± 9.18*	27	78.07 ± 9.49*
	17~18	52	75.98 ± 12.59$^{\#}$	73	80.02 ± 11.73*	25	75.04 ± 10.31*	23	73.78 ± 12.73
	19~26	93	75.10 ± 12.46$^{@}$	115	74.24 ± 10.18	32	67.00 ± 9.82$^{\#}$	75	77.72 ± 12.76*
	27~34	49	72.20 ± 13.78	84	74.40 ± 9.36	37	67.70 ± 10.90$^{\#}$	40	72.32 ± 8.78
	35~44	63	71.20 ± 9.25	123	74.73 ± 12.74	29	68.13 ± 9.03	36	71.94 ± 7.68
	45~54	62	71.40 ± 13.91	74	70.81 ± 10.32*	38	68.65 ± 10.84	35	72.28 ± 7.71
	≥55	92	71.29 ± 10.29	111	71.18 ± 10.43	19	70.89 ± 14.50	16	69.56 ± 7.33
SBP	10~12	78	99.74 ± 9.23*	88	99.09 ± 10.28*	32	96.06 ± 13.53*	24	92.92 ± 8.78*
	13~14	70	111.1 ± 11.28$^{\#}$	104	104.42 ± 9.52	26	107.35 ± 9.74*	24	106.50 ± 8.16
	15~16	86	111.67 ± 10.05	72	108.24 ± 11.37	22	109.95 ± 11.51	27	104.41 ± 9.30
	17~18	49	119.94 ± 11.17$^{\#}$	73	107.04 ± 9.44	25	115.36 ± 14.53$^{\#}$	23	104.61 ± 7.69
	19~26	93	115.16 ± 10.96$^{\#}$	112	105.54 ± 9.72	32	117.16 ± 9.87$^{\#}$	75	106.83 ± 10.82
	27~34	47	115.30 ± 11.95$^{\#}$	77	104.22 ± 10.34	36	115.97 ± 11.90$^{\#}$	39	107.79 ± 9.90
	35~44	63	116.59 ± 11.26$^{\#}$	122	110.22 ± 12.02*	29	117.79 ± 9.61	36	112.81 ± 12.17
	45~54	61	120.41 ± 11.68	70	119.24 ± 12.89*	38	120.37 ± 10.88*	35	121.09 ± 14.67*
	≥55	90	124.71 ± 12.28*	110	125.55 ± 13.76*	19	122.32 ± 11.08*	16	129.62 ± 12.00*
DBP	10~12	78	63.81 ± 6.77*	88	63.68 ± 7.82*	32	60.44 ± 7.93*	24	58.50 ± 6.45*
	13~14	70	67.41 ± 7.81*	104	64.46 ± 8.35*	26	67.65 ± 7.43*	24	73.25 ± 6.54*
	15~16	86	67.42 ± 7.08*	72	67.78 ± 7.07	22	70.23 ± 8.15	27	66.78 ± 7.73
	17~18	49	72.12 ± 7.69	73	66.68 ± 6.96	25	72.48 ± 7.49$^{\#}$	23	66.26 ± 6.42
	19~26	93	71.33 ± 7.92	112	67.92 ± 8.08	32	71.72 ± 7.69	75	67.20 ± 8.22
	27~34	47	72.81 ± 7.74	77	67.23 ± 8.23	36	75.00 ± 9.48$^{\#}$	39	68.13 ± 5.94
	35~44	63	76.29 ± 7.65*	122	71.70 ± 8.15*	29	76.93 ± 8.15	36	73.50 ± 9.10
	45~54	61	78.11 ± 7.36*	70	75.43 ± 7.94*	38	79.29 ± 7.67*	35	76.49 ± 7.81*
	≥55	90	79.56 ± 7.45*	110	77.45 ± 7.38*	19	78.53 ± 7.48*	16	76.88 ± 8.61*
CO	10~12	78	4.145 ± .917*	89	4.579 ± .930*	32	4.037 ± .858*	24	4.579 ± .731*
	13~14	70	5.159 ± 1.366*	104	4.999 ± 1.305*	26	5.050 ± .808*	24	5.508 ± .824
	15~16	87	6.116 ± 1.177$^{\#}$	72	5.546 ± 1.172	22	5.741 ± .598	27	5.667 ± 1.030
	17~18	52	5.929 ± 1.174	73	5.758 ± .949	25	5.868 ± .838$^{\#}$	23	5.130 ± .713
	19~26	93	6.039 ± 1.128$^{\#}$	115	5.513 ± .912	32	5.922 ± 1.051	75	5.495 ± .832
	27~34	49	5.949 ± 1.072$^{\#}$	84	5.356 ± 1.001	37	5.789 ± .889	40	5.252 ± .874
	35~44	63	6.039 ± 1.010$^{\#}$	122	5.306 ± 1.115	29	5.562 ± 1.098	36	5.194 ± .955
	45~54	62	5.963 ± 1.209$^{\#}$	74	4.984 ± 1.124*	38	5.384 ± .875	35	4.823 ± 1.028*
	≥55	92	5.214 ± .903$^{*\#}$	111	4.447 ± 1.127*	19	5.042 ± .727*	16	4.606 ± .926*
CI	10~12	78	3.182 ± .519*	89	3.465 ± .576	32	3.266 ± .419$^{\#}$	24	3.742 ± .461*
	13~14	70	3.361 ± .745	104	3.478 ± .861	26	3.592 ± .399*	24	3.921 ± .480*
	15~16	87	3.753 ± .865*	72	3.728 ± .698*	22	3.527 ± .355*	27	3.852 ± .547*
	17~18	52	3.427 ± .561	73	3.790 ± .561*	25	3.560 ± .372*	23	3.465 ± .476
	19~26	93	3.616 ± .582*	115	3.660 ± .551	32	3.431 ± .658	75	3.688 ± .494
	27~34	49	3.349 ± .461	84	3.499 ± .609	37	3.219 ± .392	40	3.448 ± .479
	35~44	63	3.444 ± .491	122	3.370 ± .644	29	3.179 ± .585	36	3.297 ± .507
	45~54	62	3.413 ± .563	74	3.147 ± .669*	38	3.111 ± .495	35	3.069 ± .514*
	≥55	92	3.134 ± .403*	111	2.905 ± .636*	19	3.047 ± .384	16	2.919 ± .478*

续 表

	年龄（岁）	城市				农村			
		男		女		男		女	
		n	$\bar{x} \pm s$	n	$\bar{x} \pm s$	n	$\bar{x} \pm s$	n	$\bar{x} \pm s$
SV	10 ~ 12	78	51.321 ± 3.06*	89	53.27 ± 13.52*	32	47.88 ± 8.58*	24	50.79 ± 9.63*
	13 ~ 14	70	62.71 ± 20.05*	104	59.19 ± 15.40*	26	62.62 ± 10.26*	24	64.13 ± 10.56*
	15 ~ 16	87	77.61 ± 19.59#	72	67.72 ± 16.59	22	79.55 ± 10.46#	27	73.33 ± 14.60
	17 ~ 18	52	79.44 ± 16.36#	73	72.89 ± 12.82	25	79.56 ± 15.47#	23	70.61 ± 11.06
	19 ~ 26	93	81.24 ± 15.59#	115	74.84 ± 12.03	32	89.38 ± 15.93#	75	72.13 ± 13.35
	27 ~ 34	49	83.96 ± 15.56#	84	72.05 ± 12.11	37	86.76 ± 13.89#	40	72.98 ± 10.28
	35 ~ 44	63	84.37 ± 16.29#	123	71.24 ± 15.12	29	83.52 ± 19.47#	36	72.42 ± 11.83
	45 ~ 54	62	84.87 ± 18.06#	74	70.77 ± 13.44	38	79.00 ± 14.66#	35	66.54 ± 12.82*
	≥55	92	74.22 ± 14.55*#	111	62.83 ± 14.17*	19	72.84 ± 12.93*	16	66.31 ± 12.25*
SI	10 ~ 12	78	39.20 ± 7.47*	89	40.24 ± 8.47*	32	38.78 ± 4.30*	24	41.33 ± 7.03*
	13 ~ 14	69	41.10 ± 10.27*	104	41.04 ± 10.06*	26	44.50 ± 5.24	24	45.79 ± 6.43
	15 ~ 16	87	46.74 ± 9.13	72	45.48 ± 9.82	22	48.86 ± 5.93	27	49.74 ± 7.95
	17 ~ 18	52	46.01 ± 8.50	73	47.87 ± 7.59	25	48.12 ± 7.38	23	47.56 ± 6.53
	19 ~ 26	93	49.05 ± 8.27	115	49.82 ± 7.27	32	51.06 ± 7.82	75	48.30 ± 7.64
	27 ~ 34	49	48.14 ± 7.46	84	47.60 ± 6.28	37	48.40 ± 8.02	40	47.47 ± 5.94
	35 ~ 44	63	48.41 ± 6.74	122	45.95 ± 7.77	29	47.55 ± 10.12	36	45.83 ± 6.67
	45 ~ 54	62	48.33 ± 8.76	74	45.00 ± 8.01	38	45.42 ± 7.97	35	42.45 ± 6.76
	≥55	92	44.43 ± 7.03	111	41.10 ± 7.56*	19	43.78 ± 6.66*	16	41.62 ± 6.78*
LVET	10 ~ 12	78	279.82 ± 24.36*	89	276.50 ± 20.87*	32	274.31 ± 15.90*	24	267.08 ± 23.21*
	13 ~ 14	70	271.52 ± 24.23*	104	274.17 ± 19.03*	26	278.30 ± 19.93*#	24	267.70 ± 16.01*
	15 ~ 16	87	272.85 ± 22.13*	72	276.76 ± 23.31*	22	284.50 ± 15.86*	27	283.24 ± 17.66*
	17 ~ 18	52	279.55 ± 20.99*	73	283.56 ± 20.29*	25	283.72 ± 17.09*#	23	293.73 ± 25.89
	19 ~ 26	93	284.64 ± 20.47	115	294.15 ± 20.05	32	295.43 ± 20.45	75	289.16 ± 22.81
	27 ~ 34	49	296.81 ± 27.46	84	295.54 ± 20.20	37	298.48 ± 25.33	40	299.17 ± 19.78
	35 ~ 44	63	304.09 ± 20.48	121	299.71 ± 24.49	29	308.96 ± 30.42	36	301.33 ± 16.98
	45 ~ 54	62	307.46 ± 33.29*	74	310.13 ± 22.40	38	310.76 ± 35.51*	35	304.67 ± 19.39
	≥55	92	309.38 ± 30.53*	111	313.69 ± 26.48*	19	297.36 ± 34.52#	16	315.68 ± 34.37
SVR	10 ~ 12	70	1381.50 ± 330.21*#	89	1274.50 ± 356.52*	31	1411.96 ± 257.03*	24	1310.08 ± 216.00*
	13 ~ 14	68	1212.77 ± 425.67*	104	1255.71 ± 453.49*	24	1147.75 ± 238.40	24	1083.33 ± 160.90
	15 ~ 16	84	1017.27 ± 254.70	67	1153.37 ± 383.71	22	1078.31 ± 151.96	27	1059.77 ± 208.87
	17 ~ 18	49	1089.18 ± 353.12	70	1016.88 ± 176.63	25	1075.92 ± 159.90	23	1159.26 ± 171.01
	19 ~ 26	93	1047.08 ± 189.63	114	1081.45 ± 241.01	31	1117.96 ± 200.15	74	1104.78 ± 208.62
	27 ~ 34	49	1059.00 ± 194.07	84	1074.94 ± 176.87	36	1150.13 ± 205.53	39	1112.64 ± 258.41
	35 ~ 44	63	1105.25 ± 213.73	120	1169.13 ± 279.88	28	1261.85 ± 522.92*	35	1156.54 ± 216.56
	45 ~ 54	60	1159.33 ± 245.66*#	73	1424.50 ± 414.41*	38	1233.2 ± 6381.85*	35	1336.62 ± 378.98*
	≥55	90	1341.32 ± 260.60*#	110	1542.62 ± 414.97*	19	1296.89 ± 238.42*#	16	1507.75 ± 503.24*
LCW	10 ~ 12	70	4.001 ± 1.183*	89	4.297 ± .966*	31	3.841 ± 1.052*#	24	4.600 ± 1.113*
	13 ~ 14	69	5.115 ± 1.708*	104	4.898 ± 1.365	24	4.812 ± .801*	24	5.508 ± 1.156
	15 ~ 16	83	6.268 ± 1.394	67	5.692 ± 1.425	22	5.950 ± .628	27	5.603 ± 1.165
	17 ~ 18	49	6.306 ± 1.590#	70	5.648 ± 1.268	25	6.244 ± 1.229#	23	5.078 ± .872
	19 ~ 26	93	6.298 ± 1.519#	114	5.408 ± 1.126	31	6.212 ± 1.199	74	5.567 ± 1.186
	27 ~ 34	49	6.222 ± 1.296#	84	5.490 ± 1.020	36	6.552 ± 1.613#	39	5.561 ± 1.251
	35 ~ 44	63	6.633 ± 1.488#	121	5.634 ± 1.452	28	6.296 ± 1.525#	35	5.277 ± 1.589
	45 ~ 54	60	6.918 ± 1.611#	73	5.726 ± 1.210	38	6.044 ± 1.154#	35	5.237 ± 1.833
	≥55	90	6.175 ± 1.477#	110	5.199 ± 1.513	19	5.878 ± 1.266*	16	5.456 ± .950

* $P < 0.05$ vs 27 ~ 34;　# $P < 0.05$ vs 女（同区）

表3-3-4 广西壮族自治区心功能参数均值表

	年龄（岁）	城市				农村			
		男		女		男		女	
		n	$\bar{x}$ ± s	n	$\bar{x}$ ± s	n	$\bar{x}$ ± s	n	$\bar{x}$ ± s
HR	10~12	29	87.51 ± 17.20*	30	94.43 ± 15.41*	5	85.80 ± 1.09*#	4	99.50 ± 6.65*
	13~14	28	79.96 ± 10.55*	30	81.43 ± 11.33@	27	80.92 ± 12.46*#	25	91.88 ± 14.68*
	15~16	30	79.23 ± 14.57*	31	83.58 ± 13.10*	16	72.25 ± 10.34	16	77.31 ± 8.22
	17~18	23	66.78 ± 12.39#@	23	76.73 ± 12.53	27	74.81 ± 15.32	19	74.36 ± 11.12
	19~26	39	69.66 ± 9.16#@	27	76.37 ± 12.33	14	77.35 ± 8.70	20	76.80 ± 9.59
	27~34	46	72.91 ± 8.96	35	75.80 ± 11.01	41	73.60 ± 12.56	28	76.10 ± 10.46
	35~44	47	72.93 ± 12.70	58	74.96 ± 8.83	48	73.25 ± 15.00	27	77.96 ± 10.07
	45~54	48	74.81 ± 12.86	74	72.87 ± 10.83	51	74.07 ± 9.92	19	75.68 ± 9.71
	≥55	30	74.66 ± 12.74	55	73.05 ± 12.67	22	73.50 ± 9.18	14	78.78 ± 11.33
SBP	10~12	29	101.86 ± 10.99*@	30	98.29 ± 8.89*	5	98.60 ± 5.64*#	4	115.00 ± 9.42*
	13~14	25	104.48 ± 8.76*	30	101.73 ± 9.83@	12	102.67 ± 7.40	10	102.80 ± 11.67*
	15~16	30	111.20 ± 10.02#@	31	100.68 ± 10.08	16	102.56 ± 9.58	16	99.63 ± 12.59
	17~18	23	110.04 ± 11.87#	23	100.78 ± 9.00	25	106.36 ± 3.16	19	101.16 ± 9.60
	19~26	37	114.57 ± 10.88#@	27	103.11 ± 8.03	14	107.00 ± 11.28	17	106.53 ± 7.33
	27~34	46	117.17 ± 11.86#@	32	105.34 ± 8.03@	41	107.05 ± 9.54#	25	99.08 ± 10.94
	35~44	45	116.42 ± 10.55#	56	110.14 ± 11.61@	46	111.43 ± 11.89#	27	103.70 ± 12.03
	45~54	47	120.09 ± 12.53#@	73	114.29 ± 13.24*@	50	113.76 ± 13.42*#	19	106.95 ± 9.97*
	≥55	30	123.13 ± 14.49@	55	120.25 ± 13.57*	22	113.09 ± 14.67	9	111.67 ± 20.10*
DBP	10~12	29	56.14 ± 5.73*	30	61.86 ± 8.24*	5	59.60 ± 3.97*	4	66.25 ± 7.37
	13~14	25	62.24 ± 7.26*	30	65.27 ± 8.73	12	61.67 ± 8.77*	10	63.80 ± 6.63
	15~16	30	67.37 ± 7.62	31	65.06 ± 5.62	16	65.25 ± 7.08*	16	64.00 ± 6.81
	17~18	23	70.30 ± 8.70#	23	66.17 ± 4.59	25	68.44 ± 10.57	19	67.26 ± 6.30
	19~26	37	72.05 ± 9.59#	27	65.07 ± 6.92	14	67.57 ± 8.71	17	68.76 ± 6.57
	27~34	46	73.57 ± 7.80#	32	68.03 ± 6.92	41	70.39 ± 7.61#	25	65.40 ± 8.67
	35~44	45	76.33 ± 7.73#	56	71.88 ± 9.06	45	73.11 ± 7.56#	27	68.22 ± 9.70
	45~54	47	77.11 ± 8.40	73	74.08 ± 8.69@	50	74.04 ± 8.85*	19	69.84 ± 6.82
	≥55	30	78.07 ± 6.48@	55	75.69 ± 7.46*	22	70.86 ± 7.11	9	73.56 ± 9.68*
CO	10~12	29	5.086 ± 1.480*@	30	5.380 ± 1.506	5	3.020 ± .517*#	4	4.400 ± .374
	13~14	28	7.050 ± 1.392@	30	6.407 ± 1.368@	27	4.570 ± 1.072*	25	4.744 ± 1.194
	15~16	30	8.733 ± 1.836*#@	31	6.558 ± 1.627@	16	6.419 ± 1.219	16	5.100 ± 1.189
	17~18	23	8.587 ± 1.297*#@	23	6.709 ± 1.318*@	27	6.622 ± 1.142#	19	5.311 ± .867
	19~26	39	7.795 ± 1.414#@	27	6.456 ± 1.332@	14	6.950 ± 1.153#	20	5.125 ± .947
	27~34	46	7.613 ± 1.478#@	35	5.963 ± 1.345@	41	6.602 ± 1.463#	28	4.939 ± 1.320
	35~44	47	8.134 ± 1.666#@	58	6.122 ± 1.397@	48	6.683 ± 1.702#	27	4.630 ± 1.194
	45~54	48	7.544 ± 1.592#@	74	5.705 ± 1.359@	51	5.990 ± 1.255*#	19	4.321 ± 1.083
	≥55	30	7.270 ± 1.381#@	55	5.036 ± 1.316*@	22	5.732 ± 1.651*#	14	3.529 ± .564*
CI	10~12	29	3.648 ± .703*@	30	3.967 ± .678	5	2.780 ± .370*#	4	3.625 ± 5.000E-02
	13~14	28	4.264 ± .525@	30	4.237 ± .647@	27	3.500 ± .514	25	3.736 ± .702
	15~16	30	4.737 ± .734*@	31	4.352 ± .887*@	16	3.806 ± .485	16	3.650 ± .675
	17~18	23	4.552 ± .517*#@	23	4.209 ± .523@	27	3.856 ± .511	19	3.658 ± .457
	19~26	39	4.258 ± 488	27	4.270 ± .630@	14	3.979 ± .555#	20	3.590 ± .412
	27~34	46	4.241 ± .574#@	35	3.969 ± .656@	41	3.761 ± .636#	28	3.439 ± .567
	35~44	47	4.351 ± .604#@	58	3.809 ± .777@	48	3.842 ± .822#	27	3.267 ± .621
	45~54	48	4.106 ± .640#@	74	3.564 ± .607*@	51	3.555 ± .593#	19	3.032 ± .623*
	≥55	30	3.900 ± .525*#@	55	3.191 ± .598*@	22	3.491 ± .656#	14	2.757 ± .514*

续 表

	年龄（岁）	城市				农村			
		男		女		男		女	
		n	$\bar{x} \pm s$	n	$\bar{x} \pm s$	n	$\bar{x} \pm s$	n	$\bar{x} \pm s$
SV	10~12	29	59.14 ± 16.75$^{*@}$	30	58.07 ± 18.16*	5	35.20 ± 6.18$^{*\#}$	4	44.00 ± 4.55*
	13~14	28	89.14 ± 19.72$^{*@}$	30	79.90 ± 19.56$^{@}$	27	58.04 ± 16.25*	25	52.76 ± 14.79*
	15~16	30	112.43 ± 23.90$^{\#@}$	31	78.84 ± 18.64$^{@}$	16	89.50 ± 17.61$^{\#}$	16	66.81 ± 16.31
	17~18	23	131.26 ± 23.12$^{*\#@}$	23	89.96 ± 24.67$^{@}$	27	91.00 ± 20.15$^{\#}$	19	72.68 ± 13.78
	19~26	39	113.23 ± 23.25$^{\#@}$	27	86.30 ± 21.80$^{@}$	14	90.50 ± 14.97$^{\#}$	20	66.95 ± 11.51
	27~34	46	105.65 ± 21.49$^{\#@}$	35	79.91 ± 19.31$^{@}$	41	92.20 ± 22.12$^{\#}$	28	65.64 ± 18.61
	35~44	47	113.60 ± 25.58$^{\#@}$	58	82.52 ± 16.46$^{@}$	48	92.50 ± 20.54$^{\#}$	27	59.44 ± 14.06
	45~54	48	102.90 ± 24.17$^{\#@}$	74	79.28 ± 19.82$^{@}$	51	81.86 ± 19.25$^{*\#}$	19	57.63 ± 14.40
	≥55	30	100.07 ± 27.11$^{\#@}$	55	70.05 ± 18.52$^{*@}$	22	77.55 ± 21.47$^{*\#}$	14	46.50 ± 9.49*
SI	10~12	29	42.51 ± 8.94$^{*@}$	30	42.86 ± 9.51*	5	32.40 ± 4.03*	4	36.50 ± 2.51*
	13~14	28	53.89 ± 8.15$^{*@}$	30	52.80 ± 9.58$^{@}$	27	44.11 ± 8.25*	25	41.28 ± 8.81
	15~16	30	60.70 ± 8.67$^{\#@}$	31	52.29 ± 9.36	16	52.68 ± 5.92	16	48.31 ± 8.88
	17~18	23	69.17 ± 8.53$^{*\#@}$	23	55.78 ± 10.80$^{@}$	27	54.11 ± 8.65$^{\#}$	19	48.31 ± 8.11
	19~26	39	61.87 ± 8.66$^{\#@}$	27	56.81 ± 10.84$^{@}$	14	52.50 ± 7.31$^{\#}$	20	45.90 ± 5.17
	27~34	46	58.73 ± 8.86$^{\#@}$	35	53.00 ± 9.57$^{@}$	41	52.09 ± 8.66$^{\#}$	28	44.96 ± 8.35
	35~44	47	60.76 ± 10.20$^{\#@}$	58	52.08 ± 7.86$^{@}$	48	52.33 ± 10.07$^{\#}$	27	41.59 ± 6.89
	45~54	48	56.02 ± 10.56$^{\#@}$	74	49.66 ± 9.47$^{@}$	51	49.11 ± 10.84$^{\#}$	19	39.68 ± 7.89*
	≥55	30	53.33 ± 10.02$^{*\#}$	55	44.38 ± 8.85$^{*@}$	22	47.95 ± 9.30$^{\#}$	14	35.64 ± 6.55*
LVET	10~12	29	268.06 ± 25.39*	30	263.83 ± 21.08*	5	273.80 ± 5.54*	4	265.00 ± 9.93*
	13~14	26	273.34 ± 17.50*	28	279.32 ± 19.00*	27	281.92 ± 19.27*	25	269.92 ± 23.91*
	15~16	30	277.96 ± 19.09$^{*@}$	31	279.03 ± 18.56$^{*@}$	16	292.87 ± 20.697	16	292.37 ± 17.40
	17~18	23	294.13 ± 21.51	23	282.21 ± 20.57*	27	281.51 ± 23.45*	19	289.05 ± 16.16
	19~26	39	294.15 ± 17.11	27	285.37 ± 55.92*	14	286.14 ± 17.31	20	293.50 ± 17.19
	27~34	46	295.76 ± 21.04	34	298.64 ± 22.87	41	293.12 ± 22.16	28	293.60 ± 20.30
	35~44	47	303.34 ± 25.57	58	300.43 ± 19.73	48	296.58 ± 22.03	27	294.66 ± 16.93
	45~54	48	299.58 ± 30.73$^{@}$	74	308.64 ± 22.59	51	295.00 ± 26.93	19	300.47 ± 20.35
	≥55	30	312.56 ± 31.69*	55	314.85 ± 26.03*	22	305.22 ± 33.30*	14	301.85 ± 33.53
SVR	10~12	29	1196.37 ± 322.9143$^{*@}$	29	1157.13 ± 304.54	5	1848.80 ± 387.39*	4	1378.25 ± 94.02
	13~14	28	850.00 ± 188.97$^{@}$	30	941.31 ± 202.25$^{@}$	27	1291.18 ± 405.84*	25	1295.96 ± 408.50
	15~16	30	732.40 ± 171.11$^{*\#@}$	31	925.61 ± 193.42$^{@}$	16	938.75 ± 197.49$^{\#}$	16	1163.81 ± 342.64
	17~18	23	712.82 ± 118.01$^{*\#@}$	23	910.04 ± 252.76	27	891.88 ± 172.62	19	968.89 ± 239.25
	19~26	38	795.28 ± 158.08$^{\#}$	26	938.03 ± 210.49$^{@}$	14	880.85 ± 126.42$^{\#}$	20	1068.10 ± 186.94
	27~34	45	859.91 ± 156.00$^{\#}$	35	1030.08 ± 264.33$^{@}$	41	921.87 ± 212.51$^{\#}$	28	1186.82 ± 320.60
	35~44	47	813.00 ± 203.47$^{\#@}$	57	1002.50 ± 219.10$^{@}$	48	1002.41 ± 288.48$^{\#}$	27	1246.92 ± 310.05
	45~54	48	912.41 ± 220.61$^{\#@}$	73	1158.65 ± 353.94$^{*@}$	51	1100.90 ± 298.88$^{*\#}$	19	1367.21 ± 430.19
	≥55	30	972.90 ± 206.63$^{*\#@}$	55	1352.58 ± 350.41$^{*@}$	22	1159.77 ± 336.08$^{*\#}$	14	1725.35 ± 765.18*
LCW	10~12	29	4.962 ± 1.756$^{*@}$	29	5.513 ± 1.843	5	2.760 ± .371$^{*\#}$	4	4.575 ± .865
	13~14	28	6.885 ± 1.448$^{*@}$	30	6.226 ± 1.995$^{@}$	27	4.325 ± 1.203*	25	4.704 ± 1.308
	15~16	30	9.160 ± 2.194$^{\#@}$	31	6.480 ± 1.761$^{@}$	16	6.362 ± 2.181$^{\#}$	16	4.931 ± 1.361
	17~18	23	8.660 ± 2.085$^{\#@}$	23	6.682 ± 1.486$^{@}$	27	6.603 ± 1.261$^{\#}$	19	5.005 ± .912
	19~26	38	7.950 ± 1.965$^{\#@}$	26	6.273 ± 1.591$^{@}$	14	6.800 ± 1.393$^{\#}$	20	5.175 ± 1.099
	27~34	45	8.235 ± 2.067$^{\#@}$	35	5.977 ± 1.633$^{@}$	41	6.641 ± 1.575$^{\#}$	28	5.053 ± 1.642
	35~44	47	8.880 ± 2.429$^{\#@}$	57	6.296 ± 1.729$^{@}$	48	7.100 ± 2.343$^{\#}$	27	4.681 ± 1.324
	45~54	48	8.508 ± 1.928$^{\#@}$	73	6.575 ± 4.291$^{@}$	51	6.576 ± 1.505$^{\#}$	19	4.489 ± 1.158
	≥55	30	8.590 ± 1.801$^{\#@}$	55	5.674 ± 1.880$^{@}$	22	6.236 ± 1.689$^{\#}$	14	4.050 ± .656*

* $P < 0.05$ vs 27~34； # $P < 0.05$ vs 女（同区）； @ $P < 0.05$ vs 农村（同性）

表 3-3-5 北京市城区心功能参数数据资料表

	年龄（岁）	男 n	男 mean	男 S	男 min.	男 max.	女 n	女 mean	女 S	女 min.	女 max.
CO	10~15	68	6.28	1.77	3.68	13.58	83	7.03	1.44	4.50	12.90
	16~22	70	6.58	1.76	3.53	10.88	109	6.67	1.64	3.75	11.25
	Total	138	6.58	1.77	3.53	13.58	192	6.85	1.54	3.75	12.90
CI	10~15	68	3.99	0.97	2.38	6.92	83	4.93	0.95	3.11	7.04
	16~22	70	3.76	0.89	2.06	5.78	109	4.38	1.03	2.45	7.40
	Total	138	3.88	0.93	2.06	6.92	192	4.61	0.99	2.45	7.40
SV	10~15	68	76.15	22.62	33	157	83	81.79	18.88	40	143
	16~22	70	85.31	23.94	39	139	109	82.38	21.41	36	138
	Total	138	80.73	23.29	33	157	192	82.09	20.15	36	143
LVET	10~15	68	300.15	18.36	240	340	83	296.15	17.80	250	360
	16~22	70	301.75	23.44	240	370	109	295.50	22.00	240	350
	Total	138	300.95	20.90	240	370	192	295.83	19.90	240	360

表 3-3-6 北京市顺义区心功能参数数据资料表

	年龄（岁）	男 n	男 mean	男 S	男 min.	男 max.	女 n	女 mean	女 S	女 min.	女 max.
CO	10~15	33	5.80	1.20	3.83	8.58	34	6.49	1.30	4.35	8.85
	16~22	14	7.22	2.83	3.75	12.54	18	6.23	1.20	3.22	8.25
	Total	47	6.51	2.02	3.75	12.54	52	6.36	1.25	3.22	8.85
CI	10~15	33	3.85	0.78	2.66	5.66	34	4.58	0.94	2.87	6.51
	16~22	14	4.23	1.35	2.50	6.66	18	4.24	0.84	2.48	5.93
	Total	47	4.04	1.07	2.50	6.66	52	4.41	0.89	2.48	6.51
SV	10~15	33	72.16	20.08	35	106	34	70.79	17.90	39	109
	16~22	14	94.39	39.95	40	154	18	77.21	17.14	38	111
	Total	47	83.28	30.02	35	154	52	74.00	17.52	38	111
LVET	10~15	33	290.25	24.38	220	360	34	286.05	22.80	220	330
	16~22	14	294.30	19.89	260	330	18	289.40	26.67	250	330
	Total	47	292.28	22.14	220	360	52	287.73	24.74	220	330

表 3-3-7 河北省唐山市心功能参数数据资料表

	年龄（岁）	男 n	男 mean	男 S	男 min.	男 max.	女 n	女 mean	女 S	女 min.	女 max.
SBP	10~12	25	105.16	12.38	84	125	18	100.39	11.06	88	120
	13~14	13	119.38	9.21	105	140	21	114.00	12.76	90	132
	15~16	23	113.35	12.04	92	136	16	106.25	12.77	88	130
	17~18	18	115.89	11.50	90	135	16	109.50	9.07	98	126
	19~26	21	112.86	8.33	100	126	27	103.74	10.33	86	124
	27~34	27	116.07	10.34	100	140	33	102.00	10.80	80	130
	35~44	40	115.90	11.84	90	140	46	107.33	10.41	86	132
	45~54	23	119.83	11.38	90	138	11	115.45	13.51	94	140
	≥55	19	131.21	9.53	110	148	36	126.39	12.16	96	142
	Total	209	116.09	12.49	84	148	224	109.68	13.90	80	142

续 表

	年龄（岁）	男					女				
		n	mean	S	min.	max.	n	mean	S	min.	max.
DBP	10～12	25	65.92	9.19	48	80	18	65.50	6.05	52	76
	13～14	13	70.31	8.28	54	80	21	69.90	5.67	60	82
	15～16	23	69.91	8.69	56	86	16	64.13	10.13	50	86
	17～18	18	68.61	9.73	50	82	16	72.25	4.77	60	80
	19～26	21	78.00	5.22	70	88	27	71.04	8.58	60	88
	27～34	27	75.81	6.32	64	88	33	69.64	6.05	58	84
	35～44	40	77.90	6.44	64	90	46	72.22	7.97	60	90
	45～54	23	76.78	7.62	60	90	11	73.64	7.94	60	86
	≥55	19	79.47	5.49	68	88	36	75.42	7.78	60	90
	Total	209	74.08	8.67	48	90	224	70.95	7.95	50	90
HR	10～12	25	81.60	10.25	67	105	18	87.16	11.45	70	106
	13～14	13	81.76	11.22	63	94	21	89.19	14.22	72	129
	15～16	23	77.95	12.93	60	108	16	81.56	15.06	64	113
	17～18	18	74.00	10.64	59	94	16	84.12	10.01	73	106
	19～26	23	79.69	12.71	62	112	27	78.62	9.55	65	107
	27～34	28	67.85	5.50	59	80	34	73.08	7.89	51	89
	35～44	40	68.82	10.59	52	96	46	71.21	10.86	52	100
	45～54	23	69.65	16.01	51	128	11	72.63	10.76	58	95
	≥55	20	72.15	10.62	53	95	37	71.56	7.38	58	88
	Total	213	73.98	12.31	51	128	226	77.09	12.22	51	129
CO	10～12	25	4.520	.907	3.2	6.5	18	4.894	0.682	3.9	6.3
	13～14	13	5.508	1.481	2.6	9.2	21	5.605	0.766	4.1	7.2
	15～16	23	6.274	0.956	4.4	8.0	16	5.356	0.890	4.2	7.7
	17～18	18	6.028	0.832	4.9	7.4	16	5.475	0.628	4.5	6.7
	19～26	23	5.900	1.083	3.8	8.1	27	5.596	0.879	4.1	7.4
	27～34	28	5.957	0.770	4.7	8.0	34	5.253	1.066	2.3	7.4
	35～44	40	6.125	1.100	4.4	8.7	46	5.300	0.981	2.3	7.8
	45～54	23	5.565	0.750	4.3	6.8	11	4.791	0.474	4.1	5.5
	≥55	20	5.545	0.909	3.9	7.3	36	4.494	0.706	3.3	5.8
	Total	213	5.746	1.086	2.6	9.2	225	5.187	0.919	2.3	7.8
CI	10～12	25	3.232	0.354	2.5	3.9	18	3.717	0.460	3.0	4.9
	13～14	13	3.454	0.793	1.6	5.0	21	3.671	0.473	2.7	4.6
	15～16	23	3.583	0.414	2.9	4.5	16	3.481	0.421	2.8	4.1
	17～18	18	3.511	0.380	2.9	4.2	16	3.644	0.356	3.1	4.5
	19～26	23	3.404	0.482	2.6	4.4	27	3.656	0.485	2.8	4.8
	27～34	28	3.361	0.407	2.8	4.6	34	3.332	0.701	1.4	5.2
	35～44	40	3.375	0.488	2.6	4.8	46	3.302	0.553	1.4	4.6
	45～54	23	3.117	0.388	2.2	3.6	11	3.073	0.388	2.5	3.7
	≥55	20	3.195	0.520	2.4	4.3	36	2.825	0.400	2.1	3.8
	Total	213	3.354	0.476	1.6	5.0	225	3.366	0.580	1.4	5.2

续　表

	年龄（岁）	男 n	男 mean	男 S	男 min.	男 max.	女 n	女 mean	女 S	女 min.	女 max.
SI	10～12	25	40.24	5.59	24	48	18	43.00	5.57	29	51
	13～14	13	42.76	9.90	18	54	21	42.19	8.37	20	53
	15～16	23	46.82	7.60	32	64	16	43.43	6.72	29	55
	17～18	18	48.22	6.82	34	58	16	43.81	5.38	31	53
	19～26	23	43.60	8.35	28	57	27	46.81	7.82	32	64
	27～34	28	49.60	5.58	40	64	34	45.82	9.16	21	61
	35～44	40	49.55	6.67	34	62	46	47.10	8.18	18	61
	45～54	23	46.34	8.78	20	64	11	42.54	3.61	37	47
	≥55	20	44.90	8.50	28	61	36	39.91	5.74	32	54
	Total	213	46.22	7.91	18	64	225	44.22	7.67	18	64
SV	10～12	25	56.12	12.52	30	80	18	56.78	9.47	37	70
	13～14	13	68.31	17.93	29	99	21	64.43	12.77	32	88
	15～16	23	82.13	16.85	54	118	16	66.75	10.87	45	86
	17～18	18	83.17	15.25	53	111	16	66.06	10.48	43	84
	19～26	23	76.48	18.04	43	109	27	72.04	12.84	50	98
	27～34	28	88.07	10.57	67	112	34	72.41	15.08	35	100
	35～44	40	90.03	16.09	60	130	46	75.48	14.17	30	100
	45～54	23	83.26	17.59	36	113	11	66.64	7.51	56	83
	≥55	20	78.25	15.13	45	106	36	61.97	12.64	24	85
	Tota	213	79.73	18.43	29	130	225	68.16	13.82	24	100
LVET	10～12	25	283.24	14.85	248	304	18	280.38	17.89	242	303
	13～14	13	273.46	17.39	252	304	21	270.90	28.84	181	315
	15～16	23	278.86	18.35	232	316	16	281.31	22.57	231	311
	17～18	18	279.50	16.34	242	311	16	286.60	17.40	249	317
	19～26	23	271.39	21.09	229	299	27	287.77	14.25	245	309
	27～34	28	305.21	16.56	268	336	34	305.94	18.58	266	342
	35～44	40	306.95	24.70	243	361	46	309.56	27.77	220	361
	45～54	23	308.26	32.78	194	357	11	320.27	14.34	298	348
	≥55	20	322.55	27.70	280	370	37	327.86	36.37	220	385
	Total	213	294.30	27.51	194	370	226	300.39	30.63	181	385
SVR	10～12	18	1319.77	254.95	928	1873	14	1144.64	164.16	953	1556
	13～14	11	1017.63	205.69	602	1327	21	1075.85	215.47	760	1710
	15～16	23	993.04	151.55	775	1373	16	1109.75	188.20	888	1431
	17～18	18	1036.50	196.07	796	1475	15	1133.00	120.14	976	1349
	19～26	22	1090.50	218.99	762	1730	27	1156.18	230.05	740	1702
	27～34	26	1207.00	568.48	765	3891	32	1224.59	363.72	826	2515
	35～44	38	1118.86	203.30	726	1749	44	1183.52	268.56	818	2519
	45～54	23	1194.13	202.44	857	1701	11	1361.36	188.60	1140	1760
	≥55	20	1252.35	211.26	900	1690	36	1529.19	328.80	1054	2477
	Total	199	1139.94	292.98	602	3891	216	1230.89	300.07	740	2519

续 表

	年龄（岁）	男					女				
		n	mean	S	min.	max.	n	mean	S	min.	max.
LCW	10~12	18	4.305	1.179	2.90	6.70	14	4.5214	.8164	3.40	6.10
	13~14	11	5.663	1.163	4.20	8.60	21	5.6429	1.0457	3.90	7.70
	15~16	23	6.578	1.312	4.10	9.00	16	5.3250	1.2814	3.70	9.10
	17~18	18	6.350	1.077	4.60	8.20	15	5.8200	1.0407	4.20	7.70
	19~26	22	6.313	1.367	4.20	8.80	27	6.0074	0.9806	4.30	8.20
	27~34	25	6.652	1.160	4.80	9.40	32	5.4594	1.4260	2.20	8.50
	35~44	38	6.850	1.563	4.40	9.80	44	5.5932	1.2320	2.30	8.80
	45~54	23	6.243	1.059	4.50	8.60	11	5.2909	.8780	4.40	7.40
	≥55	20	6.455	1.247	4.30	8.50	36	5.0486	1.2219	2.30	7.70
	Total	198	6.280	1.432	2.90	9.80	216	5.4484	1.2091	2.20	9.10

表 3-3-8 河北省衡水市心功能参数数据资料表

	年龄（岁）	男					女				
		n	mean	S	min.	max.	n	mean	S	min.	max.
SBP	10~12	5	92.00	4.47	90	100	5	103.00	16.43	90	130
	13~14	7	118.57	9.00	100	130	9	104.44	9.17	90	120
	15~16	23	114.91	15.75	88	140	16	110.38	12.42	90	130
	17~18	24	119.13	10.99	100	140	23	114.65	9.72	100	130
	19~26	25	122.24	14.26	96	148	24	110.96	10.98	100	142
	27~34	13	127.15	9.59	108	140	17	117.24	13.08	98	140
	35~44	10	112.80	8.07	100	120	21	115.52	9.93	90	130
	45~54	19	126.16	10.13	108	145	26	124.92	13.26	90	146
	≥55	7	129.00	13.80	110	148	5	131.60	12.36	120	148
	Total	133	119.77	13.90	88	148	146	115.38	13.16	90	148
DBP	10~12	5	76.56	2.38	74	80	5	81.04	1.42	79	83
	13~14	7	86.14	2.48	83	89	9	85.09	3.67	78	89
	15~16	23	75.16	11.72	50	88	16	72.25	9.21	60	89
	17~18	24	71.21	8.38	50	82	23	71.52	7.46	55	85
	19~26	25	74.44	8.10	60	90	24	70.25	7.74	60	85
	27~34	13	82.92	5.07	76	90	17	76.31	9.21	50	86
	35~44	10	77.60	6.24	70	90	21	77.10	6.46	60	90
	45~54	19	81.47	9.01	60	90	26	81.15	7.29	60	90
	≥55	7	85.14	5.01	80	90	5	71.60	8.53	60	80
	Total	133	77.31	9.32	50	90	146	75.63	8.69	50	90
HR	10~12	5	70.80	6.97	64	82	5	76.40	15.63	59	100
	13~14	7	69.14	10.46	56	83	9	81.44	6.91	72	93
	15~16	23	73.17	7.51	58	86	16	85.18	12.12	69	119
	17~18	24	74.25	13.06	51	105	23	85.34	14.99	59	117
	19~26	25	70.28	11.04	51	96	24	74.91	7.27	61	92
	27~34	13	70.00	8.67	53	83	17	71.76	7.18	59	86
	35~44	10	66.50	5.87	59	75	21	70.52	9.72	54	94
	45~54	19	74.47	9.21	57	92	30	70.33	8.60	55	89
	≥55	7	63.71	9.34	530	82	6	75.16	6.67	64	83
	Total	133	71.39	10.08	51	105	151	76.16	11.65	54	119

续 表

	年龄（岁）	男					女				
		n	mean	S	min.	max.	n	mean	S	min.	max.
CO	10～12	5	3.560	0.639	2.8	4.4	5	4.200	0.600	3.6	4.8
	13～14	7	4.671	0.454	4.0	5.2	9	5.278	0.570	4.1	6.1
	15～16	23	5.552	0.726	4.3	7.3	16	5.231	0.986	3.0	7.9
	17～18	24	5.442	0.936	3.6	7.0	23	5.761	1.137	3.2	8.3
	19～26	25	5.748	0.812	4.2	7.3	24	5.346	0.649	4.0	6.5
	27～34	13	5.454	0.833	4.1	7.0	17	4.959	0.537	4.3	6.1
	35～44	10	5.810	0.789	5.0	7.3	21	4.933	0.882	3.4	6.8
	45～54	19	5.737	1.113	3.1	7.8	30	4.610	0.945	3.0	6.4
	≥55	7	4.957	0.412	4.4	5.6	6	4.833	0.703	4.0	5.8
	Total	133	5.453	0.941	2.8	7.8	151	5.087	0.931	3.0	8.3
CI	10～12	5	2.940	0.477	2.4	3.6	5	3.060	0.321	2.7	3.5
	13～14	7	3.086	0.135	2.9	3.3	9	3.567	0.381	2.8	4.1
	15～16	23	3.422	0.408	2.7	4.5	16	3.469	0.564	2.1	4.8
	17～18	24	3.283	0.530	2.1	4.2	23	3.722	0.589	2.4	4.9
	19～26	25	3.332	0.377	2.7	4.1	24	3.458	0.411	2.8	4.5
	27～34	13	3.146	0.405	2.4	3.8	17	3.153	0.279	2.7	3.6
	35～44	10	3.280	0.520	2.8	4.2	21	3.052	0.459	2.2	4.1
	45～54	19	3.242	0.546	2.0	4.2	30	2.817	0.508	2.0	3.9
	≥55	7	2.757	0.140	2.6	3.0	6	3.017	0.387	2.5	3.5
	Total	133	3.246	0.459	2.0	4.5	151	3.257	0.557	2.0	4.9
SI	10～12	5	41.80	4.91	34	46	5	41.00	7.61	35	54
	13～14	7	45.00	7.00	37	56	9	43.44	3.50	36	47
	15～16	23	46.95	4.35	40	55	16	41.25	7.67	24	50
	17～18	24	44.58	5.00	36	54	23	44.78	9.30	21	60
	19～26	25	47.96	5.23	31	55	24	46.08	3.71	40	54
	27～34	13	45.61	8.26	33	58	17	44.35	4.76	34	51
	35～44	10	49.10	5.32	40	58	21	43.76	6.34	31	61
	45～54	19	44.05	8.80	22	62	30	40.36	7.41	25	56
	≥55	7	44.00	5.00	36	52	6	40.00	3.22	37	44
	Total	133	45.87	6.22	22	62	151	43.15	6.79	21	61
SV	10～12	5	50.20	8.07	40	62	5	56.80	14.06	46	81
	13～14	7	68.43	11.44	54	89	9	64.78	7.07	53	74
	15～16	23	76.35	10.19	61	97	16	62.31	12.46	34	81
	17～18	24	73.96	9.54	57	93	23	69.48	17.72	28	99
	19～26	25	82.88	11.93	52	110	24	71.63	6.58	62	82
	27～34	13	79.23	16.60	56	103	17	69.71	8.46	54	80
	35～44	10	87.50	9.01	75	102	21	70.62	12.16	50	101
	45～54	19	78.05	17.45	34	115	30	66.20	14.20	38	102
	≥55	7	78.43	9.73	62	92	6	64.33	6.56	53	72
	Total	133	77.22	13.85	34	115	151	67.69	12.53	28	102

续 表

	年龄（岁）	男					女				
		n	mean	S	min.	max.	n	mean	S	min.	max.
LVET	10～12	5	297.40	13.01	285	314	5	291.80	23.36	267	330
	13～14	7	293.57	22.19	266	329	9	292.77	15.88	264	308
	15～16	23	283.78	13.68	263	316	16	274.18	22.51	221	327
	17～18	24	286.50	18.69	239	324	23	275.08	23.20	217	314
	19～26	25	288.32	21.44	234	328	24	292.50	14.27	267	318
	27～34	13	305.69	27.42	273	359	17	300.76	18.04	261	332
	35～44	10	311.70	20.84	288	348	21	307.66	21.52	261	344
	45～54	19	301.63	26.87	237	348	30	306.76	29.81	220	358
	≥55	7	331.42	16.42	295	343	6	322.50	17.42	297	344
	Total	133	295.45	23.76	234	359	151	294.96	25.69	217	358
SVR	10～12	5	1524.40	231.17	1313	1797	5	1587.80	292.38	1258	1927
	13～14	7	1289.28	177.15	1088	1516	9	1283.22	100.93	1142	1498
	15～16	23	1172.47	189.17	832	1608	16	1295.62	301.50	879	2112
	17～18	23	1290.56	266.33	936	1872	23	1226.30	312.96	798	2307
	19～26	24	1189.25	159.39	922	1484	22	1214.72	161.15	1025	1539
	27～34	13	1303.46	305.63	809	1960	17	1368.00	149.96	1063	1571
	35～44	9	1202.11	256.43	925	1558	21	1395.90	306.74	841	2072
	45～54	18	1345.94	435.67	829	2720	29	1646.62	452.43	963	2819
	≥55	7	1480.85	142.25	1286	1664	6	1552.16	255.91	1092	1799
	Total	129	1272.83	272.58	809	2720	148	1383.66	335.95	798	2819
LCW	10～12	5	3.200	0.784	2.40	4.40	5	4.760	1.001	3.40	6.00
	13～14	7	4.728	0.345	4.20	5.20	9	6.133	1.167	4.30	8.00
	15～16	23	6.100	1.181	4.20	9.20	16	5.937	1.465	3.20	9.50
	17～18	23	6.456	1.489	4.20	9.50	23	6.669	1.497	4.10	10.20
	19～26	24	6.595	1.358	4.20	9.20	22	5.890	1.026	4.10	7.80
	27～34	13	6.476	1.380	4.00	8.60	17	5.788	1.214	4.20	8.80
	35～44	9	6.888	0.984	5.50	8.60	21	5.657	1.227	4.00	8.10
	45～54	18	7.477	1.390	4.70	10.00	29	5.837	1.332	3.90	9.10
	≥55	7	6.242	1.013	4.80	7.60	6	6.116	1.032	4.80	7.40
	Total	129	6.362	1.509	2.40	10.00	148	5.947	1.302	3.20	10.20

表3-3-9 河北省唐海县心功能参数数据资料表

	年龄（岁）	男					女				
		n	mean	S	min.	max.	n	mean	S	min.	max.
SBP	10～12	22	98.27	9.47	80	118	17	101.53	9.68	90	114
	13～14	19	106.32	10.09	92	124	21	109.24	8.89	90	124
	15～18	16	113.19	11.45	90	130	26	106.42	8.28	92	123
	19～26	11	126.09	11.84	108	146	12	109.75	12.20	92	130
	27～34	9	126.22	10.41	110	144	26	107.81	10.53	86	126
	35～44	30	121.67	11.29	104	148	40	113.83	11.45	90	140
	45～54	36	119.33	10.36	100	140	26	118.35	13.32	98	144
	≥55	23	126.22	13.44	105	148	16	118.44	12.85	96	140
	Total	166	116.66	14.35	80	148	185	111.10	11.97	86	144

续　表

	年龄（岁）	男 n	男 mean	男 S	男 min.	男 max.	女 n	女 mean	女 S	女 min.	女 max.
DBP	10 ~ 12	22	62.45	9.82	50	86	17	65.76	10.15	50	84
	13 ~ 14	19	62.37	8.90	46	80	21	64.86	6.59	54	78
	15 ~ 18	16	64.75	7.90	50	80	26	60.92	5.80	52	80
	19 ~ 26	11	76.18	7.67	62	86	12	67.58	8.98	56	84
	27 ~ 34	9	75.78	7.17	70	86	26	69.77	7.50	54	84
	35 ~ 44	30	76.53	8.91	50	90	40	75.55	6.30	62	90
	45 ~ 54	36	79.17	7.60	60	90	26	75.50	8.59	58	90
	≥55	23	77.96	7.16	64	90	16	71.81	7.66	54	85
	Total	166	72.61	10.73	46	90	185	69.71	9.05	50	90
HR	10 ~ 12	22	87.90	17.52	55	125	18	101.16	20.15	76	144
	13 ~ 14	19	93.47	13.16	73	117	21	90.80	16.19	71	132
	15 ~ 18	16	88.18	16.91	68	126	26	93.00	16.09	68	132
	19 ~ 26	11	74.81	9.13	63	93	12	85.00	13.51	66	104
	27 ~ 34	9	70.55	14.32	44	86	26	76.73	10.20	63	107
	35 ~ 44	30	65.10	10.42	46	90	40	74.47	9.70	50	100
	45 ~ 54	37	68.02	9.54	51	94	27	74.00	14.85	51	102
	≥55	23	71.52	10.19	53	97	16	72.37	11.03	53	99
	Total	167	76.01	16.09	44	126	188	82.28	16.78	50	144
CO	10 ~ 12	22	4.127	0.738	2.7	5.7	18	4.633	0.788	3.2	6.3
	13 ~ 14	19	5.053	1.191	3.1	7.0	21	5.333	0.692	3.6	6.5
	15 ~ 18	16	5.425	1.215	4.1	9.2	26	5.635	0.698	4.6	8.3
	19 ~ 26	11	5.618	0.741	4.2	6.8	12	5.433	0.576	4.5	6.4
	27 ~ 34	9	5.544	1.147	3.6	7.8	26	5.046	0.908	3.6	7.1
	35 ~ 44	30	5.263	0.839	3.6	7.6	40	5.115	0.760	3.5	6.8
	45 ~ 54	37	5.214	0.740	3.4	6.8	27	4.581	0.655	3.4	6.5
	≥55	23	5.326	0.677	4.1	7.0	16	4.200	0.943	2.5	5.8
	Total	167	5.141	0.966	2.7	9.2	188	5.029	0.861	2.5	8.3
CI	10 ~ 12	22	3.245	0.363	2.4	3.8	18	3.678	0.356	2.9	4.2
	13 ~ 14	19	3.389	0.472	2.7	4.2	21	3.786	0.483	2.8	4.7
	15 ~ 18	16	3.387	0.616	2.8	5.3	26	3.881	0.350	3.3	5.1
	19 ~ 26	11	3.209	0.330	2.6	3.7	12	3.567	0.394	3.0	4.3
	27 ~ 34	9	3.078	0.393	2.2	3.5	26	3.342	0.505	2.5	4.3
	35 ~ 44	30	3.063	0.409	2.3	4.0	40	3.305	0.456	2.4	4.2
	45 ~ 54	37	3.014	0.361	2.2	3.6	27	2.915	0.342	2.3	3.6
	≥55	23	3.070	0.291	2.5	3.6	16	2.675	0.513	1.9	3.7
	Total	167	3.156	0.422	2.2	5.3	188	3.390	0.564	1.9	5.1
SI	10 ~ 12	22	37.86	6.90	25	53	18	37.38	6.71	20	49
	13 ~ 14	19	36.68	7.04	24	48	21	42.90	8.17	21	57
	15 ~ 18	16	39.50	7.46	24	50	26	42.88	7.63	29	56
	19 ~ 26	11	43.45	5.85	33	54	12	43.08	7.44	31	53
	27 ~ 34	9	44.55	7.50	35	60	26	43.65	5.80	33	53
	35 ~ 44	30	47.33	4.91	37	55	40	44.62	6.15	31	60
	45 ~ 54	37	44.81	7.10	31	65	27	40.37	6.68	27	54
	≥55	23	43.60	5.90	27	52	16	37.18	6.63	23	50
	Total	167	42.64	7.37	24	65	188	42.01	7.15	20	60

续 表

	年龄（岁）	男					女				
		n	mean	S	min.	max.	n	mean	S	min.	max.
SV	10~12	22	48.50	11.46	27	81	18	47.44	11.38	22	72
	13~14	19	54.84	14.68	34	82	21	60.67	13.66	28	89
	15~18	16	62.75	13.53	37	86	26	62.65	13.33	41	91
	19~26	11	75.82	13.61	52	103	12	65.00	10.61	48	78
	27~34	9	80.56	20.87	66	134	26	66.54	10.49	47	84
	35~44	30	81.53	9.48	66	100	40	69.33	11.06	51	109
	45~54	37	77.11	12.16	48	110	27	63.85	12.83	36	87
	≥55	23	75.43	11.39	55	95	16	58.38	12.58	35	78
	Total	167	70.10	17.14	27	134	188	62.95	13.23	22	109
LVET	10~12	22	272.59	29.19	224	326	18	255.05	27.20	184	302
	13~14	19	256.78	21.07	216	303	21	262.80	30.41	164	300
	15~18	16	261.56	32.46	188	314	26	263.65	24.99	215	305
	19~26	11	278.63	21.14	248	318	12	273.66	27.75	229	312
	27~34	9	300.00	32.17	254	359	26	288.19	21.58	226	325
	35~44	30	307.10	25.26	259	358	40	300.42	21.65	246	359
	45~54	37	306.81	24.35	253	355	27	309.48	27.25	260	360
	≥55	23	316.34	32.87	211	371	16	313.68	34.51	220	354
	Total	167	291.41	34.34	188	371	188	285.50	32.99	164	360
SVR	10~12	21	1500.71	258.93	1117	2074	17	1370.23	287.78	1077	2272
	13~14	19	1301.05	336.72	873	1900	20	1215.65	409.82	822	2530
	15~18	16	1212.18	209.97	794	1576	26	1143.07	261.82	764	2139
	19~26	11	1241.54	233.46	1033	1847	13	1195.09	197.90	862	1593
	27~34	9	1315.11	227.32	894	1719	26	1261.11	187.30	953	1788
	35~44	23	1329.60	195.82	1030	1913	35	1324.82	257.06	957	1976
	45~54	34	1374.79	280.22	931	2339	22	1494.36	264.84	993	2037
	≥55	23	1346.21	203.99	1059	1878	13	1736.53	443.62	1169	2638
	Total	156	1342.37	258.28	794	2339	172	1321.72	323.67	764	2638
LCW	10~12	21	4.423	1.241	3.86	4.99	17	5.011	1.356	3.00	7.90
	13~14	19	5.373	1.432	3.00	8.40	19	5.347	0.744	4.00	7.40
	15~18	16	5.975	1.762	4.20	11.50	25	5.876	0.923	4.50	8.90
	19~26	11	6.618	1.256	4.60	9.00	13	5.854	0.856	4.30	6.80
	27~34	9	6.811	1.782	3.90	9.30	26	5.426	1.461	3.50	8.80
	35~44	23	5.856	1.045	4.10	7.30	35	5.751	1.037	3.80	7.60
	45~54	33	6.142	1.109	4.00	8.80	22	5.472	1.178	4.00	9.20
	≥55	23	6.482	1.167	4.60	9.00	13	5.046	1.619	2.40	7.60
	Total	155	5.878	1.448	2.30	11.50	170	5.528	1.186	2.40	9.20

表 3-3-10 河北省景县心功能参数数据资料表

	年龄	男					女				
	(岁)	n	mean	S	min.	max.	n	mean	S	min.	max.
SBP	10~12	15	101.87	12.68	80	120	9	103.56	8.82	90	120
	13~14	18	109.56	9.98	94	130	21	106.19	11.57	90	126
	15~16	25	120.64	11.15	100	140	16	114.88	11.71	90	130
	17~18	12	120.92	7.53	108	130	8	118.25	9.59	100	130
	19~26	13	120.46	11.69	102	144	17	113.76	10.73	96	130
	27~34	15	126.27	10.22	104	140	16	111.19	6.56	96	120
	35~44	14	118.29	12.12	100	144	18	116.56	12.63	96	142
	45~54	13	127.08	12.59	108	144	20	119.90	11.08	100	140
	≥55	18	132.17	12.14	104	146	10	127.40	12.83	106	146
	Total	143	119.68	14.00	80	146	135	114.29	12.26	90	146
DBP	10~12	15	61.73	9.50	44	78	9	67.11	5.93	60	74
	13~14	18	64.89	8.95	48	82	21	64.90	7.43	50	80
	15~16	25	70.80	9.05	58	90	16	70.75	9.66	52	84
	17~18	12	71.75	9.27	60	90	8	75.25	6.14	64	84
	19~26	13	75.85	7.37	62	86	17	74.18	5.27	64	84
	27~34	15	79.33	6.66	68	90	16	75.75	6.28	64	86
	35~44	14	77.57	10.14	58	90	18	77.22	7.55	64	88
	45~54	13	79.00	9.24	60	90	20	77.70	7.18	64	90
	≥55	18	81.44	6.39	70	90	10	76.80	9.62	60	88
	Total	143	73.29	10.56	44	90	135	73.23	8.52	50	90
HR	10~12	15	84.20	14.15	69	119	10	87.70	13.54	64	106
	13~14	18	86.00	14.71	61	112	21	95.04	12.31	76	115
	15~16	25	85.84	12.41	70	112	16	80.93	11.55	65	108
	17~18	12	81.25	15.32	61	114	8	81.62	12.31	64	96
	19~26	13	76.46	12.02	52	96	17	73.88	13.59	58	116
	27~34	16	66.18	9.27	53	86	16	69.68	10.84	55	94
	35~44	15	69.13	8.67	54	83	18	83.50	18.95	61	134
	45~54	13	65.53	8.37	50	77	21	68.23	7.24	55	89
	≥55	18	70.61	10.72	52	94	10	74.50	9.07	64	91
	Total	145	76.86	14.26	50	119	137	79.36	15.20	55	134
CO	10~12	15	3.947	1.086	1.7	5.7	10	4.810	0.876	3.9	6.5
	13~14	18	5.117	0.808	3.9	6.6	21	5.719	0.765	4.6	8.0
	15~16	25	6.580	0.756	5.2	7.6	16	5.781	0.736	5.0	7.5
	17~18	12	6.242	0.880	5.0	8.1	8	6.475	1.139	4.8	7.9
	19~26	13	5.923	1.102	4.0	8.1	17	5.300	1.198	3.5	8.0
	27~34	16	5.806	1.113	3.6	8.1	16	5.325	0.896	4.0	7.5
	35~44	15	6.060	0.904	5.0	7.5	18	5.178	0.996	3.6	6.5
	45~54	13	5.023	0.910	3.8	6.8	21	4.857	0.769	4.2	7.2
	≥55	18	5.328	1.232	3.2	7.5	10	4.820	0.975	3.4	6.2
	Total	145	5.605	1.222	1.7	8.1	137	5.337	0.998	3.4	8.0

续 表

	年龄（岁）	男					女				
		n	mean	S	min.	max.	n	mean	S	min.	max.
CI	10～12	15	2.993	0.579	1.3	3.8	10	3.460	0.401	2.8	4.2
	13～14	18	3.517	0.381	2.8	4.2	21	3.881	0.488	3.2	5.0
	15～16	25	4.060	0.435	3.3	4.8	16	3.875	0.396	3.4	4.6
	17～18	12	3.700	0.413	3.0	4.4	8	4.113	0.503	3.4	4.9
	19～26	13	3.454	0.521	2.6	4.3	17	3.412	0.709	2.5	5.1
	27～34	16	3.306	0.373	2.7	4.2	16	3.413	0.528	2.5	4.7
	35～44	15	3.500	0.452	2.8	4.3	18	3.322	0.601	2.3	4.4
	45～54	13	3.000	0.462	2.2	4.0	21	3.024	0.402	2.5	4.2
	≥55	18	3.183	0.545	2.1	4.2	10	3.210	0.651	2.3	4.4
	Total	145	3.453	0.571	1.3	4.8	137	3.496	0.609	2.3	5.1
SI	10～12	15	36.2000	8.0552	15	44	10	39.7000	3.6833	33	46
	13～14	18	41.5556	5.7109	30	50	21	41.4286	7.1803	29	54
	15～16	25	47.8000	7.2744	33	63	16	48.6250	7.1262	35	58
	17～18	12	46.3333	7.0882	35	61	8	50.6250	3.4200	45	54
	19～26	13	45.6923	6.7378	34	56	17	45.7059	7.7682	27	57
	27～34	16	50.4375	4.3354	42	60	16	49.6250	8.4370	33	68
	35～44	15	50.6000	5.6290	40	59	18	40.8333	7.9650	26	54
	45～54	13	45.9231	6.0891	37	56	21	44.7143	6.8348	38	61
	≥55	18	45.5556	6.2518	32	59	10	43.1000	8.5042	32	56
	Total	145	45.6483	7.5291	15	63	137	44.7153	7.8571	26	68
SV	10～12	15	48.00	15.24	21	83	10	56.00	14.46	42	91
	13～14	18	60.56	9.88	43	80	21	60.81	9.89	44	78
	15～16	25	77.88	12.04	55	100	16	72.69	12.50	48	94
	17～18	12	78.08	11.33	62	99	8	79.50	9.43	67	95
	19～26	13	78.08	13.53	55	98	17	72.06	12.38	50	94
	27～34	16	91.13	12.57	68	114	16	77.69	14.66	48	108
	35～44	15	88.40	12.63	68	116	18	63.00	13.51	39	84
	45～54	13	76.85	11.16	63	96	21	71.43	12.48	58	102
	≥55	18	76.00	13.38	51	100	10	65.50	15.10	44	94
	Total	145	74.90	17.32	21	116	137	68.56	14.14	39	108
LVET	10～12	15	275.13	27.38	199	313	10	274.30	15.30	257	298
	13～14	18	273.38	24.96	229	324	21	266.52	17.98	236	299
	15～16	25	270.08	18.20	227	299	16	283.31	23.67	244	321
	17～18	12	272.25	25.76	217	309	8	279.87	11.31	267	303
	19～26	13	284.46	26.34	237	330	17	302.41	23.78	233	328
	27～34	16	308.25	15.28	283	342	16	306.31	22.11	253	335
	35～44	15	313.20	19.32	283	341	18	290.16	31.86	209	345
	45～54	13	314.00	24.98	277	357	21	319.71	21.30	279	364
	≥55	18	307.50	30.36	254	370	10	310.10	33.06	262	381
	Total	145	289.73	29.50	199	370	137	293.37	28.94	209	381

续 表

	年龄(岁)	男 n	mean	S	min.	max.	女 n	mean	S	min.	max.
SVR	10~12	13	1599.23	614.24	1106	3436	10	1272.70	193.98	946	1568
	13~14	18	1208.05	231.79	912	1699	21	1080.09	175.92	619	1409
	15~16	25	939.08	146.10	612	1322	16	1057.62	163.14	786	1393
	17~18	12	994.00	132.87	807	1208	8	950.12	137.54	775	1121
	19~26	13	1098.53	240.01	826	1733	17	1171.29	232.66	762	1640
	27~34	15	1119.93	228.24	769	1677	16	1162.00	215.59	817	1560
	35~44	14	1029.50	187.01	733	1367	18	1286.11	315.12	818	1821
	45~54	13	1397.61	326.97	848	2009	21	1421.47	292.99	848	2006
	≥55	18	1363.72	420.27	897	2688	8	1330.75	245.61	1008	1614
	Total	141	1178.36	360.09	612	3436	135	1200.61	264.80	619	2006
LCW	10~12	13	4.192	1.679	1.80	8.20	10	5.000	1.590	3.50	8.30
	13~14	18	5.288	1.140	3.40	8.40	21	5.876	0.803	4.20	7.40
	15~16	25	6.828	0.980	5.30	9.00	16	5.912	0.901	4.20	8.10
	17~18	12	6.558	1.390	4.90	9.40	8	6.737	1.622	4.20	8.70
	19~26	13	6.369	1.332	4.70	9.30	17	5.429	1.556	3.30	9.20
	27~34	15	7.006	1.504	5.00	10.80	16	5.531	1.254	3.80	8.70
	35~44	15	6.413	1.375	4.30	9.30	18	5.566	1.368	3.60	9.10
	45~54	13	5.815	1.211	4.40	7.80	21	5.647	1.459	3.60	10.60
	≥55	18	6.300	1.868	3.40	9.60	8	5.900	1.063	4.00	7.30
	Total	142	6.142	1.570	1.80	10.80	135	5.694	1.305	3.30	10.60

表 3-3-11 浙江省杭州市心功能参数数据资料表

	年龄(岁)	男 n	mean	S	min.	max.	女 n	mean	S	min.	max.
SBP	10~12	34	94.09	7.26	78	112	45	93.82	8.84	75	110
	13~14	12	105.25	11.43	88	122	26	99.77	9.92	84	124
	15~16	17	102.88	9.26	90	120	18	105.83	9.94	90	122
	17~18	8	111.63	8.43	100	123	16	104.19	7.81	90	121
	19~26	15	114.80	13.08	96	145	24	104.79	9.76	90	140
	27~34	14	110.50	12.22	92	140	25	106.44	12.60	90	140
	35~44	19	115.37	8.88	96	137	34	110.12	9.09	90	135
	45~54	25	120.52	11.05	90	146	14	114.36	13.14	100	138
	≥55	65	123.14	11.64	90	148	68	122.88	14.78	88	148
	Total	209	112.83	14.77	78	148	270	108.39	15.09	75	148
DBP	10~12	34	61.97	4.75	50	70	45	60.89	5.93	50	80
	13~14	12	66.17	6.12	60	80	26	63.81	5.83	54	78
	15~16	17	63.88	5.96	55	76	18	64.28	6.47	52	80
	17~18	8	70.63	7.29	60	80	16	65.25	6.72	56	78
	19~26	15	69.87	10.29	52	86	24	69.50	8.96	52	90
	27~34	14	70.21	7.36	60	80	25	70.04	8.98	55	90
	35~44	19	76.95	7.22	62	90	34	72.12	7.22	56	90
	45~54	25	78.72	7.49	60	90	14	78.14	8.99	60	90
	≥55	65	80.35	7.31	60	90	68	77.76	7.78	60	90
	Total	209	72.90	10.05	50	90	270	69.83	9.69	50	90

续 表

	年龄（岁）	男					女				
		n	mean	S	min.	max.	n	mean	S	min.	max.
HR	10~12	41	84.97	13.29	58	122	51	88.25	12.40	67	123
	13~14	22	86.13	13.14	65	106	56	87.83	11.03	67	109
	15~16	17	82.05	13.38	65	122	18	83.00	14.53	58	106
	17~18	8	70.00	13.46	58	100	16	77.56	11.50	56	96
	19~26	16	72.62	11.04	53	87	30	73.70	10.70	58	99
	27~34	14	72.42	11.95	51	99	30	78.13	11.00	55	103
	35~44	20	70.85	9.66	51	93	45	74.04	12.12	57	110
	45~54	27	73.44	13.85	52	108	24	71.08	10.17	50	95
	≥55	68	71.29	10.34	54	108	72	70.68	9.28	48	97
	Total	233	76.21	13.37	51	122	342	78.47	13.17	48	123
CO	10~12	41	3.912	0.684	2.1	5.4	51	4.380	0.697	2.6	6.1
	13~14	22	5.459	0.956	3.9	7.1	56	5.271	0.979	3.8	9.3
	15~16	17	5.806	1.104	4.5	8.1	18	4.878	0.746	3.6	6.2
	17~18	8	5.700	0.930	4.2	7.0	16	5.744	1.074	4.1	7.6
	19~26	16	6.331	0.916	5.2	8.5	30	5.373	0.833	3.6	6.6
	27~34	14	6.014	1.071	4.6	7.8	30	5.783	0.990	3.8	8.4
	35~44	20	6.230	1.348	4.3	10.3	45	5.524	1.180	3.3	8.7
	45~54	27	5.930	1.105	4.5	9.0	24	4.983	0.772	3.2	6.6
	≥55	68	5.206	0.866	3.1	7.5	72	4.350	0.799	2.1	6.0
	Total	233	5.361	1.219	2.1	10.3	342	5.013	1.043	2.1	9.3
CI	10~12	41	3.105	0.454	1.4	3.8	51	3.459	0.416	2.3	4.4
	13~14	22	3.568	0.403	2.9	4.7	56	3.716	0.515	2.8	5.7
	15~16	17	3.676	0.568	3.0	5.0	18	3.406	0.490	2.5	4.4
	17~18	8	3.413	0.567	2.7	4.2	16	3.788	0.598	2.8	4.9
	19~26	16	3.669	0.492	3.1	4.9	30	3.607	0.478	2.6	4.6
	27~34	14	3.571	0.429	2.9	4.3	30	3.810	0.605	2.5	5.1
	35~44	20	3.535	0.626	2.7	5.3	45	3.487	0.603	2.6	5.2
	45~54	27	3.456	0.549	2.7	5.3	24	3.217	0.520	2.2	4.3
	≥55	68	3.141	0.367	2.3	4.1	72	2.886	0.502	1.3	4.0
	Total	233	3.356	0.513	1.4	5.3	342	3.423	0.604	1.3	5.7
SI	10~12	41	37.26	7.03	12	48	51	39.82	6.41	24	54
	13~14	22	42.50	9.14	32	65	56	42.69	6.63	30	65
	15~16	17	45.05	4.23	38	53	18	41.83	8.21	24	53
	17~18	8	49.50	8.36	39	63	16	49.37	8.46	33	64
	19~26	16	50.93	5.42	40	59	30	49.56	7.84	27	68
	27~34	14	50.28	8.62	29	63	30	49.06	7.52	32	68
	35~44	20	50.00	6.55	39	63	45	47.51	7.22	31	64
	45~54	27	47.14	9.33	26	63	24	46.00	6.53	35	56
	≥55	68	44.48	6.64	26	55	72	40.95	6.13	19	51
	Total	233	44.81	8.38	12	65	342	44.19	7.77	19	68

续 表

	年龄（岁）	男					女				
		n	mean	S	min.	max.	n	mean	S	min.	max.
SV	10～12	41	47.37	11.17	17	80	51	50.49	9.82	26	77
	13～14	22	65.14	16.58	42	95	56	60.68	11.71	40	106
	15～16	17	71.41	12.99	55	96	18	60.56	13.24	36	86
	17～18	8	82.50	14.04	63	101	16	75.19	15.58	49	107
	19～26	16	84.50	10.34	64	99	30	73.03	12.33	37	98
	27～34	14	84.79	17.95	48	118	30	74.50	12.57	45	97
	35～44	20	87.85	14.64	60	122	45	75.07	13.21	53	102
	45～54	27	81.26	17.11	43	112	24	70.75	10.38	51	90
	≥55	68	74.16	14.03	35	98	72	61.99	10.34	31	84
	Total	233	72.03	19.11	17	122	342	65.00	14.34	26	107
LVET	10～12	41	276.73	28.06	187	332	51	278.54	21.46	228	366
	13～14	22	268.81	24.14	234	334	56	272.37	19.09	228	317
	15～16	17	272.47	16.98	243	295	18	277.11	23.51	238	313
	17～18	8	285.75	17.87	253	306	16	282.68	16.66	249	316
	19～26	16	287.68	18.12	251	327	30	294.40	23.68	240	338
	27～34	14	295.64	23.95	259	349	30	286.33	20.15	240	317
	35～44	20	306.35	23.01	264	348	45	302.62	24.28	252	342
	45～54	27	301.37	34.73	203	354	24	310.20	20.65	255	351
	≥55	68	310.35	29.03	223	367	72	316.63	23.26	256	368
	Total	233	293.08	30.70	187	367	342	293.13	27.21	228	368
SVR	10～12	34	1393.23	297.13	1045	2700	51	1272.84	247.05	800	2210
	13～14	22	1080.59	212.31	780	1515	56	1102.64	204.45	525	1592
	15～16	16	1047.00	188.87	763	1375	16	1263.31	254.36	911	1782
	17～18	7	1084.14	100.86	951	1224	14	995.78	174.90	807	1311
	19～26	16	998.81	122.58	749	1232	30	1113.93	274.97	792	2178
	27～34	14	1017.00	195.07	718	1315	30	1040.16	224.39	645	1546
	35～44	20	1066.90	200.34	702	1578	45	1130.33	210.36	757	1693
	45～54	26	1137.65	205.78	775	1469	24	1385.12	319.85	854	2503
	≥55	66	1357.87	261.55	788	2230	71	1595.22	394.03	1037	3366
	Total	221	1204.70	275.58	702	2700	337	1254.62	341.14	525	3366
LCW	10～12	34	3.638	0.948	2.00	6.30	51	4.029	0.765	2.50	6.20
	13～14	22	5.354	1.260	3.70	8.10	56	5.069	1.095	3.10	7.80
	15～16	16	5.787	1.457	3.80	8.70	16	5.043	0.709	4.00	6.30
	17～18	7	6.028	1.601	3.40	7.90	14	5.678	1.519	3.20	8.40
	19～26	16	6.275	1.356	3.80	9.30	30	5.120	1.101	3.10	8.20
	27～34	14	6.107	1.349	4.50	8.50	30	5.703	1.131	3.00	7.80
	35～44	20	6.880	1.792	4.20	12.70	45	5.771	1.806	3.10	11.50
	45～54	26	6.846	1.568	3.80	10.80	24	5.670	0.806	3.80	7.10
	≥55	66	6.222	1.457	3.20	9.60	71	4.985	1.172	2.50	8.10
	Total	221	5.830	1.724	2.00	12.70	337	5.116	1.294	2.50	11.50

表3-3-12 浙江省绍兴市心功能参数数据资料表

	年龄	男					女				
	（岁）	n	mean	S	min.	max.	n	mean	S	min.	max.
SBP	10~12	6	106.67	9.83	90	120	9	98.67	6.00	90	110
	13~14	23	114.17	11.56	96	132	26	104.96	8.75	88	128
	15~16	24	114.42	5.81	100	124	19	108.95	9.35	90	130
	17~18	9	116.00	7.75	104	130	24	106.25	8.76	88	120
	19~26	47	116.34	11.30	90	135	46	106.80	10.38	86	126
	27~34	19	118.79	12.41	100	140	26	105.31	8.49	92	128
	35~44	12	120.33	11.05	100	140	31	111.87	12.16	90	138
	45~54	5	115.00	15.10	100	136	29	124.48	11.86	100	148
	≥55	9	132.67	9.17	118	146	21	130.48	11.50	100	146
	Total	154	116.84	11.34	90	146	231	111.28	13.36	86	148
DBP	10~12	6	68.83	3.76	65	75	9	66.22	8.15	56	82
	13~14	23	69.83	6.51	60	80	26	67.19	9.17	50	85
	15~16	24	67.38	6.79	54	78	19	68.32	5.62	60	80
	17~18	9	67.44	6.50	60	80	24	65.08	5.50	52	76
	19~26	47	70.98	7.65	50	86	46	65.87	7.37	50	80
	27~34	19	72.63	8.50	55	89	26	64.54	6.94	50	78
	35~44	12	76.00	6.09	66	86	31	71.65	7.87	58	86
	45~54	5	74.40	12.28	60	90	29	76.28	7.54	62	88
	≥55	9	78.00	7.00	66	90	21	77.24	7.22	62	90
	Total	154	71.07	7.73	50	90	231	69.12	8.52	50	90
HR	10~12	6	73.00	3.16	69	77	9	84.33	10.65	70	105
	13~14	24	76.16	9.36	60	92	26	78.30	10.16	61	105
	15~16	34	77.70	11.35	53	101	22	84.59	12.77	69	114
	17~18	16	76.62	13.37	52	103	33	82.54	12.60	59	106
	19~26	49	76.14	14.19	56	124	48	72.20	11.19	46	106
	27~34	22	74.04	17.34	50	134	30	70.93	8.26	59	97
	35~44	14	72.85	11.35	55	96	32	70.65	7.10	56	88
	45~54	5	62.60	5.68	53	67	30	67.83	8.66	52	87
	≥55	9	71.22	13.80	56	100	21	76.04	12.90	52	107
	Total	179	75.24	12.91	50	134	251	75.16	11.82	46	114
CO	10~12	6	3.800	1.163	2.1	5.2	9	4.100	1.795	2.2	6.7
	13~14	23	4.957	1.929	2.1	8.8	26	3.654	1.127	1.8	5.5
	15~16	34	6.332	1.371	2.5	9.9	22	5.382	1.319	1.9	6.9
	17~18	16	5.775	1.513	1.9	8.0	33	5.745	1.085	3.7	7.6
	19~26	49	6.151	1.234	2.8	10.2	48	5.365	0.883	3.0	7.4
	27~34	22	5.918	1.190	3.6	8.9	30	4.867	1.045	2.6	7.7
	35~44	13	5.985	0.923	4.4	7.1	31	4.606	0.890	2.5	6.6
	45~54	5	5.140	0.699	4.0	5.8	30	4.700	1.053	2.1	7.5
	≥55	9	5.622	0.985	4.2	6.9	21	4.914	1.948	2.2	11.8
	Total	177	5.820	1.444	1.9	10.2	250	4.922	1.300	1.8	11.8

续 表

	年龄(岁)	男					女				
		n	mean	S	min.	max.	n	mean	S	min.	max.
CI	10~12	6	2.700	0.790	1.6	3.6	9	2.889	1.226	1.5	4.7
	13~14	23	2.957	1.056	1.1	5.3	26	2.473	0.799	1.1	3.9
	15~16	34	3.894	1.246	1.4	9.8	22	3.582	0.823	1.3	4.6
	17~18	16	3.350	0.791	1.1	4.4	33	3.794	0.651	2.5	5.0
	19~26	49	3.665	0.648	1.6	5.6	48	3.542	0.561	2.2	5.0
	27~34	22	3.223	0.446	2.4	4.4	30	3.160	0.615	1.8	4.4
	35~44	13	3.400	0.367	2.7	3.8	31	2.926	0.574	1.6	3.8
	45~54	5	3.060	0.207	2.8	3.3	30	2.937	0.642	1.2	4.7
	≥55	9	3.322	0.591	2.6	4.3	21	3.086	1.050	1.3	6.6
	Total	177	3.447	0.883	1.1	9.8	250	3.211	0.815	1.1	6.6
SI	10~12	6	37.16	11.83	22	52	9	35.22	17.31	18	68
	13~14	23	39.13	13.66	17	63	26	32.00	10.94	15	51
	15~16	34	49.79	11.94	22	99	22	43.22	11.65	16	60
	17~18	16	45.00	11.35	16	65	33	46.51	8.63	26	65
	19~26	49	49.48	9.21	25	77	48	49.89	7.73	26	67
	27~34	22	46.59	7.63	35	62	30	45.90	5.46	36	54
	35~44	13	47.15	6.96	32	57	31	43.41	7.22	28	56
	45~54	5	49.20	5.26	44	58	30	43.70	9.87	23	69
	≥55	9	47.22	8.58	39	66	21	40.76	12.68	22	86
	Total	177	46.72	10.84	16	99	250	43.68	10.71	15	86
SV	10~12	6	52.33	17.05	29	76	9	49.89	25.38	25	96
	13~14	23	63.63	27.30	23	113	26	47.54	15.70	24	75
	15~16	34	84.32	24.54	38	193	22	64.59	18.92	24	90
	17~18	16	77.56	21.03	27	106	33	70.61	13.86	39	103
	19~26	49	82.76	17.32	44	140	48	75.65	12.60	36	105
	27~34	22	82.09	16.72	47	118	30	68.33	12.51	39	89
	35~44	13	78.64	22.91	28	106	31	63.84	16.21	21	91
	45~54	5	83.20	15.29	64	106	30	69.87	16.15	37	110
	≥55	9	80.00	13.04	64	101	21	64.67	23.82	34	154
	Total	177	78.47	22.03	23	193	250	66.19	18.02	21	154
LVET	10~12	6	291.83	17.63	266	319	9	280.44	17.00	264	315
	13~14	24	283.00	19.46	243	318	26	281.07	17.73	241	319
	15~16	34	281.58	23.81	240	342	22	276.40	23.14	227	303
	17~18	16	284.06	21.37	240	328	33	282.18	21.99	234	322
	19~26	49	285.24	22.25	213	325	48	294.91	21.13	239	349
	27~34	22	291.36	33.15	201	345	30	297.13	17.23	247	324
	35~44	14	300.00	21.62	245	329	32	304.00	28.45	240	364
	45~54	5	327.60	32.17	290	377	30	313.83	26.18	251	361
	≥55	9	320.66	28.71	260	355	21	302.57	31.77	246	356
	Total	179	289.23	26.14	201	377	251	293.99	25.76	227	364

续 表

	年龄（岁）	男 n	男 mean	男 S	男 min.	男 max.	女 n	女 mean	女 S	女 min.	女 max.
SVR	10~12	6	1609.50	544.65	1036	2520	9	1666.55	785.97	693	2674
	13~14	23	1409.56	636.08	272	2843	26	1790.07	568.80	1052	3245
	15~16	33	976.03	331.75	372	2564	19	1305.00	584.99	864	3319
	17~18	15	1148.93	559.33	664	2982	32	1048.06	213.71	709	1546
	19~26	49	1053.48	211.21	626	1806	47	1107.55	254.22	747	2157
	27~34	22	1073.45	201.24	787	1616	30	1079.80	155.56	731	1346
	35~44	13	1111.46	247.38	870	1810	30	1280.30	285.02	851	1960
	45~54	5	1267.80	226.62	1025	1622	30	1555.26	486.53	768	3315
	≥55	9	1241.11	256.87	958	1753	21	1389.38	505.27	609	3093
	Total	175	1135.51	395.90	272	2982	244	1305.60	468.84	609	3319
LCW	10~12	6	3.683	1.434	1.90	6.10	9	3.800	1.467	2.00	5.90
	13~14	24	5.062	2.384	1.70	10.10	26	3.746	1.324	1.80	6.30
	15~16	32	6.365	1.389	2.80	8.60	19	5.547	1.623	2.00	8.80
	17~18	15	5.893	1.917	1.90	9.10	32	5.696	1.376	2.90	8.40
	19~26	49	6.600	1.629	2.40	11.20	47	5.329	1.105	3.40	8.10
	27~34	22	6.181	1.176	4.50	9.90	30	5.243	0.939	3.40	7.30
	35~44	14	6.285	1.878	1.40	8.90	31	5.241	1.195	1.00	6.90
	45~54	5	5.760	1.451	3.50	7.40	30	5.563	1.243	2.40	7.70
	≥55	9	6.588	1.620	4.60	10.00	21	6.233	2.225	4.20	14.60
	Total	176	6.086	1.794	1.40	11.20	245	5.254	1.494	1.00	14.60

表3-3-13 浙江省舟山市心功能参数数据资料表

	年龄（岁）	男 n	男 mean	男 S	男 min.	男 max.	女 n	女 mean	女 S	女 min.	女 max.
SBP	10~12	31	103.35	7.07	90	122	29	106.34	8.59	90	130
	13~14	24	109.46	10.69	90	132	22	106.91	9.09	90	130
	15~16	36	113.03	11.03	90	135	32	108.09	12.97	78	130
	17~18	27	123.70	10.86	106	145	24	108.00	10.60	92	130
	19~26	28	112.68	9.17	94	130	36	103.81	7.72	90	116
	27~34	13	115.15	10.36	100	130	22	101.36	9.20	86	120
	35~44	27	115.59	12.98	92	140	44	108.18	13.05	88	140
	45~54	28	121.36	12.29	90	148	18	115.56	12.87	95	138
	≥55	15	125.73	14.87	90	148	18	128.22	10.54	100	142
	Total	229	114.83	12.69	90	148	245	108.58	12.40	78	142
DBP	10~12	31	66.13	7.70	40	80	29	69.00	7.05	55	85
	13~14	24	68.67	8.03	56	80	22	69.91	6.06	60	80
	15~16	36	70.42	6.91	60	85	32	69.47	7.72	50	85
	17~18	27	75.56	6.45	60	90	24	69.92	8.28	55	85
	19~26	28	73.00	6.74	60	86	36	69.94	7.32	48	80
	27~34	13	76.46	5.94	66	86	22	68.73	7.42	58	80
	35~44	27	78.00	7.53	66	90	44	72.73	8.78	60	90
	45~54	28	78.46	6.16	60	90	18	74.11	7.65	62	90
	≥55	15	76.53	7.87	62	88	18	76.56	6.71	66	90
	Total	229	73.20	8.17	40	90	245	70.95	7.83	48	90

续 表

	年龄（岁）	男					女				
		n	mean	S	min.	max.	n	mean	S	min.	max.
HR	10~12	31	80.87	10.92	59	96	29	87.51	12.34	71	119
	13~14	24	86.50	11.70	67	113	22	87.04	14.03	65	123
	15~16	36	83.13	11.65	59	107	32	83.06	14.62	64	135
	17~18	28	77.32	11.85	58	109	24	78.20	10.32	56	97
	19~26	28	74.71	9.91	61	103	37	77.32	7.56	60	96
	27~34	13	68.84	7.77	52	80	24	74.08	6.59	63	88
	35~44	29	70.65	8.04	56	84	46	78.23	15.39	60	125
	45~54	30	71.03	14.59	47	117	20	74.95	11.73	62	108
	≥55	15	71.33	8.23	53	82	18	67.50	10.17	50	86
	Total	234	76.82	12.31	47	117	252	79.12	13.09	50	135
CO	10~12	31	4.519	1.032	2.9	6.9	29	5.076	0.728	3.5	6.5
	13~14	24	5.079	0.995	3.2	7.1	22	5.895	1.025	3.7	9.0
	15~16	36	6.058	0.989	3.7	8.7	32	6.034	1.065	3.6	9.0
	17~18	28	6.082	1.026	4.4	8.5	24	5.783	0.652	4.7	7.6
	19~26	28	5.675	0.974	4.1	7.9	37	5.819	0.956	4.2	7.7
	27~34	13	5.931	0.930	4.6	7.6	24	5.433	0.670	4.7	7.2
	35~44	29	5.931	0.763	4.5	7.4	46	5.563	1.002	2.6	7.2
	45~54	30	6.130	1.329	4.0	9.1	20	5.410	1.457	3.8	10.1
	≥55	15	5.007	1.001	3.7	7.5	18	4.289	0.870	2.9	6.5
	Total	234	5.630	1.153	2.9	9.1	252	5.539	1.044	2.6	10.1
CI	10~12	31	3.377	0.466	2.5	4.4	29	3.655	0.400	2.9	4.3
	13~14	24	3.558	0.423	2.6	4.3	22	4.059	0.649	2.7	5.9
	15~16	36	3.656	0.441	3.0	5.2	32	4.009	0.606	2.9	6.1
	17~18	28	3.475	0.396	2.5	4.5	24	3.788	0.400	3.3	5.3
	19~26	28	3.500	0.506	2.5	4.4	37	3.857	0.554	2.9	4.8
	27~34	13	3.323	0.464	2.6	4.3	24	3.533	0.355	3.0	4.2
	35~44	29	3.400	0.440	2.5	4.7	46	3.557	0.594	1.8	4.8
	45~54	30	3.433	0.606	2.6	4.6	20	3.380	0.795	2.4	6.3
	≥55	15	2.987	0.405	2.1	3.7	18	2.772	0.460	2.1	3.5
	Total	234	3.447	0.486	2.1	5.2	252	3.663	0.630	1.8	6.3
SI	10~12	31	42.16	6.24	28	53	29	42.55	7.24	27	54
	13~14	24	41.70	7.15	26	51	22	47.54	9.27	31	74
	15~16	36	44.66	6.89	29	56	32	49.09	8.19	28	68
	17~18	28	45.60	6.52	31	60	24	48.75	5.01	41	60
	19~26	28	47.21	7.73	32	63	37	49.94	6.33	38	63
	27~34	13	48.46	5.51	40	56	24	47.91	5.18	37	60
	35~44	29	47.89	6.81	35	62	46	46.15	8.36	27	65
	45~54	30	49.26	8.80	30	70	20	45.75	6.44	38	58
	≥55	15	42.53	7.74	29	55	18	42.11	4.75	37	55
	Total	234	45.51	7.51	26	70	252	46.88	7.45	27	74

续 表

	年龄（岁）	男					女				
		n	mean	S	min.	max.	n	mean	S	min.	max.
SV	10 ~ 12	31	56.35	13.24	37	86	29	59.21	12.81	37	82
	13 ~ 14	24	59.58	13.91	34	89	22	69.18	15.26	42	112
	15 ~ 16	36	74.19	14.95	44	100	32	73.91	14.68	41	101
	17 ~ 18	28	79.64	14.29	58	108	24	74.50	8.65	61	95
	19 ~ 26	28	76.71	14.28	45	113	37	75.27	11.15	56	100
	27 ~ 34	13	86.23	10.83	70	104	24	73.63	10.22	59	106
	35 ~ 44	29	84.72	13.16	60	110	46	72.65	14.60	42	106
	45 ~ 54	30	115.13	147.78	44	891	20	72.15	12.74	56	96
	≥55	15	71.00	17.44	46	113	18	64.06	13.30	50	107
	Total	234	78.30	56.35	34	891	252	70.96	13.68	37	112
LVET	10 ~ 12	31	281.58	19.39	247	337	29	271.68	20.67	223	302
	13 ~ 14	24	262.54	24.94	200	303	22	270.59	19.14	228	304
	15 ~ 16	36	264.77	19.88	206	300	32	276.81	24.06	198	316
	17 ~ 18	28	275.21	21.28	224	316	24	286.04	20.62	256	328
	19 ~ 26	28	281.85	18.72	239	319	37	292.97	15.37	257	321
	27 ~ 34	13	307.30	17.17	263	328	24	305.08	19.43	265	349
	35 ~ 44	29	304.51	18.44	268	338	44	293.63	20.64	238	328
	45 ~ 54	30	309.60	31.58	234	364	20	304.50	17.63	261	335
	≥55	15	298.20	36.53	226	352	18	314.88	30.00	268	371
	Total	234	285.24	28.57	200	364	250	289.58	24.52	198	371
SVR	10 ~ 12	30	1322.60	305.48	889	2097	29	1155.75	223.53	878	1950
	13 ~ 14	23	1142.43	202.67	779	1495	22	1013.81	191.73	588	1544
	15 ~ 16	35	1042.57	190.56	683	1441	32	1008.37	203.54	625	1494
	17 ~ 18	27	1057.29	237.24	784	2043	24	987.62	110.59	818	1301
	19 ~ 26	28	1063.46	182.04	776	1625	37	1021.97	182.84	756	1517
	27 ~ 34	13	1079.76	188.83	787	1364	24	1112.33	125.83	800	1310
	35 ~ 44	29	1128.93	210.74	772	1522	45	1133.82	320.67	726	2656
	45 ~ 54	29	1160.06	281.93	691	1735	19	1267.78	344.02	594	1994
	≥55	15	1328.60	261.71	934	1882	18	1513.94	350.78	1015	2116
	Total	229	1140.24	250.75	6830	2097	250	1114.64	274.20	588	2656
LCW	10 ~ 12	30	4.476	1.242	2.50	7.70	29	4.924	0.810	3.70	6.40
	13 ~ 14	23	4.943	1.212	2.50	7.40	22	5.822	1.137	3.60	8.00
	15 ~ 16	35	6.400	1.362	3.30	9.80	32	6.103	1.465	3.20	8.80
	17 ~ 18	27	6.607	1.373	4.30	9.60	24	5.566	1.120	3.90	8.00
	19 ~ 26	28	5.785	1.299	3.70	9.20	24	5.533	0.942	4.10	7.60
	27 ~ 34	13	6.415	1.507	4.00	8.70	45	5.768	1.171	3.10	8.30
	35 ~ 44	29	6.631	0.990	5.10	9.80	19	6.052	1.541	4.60	10.30
	45 ~ 54	29	7.182	1.629	4.00	10.00	18	4.833	1.247	3.00	8.10
	≥55	15	5.720	1.477	3.80	8.90	250	5.626	1.215	3.00	10.30
	Total	229	6.035	1.569	2.50	10.00					

表3-3-14　浙江省诸暨市心功能参数数据资料表

	年龄（岁）	男					女				
		n	mean	S	min.	max.	n	mean	S	min.	max.
SBP	10~12	32	96.06	13.53	80	140	23	92.35	8.52	80	110
	13~14	26	107.35	9.74	90	130	24	106.50	8.16	96	122
	15~16	22	109.95	11.51	90	128	27	104.41	9.30	90	126
	17~18	25	115.36	14.53	86	140	23	104.61	7.69	90	116
	19~26	25	115.12	9.56	94	138	61	106.03	10.66	86	128
	27~34	28	115.07	8.84	100	132	36	106.61	9.24	90	126
	35~44	25	116.40	9.63	98	130	35	113.14	12.18	88	140
	45~54	30	119.33	9.59	102	140	33	120.12	14.55	90	148
	≥55	19	122.32	11.08	100	142	16	129.63	12.00	100	148
	Total	232	112.42	13.31	80	142	278	108.67	13.46	80	148
DBP	10~12	32	60.44	7.93	50	76	23	58.00	6.10	50	70
	13~14	26	67.65	7.43	55	82	24	73.25	6.54	62	84
	15~16	22	70.23	8.15	57	84	27	66.78	7.73	52	82
	17~18	25	72.48	7.49	58	90	23	66.26	6.42	54	80
	19~26	25	71.68	8.08	58	86	61	67.84	7.58	52	88
	27~34	28	76.21	8.75	60	90	36	67.89	5.78	56	82
	35~44	25	77.36	7.57	64	90	35	73.60	9.21	56	88
	45~54	30	79.73	6.64	62	90	33	76.21	7.83	64	90
	≥55	19	78.53	7.48	62	88	16	76.88	8.61	60	90
	Total	232	72.39	9.76	50	90	278	69.50	8.88	50	90
HR	10~12	32	84.71	10.58	63	110	24	91.75	14.09	68	119
	13~14	26	81.61	11.97	66	105	24	86.62	10.86	71	109
	15~16	22	72.72	9.18	58	89	27	78.07	9.49	66	101
	17~18	25	75.04	10.31	57	95	23	73.78	12.73	58	100
	19~26	32	67.00	9.82	43	91	75	77.72	12.76	54	126
	27~34	37	67.70	10.90	48	94	40	72.32	8.78	53	92
	35~44	29	68.13	9.03	52	88	36	71.94	7.68	59	97
	45~54	38	68.65	10.84	56	103	35	72.28	7.71	60	98
	≥55	19	70.89	14.50	48	108	16	69.56	7.33	59	89
	Total	260	72.65	12.29	43	110	300	76.80	12.17	53	126
CO	10~12	32	4.037	0.858	3.0	6.1	24	4.579	0.731	3.7	6.5
	13~14	26	5.050	0.808	3.6	6.4	24	5.508	0.824	4.0	7.5
	15~16	22	5.741	0.598	4.8	7.5	27	5.667	1.030	4.0	7.6
	17~18	25	5.868	0.838	4.4	8.0	23	5.130	0.713	4.0	6.1
	19~26	32	5.922	1.051	4.0	8.9	75	5.495	0.832	3.7	7.0
	27~34	37	5.789	0.889	4.4	8.4	40	5.252	0.874	3.2	7.3
	35~44	29	5.562	1.098	1.7	7.5	36	5.194	0.955	3.5	7.4
	45~54	38	5.384	0.875	2.2	6.8	35	4.823	1.028	2.3	6.9
	≥55	19	5.042	0.727	3.8	6.4	16	4.606	0.926	3.3	6.7
	Total	260	5.380	1.051	1.7	8.9	300	5.216	0.938	2.3	7.6

续 表

	年龄（岁）	男					女				
		n	mean	S	min.	max.	n	mean	S	min.	max.
CI	10~12	32	3.266	0.419	2.6	4.1	24	3.742	0.461	3.1	4.9
	13~14	26	3.592	0.399	2.9	4.3	24	3.921	0.480	3.2	4.9
	15~16	22	3.527	0.355	3.0	4.6	27	3.852	0.547	3.0	4.9
	17~18	25	3.560	0.372	3.0	4.3	23	3.465	0.476	2.8	4.4
	19~26	32	3.431	0.658	2.3	5.5	75	3.688	0.494	2.6	4.8
	27~34	37	3.219	0.392	2.6	4.2	40	3.447	0.479	2.2	4.8
	35~44	29	3.179	0.585	1.0	4.0	36	3.297	0.507	2.4	4.3
	45~54	38	3.111	0.495	1.3	4.3	35	3.069	0.514	1.4	4.0
	≥55	19	3.047	0.384	2.4	3.8	16	2.919	0.478	2.1	3.9
	Total	260	3.314	0.499	1.0	5.5	300	3.516	0.568	1.4	4.9
SI	10~12	32	38.78	4.30	29	46	24	41.33	7.03	28	52
	13~14	26	44.50	5.24	30	51	24	45.79	6.43	32	57
	15~16	22	48.86	5.93	38	60	27	49.74	7.95	30	68
	17~18	25	48.12	7.38	39	64	23	47.56	6.53	32	56
	19~26	32	51.06	7.82	38	81	75	48.30	7.64	29	64
	27~34	37	48.40	8.02	36	66	40	47.47	5.94	31	60
	35~44	29	47.55	10.12	12	64	36	45.83	6.67	35	65
	45~54	38	45.42	7.97	15	58	35	42.45	6.76	21	55
	≥55	19	43.78	6.66	32	58	16	41.62	6.78	23	54
	Total	260	46.30	8.04	12	81	300	46.17	7.39	21	68
SV	10~12	32	47.88	8.58	32	69	24	50.79	9.63	34	67
	13~14	26	62.62	10.26	42	85	24	64.13	10.56	42	86
	15~16	22	79.55	10.46	62	105	27	73.33	14.60	43	110
	17~18	25	79.56	15.47	60	120	23	70.61	11.06	46	88
	19~26	32	89.38	15.93	58	131	75	72.13	13.35	41	102
	27~34	37	86.76	13.89	59	113	40	72.97	10.28	45	93
	35~44	29	83.52	19.47	21	118	36	72.42	11.83	52	105
	45~54	38	79.00	14.66	27	97	35	66.54	12.82	34	93
	≥55	19	72.84	12.93	54	103	16	66.31	12.25	37	93
	Total	260	76.07	18.85	21	131	300	68.96	13.46	34	110
LVET	10~12	32	274.31	15.90	241	302	24	267.08	23.21	226	310
	13~14	26	278.30	19.93	247	318	24	267.70	16.01	228	295
	15~16	22	284.50	15.86	245	311	27	359.81	387.40	247	297
	17~18	25	283.72	17.09	255	317	23	293.73	25.89	237	360
	19~26	32	295.43	20.45	261	338	75	289.16	22.81	214	334
	27~34	37	298.48	25.33	233	358	40	299.17	19.78	250	342
	35~44	29	308.96	30.42	238	349	36	301.33	16.98	258	338
	45~54	38	310.76	35.51	231	381	35	304.67	19.39	272	353
	≥55	19	297.36	34.52	217	374	16	315.68	34.37	209	363
	Total	260	293.39	27.90	217	381	300	291.5180	25.01	209	363

续 表

	年龄(岁)	男					女				
		n	mean	S	min.	max.	n	mean	S	min.	max.
SVR	10~12	31	1411.96	257.03	844	1841	24	1310.08	216.00	1018	1691
	13~14	24	1147.75	238.40	735	1833	24	1083.33	160.90	885	1456
	15~16	22	1078.31	151.96	815	1430	27	1059.77	208.87	768	1547
	17~18	25	1075.92	159.90	636	1380	23	1159.26	171.01	823	1512
	19~26	31	1117.96	200.15	708	1575	74	1104.78	208.62	709	1804
	27~34	36	1150.13	205.53	789	1768	39	1112.64	258.41	731	1894
	35~44	28	1261.85	522.92	888	3707	35	1156.54	216.56	749	1675
	45~54	38	1233.26	381.85	805	3176	35	1336.62	378.98	954	2800
	≥55	19	1296.89	238.42	1031	1812	16	1507.75	503.24	885	2743
	Total	254	1200.14	305.83	636	3707	297	1175.92	282.70	709	2800
LCW	10~12	31	3.841	1.052	2.50	6.50	24	4.600	1.113	3.10	7.60
	13~14	24	4.812	0.801	3.10	6.40	24	5.508	1.156	3.70	8.60
	15~16	22	5.950	1.229	4.30	9.10	27	5.603	1.165	4.00	8.10
	17~18	31	6.212	1.199	3.70	9.90	23	5.078	0.872	3.60	6.80
	19~26	36	6.552	1.613	4.00	10.90	74	5.567	1.186	3.10	8.80
	27~34	28	6.296	1.525	1.90	8.90	39	5.561	1.251	3.30	9.20
	35~44	38	6.044	1.154	2.70	9.00	35	5.277	1.589	2.60	9.20
	45~54	19	5.878	1.266	2.90	8.30	35	5.237	1.833	2.40	9.20
	≥55	254	5.778	1.474	1.90	10.90	16	5.456	0.950	4.10	7.20
	Total						297	5.370	1.313	2.40	9.20

表 3-3-15 广西南宁市心功能参数数据资料表

	年龄(岁)	男					女				
		n	mean	S	min.	max.	n	mean	S	min.	max.
SBP	10~12	29	101.86	10.99	85	125	30	98.29	8.89	80	120
	13~14	25	104.48	8.76	90	125	30	101.73	9.83	80	120
	15~16	30	111.20	10.02	90	130	31	100.68	10.08	82	126
	17~18	23	110.04	11.87	80	130	23	100.78	9.00	80	120
	19~26	37	114.57	10.88	100	140	27	103.11	8.03	90	120
	27~34	46	117.17	11.86	100	148	32	105.34	8.03	90	125
	35~44	45	116.42	10.55	92	140	56	110.14	11.61	88	140
	45~54	47	120.09	12.53	90	145	73	114.29	13.24	90	145
	≥55	30	123.13	14.49	98	145	55	120.25	13.57	90	148
	Total	312	113.22	11.32	80	148	357	106.07	12.73	80	148
DBP	10~12	29	56.14	5.73	45	70	30	61.86	8.24	50	80
	13~14	25	62.24	7.26	45	76	30	65.27	8.73	50	82
	15~16	30	67.37	7.62	58	84	31	65.06	5.62	58	80
	17~18	23	70.30	8.70	45	84	23	66.17	4.59	60	70
	19~26	37	72.05	9.59	50	90	27	65.07	6.92	50	81
	27~34	46	73.57	7.80	55	90	32	68.03	6.92	58	85
	35~44	45	76.33	7.73	58	90	56	71.88	9.06	54	90
	45~54	47	77.11	8.40	55	90	73	74.08	8.69	50	90
	≥55	30	78.07	6.48	70	90	55	75.69	7.46	55	90
	Total	312	72.92	9.21	45	90	357	69.44	8.70	50	90

续 表

	年龄（岁）	男					女				
		n	mean	S	min.	max.	n	mean	S	min.	max.
HR	10～12	29	87.51	17.20	63	135	30	94.43	15.41	71	134
	13～14	28	79.96	10.55	67	111	30	81.43	11.33	62	108
	15～16	30	79.23	14.57	55	111	31	83.58	13.10	68	120
	17～18	23	66.78	12.39	50	96	23	76.73	12.53	60	101
	19～26	39	69.66	9.16	54	100	27	76.37	12.33	59	112
	27～34	46	72.91	8.96	51	94	35	75.80	11.01	60	108
	35～44	47	72.93	12.70	53	115	58	74.96	8.83	57	96
	45～54	48	74.81	12.86	45	118	74	72.87	10.83	54	128
	≥55	30	74.66	12.74	50	120	55	73.05	12.67	49	126
	Total	320	75.06	13.29	45	135	363	77.42	13.12	49	134
CO	10～12	29	5.086	1.480	2.6	8.2	30	5.380	1.506	3.0	9.1
	13～14	28	7.050	1.392	4.6	9.5	30	6.407	1.368	3.4	9.5
	15～16	30	8.733	1.836	5.8	13.1	31	6.558	1.627	4.1	11.8
	17～18	23	8.587	1.297	6.6	13.0	23	6.709	1.318	4.6	10.0
	19～26	39	7.795	1.414	5.5	11.9	27	6.456	1.332	3.5	9.2
	27～34	46	7.613	1.478	5.0	10.9	35	5.963	1.345	3.1	10.0
	35～44	47	8.134	1.666	4.8	13.4	58	6.122	1.397	3.8	9.6
	45～54	48	7.544	1.592	4.0	11.1	74	5.705	1.359	3.1	9.0
	≥55	30	7.270	1.381	5.2	11.3	55	5.036	1.316	2.8	8.9
	Total	320	7.566	1.766	2.6	13.4	363	5.919	1.472	2.8	11.8
CI	10～12	29	3.648	0.703	2.5	5.6	30	3.967	0.678	2.4	5.3
	13～14	28	4.264	0.525	3.0	5.5	30	4.237	0.647	2.8	5.8
	15～16	30	4.737	0.734	3.7	6.7	31	4.352	0.887	3.1	6.8
	17～18	23	4.552	0.517	3.7	5.7	23	4.209	0.523	3.1	4.9
	19～26	39	4.258	0.488	3.4	5.4	27	4.270	0.630	3.0	6.0
	27～34	46	4.241	0.574	3.4	5.7	35	3.969	0.656	2.8	5.4
	35～44	47	4.351	0.604	3.0	5.7	58	3.870	0.625	2.5	5.5
	45～54	48	4.106	0.640	2.6	5.7	74	3.564	0.607	2.3	5.1
	≥55	30	3.900	0.525	3.0	5.3	55	3.191	0.598	2.1	4.6
	Total	320	4.224	0.652	2.5	6.7	363	3.845	0.742	2.1	6.8
SI	10～12	29	42.51	8.94	23	63	30	42.86	9.51	30	66
	13～14	28	53.89	8.15	36	70	30	52.80	9.58	37	70
	15～16	30	60.70	8.67	37	74	31	52.29	9.36	42	87
	17～18	23	69.17	8.53	57	85	23	55.78	10.80	37	74
	19～26	39	61.87	8.66	40	78	27	56.81	10.84	39	83
	27～34	46	58.73	8.86	38	78	35	53.00	9.57	37	78
	35～44	47	60.76	10.20	39	80	58	52.08	7.86	37	72
	45～54	48	56.02	10.56	27	80	74	49.66	9.47	34	70
	≥55	30	53.33	10.02	38	88	55	44.38	8.85	20	66
	Total	320	57.54	11.11	23	88	363	50.41	10.13	20	87

续 表

	年龄（岁）	男					女				
		n	mean	S	min.	max.	n	mean	S	min.	max.
SV	10～12	29	59.14	16.75	30	92	30	58.07	18.16	37	99
	13～14	28	89.14	19.72	55	132	30	79.90	19.56	45	118
	15～16	30	112.43	23.90	52	151	31	78.84	18.64	57	151
	17～18	23	131.26	23.12	97	182	23	89.96	24.67	54	150
	19～26	39	113.23	23.25	71	168	27	86.30	21.80	52	134
	27～34	46	105.65	21.49	58	157	35	79.91	19.31	42	132
	35～44	47	113.60	25.58	70	186	58	82.52	16.46	58	127
	45～54	48	102.90	24.17	49	156	74	79.28	19.82	45	141
	≥55	30	100.07	27.11	66	203	55	70.05	18.52	28	122
	Total	320	103.62	28.49	30	203	363	77.92	20.64	28	151
LVET	10～12	29	268.06	25.39	197	300	30	263.83	21.08	206	298
	13～14	26	273.34	17.50	225	305	28	279.32	19.00	225	313
	15～16	30	277.96	19.09	247	304	31	279.03	18.56	226	307
	17～18	23	294.13	21.51	247	334	23	282.21	20.57	245	317
	19～26	39	294.15	17.11	237	329	27	295.19	23.31	236	328
	27～34	46	295.76	21.04	258	346	34	298.64	22.87	245	370
	35～44	47	303.34	25.57	234	351	58	300.43	19.73	257	349
	45～54	48	299.58	30.73	191	370	74	308.64	22.59	238	357
	≥55	30	312.56	31.69	255	368	55	314.85	26.03	224	364
	Total	318	292.69	27.22	191	370	360	296.06	26.64	206	370
SVR	10～12	29	1196.37	322.91	704	1755	29	1157.13	304.54	688	1916
	13～14	28	850.00	188.97	597	1334	30	941.31	202.25	630	1409
	15～16	30	732.40	171.11	482	1191	31	925.61	193.42	454	1321
	17～18	23	712.82	118.01	526	1060	23	910.04	252.76	590	1527
	19～26	38	795.28	158.08	520	1122	26	938.03	210.49	590	1509
	27～34	45	859.91	156.00	577	1272	35	1030.08	264.33	658	1643
	35～44	47	813.00	203.47	453	1518	57	1002.50	219.10	564	1564
	45～54	48	912.41	220.61	569	1303	73	1158.65	353.94	554	2467
	≥55	30	972.90	206.63	581	1511	55	1352.58	350.41	778	2404
	Total	318	870.98	234.78	453	1755	359	1081.11	316.30	454	2467
LCW	10～12	29	4.962	1.756	2.00	8.50	29	5.513	1.843	2.90	9.60
	13～14	28	6.885	1.448	3.70	9.40	30	6.436	1.704	2.70	10.80
	15～16	30	9.160	2.194	5.70	14.10	31	6.480	1.761	3.60	10.70
	17～18	23	8.660	2.085	5.70	16.40	23	6.682	1.486	4.20	11.60
	19～26	38	7.950	1.965	5.40	14.40	26	6.273	1.591	3.10	9.20
	27～34	45	8.235	2.067	4.80	13.90	35	5.977	1.633	2.70	11.20
	35～44	47	8.880	2.429	4.90	16.10	57	6.296	1.729	3.20	11.00
	45～54	48	8.508	1.928	3.50	12.50	73	6.575	4.291	3.30	40.00
	≥55	30	8.590	2.290	2.00	16.40	55	5.674	1.880	2.50	10.70
	Total						359	6.1139	1.7292	2.50	11.60

表3-3-16 广西宾阳县心功能参数数据资料表

	年龄（岁）	男 n	男 mean	男 S	男 min.	男 max.	女 n	女 mean	女 S	女 min.	女 max.
SBP	10~12	5	98.60	5.64	92	105	4	115.00	9.42	105	124
	13~14	27	107.85	10.76	90	136	25	107.64	11.00	90	130
	15~16	16	102.56	9.58	90	120	16	99.63	12.59	82	120
	17~18	27	107.41	13.46	86	138	19	101.16	9.60	88	120
	19~26	14	107.00	11.28	90	128	20	106.35	6.85	95	120
	27~34	41	107.05	9.54	90	130	28	100.14	10.84	80	130
	35~44	47	111.79	14.33	90	172	27	103.70	12.03	90	140
	45~54	51	114.33	13.90	90	146	19	106.95	9.97	90	124
	≥55	22	113.09	14.67	95	140	14	114.29	17.86	84	145
	Total	250	109.62	12.95	86	172	172	104.83	11.92	80	145
DBP	10~12	5	59.60	3.97	53	63	4	66.25	7.37	59	74
	13~14	27	62.11	7.92	45	74	25	63.88	7.31	49	80
	15~16	16	65.25	7.08	52	80	16	64.00	6.81	52	80
	17~18	27	68.15	10.48	50	86	19	67.26	6.30	58	80
	19~26	14	67.57	8.71	52	84	20	68.60	6.25	60	80
	27~34	41	70.39	7.61	58	84	28	65.50	8.46	50	90
	35~44	47	73.51	8.85	50	104	27	68.22	9.70	50	90
	45~54	51	74.45	9.24	52	95	19	69.84	6.82	60	80
	≥55	22	70.86	7.11	58	85	14	73.14	9.18	58	86
	Total	250	70.01	9.38	45	104	172	67.23	8.07	49	90
HR	10~12	5	85.80	1.09	84	87	4	99.50	6.65	90	105
	13~14	27	80.92	12.41	62	106	25	91.88	14.68	68	125
	15~16	16	72.25	10.34	56	96	16	77.31	8.22	64	96
	17~18	27	74.81	15.32	49	106	19	74.36	11.12	57	97
	19~26	14	77.35	8.70	55	92	20	76.80	9.59	64	101
	27~34	41	73.60	12.56	54	113	28	76.10	10.46	61	96
	35~44	48	73.25	15.00	56	147	27	77.96	10.07	59	97
	45~54	51	74.07	9.92	53	99	19	75.68	9.71	61	96
	≥55	22	73.50	9.18	59	95	14	78.78	11.33	60	98
	Total	251	74.90	12.39	49	147	172	79.40	12.35	57	125
CO	10~12	5	3.020	0.517	2.3	3.7	4	4.400	0.374	4.0	4.9
	13~14	27	4.570	1.072	2.4	6.7	25	4.744	1.194	2.4	7.2
	15~16	16	6.419	1.219	4.1	8.7	16	5.100	1.189	3.1	7.9
	17~18	27	6.622	1.142	4.7	9.1	19	5.311	0.867	4.1	7.5
	19~26	14	6.950	1.153	5.4	10.0	20	5.125	0.947	3.9	7.1
	27~34	41	6.602	1.463	4.6	10.1	28	4.939	1.320	2.8	8.2
	35~44	48	6.683	1.702	3.5	13.3	27	4.630	1.194	2.6	7.2
	45~54	51	5.990	1.255	3.0	9.7	19	4.321	1.083	2.7	6.3
	≥55	22	5.732	1.651	3.0	9.6	14	3.529	0.564	2.2	4.2
	Total	251	6.137	1.577	2.3	13.3	172	4.744	1.167	2.2	8.2

续　表

	年龄（岁）	男 n	男 mean	男 S	男 min.	男 max.	女 n	女 mean	女 S	女 min.	女 max.
CI	10～12	5	2.780	0.370	2.3	3.3	4	3.625	5.000E－02	3.6	3.7
	13～14	27	3.500	0.514	2.4	4.7	25	3.736	0.702	2.2	5.7
	15～16	16	3.806	0.485	2.8	4.4	16	3.650	0.675	2.9	5.7
	17～18	27	3.856	0.511	3.0	5.1	19	3.658	0.457	3.1	4.8
	19～26	14	3.979	0.555	3.2	5.4	20	3.590	0.412	2.9	4.4
	27～34	41	3.761	0.636	2.8	5.8	28	3.439	0.567	2.3	4.5
	35～44	48	3.842	0.822	2.4	7.6	27	3.267	0.621	2.0	4.3
	45～54	51	3.555	0.593	2.3	4.9	19	3.032	0.623	2.2	4.5
	≥55	22	3.491	0.656	2.3	4.8	14	2.757	0.514	1.9	4.0
	Total	251	3.688	0.653	2.3	7.6	172	3.420	0.638	1.9	5.7
SI	10～12	5	32.40	4.03	27	38	4	36.50	2.51	34	40
	13～14	27	44.11	8.25	29	58	25	41.28	8.81	22	58
	15～16	16	52.68	5.92	45	61	16	48.31	8.88	32	67
	17～18	27	54.11	8.65	39	72	19	48.31	8.11	32	65
	19～26	14	52.50	7.31	41	67	20	45.90	5.17	39	55
	27～34	41	52.09	8.66	32	70	28	44.96	8.35	27	62
	35～44	48	52.33	10.07	26	76	27	41.59	6.89	29	57
	45～54	51	49.11	10.84	30	74	19	39.68	7.89	29	54
	≥55	22	47.95	9.30	31	64	14	35.64	6.55	25	46
	Total	251	50.19	9.83	26	76	172	43.15	8.40	22	67
SV	10～12	5	35.20	6.18	27	44	4	44.00	4.55	38	48
	13～14	27	58.04	16.25	29	85	25	52.76	14.79	25	85
	15～16	16	89.50	17.61	66	130	16	66.81	16.31	37	94
	17～18	27	91.00	20.15	58	144	19	72.68	13.78	43	107
	19～26	14	90.50	14.97	69	124	20	66.95	11.51	52	96
	27～34	41	92.20	22.12	52	141	28	65.64	18.61	36	119
	35～44	48	92.50	20.54	47	134	27	59.44	14.06	37	91
	45～54	51	81.86	19.25	39	139	19	57.63	14.40	37	93
	≥55	22	77.55	21.47	40	112	14	46.50	9.49	28	59
	Total	251	83.67	23.03	27	144	172	60.89	16.25	25	119
LVET	10～12	5	273.80	5.54	264	277	4	265.00	9.93	257	279
	13～14	27	281.92	19.27	232	309	25	269.92	23.91	212	307
	15～16	16	292.87	20.69	267	354	16	292.37	17.40	247	319
	17～18	27	281.51	23.45	216	312	19	289.05	16.16	259	321
	19～26	14	286.14	17.31	266	338	20	293.50	17.19	264	320
	27～34	41	293.12	22.16	240	335	28	293.60	20.30	241	319
	35～44	48	296.58	22.03	253	359	27	294.66	16.93	262	317
	45～54	51	295.00	26.93	228	361	19	300.47	20.35	269	342
	≥55	22	305.22	33.30	217	366	14	301.85	33.53	254	386
	Total	251	291.98	24.46	216	366	172	290.46	22.61	212	386

续 表

	年龄（岁）	男					女				
		n	mean	S	min.	max.	n	mean	S	min.	max.
SVR	10～12	5	1848.80	387.39	1323	2351	4	1378.25	94.02	1259	1487
	13～14	27	1291.18	405.84	879	2277	25	1295.96	408.50	848	2346
	15～16	16	938.75	197.49	656	1401	16	1163.81	342.64	569	1990
	17～18	27	891.88	172.62	624	1325	19	968.89	239.25	650	1463
	19～26	14	880.85	126.42	610	1157	20	1068.10	186.94	773	1434
	27～34	41	921.87	212.51	529	1539	28	1186.82	320.60	657	1958
	35～44	48	1002.41	288.48	552	1984	27	1246.92	310.05	792	2094
	45～54	51	1100.90	298.88	649	1908	19	1367.21	430.19	809	2322
	≥55	22	1159.77	336.08	657	1915	14	1725.35	765.18	1194	3725
	Total	251	1048.25	323.85	529	2351	172	1240.31	416.23	569	3725
LCW	10～12	5	2.760	0.371	2.20	3.10	4	4.575	0.865	3.80	5.70
	13～14	27	4.325	1.203	2.10	7.30	25	4.704	1.308	2.20	8.00
	15～16	16	6.362	2.181	4.00	13.00	16	4.931	1.361	3.20	8.00
	17～18	27	6.603	1.261	4.60	9.20	19	5.005	0.912	3.60	6.20
	19～26	14	6.800	1.393	5.30	10.30	20	5.175	1.099	3.60	7.20
	27～34	41	6.641	1.575	4.20	10.30	28	5.053	1.642	3.20	9.80
	35～44	48	7.100	2.343	4.20	16.90	27	4.681	1.324	2.50	8.00
	45～54	51	6.576	1.505	3.00	11.00	19	4.489	1.158	2.90	6.80
	≥55	22	6.236	1.689	2.90	9.50	14	4.050	0.656	2.70	5.70
	Total	251	6.341	1.918	2.10	16.90	172	4.786	1.264	2.20	9.80

（二）血液系统

表 3-3-17　城市居民血清 CHO 百分位数表

单位：mmol/L

	男										女									
	年龄组										年龄组									
	~10	11~12	13~14	15~16	17~18	19~26	27~34	35~44	45~54	55~	~10	11~12	13~14	15~16	17~18	19~26	27~34	35~44	45~54	55~
N	27	144	150	177	150	176	157	179	171	193	31	134	169	143	172	255	171	256	184	238
Mean	4.34	3.93	3.83	3.61	3.62	3.76	4.18	4.51	4.84	4.92	4.16	4.07	4.05	3.96	3.86	3.91	4.14	4.36	4.90	5.32
Missing	1	0	0	2	1	2	0	3	1	1	1	0	4	1	1	0	1	2	2	1
Percentile 2.5	3.29	2.48	2.43	2.56	2.28	2.53	2.30	2.28	3.00	3.26	2.06	2.25	2.79	2.87	2.72	2.60	2.48	2.46	3.14	3.19
Percentile 5	3.37	2.66	2.88	2.67	2.49	2.59	2.56	2.48	3.16	3.51	3.11	2.48	3.00	2.97	2.89	2.80	2.65	2.48	3.49	3.70
Percentile 10	3.41	3.09	3.13	2.90	2.74	2.86	2.95	3.00	3.80	3.70	3.42	3.03	3.25	3.16	3.09	3.00	3.17	2.90	3.74	4.10
Percentile 25	3.72	3.48	3.40	3.20	3.15	3.29	3.62	4.00	4.21	4.18	3.77	3.62	3.57	3.46	3.36	3.45	3.68	3.82	4.29	4.60
Percentile 50	4.28	3.89	3.78	3.55	3.59	3.69	4.16	4.62	4.74	4.87	4.04	4.10	3.97	3.94	3.80	3.83	4.14	4.36	4.88	5.33
Percentile 75	4.98	4.37	4.19	3.96	4.12	4.18	4.76	5.15	5.41	5.67	4.83	4.55	4.48	4.41	4.32	4.40	4.68	4.97	5.50	6.02
Percentile 90	5.44	4.93	4.81	4.45	4.48	4.68	5.41	5.73	6.31	6.17	5.01	5.06	4.97	4.78	4.86	4.81	5.17	5.58	6.12	6.57
Percentile 95	5.71	5.12	5.08	4.94	4.79	5.11	5.79	6.17	6.62	6.52	5.14	5.40	5.26	5.02	5.00	5.15	5.31	6.09	6.37	7.04
Percentile 97.5	5.90	5.24	5.27	5.23	5.23	5.39	6.00	6.45	6.85	7.00	6.18	5.72	5.46	5.35	5.17	5.28	5.50	6.35	6.63	7.45

表 3-3-18　农村居民血清 CHO 百分位数表

单位：mmol/L

	男										女									
	年龄组										年龄组									
	~10	11~12	13~14	15~16	17~18	19~26	27~34	35~44	45~54	55~	~10	11~12	13~14	15~16	17~18	19~26	27~34	35~44	45~54	55~
N	17	108	130	119	194	113	158	169	158	80	35	76	167	146	182	192	188	183	140	77
Mean	3.63	3.79	3.49	3.34	3.59	3.96	4.62	4.67	4.82	4.77	3.86	3.90	3.81	3.90	4.10	3.95	4.18	4.30	4.58	5.17
Missing	0	1	0	0	1	0	1	2	1	0	0	1	0	1	2	1	1	1	2	0
Percentile 2.5	2.87	2.56	2.37	2.43	2.38	2.85	3.11	3.31	3.07	3.10	2.59	2.72	2.63	2.74	2.85	2.67	2.79	2.97	3.16	3.34
Percentile 5	2.87	2.70	2.56	2.53	2.51	3.08	3.34	3.47	3.44	3.38	2.67	2.85	2.78	2.88	3.04	2.92	3.00	3.13	3.21	3.60
Percentile 10	2.87	2.92	2.72	2.78	2.79	3.18	3.59	3.78	3.83	3.52	3.12	3.03	3.00	3.01	3.21	3.14	3.28	3.41	3.54	4.06
Percentile 25	3.23	3.31	2.97	2.96	3.19	3.52	4.06	4.11	4.28	4.01	3.27	3.41	3.39	3.41	3.55	3.47	3.67	3.75	3.98	4.55
Percentile 50	3.52	3.78	3.41	3.28	3.62	3.88	4.53	4.55	4.71	4.72	3.83	3.75	3.76	3.88	4.04	3.86	4.08	4.28	4.55	5.24
Percentile 75	3.85	4.27	3.90	3.69	3.91	4.32	5.14	5.22	5.28	5.36	4.21	4.47	4.19	4.32	4.57	4.40	4.68	4.75	5.04	5.56
Percentile 90	4.60	4.55	4.32	4.06	4.34	4.95	5.87	5.73	5.92	6.14	5.02	4.96	4.68	4.85	5.10	4.81	5.16	5.31	5.64	6.39
Percentile 95	4.71	4.81	4.64	4.34	4.56	5.04	6.20	5.99	6.41	6.51	5.07	5.15	5.15	5.09	5.47	5.16	5.43	5.46	6.26	6.93
Percentile 97.5	4.71	5.17	4.79	4.60	4.89	5.66	6.57	6.22	6.84	6.69	5.17	5.48	5.28	5.29	5.60	5.57	5.92	5.82	6.61	7.07

表3-3-19 北方居民血清CHO百分位数表

单位：mmol/L

	男										女									
	年龄组										年龄组									
	~10	11~12	13~14	15~16	17~18	19~26	27~34	35~44	45~54	55~	~10	11~12	13~14	15~16	17~18	19~26	27~34	35~44	45~54	55~
N	16	95	86	100	144	113	119	141	122	71	26	66	96	91	154	182	168	191	122	86
Mean	3.80	3.53	3.45	3.30	3.44	3.61	4.16	4.19	4.72	4.97	3.95	3.75	3.79	3.89	3.91	3.84	4.13	4.06	4.75	5.29
Missing	0	0	0	0	2	2	0	1	1	0	0	0	0	0	0	0	1	0	1	0
Percentile 2.5	2.87	2.43	2.33	2.38	2.28	2.35	2.02	2.28	2.79	3.00	2.59	1.84	2.66	2.85	2.72	2.53	2.38	2.35	3.16	3.16
Percentile 5	2.87	2.51	2.43	2.43	2.41	2.56	2.30	2.43	3.05	3.39	3.05	2.25	2.79	2.92	2.92	2.69	2.59	2.48	3.31	3.34
Percentile 10	3.03	2.66	2.59	2.59	2.72	2.69	2.66	2.78	3.54	3.70	3.13	2.48	3.00	3.08	3.10	3.03	3.03	2.66	3.62	3.75
Percentile 25	3.34	3.13	2.97	2.92	3.05	3.13	3.36	3.75	4.16	4.22	3.31	3.10	3.36	3.39	3.34	3.39	3.67	3.52	4.19	4.58
Percentile 50	3.76	3.49	3.36	3.21	3.47	3.62	4.19	4.20	4.71	5.17	3.85	3.72	3.69	3.85	3.85	3.74	4.06	4.16	4.60	5.35
Percentile 75	4.15	3.91	3.83	3.61	3.80	4.04	4.86	4.79	5.33	5.54	4.40	4.32	4.22	4.32	4.32	4.32	4.73	4.63	5.33	6.03
Percentile 90	4.60	4.37	4.16	4.07	4.14	4.50	5.59	5.33	5.79	6.29	5.07	5.10	4.68	4.71	4.86	4.76	5.23	5.17	5.85	6.57
Percentile 95	4.71	4.47	4.40	4.60	4.47	4.97	6.00	5.70	6.00	6.52	5.17	5.15	4.97	4.91	5.23	4.97	5.43	5.69	6.36	7.01
Percentile 97.5	4.71	4.81	4.63	4.86	4.63	5.33	6.29	5.98	6.52	6.85	6.18	5.48	5.38	5.23	5.64	5.28	5.77	5.85	6.73	7.45

表3-3-20 南方居民血清CHO百分位数表

单位：mmol/L

	男										女									
	年龄组										年龄组									
	~10	11~12	13~14	15~16	17~18	19~26	27~34	35~44	45~54	55~	~10	11~12	13~14	15~16	17~18	19~26	27~34	35~44	45~54	55~
N	28	157	194	196	200	176	196	207	207	202	40	144	240	198	200	265	191	248	202	229
Mean	4.22	4.08	3.77	3.61	3.72	3.99	4.54	4.87	4.90	4.84	4.03	4.12	3.98	3.95	4.04	3.99	4.18	4.54	4.77	5.28
Missing	1	1	0	2	0	0	1	4	1	1	1	1	4	2	3	1	1	3	3	1
Percentile 2.5	2.87	2.87	2.53	2.73	2.42	2.97	3.15	3.60	3.25	3.28	2.06	2.85	2.57	2.77	2.70	2.76	2.81	3.09	3.16	3.66
Percentile 5	3.15	3.02	2.79	2.79	2.62	3.05	3.34	3.68	3.64	3.45	2.67	3.02	2.93	2.90	3.00	2.92	3.13	3.50	3.32	3.80
Percentile 10	3.29	3.31	2.91	2.90	2.84	3.15	3.63	3.96	3.89	3.63	3.12	3.41	3.24	3.09	3.21	3.14	3.33	3.59	3.65	4.14
Percentile 25	3.51	3.62	3.35	3.21	3.27	3.51	3.98	4.32	4.32	4.15	3.68	3.64	3.55	3.46	3.54	3.52	3.70	4.00	4.17	4.57
Percentile 50	4.01	4.03	3.72	3.55	3.74	3.91	4.42	4.87	4.74	4.77	4.04	4.08	3.94	3.91	3.98	3.94	4.14	4.50	4.71	5.25
Percentile 75	4.98	4.52	4.18	3.93	4.17	4.37	5.02	5.38	5.34	5.61	4.70	4.55	4.43	4.40	4.55	4.42	4.62	5.03	5.32	5.94
Percentile 90	5.44	4.93	4.70	4.37	4.51	4.98	5.73	5.87	6.31	6.11	5.02	4.97	4.92	4.85	4.99	4.86	5.13	5.56	6.01	6.46
Percentile 95	5.71	5.21	5.08	4.69	4.79	5.17	6.06	6.17	6.62	6.36	5.06	5.38	5.26	5.09	5.17	5.16	5.29	6.04	6.37	6.99
Percentile 97.5	5.90	5.46	5.27	5.15	5.23	5.64	6.31	6.60	6.85	6.83	5.14	5.72	5.46	5.35	5.52	5.57	5.57	6.33	6.61	7.30

表3－3－21　城市居民血清 HDL－C 百分位数表

单位：mmol/L

	男										女									
	年龄组										年龄组									
	~10	11~12	13~14	15~16	17~18	19~26	27~34	35~44	45~54	55~	~10	11~12	13~14	15~16	17~18	19~26	27~34	35~44	45~54	55~
N	27	144	150	177	150	176	157	179	171	193	31	134	169	144	172	255	171	255	184	238
Mean	1.53	1.45	1.36	1.29	1.28	1.29	1.31	1.35	1.41	1.49	1.55	1.46	1.44	1.37	1.41	1.47	1.48	1.44	1.57	1.51
Missing	0	1	1	1	0	0	0	3	1	1	0	2	0	0	1	1	0	1	1	1
Percentile 2.5	0.90	0.80	0.83	0.85	0.81	0.73	0.65	0.67	0.70	0.80	0.60	0.78	0.98	0.76	0.86	0.90	0.72	0.71	1.07	0.77
Percentile 5	0.98	0.91	0.98	0.89	0.91	0.87	0.81	0.70	0.83	0.88	1.12	0.93	1.05	0.98	0.93	1.01	0.78	0.75	1.13	0.93
Percentile 10	1.09	1.03	1.00	1.01	0.97	0.93	0.88	0.84	0.93	1.00	1.22	1.06	1.09	1.06	1.09	1.11	1.07	0.89	1.21	1.09
Percentile 25	1.30	1.25	1.18	1.12	1.12	1.10	1.09	1.08	1.11	1.21	1.36	1.24	1.25	1.20	1.23	1.27	1.29	1.16	1.33	1.25
Percentile 50	1.53	1.47	1.37	1.29	1.26	1.27	1.32	1.35	1.39	1.50	1.56	1.45	1.41	1.36	1.42	1.43	1.47	1.49	1.55	1.51
Percentile 75	1.83	1.63	1.52	1.45	1.44	1.47	1.51	1.65	1.66	1.75	1.84	1.66	1.64	1.55	1.60	1.65	1.70	1.71	1.77	1.73
Percentile 90	1.97	1.89	1.68	1.60	1.60	1.69	1.74	1.79	1.91	2.00	1.89	1.86	1.87	1.67	1.78	1.88	1.91	1.91	2.04	2.01
Percentile 95	1.97	2.04	1.77	1.69	1.81	1.77	1.85	1.99	2.02	2.06	2.10	2.05	1.98	1.74	1.87	2.00	2.06	2.04	2.13	2.11
Percentile 97.5	2.06	2.28	1.87	1.76	1.83	1.91	1.97	2.13	2.16	2.18	2.14	2.16	2.02	1.87	1.94	2.15	2.13	2.18	2.25	2.26

表3－3－22　农村居民血清 HDL－C 百分位数表

单位：mmol/L

	男										女									
	年龄组										年龄组									
	~10	11~12	13~14	15~16	17~18	19~26	27~34	35~44	45~54	55~	~10	11~12	13~14	15~16	17~18	19~26	27~34	35~44	45~54	55~
N	17	108	130	119	194	113	158	169	158	80	35	76	167	146	182	192	188	183	140	77
Mean	1.39	1.39	1.23	1.22	1.26	1.30	1.38	1.43	1.43	1.42	1.39	1.36	1.27	1.31	1.42	1.41	1.42	1.42	1.41	1.49
Missing	0	1	2	1	0	1	2	1	2	0	0	1	1	1	1	1	0	0	3	0
Percentile 2.5	0.88	0.85	0.77	0.85	0.81	0.83	0.82	0.85	0.80	0.78	0.83	0.96	0.80	0.85	0.98	0.83	0.81	0.91	0.83	0.88
Percentile 5	0.88	0.98	0.82	0.89	0.91	0.88	0.89	0.91	0.84	0.83	0.89	0.98	0.86	0.88	1.03	0.93	0.92	0.96	0.88	0.98
Percentile 10	0.91	1.03	0.89	0.92	0.96	1.03	0.98	1.01	1.00	0.90	0.93	1.01	0.98	0.98	1.06	1.03	1.03	1.06	0.96	1.03
Percentile 25	1.26	1.20	1.03	1.03	1.08	1.13	1.14	1.18	1.18	1.10	1.13	1.14	1.09	1.14	1.22	1.22	1.22	1.21	1.19	1.27
Percentile 50	1.45	1.37	1.18	1.21	1.24	1.29	1.35	1.42	1.42	1.38	1.42	1.29	1.25	1.32	1.40	1.37	1.40	1.40	1.40	1.49
Percentile 75	1.52	1.58	1.40	1.37	1.40	1.41	1.61	1.67	1.66	1.73	1.58	1.53	1.42	1.46	1.61	1.63	1.62	1.63	1.65	1.71
Percentile 90	1.81	1.80	1.64	1.50	1.63	1.69	1.78	1.88	1.89	1.97	1.73	1.80	1.65	1.66	1.77	1.85	1.84	1.82	1.86	1.93
Percentile 95	1.89	1.84	1.84	1.71	1.71	1.76	1.89	2.00	2.02	2.13	1.85	1.91	1.76	1.80	1.86	1.97	1.98	1.91	1.99	1.99
Percentile 97.5	1.89	1.93	1.84	1.77	1.78	1.94	1.99	2.05	2.11	2.38	2.10	1.94	1.81	1.93	1.97	2.02	2.04	1.97	2.04	2.18

表 3-3-23　北方居民血清 HDL-C 百分位数表

单位：mmol/L

	男										女									
	年龄组										年龄组									
	~10	11~12	13~14	15~16	17~18	19~26	27~34	35~44	45~54	55~	~10	11~12	13~14	15~16	17~18	19~26	27~34	35~44	45~54	55~
N	16	95	86	100	144	113	119	141	122	71	26	66	96	91	154	182	168	191	122	86
Mean	1.51	1.37	1.33	1.26	1.24	1.30	1.24	1.26	1.32	1.38	1.44	1.29	1.35	1.37	1.39	1.43	1.44	1.33	1.43	1.40
Missing	0	0	1	2	0	0	0	0	0	0	0	0	0	1	1	1	0	0	1	0
Percentile 2.5	0.88	0.70	0.75	0.85	0.83	0.72	0.59	0.67	0.78	0.78	0.83	0.70	0.85	0.85	0.93	0.78	0.70	0.67	0.85	0.83
Percentile 5	0.88	0.80	0.96	0.88	0.91	0.88	0.70	0.72	0.80	0.80	0.93	0.88	0.93	0.98	0.98	0.96	0.78	0.75	0.91	0.88
Percentile 10	0.91	0.91	0.98	0.93	0.93	0.98	0.83	0.83	0.93	0.91	1.06	0.96	1.01	1.06	1.03	1.06	0.96	0.85	1.01	1.03
Percentile 25	1.36	1.19	1.14	1.09	1.06	1.11	1.01	1.06	1.09	1.09	1.29	1.09	1.15	1.22	1.22	1.24	1.24	1.11	1.19	1.19
Percentile 50	1.50	1.35	1.35	1.28	1.22	1.27	1.27	1.24	1.27	1.37	1.44	1.28	1.36	1.35	1.37	1.42	1.44	1.32	1.40	1.40
Percentile 75	1.78	1.58	1.47	1.40	1.40	1.47	1.45	1.47	1.50	1.73	1.63	1.50	1.51	1.53	1.60	1.63	1.71	1.60	1.66	1.60
Percentile 90	1.97	1.81	1.68	1.55	1.63	1.68	1.63	1.71	1.84	1.86	1.81	1.66	1.76	1.69	1.71	1.89	1.89	1.76	1.86	1.73
Percentile 95	1.97	2.07	1.84	1.63	1.68	1.76	1.78	1.76	1.91	1.99	1.89	1.78	1.81	1.86	1.81	1.99	2.02	1.91	1.91	1.91
Percentile 97.5	1.97	2.17	1.89	1.76	1.81	1.91	1.86	1.86	1.99	2.02	2.10	1.91	1.91	1.94	1.99	2.10	2.04	2.04	2.04	2.04

表 3-3-24　南方居民血清 HDL-C 百分位数表

单位：mmol/L

	男										女									
	年龄组										年龄组									
	~10	11~12	13~14	15~16	17~18	19~26	27~34	35~44	45~54	55~	~10	11~12	13~14	15~16	17~18	19~26	27~34	35~44	45~54	55~
N	28	157	194	196	200	176	196	207	207	202	40	144	240	199	200	265	191	247	202	229
Mean	1.46	1.46	1.28	1.27	1.29	1.29	1.41	1.48	1.48	1.49	1.48	1.49	1.36	1.33	1.43	1.45	1.45	1.51	1.55	1.54
Missing	0	2	2	0	0	1	2	4	3	1	0	3	1	0	1	1	0	1	3	1
Percentile 2.5	0.90	0.99	0.78	0.85	0.80	0.79	0.85	0.86	0.81	0.80	0.75	0.99	0.84	0.76	0.86	0.90	0.86	0.88	0.94	0.90
Percentile 5	0.98	1.02	0.85	0.89	0.89	0.87	0.91	0.92	0.86	0.88	0.91	1.06	0.93	0.89	0.99	0.99	0.96	0.98	1.08	0.97
Percentile 10	1.09	1.09	0.95	0.98	1.00	0.96	1.05	1.00	1.00	1.00	1.01	1.12	1.05	0.98	1.10	1.10	1.08	1.06	1.16	1.10
Percentile 25	1.27	1.27	1.09	1.08	1.13	1.10	1.18	1.23	1.24	1.23	1.31	1.24	1.15	1.14	1.25	1.27	1.26	1.26	1.32	1.27
Percentile 50	1.44	1.47	1.28	1.27	1.29	1.29	1.39	1.51	1.47	1.50	1.48	1.45	1.32	1.34	1.44	1.41	1.43	1.52	1.55	1.55
Percentile 75	1.70	1.63	1.45	1.42	1.44	1.44	1.63	1.72	1.72	1.75	1.66	1.67	1.52	1.51	1.62	1.65	1.64	1.72	1.73	1.80
Percentile 90	1.90	1.82	1.64	1.60	1.60	1.69	1.79	1.92	1.98	2.01	1.88	1.89	1.77	1.67	1.81	1.86	1.84	1.92	1.99	2.01
Percentile 95	1.95	1.97	1.77	1.71	1.75	1.76	1.90	2.03	2.07	2.08	2.06	2.05	1.92	1.74	1.90	1.94	2.03	1.98	2.13	2.13
Percentile 97.5	2.06	2.13	1.84	1.77	1.82	1.86	1.99	2.13	2.18	2.20	2.12	2.20	2.01	1.87	1.96	2.07	2.11	2.18	2.25	2.28

表3-3-25 城市居民血清 LDL-C 百分位数表

单位：mmol/L

	男										女									
	年龄组										年龄组									
	~10	11~12	13~14	15~16	17~18	19~26	27~34	35~44	45~54	55~	~10	11~12	13~14	15~16	17~18	19~26	27~34	35~44	45~54	55~
N	27	144	150	179	150	176	158	180	171	194	31	134	169	144	173	255	171	255	185	242
Mean	2.31	2.07	2.09	2.07	2.09	2.09	2.45	2.65	2.80	2.71	2.12	2.12	2.16	2.31	2.23	2.17	2.27	2.49	2.83	3.05
Missing	1	1	0	4	0	3	0	3	0	1	1	2	3	1	0	1	1	1	1	0
Percentile 2.5	1.52	1.24	1.22	1.16	1.09	1.03	1.50	1.53	1.66	1.48	1.24	1.09	1.39	1.45	1.29	1.27	1.26	1.40	1.58	1.61
Percentile 5	1.55	1.37	1.31	1.32	1.29	1.35	1.55	1.58	1.78	1.62	1.47	1.24	1.47	1.49	1.37	1.40	1.50	1.55	1.86	1.71
Percentile 10	1.68	1.50	1.49	1.42	1.47	1.45	1.67	1.77	1.90	1.71	1.58	1.55	1.61	1.76	1.58	1.51	1.68	1.70	1.96	1.89
Percentile 25	1.98	1.75	1.78	1.76	1.70	1.81	1.90	2.13	2.29	2.00	1.76	1.78	1.78	1.96	1.86	1.86	1.91	1.97	2.27	2.32
Percentile 50	2.09	2.08	2.06	2.10	2.02	2.07	2.46	2.61	2.77	2.59	2.01	2.17	2.10	2.30	2.20	2.15	2.26	2.39	2.79	3.09
Percentile 75	2.56	2.33	2.41	2.36	2.47	2.38	2.90	3.07	3.29	3.36	2.28	2.41	2.45	2.59	2.56	2.49	2.56	2.88	3.25	3.68
Percentile 90	3.41	2.59	2.71	2.64	2.77	2.66	3.26	3.56	3.72	3.85	3.08	2.75	2.88	2.97	2.96	2.79	2.97	3.36	3.80	4.14
Percentile 95	3.57	2.85	2.97	2.81	2.93	2.97	3.53	3.88	4.22	4.29	3.29	3.00	3.05	3.21	3.18	3.10	3.13	3.80	4.27	4.35
Percentile 97.5	3.91	3.10	3.07	3.08	3.32	3.19	3.80	4.27	4.55	4.38	3.85	3.16	3.17	3.31	3.20	3.26	3.29	4.09	4.44	4.93

表3-3-26 农村居民血清 LDL-C 百分位数表

单位：mmol/L

	男										女									
	年龄组										年龄组									
	~10	11~12	13~14	15~16	17~18	19~26	27~34	35~44	45~54	55~	~10	11~12	13~14	15~16	17~18	19~26	27~34	35~44	45~54	55~
N	17	108	130	119	194	113	159	169	158	81	35	76	167	146	182	193	189	183	141	77
Mean	1.92	2.07	1.93	1.91	2.12	2.32	2.79	2.84	2.94	2.93	2.17	2.18	2.14	2.28	2.47	2.27	2.45	2.50	2.71	3.12
Missing	0	1	0	0	2	1	5	4	2	1	0	1	1	1	2	2	2	2	1	0
Percentile 2.5	1.27	1.11	1.13	0.98	1.11	1.19	1.78	1.78	1.47	1.58	1.27	1.16	1.22	1.53	1.50	1.42	1.45	1.58	1.66	1.84
Percentile 5	1.27	1.27	1.27	1.16	1.27	1.50	1.89	1.84	1.73	1.87	1.32	1.37	1.34	1.58	1.66	1.55	1.58	1.68	1.76	1.94
Percentile 10	1.27	1.42	1.38	1.32	1.47	1.66	2.10	2.02	1.96	2.01	1.47	1.55	1.55	1.64	1.72	1.66	1.78	1.82	1.94	2.17
Percentile 25	1.71	1.68	1.61	1.63	1.76	1.96	2.38	2.36	2.49	2.40	1.78	1.86	1.87	1.86	2.06	1.91	2.04	2.10	2.23	2.70
Percentile 50	1.87	2.04	1.90	1.90	2.12	2.31	2.71	2.85	2.90	2.94	2.20	2.17	2.14	2.28	2.39	2.28	2.38	2.47	2.68	3.06
Percentile 75	2.23	2.46	2.22	2.25	2.47	2.67	3.15	3.20	3.36	3.43	2.47	2.53	2.43	2.59	2.88	2.55	2.85	2.85	3.09	3.37
Percentile 90	2.41	2.69	2.46	2.43	2.77	3.03	3.60	3.72	3.83	3.88	2.87	2.90	2.74	2.93	3.19	2.94	3.16	3.20	3.45	4.28
Percentile 95	2.48	2.85	2.57	2.65	2.97	3.18	3.95	4.04	4.41	4.30	3.04	3.05	3.00	3.19	3.56	3.14	3.37	3.34	3.94	4.80
Percentile 97.5	2.48	3.04	2.82	2.69	3.04	3.38	4.33	4.26	4.76	4.45	3.26	3.26	3.21	3.33	3.67	3.32	3.70	3.40	4.16	5.23

表 3-3-27 北方居民血清 LDL-C 百分位数表

单位：mmol/L

	男										女									
	年龄组										年龄组									
	~10	11~12	13~14	15~16	17~18	19~26	27~34	35~44	45~54	55~	~10	11~12	13~14	15~16	17~18	19~26	27~34	35~44	45~54	55~
N	16	95	86	100	144	113	119	141	122	71	26	66	96	91	154	182	168	191	122	86
Mean	1.90	1.84	1.82	1.75	1.89	2.00	2.52	2.47	2.83	3.02	2.12	2.05	2.08	2.16	2.21	2.09	2.33	2.34	2.79	3.15
Missing	0	1	0	2	0	2	0	0	0	1	0	1	1	0	0	0	1	0	0	0
Percentile 2.5	1.27	1.11	1.06	0.98	0.88	0.85	1.32	1.53	1.40	1.53	1.27	1.01	1.22	1.45	1.29	1.11	1.35	1.32	1.68	1.84
Percentile 5	1.27	1.19	1.09	1.09	1.11	1.03	1.53	1.55	1.71	1.78	1.32	1.06	1.24	1.47	1.37	1.35	1.47	1.47	1.76	1.86
Percentile 10	1.27	1.29	1.24	1.16	1.32	1.35	1.58	1.68	1.81	2.00	1.45	1.16	1.42	1.60	1.55	1.45	1.66	1.66	1.94	2.04
Percentile 25	1.69	1.50	1.47	1.37	1.63	1.63	1.86	1.97	2.38	2.43	1.63	1.66	1.73	1.78	1.76	1.68	1.94	1.94	2.30	2.59
Percentile 50	1.88	1.77	1.76	1.68	1.85	1.99	2.53	2.43	2.81	3.17	2.06	1.99	2.04	2.15	2.15	2.07	2.28	2.33	2.74	3.16
Percentile 75	2.16	2.15	2.20	2.07	2.17	2.30	3.00	2.87	3.39	3.49	2.41	2.41	2.46	2.51	2.53	2.46	2.69	2.66	3.21	3.72
Percentile 90	2.41	2.53	2.43	2.33	2.41	2.66	3.57	3.26	3.67	3.88	2.87	2.92	2.72	2.85	3.03	2.74	3.05	3.08	3.67	4.19
Percentile 95	2.48	2.77	2.61	2.46	2.69	3.08	3.80	3.52	3.93	4.09	3.26	3.05	2.90	2.97	3.39	3.05	3.39	3.39	4.24	4.47
Percentile 97.5	2.48	2.90	2.97	2.85	2.85	3.26	4.01	3.72	4.42	4.45	3.85	3.26	3.18	3.23	3.57	3.31	3.60	3.75	4.45	4.68

表 3-3-28 南方居民血清 LDL-C 百分位数表

单位：mmol/L

	男										女									
	年龄组										年龄组									
	~10	11~12	13~14	15~16	17~18	19~26	27~34	35~44	45~54	55~	~10	11~12	13~14	15~16	17~18	19~26	27~34	35~44	45~54	55~
N	28	157	194	198	200	176	198	208	207	204	40	144	240	199	201	266	192	247	204	233
Mean	2.30	2.20	2.10	2.13	2.26	2.30	2.68	2.93	2.88	2.69	2.16	2.18	2.18	2.36	2.47	2.30	2.39	2.61	2.77	3.04
Missing	1	1	0	2	2	2	5	7	2	1	1	2	3	2	2	3	2	3	2	0
Percentile 2.5	1.52	1.41	1.31	1.45	1.39	1.50	1.68	1.91	1.78	1.52	1.24	1.32	1.39	1.49	1.40	1.50	1.45	1.63	1.64	1.61
Percentile 5	1.55	1.56	1.42	1.54	1.49	1.55	1.82	2.07	1.90	1.63	1.47	1.55	1.48	1.62	1.63	1.59	1.63	1.73	1.88	1.71
Percentile 10	1.68	1.71	1.59	1.68	1.63	1.80	1.97	2.13	2.07	1.71	1.63	1.65	1.61	1.75	1.81	1.71	1.77	1.86	1.96	1.91
Percentile 25	1.96	1.92	1.81	1.83	1.90	1.98	2.28	2.45	2.41	2.01	1.82	1.89	1.86	2.02	2.13	1.99	2.05	2.15	2.24	2.38
Percentile 50	2.14	2.17	2.07	2.11	2.26	2.26	2.64	2.90	2.79	2.53	2.12	2.18	2.15	2.35	2.40	2.28	2.36	2.58	2.75	3.04
Percentile 75	2.56	2.49	2.38	2.37	2.60	2.60	3.07	3.27	3.24	3.25	2.42	2.43	2.43	2.62	2.88	2.57	2.73	3.02	3.16	3.58
Percentile 90	3.41	2.68	2.60	2.64	2.93	2.94	3.40	3.83	3.91	3.82	3.04	2.75	2.87	3.03	3.15	2.94	3.12	3.35	3.69	4.06
Percentile 95	3.57	2.92	2.88	2.74	3.05	3.14	3.67	4.17	4.41	4.33	3.08	2.92	3.13	3.21	3.26	3.13	3.20	3.69	3.99	4.41
Percentile 97.5	3.91	3.10	3.07	2.90	3.40	3.38	3.96	4.28	4.59	4.38	3.29	3.16	3.24	3.33	3.63	3.26	3.37	4.01	4.28	5.16

表 3-3-29　城市居民血清 TP 百分位数表

单位：g/L

	男										女									
	年龄组										年龄组									
	~10	11~12	13~14	15~16	17~18	19~26	27~34	35~44	45~54	55~	~10	11~12	13~14	15~16	17~18	19~26	27~34	35~44	45~54	55~
N	97	502	381	248	263	341	158	179	171	193	114	472	420	260	361	515	176	256	184	238
Mean	73.42	73.12	73.21	75.52	75.70	76.30	75.46	74.98	76.02	75.24	72.25	73.34	74.00	75.44	76.12	76.42	77.30	75.35	77.02	75.70
Missing	0	12	1	3	6	3	4	7	3	1	1	8	2	2	5	3	5	11	2	3
Percentile 2.5	65.0	64.0	65.0	66.3	68.0	68.0	61.0	62.0	63.0	65.5	63.0	64.8	66.0	68.0	67.0	68.0	61.0	62.0	69.2	66.2
Percentile 5	66.0	66.0	66.0	67.8	69.0	70.0	63.0	63.0	68.0	67.1	64.0	66.0	67.0	68.5	68.0	69.0	65.0	64.0	69.9	67.4
Percentile 10	68.0	67.0	68.0	69.6	70.0	71.0	65.0	67.0	69.8	69.4	66.0	68.0	68.0	70.0	70.0	71.0	69.4	68.0	71.5	70.0
Percentile 25	70.0	70.0	70.0	72.3	72.8	73.0	71.5	72.1	72.9	71.5	68.6	70.1	71.0	71.4	73.0	73.0	73.9	71.8	74.2	72.4
Percentile 50	72.0	73.0	73.0	75.1	75.5	76.0	76.4	75.8	76.0	75.2	72.8	73.0	74.0	75.0	76.1	76.0	77.5	75.8	77.0	75.6
Percentile 75	76.8	76.0	76.0	79.0	79.0	79.0	80.0	78.7	79.2	78.7	75.9	76.1	77.0	78.5	79.2	79.3	81.0	79.3	79.6	78.5
Percentile 90	81.0	79.6	79.0	82.0	82.1	81.3	83.0	81.2	83.0	81.1	78.8	79.0	80.2	81.8	82.0	82.6	84.0	81.5	82.4	82.0
Percentile 95	83.0	81.0	81.5	83.0	84.0	83.1	85.0	84.0	85.8	84.0	80.0	80.5	82.0	83.0	84.0	84.0	88.3	85.0	85.0	83.0
Percentile 97.5	84.0	83.2	84.0	83.3	84.3	86.0	87.0	85.0	86.0	85.0	82.1	82.0	84.0	84.8	85.1	87.0	90.0	86.0	86.0	86.0

表 3-3-30　农村居民血清 TP 百分位数表

单位：g/L

	男										女									
	年龄组										年龄组									
	~10	11~12	13~14	15~16	17~18	19~26	27~34	35~44	45~54	55~	~10	11~12	13~14	15~16	17~18	19~26	27~34	35~44	45~54	55~
N	17	117	250	232	317	123	158	169	158	80	35	86	290	259	310	196	188	183	140	77
Mean	76.27	76.25	74.54	76.32	78.29	78.72	76.37	76.69	75.62	75.37	75.64	77.68	77.23	77.86	78.10	77.98	77.69	77.78	77.08	76.73
Missing	1	1	2	0	1	0	2	0	0	0	0	0	2	1	0	1	1	0	3	1
Percentile 2.5	67.6	67.2	65.0	68.0	69.3	68.4	67.6	66.6	61.6	61.9	65.7	67.8	68.0	70.0	68.0	67.9	65.6	69.0	68.9	68.2
Percentile 5	67.6	68.6	67.0	69.2	70.0	70.6	69.8	68.8	66.2	63.5	66.5	69.0	70.0	70.4	71.0	68.9	69.0	69.7	69.4	69.6
Percentile 10	71.3	69.3	69.0	70.6	72.8	72.0	71.0	70.9	68.5	67.8	68.5	71.0	71.0	72.0	73.0	70.7	71.5	72.0	70.9	70.0
Percentile 25	73.4	73.0	71.8	73.0	75.0	75.4	73.5	73.5	72.2	71.4	73.0	73.8	74.0	75.0	75.0	73.9	74.2	74.0	73.6	73.4
Percentile 50	76.0	76.6	74.0	76.0	78.0	79.0	76.0	77.0	75.9	76.0	77.0	77.9	77.0	77.2	78.0	77.5	78.0	78.0	77.0	77.1
Percentile 75	79.5	80.0	77.1	79.0	82.0	82.4	79.0	79.1	79.0	79.3	79.0	81.0	80.5	80.3	82.0	82.0	81.1	81.0	80.0	80.0
Percentile 90	82.0	82.0	81.0	82.0	84.7	84.0	83.0	83.0	82.9	82.0	80.0	84.0	84.0	84.0	84.0	85.0	84.0	84.0	84.0	83.0
Percentile 95	86.0	83.0	82.0	84.0	86.0	86.0	84.0	84.2	84.0	84.0	81.0	87.0	85.1	85.0	86.0	86.8	86.0	86.0	86.0	85.0
Percentile 97.5	86.0	85.6	84.0	85.2	87.0	86.0	86.0	86.2	87.0	87.5	83.0	87.0	86.0	86.0	86.3	88.0	87.4	88.0	88.0	86.0

表 3-3-31　北方居民血清 TP 百分位数表

单位：g/L

	男										女									
	年龄组										年龄组									
	~10	11~12	13~14	15~16	17~18	19~26	27~34	35~44	45~54	55~	~10	11~12	13~14	15~16	17~18	19~26	27~34	35~44	45~54	55~
N	86	462	437	284	380	288	120	141	122	71	109	415	470	320	471	446	173	191	122	86
Mean	73.66	73.52	73.22	75.73	77.04	77.12	76.79	76.27	78.13	79.71	73.04	73.67	74.60	76.44	77.06	77.59	79.56	77.59	78.92	79.98
Missing	1	13	3	3	5	3	5	7	3	1	1	8	4	2	3	4	6	10	2	3
Percentile 2.5	65.0	64.0	65.0	67.0	69.0	68.0	61.0	62.0	62.0	70.0	63.0	64.0	65.0	68.0	67.0	68.0	61.0	61.0	70.0	72.0
Percentile 5	66.0	66.0	66.0	69.0	70.0	70.0	61.0	63.0	66.0	71.0	64.0	66.0	67.0	69.0	69.0	70.0	63.0	62.0	71.5	74.0
Percentile 10	68.0	67.0	68.0	70.0	70.0	71.0	63.0	66.0	71.0	74.0	66.0	68.0	68.0	70.0	70.0	72.0	72.0	68.0	73.0	75.0
Percentile 25	70.0	70.0	70.0	72.0	73.0	74.0	75.0	74.0	75.0	77.0	69.0	70.0	71.0	73.0	73.0	74.0	77.0	75.0	76.0	77.0
Percentile 50	72.0	73.0	73.0	75.0	76.0	77.0	79.0	77.5	79.0	80.0	73.0	73.0	74.0	76.0	77.0	77.0	80.0	79.0	79.0	79.0
Percentile 75	77.0	77.0	76.0	79.0	81.0	80.0	82.0	80.0	83.0	83.0	77.0	77.0	78.0	80.0	81.0	81.0	84.0	82.0	82.0	83.0
Percentile 90	81.0	81.0	79.0	82.0	84.0	84.0	85.0	83.0	85.0	85.5	80.0	81.0	82.0	84.0	84.0	84.0	86.0	85.0	85.5	86.0
Percentile 95	83.0	82.0	81.0	84.0	86.0	86.0	86.0	85.0	86.0	88.0	80.0	83.0	84.0	85.0	85.0	86.0	89.0	86.0	86.5	87.0
Percentile 97.5	84.0	84.0	84.0	84.0	87.0	86.0	87.0	87.0	88.0	90.0	83.0	84.0	86.0	86.0	86.0	88.0	90.0	88.0	88.0	87.0

表 3-3-32　南方居民血清 TP 百分位数表

单位：g/L

	男										女									
	年龄组										年龄组									
	~10	11~12	13~14	15~16	17~18	19~26	27~34	35~44	45~54	55~	~10	11~12	13~14	15~16	17~18	19~26	27~34	35~44	45~54	55~
N	28	157	194	196	200	176	196	207	207	202	40	143	240	199	200	265	191	248	202	229
Mean	74.34	74.29	74.87	76.15	77.30	76.68	75.40	75.54	74.50	73.74	73.10	75.01	76.71	76.99	76.98	75.62	75.71	75.51	75.92	74.48
Missing	0	0	0	0	2	0	1	0	0	0	0	0	0	1	2	0	0	1	3	1
Percentile 2.5	65.3	65.8	66.3	66.8	69.0	69.0	67.0	66.1	65.4	63.9	65.1	67.6	68.5	68.5	64.9	67.9	66.2	67.7	68.8	66.2
Percentile 5	67.6	67.8	68.0	68.0	69.7	70.0	68.9	67.4	67.2	65.6	66.1	68.7	70.9	69.7	68.0	68.7	68.3	69.0	69.2	67.4
Percentile 10	69.6	69.1	69.8	70.8	71.5	71.0	70.0	69.8	68.5	67.7	66.9	70.1	71.9	70.8	71.5	70.3	70.4	70.0	70.5	69.6
Percentile 25	71.3	71.4	72.2	73.3	74.4	74.2	72.3	72.6	71.6	70.7	68.6	72.9	74.3	74.4	74.4	72.2	72.8	72.5	72.9	71.5
Percentile 50	73.8	74.0	74.7	76.4	77.1	76.8	75.2	75.6	74.6	73.9	74.2	75.0	76.7	77.1	77.3	75.5	75.6	75.4	76.1	74.9
Percentile 75	76.0	77.0	77.2	78.8	80.6	79.6	78.5	78.4	77.5	77.1	77.4	78.0	79.1	79.8	80.3	78.6	78.4	78.7	78.8	78.0
Percentile 90	82.4	79.6	80.2	81.8	83.4	81.6	80.7	81.2	80.5	79.1	79.0	79.5	82.1	82.3	82.0	81.4	81.4	80.6	80.6	80.0
Percentile 95	83.0	81.2	82.7	83.3	84.4	82.7	82.4	83.9	82.1	80.0	80.0	80.5	83.6	83.6	83.2	83.0	82.6	81.5	83.2	81.4
Percentile 97.5	84.5	84.0	84.1	84.9	86.3	83.6	84.0	85.3	83.6	80.9	81.4	81.9	84.5	84.8	85.1	86.5	83.7	84.4	84.5	82.2

表 3-3-33 城市居民血清 ALB 百分位数表

单位：g/L

	男										女									
	年龄组										年龄组									
	~10	11~12	13~14	15~16	17~18	19~26	27~34	35~44	45~54	55~	~10	11~12	13~14	15~16	17~18	19~26	27~34	35~44	45~54	55~
N	97	502	381	248	263	340	158	179	171	193	114	472	420	260	361	514	176	256	184	238
Mean	45.24	45.03	46.06	47.40	47.34	47.91	47.00	45.78	46.42	45.43	44.62	45.04	46.04	46.27	46.59	47.08	46.88	44.31	46.01	45.31
Missing	1	11	1	2	1	4	11	12	7	2	1	9	4	1	2	6	10	10	4	4
Percentile 2.5	42.00	41.00	42.00	43.00	41.20	42.70	32.00	33.00	40.80	39.50	41.00	41.00	41.00	42.00	41.40	42.50	39.00	31.00	42.00	39.40
Percentile 5	42.00	42.00	43.00	43.00	43.00	43.40	33.00	34.00	42.00	40.80	41.90	42.00	42.00	42.70	42.90	43.10	41.70	32.00	42.25	40.00
Percentile 10	43.00	42.40	43.00	44.00	44.00	44.50	43.00	41.00	43.20	41.80	42.00	43.00	43.00	43.20	43.00	44.00	43.10	37.30	43.35	41.50
Percentile 25	44.00	43.80	44.00	45.70	46.00	46.00	45.80	44.00	44.80	43.70	43.00	44.00	44.00	44.60	45.00	45.40	45.00	43.00	44.45	43.40
Percentile 50	45.00	45.00	46.00	47.20	47.25	48.00	47.80	46.40	46.30	45.30	44.90	45.00	46.00	46.00	46.80	47.00	47.00	45.00	45.95	45.20
Percentile 75	46.50	46.00	47.50	49.20	49.00	50.00	49.80	49.00	48.50	47.20	46.00	46.00	47.60	48.00	48.20	49.00	49.00	47.10	47.60	47.10
Percentile 90	48.10	48.00	49.60	50.80	50.00	51.00	52.00	50.60	49.60	49.00	47.00	47.90	49.70	49.40	50.00	50.00	51.00	49.00	48.80	49.00
Percentile 95	49.00	49.10	50.35	51.50	51.00	52.00	53.00	51.00	50.10	50.00	47.90	48.80	51.00	50.00	51.00	51.00	52.10	50.00	49.55	50.00
Percentile 97.5	50.50	51.00	51.80	51.90	52.50	53.00	54.10	53.00	52.00	51.00	48.00	50.40	52.00	51.30	52.00	52.00	53.00	50.20	50.60	51.50

表 3-3-34 农村居民血清 ALB 百分位数表

单位：g/L

	男										女									
	年龄组										年龄组									
	~10	11~12	13~14	15~16	17~18	19~26	27~34	35~44	45~54	55~	~10	11~12	13~14	15~16	17~18	19~26	27~34	35~44	45~54	55~
N	17	117	250	232	317	123	158	169	158	80	35	86	290	259	310	196	188	183	140	77
Mean	46.27	46.46	45.77	46.59	47.22	48.47	47.49	46.96	45.64	44.63	45.94	46.64	46.35	46.43	46.09	46.69	46.15	45.37	44.71	44.59
Missing	0	0	3	1	1	0	1	0	0	1	0	0	2	3	0	1	1	0	3	0
Percentile 2.5	41.70	42.40	40.00	40.00	42.00	42.00	42.40	42.00	40.30	36.60	41.50	42.00	41.00	41.00	41.00	41.40	39.00	40.40	39.00	38.60
Percentile 5	41.70	43.00	41.00	42.00	42.00	43.00	43.10	43.00	40.70	36.70	42.80	43.00	42.00	42.00	42.00	42.00	41.00	41.00	39.80	40.30
Percentile 10	44.10	43.80	42.00	43.00	43.00	45.00	44.30	43.70	41.90	41.00	43.00	44.00	43.00	43.00	42.35	43.30	42.60	42.00	42.00	41.80
Percentile 25	45.00	45.00	44.00	44.10	45.00	47.00	46.00	45.20	43.60	43.00	45.00	45.00	44.00	44.00	44.00	45.00	44.70	44.00	43.30	43.00
Percentile 50	46.00	46.00	46.00	46.20	47.00	48.30	47.60	47.00	45.85	44.40	46.00	46.90	46.85	46.00	46.00	46.80	46.00	45.20	44.90	44.00
Percentile 75	47.00	47.90	47.80	49.00	49.50	50.40	49.00	48.60	47.10	47.00	47.00	48.00	48.20	48.05	48.00	48.00	48.00	47.00	46.10	46.80
Percentile 90	48.00	50.00	49.00	50.00	51.00	52.00	50.60	50.80	49.80	49.00	48.00	49.00	50.00	50.50	50.00	50.20	50.00	48.00	47.50	48.10
Percentile 95	51.00	50.00	50.00	51.00	52.00	53.00	51.70	52.00	51.00	50.00	48.00	50.00	51.00	51.00	50.70	51.00	51.00	49.00	49.00	49.00
Percentile 97.5	51.00	51.00	50.60	52.00	52.10	53.00	53.00	52.00	52.00	52.00	49.00	51.00	52.00	51.90	51.00	52.00	52.00	51.00	50.00	50.00

表3－3－35　北方居民血清 ALB 百分位数表

单位：g/L

	男										女									
	年龄组										年龄组									
	~10	11~12	13~14	15~16	17~18	19~26	27~34	35~44	45~54	55~	~10	11~12	13~14	15~16	17~18	19~26	27~34	35~44	45~54	55~
N	86	462	437	284	380	287	120	141	122	71	109	415	470	320	471	445	173	191	122	86
Mean	45.08	45.05	45.37	46.33	46.74	48.23	47.18	45.92	46.88	46.71	44.85	44.93	45.34	45.79	46.10	47.46	47.07	44.33	45.53	46.22
Missing	1	11	2	3	2	4	12	12	7	2	1	9	6	4	2	7	11	9	4	4
Percentile 2.5	42.00	41.00	40.00	42.00	42.00	42.00	32.00	33.00	38.00	41.00	41.00	41.00	41.00	41.00	41.00	42.00	39.00	31.00	39.00	40.00
Percentile 5	42.00	42.00	42.00	42.00	42.00	43.00	33.00	34.00	42.00	42.00	42.00	42.00	42.00	42.00	42.00	43.00	40.00	32.00	41.00	42.00
Percentile 10	43.00	42.00	43.00	43.00	43.00	45.00	36.00	36.00	43.00	43.00	42.00	42.00	42.00	43.00	43.00	44.00	43.00	35.00	42.00	43.00
Percentile 25	44.00	44.00	44.00	44.00	45.00	47.00	46.00	45.00	45.00	44.00	43.00	44.00	43.00	44.00	44.00	46.00	45.00	43.00	44.00	44.00
Percentile 50	45.00	45.00	45.00	46.00	47.00	48.00	48.00	47.00	47.00	47.00	45.00	45.00	45.00	46.00	46.00	47.00	47.00	46.00	46.00	46.50
Percentile 75	46.00	46.00	47.00	48.00	49.00	50.00	50.00	49.00	49.00	49.00	46.00	46.00	47.00	47.00	48.00	49.00	49.00	48.00	47.00	48.00
Percentile 90	48.00	48.00	48.00	50.00	50.00	51.00	53.00	51.00	51.00	50.00	47.00	48.00	49.00	50.00	50.00	51.00	51.00	49.00	49.00	50.00
Percentile 95	49.00	50.00	50.00	51.00	51.00	52.00	54.00	52.00	52.00	51.00	48.00	49.00	50.00	51.00	51.00	52.00	52.00	50.00	50.00	51.00
Percentile 97.5	49.00	51.00	51.00	52.00	52.00	53.00	55.00	53.00	53.00	52.00	48.00	50.00	52.00	52.00	52.00	52.00	53.00	50.00	51.00	52.00

表3－3－36　南方居民血清 ALB 百分位数表

单位：g/L

	男										女									
	年龄组										年龄组									
	~10	11~12	13~14	15~16	17~18	19~26	27~34	35~44	45~54	55~	~10	11~12	13~14	15~16	17~18	19~26	27~34	35~44	45~54	55~
N	28	157	194	196	200	176	196	207	207	202	40	143	240	199	200	265	191	248	202	229
Mean	46.34	46.03	47.23	47.97	48.29	47.78	47.30	46.65	45.57	44.67	45.16	46.30	47.76	47.24	46.98	46.17	46.00	45.08	45.41	44.74
Missing	0	0	2	0	0	0	0	0	0	1	0	0	0	0	0	0	0	1	3	0
Percentile 2.5	41.70	42.30	42.60	43.80	43.15	43.40	42.40	42.00	40.50	38.90	41.40	42.60	43.35	42.10	41.15	42.10	40.50	40.50	41.50	39.10
Percentile 5	43.80	42.60	43.10	44.70	44.05	43.80	43.10	42.30	41.10	39.90	41.70	43.10	44.00	43.30	42.75	42.60	41.70	41.30	41.60	39.90
Percentile 10	43.80	43.20	44.60	45.00	45.20	44.40	44.10	43.10	42.00	41.20	42.75	43.70	44.95	44.00	43.60	43.30	42.60	41.90	42.50	41.20
Percentile 25	44.80	44.40	45.75	46.70	46.95	46.00	45.60	44.60	43.90	43.10	43.95	44.70	46.45	45.90	45.60	44.70	44.40	43.50	43.90	43.00
Percentile 50	46.25	45.70	47.40	48.00	48.45	47.80	47.60	46.70	45.60	44.80	45.30	46.40	47.65	47.40	47.25	46.20	45.90	44.90	45.40	44.80
Percentile 75	47.20	47.60	48.85	49.55	49.75	49.40	49.10	48.50	47.10	46.40	46.45	47.60	49.30	48.80	48.75	47.50	47.80	46.70	46.90	46.70
Percentile 90	50.30	49.10	49.90	50.60	51.05	51.50	50.50	50.60	49.20	48.00	47.30	48.90	50.60	50.00	49.95	48.90	49.20	48.60	48.20	48.00
Percentile 95	50.50	49.80	50.80	51.50	51.90	52.10	51.00	51.80	49.90	49.20	47.85	50.20	51.25	51.30	50.55	50.00	50.00	49.50	49.00	49.20
Percentile 97.5	51.10	51.00	51.80	51.90	52.75	52.80	51.70	52.30	50.20	49.90	48.55	51.10	52.25	51.80	51.00	50.40	52.10	50.30	49.40	50.00

表 3-3-37 城市居民血清 GLB 百分位数表

单位：g/L

	男										女									
	年龄组										年龄组									
	~10	11~12	13~14	15~16	17~18	19~26	27~34	35~44	45~54	55~	~10	11~12	13~14	15~16	17~18	19~26	27~34	35~44	45~54	55~
N	97	502	381	248	263	341	158	179	171	193	114	473	420	260	361	515	176	256	184	238
Mean	28.09	27.92	27.13	28.11	28.18	28.42	28.80	29.30	29.74	29.82	27.63	28.16	27.93	29.18	29.50	29.34	30.43	30.67	30.97	30.31
Missing	0	2	2	0	1	3	1	2	2	2	1	3	1	1	2	2	1	4	1	2
Percentile 2.5	21.00	20.00	21.00	22.00	21.00	22.00	19.00	19.50	21.90	22.80	19.00	21.00	21.00	23.30	23.00	23.00	20.00	21.00	23.70	23.30
Percentile 5	22.30	21.00	22.00	22.30	22.90	23.00	22.00	20.80	22.30	23.70	20.00	22.00	22.00	24.00	24.00	23.80	24.00	24.50	24.80	24.30
Percentile 10	23.00	23.00	23.00	23.00	23.70	24.00	23.60	24.70	24.00	24.80	21.90	24.00	23.00	25.00	25.00	25.00	25.30	25.40	26.00	25.20
Percentile 25	25.00	25.00	24.90	25.80	25.70	26.00	25.70	27.00	27.20	27.00	25.00	25.60	25.00	27.00	27.00	27.00	27.10	27.70	28.40	27.60
Percentile 50	27.00	28.00	27.00	28.00	28.00	28.00	29.00	30.00	29.60	29.70	28.00	28.00	28.00	29.00	29.20	29.00	30.00	31.00	31.00	30.00
Percentile 75	31.30	31.00	29.00	30.70	30.40	31.00	32.00	32.00	33.30	32.60	31.00	31.00	30.00	31.00	31.90	32.00	34.00	33.70	33.70	32.95
Percentile 90	34.00	33.00	32.00	33.00	33.10	33.00	34.00	34.10	35.00	35.00	32.80	33.00	32.60	34.10	34.00	34.00	36.00	35.70	36.00	34.90
Percentile 95	36.10	34.40	33.00	34.10	34.70	35.00	35.60	35.00	36.00	36.10	34.00	34.40	34.00	35.50	35.50	35.70	37.80	37.50	38.00	36.30
Percentile 97.5	37.00	36.00	34.00	35.00	35.00	36.00	36.00	36.00	37.00	37.10	35.60	36.00	35.00	36.00	36.20	37.00	38.00	38.10	39.40	39.00

表 3-3-38 农村居民血清 GLB 百分位数表

单位：g/L

	男										女									
	年龄组										年龄组									
	~10	11~12	13~14	15~16	17~18	19~26	27~34	35~44	45~54	55~	~10	11~12	13~14	15~16	17~18	19~26	27~34	35~44	45~54	55~
N	21	137	250	232	317	123	158	169	158	80	37	105	290	259	310	196	188	183	140	77
Mean	30.81	29.83	28.69	29.77	30.96	30.25	28.67	29.73	29.97	30.60	29.69	31.04	31.01	31.39	31.97	31.23	31.47	32.41	32.01	32.18
Missing	4	21	5	0	4	0	2	0	0	1	2	19	1	0	1	2	0	0	1	1
Percentile 2.5	22.20	23.20	23.00	23.00	25.00	23.00	22.30	23.50	22.60	23.70	21.20	24.00	24.60	25.20	25.00	24.20	23.50	25.00	24.00	26.00
Percentile 5	22.20	23.70	23.90	24.00	25.60	23.80	23.60	24.40	24.00	24.80	22.80	25.00	25.80	26.10	26.00	24.90	25.20	26.40	25.10	26.50
Percentile 10	24.80	24.40	24.70	25.40	26.80	25.00	25.00	25.20	25.00	25.60	23.80	26.20	27.00	27.00	27.50	26.00	26.60	27.90	27.00	27.70
Percentile 25	27.00	27.05	26.50	27.00	28.40	28.00	26.50	27.30	27.60	27.40	27.60	28.00	28.80	29.00	30.00	28.00	29.00	29.40	29.60	29.95
Percentile 50	31.00	30.00	28.60	30.00	31.00	31.00	28.15	29.40	29.90	30.40	31.00	31.00	31.00	31.00	32.00	31.10	31.30	32.00	32.00	32.85
Percentile 75	32.00	32.40	31.00	32.00	33.00	33.00	31.00	32.00	32.00	33.00	32.00	34.00	33.00	34.00	34.60	34.30	34.00	35.00	35.00	34.00
Percentile 90	38.00	34.60	33.00	34.00	36.00	35.00	33.00	34.10	35.00	36.00	33.00	36.00	35.30	36.00	36.00	36.00	36.00	37.00	37.00	36.90
Percentile 95	39.00	35.00	34.20	36.00	37.00	36.00	34.00	36.00	38.00	37.00	34.00	37.00	37.00	37.00	37.00	37.20	38.00	39.00	38.00	38.00
Percentile 97.5	39.00	37.00	35.30	37.00	38.00	37.00	35.00	38.00	41.00	41.00	34.00	38.00	38.00	38.00	38.00	38.00	39.00	40.00	43.00	39.00

表 3-3-39 北方居民血清 GLB 百分位数表

单位：g/L

	男										女									
	年龄组										年龄组									
	~10	11~12	13~14	15~16	17~18	19~26	27~34	35~44	45~54	55~	~10	11~12	13~14	15~16	17~18	19~26	27~34	35~44	45~54	55~
N	90	482	437	284	380	288	120	141	122	71	111	434	470	320	471	446	173	191	122	86
Mean	28.66	28.29	27.80	29.42	30.07	28.93	30.07	30.44	31.44	32.69	28.19	28.57	29.31	30.63	30.96	30.15	32.37	32.75	33.18	33.50
Missing	4	23	6	0	5	3	0	2	2	3	3	21	2	0	2	3	1	3	2	2
Percentile 2.5	22.00	20.00	21.00	22.00	23.00	22.00	18.00	20.00	22.00	27.00	19.00	21.00	22.00	24.00	24.00	23.00	18.00	19.00	26.00	28.00
Percentile 5	23.00	22.00	22.00	24.00	24.00	23.00	19.50	22.00	24.00	28.00	20.00	22.00	23.00	25.00	25.00	24.00	24.00	25.00	27.00	29.00
Percentile 10	24.00	23.00	23.00	25.00	25.00	24.00	25.50	26.00	25.50	28.00	22.00	24.00	24.00	26.00	26.00	25.00	28.00	28.00	29.00	29.00
Percentile 25	25.00	25.00	25.00	27.00	27.00	26.00	28.00	29.00	29.00	30.00	25.00	26.00	27.00	28.00	28.00	27.00	31.00	30.50	30.00	31.00
Percentile 50	28.00	28.00	28.00	29.00	30.00	29.00	31.00	31.00	31.00	33.00	29.00	28.00	29.00	30.00	31.00	30.00	33.00	33.00	33.00	33.00
Percentile 75	32.00	31.00	30.00	32.00	33.00	31.00	33.00	33.00	34.00	35.00	31.00	31.00	32.00	33.00	34.00	33.00	35.00	36.00	36.00	36.00
Percentile 90	34.00	33.00	32.00	34.00	35.00	34.00	35.00	35.00	36.00	37.00	33.00	34.00	35.00	35.00	36.00	35.00	37.00	38.00	38.00	38.00
Percentile 95	36.00	35.00	33.00	35.00	36.00	36.00	36.00	37.00	38.50	38.00	34.00	36.00	36.00	36.00	37.00	37.00	38.00	39.00	39.50	40.00
Percentile 97.5	38.00	36.00	34.00	37.00	37.00	36.00	38.00	38.00	40.50	41.00	34.00	37.00	37.00	38.00	38.00	38.00	39.00	40.00	42.50	41.00

表 3-3-40 南方居民血清 GLB 百分位数表

单位：g/L

	男										女									
	年龄组										年龄组									
	~10	11~12	13~14	15~16	17~18	19~26	27~34	35~44	45~54	55~	~10	11~12	13~14	15~16	17~18	19~26	27~34	35~44	45~54	55~
N	28	157	194	196	200	176	196	207	207	202	40	144	240	199	200	265	191	248	202	229
Mean	28.00	28.26	27.62	28.18	29.00	28.89	27.90	28.89	28.93	29.16	27.94	28.72	28.95	29.72	29.89	29.38	29.71	30.38	30.37	29.76
Missing	0	0	1	0	0	0	3	0	0	0	0	1	0	1	1	1	0	1	0	1
Percentile 2.5	19.40	20.80	22.00	22.00	22.50	22.10	22.40	22.00	22.00	23.20	20.70	22.80	22.50	23.90	22.00	23.80	23.50	24.50	23.60	23.30
Percentile 5	22.20	22.50	22.70	22.50	23.60	23.00	23.00	23.70	22.70	23.70	21.00	23.30	23.80	24.40	24.50	24.30	24.70	25.00	24.50	24.30
Percentile 10	22.30	23.70	23.50	23.30	24.90	24.00	24.00	24.70	24.10	24.50	21.50	24.60	24.70	25.80	25.70	25.00	25.80	25.60	25.60	25.10
Percentile 25	24.05	25.90	25.20	25.80	26.65	26.55	25.50	26.50	26.30	26.10	23.90	26.30	26.90	27.70	27.60	26.70	27.00	27.70	27.80	27.40
Percentile 50	27.40	28.10	27.40	28.20	28.80	28.70	27.70	28.70	28.70	29.30	29.00	28.40	28.90	29.50	30.40	28.90	29.20	30.20	30.10	29.60
Percentile 75	31.05	30.40	29.80	30.65	31.10	31.25	30.30	31.50	31.30	31.60	31.70	31.50	31.00	31.80	32.10	31.75	32.10	32.90	33.00	32.50
Percentile 90	36.10	33.30	32.40	32.80	34.05	33.80	32.40	34.00	33.90	34.00	32.80	33.40	33.05	34.20	33.90	34.40	34.90	34.80	34.90	34.30
Percentile 95	36.80	34.70	34.20	34.00	35.60	35.00	33.70	34.80	35.00	35.00	33.30	33.90	34.60	35.20	34.90	35.20	36.10	36.20	36.50	35.20
Percentile 97.5	38.60	36.40	35.00	35.00	38.25	35.70	34.80	35.20	36.60	36.10	34.45	34.40	35.25	36.50	35.70	36.70	37.80	37.60	38.50	35.70

表3-3-41 城市居民 A/G 比值百分位数表

	男										女									
	年龄组										年龄组									
	~10	11~12	13~14	15~16	17~18	19~26	27~34	35~44	45~54	55~	~10	11~12	13~14	15~16	17~18	19~26	27~34	35~44	45~54	55~
N	97	502	381	248	263	341	158	179	171	193	114	473	420	260	361	515	176	256	184	238
Mean	1.65	1.63	1.72	1.71	1.70	1.71	1.61	1.57	1.57	1.54	1.64	1.62	1.67	1.60	1.60	1.63	1.52	1.46	1.50	1.52
Missing	0	2	2	0	1	5	1	2	2	3	1	5	6	3	4	6	1	2	1	3
Percentile 2.5	1.19	1.26	1.33	1.34	1.31	1.26	0.97	0.94	1.12	1.14	1.26	1.23	1.28	1.26	1.23	1.24	1.03	0.91	1.12	1.15
Percentile 5	1.26	1.29	1.39	1.35	1.38	1.33	1.03	1.03	1.23	1.22	1.29	1.29	1.31	1.31	1.31	1.29	1.13	1.00	1.19	1.19
Percentile 10	1.32	1.35	1.44	1.44	1.41	1.42	1.10	1.25	1.28	1.27	1.35	1.34	1.40	1.36	1.36	1.35	1.23	1.15	1.24	1.28
Percentile 25	1.43	1.47	1.56	1.55	1.55	1.54	1.43	1.39	1.39	1.38	1.44	1.46	1.52	1.47	1.47	1.47	1.37	1.31	1.36	1.38
Percentile 50	1.67	1.61	1.68	1.69	1.68	1.71	1.63	1.56	1.55	1.53	1.61	1.61	1.65	1.61	1.58	1.62	1.53	1.45	1.50	1.50
Percentile 75	1.80	1.77	1.88	1.84	1.85	1.85	1.84	1.76	1.73	1.67	1.78	1.76	1.81	1.72	1.71	1.77	1.68	1.62	1.62	1.65
Percentile 90	2.00	1.96	2.00	1.99	2.00	2.04	1.96	1.94	1.96	1.83	2.05	1.90	2.00	1.83	1.85	1.89	1.81	1.79	1.79	1.80
Percentile 95	2.10	2.07	2.14	2.07	2.04	2.13	2.08	2.03	2.07	1.92	2.24	2.00	2.05	1.91	1.92	2.00	1.88	1.87	1.91	1.89
Percentile 97.5	2.24	2.16	2.20	2.14	2.12	2.23	2.14	2.11	2.12	2.00	2.32	2.12	2.10	1.96	2.00	2.13	1.91	1.94	1.96	1.94

表3-3-42 农村居民 A/G 比值百分位数表

	男										女									
	年龄组										年龄组									
	~10	11~12	13~14	15~16	17~18	19~26	27~34	35~44	45~54	55~	~10	11~12	13~14	15~16	17~18	19~26	27~34	35~44	45~54	55~
N	21	137	250	232	317	123	158	169	158	80	37	105	290	259	310	196	188	183	140	77
Mean	1.53	1.58	1.61	1.59	1.54	1.63	1.67	1.60	1.55	1.48	1.57	1.52	1.51	1.50	1.46	1.52	1.48	1.42	1.41	1.38
Missing	4	20	3	1	0	0	1	0	0	1	2	19	1	1	2	2	1	1	0	1
Percentile 2.5	1.26	1.24	1.22	1.19	1.16	1.29	1.25	1.23	1.08	1.11	1.33	1.20	1.16	1.17	1.17	1.22	1.18	1.12	1.02	1.10
Percentile 5	1.26	1.31	1.32	1.24	1.21	1.33	1.35	1.29	1.18	1.20	1.35	1.26	1.23	1.21	1.20	1.24	1.21	1.18	1.10	1.15
Percentile 10	1.28	1.34	1.37	1.33	1.28	1.35	1.44	1.37	1.31	1.26	1.39	1.32	1.29	1.26	1.24	1.29	1.25	1.19	1.17	1.18
Percentile 25	1.35	1.43	1.46	1.45	1.41	1.44	1.53	1.46	1.43	1.36	1.44	1.40	1.39	1.37	1.33	1.38	1.34	1.29	1.29	1.28
Percentile 50	1.48	1.55	1.60	1.57	1.53	1.61	1.66	1.58	1.55	1.46	1.52	1.49	1.50	1.49	1.44	1.50	1.45	1.38	1.40	1.38
Percentile 75	1.68	1.72	1.76	1.70	1.68	1.77	1.81	1.74	1.68	1.60	1.63	1.64	1.62	1.60	1.56	1.63	1.61	1.55	1.53	1.50
Percentile 90	1.88	1.84	1.88	1.88	1.81	1.92	1.92	1.87	1.79	1.69	1.88	1.76	1.74	1.75	1.71	1.82	1.74	1.63	1.65	1.59
Percentile 95	2.05	1.90	1.95	1.96	1.90	2.04	2.04	1.96	1.84	1.74	1.94	1.81	1.80	1.82	1.79	1.88	1.81	1.76	1.76	1.64
Percentile 97.5	2.05	2.00	2.03	2.09	2.00	2.04	2.16	1.99	1.95	1.86	2.14	1.95	1.90	1.85	1.87	1.89	1.86	1.81	1.82	1.72

表 3-3-43 北方居民 A/G 比值百分位数表

	男										女									
	年龄组										年龄组									
	~10	11~12	13~14	15~16	17~18	19~26	27~34	35~44	45~54	55~	~10	11~12	13~14	15~16	17~18	19~26	27~34	35~44	45~54	55~
N	90	482	437	284	380	288	120	141	122	71	111	434	470	320	471	446	173	191	122	86
Mean	1.61	1.61	1.65	1.59	1.57	1.69	1.53	1.50	1.49	1.44	1.61	1.59	1.57	1.52	1.51	1.60	1.43	1.36	1.39	1.41
Missing	4	22	3	0	1	5	0	2	1	1	3	23	5	2	5	7	0	0	0	2
Percentile 2.5	1.26	1.26	1.27	1.22	1.18	1.31	0.94	0.92	1.02	1.05	1.26	1.20	1.18	1.20	1.19	1.23	1.03	0.88	1.02	1.12
Percentile 5	1.26	1.29	1.33	1.26	1.22	1.33	1.02	0.97	1.08	1.17	1.33	1.26	1.26	1.24	1.22	1.27	1.13	0.97	1.08	1.15
Percentile 10	1.31	1.35	1.41	1.34	1.31	1.39	1.10	1.13	1.22	1.22	1.35	1.33	1.31	1.28	1.27	1.32	1.21	1.10	1.16	1.17
Percentile 25	1.42	1.44	1.48	1.45	1.42	1.52	1.38	1.38	1.36	1.33	1.45	1.45	1.42	1.38	1.37	1.42	1.31	1.24	1.24	1.30
Percentile 50	1.63	1.59	1.62	1.58	1.55	1.69	1.56	1.52	1.50	1.42	1.58	1.58	1.54	1.50	1.49	1.57	1.43	1.34	1.38	1.43
Percentile 75	1.76	1.75	1.80	1.72	1.72	1.84	1.71	1.64	1.63	1.57	1.74	1.73	1.70	1.64	1.64	1.77	1.53	1.50	1.52	1.51
Percentile 90	1.88	1.95	1.92	1.88	1.88	2.00	1.89	1.82	1.76	1.64	1.92	1.88	1.88	1.76	1.78	1.88	1.67	1.67	1.60	1.59
Percentile 95	2.00	2.04	2.04	1.92	2.00	2.09	2.04	1.88	1.80	1.69	2.05	2.00	2.00	1.83	1.87	2.00	1.78	1.78	1.72	1.66
Percentile 97.5	2.04	2.16	2.18	2.04	2.04	2.17	2.15	1.89	1.96	1.74	2.32	2.05	2.09	1.88	1.92	2.13	1.82	1.84	1.81	1.71

表 3-3-44 南方居民 A/G 比值百分位数表

	男										女									
	年龄组										年龄组									
	~10	11~12	13~14	15~16	17~18	19~26	27~34	35~44	45~54	55~	~10	11~12	13~14	15~16	17~18	19~26	27~34	35~44	45~54	55~
N	28	157	194	196	200	176	196	207	207	202	40	144	240	199	200	265	191	248	202	229
Mean	1.71	1.66	1.73	1.73	1.69	1.68	1.71	1.64	1.60	1.55	1.66	1.63	1.66	1.61	1.59	1.59	1.56	1.50	1.51	1.52
Missing	0	0	2	1	0	0	2	0	1	3	0	1	2	2	1	1	2	3	1	2
Percentile 2.5	1.19	1.27	1.34	1.32	1.27	1.26	1.27	1.28	1.22	1.19	1.30	1.29	1.31	1.25	1.29	1.24	1.19	1.14	1.15	1.17
Percentile 5	1.22	1.29	1.38	1.41	1.35	1.30	1.36	1.32	1.26	1.22	1.32	1.34	1.35	1.34	1.34	1.28	1.23	1.18	1.19	1.23
Percentile 10	1.26	1.36	1.46	1.45	1.41	1.37	1.45	1.36	1.32	1.29	1.36	1.38	1.45	1.38	1.40	1.34	1.28	1.25	1.28	1.26
Percentile 25	1.46	1.49	1.59	1.57	1.57	1.51	1.56	1.46	1.43	1.40	1.43	1.45	1.53	1.49	1.45	1.47	1.42	1.35	1.37	1.36
Percentile 50	1.68	1.63	1.72	1.70	1.68	1.68	1.71	1.62	1.58	1.54	1.57	1.62	1.65	1.60	1.57	1.59	1.57	1.50	1.49	1.50
Percentile 75	1.97	1.81	1.86	1.89	1.82	1.84	1.86	1.81	1.74	1.68	1.85	1.78	1.77	1.72	1.70	1.71	1.71	1.62	1.63	1.65
Percentile 90	2.24	2.01	2.03	2.04	1.95	2.04	1.95	1.97	1.91	1.84	2.13	1.92	1.96	1.83	1.82	1.86	1.82	1.78	1.79	1.80
Percentile 95	2.26	2.09	2.10	2.12	2.04	2.13	2.05	2.02	2.02	1.92	2.23	2.01	2.03	1.90	1.90	1.89	1.88	1.86	1.87	1.89
Percentile 97.5	2.37	2.16	2.19	2.15	2.11	2.20	2.14	2.04	2.09	2.00	2.26	2.12	2.08	2.00	1.98	2.01	1.95	1.94	1.93	1.94

表 3－3－45　城市居民血清 Ca 百分位数表

单位：　mmol/L

	男										女									
	年龄组										年龄组									
	~10	11~12	13~14	15~16	17~18	19~26	27~34	35~44	45~54	55~	~10	11~12	13~14	15~16	17~18	19~26	27~34	35~44	45~54	55~
N	97	501	379	248	263	338	158	179	171	193	114	470	419	260	361	515	176	256	184	238
Mean	2. 34	2. 36	2. 46	2. 53	2. 53	2. 53	2. 44	2. 42	2. 45	2. 40	2. 32	2. 35	2. 43	2. 49	2. 52	2. 51	2. 44	2. 37	2. 44	2. 43
Missing	0	10	2	3	4	5	5	8	3	1	0	4	2	3	7	6	6	8	2	3
Percentile 2. 5	2. 15	2. 10	2. 14	2. 22	2. 25	2. 25	1. 97	1. 95	2. 08	2. 12	2. 11	2. 07	2. 17	2. 22	2. 25	2. 24	1. 97	1. 90	2. 13	2. 13
Percentile 5	2. 15	2. 12	2. 20	2. 27	2. 32	2. 30	2. 00	2. 02	2. 13	2. 18	2. 12	2. 10	2. 19	2. 25	2. 30	2. 27	2. 12	1. 97	2. 23	2. 15
Percentile 10	2. 17	2. 17	2. 25	2. 32	2. 37	2. 37	2. 10	2. 15	2. 24	2. 22	2. 17	2. 15	2. 24	2. 32	2. 35	2. 35	2. 19	2. 12	2. 27	2. 21
Percentile 25	2. 22	2. 25	2. 35	2. 40	2. 42	2. 47	2. 37	2. 31	2. 36	2. 29	2. 22	2. 25	2. 32	2. 37	2. 42	2. 45	2. 32	2. 26	2. 35	2. 30
Percentile 50	2. 30	2. 35	2. 45	2. 52	2. 50	2. 54	2. 47	2. 46	2. 45	2. 39	2. 28	2. 32	2. 42	2. 50	2. 50	2. 52	2. 47	2. 40	2. 43	2. 42
Percentile 75	2. 42	2. 46	2. 57	2. 63	2. 62	2. 62	2. 58	2. 55	2. 55	2. 49	2. 40	2. 47	2. 54	2. 58	2. 59	2. 59	2. 56	2. 50	2. 53	2. 57
Percentile 90	2. 65	2. 61	2. 67	2. 74	2. 75	2. 67	2. 67	2. 64	2. 67	2. 62	2. 59	2. 62	2. 62	2. 67	2. 73	2. 66	2. 64	2. 59	2. 63	2. 64
Percentile 95	2. 72	2. 68	2. 72	2. 81	2. 86	2. 69	2. 72	2. 67	2. 69	2. 69	2. 63	2. 67	2. 67	2. 75	2. 80	2. 70	2. 69	2. 64	2. 69	2. 72
Percentile 97. 5	2. 78	2. 74	2. 74	2. 89	2. 89	2. 76	2. 74	2. 69	2. 74	2. 72	2. 68	2. 72	2. 72	2. 84	2. 86	2. 74	2. 74	2. 69	2. 72	2. 74

表 3－3－46　农村居民血清 Ca 百分位数表

单位：　mmol/L

	男										女									
	年龄组										年龄组									
	~10	11~12	13~14	15~16	17~18	19~26	27~34	35~44	45~54	55~	~10	11~12	13~14	15~16	17~18	19~26	27~34	35~44	45~54	55~
N	18	129	250	232	316	123	158	169	158	80	37	104	289	257	310	196	188	183	140	77
Mean	2. 50	2. 50	2. 47	2. 48	2. 50	2. 54	2. 51	2. 48	2. 44	2. 43	2. 54	2. 50	2. 49	2. 49	2. 48	2. 49	2. 44	2. 41	2. 43	2. 44
Missing	1	0	2	1	1	0	1	0	0	0	0	0	1	0	0	1	1	0	2	0
Percentile 2. 5	2. 32	2. 25	2. 22	2. 20	2. 25	2. 30	2. 20	2. 25	2. 16	2. 18	2. 32	2. 22	2. 20	2. 22	2. 27	2. 25	2. 10	2. 15	2. 20	2. 21
Percentile 5	2. 32	2. 27	2. 25	2. 22	2. 30	2. 33	2. 30	2. 29	2. 23	2. 22	2. 37	2. 25	2. 25	2. 27	2. 30	2. 27	2. 20	2. 20	2. 22	2. 22
Percentile 10	2. 40	2. 32	2. 30	2. 30	2. 35	2. 37	2. 39	2. 32	2. 28	2. 25	2. 40	2. 30	2. 32	2. 32	2. 32	2. 32	2. 27	2. 25	2. 25	2. 26
Percentile 25	2. 47	2. 42	2. 37	2. 37	2. 42	2. 47	2. 45	2. 41	2. 35	2. 37	2. 45	2. 41	2. 39	2. 40	2. 40	2. 40	2. 35	2. 32	2. 32	2. 37
Percentile 50	2. 50	2. 50	2. 46	2. 47	2. 50	2. 55	2. 52	2. 47	2. 45	2. 43	2. 54	2. 52	2. 47	2. 47	2. 47	2. 48	2. 45	2. 42	2. 42	2. 45
Percentile 75	2. 54	2. 60	2. 54	2. 59	2. 59	2. 62	2. 58	2. 56	2. 52	2. 51	2. 62	2. 62	2. 58	2. 58	2. 55	2. 56	2. 54	2. 50	2. 52	2. 54
Percentile 90	2. 61	2. 67	2. 67	2. 69	2. 69	2. 69	2. 64	2. 62	2. 63	2. 58	2. 67	2. 66	2. 72	2. 70	2. 64	2. 64	2. 64	2. 57	2. 62	2. 61
Percentile 95	2. 62	2. 72	2. 70	2. 74	2. 73	2. 73	2. 69	2. 66	2. 67	2. 64	2. 75	2. 70	2. 80	2. 75	2. 73	2. 71	2. 67	2. 61	2. 69	2. 62
Percentile 97. 5	2. 62	2. 72	2. 79	2. 78	2. 77	2. 80	2. 74	2. 69	2. 72	2. 68	2. 80	2. 74	2. 84	2. 77	2. 76	2. 72	2. 75	2. 64	2. 76	2. 67

表 3-3-47 北方居民血清 Ca 百分位数表

单位：mmol/L

	男										女									
	年龄组										年龄组									
	~10	11~12	13~14	15~16	17~18	19~26	27~34	35~44	45~54	55~	~10	11~12	13~14	15~16	17~18	19~26	27~34	35~44	45~54	55~
N	87	473	435	284	379	285	120	141	122	71	111	430	468	318	471	446	173	191	122	86
Mean	2.33	2.35	2.45	2.46	2.47	2.53	2.44	2.43	2.47	2.50	2.33	2.34	2.45	2.44	2.46	2.50	2.45	2.36	2.44	2.51
Missing	0	9	1	1	2	5	5	8	3	1	0	4	2	0	3	7	7	8	2	3
Percentile 2.5	2.15	2.10	2.22	2.20	2.22	2.27	1.90	1.95	2.00	2.22	2.12	2.07	2.20	2.20	2.25	2.27	1.97	1.87	2.21	2.22
Percentile 5	2.15	2.12	2.25	2.22	2.27	2.30	1.97	2.00	2.12	2.25	2.12	2.10	2.25	2.25	2.27	2.30	2.10	1.97	2.22	2.27
Percentile 10	2.17	2.17	2.30	2.30	2.35	2.37	2.05	2.15	2.30	2.28	2.20	2.15	2.30	2.30	2.32	2.35	2.22	2.05	2.26	2.32
Percentile 25	2.22	2.25	2.37	2.37	2.40	2.47	2.37	2.37	2.35	2.40	2.25	2.25	2.37	2.35	2.40	2.42	2.32	2.25	2.35	2.40
Percentile 50	2.30	2.35	2.45	2.45	2.45	2.54	2.50	2.47	2.47	2.48	2.32	2.32	2.42	2.42	2.47	2.50	2.47	2.40	2.42	2.52
Percentile 75	2.42	2.45	2.54	2.54	2.54	2.62	2.62	2.57	2.62	2.67	2.42	2.45	2.52	2.52	2.54	2.59	2.59	2.50	2.53	2.62
Percentile 90	2.52	2.54	2.62	2.67	2.59	2.68	2.69	2.64	2.69	2.71	2.54	2.54	2.64	2.62	2.62	2.64	2.69	2.59	2.67	2.72
Percentile 95	2.59	2.64	2.69	2.74	2.67	2.72	2.72	2.69	2.72	2.74	2.62	2.62	2.72	2.69	2.67	2.69	2.74	2.67	2.72	2.74
Percentile 97.5	2.67	2.72	2.74	2.77	2.69	2.79	2.74	2.72	2.74	2.79	2.62	2.67	2.77	2.79	2.74	2.74	2.79	2.72	2.74	2.77

表 3-3-48 南方居民血清 Ca 百分位数表

单位：mmol/L

	男										女									
	年龄组										年龄组									
	~10	11~12	13~14	15~16	17~18	19~26	27~34	35~44	45~54	55~	~10	11~12	13~14	15~16	17~18	19~26	27~34	35~44	45~54	55~
N	28	157	194	196	200	176	196	207	207	202	40	144	240	199	200	265	191	248	202	229
Mean	2.49	2.49	2.48	2.57	2.60	2.53	2.49	2.46	2.43	2.38	2.50	2.48	2.46	2.57	2.59	2.51	2.43	2.41	2.43	2.40
Missing	1	1	3	3	3	0	1	0	0	0	0	0	1	3	4	0	0	0	2	0
Percentile 2.5	2.16	2.11	2.13	2.23	2.32	2.19	2.19	2.19	2.13	2.12	2.13	2.11	2.14	2.24	2.34	2.18	2.13	2.10	2.14	2.13
Percentile 5	2.17	2.16	2.14	2.30	2.37	2.31	2.25	2.21	2.20	2.16	2.16	2.16	2.17	2.38	2.41	2.26	2.19	2.17	2.21	2.15
Percentile 10	2.23	2.22	2.22	2.38	2.43	2.36	2.35	2.27	2.25	2.22	2.17	2.20	2.20	2.41	2.44	2.31	2.22	2.21	2.26	2.21
Percentile 25	2.26	2.34	2.35	2.49	2.51	2.47	2.44	2.38	2.35	2.29	2.29	2.30	2.30	2.48	2.50	2.46	2.35	2.33	2.35	2.28
Percentile 50	2.51	2.53	2.51	2.57	2.59	2.55	2.50	2.47	2.44	2.39	2.59	2.55	2.49	2.57	2.56	2.54	2.44	2.42	2.44	2.40
Percentile 75	2.65	2.63	2.61	2.67	2.71	2.62	2.57	2.55	2.51	2.48	2.65	2.64	2.60	2.65	2.70	2.60	2.52	2.50	2.53	2.51
Percentile 90	2.78	2.69	2.69	2.74	2.84	2.68	2.64	2.61	2.61	2.54	2.68	2.70	2.69	2.74	2.79	2.65	2.59	2.56	2.62	2.60
Percentile 95	2.79	2.76	2.76	2.83	2.87	2.71	2.68	2.65	2.66	2.58	2.73	2.73	2.79	2.77	2.85	2.70	2.63	2.61	2.66	2.64
Percentile 97.5	2.80	2.81	2.81	2.95	2.92	2.73	2.74	2.67	2.69	2.63	2.78	2.77	2.82	2.91	2.90	2.72	2.67	2.64	2.69	2.67

表3-3-49 城市居民血清P百分位数表

单位：mmol/L

	男										女									
	年龄组										年龄组									
	~10	11~12	13~14	15~16	17~18	19~26	27~34	35~44	45~54	55~	~10	11~12	13~14	15~16	17~18	19~26	27~34	35~44	45~54	55~
N	97	502	381	248	263	340	158	179	170	193	114	472	419	260	361	515	175	256	183	238
Mean	1.45	1.51	1.53	1.37	1.32	1.24	1.21	1.15	1.16	1.21	1.48	1.45	1.35	1.32	1.33	1.25	1.24	1.19	1.26	1.31
Missing	0	2	6	2	4	2	0	0	1	6	0	2	10	7	10	1	1	0	0	10
Percentile 2.5	1.14	1.16	1.05	0.89	0.99	0.89	0.81	0.71	0.71	0.83	1.23	1.03	1.00	0.97	1.00	0.90	0.85	0.74	0.83	0.92
Percentile 5	1.19	1.19	1.19	1.03	1.03	0.93	0.84	0.74	0.74	0.86	1.26	1.13	1.06	1.03	1.06	0.99	0.87	0.84	0.91	0.98
Percentile 10	1.26	1.29	1.26	1.10	1.09	1.03	0.88	0.82	0.84	0.90	1.29	1.19	1.15	1.13	1.13	1.05	0.96	0.90	0.98	1.04
Percentile 25	1.32	1.39	1.39	1.23	1.18	1.13	1.02	0.97	0.97	1.03	1.39	1.32	1.23	1.23	1.21	1.16	1.09	1.03	1.07	1.14
Percentile 50	1.45	1.49	1.54	1.39	1.29	1.23	1.19	1.12	1.15	1.17	1.48	1.45	1.35	1.32	1.32	1.26	1.21	1.17	1.22	1.29
Percentile 75	1.55	1.62	1.68	1.52	1.42	1.39	1.35	1.32	1.34	1.34	1.58	1.58	1.45	1.42	1.42	1.35	1.36	1.34	1.40	1.44
Percentile 90	1.71	1.77	1.77	1.65	1.58	1.48	1.55	1.50	1.48	1.52	1.65	1.68	1.58	1.49	1.55	1.45	1.56	1.47	1.65	1.63
Percentile 95	1.79	1.87	1.86	1.73	1.65	1.55	1.75	1.55	1.57	1.69	1.70	1.75	1.68	1.55	1.65	1.52	1.65	1.54	1.77	1.72
Percentile 97.5	1.88	1.93	1.90	1.84	1.74	1.58	1.92	1.62	1.73	2.17	1.77	1.84	1.74	1.60	1.71	1.58	1.75	1.70	1.85	1.85

表3-3-50 农村居民血清P百分位数表

单位：mmol/L

	男										女									
	年龄组										年龄组									
	~10	11~12	13~14	15~16	17~18	19~26	27~34	35~44	45~54	55~	~10	11~12	13~14	15~16	17~18	19~26	27~34	35~44	45~54	55~
N	21	137	249	232	317	123	158	169	158	80	37	104	289	259	310	195	188	183	140	77
Mean	1.61	1.57	1.52	1.37	1.29	1.22	1.11	1.13	1.11	1.14	1.69	1.58	1.37	1.31	1.34	1.27	1.21	1.21	1.34	1.28
Missing	0	2	2	2	0	2	6	7	10	4	1	0	1	1	0	7	7	1	0	4
Percentile 2.5	1.13	1.22	1.14	1.03	0.81	0.83	0.67	0.74	0.69	0.69	1.32	1.19	1.02	1.00	1.02	0.92	0.85	0.77	0.91	0.87
Percentile 5	1.26	1.26	1.22	1.09	0.90	0.88	0.73	0.79	0.73	0.77	1.32	1.23	1.07	1.06	1.06	0.97	0.90	0.87	0.97	0.92
Percentile 10	1.35	1.29	1.31	1.14	1.00	0.96	0.81	0.88	0.85	0.81	1.47	1.29	1.13	1.13	1.10	1.04	0.97	0.97	1.01	1.01
Percentile 25	1.52	1.45	1.40	1.26	1.16	1.09	0.93	0.97	0.97	1.00	1.56	1.40	1.25	1.21	1.21	1.16	1.06	1.06	1.13	1.13
Percentile 50	1.61	1.58	1.53	1.39	1.29	1.20	1.10	1.10	1.10	1.16	1.71	1.61	1.35	1.29	1.32	1.25	1.19	1.19	1.29	1.26
Percentile 75	1.74	1.71	1.65	1.48	1.42	1.32	1.28	1.27	1.29	1.32	1.79	1.73	1.47	1.42	1.45	1.38	1.32	1.35	1.45	1.42
Percentile 90	1.77	1.84	1.76	1.61	1.58	1.48	1.39	1.41	1.35	1.42	1.89	1.87	1.61	1.52	1.58	1.52	1.45	1.48	1.68	1.54
Percentile 95	1.81	1.93	1.81	1.68	1.71	1.55	1.48	1.48	1.42	1.49	1.97	1.91	1.71	1.58	1.65	1.58	1.53	1.61	1.93	1.68
Percentile 97.5	2.05	1.97	1.91	1.77	1.74	1.65	1.58	1.57	1.48	1.55	1.97	1.94	1.81	1.61	1.71	1.71	1.61	1.77	2.48	1.93

表 3-3-51　北方居民血清 P 百分位数表

单位：mmol/L

	男										女									
	年龄组										年龄组									
	~10	11~12	13~14	15~16	17~18	19~26	27~34	35~44	45~54	55~	~10	11~12	13~14	15~16	17~18	19~26	27~34	35~44	45~54	55~
N	90	482	436	284	380	287	120	141	122	71	111	432	469	320	471	445	173	191	121	86
Mean	1.45	1.50	1.53	1.40	1.32	1.24	1.16	1.11	1.13	1.20	1.52	1.46	1.37	1.32	1.33	1.25	1.25	1.18	1.31	1.33
Missing	0	2	3	2	0	1	0	0	0	0	1	1	0	0	0	1	0	0	0	0
Percentile 2.5	1.13	1.16	1.16	1.10	1.00	0.90	0.74	0.71	0.81	0.90	1.26	1.10	1.06	1.05	1.00	0.90	0.87	0.68	0.97	1.03
Percentile 5	1.19	1.19	1.23	1.13	1.03	0.97	0.84	0.74	0.84	0.94	1.29	1.16	1.13	1.10	1.06	0.97	0.90	0.81	1.00	1.03
Percentile 10	1.26	1.29	1.29	1.19	1.10	1.03	0.90	0.87	0.94	0.97	1.32	1.23	1.16	1.16	1.13	1.03	1.03	0.90	1.06	1.10
Percentile 25	1.32	1.35	1.39	1.29	1.19	1.13	1.02	0.94	1.00	1.03	1.39	1.32	1.26	1.23	1.23	1.16	1.13	1.03	1.19	1.19
Percentile 50	1.44	1.48	1.55	1.39	1.29	1.23	1.15	1.10	1.13	1.19	1.52	1.45	1.35	1.32	1.32	1.26	1.26	1.16	1.29	1.34
Percentile 75	1.55	1.61	1.68	1.52	1.42	1.35	1.32	1.29	1.29	1.32	1.61	1.58	1.48	1.42	1.45	1.35	1.39	1.32	1.42	1.45
Percentile 90	1.71	1.74	1.77	1.61	1.58	1.48	1.42	1.39	1.39	1.42	1.77	1.71	1.61	1.52	1.55	1.45	1.48	1.45	1.55	1.58
Percentile 95	1.77	1.84	1.84	1.71	1.65	1.55	1.48	1.48	1.42	1.48	1.81	1.84	1.71	1.55	1.65	1.52	1.55	1.52	1.68	1.65
Percentile 97.5	1.81	1.89	1.90	1.77	1.71	1.55	1.52	1.55	1.42	1.55	1.94	1.90	1.77	1.58	1.68	1.58	1.61	1.65	1.71	1.71

表 3-3-52　南方居民血清 P 百分位数表

单位：mmol/L

	男										女									
	年龄组										年龄组									
	~10	11~12	13~14	15~16	17~18	19~26	27~34	35~44	45~54	55~	~10	11~12	13~14	15~16	17~18	19~26	27~34	35~44	45~54	55~
N	28	157	194	196	200	176	196	207	206	202	40	144	239	199	200	265	190	248	202	229
Mean	1.59	1.60	1.51	1.33	1.26	1.23	1.16	1.16	1.14	1.19	1.54	1.51	1.33	1.30	1.33	1.27	1.20	1.21	1.28	1.29
Missing	0	2	5	2	4	3	6	7	11	10	0	1	11	8	10	7	8	1	0	14
Percentile 2.5	1.14	1.17	1.03	0.82	0.76	0.83	0.70	0.71	0.70	0.71	1.00	1.01	0.98	0.91	1.01	0.93	0.85	0.81	0.83	0.91
Percentile 5	1.22	1.25	1.13	0.96	0.88	0.88	0.75	0.78	0.71	0.78	1.16	1.03	1.02	1.00	1.05	1.01	0.86	0.86	0.91	0.94
Percentile 10	1.23	1.35	1.26	1.05	0.95	0.94	0.83	0.84	0.80	0.87	1.33	1.19	1.09	1.11	1.09	1.08	0.94	0.92	0.97	1.01
Percentile 25	1.51	1.48	1.39	1.18	1.09	1.09	0.93	0.98	0.96	1.00	1.43	1.40	1.19	1.20	1.21	1.16	1.03	1.05	1.06	1.13
Percentile 50	1.60	1.56	1.53	1.32	1.26	1.22	1.13	1.12	1.13	1.16	1.55	1.54	1.32	1.29	1.32	1.27	1.17	1.18	1.20	1.26
Percentile 75	1.73	1.73	1.64	1.47	1.41	1.39	1.30	1.32	1.31	1.34	1.66	1.65	1.45	1.41	1.44	1.36	1.32	1.36	1.42	1.42
Percentile 90	1.88	1.88	1.76	1.65	1.57	1.47	1.56	1.50	1.48	1.50	1.78	1.76	1.59	1.49	1.58	1.52	1.53	1.48	1.70	1.63
Percentile 95	1.96	1.99	1.83	1.70	1.73	1.58	1.75	1.56	1.57	1.69	1.86	1.84	1.65	1.58	1.69	1.58	1.66	1.57	1.89	1.76
Percentile 97.5	2.05	2.05	1.91	1.85	1.82	1.76	1.92	1.64	1.73	2.17	1.90	1.91	1.76	1.67	1.85	1.61	1.82	1.76	2.14	1.86

表 3-3-53 城市居民血清 TG 百分位数表

单位：mmol/L

	男										女									
	年龄组										年龄组									
	~10	11~12	13~14	15~16	17~18	19~26	27~34	35~44	45~54	55~	~10	11~12	13~14	15~16	17~18	19~26	27~34	35~44	45~54	55~
N	27	144	150	177	150	176	157	179	171	193	31	134	169	144	172	255	171	256	184	238
Mean	0.88	0.80	0.84	0.85	0.85	0.91	1.08	1.26	1.43	1.33	0.87	0.95	0.84	0.93	0.89	0.80	0.74	0.95	1.08	1.50
Missing	0	0	0	0	0	0	0	0	0	0	0	0	0	0	0	0	0	0	0	0
Percentile 2.5	0.23	0.30	0.30	0.43	0.38	0.33	0.32	0.41	0.43	0.45	0.46	0.42	0.38	0.41	0.34	0.30	0.27	0.33	0.43	0.55
Percentile 5	0.30	0.35	0.37	0.44	0.40	0.35	0.35	0.42	0.47	0.55	0.46	0.45	0.43	0.48	0.44	0.36	0.32	0.37	0.47	0.64
Percentile 10	0.42	0.41	0.45	0.48	0.48	0.44	0.42	0.50	0.57	0.59	0.53	0.50	0.47	0.54	0.52	0.42	0.37	0.44	0.61	0.73
Percentile 25	0.56	0.52	0.57	0.57	0.58	0.60	0.62	0.69	0.81	0.82	0.64	0.67	0.61	0.68	0.61	0.54	0.47	0.61	0.74	0.92
Percentile 50	0.72	0.74	0.78	0.77	0.75	0.78	0.85	0.96	1.18	1.08	0.75	0.84	0.77	0.87	0.77	0.71	0.63	0.80	0.96	1.29
Percentile 75	1.19	0.98	1.03	0.98	1.00	1.09	1.24	1.53	1.69	1.58	1.06	1.15	1.02	1.09	1.01	0.95	0.87	1.12	1.30	1.77
Percentile 90	1.30	1.28	1.26	1.30	1.38	1.49	2.02	2.55	2.39	2.25	1.17	1.51	1.25	1.41	1.31	1.28	1.13	1.52	1.76	2.39
Percentile 95	1.67	1.49	1.62	1.67	1.54	1.72	2.67	3.26	3.28	2.81	1.40	1.74	1.39	1.61	1.84	1.52	1.53	2.01	2.16	3.09
Percentile 97.5	2.35	1.89	2.02	1.94	1.85	2.28	2.85	3.74	3.62	3.32	3.06	1.88	1.51	2.02	2.03	1.86	2.08	2.24	2.55	3.84

表 3-3-54 农村居民血清 TG 百分位数表

单位：mmol/L

	男										女									
	年龄组										年龄组									
	~10	11~12	13~14	15~16	17~18	19~26	27~34	35~44	45~54	55~	~10	11~12	13~14	15~16	17~18	19~26	27~34	35~44	45~54	55~
N	17	108	130	119	194	113	158	169	158	80	35	76	167	146	182	192	188	183	140	77
Mean	0.88	0.79	0.80	0.89	0.89	0.94	1.39	1.46	1.39	1.23	0.87	1.07	1.00	1.05	0.89	0.83	0.92	1.04	1.17	1.69
Missing	0	0	0	0	0	0	0	0	0	0	0	0	0	0	0	0	0	0	0	0
Percentile 2.5	0.27	0.29	0.32	0.29	0.26	0.34	0.36	0.37	0.30	0.40	0.30	0.38	0.40	0.43	0.34	0.32	0.33	0.34	0.41	0.54
Percentile 5	0.27	0.33	0.37	0.38	0.34	0.37	0.41	0.43	0.42	0.42	0.33	0.47	0.45	0.44	0.37	0.37	0.39	0.41	0.45	0.59
Percentile 10	0.33	0.40	0.41	0.45	0.42	0.42	0.52	0.58	0.52	0.50	0.48	0.54	0.56	0.50	0.45	0.42	0.43	0.46	0.52	0.65
Percentile 25	0.53	0.49	0.50	0.57	0.61	0.61	0.65	0.81	0.73	0.69	0.63	0.70	0.68	0.68	0.59	0.53	0.59	0.64	0.67	0.91
Percentile 50	0.69	0.72	0.74	0.82	0.82	0.80	1.01	1.16	1.18	0.97	0.80	0.93	0.91	0.96	0.84	0.74	0.77	0.90	0.98	1.27
Percentile 75	0.95	0.98	0.96	1.05	1.10	1.07	1.75	1.70	1.73	1.56	1.08	1.22	1.21	1.35	1.11	0.96	1.00	1.21	1.42	1.82
Percentile 90	1.52	1.29	1.28	1.42	1.41	1.44	2.74	2.85	2.57	2.44	1.33	1.65	1.50	1.67	1.42	1.30	1.55	1.64	2.23	2.84
Percentile 95	2.88	1.67	1.44	1.74	1.65	1.82	3.75	3.37	3.57	3.20	1.57	2.19	1.76	1.88	1.66	1.83	2.00	2.17	2.62	3.89
Percentile 97.5	2.88	1.90	1.72	1.95	1.99	2.60	4.21	4.04	4.03	3.34	2.11	3.08	2.25	2.35	1.78	2.18	2.21	3.22	3.03	7.77

表3-3-55　北方居民血清TG百分位数表

单位：mmol/L

	男										女									
	年龄组										年龄组									
	~10	11~12	13~14	15~16	17~18	19~26	27~34	35~44	45~54	55~	~10	11~12	13~14	15~16	17~18	19~26	27~34	35~44	45~54	55~
N	16	95	86	100	144	113	119	141	122	71	26	66	96	91	154	182	168	191	122	86
Mean	0.85	0.77	0.74	0.79	0.78	0.74	0.98	1.06	1.28	1.06	0.97	1.08	0.88	1.02	0.75	0.80	0.80	0.91	1.14	1.70
Missing	0	0	0	0	0	0	0	0	0	0	0	0	0	0	0	0	0	0	0	0
Percentile 2.5	0.23	0.25	0.29	0.27	0.24	0.27	0.30	0.30	0.29	0.35	0.30	0.19	0.36	0.41	0.30	0.26	0.25	0.29	0.40	0.54
Percentile 5	0.23	0.29	0.30	0.33	0.29	0.34	0.33	0.37	0.37	0.41	0.33	0.38	0.38	0.43	0.34	0.30	0.28	0.33	0.43	0.59
Percentile 10	0.27	0.40	0.34	0.41	0.35	0.37	0.36	0.42	0.51	0.43	0.45	0.45	0.44	0.46	0.41	0.36	0.35	0.37	0.47	0.65
Percentile 25	0.40	0.47	0.46	0.47	0.48	0.49	0.49	0.58	0.65	0.62	0.63	0.65	0.62	0.56	0.52	0.49	0.47	0.47	0.65	0.98
Percentile 50	0.67	0.67	0.72	0.71	0.72	0.67	0.78	0.86	1.08	0.89	0.85	0.91	0.80	0.84	0.67	0.67	0.69	0.77	0.97	1.33
Percentile 75	1.11	0.94	0.96	0.95	0.98	0.87	1.15	1.23	1.61	1.30	1.12	1.31	1.12	1.38	0.90	1.00	0.92	1.08	1.35	1.92
Percentile 90	1.52	1.29	1.17	1.34	1.24	1.26	1.99	1.92	2.29	1.73	1.57	1.85	1.39	1.74	1.19	1.33	1.35	1.50	2.16	2.97
Percentile 95	2.88	1.79	1.31	1.66	1.48	1.50	2.70	2.48	3.02	2.78	2.11	2.19	1.57	2.03	1.39	1.86	1.76	1.81	2.55	3.86
Percentile 97.5	2.88	1.90	1.44	1.93	1.65	1.74	3.57	3.30	3.48	3.17	3.06	3.08	2.08	2.35	1.60	2.18	2.12	2.52	2.83	4.29

表3-3-56　南方居民血清TG百分位数表

单位：mmol/L

	男										女									
	年龄组										年龄组									
	~10	11~12	13~14	15~16	17~18	19~26	27~34	35~44	45~54	55~	~10	11~12	13~14	15~16	17~18	19~26	27~34	35~44	45~54	55~
N	28	157	194	196	200	176	196	207	207	202	40	144	240	199	200	265	191	248	202	229
Mean	0.89	0.82	0.85	0.90	0.93	1.04	1.39	1.56	1.49	1.39	0.80	0.95	0.93	0.98	1.00	0.82	0.86	1.05	1.10	1.49
Missing	0	0	0	0	0	0	0	0	0	0	0	0	0	0	0	0	0	0	0	0
Percentile 2.5	0.42	0.33	0.37	0.44	0.45	0.37	0.50	0.53	0.43	0.49	0.46	0.45	0.42	0.44	0.48	0.38	0.36	0.46	0.46	0.58
Percentile 5	0.45	0.38	0.43	0.47	0.48	0.45	0.55	0.60	0.50	0.55	0.47	0.49	0.47	0.49	0.52	0.41	0.39	0.48	0.52	0.64
Percentile 10	0.47	0.44	0.47	0.50	0.53	0.57	0.61	0.68	0.58	0.63	0.51	0.54	0.52	0.58	0.56	0.48	0.46	0.56	0.61	0.73
Percentile 25	0.58	0.54	0.59	0.60	0.66	0.69	0.72	0.85	0.84	0.84	0.65	0.70	0.63	0.70	0.69	0.56	0.58	0.68	0.73	0.91
Percentile 50	0.73	0.74	0.78	0.82	0.87	0.88	1.03	1.28	1.20	1.10	0.75	0.86	0.85	0.91	0.87	0.74	0.73	0.88	0.97	1.27
Percentile 75	1.16	0.99	1.03	1.01	1.06	1.18	1.76	1.93	1.75	1.76	0.89	1.15	1.13	1.19	1.12	0.94	0.97	1.21	1.32	1.76
Percentile 90	1.30	1.29	1.29	1.36	1.47	1.59	2.62	3.01	2.87	2.34	1.19	1.45	1.39	1.48	1.62	1.25	1.43	1.75	1.81	2.40
Percentile 95	1.67	1.52	1.68	1.78	1.69	1.98	3.11	3.39	3.55	3.21	1.37	1.59	1.63	1.67	1.88	1.43	1.99	2.14	2.22	3.04
Percentile 97.5	2.35	1.89	1.98	2.01	1.92	2.60	4.01	4.23	3.92	3.36	1.40	1.82	1.79	2.01	2.32	1.83	2.35	2.41	2.50	3.69

表 3-3-57 城市居民血清 ALP 百分位数表

单位： IU/L

	男										女									
	年龄组										年龄组									
	~10	11~12	13~14	15~16	17~18	19~26	27~34	35~44	45~54	55~	~10	11~12	13~14	15~16	17~18	19~26	27~34	35~44	45~54	55~
N	27	144	150	179	150	176	158	180	171	194	31	134	169	144	173	255	171	256	185	242
Mean	203.74	248.02	260.38	192.03	137.03	87.85	78.52	72.94	82.02	79.71	223.83	198.66	135.17	103.28	78.33	65.28	58.75	57.88	70.95	89.57
Missing	0	0	0	0	0	0	0	0	0	0	0	0	0	0	0	0	0	0	0	0
Percentile 2.5	81.87	80.56	80.56	77.38	63.63	46.74	30.75	29.52	44.28	42.40	92.22	82.68	78.44	57.63	45.51	37.40	25.40	24.60	35.40	52.89
Percentile 5	97.52	85.86	83.74	86.10	70.63	49.63	35.67	37.15	49.87	48.76	93.28	85.86	84.40	61.63	46.74	39.63	28.40	28.29	39.40	56.18
Percentile 10	98.58	91.16	87.66	100.87	77.95	52.89	49.20	42.73	54.87	55.35	104.94	91.16	85.86	67.87	51.63	45.63	34.98	37.40	45.87	62.40
Percentile 25	111.30	120.84	166.63	128.63	99.63	68.14	57.40	54.76	65.40	65.19	111.30	107.06	92.87	80.25	60.63	50.87	44.28	46.69	52.89	74.40
Percentile 50	200.87	259.08	257.75	169.74	125.52	82.14	73.40	70.26	77.49	75.26	230.63	191.88	113.87	94.63	75.40	61.87	54.12	54.87	66.40	87.87
Percentile 75	268.87	328.37	345.63	240.40	163.63	103.32	93.40	84.26	93.28	92.63	282.87	274.40	161.40	117.86	89.63	76.32	67.40	66.53	84.40	103.40
Percentile 90	317.63	393.60	410.21	324.72	217.71	125.87	113.42	107.75	113.40	110.24	327.87	336.63	215.25	142.63	107.87	89.04	79.95	81.18	97.87	119.31
Percentile 95	441.63	430.87	487.40	378.87	254.87	141.87	127.40	120.14	128.40	117.66	386.87	362.87	247.40	160.87	123.00	100.86	102.40	92.22	109.40	129.15
Percentile 97.5	506.76	485.63	546.40	413.87	275.52	158.67	148.83	134.07	140.40	128.87	610.08	390.63	294.87	191.87	127.63	108.24	114.63	102.87	145.14	137.76

表 3-3-58 农村居民血清 ALP 百分位数表

单位： IU/L

	男										女									
	年龄组										年龄组									
	~10	11~12	13~14	15~16	17~18	19~26	27~34	35~44	45~54	55~	~10	11~12	13~14	15~16	17~18	19~26	27~34	35~44	45~54	55~
N	17	108	129	119	194	113	159	169	158	81	35	76	167	146	182	193	189	183	141	77
Mean	304.05	315.51	338.39	216.18	148.12	99.20	79.59	81.78	84.52	81.23	320.32	315.70	197.89	134.56	89.26	70.40	68.12	67.20	78.84	104.85
Missing	0	0	0	0	0	0	0	0	0	0	0	0	0	0	0	0	0	0	0	0
Percentile 2.5	181.63	163.63	140.22	96.40	75.03	45.63	44.40	47.40	45.40	47.63	179.63	109.47	83.64	73.80	51.66	33.63	37.40	39.36	40.40	46.63
Percentile 5	181.63	204.18	164.82	104.55	81.18	54.12	48.63	50.40	48.40	49.40	191.63	146.37	91.02	75.63	55.35	38.63	37.40	40.40	45.40	53.63
Percentile 10	206.63	211.56	204.63	120.54	89.79	58.40	53.40	56.40	53.63	54.12	248.46	181.63	104.55	82.41	62.63	43.63	40.40	45.40	50.43	60.40
Percentile 25	234.93	251.13	250.92	137.76	109.47	72.63	63.96	65.40	63.63	62.73	255.63	230.44	132.63	97.17	72.57	52.63	50.43	52.89	61.40	84.87
Percentile 50	295.20	310.80	337.40	202.63	128.52	90.40	75.63	78.72	78.72	78.72	318.57	307.45	170.97	122.40	84.87	64.40	61.50	63.96	75.03	100.86
Percentile 75	357.93	368.09	411.40	272.63	169.74	113.16	93.40	92.25	97.63	95.94	353.01	396.68	237.63	153.40	99.63	81.63	75.40	76.26	92.25	113.16
Percentile 90	434.19	431.73	488.40	337.40	222.40	148.83	113.16	110.70	120.54	108.24	432.96	442.80	335.40	194.34	114.40	102.09	91.02	92.25	113.16	140.40
Percentile 95	443.63	463.40	527.40	399.40	258.63	179.58	121.40	119.31	134.07	121.77	505.53	509.40	393.60	236.40	132.40	130.38	121.77	98.40	125.46	161.13
Percentile 97.5	443.63	503.07	541.40	490.40	327.18	230.40	123.00	127.92	153.40	127.40	510.45	530.13	440.40	304.40	151.40	158.63	152.52	110.70	135.30	198.03

表 3-3-59　北方居民血清 ALP 百分位数表

单位：IU/L

	男										女									
	年龄组										年龄组									
	~10	11~12	13~14	15~16	17~18	19~26	27~34	35~44	45~54	55~	~10	11~12	13~14	15~16	17~18	19~26	27~34	35~44	45~54	55~
N	16	95	86	100	144	113	119	141	122	71	26	66	96	91	154	182	168	191	122	86
Mean	310.73	315.14	334.79	216.90	143.52	103.37	81.76	80.65	90.26	86.95	347.90	303.38	182.13	125.58	90.90	80.24	72.01	64.54	82.66	105.67
Missing	0	0	0	0	0	0	0	0	0	0	0	0	0	0	0	0	0	0	0	0
Percentile 2.5	207.87	166.05	120.54	78.72	66.42	52.89	24.60	28.29	51.66	54.12	248.46	109.47	83.64	71.34	50.43	47.97	30.75	23.37	40.59	52.89
Percentile 5	207.87	194.34	140.22	92.25	75.03	55.35	33.21	36.90	55.35	59.04	249.69	121.77	91.02	75.03	54.12	49.20	36.90	27.06	47.97	59.04
Percentile 10	223.86	212.79	173.43	111.93	82.41	70.11	47.97	45.51	60.27	62.73	252.15	148.83	95.94	87.33	63.96	52.89	44.28	35.67	52.89	65.19
Percentile 25	254.00	259.53	250.92	143.30	103.32	79.95	61.50	62.73	73.80	73.80	281.67	201.72	118.08	98.40	75.03	63.96	52.89	47.97	62.73	84.87
Percentile 50	290.28	311.19	327.80	204.80	126.69	97.17	81.18	78.72	87.33	88.56	327.18	285.36	154.98	119.31	87.33	76.88	65.19	61.50	81.80	102.09
Percentile 75	346.25	366.54	409.59	271.83	162.36	120.54	100.86	94.71	99.63	97.17	387.45	404.67	209.72	145.14	104.55	89.79	76.26	76.26	94.71	120.54
Percentile 90	434.19	431.73	482.16	346.25	237.39	148.83	118.08	114.39	121.77	115.62	505.53	442.80	309.96	169.74	116.85	108.24	97.17	92.25	114.39	140.22
Percentile 95	506.76	484.62	535.05	407.75	260.76	175.89	123.00	123.00	132.84	119.31	510.45	504.30	412.05	191.88	132.84	130.38	125.46	99.63	125.46	156.21
Percentile 97.5	506.76	503.07	596.55	448.95	311.19	209.10	146.37	137.76	143.91	121.77	610.08	530.13	487.08	198.03	161.13	161.13	152.52	115.62	135.30	162.36

表 3-3-60　南方居民血清 ALP 百分位数表

单位：IU/L

	男										女									
	年龄组										年龄组									
	~10	11~12	13~14	15~16	17~18	19~26	27~34	35~44	45~54	55~	~10	11~12	13~14	15~16	17~18	19~26	27~34	35~44	45~54	55~
N	28	157	193	198	200	176	198	208	207	204	40	144	240	199	201	266	192	248	204	233
Mean	203.51	253.83	279.37	193.98	143.12	85.17	77.43	74.90	79.07	77.80	227.61	212.43	160.03	116.03	78.60	58.76	56.37	59.63	69.40	88.68
Missing	0	0	0	0	0	0	0	0	0	0	0	0	0	0	0	0	0	0	0	0
Percentile 2.5	81.87	83.74	81.62	78.63	70.13	45.63	44.40	42.40	45.40	42.40	92.75	74.20	77.54	60.87	45.87	33.40	27.40	37.40	37.40	49.40
Percentile 5	97.52	86.92	83.74	92.40	75.40	46.87	48.63	47.87	48.40	47.70	93.81	85.86	84.72	64.40	48.40	36.40	33.40	39.40	39.40	55.40
Percentile 10	98.58	92.22	94.34	104.94	85.52	52.63	52.40	50.88	52.63	52.40	106.00	91.16	85.86	71.63	53.63	40.63	37.40	41.63	45.40	60.42
Percentile 25	111.30	162.87	195.40	132.63	107.64	62.75	61.63	60.40	60.87	62.54	116.07	108.12	96.55	82.63	62.40	47.63	42.52	48.87	52.52	74.40
Percentile 50	195.75	255.63	274.87	170.75	131.02	76.63	72.40	71.52	72.40	73.52	244.87	215.75	139.64	100.63	75.40	54.87	52.40	56.29	64.40	87.87
Percentile 75	240.25	332.87	363.40	234.40	168.25	97.02	86.63	84.02	91.40	88.64	291.13	295.25	192.90	134.87	89.40	66.63	65.25	67.40	82.40	103.40
Percentile 90	432.63	400.87	452.40	321.40	217.40	121.40	108.40	103.63	110.40	108.12	353.25	350.87	269.90	182.40	102.40	79.63	82.63	80.56	99.40	113.87
Percentile 95	441.63	436.40	491.40	378.87	239.52	138.63	122.40	116.40	128.40	117.66	375.63	366.87	327.64	214.40	120.40	89.04	91.40	90.87	106.63	127.87
Percentile 97.5	443.63	485.63	527.40	413.40	286.02	164.40	134.40	127.63	140.40	128.87	381.75	421.87	381.90	291.63	129.63	102.63	112.63	102.87	136.40	139.40

（三）呼吸系统

表 3-3-61　北京市肺功能参数均值表（x̄±s）

年龄（岁）		11~12	13~14	15~16	17~18	19~23
n#		42　69	82　59	28　19	24　42	39　61
VT（L）	男	0.70±0.26	0.68±0.28	0.74±0.26	0.73±0.27	0.64±0.24
	女	0.61±0.24	0.57±0.23	0.51±0.14	0.55±0.15	0.49±0.14
BF（number/min）	男	15.79±5.14	19.37±4.83	20.57±4.01	18.02±5.31	17.80±4.48
	女	17.56±4.83	18.92±4.25	19.79±5.40	16.61±3.51	18.23±5.46
ERV（L）	男	0.79±0.35	1.31±0.46	1.66±0.46	1.61±0.43	1.69±0.45
	女	0.86±0.28	1.07±0.33	1.05±0.45	1.09±0.32	1.00±0.30
IC（L）	男	2.07±0.34	2.30±0.46	2.76±0.62	2.67±0.41	2.66±0.61
	女	1.88±0.29	1.88±0.46	2.14±0.71	2.08±0.26	2.22±0.39
VC（L）	男	2.86±0.46	3.60±0.53	4.41±0.62	4.27±0.55	4.34±0.68
	女	2.75±0.35	2.94±0.36	3.37±0.56	3.17±0.42	3.21±0.36
MV（L）	男	10.20±3.30	12.39±3.72	15.04±5.77	12.57±4.60	10.96±3.59
	女	10.31±4.04	10.21±3.26	9.91±2.80	9.08±2.87	8.54±2.15
FVC（L）	男	2.76±0.47	3.39±0.50	4.18±0.62	4.12±0.52	4.18±0.62
	女	2.68±0.36	2.84±0.33	3.26±0.56	3.06±0.42	3.14±0.36
FEV1（L）	男	2.37±0.35	3.10±0.44	3.86±0.44	3.74±0.44	3.81±0.50
	女	2.41±0.31	2.65±0.30	2.99±0.43	2.83±0.38	2.9±0.30
FEV1/FVC（%）	男	86.43±5.05	91.63±6.07	92.63±5.72	91.25±7.07	91.66±6.25
	女	90.26±4.88	93.45±6.59	92.08±5.57	92.5±6.19	92.77±5.60
MVV（L/S）	男	73.23±15.76	94.85±21.61	127.27±22.68	118.32±25.64	122.00±18.51
		70.79±13.76	78.71±17.21	87.51±26.88	4.27±14.59	82.64±18.04
PEF（L/S）	男	5.02±0.88	6.11±1.02	7.53±1.03	7.25±1.23	8.20±1.20
	女	4.82±0.83	5.36±0.90	5.96±1.04	5.58±0.90	5.9±0.74
FEF25%（L/S）	男	4.34±0.80	5.36±1.00	6.51±1.00	6.35±1.00	6.91±1.23
	女	4.48±0.76	4.96±0.86	5.5±0.86	5.07±0.92	5.32±0.72
FEF50%（L/S）	男	2.73±0.47	3.75±0.74	4.58±0.86	4.26±0.84	4.65±1.13
	女	3.12±0.67	3.58±0.70	3.91±0.81	3.71±0.83	3.87±0.78
FEF75%（L/S）	男	1.03±0.29	1.74±0.58	2.32±0.56	2.29±0.62	2.39±0.76
	女	1.41±0.51	1.77±0.53	1.89±0.61	1.86±0.48	1.97±0.57
MMEF（L/S）	男	2.30±0.44	3.37±0.78	4.29±0.77	4.04±0.82	4.42±1.08
	女	2.78±0.69	3.29±0.70	3.59±0.81	3.42±0.81	3.59±0.75

#每个年龄组例数：左侧数字为男性；右侧数字为女性

表 3-3-62 河北省肺功能参数（肺容量）均值表（$\bar{x}\pm s$）

指标	年龄（岁）	城市				农村			
		n	男	n	女	n	男	n	女
VT（L）	10~12	37	0.68±0.22	29	0.60±0.27	39	0.63±0.25	38	0.57±0.22
	13~14	34	0.72±0.21	37	0.65±0.29	41	0.69±0.18	48	0.58±0.22
	15~16	34	0.77±0.29	31	0.58±0.21	28	0.62±0.18	27	0.50±0.20
	17~18	35	0.70±0.20	33	0.51±0.19	42	0.66±0.21	39	0.53±0.18
	19~26	47	0.64±0.20	55	0.55±0.23	43	0.73±0.25	41	0.46±0.18
	27~34	53	0.63±0.19	60	0.50±0.15	42	0.72±0.28	52	0.53±0.16
	35~44	48	0.68±0.26	52	0.51±0.20	58	0.68±0.27	45	0.52±0.13
	45~54	44	0.66±0.22	36	0.49±0.13	43	0.68±0.23	37	0.51±0.18
	≥55	21	0.70±0.22	36	0.54±0.16	26	0.76±0.30	20	0.54±0.12
BF（number/min）	10~12	37	19.78±4.73	29	20.78±3.96	39	21.61±4.95	38	22.13±3.49
	13~14	34	18.79±4.02	37	19.97±4.72	41	19.83±3.75	48	21.21±3.79
	15~16	34	17.66±4.57	31	19.49±5.74	28	20.12±4.10	27	22.03±4.50
	17~18	35	19.74±5.21	33	21.15±4.29	42	19.45±2.96	39	21.26±2.85
	19~26	47	19.64±4.43	55	21.53±3.55	43	18.11±4.51	41	20.94±3.47
	27~34	53	18.36±4.37	60	20.09±3.58	42	17.76±3.63	52	20.00±3.75
	35~44	48	19.07±3.56	52	20.10±4.19	58	17.93±4.35	45	19.08±3.89
	45~54	44	17.20±4.40	36	19.52±4.96	43	18.35±3.98	37	19.92±4.76
	≥55	21	18.03±3.30	36	19.39±4.42	26	18.25±4.79	20	19.96±3.07
ERV（L）	10~12	37	0.94±0.34	29	0.85±0.30	39	0.97±0.29	38	1.03±0.32
	13~14	34	1.64±0.44	37	1.16±0.34	41	1.43±0.42	48	1.16±0.25
	15~16	34	1.69±0.53	31	1.20±0.31	28	1.86±0.49	27	1.41±0.36
	17~18	35	1.74±0.32	33	1.19±0.29	42	2.01±0.43	39	1.32±0.32
	19~26	47	1.94±0.50	55	1.29±0.33	43	1.94±0.48	41	1.24±0.37
	27~34	53	1.95±0.71	60	1.25±0.34	42	1.92±0.59	52	1.23±0.35
	35~44	48	1.66±0.49	52	1.21±0.47	56	1.77±0.65	44	1.11±0.37
	45~54	44	1.40±0.53	36	0.76±0.40	43	1.49±0.54	35	0.84±0.45
	≥55	21	1.18±0.49	35	0.67±0.36	26	1.10±0.58	18	0.96±0.38
IC（L）	10~12	37	1.62±0.41	29	1.49±0.25	39	1.41±0.41	38	1.44±0.41
	13~14	34	1.94±0.47	37	1.69±0.29	41	2.03±0.40	48	1.62±0.32
	15~16	34	2.50±0.54	31	1.74±0.29	28	2.09±0.45	27	1.55±0.44
	17~18	35	2.48±0.45	33	1.89±0.27	42	2.41±0.47	39	1.81±0.36
	19~26	47	2.53±0.57	55	1.76±0.34	43	2.47±0.47	41	1.75±0.34
	27~34	53	2.50±0.70	60	1.97±0.43	42	2.49±0.68	52	2.04±0.46
	35~44	48	2.61±0.53	51	1.90±0.38	57	2.53±0.65	45	1.99±0.45
	45~54	44	2.53±0.60	36	2.00±0.40	43	2.46±0.51	35	2.02±0.51
	≥55	21	2.41±0.56	35	1.76±0.43	26	2.41±0.55	20	1.89±0.52
VC（L）	10~12	37	2.56±0.38	29	2.35±0.36	39	2.38±0.42	38	2.48±0.38
	13~14	34	3.58±0.70	37	2.85±0.40	41	3.46±0.65	48	2.78±0.35
	15~16	34	4.19±0.62	31	2.94±0.29	28	3.95±0.51	27	2.96±0.45
	17~18	35	4.22±0.53	33	3.09±0.39	42	4.42±0.61	39	3.13±0.46
	19~26	47	4.45±0.58	55	3.05±0.40	43	4.41±0.52	41	2.99±0.42
	27~34	53	4.45±0.74	60	3.22±0.43	42	4.41±0.65	52	3.27±0.37
	35~44	48	4.27±0.51	52	3.07±0.41	59	4.26±0.55	45	3.08±0.38
	45~54	44	3.93±0.56	36	2.76±0.30	43	3.95±0.57	37	2.84±0.40
	≥55	21	3.58±0.40	36	2.41±0.40	26	3.51±0.47	20	2.72±0.36

表 3-3-63　河北省肺功能参数（肺通气）均值表（$\bar{x} \pm s$）

指　标	年龄（岁）	城市				农村			
		n	男	n	女	n	男	n	女
MV（L）	10～12	37	12.93±4.29	29	11.98±4.70	39	13.15±4.64	38	12.26±4.32
	13～14	34	13.26±4.27	37	12.49±5.62	41	13.48±3.93	48	12.00±3.85
	15～16	34	13.04±4.26	31	11.00±4.31	28	12.26±3.81	27	10.48±4.28
	17～18	35	13.37±4.10	33	10.54±3.24	42	12.83±4.22	39	10.95±3.25
	19～26	47	12.15±3.73	55	11.77±5.34	43	12.62±3.58	41	9.50±3.52
	27～34	53	11.24±3.29	60	9.87±2.99	42	11.97±3.86	52	10.36±3.22
	35～44	48	12.58±4.34	52	10.08±3.99	58	11.84±4.29	45	9.81±2.85
	45～54	44	11.01±3.50	36	9.33±3.06	43	12.23±3.91	37	9.83±3.51
	≥55	21	12.36±3.97	36	10.34±3.60	26	13.74±6.13	20	10.88±3.25
FVC（L）	10～12	37	2.39±0.39	29	2.23±0.32	39	2.23±0.41	38	2.35±0.38
	13～14	34	3.38±0.66	37	2.72±0.36	41	3.33±0.65	48	2.65±0.37
	15～16	34	3.92±0.63	31	2.81±0.31	28	3.70±0.52	27	2.86±0.45
	17～18	35	4.07±0.52	33	2.97±0.41	42	4.17±0.61	39	3.05±0.44
	19～26	47	4.18±0.56	55	3.00±0.39	43	4.18±0.46	41	2.88±0.40
	27～34	53	4.25±0.74	60	3.13±0.42	42	4.27±0.59	52	3.16±0.33
	35～44	48	4.05±0.50	52	2.96±0.42	59	4.04±0.52	45	2.99±0.36
	45～54	44	3.76±0.55	36	2.65±0.30	43	3.72±0.51	37	2.75±0.38
	≥55	21	3.37±0.45	36	2.33±0.39	26	3.34±0.44	20	2.63±0.36
FEV1（L）	10～12	37	2.26±0.31	29	2.17±0.31	39	2.14±0.36	38	2.26±0.34
	13～14	34	3.23±0.59	37	2.65±0.33	41	3.16±0.59	48	2.56±0.33
	15～16	34	3.71±0.53	31	2.72±0.28	28	3.56±0.42	27	2.77±0.39
	17～18	35	3.86±0.47	33	2.86±0.37	42	3.98±0.53	39	2.92±0.40
	19～26	47	3.92±0.47	55	2.86±0.35	43	3.91±0.41	41	2.73±0.38
	27～34	53	3.87±0.61	60	2.87±0.35	42	3.83±0.59	52	2.87±0.31
	35～44	48	3.60±0.40	52	2.72±0.33	59	3.58±0.47	45	2.69±0.35
	45～54	44	3.32±0.43	36	2.39±0.26	43	3.20±0.49	37	2.43±0.32
	≥55	21	2.93±0.38	36	2.05±0.33	26	2.80±0.38	20	2.33±0.28
FEV1/FVC（%）	10～12	37	95.10±4.73	29	97.23±3.11	39	96.30±5.12	38	96.45±3.77
	13～14	34	95.90±4.54	37	97.46±2.64	41	95.06±4.81	48	96.90±4.18
	15～16	34	95.10±4.74	31	97.00±3.25	28	96.56±4.39	27	97.07±4.38
	17～18	35	95.04±5.12	33	96.32±4.14	42	95.77±5.60	39	95.99±3.83
	19～26	47	94.24±6.48	55	95.71±4.14	43	93.95±6.46	41	95.12±5.15
	27～34	53	91.56±7.53	60	92.24±5.85	42	89.71±5.46	52	90.97±5.90
	35～44	48	89.23±6.92	52	92.20±5.39	59	88.89±6.36	45	90.00±5.85
	45～54	44	88.85±5.86	36	90.17±4.94	43	86.18±6.92	37	88.51±4.63
	≥55	21	87.11±4.54	36	88.15±4.40	26	84.04±8.04	20	89.12±4.71
MVV	10～12	37	62.99±18.23	29	57.64±13.33	39	56.69±13.88	38	56.19±15.62
	13～14	34	86.22±25.35	37	71.55±18.45	41	87.76±25.57	48	68.18±17.32
	15～16	34	107.02±25.15	31	69.55±17.47	28	100.93±18.97	27	65.52±18.79
	17～18	35	108.66±29.93	33	73.05±20.79	42	117.71±31.69	39	77.21±18.41
	19～26	47	121.83±26.82	55	78.52±17.81	43	114.44±23.11	41	77.79±24.00
	27～34	53	124.40±31.93	60	82.76±16.28	41	116.41±30.77	52	79.75±16.39
	35～44	48	119.38±23.81	52	77.35±19.66	59	117.25±28.73	45	81.12±18.45
	45～54	44	94.55±27.94	35	66.23±14.48	43	102.75±32.25	37	67.23±16.62
	≥55	21	94.15±25.38	36	57.83±17.07	26	78.83±19.08	20	67.22±19.67

表3-3-64 河北省肺功能参数（呼气流速）均值表（$\bar{x}\pm s$）

指 标	年龄（岁）	城市				农村			
		n	男	n	女	n	男	n	女
PEF（L/S）	10~12	37	4.95±0.73	29	4.95±0.73	39	4.81±0.66	38	4.82±0.72
	13~14	34	6.68±1.10	37	5.71±0.73	41	6.62±1.32	48	5.47±0.76
	15~16	34	7.92±1.53	31	5.93±0.65	28	7.82±0.88	27	5.78±0.91
	17~18	35	8.43±1.23	33	6.14±0.76	42	8.65±1.30	39	6.27±0.88
	19~26	47	9.07±1.23	55	6.24±0.81	43	9.06±1.36	41	6.14±0.98
	27~34	53	9.19±1.53	60	6.34±0.88	42	9.20±1.52	52	6.27±1.04
	35~44	48	9.18±1.40	52	6.31±0.74	59	9.02±1.39	45	6.53±0.72
	45~54	44	8.49±1.32	36	5.99±1.03	43	8.26±1.42	37	5.88±0.86
	≥55	21	7.86±1.52	36	5.39±1.07	26	7.39±1.59	20	5.37±1.01
FEF25（L/S）	10~12	37	4.28±0.65	29	4.50±0.69	39	4.28±0.68	38	4.42±0.72
	13~14	34	5.82±1.10	37	5.22±0.74	41	5.80±1.16	48	5.08±0.65
	15~16	34	6.58±1.42	31	5.37±0.77	28	6.78±0.87	27	5.35±0.81
	17~18	35	7.33±1.28	33	5.61±0.88	42	7.34±1.33	39	5.72±0.78
	19~26	47	7.51±1.42	55	5.71±0.82	43	7.61±1.37	41	5.52±0.93
	27~34	53	7.56±1.58	60	5.59±0.88	42	7.72±1.60	52	5.50±0.99
	35~44	48	7.34±1.45	52	5.61±0.74	59	7.31±1.59	45	5.63±1.04
	45~54	44	6.98±1.18	36	5.19±1.03	43	6.62±1.43	37	5.29±0.88
	≥55	21	6.48±1.66	36	4.74±1.01	26	5.97±1.63	20	4.84±0.88
FEF50（L/S）	10~12	37	2.87±0.62	29	3.14±0.69	39	2.92±0.60	38	3.24±0.62
	13~14	34	4.12±0.94	37	3.84±0.66	41	4.19±0.94	48	3.73±0.59
	15~16	34	4.62±1.02	31	3.82±0.73	28	4.73±0.79	27	4.01±0.71
	17~18	35	5.18±1.24	33	3.95±0.78	42	5.09±1.05	39	4.04±0.74
	19~26	47	4.90±1.25	55	4.12±0.76	43	4.97±1.18	41	3.91±0.86
	27~34	53	4.65±1.15	60	3.74±0.78	42	4.73±1.28	52	3.60±0.65
	35~44	48	4.24±1.06	52	3.68±0.80	59	4.24±1.31	45	3.64±1.00
	45~54	44	4.10±0.95	35	3.32±0.80	43	3.65±1.03	37	3.19±0.65
	≥55	21	3.67±1.04	36	2.67±0.74	26	3.09±0.90	20	3.11±0.56
FEF75（L/S）	10~12	37	1.41±0.47	29	1.55±0.44	39	1.43±0.38	38	1.64±0.47
	13~14	34	2.18±0.60	37	2.11±0.59	41	2.26±0.66	48	2.05±0.56
	15~16	34	2.38±0.61	31	2.02±0.53	28	2.56±0.68	27	2.28±0.61
	17~18	35	2.74±0.81	33	2.08±0.57	42	2.79±0.86	39	2.23±0.62
	19~26	47	2.54±0.84	55	2.18±0.58	43	2.52±0.80	41	2.00±0.65
	27~34	53	2.16±0.66	60	1.76±0.58	42	2.03±0.67	52	1.62±0.45
	35~44	48	1.75±0.50	52	1.54±0.46	59	1.73±0.81	45	1.42±0.56
	45~54	44	1.54±0.41	35	1.19±0.28	43	1.26±0.49	37	1.18±0.36
	≥55	21	1.09±0.33	36	0.88±0.29	26	1.03±0.32	20	1.08±0.23
MMEF（L）	10~12	37	2.61±0.61	29	2.84±0.64	39	2.67±0.57	38	2.98±0.60
	13~14	34	3.93±0.93	37	3.67±0.69	41	4.11±1.17	48	3.51±0.63
	15~16	34	4.35±1.03	31	3.61±0.72	28	4.56±0.85	27	3.83±0.76
	17~18	35	4.91±1.23	33	3.72±0.80	42	4.96±1.14	39	3.88±0.80
	19~26	47	4.71±1.26	55	3.89±0.76	43	4.74±1.16	41	3.64±0.91
	27~34	53	4.32±1.11	60	3.46±0.80	42	4.30±1.22	52	3.24±0.62
	35~44	48	3.84±1.03	52	3.25±0.75	59	3.78±1.26	45	3.12±0.92
	45~54	44	3.54±0.81	35	2.74±0.59	43	3.02±0.94	37	2.66±0.62
	≥55	21	2.91±0.81	36	2.13±0.59	26	2.50±0.70	20	2.50±0.44

表 3-3-65 广西壮族自治区肺功能参数（肺容量）均值表（x̄±s）

指 标	年龄（岁）	城市 n	城市 男	城市 n	城市 女	农村 n	农村 男	农村 n	农村 女
VT（L）	10~12	31	0.67±0.20	27	0.54±0.21	6	0.67±0.26	4	0.64±0.23
	13~14	25	0.58±0.19	28	0.62±0.24	27	0.63±0.22	29	0.58±0.23
	15~16	29	0.74±0.29	25	0.57±0.20	31	0.55±0.14	24	0.47±0.22
	17~18	33	0.66±0.26	29	0.58±0.26	32	0.65±0.24	29	0.49±0.16
	19~26	37	0.66±0.17	27	0.54±0.20	32	0.64±0.24	17	0.44±0.13
	27~34	42	0.66±0.21	24	0.48±0.13	43	0.59±0.21	33	0.50±0.22
	35~44	34	0.70±0.22	39	0.55±0.17	48	0.59±0.20	34	0.47±0.16
	45~54	26	0.77±0.28	33	0.53±0.14	47	0.62±0.23	16	0.49±0.17
	≥55	28	0.74±0.26	27	0.57±0.20	18	0.66±0.19	6	0.47±0.08
BF（number/min）	10~12	31	21.13±5.78	27	21.66±4.99	6	20.06±5.67	4	21.88±6.88
	13~14	25	19.06±5.27	28	18.79±4.75	27	20.58±4.77	29	23.84±4.59
	15~16	29	18.96±5.66	25	16.87±4.77	31	21.64±4.91	24	21.40±4.99
	17~18	33	19.27±5.01	29	17.87±4.52	32	19.44±4.01	29	22.02±4.62
	19~26	37	19.38±4.91	27	20.37±5.15	32	19.92±4.73	17	20.96±3.97
	27~34	42	19.74±4.70	24	18.85±4.46	43	19.60±5.11	33	21.68±5.28
	35~44	34	18.59±5.24	39	19.02±4.96	48	19.74±5.39	34	20.41±5.04
	45~54	26	17.04±4.81	33	18.52±5.63	47	21.92±5.16	16	23.08±5.61
	≥55	28	17.17±6.78	27	18.16±5.12	18	20.22±4.81	6	20.87±4.91
ERV（L）	10~12	31	0.97±0.30	27	0.93±0.24	6	0.91±0.33	4	0.87±0.32
	13~14	25	1.37±0.48	27	1.11±0.27	27	1.09±0.45	29	1.02±0.36
	15~16	29	1.56±0.48	25	1.06±0.27	31	1.67±0.61	24	0.98±0.43
	17~18	33	1.72±0.61	29	1.32±0.39	32	1.76±0.64	29	1.26±0.42
	19~26	36	1.72±0.60	27	1.09±0.34	32	1.73±0.56	17	1.23±0.29
	27~34	41	1.72±0.50	22	1.11±0.49	41	1.50±0.45	32	1.32±0.37
	35~44	34	1.33±0.55	39	1.04±0.46	47	1.34±0.61	33	1.08±0.49
	45~54	25	1.54±0.77	33	0.86±0.33	46	1.23±0.57	16	0.90±0.46
	≥55	28	1.15±0.66	26	0.69±0.26	16	1.32±0.47	6	0.60±0.35
IC（L）	10~12	31	1.66±0.39	27	1.55±0.39	6	1.26±0.39	4	1.31±0.63
	13~14	25	1.98±0.50	27	1.75±0.34	27	1.57±0.45	29	1.33±0.31
	15~16	29	2.36±0.41	25	1.80±0.31	31	1.73±0.53	24	1.54±0.40
	17~18	33	2.54±0.79	29	1.82±0.37	32	1.96±0.57	29	1.59±0.43
	19~26	37	2.48±0.73	27	1.81±0.34	32	2.10±0.53	17	1.61±0.33
	27~34	42	2.49±0.57	23	1.86±0.58	41	2.28±0.55	33	1.61±0.48
	35~44	34	2.57±0.59	39	1.90±0.41	47	2.39±0.66	34	1.79±0.48
	45~54	25	2.26±0.62	33	1.89±0.43	46	2.26±0.55	16	1.48±0.49
	≥55	28	2.17±0.69	26	1.82±0.33	16	2.11±0.54	6	1.86±0.45
VC（L）	10~12	31	2.63±0.50	28	2.52±0.41	6	2.16±0.28	4	2.18±0.33
	13~14	25	3.35±0.58	28	2.86±0.41	27	2.67±0.44	29	2.35±0.33
	15~16	29	3.91±0.56	25	2.86±0.25	31	3.39±0.46	24	2.52±0.26
	17~18	33	4.25±0.76	29	3.14±0.41	32	3.71±0.35	29	2.85±0.38
	19~26	37	4.16±0.67	27	2.90±0.31	32	3.85±0.47	17	2.84±0.24
	27~34	42	4.15±0.50	24	2.92±0.31	43	3.78±0.43	33	2.89±0.32
	35~44	34	3.90±0.61	39	2.94±0.43	48	3.72±0.46	34	2.82±0.43
	45~54	26	3.80±0.78	33	2.74±0.32	47	3.49±0.47	16	2.44±0.26
	≥55	28	3.31±0.48	27	2.50±0.28	18	3.38±0.57	6	2.46±0.36

表3－3－66 广西壮族自治区肺功能参数（肺通气）均值表（$\bar{x}\pm s$）

指标	年龄（岁）	城市				农村			
		n	男	n	女	n	男	n	女
MV（L）	10～12	31	13.73±4.80	27	11.21±4.01	6	12.48±4.12	4	12.95±3.20
	13～14	25	10.64±3.56	28	11.24±3.73	27	12.90±5.64	29	13.35±5.22
	15～16	29	13.08±3.91	25	9.34±3.01	31	11.84±3.76	24	9.59±4.32
	17～18	33	12.48±5.03	29	9.94±3.87	32	12.35±4.27	29	10.77±3.81
	19～26	37	12.62±3.78	27	10.92±5.44	32	12.67±5.26	17	9.09±2.71
	27～34	42	12.75±4.34	24	9.11±3.61	43	11.12±3.38	33	10.48±4.18
	35～44	34	12.49±4.74	39	10.23±3.99	48	11.02±3.43	34	9.29±3.56
	45～54	26	12.66±4.90	33	9.67±3.81	47	13.18±4.73	16	11.01±3.81
	≥55	28	11.90±4.41	27	9.71±2.81	18	13.14±4.45	6	10.12±3.27
FVC（L）	10～12	31	2.50±0.42	28	2.40±0.41	6	2.05±0.32	4	2.18±0.32
	13～14	25	3.23±0.54	28	2.77±0.38	27	2.55±0.46	29	2.25±0.33
	15～16	29	3.77±0.55	25	2.78±0.25	31	3.21±0.42	24	2.41±0.24
	17～18	33	4.06±0.50	29	3.13±0.40	32	3.50±0.32	29	2.73±0.38
	19～26	37	3.99±0.69	27	2.86±0.32	32	3.66±0.48	17	2.81±0.25
	27～34	42	4.00±0.50	24	2.89±0.28	43	3.63±0.38	33	2.82±0.32
	35～44	34	3.76±0.53	38	2.90±0.41	48	3.58±0.45	34	2.77±0.43
	45～54	25	3.70±0.54	33	2.69±0.32	47	3.34±0.49	15	2.41±0.26
	≥55	28	3.12±0.44	27	2.40±0.32	18	3.19±0.57	6	2.39±0.35
FEV1（L）	10～12	31	2.38±0.45	28	2.34±0.37	6	2.02±0.29	4	2.14±0.32
	13～14	25	3.12±0.54	28	2.69±0.35	27	2.48±0.43	29	2.23±0.32
	15～16	29	3.59±0.48	25	2.67±0.23	31	3.15±0.40	24	2.38±0.23
	17～18	33	3.86±0.52	29	3.00±0.39	32	3.48±0.29	29	2.67±0.35
	19～26	37	3.80±0.57	27	2.78±0.30	32	3.57±0.42	17	2.72±0.24
	27～34	42	3.70±0.45	24	2.71±0.30	43	3.41±0.36	33	2.68±0.28
	35～44	34	3.39±0.43	38	2.64±0.36	48	3.24±0.44	34	2.49±0.39
	45～54	25	3.28±0.58	33	2.41±0.29	47	2.97±0.43	15	2.10±0.26
	≥55	28	2.73±0.45	27	2.11±0.28	18	2.78±0.62	6	2.03±0.34
FEV1/FVC（%）	10～12	31	94.19±5.21	28	97.72±2.74	6	98.48±2.38	4	98.20±1.78
	13～14	25	96.81±3.71	28	97.06±3.72	27	97.73±3.52	29	98.94±2.08
	15～16	29	95.63±4.01	25	96.29±5.43	31	98.23±3.58	24	98.54±2.68
	17～18	33	95.31±7.62	29	96.86±3.03	32	99.43±1.10	29	97.61±3.24
	19～26	37	94.56±5.01	27	96.43±5.48	32	97.53±3.46	17	96.86±3.71
	27～34	42	92.73±4.63	24	93.64±5.16	43	94.06±4.46	33	95.04±4.40
	35～44	34	89.74±5.28	38	91.05±4.23	48	90.03±7.54	34	90.24±6.20
	45～54	25	88.38±6.63	33	89.84±3.95	47	89.31±6.28	15	87.00±3.41
	≥55	28	87.63±7.96	27	88.27±4.94	18	86.63±7.46	6	84.91±5.22
MVV（L）	10～12	31	64.07±17.29	27	58.55±13.13	6	49.06±12.26	4	60.57±6.31
	13～14	25	78.33±18.38	28	65.06±16.36	27	60.91±19.84	29	52.91±13.33
	15～16	29	91.77±24.55	25	69.81±17.26	31	85.28±22.11	24	52.48±15.26
	17～18	33	100.84±27.30	29	66.14±19.24	32	104.99±24.79	29	65.97±20.68
	19～26	37	118.80±27.49	27	79.67±20.84	32	102.24±23.88	17	73.13±14.83
	27～34	42	110.35±29.11	24	81.04±16.92	43	100.84±26.31	33	77.44±21.56
	35～44	34	108.64±22.51	37	80.54±22.26	48	92.83±25.55	34	58.09±17.75
	45～54	25	107.02±27.87	33	74.03±22.71	47	81.49±24.76	15	63.54±14.58
	≥55	28	76.66±25.11	27	57.62±20.67	18	70.02±24.33	6	35.98±9.36

表 3-3-67 广西壮族自治区肺功能参数（呼气流速）均值表（x̄±s）

指 标	年龄（岁）	城市				农村			
		n	男	n	女	n	男	n	女
PEF（L/S）	10~12	31	5.16±0.80	28	5.28±0.83	6	4.85±0.40	4	5.06±0.64
	13~14	25	6.74±1.11	28	5.83±0.69	27	5.52±0.92	29	5.08±0.80
	15~16	29	7.66±1.14	25	5.65±0.75	31	7.31±1.13	24	5.50±0.99
	17~18	33	8.26±1.29	29	6.51±0.88	32	8.63±1.09	29	5.95±1.01
	19~26	37	9.13±1.38	27	6.49±0.90	32	8.50±1.14	17	6.06±0.47
	27~34	42	9.30±1.08	24	6.33±0.62	43	8.77±1.22	33	6.16±0.87
	35~44	34	9.12±1.33	38	6.85±1.11	48	8.67±1.59	34	5.83±0.95
	45~54	25	9.10±1.30	33	6.47±0.96	47	7.84±1.32	15	5.55±0.90
	≥55	28	8.05±1.56	27	5.50±0.81	18	7.77±1.57	6	4.95±1.01
FEF25（L/S）	10~12	31	4.56±0.80	28	4.83±0.83	6	4.36±0.44	4	4.72±0.76
	13~14	25	6.11±1.02	28	5.40±0.59	27	5.03±0.73	29	4.75±0.85
	15~16	29	6.59±1.07	25	5.31±0.75	31	6.53±1.02	24	5.23±0.88
	17~18	33	7.27±1.53	29	6.01±1.00	32	7.60±1.21	29	5.49±0.94
	19~26	37	7.69±1.30	27	6.02±0.78	32	7.51±1.03	17	5.50±0.61
	27~34	42	7.78±1.09	24	5.77±0.65	43	7.17±1.11	33	5.51±0.68
	35~44	34	7.87±1.36	38	6.03±0.98	48	7.34±1.70	34	5.18±0.96
	45~54	25	7.29±1.80	33	5.84±0.96	47	6.58±1.58	15	4.85±1.12
	≥55	28	6.59±1.73	27	4.89±0.84	18	6.15±1.74	6	4.42±0.64
FEF50（L/S）	10~12	31	3.33±0.75	28	3.55±0.67	6	3.36±0.33	4	3.60±0.95
	13~14	25	4.52±0.91	28	3.92±0.52	27	3.69±0.69	29	3.65±0.81
	15~16	29	4.84±0.90	25	3.85±0.72	31	4.77±0.80	24	4.10±0.72
	17~18	33	5.23±1.34	29	4.65±0.92	32	5.54±0.98	29	4.22±0.82
	19~26	37	5.09±1.14	27	4.56±0.82	32	5.14±0.95	17	4.14±0.63
	27~34	42	4.86±1.06	24	4.02±0.88	43	4.54±1.07	33	3.91±0.71
	35~44	34	4.65±1.06	38	3.80±0.77	48	4.29±1.22	34	3.47±0.84
	45~54	25	4.47±1.54	33	3.71±0.90	47	3.89±1.15	15	2.77±0.70
	≥55	28	3.52±1.27	27	2.99±0.81	18	3.45±1.29	6	2.57±0.77
FEF75（L/S）	10~12	31	1.68±0.52	28	1.88±0.60	6	1.65±0.25	4	1.87±0.62
	13~14	25	2.32±0.71	28	2.27±0.54	27	2.03±0.58	29	1.95±0.52
	15~16	29	2.56±0.67	25	2.09±0.59	31	2.68±0.64	24	2.37±0.59
	17~18	33	3.06±0.94	29	2.53±0.77	32	3.08±0.77	29	2.24±0.67
	19~26	37	2.52±0.72	27	2.39±0.69	32	2.71±0.73	17	2.26±0.66
	27~34	42	2.12±0.63	24	1.93±0.70	43	2.10±0.64	33	1.90±0.65
	35~44	33	1.75±0.50	38	1.48±0.49	48	1.77±0.62	34	1.45±0.48
	45~54	25	1.59±0.67	33	1.28±0.37	47	1.43±0.51	15	0.96±0.20
	≥55	28	1.11±0.61	27	0.89±0.36	18	1.31±0.74	6	0.80±0.25
MMEF（L/S）	10~12	31	3.07±0.77	28	3.29±0.77	6	3.03±0.21	4	3.27±0.82
	13~14	25	4.22±0.99	28	3.80±0.58	27	3.50±0.72	29	3.40±0.80
	15~16	29	4.61±0.88	25	3.65±0.72	31	4.56±0.82	24	3.92±0.79
	17~18	33	5.20±1.42	29	4.44±0.95	32	5.36±0.95	29	3.93±0.84
	19~26	37	4.80±1.12	27	4.21±0.82	32	4.93±0.94	17	3.92±0.71
	27~34	42	4.39±1.01	24	3.66±0.90	43	4.19±0.98	33	3.55±0.75
	35~44	33	4.06±0.95	38	3.28±0.77	48	3.84±1.13	34	3.02±0.80
	45~54	25	3.75±1.34	33	3.02±0.73	47	3.30±1.00	15	2.28±0.52
	≥55	28	2.80±1.23	27	2.29±0.70	18	2.98±1.34	6	1.98±0.59

表3-3-68　浙江省肺功能参数（肺容量）均值表（$\bar{x}\pm s$）

指标	年龄（岁）	城市				农村			
		n	男	n	女	n	男	n	女
VT（L）	1　10~12	68	0.54±0.21	77	0.57±0.20	17	0.52±0.17	19	0.48±0.25
	2　13~14	63	0.65±0.28	53	0.56±0.29	18	0.66±0.24	16	0.46±0.14
	3　15~16	75	0.65±0.22	31	0.48±0.20	19	0.53±0.23	17	0.46±0.23
	4　17~18	45	0.55±0.22	29	0.57±0.22	12	0.65±0.39	8	0.52±0.20
	5　19~26	65	0.65±0.28	71	0.53±0.24	13	0.60±0.28	18	0.59±0.29
	6　27~34	35	0.66±0.22	50	0.56±0.25	13	0.50±0.16	16	0.49±0.16
	7　35~44	57	0.65±0.29	80	0.51±0.24	19	0.61±0.26	24	0.52±0.16
	8　45~54	41	0.60±0.22	48	0.50±0.19	20	0.57±0.25	17	0.45±0.16
	9　≥55	68	0.66±0.27	55	0.50±0.20	13	0.59±0.27	8	0.48±0.11
BF（number/min）	1　10~12	68	21.03±5.38	77	20.42±6.18	17	19.99±4.46	19	21.36±4.48
	2　13~14	63	19.02±4.25	53	19.38±4.24	18	20.77±5.78	16	20.94±3.01
	3　15~16	75	17.08±3.58	31	18.86±4.80	19	17.53±5.62	17	18.13±2.61
	4　17~18	45	18.59±4.31	29	18.26±4.54	12	15.47±4.29	8	19.01±4.88
	5　19~26	65	17.13±4.04	71	17.98±3.84	13	16.50±4.06	18	18.25±3.60
	6　27~34	35	16.15±3.58	50	17.71±4.23	13	16.98±3.22	16	18.44±4.04
	7　35~44	57	16.75±3.84	80	19.15±4.28	19	15.77±3.41	24	19.10±3.30
	8　45~54	41	17.87±3.57	48	18.60±4.63	20	17.03±3.94	17	19.83±4.10
	9　≥55	68	18.23±4.35	55	20.16±4.80	13	17.05±3.66	8	19.51±3.56
ERV（L）	1　10~12	68	0.83±0.31	77	0.74±0.31	17	0.99±0.27	19	0.87±0.35
	2　13~14	63	1.13±0.44	53	0.99±0.37	18	1.29±0.34	16	1.28±0.40
	3　15~16	75	1.40±0.54	31	0.92±0.41	19	1.43±0.67	17	0.71±0.36
	4　17~18	45	1.62±0.68	29	0.97±0.37	12	1.05±0.44	8	0.65±0.26
	5　19~26	65	1.75±0.53	71	1.10±0.36	13	1.78±0.81	18	1.01±0.42
	6　27~34	35	1.60±0.58	50	1.16±0.48	13	1.28±0.58	16	1.10±0.49
	7　35~44	57	1.25±0.65	80	0.97±0.46	19	0.94±0.48	24	0.77±0.48
	8　45~54	41	1.35±0.55	48	0.92±0.42	20	1.03±0.56	17	0.79±0.31
	9　≥55	68	1.05±0.45	55	0.81±0.43	13	0.86±0.44	8	0.81±0.49
IC（L）	1　10~12	68	1.52±0.40	77	1.46±0.35	17	1.36±0.34	19	1.21±0.29
	2　13~14	63	1.98±0.43	53	1.66±0.44	18	1.52±0.54	16	1.29±0.44
	3　15~16	75	2.27±0.57	31	1.96±0.52	19	2.07±0.71	17	2.01±0.41
	4　17~18	45	2.20±0.64	29	1.85±0.54	12	2.64±0.83	8	1.85±0.22
	5　19~26	65	2.17±0.54	71	1.72±0.39	13	2.09±0.56	18	1.87±0.46
	6　27~34	35	2.36±0.63	50	1.78±0.51	13	2.67±0.49	16	1.67±0.44
	7　35~44	57	2.44±0.77	80	1.91±0.48	19	2.49±0.55	24	1.96±0.65
	8　45~54	41	2.19±0.53	48	1.84±0.45	20	2.49±0.58	17	1.78±0.40
	9　≥55	68	2.13±0.54	55	1.60±0.51	13	2.51±0.77	8	1.79±0.57
VC（L）	1　10~12	68	2.35±0.42	77	2.19±0.37	17	2.34±0.30	19	2.08±0.31
	2　13~14	63	3.11±0.64	53	2.67±0.40	18	2.75±0.43	16	2.51±0.28
	3　15~16	75	3.68±0.68	31	2.85±0.54	19	3.50±0.35	17	2.72±0.46
	4　17~18	45	3.88±0.69	29	2.82±0.45	12	3.69±0.61	8	2.49±0.24
	5　19~26	65	3.92±0.49	71	2.81±0.34	13	3.92±0.54	18	2.78±0.46
	6　27~34	35	3.99±0.52	50	2.92±0.38	13	4.03±0.41	16	2.80±0.36
	7　35~44	57	3.72±0.61	80	2.87±0.38	19	3.54±0.57	24	2.66±0.41
	8　45~54	41	3.55±0.61	48	2.72±0.43	20	3.52±0.57	17	2.56±0.48
	9　≥55	68	3.17±0.50	55	2.39±0.55	13	3.42±0.44	8	2.45±0.61

表 3-3-69 浙江省肺功能参数（肺通气）均值表（x̄±s）

指 标		年龄（岁）	城市 n	城市 男	城市 n	城市 女	农村 n	农村 男	农村 n	农村 女
MV（L）	1	10~12	68	10.89±3.81	77	11.28±4.29	17	9.94±3.03	19	9.59±3.65
	2	13~14	63	11.64±4.36	53	10.11±3.95	18	12.74±3.56	16	9.58±2.79
	3	15~16	75	10.96±4.15	31	8.67±3.26	19	8.89±3.73	17	8.44±4.48
	4	17~18	45	10.21±5.00	29	10.04±3.46	12	9.27±4.14	8	9.35±3.90
	5	19~26	65	10.72±4.57	71	8.97±3.65	13	9.34±3.44	18	10.65±5.38
	6	27~34	35	10.28±3.34	50	9.47±3.48	13	8.23±2.01	16	9.00±3.29
	7	35~44	57	10.40±4.27	80	9.51±4.39	19	9.23±3.80	24	9.80±3.11
	8	45~54	41	10.66±4.51	48	8.90±2.76	20	9.25±3.47	17	8.65±2.37
	9	≥55	68	11.78±5.22	55	9.88±3.79	13	9.58±3.68	8	9.31±2.51
FVC（L）	1	10~12	68	2.20±0.40	77	2.05±0.38	17	2.08±0.36	19	1.94±0.34
	2	13~14	63	2.98±0.65	53	2.52±0.43	18	2.53±0.43	16	2.43±0.26
	3	15~16	75	3.49±0.68	31	2.70±0.58	19	3.27±0.38	17	2.67±0.47
	4	17~18	45	3.64±0.64	29	2.65±0.50	12	3.35±0.44	8	2.27±0.40
	5	19~26	65	3.70±0.49	71	2.67±0.36	13	3.72±0.52	18	2.65±0.45
	6	27~34	35	3.77±0.61	50	2.76±0.43	13	3.86±0.48	16	2.67±0.35
	7	35~44	57	3.48±0.60	80	2.74±0.39	19	3.35±0.56	24	2.50±0.38
	8	45~54	41	3.36±0.65	48	2.52±0.37	20	3.31±0.60	17	2.37±0.51
	9	≥55	68	2.95±0.48	55	2.24±0.53	13	3.31±0.41	8	2.22±0.58
FEV1（L）	1	10~12	68	2.12±0.39	77	2.01±0.37	17	2.00±0.35	19	1.86±0.30
	2	13~14	63	2.85±0.58	53	2.41±0.37	18	2.46±0.43	16	2.41±0.27
	3	15~16	75	3.34±0.62	31	2.63±0.52	19	3.24±0.38	17	2.62±0.42
	4	17~18	45	3.51±0.57	29	2.57±0.45	12	3.29±0.44	8	2.27±0.40
	5	19~26	65	3.61±0.42	71	2.59±0.32	13	3.56±0.53	18	2.58±0.41
	6	27~34	35	3.51±0.52	50	2.63±0.37	13	3.63±0.41	16	2.55±0.37
	7	35~44	57	3.20±0.49	80	2.53±0.32	19	3.13±0.47	24	2.36±0.32
	8	45~54	41	3.05±0.56	48	2.28±0.30	20	3.10±0.55	17	2.16±0.43
	9	≥55	68	2.60±0.47	55	2.02±0.48	13	2.86±0.31	8	1.99±0.40
FEV1/F（%）	1	10~12	68	96.69±3.62	77	98.43±2.44	17	96.39±5.29	19	96.60±3.82
	2	13~14	63	96.21±4.91	53	95.86±5.20	18	97.35±4.80	16	98.96±2.61
	3	15~16	75	96.11±4.41	31	97.68±4.11	19	99.08±1.52	17	98.40±3.59
	4	17~18	45	96.61±5.13	29	97.23±4.00	12	97.35±5.45	8	100.00±0.00
	5	19~26	65	97.64±3.49	71	97.13±4.33	13	95.58±5.07	18	97.71±2.69
	6	27~34	35	93.36±5.25	50	95.59±4.72	13	94.10±6.11	16	95.36±5.43
	7	35~44	57	92.65±6.45	80	92.80±5.23	19	93.81±4.69	24	94.80±6.81
	8	45~54	41	91.27±6.38	48	90.86±6.62	20	94.43±6.26	17	91.63±6.96
	9	≥55	68	88.50±8.89	55	90.37±7.56	13	86.98±8.40	8	90.61±9.46
MVV（L）	1	10~12	68	67.99±19.82	77	64.11±18.32	17	66.78±15.74	19	53.64±11.83
	2	13~14	63	91.24±24.55	53	73.42±19.16	18	86.37±25.70	16	81.40±18.14
	3	15~16	75	113.01±26.86	31	85.13±19.54	19	119.27±21.09	17	85.18±14.77
	4	17~18	45	122.04±27.18	29	75.05±14.99	12	125.24±24.98	8	72.75±17.82
	5	19~26	65	142.34±22.36	71	87.47±20.38	13	124.26±28.38	18	90.68±21.01
	6	27~34	35	126.12±26.16	50	91.32±18.22	13	130.02±33.56	16	91.84±25.60
	7	35~44	57	112.14±31.83	80	81.81±18.80	19	110.36±24.65	24	80.83±13.95
	8	45~54	41	96.51±27.53	48	76.60±19.32	20	111.44±28.23	17	70.87±20.92
	9	≥55	68	88.49±27.51	55	62.72±18.77	13	91.48±23.11	8	64.46±14.58

表3-3-70　浙江省肺功能参数（呼气流速）均值表（x̄±s）

指标		年龄（岁）	城市				农村			
			n	男	n	女	n	男	n	女
PEF（L/S）	1	10~12	68	4.38±0.94	77	4.13±0.91	17	4.47±0.91	19	4.00±0.58
	2	13~14	63	5.52±1.31	53	4.52±1.06	18	5.06±1.02	16	4.68±0.96
	3	15~16	75	6.45±1.49	31	5.39±1.36	19	6.84±1.17	17	4.91±0.99
	4	17~18	45	7.26±1.82	29	4.78±0.99	12	6.88±1.27	8	4.66±1.17
	5	19~26	65	7.60±1.49	71	5.29±0.86	13	7.67±1.35	18	5.70±0.98
	6	27~34	35	7.39±1.68	50	5.39±1.15	13	8.27±1.21	16	5.89±1.30
	7	35~44	57	6.94±1.78	80	5.06±1.08	19	6.81±1.59	24	4.83±0.98
	8	45~54	41	6.72±1.91	48	4.63±1.20	20	6.78±1.07	17	4.87±1.10
	9	≥55	68	5.63±1.84	55	4.06±1.10	13	6.27±1.83	8	4.29±0.94
FEF25（L/S）	1	10~12	68	4.02±0.86	77	3.89±0.82	17	3.85±0.79	19	3.75±0.58
	2	13~14	63	5.07±1.13	53	4.28±0.97	18	4.82±0.91	16	4.47±0.86
	3	15~16	75	5.89±1.26	31	5.03±1.07	19	5.94±1.44	17	4.69±0.91
	4	17~18	45	6.53±1.29	29	4.50±0.73	12	6.27±1.33	8	4.51±1.01
	5	19~26	65	7.01±1.18	71	5.00±0.80	13	6.93±1.37	18	5.35±0.89
	6	27~34	35	6.57±1.13	50	5.03±0.97	13	6.99±1.24	16	5.39±1.10
	7	35~44	57	6.28±1.56	80	4.80±0.99	19	6.29±1.40	24	4.84±1.34
	8	45~54	41	6.01±1.67	48	4.35±1.05	20	6.41±1.12	17	4.12±0.86
	9	≥55	68	5.11±1.71	55	3.83±1.07	13	5.24±1.44	8	4.00±0.91
FEF50（L/S）	1	10~12	68	2.96±0.74	77	2.91±0.75	17	2.59±0.64	19	2.71±0.48
	2	13~14	63	3.81±0.91	53	3.20±0.85	18	3.43±1.11	16	3.52±0.71
	3	15~16	75	4.46±1.00	31	3.82±0.91	19	4.67±1.02	17	3.71±0.49
	4	17~18	45	4.71±1.13	29	3.41±0.64	12	4.39±1.20	8	3.69±0.87
	5	19~26	65	5.16±1.03	71	3.75±0.74	13	4.64±1.16	18	4.01±0.86
	6	27~34	35	4.32±0.95	50	3.79±0.73	13	4.85±1.26	16	3.88±0.96
	7	35~44	57	4.23±1.12	80	3.46±0.74	19	4.19±0.91	24	3.34±0.61
	8	45~54	41	3.95±1.22	48	3.02±0.70	20	4.51±1.10	17	2.81±0.81
	9	≥55	68	3.27±1.14	55	2.69±0.85	13	3.33±0.99	8	2.42±0.71
FEF75（L/S）	1	10~12	68	1.46±0.57	77	1.54±0.54	17	1.16±0.55	19	1.26±0.48
	2	13~14	63	2.12±0.73	53	1.76±0.63	18	1.91±0.89	16	2.21±0.78
	3	15~16	75	2.52±0.82	31	2.14±0.65	19	2.82±0.61	17	2.28±0.38
	4	17~18	45	2.80±0.91	29	1.99±0.55	12	2.48±0.84	8	2.36±0.77
	5	19~26	65	2.81±0.78	71	2.04±0.62	13	2.51±0.75	18	2.12±0.80
	6	27~34	35	2.13±0.70	50	1.83±0.58	13	2.65±1.27	16	1.89±0.58
	7	35~44	57	1.90±0.53	80	1.51±0.44	19	1.82±0.52	24	1.55±0.48
	8	45~54	41	1.61±0.62	48	1.10±0.43	20	1.79±0.57	17	1.04±0.39
	9	≥55	68	1.27±0.67	55	1.11±0.69	13	1.43±0.67	8	0.93±0.55
MMEF（L/S）	1	10~12	68	2.66±0.76	77	2.67±0.73	17	2.24±0.65	19	2.39±0.50
	2	13~14	63	3.61±0.95	53	3.00±0.81	18	3.30±1.15	16	3.40±0.79
	3	15~16	75	4.28±1.05	31	3.66±0.93	19	4.55±0.96	17	3.56±0.44
	4	17~18	45	4.64±1.08	29	3.24±0.63	12	4.09±1.48	8	3.56±0.85
	5	19~26	65	4.95±1.04	71	3.51±0.73	13	4.44±1.15	18	3.70±0.94
	6	27~34	35	4.03±1.03	50	3.36±0.73	13	4.69±1.53	16	3.53±0.94
	7	35~44	57	3.81±0.94	80	3.02±0.67	19	3.69±0.79	24	2.95±0.60
	8	45~54	41	3.44±1.08	48	2.46±0.63	20	3.84±0.97	17	2.34±0.73
	9	≥55	68	2.74±1.06	55	2.23±0.93	13	2.92±0.91	8	2.00±0.84

表 3-3-71 年龄、身高、体重与肺功能参数的相关系数（肺容量）

		VT			BF			ERV			IC			VC		
		10~18	19~44	≥55	10~18	19~44	≥55	10~18	19~44	≥55	10~18	19~44	≥55	10~18	19~44	≥55（岁）
年龄	男	0.037	0.009	0.118	-0.084	-0.049	0.049	.661**	-.146**	-.294**	.592**	0.063	-0.065	.774**	-0.086	-.359**
	女	-.123*	-0.001	0.13	-0.015	-.180**	0.037	.377**	-.130*	-0.047	.342**	.208**	-.318**	.552**	0.061	-.438**
身高	男	.153**	0.088	0.079	-.117*	-0.07	-0.119	.747**	.321**	0.132	.689**	.295**	.410**	.888**	.626**	.539**
	女	0.007	.100*	0.04	-.116*	0.033	-0.008	.463**	.309**	0.066	.443**	.252**	.389**	.696**	.529**	.506**
体重	男	.138**	0.077	.182*	-.165**	-0.028	-.191*	.615**	-.143**	-.464**	.724**	.468**	.559**	.831**	.335**	0.093
	女	0.003	0.058	.167*	-.114*	-0.053	0.018	.360**	0.015	-.189*	.550**	.424**	.261**	.703**	.414**	0.12

* $P<0.05$　** $P<0.01$

表 3-3-72 年龄、身高、体重与肺功能参数的相关系数（肺通气）

		FVC			FEV1			FEV1/FVC			MV			MVV		
		10~18	19~44	≥55	10~18	19~44	≥55	10~18	19~44	≥55	10~18	19~44	≥55	10~18	19~44	≥55（岁）
年龄	男	.769**	-0.071	-.381**	.796**	-.259**	-.459**	-0.001	-.346**	-.179*	-0.006	-0.015	.176*	.654**	-0.019	-.222**
	女	.574**	0.032	-.419**	.591**	-.125*	-.474**	-0.057	-.319**	-0.107	-.131*	-.095*	.150*	.329**	0.046	-.271**
身高	男	.880**	.606**	.525**	.891**	.581**	.430**	-.111*	-0.052	-0.126	0.095	0.022	-0.032	.706**	.280*	.169*
	女	.682**	.507**	.489**	.720**	.450**	.474**	-0.002	-.137**	-0.066	-0.053	.105*	0.003	.390**	.344**	.159*
体重	男	.808**	.334**	0.108	.799**	.237**	0.059	-.198**	-.178**	-0.081	0.043	0.002	0.064	.624**	0.075	0.04
	女	.672**	.392**	.150*	.688**	.264**	0.137	-0.079	-.295**	-0.028	-0.067	0.034	.149*	.313**	.172**	-0.082

* $P<0.05$　** $P<0.01$

表 3-3-73 年龄、身高、体重与肺功能参数的相关系数（流速容量环）

		PEF			FEF25			FEF50			FEF75			MMEF		
		10~18	19~44	≥55	10~18	19~44	≥55	10~18	19~44	≥55	10~18	19~44	≥55	10~18	19~44	≥55（岁）
年龄	男	.789**	0.017	-.265**	.731**	-0.071	-.221*	.674**	-.257**	-.281**	.610**	-.444**	-.441**	.655**	-.336**	-.382**
	女	.543**	0.088	-.359**	.516**	-0.019	-.306**	.403**	-.204**	-.309**	.342**	-.428**	-.376**	.420**	-.306**	-.377**
身高	男	.775**	.349**	.230**	.711**	.225**	0.099	.687**	.186**	0.14	.625**	.194**	0.132	.642**	.207**	0.141
	女	.568**	.309**	.279**	.568**	.202**	.216**	.550**	0.094	.255**	.460**	0.038	.238**	.557**	.097*	.271**
体重	男	.720**	.292**	.198*	.667**	.175**	0.052	.591**	0.054	-0.01	.434**	-.098*	-0.026	.527**	0.012	-0.009
	女	.500**	.286**	0.026	.496**	.171**	0.037	.447**	0.005	0.115	.324**	-.244**	0.067	.441**	-0.081	0.129

* $P<0.05$　** $P<0.01$

表3-3-74 北京市-肺功能正常预计值回归方程式（11~23岁）

	$\bar{x} \pm s$	r
男 VT = ...	0.69 ± 0.26	
女 $VT = 0.619 - 0.01817A^{**} + 0.004186W^{*}$	0.55 ± 0.20	0.06
男 $BF = -1.535 + 0.161H^{**} - 0.120W^{**}$	18.37 ± 4.99	0.02
女 BF = ...	18.03 ± 4.76	
男 $MV = -11.983 + 0.174H^{**} - 0.328A^{*}$	12.06 ± 4.3	0.09
女 $MV = 10.666 - 0.301A^{**} + 0.06997W^{*}$	9.62 ± 3.24	0.07
男 $ERV = -4.081 + 0.02916H^{**} + 0.03873A^{**}$	1.35 ± 0.54	0.44
女 $ERV = -1.883 + 0.01821H^{**}$	1.00 ± 0.33	0.10
男 $IC = -1.665 + 0.01831W^{**}$	2.42 ± 0.54	0.36
女 $IC = -0.997 + 0.01426W^{**} + 0.01240H^{*} + 0.02150A^{*}$	2.01 ± 0.42	0.20
男 $VC = -5.865 + 0.04920H^{**} + 0.04927A^{**} + 0.01260W^{**}$	3.77 ± 0.79	0.69
女 $VC = -2.635 + 0.02763H^{**} + 0.01746W^{**} + 0.02668A^{**}$	3.03 ± 0.44	0.43
男 $FVC = -5.298 + 0.04414H^{**} + 0.06109A^{**} + 0.01113W^{**}$	3.59 ± .76	0.68
女 $FVC = -2.650 + 0.02805H^{**} + 0.01428W^{**} + 0.02814A^{**}$	2.94 ± 0.43	0.41
男 $FEV1 = -5.645 + 0.04734H^{**} + 0.06822A^{**}$	3.25 ± 0.69	0.74
女 $FEV1 = -2.307 + 0.02511H^{**} + 0.03773A^{**} + 0.09171W^{**}$	2.70 ± 0.39	0.43
男 $FEV1/FVC = 84.301 + 0.428A^{**}$	90.73 ± 6.30	0.03
女 $FEV1/FVC = 92.753 + 0.411A^{**} - 0.135W^{*}$	92.16 ± 5.83	0.04
男 $PEF = -6.895 + 0.258^{**} + 0.05778H^{**}$	6.59 ± 1.52	0.57
女 $PEF = -2.160 + 0.08577A^{**} + 0.03238W^{**} + 0.02936H^{**}$	5.43 ± 0.95	0.29
男 $FEF25 = -4.427 + 0.219A^{**} + 0.04109H^{**}$	5.70 ± 1.34	0.46
女 $FEF25 = 2.140 + 0.03227W^{**} + 0.07912A^{**}$	4.98 ± 0.88	0.20
男 $FEF50 = -4.105 + 0.138A^{**} + 0.03557H^{**}$	3.88 ± 1.04	0.39
女 $FEF50 = -1.596 + 0.07610A^{**} + 0.02537H^{**}$	3.58 ± 0.80	0.15
男 $FEF75 = -5.276 + 0.03984H^{**} + 0.09944A^{**} - 0.01743W^{**}$	1.86 ± 0.75	0.44
女 $FEF75 = -2.914 + 0.06066A^{**} + 0.02742H^{**} - 0.01185W^{*}$	1.75 ± 0.57	0.19
男 $MMEF75/25 = -5.193 + 0.158A^{**} + 0.03830H^{**}$	3.54 ± 1.08	0.45
女 $MMEF75/25 = -2.889 + 0.07837A^{**} + 0.03139H^{**}$	3.27 ± 0.80	0.19
男 $MVV = -168.982 + 1.341H^{**} + 3.218A^{**}$	102.40 ± 28.01	0.50
女 $MVV = -79.977 + 0.870H^{**} + 0.418W^{*}$	78.95 ± 17.87	0.15

注：A代表年龄，H代表身高，W代表体重　$^{*}P<0.05$　$^{**}P<0.01$　男 n = 216　女 n = 249

表 3-3-75 河北省-肺功能正常预计值回归方程式（10~18岁）

	$\bar{x} \pm s$	r
男 VT = 0.02279 + 0.005667H** - 0.01835A*	0.68 ± 0.22	0.04
女 VT = 0.733 - 0.01161A*	0.57 ± 0.23	0.02
男 BF = 22.984 - 0.06276W**	19.65 ± 4.39	0.03
女 BF = …………	21.02 ± 4.21	
男 MV = …………	13.06 ± 4.17	
女 MV = 14.889 - 0.234A*	11.53 ± 4.25	0.02
男 ERV = -3.686 + 0.02748H** + 0.05001A**	1.52 ± 0.55	0.58
女 ERV = -1.870 + 0.01722H** + 0.02338A*	1.17 ± 0.34	0.23
男 IC = -1.381 + 0.02405W** + 0.01050H** + 0.03076A*	2.06 ± 0.59	0.56
女 IC = 0.516 + 0.02371W**	1.66 ± 0.36	0.30
男 VC = -5.024 + 0.03754H** + 0.02458W** + 0.08065A**	3.58 ± 0.92	0.84
女 VC = -1.905 + 0.02027W** + 0.02138H** + 0.02798A**	2.82 ± 0.46	0.58
男 FVC = -5.148 + 0.03852H** + 0.02016W** + 0.08082A**	3.38 ± 0.90	0.82
女 FVC = -2.034 + 0.02141H** + 0.01691W** + 0.03977A**	2.71 ± 0.46	0.55
男 FEV1 = -4.907 + 0.03699H** + 0.09122A** + 0.01446W**	3.22 ± 0.83	0.84
女 FEV1 = -2.179 + 0.02294H** + 0.01410W** + 0.03620A**	2.61 ± 0.42	0.60
男 FEV1/FVC = 96.638 - 0.145W** + 0.458A**	95.58 ± 4.90	0.07
女 FEV1/FVC = …………	96.78 ± 3.70	
男 PEF = -6.035 + 0.352A** + 0.03663W** + 0.03640H**	6.95 ± 1.81	0.71
女 PEF = -3.592 + 0.04761H** + 0.122A**	5.63 ± 0.91	0.39
男 FEF25 = -4.133 + 0.296A** + 0.03213W** + 0.02537H*	6.00 ± 1.59	0.61
女 FEF25 = -3.867 + 0.04824H** + 0.102A**	5.16 ± 0.86	0.38
男 FEF50 = -5.694 + 0.04375H** + 0.190A**	4.19 ± 1.25	0.53
女 FEF50 = -4.527 + 0.04897H** + 0.03991A*	3.72 ± 0.75	0.31
男 FEF75 = -5.016 + 0.03950H** + 0.116A** - 0.01714W**	2.21 ± 0.82	0.45
女 FEF75 = -3.934 + 0.03785H**	2.00 ± 0.60	0.21
男 MMEF = -5.305 + 0.218A** + 0.03760H**	3.99 ± 1.30	0.48
女 MMEF = -5.101 + 0.05053H** + 0.04788A*	3.51 ± 0.78	0.33
男 MVV = -184.236 + 1.355H** + 3.706A**	90.63 ± 32.08	0.53
女 MVV = -71.186 + 0.773H** + 1.225A*	67.64 ± 18.73	0.17

注：A代表年龄，H代表身高，W代表体重　* $P<0.05$　** $P<0.01$　男 n = 290　女 n = 282

表3-3-76 河北省-肺功能正常预计值回归方程式（19~44岁）

	x̄±s	r
男 VT = ...	0.68±0.24	
女 VT = ...	0.51±0.18	
男 BF = ...	18.48±4.19	
女 BF = 23.147 - 0.09390A**	20.30±3.79	0.03
男 MV = ...	12.04±3.87	
女 MV = ...	10.27±3.82	
男 ERV = -4.947 + 0.04985H** - 0.02625W**	1.86±0.59	0.22
女 ERV = -2.717 + 0.02897H** - 0.008631W* - 0.006002A*	1.23±0.37	0.14
男 IC = 0.441 + 0.03187W**	2.52±0.60	0.22
女 IC = 0.480 + 0.02573W**	1.91±0.42	0.18
男 VC = -6.187 + 0.06177H**	4.37±0.60	0.39
女 VC = -2.937 + 0.03417H** + 0.01136W**	3.12±0.41	0.31
男 FVC = -5.672 + 0.05750H**	4.15±0.58	0.37
女 FVC = -2.617 + 0.03195H** + 0.01023W**	3.03±0.40	0.28
男 FEV1 = -3.989 + 0.04825H** - 0.01550A**	3.78±0.52	0.39
女 FEV1 = -1.968 + 0.03153H** - 0.008040A**	2.80±0.35	0.23
男 FEV1/FVC = 106.449 - 0.295A** - 0.09424W*	91.15±6.89	0.13
女 FEV1/FVC = 108.723 - 0.198A** - 0.181W**	92.70±5.74	0.14
男 PEF = -3.205 + 0.06249H** + 0.02516W*	9.12±1.40	0.14
女 PEF = -0.747 + 0.03678H** + 0.02183W**	6.30±0.87	0.12
男 FEF25 = -2.052 + 0.05586H**	7.49±1.51	0.05
女 FEF25 = 0.06353 + 0.03483H**	5.60±.89	0.04
男 FEF50 = -0.160 - 0.04038A** + 0.03519H**	4.60±1.23	0.01
女 FEF50 = 1.651 - 0.02413A** + 0.01802H*	3.78±0.82	0.05
男 FEF75 = -1.153 - 0.04221A** + 0.03168H** - 0.01306W*	2.10±.79	0.24
女 FEF75 = 0.325 - 0.03092A** - 0.01966W** + 0.02177H**	1.76±0.60	0.22
男 MMEF = -0.647 - 0.05277A** + 0.03825H**	4.25±1.23	0.15
女 MMEF = 1.344 - 0.03611A** + 0.02006H*	3.44±0.83	0.11
男 MVV = -99.673 + 1.280H**	119.11±27.81	0.08
女 MVV = -116.571 + 1.235H**	79.65±18.62	0.12

注：A代表年龄，H代表身高，W代表体重　* $P<0.05$　** $P<0.01$　男 n=292　女 n=305

表 3－3－77　河北省－肺功能正常预计值回归方程式（45～79 岁）

	x ± s	r
男 $VT = 0.388 + 0.004505W^{*}$	0.69 ± 0.24	0.03
女 VT = ________	0.52 ± 0.15	
男 $BF = 23.429 - 0.08192W^{*}$	17.90 ± 4.18	0.04
女 BF = ________	19.67 ± 4.46	
男 $MV = 5.906 + 0.116A^{*}$	12.14 ± 4.38	0.03
女 MV = ________	9.99 ± 3.38	
男 $ERV = -2.224 - 0.04033W^{**} + 0.04344H^{**} - 0.01932A^{**}$	1.34 ± 0.55	0.46
女 $ERV = -0.962 - 0.01396W^{**} + 0.01639H^{*}$	0.78 ± 0.41	0.08
男 $IC = 0.321 + 0.03177W^{**}$	2.46 ± 0.55	0.31
女 $IC = -1.286 + 0.02598H^{**} - 0.01590A^{**}$	1.92 ± 0.47	0.20
男 $VC = -3.690 + 0.05740H^{**} - 0.02414A^{**} - 0.01310W^{**}$	3.80 ± 0.55	0.42
女 $VC = -1.501 + 0.03669H^{**} - 0.01915A^{**} - 0.008948W^{*}$	2.68 ± 0.40	0.38
男 $FVC = -3.036 + 0.05168H^{**} - 0.02511A^{**} - 0.01068W^{*}$	3.60 ± 0.53	0.41
女 $FVC = -0.710 + 0.02733H^{**} - 0.01810A^{**}$	2.59 ± 0.39	0.32
男 $FEV1 = -1.085 - 0.02902A^{**} + 0.03785H^{**} - 0.009089W^{*}$	3.12 ± 0.48	0.38
女 $FEV1 = -0.05079 + 0.02149H^{**} - 0.01875A^{**}$	2.30 ± 0.34	0.35
男 $FEV1/FVC = 96.487 - 0.181A^{*}$	86.79 ± 6.67	0.03
女 FEV1/FVC = ________	88.97 ± 4.69	
男 $PEF = 9.242 - 0.06015A^{**} + 0.03096W^{*}$	8.10 ± 1.48	0.11
女 $PEF = 2.938 - 0.04689A^{**} + 0.03385H^{*}$	5.70 ± 1.02	0.16
男 $FEF25 = 9.218 - 0.04898A^{*}$	6.59 ± 1.46	0.05
女 $FEF25 = 7.490 - 0.04525A^{**}$	5.04 ± 0.98	0.09
男 $FEF50 = 6.048 - 0.04392A^{**}$	3.69 ± 1.03	0.08
女 $FEF50 = 0.996 - 0.02904A^{**} + 0.02328H^{*}$	3.07 ± 0.75	0.13
男 $FEF75 = 2.900 - 0.03017A^{**}$	1.28 ± 0.45	0.20
女 $FEF75 = 2.085 - 0.01850A^{**}$	1.08 ± 0.33	0.14
男 $MMEF = 5.887 - 0.05246A^{**}$	3.07 ± 0.91	0.15
女 $MMEF = 1.181 - 0.03072A^{**} + 0.01912H^{*}$	2.51 ± 0.62	0.17
男 $MVV = 145.620 - 0.961A^{*}$	94.07 ± 28.56	0.05
女 $MVV = 102.331 - 0.701A^{**}$	64.31 ± 17.01	0.07

注：A 代表年龄，H 代表身高，W 代表体重　$^{*}P<0.05$　$^{**}P<0.01$　男 n = 134　女 n = 129

表3-3-78 浙江省-肺功能正常预计值回归方程式（10～18岁）

	$\bar{x} \pm s$	r
男 VT = -0.548+0.009546H** -0.02855A**	0.60±0.24	0.10
女 VT = ...	0.53±0.23	
男 BF = 38.262-0.119H**	18.86±4.81	0.09
女 BF = 24.678-0.111W**	19.66±4.96	0.03
男 MV = -2.506+0.140H** -0.660A**	10.83±4.19	0.06
女 MV = 13.183-0.229A*	10.07±3.95	0.02
男 ERV = -2.926+0.02547H**	1.21±0.55	0.30
女 ERV = -1.188+0.01334H**	0.88±0.38	0.07
男 IC = -0.245+0.02596W** +0.06196A**	1.95±0.63	0.43
女 IC = -0.155+0.03100W** +0.02858A*	1.63±0.48	0.37
男 VC = -3.513+0.02746H** +0.02567** +0.06483A**	3.17±0.82	0.76
女 VC = -1.837+0.02563W** +0.01798H** +0.02904A*	2.50±0.49	0.54
男 FVC = -3.546+0.02749H** +0.02612W** +0.05174A**	2.98±0.80	0.76
女 FVC = -2.254+0.02469W** +0.02017H** +0.02744A*	2.36±0.51	0.50
男 FEV1 = -3.603+0.02831H** +0.02021W** +0.05989A**	2.88±0.75	0.77
女 FEV1 = -2.215+0.02172W** +0.02020H** +0.02944A*	2.30±0.47	0.53
男 FEV1/FVC = 96.612-0.102W** +0.366A*	96.64±4.48	0.04
女 FEV1/FVC = ...	97.60±3.86	
男 PEF = -4.231+0.03078H* +0.212A** +0.03954W**	5.79±1.68	0.50
女 PEF = -2.963+0.03727W** +0.03750H**	4.54±1.09	0.24
男 FEF25 = -3.992+0.03071H** +0.191A** +0.03071W**	5.26±1.45	0.52
女 FEF25 = -2.229+0.03528W** +0.03171H**	4.29±0.95	0.25
男 FEF50 = -5.586+0.04681H** +0.132A**	3.90±1.18	0.46
女 FEF50 = -2.243+0.01970W* +0.02457H** +0.05763A*	3.24±0.83	0.25
男 FEF75 = -4.239+0.02904H** +0.118A**	2.16±0.91	0.40
女 FEF75 = -3.035+0.07681A** +0.02448H**	1.81±0.66	0.23
男 MMEF75/25 = -6.370+0.04838H** +0.155A**	3.69±1.25	0.49
女 MMEF75/25 = -2.737+0.02049W* +0.07117A** +0.02505H**	3.04±0.84	0.28
男 MVV = -118.627+0.757H** +4.456A** +0.581W**	97.15±31.97	0.55
女 MVV = -69.934+0.789W** +0.685H**	71.98±19.72	0.28

注：A代表年龄，H代表身高，W代表体重　* $P<0.05$　** $P<0.01$　男 n=317　女 n=250

表 3－3－79　浙江省－肺功能正常预计值回归方程式（19～44 岁）

	$\bar{x} \pm s$	r
男 VT = 0.307 + 0.005170W *	0.63 ± 0.27	0.03
女 VT = ...	0.53 ± 0.24	
男 BF = ...	16.67 ± 3.79	
女 BF = 16.115 + 0.07435A *	18.44 ± 4.02	0.02
男 MV = －10.127 + 0.119H *	10.17 ± 4.04	0.03
女 MV = ...	9.43 ± 3.92	
男 ERV = －1.645 － 0.01673A ** － 0.02461W ** + 0.03043H **	1.48 ± 0.65	0.20
女 ERV = －1.412 + 0.01693H ** － 0.008522A *	1.04 ± 0.45	0.05
男 IC = 0.189 + 0.03404W **	2.33 ± 0.64	0.23
女 IC = 0.588 + 0.02304W **	1.82 ± 0.48	0.11
男 VC = －4.592 + 0.05174H ** － 0.01228A **	3.85 ± 0.55	0.32
女 VC = －2.348 + 0.02949H ** + 0.008470W *	2.83 ± 0.38	0.20
男 FVC = －4.159 + 0.04799H ** － 0.01266A **	3.63 ± .57	0.26
女 FVC = －2.517 + 0.02961H ** + 0.008642W *	2.69 ± 0.39	0.18
男 FEV1 = －2.555 + 0.03901H ** － 0.02165A **	3.43 ± 0.50	0.31
女 FEV1 = －1.700 + 0.02593H ** － 0.009134A ** + 0.007179W *	2.56 ± 0.35	0.19
男 FEV1/FVC = 128.414 － 0.253A ** － 0.152H *	94.77 ± 5.51	0.16
女 FEV1/FVC = 108.147 － 0.191A ** － 0.130W **	95.21 ± 5.23	0.16
男 PEF = －2.247 + 0.06289H ** － 0.03657A **	7.35 ± 1.63	0.08
女 PEF = －0.265 + 0.03813H ** － 0.01884A *	5.26 ± 1.06	0.04
男 FEF25 = 0.359 － 0.03834A ** + 0.04380H **	6.65 ± 1.35	0.09
女 FEF25 = 3.999 + 0.03177W ** － 0.02299A **	4.98 ± 0.98	0.05
男 FEF50 = 6.004 － 0.04578A **	4.61 ± 1.13	0.11
女 FEF50 = 4.271 － 0.01959A **	3.67 ± 0.77	0.04
男 FEF75 = 3.739 － 0.04690A **	2.31 ± 0.82	0.21
女 FEF75 = 2.744 － 0.03068A **	1.78 ± 0.61	0.17
男 MMEF75/25 = 1.471 － 0.05814A ** + 0.02701H *	4.30 ± 1.14	0.19
女 MMEF75/25 = 4.220 － 0.02964A **	3.29 ± 0.77	0.10
男 MVV = －115.007 － 1.507A ** + 1.684H **	126.04 ± 29.87	0.27
女 MVV = 96.981 － 0.340A *	86.34 ± 19.65	0.02

注：A 代表年龄，H 代表身高，W 代表体重　　* $P < 0.05$　　** $P < 0.01$　　男 n = 202　女 n = 259

表3-3-80　浙江省-肺功能正常预计值回归方程式（45~80岁）

	$\bar{x} \pm s$	r
男 VT = …………………………	0.62 ± 0.25	
女 VT = …………………………	0.50 ± 0.18	
男 BF = …………………………	17.85 ± 4.01	
女 BF = …………………………	19.49 ± 4.59	
男 MV = …………………………	10.90 ± 4.74	
女 MV = 4.943 + 0.07919A *	9.31 ± 3.20	0.03
男 ERV = 2.343 − 0.02188A **	1.12 ± 0.51	0.09
女 ERV = −2.695 + 0.02939H ** − 0.01907W **	0.85 ± 0.42	0.15
男 IC = 0.132 + 0.03277W **	2.23 ± 0.58	0.23
女 IC = −3.281 + 0.02343W ** + 0.02331H **	1.73 ± 0.49	0.32
男 VC = −3.135 + 0.04429H ** − 0.01705A **	3.35 ± 0.56	0.33
女 VC = −6.323 + 0.05628H **		
男 FVC = −2.442 + 0.03985H ** − 0.01970A **	3.15 ± 0.57	0.30
女 FVC = −5.663 + 0.05097H **		
男 FEV1 = −2.069 + 0.03743H ** − 0.02488A **	2.82 ± 0.54	0.37
女 FEV1 = −4.816 + 0.04413H **		
男 FEV1/FVC = 103.920 − 0.249A *	89.99 ± 8.10	0.05
女 FEV1/FVC = …………………………		
男 PEF = 4.902 − 0.06345W ** − 0.05011A *	6.16 ± 1.84	0.15
女 PEF = −8.344 + 0.08092H **		
男 FEF25 = 4.214 + 0.06612W ** − 0.05158A **	5.57 ± 1.67	0.20
女 FEF25 = −6.871 + 0.06950H **		
男 FEF50 = 4.258 − 0.05146A ** + 0.03536W **	3.64 ± 1.22	0.19
女 FEF50 = −2.792 + 0.02797H * + 0.02106W *		
男 FEF75 = 3.107 − 0.02954A **	1.45 ± 0.67	0.09
女 FEF75 = 0.282 + 0.01413W *		
男 MMEF75/25 = 4.203 − 0.05110A ** + 0.02762W **	3.11 ± 1.12	0.18
女 MMEF75/25 = −3.455 + 0.03665H **		
男 MVV = 56.207 + 1.211W ** − 0.706A *	94.31 ± 28.07	0.20
女 MVV = −80.725 + 1.128H ** − 0.503A *		

注：A代表年龄，H代表身高，W代表体重　$^{*}P<0.05$　$^{**}P<0.01$　男 n = 142　女 n = 128

表 3-3-81 广西壮族自治区-肺功能正常预计值回归方程式（11~18岁）

		$\bar{x} \pm s$	r
男	VT = 0.419 + 0.004484W *	0.64 ± 0.23	0.04
女	VT = 0.456 + 0.009813W ** - 0.02348A *	0.55 ± 0.22	0.09
男	BF = 34.127 - 0.08745H *	20.03 ± 5.11	0.03
女	BF = 57.127 - 0.239H **	20.42 ± 5.25	0.08
男	MV = ...	12.47 ± 4.49	
女	MV = 16.142 - 0.355A *	10.88 ± 4.18	0.03
男	ERV = -2.178 + 0.01387H * + 0.05127A * + 0.01233W *	1.44 ± 0.60	0.34
女	ERV = -2.333 + 0.01871H ** + 0.03733A *	1.10 ± 0.37	0.20
男	IC = -1.697 + 0.01840W * + 0.01699H *	1.96 ± 0.64	0.31
女	IC = 0.365 + 0.02757W **	1.62 ± 0.40	0.24
男	VC = -3.879 + 0.03042H ** + 0.03040W ** + 0.05723A *	3.40 ± 0.80	0.76
女	VC = -2.852 + 0.02279W ** + 0.027H ** + 0.02581A *	2.72 ± 0.44	0.57
男	FVC = -4.240 + 0.02482H ** + 0.02212W ** + 0.05098A **	3.24 ± 0.73	0.80
女	FVC = -2.961 + 0.02497W ** + 0.02627H ** + 0.02827A *	2.63 ± 0.45	0.59
男	FEV1 = -4.224 + 0.03425H ** + 0.01831W ** + 0.06182A **	3.14 ± 0.70	0.81
女	FEV1 = -2.918 + 0.02705H ** + 0.02028W ** + 0.02678A *	2.56 ± 0.41	0.59
男	FEV1%F = 92.643 + .560A * - 0.08520W *	96.80 ± 4.78	0.04
女	FEV1%F = 103.611 - 0.132W **	97.59 ± 3.41	0.08
男	PEF = -5.216 + .370A ** + 0.03590W * + 0.03042H *	7.03 ± 1.65	0.65
女	PEF = -3.906 + 0.04698H ** + 0.03025W * + 0.06644A *	5.68 ± 0.95	0.33
男	FEF25 = -6.818 + .315A ** + 0.05156H **	6.25 ± 1.52	0.54
女	FEF25 = -3.594 + 0.04343H * + 0.07184A * + 0.02483W *	5.28 ± 0.92	0.29
男	FEF50 = -5.308 + 0.04216H ** + .204W **	4.55 ± 1.19	0.46
女	FEF50 = -3.561 + 0.03922H ** + 0.102A **	3.99 ± 0.82	0.21
男	FEF75 = -3.573 + .157A ** + 0.02295H **	2.48 ± 0.85	0.39
女	FEF75 = -3.182 + 0.03063H ** + 0.04404A *	2.18 ± 0.65	0.14
男	MMEF75/25 = -6.080 + .227A ** + 0.04355H **	4.35 ± 1.25	0.49
女	MMEF75/25 = -4.825 + 0.04732H ** + 0.08878A *	3.77 ± 0.86	0.22
男	MVV = -109.008 + 5.039A ** + .725H **	83.53 ± 27.63	0.38
女	MVV = -79.537 + 0.918H **	61.62 ± 17.48	0.11

注：A代表年龄，H代表身高，W代表体重　* $P<0.05$　** $P<0.001$　男性 n=214　女性 n=195

表3-3-82 广西壮族自治区-肺功能正常预计值回归方程式（19~44岁）

		$\bar{x} \pm s$	r
男	VT = -0.462 + 0.006632H *	0.636 ± 0.207	0.03
女	VT = 0.191 + 0.006285W *	0.50 ± 0.18	0.05
男	BF = 26.859 - 0.122W *	19.52 ± 5.00	0.04
女	BF = ...	20.17 ± 4.95	
男	MV = ...	12.03 ± 4.15	
女	MV = 4.857 + 0.102W *	9.93 ± 4.06	0.03
男	ERV = -2.994 - 0.01651A * + 0.03560H ** - 0.01387W *	1.55 ± 0.57	0.15
女	ERV = ...	1.14 ± 0.43	
男	IC = 0.850 + 0.02562W *	2.39 ± 0.62	0.11
女	IC = 0.680 + 0.02202W *	1.77 ± 0.46	0.10
男	VC = -3.653 + 0.04797H ** - 0.01166A *	3.92 ± 0.55	0.26
女	VC = -1.507 + 0.02565H ** + 0.008288W *	2.89 ± 0.36	0.24
男	FVC = -3.596 + 0.04616H ** - 0.008912A *	3.76 ± 0.53	0.25
女	FVC = -1.394 + 0.02450H ** + 0.008765W *	2.84 ± 0.35	0.24
男	FEV1 = -2.331 + 0.03924H ** - 0.02103A **	3.51 ± 0.48	0.31
女	FEV1 = -1.234 + 0.02742H ** - 0.01134A **	2.66 ± 0.33	0.25
男	FEV1%F = 104.347 - 0.366A **	92.93 ± 5.89	0.21
女	FEV1%F = 111.172 - 0.272A ** - 0.181W *	93.42 ± 5.53	0.22
男	PEF = -5.007 + 0.08414H **	8.92 ± 1.33	0.12
女	PEF = 3.892 + 0.04884W **	6.31 ± 0.95	0.12
男	FEF25 = -1.765 + 0.05623H **	7.54 ± 1.32	0.06
女	FEF25 = 0.783 + 0.03150H *	5.67 ± 0.87	0.04
男	FEF50 = 1.120 - 0.03648A ** + 0.02867H *	4.73 ± 1.13	0.08
女	FEF50 = 0.723 - 0.04028A ** + 0.02909H *	3.94 ± 0.84	0.15
男	FEF75 = 3.577 - 0.04626A **	2.14 ± 0.72	0.22
女	FEF75 = -0.998 - 0.04509A ** + 0.03378H ** - 0.01925W *	1.84 ± 0.69	0.32
男	MMEF75/25 = 1.185 - 0.05055A ** + 0.02854H *	4.33 ± 1.09	0.14
女	MMEF75/25 = 0.218 - 0.05376A ** + 0.03258H *	3.54 ± 0.87	0.23
男	MVV = -116.285 + 1.454H ** - 0.618A *	105.03 ± 27.13	0.12
女	MVV = -34.297 + 0.814H * - 0.539A *	74.71 ± 21.23	0.08

注：A代表年龄，H代表身高，W代表体重　* $P<0.05$　** $P<0.001$　男性 n = 236　女性 n = 174

表 3-3-83 广西壮族自治区-肺功能正常预计值回归方程式（45~76 岁）

		x̄ ± s	r
男	VT = 0.241 + 0.007258W *	0.69 ± 0.25	0.06
女	VT = 0.246 + 0.005146W	0.53 ± 0.17	0.07
男	BF = ________________	19.48 ± 5.85	
女	BF = ________________	19.46 ± 5.56	
男	MV = ________________	12.76 ± 4.62	
女	MV = ________________	9.98 ± 3.45	
男	ERV = ________________	1.29 ± 0.64	
女	ERV = -3.409 - 0.01414A * - 0.02510W ** + 0.04105H **	0.79 ± 0.35	0.37
男	IC = -2.298 + 0.02755H *	2.22 ± 0.59	0.07
女	IC = 0.426 + 0.02449W **	1.78 ± 0.44	0.23
男	VC = -2.456 + 0.04438H ** - 0.02436A **	3.50 ± 0.59	0.28
女	VC = -1.722 + 0.03192H ** - 0.01187A *	2.58 ± 0.32	0.27
男	FVC = -1.169 - 0.02697A ** + 0.03642H **	3.34 ± 0.54	0.29
女	FVC = -1.301 + 0.02994H ** - 0.01527A *	2.52 ± 0.34	0.28
男	FEV1 = 0.258 - 0.02811A ** + 0.02571H **	2.95 ± 0.53	0.23
女	FEV1 = -0.416 - 0.01718A ** + 0.02297H *	2.23 ± 0.32	0.27
男	FEV1%F = ________________	88.30 ± 6.94	
女	FEV1%F = ________________	88.43 ± 4.48	
男	PEF = 7.712 + 0.04763W * - 0.04618A *	8.15 ± 1.49	0.10
女	PEF = -1.446 - 0.05920A ** + 0.06753H *	5.87 ± 1.03	0.27
男	FEF25 = ________________	6.67 ± 1.71	
女	FEF25 = 8.848 - 0.06871A **	5.24 ± 1.05	0.20
男	FEF50 = 6.475 - 0.04846A *	3.86 ± 1.33	0.08
女	FEF50 = 5.589 - 0.04527A *	3.21 ± 0.92	0.11
男	FEF75 = 2.679 - 0.02421A *	1.37 ± 0.62	0.09
女	FEF75 = 2.439 - 0.02636A **	1.05 ± 0.38	0.23
男	MMEF75/25 = 5.914 - 0.04980A *	3.23 ± 1.22	0.09
女	MMEF75/25 = 5.177 - 0.04974A **	2.56 ± 0.77	0.19
男	MVV = -5.123 - 1.213A ** + 0.944H *	84.0 ± 28.12	0.14
女	MVV = 107.447 - 1.492A ** + 0.627W *	63.80 ± 22.41	0.29

注：A 代表年龄，H 代表身高，W 代表体重　* $P<0.05$　** $P<0.001$　男 n = 119　女 n = 81

（四）骨骼系统

表3－3－84　河北省城乡男女各年龄组身高、体重、BMI分布（$\bar{x} \pm s$）

年龄组	城市								农村							
	女				男				女				男			
	n	身高（m）	体重（kg）	BMI（kg/m²）	n	身高（m）	体重（kg）	BMI（kg/m²）	n	身高（m）	体重（kg）	BMI（kg/m²）	n	身高（m）	体重（kg）	BMI（kg/m²）
~10	12	1.46±0.07	37.8±7.1	17.6±2.1	5	1.45±0.07	38.8±7.7	18.5±3.1	11	1.42±0.06	34.6±4.9	17.1±2.4	11	1.41±0.07	36.4±11.3	18.1±4.3
11~	35	1.52±0.06	41.7±6.3	18.1±2.0	56	1.51±0.08	42.6±8.5	18.6±2.1	46	1.51±0.07	41.1±8.9	17.9±2.9	56	1.46±0.10	39.2±9.3	18.2±3.7
13~	49	1.60±0.05	51.4±6.3	20.1±2.2	64	1.64±0.09	54.2±10.8	20.2±3.1	68	1.58±0.05	47.0±6.6	18.9±2.2	76	1.61±0.08	49.7±8.9	19.0±2.4
15~	45	1.61±0.07	53.1±6.5	20.4±1.9	56	1.70±0.06	59.7±7.4	20.7±2.4	72	1.58±0.04	49.3±5.6	19.6±2.0	67	1.69±0.06	56.3±8.4	19.8±2.3
17~	43	1.61±0.06	53.8±5.8	20.7±2.1	35	1.70±0.07	59.3±7.7	20.6±2.3	59	1.60±0.05	52.4±6.8	20.5±2.5	69	1.73±0.07	61.9±8.5	20.6±2.0
19~	97	1.59±0.06	53.9±7.2	21.3±2.0	79	1.71±0.06	61.8±8.3	21.1±2.3	65	1.59±0.05	51.9±7.2	20.5±2.8	51	1.71±0.06	65.0±9.1	22.2±2.6
27~	105	1.60±0.05	57.1±7.1	22.2±2.4	79	1.70±0.07	65.6±7.6	22.8±2.1	88	1.59±0.06	54.8±7.8	21.9±3.1	53	1.71±0.06	66.9±11.0	22.9±3.4
35~	124	1.61±0.06	59.7±7.5	22.9±2.3	103	1.71±0.07	69.8±9.0	23.9±2.4	104	1.58±0.05	56.9±8.2	22.7±3.0	85	1.69±0.06	64.8±10.6	22.6±3.3
45~	111	1.60±0.06	62.8±9.5	24.5±3.3	112	1.69±0.06	69.4±9.2	24.2±2.7	115	1.57±0.05	61.1±9.1	24.8±3.4	103	1.69±0.06	66.7±10.4	23.4±3.4
55~	118	1.56±0.06	61.9±9.4	25.3±3.3	115	1.68±0.07	70.8±9.8	25.1±3.1	79	1.55±0.06	57.8±9.8	24.1±3.7	99	1.67±0.06	65.5±9.5	23.6±3.0
合计	739	1.59±0.07	56.9±9.6	22.4±3.3	704	1.67±0.09	63.4±12.2	22.5±3.3	707	1.57±0.06	53.5±9.9	21.6±3.7	670	1.66±0.10	59.9±13.1	21.5±3.5

表3－3－85　河北省城市居民骨密度硬度指数百分位数分布

年龄组	女										男									
	~10	11~12	13~14	15~16	17~18	19~26	27~34	35~44	45~54	55~	~10	11~12	13~14	15~16	17~18	19~26	27~34	35~44	45~54	55~
n	12	35	49	45	43	97	105	124	111	118	5	56	64	56	35	79	79	103	112	115
Missing	0	0	0	0	0	0	0	0	0	0	0	0	0	0	0	0	0	0	0	0
Mean	82.68	91.96	93.99	96.58	100.05	99.69	94.39	94.29	92.98	80.21	80.09	88.23	86.52	99.53	98.46	100.68	96.88	92.89	94.39	90.10
STD	8.40	11.98	15.58	17.45	15.63	15.78	16.07	14.83	15.40	16.26	11.47	12.54	14.66	16.75	14.86	20.46	17.11	15.76	17.37	20.16
Percentile 2.5	68.91	73.00	65.15	68.93	76.39	71.55	68.49	63.63	59.70	53.05	62.93	60.73	45.64	78.40	66.80	54.58	67.97	69.12	60.80	56.86
Percentile 5	68.91	73.36	68.35	69.95	76.99	74.49	72.27	69.32	65.02	55.65	62.93	69.05	65.68	78.52	69.33	70.51	69.99	70.80	64.47	60.93
Percentile 10	74.86	75.13	77.21	76.82	84.46	81.11	73.95	74.96	71.79	60.72	62.93	75.38	70.78	80.47	75.86	79.61	73.81	75.32	70.99	65.07
Percentile 25	76.30	82.97	81.51	84.87	90.75	87.65	82.99	85.66	84.21	69.37	76.93	81.99	79.54	87.63	89.66	86.75	83.90	81.18	84.80	76.32
Percentile 50	81.04	89.90	92.19	97.71	97.40	99.39	94.24	92.43	93.16	79.25	80.41	86.55	86.91	95.91	98.89	99.43	96.95	90.28	93.96	89.13
Percentile 75	90.22	101.65	106.11	107.96	108.99	112.64	106.16	105.28	103.04	89.37	86.82	94.71	95.37	110.16	111.11	115.08	108.00	103.92	104.59	102.83
Percentile 90	92.34	108.13	114.69	115.13	124.78	120.05	113.37	113.30	111.44	102.92	93.36	106.77	104.70	123.08	116.78	127.26	123.80	116.89	117.37	115.75
Percentile 95	96.01	109.80	117.62	126.85	127.37	125.36	119.25	118.93	120.54	107.93	93.36	109.42	109.34	135.35	118.95	134.10	127.83	122.92	126.49	127.08
Percentile 97.5	96.01	122.75	127.64	130.92	132.56	129.65	125.28	121.98	124.56	116.39	93.36	113.74	115.04	140.91	124.49	140.99	128.85	129.49	130.53	129.80

表 3-3-86　河北省农村居民骨密度硬度指数百分位数分布

年龄组	女										男									
	~10	11~12	13~14	15~16	17~18	19~26	27~34	35~44	45~54	55~	~10	11~12	13~14	15~16	17~18	19~26	27~34	35~44	45~54	55~
n	11	46	68	72	59	65	88	104	115	79	11	56	76	67	69	51	53	85	103	99
Missing	0	0	0	0	0	0	0	0	0	0	0	0	0	0	0	0	0	0	0	0
Mean	80.22	85.11	89.38	90.29	96.28	94.00	94.64	96.11	87.96	73.46	82.80	81.30	82.99	85.56	101.97	98.02	92.96	94.87	90.36	84.03
STD	10.27	14.73	14.53	13.13	16.56	15.73	16.92	16.74	15.75	15.18	10.64	10.69	11.57	15.40	21.51	17.73	17.82	16.31	16.48	16.50
Percentile 2.5	66.43	64.66	63.61	61.53	45.94	66.90	70.23	64.26	60.02	47.78	67.02	62.42	58.58	61.52	57.02	69.82	67.28	68.84	59.66	53.33
Percentile 5	66.43	64.76	68.77	67.65	70.20	70.41	71.60	72.12	62.03	48.77	67.02	64.29	67.84	67.58	70.53	71.53	68.58	72.10	65.88	58.68
Percentile 10	71.62	65.18	72.55	75.90	76.73	74.82	74.19	75.20	65.83	55.04	75.75	70.16	71.59	68.42	78.40	79.58	72.87	73.21	71.61	63.73
Percentile 25	73.41	71.59	78.04	81.57	88.30	83.27	82.51	82.34	76.52	61.72	76.85	73.03	75.21	73.99	87.80	83.46	81.51	83.58	79.61	71.85
Percentile 50	75.91	87.50	89.00	88.19	96.77	92.88	92.64	95.84	87.38	72.50	80.22	79.94	81.56	81.45	101.02	96.50	87.61	94.06	87.76	84.32
Percentile 75	91.26	94.16	98.32	100.38	107.02	103.48	103.91	109.64	98.81	82.89	86.40	87.20	88.45	95.26	115.51	111.49	103.03	106.43	100.38	92.91
Percentile 90	95.42	100.55	106.11	108.50	115.09	117.24	117.83	118.87	109.38	93.76	93.87	98.10	100.01	111.33	133.04	117.97	119.79	115.97	113.37	106.61
Percentile 95	97.70	105.32	112.06	111.84	125.32	123.87	122.61	122.09	115.30	98.87	107.41	104.48	105.34	114.25	137.64	129.95	129.97	123.02	117.42	113.43
Percentile 97.5	97.70	109.99	123.87	113.29	125.34	129.75	135.81	126.16	118.84	113.02	107.41	105.96	112.26	121.85	145.52	131.40	133.27	128.21	127.64	119.72

表 3-3-87　浙江省城乡男女各年龄组身高、体重、BMI 分布（$\bar{x} \pm s$）

年龄组	城市								农村							
	女				男				女				男			
	n	身高（m）	体重（kg）	BMI（kg/m^2）	n	身高（m）	体重（kg）	BMI（kg/m^2）	n	身高（m）	体重（kg）	BMI（kg/m^2）	n	身高（m）	体重（kg）	BMI（kg/m^2）
~10	36	1.40 ±0.05	31.9 ±5.1	16.2 ±2.0	26	1.42 ±0.05	36.6 ±7.2	18.0 ±2.8	11	1.44 ±0.06	37.3 ±7.6	18.0 ±3.1	9	1.45 ±0.06	42.7 ±11.1	20.0 ±3.7
11~	95	1.48 ±0.09	37.4 ±6.0	17.0 ±2.0	87	1.48 ±0.09	38.3 ±7.7	17.3 ±2.0	33	1.55 ±0.05	44.2 ±7.4	18.2 ±2.5	33	1.50 ±0.08	39.5 ±7.3	17.4 ±2.0
13~	117	1.58 ±0.05	45.4 ±6.7	18.2 ±2.4	95	1.62 ±0.09	50.0 ±11.1	18.8 ±2.8	21	1.58 ±0.05	46.2 ±5.4	18.6 ±2.2	30	1.60 ±0.09	45.0 ±8.4	17.5 ±2.0
15~	71	1.58 ±0.05	49.1 ±5.8	19.8 ±2.0	90	1.70 ±0.05	56.0 ±7.1	19.3 ±2.1	33	1.60 ±0.05	50.8 ±6.5	19.8 ±2.0	35	1.70 ±0.06	59.3 ±9.6	20.5 ±3.3
17~	78	1.59 ±0.05	50.5 ±5.2	19.9 ±1.9	64	1.71 ±0.05	57.3 ±7.0	19.6 ±2.1	31	1.61 ±0.04	51.6 ±5.5	19.9 ±2.3	34	1.72 ±0.06	62.8 ±10.1	21.2 ±2.9
19~	187	1.60 ±0.05	50.9 ±6.2	20.0 ±2.2	117	1.71 ±0.05	61.9 ±9.7	21.2 ±2.8	37	1.61 ±0.05	49.2 ±4.1	19.0 ±1.3	28	1.69 ±0.06	57.6 ±11.1	20.1 ±3.5
27~	119	1.59 ±0.04	52.6 ±5.9	20.8 ±2.2	92	1.71 ±0.06	67.1 ±9.9	22.9 ±3.0	33	1.59 ±0.05	54.2 ±6.0	21.4 ±2.6	15	1.69 ±0.09	63.1 ±11.3	22.1 ±3.0
35~	146	1.60 ±0.05	56.6 ±8.1	22.1 ±2.7	77	1.70 ±0.05	67.2 ±8.8	23.3 ±2.6	97	1.60 ±0.05	56.7 ±7.1	22.0 ±2.6	57	1.70 ±0.06	68.6 ±8.4	23.8 ±2.5
45~	133	1.58 ±0.06	58.3 ±9.4	23.2 ±3.1	107	1.70 ±0.05	67.7 ±8.6	23.5 ±2.5	23	1.57 ±0.05	56.9 ±6.4	23.0 ±2.5	69	1.69 ±0.06	66.5 ±9.3	23.1 ±2.9
55~	139	1.55 ±0.06	55.8 ±8.9	23.1 ±3.0	141	1.65 ±0.07	61.6 ±9.7	22.5 ±3.0	65	1.54 ±0.06	56.2 ±8.8	23.6 ±3.0	56	1.65 ±0.07	61.7 ±9.7	22.6 ±3.3
合计	1121	1.57 ±0.07	50.9 ±9.8	20.5 ±3.2	896	1.66 ±0.10	58.3 ±13.0	21.0 ±3.4	384	1.58 ±0.06	52.6 ±8.4	21.0 ±3.1	366	1.66 ±0.10	59.5 ±13.1	21.4 ±3.6

表3-3-88 浙江省城市居民骨密度硬度指数百分位数分布

年龄组	女										男									
	~10	11~12	13~14	15~16	17~18	19~26	27~34	35~44	45~54	55~	~10	11~12	13~14	15~16	17~18	19~26	27~34	35~44	45~54	55~
n	36	95	117	71	78	187	119	146	133	139	26	87	95	90	64	117	92	77	107	141
Missing	0	0	0	0	0	0	0	0	0	0	0	0	0	0	0	0	0	0	0	0
Mean	83.55	83.35	90.82	95.57	97.97	96.74	92.51	96.49	91.92	76.74	73.70	79.63	89.30	97.22	101.95	103.08	96.39	94.81	91.26	86.18
STD	12.98	14.89	15.62	14.03	18.14	17.49	19.42	21.17	19.335	18.05	9.50	10.80	14.90	23.05	19.63	23.13	23.35	22.02	18.82	21.74
Percentile 2.5	61.52	53.93	59.35	60.91	54.78	67.80	39.65	50.24	54.86	45.38	48.98	60.20	64.29	33.28	64.93	49.99	55.73	55.47	56.85	20.41
Percentile 5	63.29	56.47	70.25	71.75	68.19	72.80	64.93	67.11	60.63	51.18	51.82	63.05	68.58	37.81	68.63	63.46	64.42	61.39	60.41	55.35
Percentile 10	69.79	67.75	73.09	79.31	79.47	79.43	71.36	73.24	68.40	57.07	58.78	65.39	70.94	72.56	74.33	73.85	71.07	66.99	67.23	65.88
Percentile 25	73.96	73.81	78.86	87.45	87.32	84.79	81.41	84.71	78.40	64.53	69.76	71.40	78.82	84.96	83.95	87.77	80.01	78.66	79.34	74.00
Percentile 50	82.26	82.81	89.79	93.88	96.79	96.07	93.55	96.08	91.46	75.38	75.05	79.08	89.29	100.15	105.34	103.49	92.28	96.73	89.19	83.51
Percentile 75	92.18	91.41	101.37	103.46	109.12	106.23	105.23	108.27	102.56	84.09	80.44	87.88	98.05	112.37	117.39	118.28	114.10	107.84	103.31	99.40
Percentile 90	98.76	101.08	111.79	116.86	121.03	116.87	116.08	121.67	115.61	102.74	85.87	96.23	108.27	123.15	127.87	134.27	129.67	116.85	116.12	114.81
Percentile 95	113.59	108.22	117.00	121.67	126.58	127.50	121.35	132.13	132.15	115.75	88.23	98.02	123.54	128.62	134.48	139.75	137.58	134.64	128.19	119.29
Percentile 97.5	124.94	113.94	125.17	124.52	140.03	141.41	128.76	143.05	134.70	121.73	89.34	101.80	128.08	136.12	138.39	146.29	139.76	147.15	136.35	131.64

表3-3-89 浙江省农村居民骨密度硬度指数百分位数分布

年龄组	女										男									
	~10	11~12	13~14	15~16	17~18	19~26	27~34	35~44	45~54	55~	~10	11~12	13~14	15~16	17~18	19~26	27~34	35~44	45~54	55~
n	11	33	21	33	31	37	33	97	23	65	9	33	30	35	34	28	15	57	69	56
Missing	0	0	0	0	0	0	0	0	0	.00	0	0	0	0	0	0	0	0	0	0
Mean	80.26	91.03	87.02	96.65	101.05	96.31	94.56	93.24	91.02	71.82	88.40	88.88	89.48	101.91	108.09	97.64	96.32	87.64	85.44	85.82
STD	19.03	17.85	21.33	15.10	18.54	14.49	17.63	15.81	23.68	20.19	9.35	14.16	16.31	17.87	19.68	19.96	13.14	20.24	21.17	23.11
Percentile 2.5	45.93	60.31	30.56	61.74	44.73	71.95	57.18	58.03	22.21	39.84	75.94	70.85	50.35	74.63	83.49	57.07	67.65	32.64	34.64	40.92
Percentile 5	45.93	62.07	31.33	66.25	48.73	75.33	60.42	66.18	30.66	46.14	75.94	71.34	59.17	76.43	85.29	58.55	67.65	39.61	48.21	51.63
Percentile 10	50.13	65.85	45.26	80.05	80.29	77.73	69.94	73.03	67.06	50.19	75.94	72.50	70.25	79.14	88.14	66.94	75.50	69.42	64.80	60.02
Percentile 25	68.06	77.38	83.84	84.74	92.75	84.19	81.47	84.20	78.22	56.92	80.62	77.45	79.17	88.06	93.96	82.39	87.07	80.30	72.35	68.12
Percentile 50	81.08	89.32	87.15	97.04	105.21	94.74	96.84	92.79	97.05	69.90	88.02	87.19	88.32	98.83	102.31	99.61	99.15	87.18	85.84	81.45
Percentile 75	89.30	104.72	101.24	109.75	111.06	104.46	106.64	105.28	105.03	80.53	93.98	97.85	97.89	116.88	122.08	112.35	106.59	98.33	95.29	103.05
Percentile 90	115.83	118.52	112.36	118.97	118.09	118.60	118.35	112.90	115.52	97.80	105.78	113.85	118.61	129.79	131.17	122.92	112.56	109.00	116.38	121.00
Percentile 95	121.92	123.69	115.97	120.79	132.24	125.98	126.78	119.50	139.24	109.51	105.78	121.02	121.30	132.50	147.21	131.18	114.01	127.30	125.18	123.56
Percentile 97.5	121.92	129.61	116.37	121.06	139.36	126.48	129.94	125.06	143.92	130.72	105.78	123.41	122.49	138.42	181.67	135.69	114.01	137.15	134.87	136.42

表3-3-90　广西壮族自治区城乡男女各年龄组身高、体重、BMI分布（$\bar{x} \pm s$）

年龄组	城市								农村							
	女				男				女				男			
	n	身高（m）	体重（kg）	BMI（kg/m²）	n	身高（m）	体重（kg）	BMI（kg/m²）	n	身高（m）	体重（kg）	BMI（kg/m²）	n	身高（m）	体重（kg）	BMI（kg/m²）
11～	50	1.50±0.10	42.7±9.8	18.8±3.2	44	1.50±0.08	41.4±11.1	18.1±3.8	21	1.45±0.06	34.9±6.8	16.5±2.2	26	1.41±0.07	33.0±5.0	16.5±1.5
13～	32	1.56±0.05	47.1±9.7	19.3±4.2	29	1.66±0.07	54.0±7.5	19.6±2.2	75	1.50±0.05	41.5±5.4	18.3±1.9	46	1.50±0.08	39.0±7.0	17.2±1.7
15～	32	1.56±0.05	49.0±5.5	20.3±2.4	30	1.69±0.05	57.6±9.5	20.0±2.9	41	1.51±0.05	44.1±5.8	19.4±2.1	32	1.60±0.08	49.7±5.8	19.3±1.5
17～	37	1.57±0.06	49.6±6.1	20.1±2.4	20	1.72±0.07	59.0±9.4	19.9±2.6	39	1.55±0.04	46.3±3.7	19.4±1.5	53	1.65±0.04	53.3±5.5	19.6±1.6
19～	33	1.55±0.06	50.8±11.6	21.0±4.7	26	1.68±0.07	60.1±8.0	21.3±2.2	48	1.55±0.05	47.5±5.6	19.9±2.0	27	1.62±0.05	54.4±6.5	20.7±2.1
27～	37	1.54±0.05	48.8±5.6	20.5±2.0	31	1.66±0.05	58.9±7.9	21.4±2.3	82	1.53±0.05	48.6±5.8	20.6±2.2	61	1.65±0.06	61.1±8.3	22.4±2.5
35～	90	1.56±0.05	54.9±9.5	22.5±3.7	35	1.68±0.06	64.7±9.3	23.0±2.4	78	1.52±0.06	48.4±6.2	21.0±2.4	73	1.65±0.06	62.1±8.9	22.8±2.4
45～	120	1.55±0.05	56.5±8.3	23.4±3.0	56	1.66±0.05	63.7±8.4	23.2±2.9	57	1.53±0.06	50.7±7.4	21.7±2.7	78	1.62±0.05	58.9±7.7	22.4±2.8
55～	76	1.53±0.05	57.1±8.2	24.3±3.2	43	1.65±0.05	64.9±9.9	23.8±3.0	85	1.48±0.05	44.7±8.6	20.4±3.3	58	1.59±0.06	55.1±9.8	21.6±2.9
合计	507	1.55±0.06	52.4±9.7	21.9±3.7	314	1.65±0.09	58.3±11.8	21.4±3.4	526	1.51±0.06	46.0±7.3	20.0±2.7	454	1.60±0.09	54.2±11.4	20.8±3.1

表3-3-91　广西壮族自治区城市居民骨密度硬度指数百分位数分布

年龄组	女									男								
	11～12	13～14	15～16	17～18	19～26	27～34	35～44	45～54	55～	11～12	13～14	15～16	17～18	19～26	27～34	35～44	45～54	55～
n	50	32	32	37	33	37	90	120	76	44	29	30	20	26	31	35	56	43
Missing	0	0	0	0	0	0	0	0	0	0	0	0	0	0	0	0	0	0
Mean	92.15	97.93	102.38	107.91	97.22	98.09	96.93	94.03	82.33	85.57	98.16	105.17	120.00	92.03	103.94	96.32	94.00	86.46
STD	12.16	13.21	20.55	14.49	24.18	20.79	15.17	18.27	19.83	10.85	21.28	19.32	26.00	93.83	22.60	21.99	19.19	19.01
Percentile 2.5	70.91	76.26	18.36	83.38	30.41	19.08	69.45	66.26	24.52	71.54	68.59	60.45	87.80	-363.31	70.29	50.98	61.91	50.97
Percentile 5	72.20	82.27	60.92	85.24	39.17	72.41	74.04	69.85	51.86	72.97	72.68	75.96	87.97	56.27	73.62	61.00	68.25	56.09
Percentile 10	77.67	82.96	93.56	87.54	71.63	76.97	78.06	74.37	57.87	74.71	73.01	80.43	88.97	76.24	79.48	70.53	73.68	63.49
Percentile 25	84.27	86.23	96.60	99.07	84.15	89.23	86.32	81.21	72.42	78.19	80.89	90.45	97.23	85.14	87.74	81.55	77.86	74.85
Percentile 50	91.88	97.00	100.70	107.88	100.99	97.97	96.02	94.13	78.89	83.60	97.34	104.96	121.56	109.64	99.51	94.39	89.67	85.32
Percentile 75	102.44	106.29	111.99	113.73	112.31	111.22	108.45	106.06	93.98	90.27	109.13	119.62	137.80	130.30	119.98	117.42	109.15	99.22
Percentile 90	105.94	114.18	123.35	121.31	121.78	124.22	116.27	117.59	110.09	99.98	132.06	126.46	156.58	140.29	129.27	124.26	122.53	108.32
Percentile 95	111.44	121.36	129.77	136.04	135.36	125.39	120.76	123.72	116.20	101.30	148.19	127.53	169.76	141.09	152.74	130.86	130.55	113.73
Percentile 97.5	114.45	132.39	130.08	151.93	139.91	135.98	127.46	127.57	122.68	117.12	149.32	151.56	177.20	143.97	162.51	136.48	137.10	114.55

表3-3-92　广西壮族自治区农村居民骨密度硬度指数百分位数分布

年龄组	女									男								
	11~12	13~14	15~16	17~18	19~26	27~34	35~44	45~54	55~	11~12	13~14	15~16	17~18	19~26	27~34	35~44	45~54	55~
n	21	75	41	39	48	82	78	57	85	26	46	32	53	27	61	73	78	58
Missing	0	0	0	0	0	0	0	0	0	0	0	0	0	0	0	0	0	0
Mean	82.07	92.90	97.82	99.82	102.24	96.65	103.95	94.89	67.62	80.07	87.64	95.46	98.05	108.60	97.77	90.77	94.14	85.29
STD	11.68	12.22	15.92	15.10	17.59	20.93	17.86	17.25	18.06	8.73	12.86	18.05	21.84	23.83	20.12	20.27	23.01	20.18
Percentile 2.5	64.12	70.79	74.02	64.87	71.66	54.79	70.40	61.07	35.28	69.08	69.97	66.58	63.11	35.51	58.83	32.09	37.28	52.53
Percentile 5	65.57	72.07	75.45	73.61	74.11	67.28	75.27	68.55	43.53	69.18	71.11	67.20	63.51	75.35	67.84	61.07	59.93	53.11
Percentile 10	67.96	78.27	81.62	77.75	74.72	74.47	80.59	73.49	45.75	69.68	73.05	80.80	75.56	75.87	77.31	70.44	68.46	57.89
Percentile 25	74.88	85.87	87.31	89.33	88.96	86.17	91.75	85.36	55.93	72.68	76.97	83.33	83.36	93.89	82.42	80.71	78.72	68.63
Percentile 50	79.80	92.34	94.06	98.62	104.56	97.52	105.86	93.19	64.28	77.50	85.67	90.56	97.21	111.00	99.47	88.11	94.21	84.39
Percentile 75	89.33	99.45	105.69	111.79	111.48	111.41	116.02	108.02	78.15	88.22	94.97	110.38	114.29	126.23	112.79	100.80	109.61	100.43
Percentile 90	95.99	106.61	118.34	118.10	126.10	121.42	124.34	115.00	90.47	94.20	107.14	122.44	125.24	133.57	122.83	121.70	122.18	112.89
Percentile 95	101.77	116.14	122.94	126.74	127.76	128.10	127.06	119.94	94.03	94.70	110.17	130.78	137.32	141.32	127.75	124.68	129.49	120.38
Percentile 97.5	106.56	122.27	134.02	133.05	140.03	128.96	138.35	124.89	118.42	97.46	116.58	134.40	140.26	147.77	134.41	138.89	138.05	120.52

四、心理状况

(一) SCL－90 成人测验数据资料汇编

河北、浙江省、广西壮族自治区成人测验均值

1．河北省

表 3－4－1　河北省成人 SCL－90 测验躯体化因子测验均值表

年龄（岁）	城市						农村					
	男			女			男			女		
	n	mean	S	n	mean	S	n	mean	S	n	mean	S
19～26	254	1.32	0.35	194	1.37	0.32	64	1.55	0.54	73	1.55	0.48
27～34	332	1.46	0.43	221	1.48	0.39	79	1.56	0.64	82	1.70	0.53
35～44	254	1.55	0.48	179	1.56	0.46	67	1.61	0.56	106	1.84	0.65
45～54	94	1.52	0.44	59	1.63	0.61	57	1.73	0.68	113	1.94	0.68
55 以上	90	1.28	0.35	110	1.45	0.47	69	1.63	0.66	77	1.85	0.59
合计	1024	1.44	0.43	763	1.48	0.43	336	1.61	0.62	451	1.80	0.62

表 3－4－2　河北省唐山市成人 SCL－90 测验躯体化因子测验数据资料表

	年龄（岁）	男					女				
		n	mean	S	min.	max.	n	mean	S	min.	max.
躯体化	19～26	207	1.30	0.33	1.00	3.17	170	1.36	0.31	1.00	2.50
	27～34	222	1.47	0.38	1.00	3.83	150	1.51	0.41	1.00	3.42
	35～44	210	1.56	0.48	1.00	3.33	134	1.59	0.47	1.00	3.50
	45～54	36	1.57	0.47	1.00	2.83	13	1.72	0.38	1.08	2.58
	55 以上	55	1.32	0.40	1.00	3.08	84	1.47	0.48	1.00	3.92
	合计	730	1.44	0.42	1.00	3.83	551	1.48	0.42	1.00	3.92

表 3－4－3　河北省衡水市成人 SCL－90 测验躯体化因子测验数据资料表

	年龄（岁）	男					女				
		n	mean	S	min.	max.	n	mean	S	min.	max.
躯体化	19～26	47	1.38	0.42	1.00	2.92	24	1.42	0.36	1.00	2.50
	27～34	110	1.44	0.52	1.00	4.17	71	1.40	0.32	1.00	2.17
	35～44	44	1.47	0.49	1.00	3.17	45	1.48	0.43	1.00	2.83
	45～54	58	1.50	0.43	1.00	2.83	46	1.60	0.66	1.00	4.25
	55 以上	35	1.23	0.26	1.00	1.83	26	1.39	0.44	1.00	2.58
	合计	294	1.42	0.46	1.00	4.17	212	1.46	0.46	1.00	4.25

表 3－4－4　河北省唐海县成人 SCL－90 测验躯体化因子测验数据资料表

	年龄（岁）	男					女				
		n	mean	S	min.	max.	n	mean	S	min.	max.
躯体化	19～26	29	1.41	0.41	1.00	2.50	38	1.55	0.47	1.00	2.83
	27～34	44	1.57	0.66	1.00	4.92	53	1.75	0.55	1.08	3.42
	35～44	44	1.55	0.49	1.00	2.75	56	1.89	0.65	1.00	4.50
	45～54	35	1.81	0.68	1.00	3.67	49	1.98	0.68	1.00	3.67
	55 以上	44	1.61	0.62	1.00	3.50	33	1.88	0.46	1.08	2.75
	合计	196	1.59	0.60	1.00	4.92	229	1.82	0.60	1.00	4.50

表 3-4-5 河北省景县成人 SCL-90 测验躯体化因子测验数据资料表

	年龄（岁）	男					女				
		n	mean	S	min.	max.	n	mean	S	min.	max.
躯体化	19~26	35	1.67	0.60	1.00	3.17	35	1.55	0.51	1.00	2.83
	27~34	35	1.55	0.63	1.00	3.58	29	1.62	0.51	1.00	2.83
	35~44	23	1.72	0.66	1.00	3.42	50	1.79	0.65	1.00	4.00
	45~54	22	1.59	0.65	1.00	3.58	64	1.92	0.68	1.00	3.75
	55以上	25	1.66	0.73	1.08	4.75	44	1.83	0.68	1.00	3.83
	合计	140	1.63	0.64	1.00	4.75	222	1.78	0.64	1.00	4.00

表 3-4-6 河北省成人 SCL-90 测验强迫症状因子测验均值表

年龄（岁）	城市						农村					
	男			女			男			女		
	n	mean	S	n	mean	S	n	mean	S	n	mean	S
19~26	254	1.70	0.50	194	1.79	0.44	64	1.86	0.67	73	1.85	0.67
27~34	332	1.55	0.44	221	1.59	0.41	79	1.67	0.59	82	1.77	0.74
35~44	254	1.64	0.51	179	1.60	0.45	67	1.59	0.49	106	1.76	0.63
45~54	94	1.49	0.45	59	1.58	0.65	57	1.88	0.83	113	1.81	0.71
55以上	90	1.28	0.33	110	1.40	0.43	69	1.60	0.63	77	1.78	0.68
合计	1024	1.58	0.48	763	1.62	0.47	336	1.71	0.65	451	1.79	0.68

表 3-4-7 河北省唐山市成人 SCL-90 测验强迫症状因子测验数据资料表

	年龄（岁）	男					女				
		n	mean	S	min.	max.	n	mean	S	min.	max.
强迫症状	19~26	207	1.71	0.49	1.00	4.00	170	1.82	0.45	1.00	3.20
	27~34	222	1.58	0.46	1.00	3.20	150	1.61	0.41	1.00	3.40
	35~44	210	1.66	0.50	1.00	3.50	134	1.63	0.47	1.00	3.20
	45~54	36	1.57	0.51	1.00	3.10	13	1.69	0.63	1.10	2.90
	55以上	55	1.37	0.36	1.00	2.50	84	1.43	0.42	1.00	2.90
	合计	730	1.62	0.48	1.00	4.00	551	1.65	0.46	1.00	3.40

表 3-4-8 河北省衡水市成人 SCL-90 测验强迫症状因子测验数据资料表

	年龄（岁）	男					女				
		n	mean	S	min.	max.	n	mean	S	min.	max.
强迫症状	19~26	47	1.65	0.55	1.00	2.80	24	1.63	0.40	1.00	2.40
	27~34	110	1.51	0.41	1.00	2.80	71	1.53	0.41	1.00	2.80
	35~44	44	1.52	0.56	1.00	3.60	45	1.53	0.35	1.00	2.50
	45~54	58	1.44	0.41	1.00	2.90	46	1.55	0.66	1.00	4.30
	55以上	35	1.15	0.22	1.00	2.10	26	1.33	0.47	1.00	2.70
	合计	294	1.48	0.46	1.00	3.60	212	1.52	0.47	1.00	4.30

表 3－4－9 河北省唐海县成人 SCL－90 测验强迫症状因子测验数据资料表

	年龄（岁）	男					女				
		n	mean	S	min.	max.	n	mean	S	min.	max.
强迫症状	19～26	29	1.78	0.53	1.00	3.20	38	1.94	0.62	1.00	3.30
	27～34	44	1.72	0.65	1.00	4.60	53	1.94	0.74	1.00	4.10
	35～44	44	1.59	0.40	1.00	2.30	56	1.96	0.70	1.00	4.30
	45～54	35	2.03	0.85	1.00	4.20	49	1.86	0.59	1.00	3.20
	55 以上	44	1.68	0.60	1.00	3.50	33	1.82	0.67	1.00	3.20
	合计	196	1.75	0.63	1.00	4.60	229	1.91	0.67	1.00	4.30

表 3－4－10 河北省景县成人 SCL－90 测验强迫症状因子测验数据资料表

	年龄（岁）	男					女				
		n	mean	S	min.	max.	n	mean	S	min.	max.
强迫症状	19～26	35	1.93	0.77	1.00	3.60	35	1.75	0.72	1.00	3.70
	27～34	35	1.61	0.51	1.00	2.90	29	1.45	0.64	1.00	3.60
	35～44	23	1.60	0.62	1.00	3.40	50	1.53	0.46	1.00	2.50
	45～54	22	1.64	0.75	1.00	3.90	64	1.77	0.79	1.00	3.70
	55 以上	25	1.45	0.65	1.00	4.20	44	1.74	0.69	1.00	3.60
	合计	140	1.66	0.68	1.00	4.20	222	1.67	0.68	1.00	3.70

表 3－4－11 河北省成人 SCL－90 测验人际敏感因子测验均值表

年龄（岁）	城市						农村					
	男			女			男			女		
	n	mean	S	n	mean	S	n	mean	S	n	mean	S
19～26	254	1.57	0.46	194	1.67	0.43	64	1.73	0.68	73	1.87	0.64
27～34	332	1.44	0.42	221	1.50	0.41	79	1.55	0.53	82	1.67	0.63
35～44	254	1.54	0.54	179	1.45	0.43	67	1.42	0.41	106	1.54	0.60
45～54	94	1.30	0.43	59	1.35	0.59	57	1.57	0.62	113	1.51	0.65
55 以上	90	1.13	0.26	110	1.21	0.34	69	1.31	0.52	77	1.35	0.49
合计	1024	1.46	0.47	763	1.48	0.45	336	1.51	0.57	451	1.58	0.63

表 3－4－12 河北省唐山市成人 SCL－90 测验人际敏感因子测验数据资料表

	年龄（岁）	男					女				
		n	mean	S	min.	max.	n	mean	S	min.	max.
人际敏感	19～26	207	1.58	0.45	1.00	3.33	170	1.68	0.44	1.00	3.22
	27～34	222	1.48	0.43	1.00	3.33	150	1.52	0.42	1.00	3.33
	35～44	210	1.55	0.53	1.00	3.44	134	1.47	0.44	1.00	3.22
	45～54	36	1.30	0.44	1.00	3.33	13	1.35	0.51	1.00	2.33
	55 以上	55	1.19	0.29	1.00	2.33	84	1.23	0.35	1.00	3.11
	合计	730	1.50	0.47	1.00	3.44	551	1.51	0.45	1.00	3.33

表 3-4-13 河北省衡水市成人 SCL-90 测验人际敏感因子测验数据资料表

	年龄（岁）	男 n	男 mean	男 S	男 min.	男 max.	女 n	女 mean	女 S	女 min.	女 max.
人际敏感	19~26	47	1.51	0.52	1.00	3.11	24	1.61	0.36	1.11	2.44
	27~34	110	1.38	0.39	1.00	3.22	71	1.48	0.41	1.00	2.89
	35~44	44	1.49	0.61	1.00	3.33	45	1.41	0.37	1.00	2.56
	45~54	58	1.30	0.43	1.00	3.00	46	1.35	0.62	1.00	3.89
	55以上	35	1.05	0.16	1.00	1.78	26	1.15	0.28	1.00	2.00
	合计	294	1.36	0.46	1.00	3.33	212	1.41	0.45	1.00	3.89

表 3-4-14 河北省唐海县成人 SCL-90 测验人际敏感因子测验数据资料表

	年龄（岁）	男 n	男 mean	男 S	男 min.	男 max.	女 n	女 mean	女 S	女 min.	女 max.
人际敏感	19~26	29	1.66	0.57	1.00	3.33	38	2.01	0.56	1.00	3.33
	27~34	44	1.55	0.51	1.00	3.56	53	1.81	0.64	1.00	3.22
	35~44	44	1.44	0.41	1.00	2.44	56	1.72	0.72	1.00	4.44
	45~54	35	1.66	0.64	1.00	3.67	49	1.49	0.62	1.00	3.89
	55以上	44	1.30	0.41	1.00	2.67	33	1.33	0.41	1.00	2.67
	合计	196	1.51	0.52	1.00	3.67	229	1.69	0.65	1.00	4.44

表 3-4-15 河北省景县成人 SCL-90 测验人际敏感因子测验数据资料表

	年龄（岁）	男 n	男 mean	男 S	男 min.	男 max.	女 n	女 mean	女 S	女 min.	女 max.
人际敏感	19~26	35	1.79	0.76	1.00	3.67	35	1.72	0.69	1.00	3.78
	27~34	35	1.55	0.56	1.00	3.78	29	1.41	0.54	1.00	2.67
	35~44	23	1.39	0.42	1.00	2.56	50	1.34	0.33	1.00	2.11
	45~54	22	1.43	0.57	1.00	3.11	64	1.52	0.67	1.00	3.22
	55以上	25	1.33	0.68	1.00	4.33	44	1.36	0.54	1.00	3.33
	合计	140	1.52	0.64	1.00	4.33	222	1.46	0.58	1.00	3.78

表 3-4-16 河北省成人 SCL-90 测验抑郁因子测验均值表

年龄（岁）	城市 男 n	城市 男 mean	城市 男 S	城市 女 n	城市 女 mean	城市 女 S	农村 男 n	农村 男 mean	农村 男 S	农村 女 n	农村 女 mean	农村 女 S
19~26	254	1.37	0.42	194	1.51	0.38	64	1.53	0.59	73	1.64	0.55
27~34	332	1.32	0.36	221	1.44	0.40	79	1.39	0.48	82	1.59	0.57
35~44	254	1.40	0.44	179	1.43	0.40	67	1.36	0.39	106	1.58	0.67
45~54	94	1.30	0.34	59	1.41	0.63	57	1.63	0.68	113	1.57	0.60
55以上	90	1.17	0.27	110	1.30	0.39	69	1.37	0.50	77	1.53	0.54
合计	1024	1.34	0.39	763	1.44	0.42	336	1.45	0.53	451	1.58	0.59

表 3-4-17 河北省唐山市成人 SCL-90 测验抑郁因子测验数据资料表

	年龄（岁）	男					女				
		n	mean	S	min.	max.	n	mean	S	min.	max.
抑郁	19~26	207	1.35	0.38	1.00	3.31	170	1.52	0.39	1.00	2.92
	27~34	222	1.32	0.34	1.00	3.08	150	1.46	0.37	1.00	3.31
	35~44	210	1.41	0.43	1.00	3.46	134	1.43	0.42	1.00	3.31
	45~54	36	1.34	0.38	1.00	2.92	13	1.47	0.48	1.00	2.31
	55 以上	55	1.24	0.32	1.00	2.85	84	1.33	0.40	1.00	3.54
	合计	730	1.35	0.38	1.00	3.46	551	1.45	0.40	1.00	3.54

表 3-4-18 河北省衡水市成人 SCL-90 测验抑郁因子测验数据资料表

	年龄（岁）	男					女				
		n	mean	S	min.	max.	n	mean	S	min.	max.
抑郁	19~26	47	1.43	0.56	1.00	3.69	24	1.46	0.36	1.00	2.15
	27~34	110	1.31	0.39	1.00	3.38	71	1.41	0.46	1.00	3.00
	35~44	44	1.38	0.47	1.00	3.15	45	1.43	0.32	1.00	2.38
	45~54	58	1.28	0.31	1.00	2.46	46	1.40	0.67	1.00	4.92
	55 以上	35	1.06	0.10	1.00	1.38	26	1.20	0.35	1.00	2.38
	合计	294	1.30	0.41	1.00	3.69	212	1.39	0.47	1.00	4.92

表 3-4-19 河北省唐海县成人 SCL-90 测验抑郁因子测验数据资料表

	年龄（岁）	男					女				
		n	mean	S	min.	max.	n	mean	S	min.	max.
抑郁	19~26	29	1.40	0.36	1.00	2.38	38	1.70	0.52	1.00	3.31
	27~34	44	1.42	0.52	1.00	4.15	53	1.73	0.63	1.00	3.77
	35~44	44	1.34	0.30	1.00	2.00	56	1.78	0.81	1.00	4.69
	45~54	35	1.70	0.71	1.00	3.85	49	1.56	0.55	1.00	3.46
	55 以上	44	1.38	0.45	1.00	3.00	33	1.53	0.50	1.00	2.92
	合计	196	1.44	0.50	1.00	4.15	229	1.67	0.63	1.00	4.69

表 3-4-20 河北省景县成人 SCL-90 测验抑郁因子测验数据资料表

	年龄（岁）	男					女				
		n	mean	S	min.	max.	n	mean	S	min.	max.
抑郁	19~26	35	1.64	0.71	1.00	3.92	35	1.57	0.57	1.00	3.62
	27~34	35	1.36	0.42	1.00	2.62	29	1.34	0.35	1.00	2.15
	35~44	23	1.41	0.53	1.00	3.00	50	1.36	0.35	1.00	2.38
	45~54	22	1.52	0.63	1.00	2.85	64	1.59	0.64	1.00	3.31
	55 以上	25	1.36	0.59	1.00	4.00	44	1.53	0.57	1.00	3.15
	合计	140	1.47	0.58	1.00	4.00	222	1.49	0.53	1.00	3.62

表 3－4－21 河北省成人 SCL－90 测验焦虑因子测验均值表

年龄（岁）	城市						农村					
	男			女			男			女		
	n	mean	S	n	mean	S	n	mean	S	n	mean	S
19～26	254	1.39	0.40	194	1.48	0.34	64	1.51	0.50	73	1.62	0.56
27～34	332	1.32	0.34	221	1.36	0.37	79	1.43	0.53	82	1.64	0.67
35～44	254	1.36	0.38	179	1.35	0.35	67	1.36	0.35	106	1.54	0.61
45～54	94	1.22	0.28	59	1.38	0.59	57	1.45	0.56	113	1.58	0.58
55 以上	90	1.11	0.20	110	1.23	0.34	69	1.34	0.51	77	1.58	0.53
合计	1024	1.32	0.36	763	1.37	0.38	336	1.42	0.50	451	1.59	0.59

表 3－4－22 河北省唐山市成人 SCL－90 测验焦虑因子测验数据资料表

	年龄（岁）	男					女				
		n	mean	S	min.	max.	n	mean	S	min.	max.
焦虑	19～26	207	1.40	0.38	1.00	2.90	170	1.49	0.35	1.00	2.90
	27～34	222	1.33	0.32	1.00	2.80	150	1.39	0.39	1.00	4.30
	35～44	210	1.36	0.37	1.00	2.70	134	1.36	0.38	1.00	2.80
	45～54	36	1.24	0.29	1.00	2.60	13	1.35	0.30	1.00	2.00
	55 以上	55	1.13	0.21	1.00	2.00	84	1.23	0.32	1.00	2.90
	合计	730	1.34	0.35	1.00	2.90	551	1.39	0.37	1.00	4.30

表 3－4－23 河北省衡水市成人 SCL－90 测验焦虑因子测验数据资料表

	年龄（岁）	男					女				
		n	mean	S	min.	max.	n	mean	S	min.	max.
焦虑	19～26	47	1.33	0.44	1.00	2.90	24	1.43	0.30	1.00	2.20
	27～34	110	1.29	0.37	1.00	3.70	71	1.28	0.29	1.00	2.50
	35～44	44	1.34	0.46	1.00	2.70	45	1.30	0.25	1.00	1.90
	45～54	58	1.22	0.28	1.00	2.00	46	1.39	0.65	1.00	4.50
	55 以上	35	1.09	0.16	1.00	1.70	26	1.23	0.41	1.00	2.70
	合计	294	1.27	0.37	1.00	3.70	212	1.32	0.41	1.00	4.50

表 3－4－24 河北省唐海县成人 SCL－90 测验焦虑因子测验数据资料表

	年龄（岁）	男					女				
		n	mean	S	min.	max.	n	mean	S	min.	max.
焦虑	19～26	29	1.42	0.29	1.00	1.90	38	1.69	0.52	1.00	2.90
	27～34	44	1.45	0.56	1.00	4.30	53	1.70	0.67	1.00	3.70
	35～44	44	1.33	0.28	1.00	2.00	56	1.63	0.72	1.00	3.70
	45～54	35	1.51	0.55	1.00	3.30	49	1.53	0.57	1.00	3.20
	55 以上	44	1.33	0.47	1.00	2.80	33	1.57	0.50	1.00	2.80
	合计	196	1.40	0.45	1.00	4.30	229	1.62	0.61	1.00	3.70

表 3－4－25 河北省景县成人 SCL－90 测验焦虑因子测验数据资料表

	年龄（岁）	男					女				
		n	mean	S	min.	max.	n	mean	S	min.	max.
焦虑	19～26	35	1.58	0.62	1.00	3.20	35	1.55	0.61	1.00	3.30
	27～34	35	1.41	0.50	1.00	3.40	29	1.54	0.67	1.00	3.30
	35～44	23	1.41	0.45	1.00	2.40	50	1.44	0.44	1.00	3.10
	45～54	22	1.36	0.57	1.00	3.50	64	1.62	0.59	1.00	3.40
	55 以上	25	1.34	0.60	1.00	4.00	44	1.58	0.56	1.00	2.90
	合计	140	1.43	0.55	1.00	4.00	222	1.55	0.57	1.00	3.40

表 3－4－26 河北省成人 SCL－90 测验敌对因子测验均值表

年龄（岁）	城市						农村					
	男			女			男			女		
	n	mean	S	n	mean	S	n	mean	S	n	mean	S
19～26	254	1.48	0.48	194	1.49	0.41	64	1.75	0.64	73	1.67	0.58
27～34	332	1.51	0.50	221	1.49	0.46	79	1.60	0.67	82	1.71	0.63
35～44	254	1.50	0.54	179	1.48	0.43	67	1.53	0.51	106	1.63	0.70
45～54	94	1.33	0.35	59	1.47	0.59	57	1.55	0.61	113	1.53	0.60
55 以上	90	1.16	0.22	110	1.20	0.27	69	1.38	0.51	77	1.39	0.46
合计	1024	1.45	0.49	763	1.45	0.44	336	1.56	0.60	451	1.59	0.61

表 3－4－27 河北省唐山市成人 SCL－90 测验敌对因子测验数据资料表

	年龄（岁）	男					女				
		n	mean	S	min.	max.	n	mean	S	min.	max.
敌对	19～26	207	1.47	0.45	1.00	3.00	170	1.49	0.40	1.00	2.83
	27～34	222	1.54	0.51	1.00	3.67	150	1.53	0.48	1.00	4.33
	35～44	210	1.51	0.52	1.00	4.17	134	1.49	0.45	1.00	3.67
	45～54	36	1.38	0.37	1.00	2.50	13	1.47	0.35	1.00	2.33
	55 以上	55	1.20	0.25	1.00	2.17	84	1.20	0.26	1.00	2.17
	合计	730	1.48	0.48	1.00	4.17	551	1.45	0.43	1.00	4.33

表 3－4－28 河北省衡水市成人 SCL－90 测验敌对因子测验数据资料表

	年龄（岁）	男					女				
		n	mean	S	min.	max.	n	mean	S	min.	max.
敌对	19～26	47	1.51	0.62	1.00	3.67	24	1.52	0.44	1.00	2.50
	27～34	110	1.46	0.50	1.00	4.33	71	1.41	0.39	1.00	2.83
	35～44	44	1.47	0.63	1.00	3.83	45	1.46	0.37	1.00	2.50
	45～54	58	1.30	0.34	1.00	2.33	46	1.47	0.65	1.00	5.00
	55 以上	35	1.11	0.15	1.00	1.67	26	1.19	0.29	1.00	2.00
	合计	294	1.39	0.50	1.00	4.33	212	1.42	0.46	1.00	5.00

表3-4-29 河北省唐海县成人SCL-90测验敌对因子测验数据资料表

	年龄（岁）	男					女				
		n	mean	S	min.	max.	n	mean	S	min.	max.
敌对	19~26	29	1.61	0.40	1.00	2.83	38	1.77	0.64	1.00	3.67
	27~34	44	1.61	0.70	1.00	4.00	53	1.83	0.64	1.00	3.67
	35~44	44	1.54	0.51	1.00	2.83	56	1.74	0.85	1.00	4.67
	45~54	35	1.70	0.64	1.00	3.50	49	1.51	0.61	1.00	3.50
	55以上	44	1.41	0.51	1.00	3.33	33	1.41	0.47	1.00	3.17
	合计	196	1.56	0.57	1.00	4.00	229	1.67	0.68	1.00	4.67

表3-4-30 河北省景县成人SCL-90测验敌对因子测验数据资料表

	年龄（岁）	男					女				
		n	mean	S	min.	max.	n	mean	S	min.	max.
敌对	19~26	35	1.86	0.77	1.00	3.83	35	1.55	0.49	1.00	3.00
	27~34	35	1.59	0.63	1.00	4.33	29	1.48	0.54	1.00	3.83
	35~44	23	1.51	0.51	1.00	2.83	50	1.51	0.48	1.00	2.67
	45~54	22	1.32	0.48	1.00	2.83	64	1.55	0.59	1.00	3.50
	55以上	25	1.32	0.51	1.00	3.50	44	1.38	0.46	1.00	2.83
	合计	140	1.55	0.64	1.00	4.33	222	1.50	0.52	1.00	3.83

表3-4-31 河北省成人SCL-90测验恐怖因子测验均值表

年龄（岁）	城市						农村					
	男			女			男			女		
	n	mean	S	n	mean	S	n	mean	S	n	mean	S
19~26	254	1.24	0.31	194	1.40	0.42	64	1.30	0.37	73	1.53	0.54
27~34	332	1.17	0.25	221	1.24	0.28	79	1.25	0.40	82	1.37	0.40
35~44	254	1.19	0.30	179	1.29	0.36	67	1.16	0.24	106	1.33	0.45
45~54	94	1.12	0.24	59	1.29	0.47	57	1.22	0.37	113	1.34	0.46
55以上	90	1.07	0.17	110	1.15	0.26	69	1.12	0.27	77	1.38	0.50
合计	1024	1.18	0.28	763	1.28	0.36	336	1.21	0.34	451	1.38	0.47

表3-4-32 河北省唐山市成人SCL-90测验恐怖因子测验数据资料表

	年龄（岁）	男					女				
		n	mean	S	min.	max.	n	mean	S	min.	max.
恐怖	19~26	207	1.24	0.30	1.00	2.86	170	1.41	0.44	1.00	3.00
	27~34	222	1.16	0.24	1.00	2.71	150	1.25	0.29	1.00	2.43
	35~44	210	1.20	0.30	1.00	2.86	134	1.30	0.38	1.00	2.57
	45~54	36	1.13	0.25	1.00	2.14	13	1.26	0.29	1.00	1.71
	55以上	55	1.08	0.18	1.00	2.00	84	1.15	0.26	1.00	2.29
	合计	730	1.19	0.28	1.00	2.86	551	1.30	0.37	1.00	3.00

表 3-4-33 河北省衡水市成人 SCL-90 测验恐怖因子测验数据资料表

	年龄（岁）	男					女				
		n	mean	S	min.	max.	n	mean	S	min.	max.
恐怖	19~26	47	1.23	0.35	1.00	2.71	24	1.35	0.33	1.00	2.14
	27~34	110	1.18	0.27	1.00	3.00	71	1.22	0.27	1.00	2.00
	35~44	44	1.17	0.29	1.00	2.43	45	1.26	0.30	1.00	2.43
	45~54	58	1.11	0.23	1.00	2.00	46	1.30	0.51	1.00	3.71
	55 以上	35	1.05	0.15	1.00	1.71	26	1.14	0.27	1.00	2.14
	合计	294	1.16	0.27	1.00	3.00	212	1.25	0.35	1.00	3.71

表 3-4-34 河北省唐海县成人 SCL-90 测验恐怖因子测验数据资料表

	年龄（岁）	男					女				
		n	mean	S	min.	max.	n	mean	S	min.	max.
恐怖	19~26	29	1.23	0.21	1.00	1.71	38	1.59	0.54	1.00	3.29
	27~34	44	1.25	0.44	1.00	3.71	53	1.42	0.38	1.00	3.00
	35~44	44	1.16	0.22	1.00	1.86	56	1.43	0.52	1.00	3.00
	45~54	35	1.26	0.42	1.00	2.86	49	1.33	0.44	1.00	2.57
	55 以上	44	1.11	0.24	1.00	2.00	33	1.37	0.50	1.00	3.14
	合计	196	1.20	0.33	1.00	3.71	229	1.42	0.48	1.00	3.29

表 3-4-35 河北省景县成人 SCL-90 测验恐怖因子测验数据资料表

	年龄（岁）	男					女				
		n	mean	S	min.	max.	n	mean	S	min.	max.
恐怖	19~26	35	1.36	0.46	1.00	2.71	35	1.46	0.53	1.00	3.14
	27~34	35	1.25	0.35	1.00	2.14	29	1.28	0.42	1.00	2.86
	35~44	23	1.17	0.30	1.00	2.00	50	1.22	0.34	1.00	2.43
	45~54	22	1.15	0.27	1.00	2.00	64	1.35	0.48	1.00	2.71
	55 以上	25	1.14	0.32	1.00	2.57	44	1.40	0.50	1.00	2.86
	合计	140	1.23	0.36	1.00	2.71	222	1.34	0.46	1.00	3.14

表 3-4-36 河北省成人 SCL-90 测验偏执因子测验均值表

年龄（岁）	城市						农村					
	男			女			男			女		
	n	mean	S	n	mean	S	n	mean	S	n	mean	S
19~26	254	1.48	0.45	194	1.52	0.41	64	1.67	0.57	73	1.60	0.54
27~34	332	1.40	0.43	221	1.39	0.38	79	1.47	0.53	82	1.49	0.56
35~44	254	1.45	0.52	179	1.32	0.39	67	1.35	0.47	106	1.33	0.43
45~54	94	1.24	0.36	59	1.26	0.57	57	1.35	0.49	113	1.35	0.54
55 以上	90	1.11	0.26	110	1.12	0.26	69	1.23	0.46	77	1.27	0.40
合计	1024	1.39	0.45	763	1.36	0.41	336	1.42	0.52	451	1.40	0.51

表 3-4-37　河北省唐山市成人 SCL-90 测验偏执因子测验数据资料表

	年龄（岁）	男					女				
		n	mean	S	min.	max.	n	mean	S	min.	max.
偏执	19~26	207	1.50	0.41	1.00	3.17	170	1.54	0.42	1.00	3.33
	27~34	222	1.43	0.44	1.00	3.50	150	1.41	0.38	1.00	2.83
	35~44	210	1.46	0.53	1.00	4.33	134	1.33	0.39	1.00	2.67
	45~54	36	1.26	0.42	1.00	3.00	13	1.23	0.26	1.00	1.67
	55以上	55	1.15	0.31	1.00	2.67	84	1.13	0.29	1.00	2.83
	合计	730	1.43	0.46	1.00	4.33	551	1.39	0.40	1.00	3.33

表 3-4-38　河北省衡水市成人 SCL-90 测验偏执因子测验数据资料表

	年龄（岁）	男					女				
		n	mean	S	min.	max.	n	mean	S	min.	max.
偏执	19~26	47	1.43	0.57	1.00	3.33	24	1.38	0.35	1.00	2.50
	27~34	110	1.34	0.38	1.00	2.83	71	1.33	0.36	1.00	2.50
	35~44	44	1.38	0.51	1.00	3.33	45	1.29	0.37	1.00	2.50
	45~54	58	1.23	0.32	1.00	2.33	46	1.27	0.63	1.00	5.00
	55以上	35	1.05	0.13	1.00	1.67	26	1.09	0.16	1.00	1.67
	合计	294	1.30	0.42	1.00	3.33	212	1.29	0.42	1.00	5.00

表 3-4-39　河北省唐海县成人 SCL-90 测验偏执因子测验数据资料表

	年龄（岁）	男					女				
		n	mean	S	min.	max.	n	mean	S	min.	max.
偏执	19~26	29	1.56	0.48	1.00	3.17	38	1.71	0.52	1.00	3.17
	27~34	44	1.49	0.50	1.00	3.67	53	1.62	0.59	1.00	3.17
	35~44	44	1.40	0.50	1.00	2.67	56	1.42	0.51	1.00	3.17
	45~54	35	1.42	0.52	1.00	3.50	49	1.39	0.60	1.00	4.17
	55以上	44	1.22	0.38	1.00	2.67	33	1.25	0.41	1.00	2.83
	合计	196	1.41	0.48	1.00	3.67	229	1.48	0.55	1.00	4.17

表 3-4-40　河北省景县成人 SCL-90 测验偏执因子测验数据资料表

	年龄（岁）	男					女				
		n	mean	S	min.	max.	n	mean	S	min.	max.
偏执	19~26	35	1.75	0.63	1.00	3.17	35	1.48	0.55	1.00	3.33
	27~34	35	1.44	0.57	1.00	3.67	29	1.26	0.45	1.00	2.83
	35~44	23	1.26	0.40	1.00	2.67	50	1.22	0.28	1.00	2.17
	45~54	22	1.24	0.45	1.00	2.83	64	1.31	0.48	1.00	3.17
	55以上	25	1.25	0.57	1.00	3.83	44	1.28	0.40	1.00	2.50
	合计	140	1.42	0.58	1.00	3.83	222	1.30	0.44	1.00	3.33

表 3-4-41　河北省成人 SCL-90 测验精神病性因子测验均值表

年龄（岁）	城市						农村					
	男			女			男			女		
	n	mean	S	n	mean	S	n	mean	S	n	mean	S
19~26	254	1.38	0.40	194	1.46	0.33	64	1.51	0.47	73	1.51	0.44
27~34	332	1.28	0.30	221	1.30	0.28	79	1.40	0.49	82	1.43	0.48
35~44	254	1.35	0.40	179	1.31	0.31	67	1.27	0.32	106	1.36	0.47
45~54	94	1.19	0.27	59	1.22	0.49	57	1.39	0.50	113	1.34	0.43
55 以上	90	1.10	0.22	110	1.12	0.23	69	1.26	0.42	77	1.31	0.37
合计	1024	1.30	0.35	763	1.31	0.33	336	1.36	0.45	451	1.38	0.44

表 3-4-42　河北省唐山市成人 SCL-90 测验精神病性因子测验数据资料表

	年龄（岁）	男					女				
		n	mean	S	min.	max.	n	mean	S	min.	max.
精神病性	19~26	207	1.39	0.38	1.00	3.10	170	1.47	0.33	1.00	2.60
	27~34	222	1.30	0.31	1.00	2.50	150	1.32	0.29	1.00	2.70
	35~44	210	1.37	0.40	1.00	3.30	134	1.31	0.33	1.00	2.50
	45~54	36	1.22	0.34	1.00	2.60	13	1.23	0.32	1.00	1.90
	55 以上	55	1.14	0.25	1.00	2.30	84	1.13	0.24	1.00	2.70
	合计	730	1.33	0.36	1.00	3.30	551	1.34	0.32	1.00	2.70

表 3-4-43　河北省衡水市成人 SCL-90 测验精神病性因子测验数据资料表

	年龄（岁）	男					女				
		n	mean	S	min.	max.	n	mean	S	min.	max.
精神病性	19~26	47	1.36	0.47	1.00	3.20	24	1.33	0.27	1.00	2.00
	27~34	110	1.24	0.28	1.00	2.40	71	1.24	0.25	1.00	2.00
	35~44	44	1.27	0.41	1.00	2.90	45	1.29	0.26	1.00	1.90
	45~54	58	1.17	0.22	1.00	1.70	46	1.22	0.53	1.00	4.30
	55 以上	35	1.04	0.12	1.00	1.50	26	1.08	0.15	1.00	1.50
	合计	294	1.23	0.33	1.00	3.20	212	1.24	0.33	1.00	4.30

表 3-4-44　河北省唐海县成人 SCL-90 测验精神病性因子测验数据资料表

	年龄（岁）	男					女				
		n	mean	S	min.	max.	n	mean	S	min.	max.
精神病性	19~26	29	1.44	0.34	1.00	2.20	38	1.58	0.37	1.00	2.20
	27~34	44	1.44	0.54	1.00	4.10	53	1.49	0.51	1.00	2.80
	35~44	44	1.28	0.31	1.00	2.20	56	1.49	0.57	1.00	3.40
	45~54	35	1.47	0.55	1.00	3.20	49	1.36	0.43	1.00	2.80
	55 以上	44	1.25	0.32	1.00	2.10	33	1.31	0.36	1.00	2.50
	合计	196	1.37	0.43	1.00	4.10	229	1.45	0.48	1.00	3.40

表 3-4-45 河北省景县成人 SCL-90 测验精神病性因子测验数据资料表

	年龄（岁）	男					女				
		n	mean	S	min.	max.	n	mean	S	min.	max.
精神病性	19~26	35	1.56	0.55	1.00	2.90	35	1.42	0.50	1.00	3.00
	27~34	35	1.36	0.44	1.00	2.60	29	1.30	0.39	1.00	2.80
	35~44	23	1.26	0.35	1.00	2.10	50	1.22	0.24	1.00	1.90
	45~54	22	1.25	0.38	1.00	2.30	64	1.32	0.43	1.00	2.60
	55以上	25	1.27	0.56	1.00	3.80	44	1.31	0.38	1.00	2.40
	合计	140	1.36	0.48	1.00	3.80	222	1.31	0.40	1.00	3.00

表 3-4-46 河北省成人 SCL-90 测验其他因子测验均值表

年龄（岁）	城市						农村					
	男			女			男			女		
	n	mean	S	n	mean	S	n	mean	S	n	mean	S
19~26	254	1.44	0.42	194	1.50	0.40	64	1.56	0.49	73	1.55	0.48
27~34	332	1.43	0.44	221	1.39	0.34	79	1.49	0.48	82	1.56	0.53
35~44	254	1.44	0.45	179	1.47	0.43	67	1.50	0.40	106	1.56	0.54
45~54	94	1.45	0.41	59	1.48	0.54	57	1.60	0.67	113	1.69	0.58
55以上	90	1.23	0.29	110	1.38	0.44	69	1.46	0.48	77	1.71	0.55
合计	1024	1.42	0.43	763	1.44	0.41	336	1.52	0.50	451	1.62	0.54

表 3-4-47 河北省唐山市成人 SCL-90 测验其他因子测验数据资料表

	年龄（岁）	男					女				
		n	mean	S	min.	max.	n	mean	S	min.	max.
其他	19~26	207	1.45	0.41	1.00	3.00	170	1.52	0.40	1.00	3.00
	27~34	222	1.43	0.42	1.00	4.00	150	1.41	0.37	1.00	3.29
	35~44	210	1.45	0.44	1.00	3.14	134	1.49	0.45	1.00	3.71
	45~54	36	1.45	0.43	1.00	2.71	13	1.52	0.50	1.00	2.43
	55以上	55	1.28	0.29	1.00	2.14	84	1.43	0.47	1.00	3.29
	合计	730	1.43	0.42	1.00	4.00	551	1.47	0.42	1.00	3.71

表 3-4-48 河北省衡水市成人 SCL-90 测验其他因子测验数据资料表

	年龄（岁）	男					女				
		n	mean	S	min.	max.	n	mean	S	min.	max.
其他	19~26	47	1.41	0.45	1.00	3.00	24	1.42	0.36	1.00	2.29
	27~34	110	1.42	0.48	1.00	3.57	71	1.34	0.25	1.00	2.00
	35~44	44	1.40	0.50	1.00	3.00	45	1.43	0.38	1.00	2.43
	45~54	58	1.45	0.40	1.00	2.57	46	1.48	0.55	1.00	3.14
	55以上	35	1.16	0.26	1.00	2.14	26	1.22	0.26	1.00	1.86
	合计	294	1.39	0.45	1.00	3.57	212	1.38	0.38	1.00	3.14

表 3-4-49　河北省唐海县成人 SCL-90 测验其他因子测验数据资料表

	年龄（岁）	男					女				
		n	mean	S	min.	max.	n	mean	S	min.	max.
其他	19~26	29	1.54	0.30	1.14	2.29	38	1.62	0.50	1.00	3.29
	27~34	44	1.54	0.52	1.00	3.71	53	1.63	0.52	1.00	3.00
	35~44	44	1.48	0.43	1.00	2.43	56	1.70	0.61	1.00	3.14
	45~54	35	1.75	0.73	1.00	4.29	49	1.74	0.66	1.00	3.57
	55 以上	44	1.47	0.53	1.00	3.29	33	1.67	0.55	1.00	3.29
	合计	196	1.55	0.53	1.00	4.29	229	1.67	0.57	1.00	3.57

表 3-4-50　河北省景县成人 SCL-90 测验其他因子测验数据资料表

	年龄（岁）	男					女				
		n	mean	S	min.	max.	n	mean	S	min.	max.
其他	19~26	35	1.58	0.60	1.00	3.43	35	1.48	0.46	1.00	2.86
	27~34	35	1.43	0.42	1.00	2.57	29	1.45	0.53	1.00	3.14
	35~44	23	1.54	0.34	1.00	2.29	50	1.40	0.41	1.00	2.86
	45~54	22	1.38	0.49	1.00	3.00	64	1.65	0.52	1.00	3.29
	55 以上	25	1.43	0.39	1.00	2.71	44	1.73	0.55	1.00	3.00
	合计	140	1.48	0.47	1.00	3.43	222	1.56	0.51	1.00	3.29

2．浙江省

表 3-4-51　浙江省成人 SCL-90 测验躯体化因子测验均值表

年龄（岁）	男			女		
	n	mean	S	n	mean	S
19~26	314	1.28	0.33	562	1.31	0.33
27~34	243	1.27	0.30	408	1.39	0.39
35~44	277	1.34	0.34	436	1.43	0.43
45~54	289	1.41	0.42	250	1.42	0.42
55 以上	606	1.32	0.33	788	1.41	0.37
合计	1,729	1.32	0.35	2,444	1.39	0.38

表 3-4-52　浙江省杭州市成人 SCL-90 测验躯体化因子测验数据资料表

	年龄（岁）	男					女				
		n	mean	S	min.	max.	n	mean	S	min.	max.
躯体化	19~26	23	1.22	0.21	1.00	1.67	46	1.31	0.27	1.00	2.00
	27~34	29	1.26	0.24	1.00	1.92	82	1.36	0.34	1.00	2.75
	35~44	29	1.29	0.28	1.00	2.33	86	1.38	0.37	1.00	2.75
	45~54	50	1.41	0.38	1.00	2.33	31	1.35	0.40	1.00	2.50
	55 以上	288	1.28	0.28	1.00	3.00	270	1.35	0.30	1.00	3.00
	合计	419	1.29	0.29	1.00	3.00	515	1.35	0.32	1.00	3.00

表 3-4-53 浙江省绍兴市成人 SCL-90 测验躯体化因子测验数据资料表

	年龄（岁）	男					女				
		n	mean	S	min.	max.	n	mean	S	min.	max.
躯体化	19~26	195	1.31	0.35	1.00	3.25	249	1.34	0.31	1.00	2.83
	27~34	25	1.28	0.26	1.00	1.92	52	1.37	0.32	1.00	2.08
	35~44	19	1.16	0.15	1.00	1.58	47	1.38	0.43	1.00	3.33
	45~54	14	1.51	0.56	1.00	2.92	69	1.41	0.46	1.00	3.67
	55以上	64	1.30	0.40	1.00	2.67	160	1.39	0.39	1.00	2.83
	合计	317	1.31	0.36	1.00	3.25	577	1.37	0.37	1.00	3.67

表 3-4-54 浙江省舟山市成人 SCL-90 测验躯体化因子测验数据资料表

	年龄（岁）	男					女				
		n	mean	S	min.	max.	n	mean	S	min.	max.
躯体化	19~26	22	1.29	0.30	1.00	2.08	31	1.57	0.39	1.00	2.58
	27~34	24	1.30	0.27	1.00	2.00	39	1.45	0.39	1.00	2.33
	35~44	98	1.45	0.37	1.00	2.50	109	1.50	0.38	1.00	3.33
	45~54	109	1.51	0.51	1.00	3.42	35	1.51	0.45	1.00	2.50
	55以上	171	1.34	0.33	1.00	3.00	275	1.45	0.40	1.00	3.08
	合计	424	1.41	0.40	1.00	3.42	489	1.47	0.40	1.00	3.33

表 3-4-55 浙江省诸暨市成人 SCL-90 测验躯体化因子测验数据资料表

	年龄（岁）	男					女				
		n	mean	S	min.	max.	n	mean	S	min.	max.
躯体化	19~26	74	1.23	0.32	1.00	2.50	236	1.24	0.32	1.00	3.08
	27~34	165	1.27	0.33	1.00	2.58	235	1.39	0.42	1.00	3.17
	35~44	131	1.29	0.32	1.00	3.08	194	1.42	0.49	1.00	3.75
	45~54	116	1.31	0.30	1.00	2.42	115	1.42	0.38	1.00	2.67
	55以上	83	1.43	0.42	1.00	3.33	83	1.55	0.44	1.00	3.50
	合计	569	1.30	0.34	1.00	3.33	863	1.38	0.42	1.00	3.75

表 3-4-56 浙江省成人 SCL-90 测验强迫症状因子测验均值表

年龄（岁）	男			女		
	n	mean	S	n	mean	S
19~26	314	1.56	0.43	562	1.54	0.43
27~34	243	1.36	0.38	408	1.46	0.43
35~44	277	1.37	0.43	436	1.38	0.44
45~54	289	1.40	0.43	250	1.33	0.36
55以上	606	1.31	0.33	788	1.35	0.35
合计	1,729	1.39	0.40	2,444	1.42	0.41

表 3－4－57　浙江省杭州市成人 SCL－90 测验强迫症状因子测验数据资料表

	年龄（岁）	男					女				
		n	mean	S	min.	max.	n	mean	S	min.	max.
强迫症状	19～26	23	1.63	0.39	1.20	2.60	46	1.47	0.36	1.00	2.60
	27～34	29	1.27	0.32	1.00	2.30	82	1.37	0.33	1.00	2.60
	35～44	29	1.21	0.30	1.00	2.20	86	1.29	0.31	1.00	2.10
	45～54	50	1.39	0.34	1.00	2.30	31	1.47	0.51	1.00	3.70
	55 以上	288	1.27	0.24	1.00	2.40	270	1.33	0.25	1.00	2.60
	合计	419	1.30	0.29	1.00	2.60	515	1.35	0.31	1.00	3.70

表 3－4－58　浙江省绍兴市成人 SCL－90 测验强迫症状因子测验数据资料表

	年龄（岁）	男					女				
		n	mean	S	min.	max.	n	mean	S	min.	max.
强迫症状	19～26	195	1.63	0.43	1.00	3.90	249	1.65	0.40	1.00	3.60
	27～34	25	1.40	0.35	1.00	2.30	52	1.39	0.31	1.00	2.20
	35～44	19	1.18	0.21	1.00	1.70	47	1.32	0.36	1.00	2.50
	45～54	14	1.56	0.70	1.00	3.60	69	1.28	0.29	1.00	1.90
	55 以上	64	1.36	0.42	1.00	3.10	160	1.33	0.37	1.00	2.60
	合计	317	1.52	0.45	1.00	3.90	577	1.47	0.40	1.00	3.60

表 3－4－59　浙江省舟山市成人 SCL－90 测验强迫症状因子测验数据资料表

	年龄（岁）	男					女				
		n	mean	S	min.	max.	n	mean	S	min.	max.
强迫症状	19～26	22	1.62	0.40	1.00	2.40	31	1.94	0.46	1.00	2.90
	27～34	24	1.38	0.30	1.00	2.00	39	1.52	0.39	1.00	2.30
	35～44	98	1.54	0.51	1.00	3.40	109	1.47	0.45	1.00	3.50
	45～54	109	1.49	0.46	1.00	3.60	35	1.49	0.47	1.00	2.80
	55 以上	171	1.36	0.37	1.00	3.40	275	1.41	0.43	1.00	3.30
	合计	424	1.45	0.44	1.00	3.60	489	1.47	0.45	1.00	3.50

表 3－4－60　浙江省诸暨市成人 SCL－90 测验强迫症状因子测验数据资料表

	年龄（岁）	男					女				
		n	mean	S	min.	max.	n	mean	S	min.	max.
强迫症状	19～26	74	1.36	0.39	1.00	2.70	236	1.39	0.41	1.00	2.90
	27～34	165	1.37	0.40	1.00	2.90	235	1.49	0.48	1.00	3.50
	35～44	131	1.32	0.36	1.00	3.00	194	1.38	0.49	1.00	3.80
	45～54	116	1.29	0.37	1.00	3.20	115	1.27	0.29	1.00	2.10
	55 以上	83	1.31	0.40	1.00	3.30	83	1.29	0.30	1.00	2.90
	合计	569	1.33	0.38	1.00	3.30	863	1.39	0.43	1.00	3.80

表 3－4－61 浙江省成人 SCL－90 测验人际敏感因子测验均值表

年龄（岁）	男			女		
	n	mean	S	n	mean	S
19～26	314	1.51	0.43	562	1.51	0.41
27～34	243	1.34	0.37	408	1.41	0.41
35～44	277	1.34	0.40	436	1.31	0.39
45～54	289	1.30	0.35	250	1.21	0.33
55 以上	606	1.17	0.28	788	1.16	0.29
合计	1,729	1.30	0.38	2,444	1.32	0.39

表 3－4－62 浙江省杭州市成人 SCL－90 测验人际敏感因子测验数据资料表

	年龄（岁）	男					女				
		n	mean	S	min.	max.	n	mean	S	min.	max.
人际敏感	19～26	23	1.55	0.35	1.00	2.33	46	1.48	0.37	1.00	2.33
	27～34	29	1.27	0.26	1.00	1.89	82	1.34	0.36	1.00	2.44
	35～44	29	1.15	0.21	1.00	1.67	86	1.21	0.25	1.00	2.11
	45～54	50	1.27	0.30	1.00	2.11	31	1.27	0.38	1.00	2.67
	55 以上	288	1.14	0.22	1.00	3.22	270	1.15	0.23	1.00	3.22
	合计	419	1.19	0.26	1.00	3.22	515	1.23	0.30	1.00	3.22

表 3－4－63 浙江省绍兴市成人 SCL－90 测验人际敏感因子测验数据资料表

	年龄（岁）	男					女				
		n	mean	S	min.	max.	n	mean	S	min.	max.
人际敏感	19～26	195	1.55	0.41	1.00	3.00	249	1.60	0.39	1.00	3.56
	27～34	25	1.35	0.35	1.00	2.11	52	1.34	0.37	1.00	2.22
	35～44	19	1.18	0.26	1.00	2.00	47	1.27	0.40	1.00	3.00
	45～54	14	1.48	0.59	1.00	3.00	69	1.16	0.25	1.00	2.00
	55 以上	64	1.21	0.38	1.00	3.00	160	1.15	0.25	1.00	2.56
	合计	317	1.44	0.43	1.00	3.00	577	1.37	0.39	1.00	3.56

表 3－4－64 浙江省舟山市成人 SCL－90 测验人际敏感因子测验数据资料表

	年龄（岁）	男					女				
		n	mean	S	min.	max.	n	mean	S	min.	max.
人际敏感	19～26	22	1.65	0.47	1.00	2.67	31	1.77	0.39	1.00	2.78
	27～34	24	1.44	0.37	1.00	2.11	39	1.44	0.38	1.00	2.56
	35～44	98	1.48	0.48	1.00	3.78	109	1.38	0.39	1.00	3.22
	45～54	109	1.34	0.38	1.00	2.44	35	1.38	0.41	1.00	2.67
	55 以上	171	1.19	0.30	1.00	3.00	275	1.22	0.34	1.00	3.00
	合计	424	1.34	0.40	1.00	3.78	489	1.32	0.39	1.00	3.22

表 3-4-65 浙江省诸暨市成人 SCL-90 测验人际敏感因子测验数据资料表

	年龄（岁）	男					女				
		n	mean	S	min.	max.	n	mean	S	min.	max.
人际敏感	19~26	74	1.36	0.44	1.00	2.78	236	1.38	0.40	1.00	2.89
	27~34	165	1.34	0.39	1.00	2.67	235	1.45	0.44	1.00	3.89
	35~44	131	1.30	0.35	1.00	2.78	194	1.33	0.42	1.00	3.78
	45~54	116	1.24	0.30	1.00	2.78	115	1.16	0.32	1.00	2.56
	55 以上	83	1.17	0.35	1.00	3.22	83	1.05	0.26	1.00	3.33
	合计	569	1.29	0.37	1.00	3.22	863	1.33	0.41	1.00	3.89

表 3-4-66 浙江省成人 SCL-90 测验抑郁因子测验均值表

年龄（岁）	男			女		
	n	mean	S	n	mean	S
19~26	314	1.35	0.36	562	1.41	0.40
27~34	243	1.26	0.32	408	1.37	0.44
35~44	277	1.29	0.38	436	1.29	0.38
45~54	289	1.30	0.37	250	1.23	0.31
55 以上	606	1.22	0.30	788	1.25	0.31
合计	1,729	1.27	0.34	2,444	1.31	0.37

表 3-4-67 浙江省杭州市成人 SCL-90 测验抑郁因子测验数据资料表

	年龄（岁）	男					女				
		n	mean	S	min.	max.	n	mean	S	min.	max.
抑郁	19~26	23	1.37	0.32	1.00	2.08	46	1.37	0.32	1.00	2.31
	27~34	29	1.18	0.24	1.00	2.08	82	1.30	0.35	1.00	2.62
	35~44	29	1.16	0.18	1.00	1.69	86	1.21	0.27	1.00	2.23
	45~54	50	1.28	0.28	1.00	2.08	31	1.23	0.27	1.00	2.15
	55 以上	288	1.18	0.24	1.00	3.92	270	1.21	0.23	1.00	2.69
	合计	419	1.20	0.25	1.00	3.92	515	1.24	0.27	1.00	2.69

表 3-4-68 浙江省绍兴市成人 SCL-90 测验抑郁因子测验数据资料表

	年龄（岁）	男					女				
		n	mean	S	min.	max.	n	mean	S	min.	max.
抑郁	19~26	195	1.39	0.36	1.00	3.23	249	1.49	0.38	1.00	3.92
	27~34	25	1.24	0.27	1.00	1.92	52	1.31	0.33	1.00	2.38
	35~44	19	1.16	0.19	1.00	1.69	47	1.27	0.37	1.00	2.77
	45~54	14	1.47	0.53	1.00	2.46	69	1.18	0.24	1.00	1.85
	55 以上	64	1.24	0.34	1.00	2.92	160	1.21	0.30	1.00	2.54
	合计	317	1.34	0.36	1.00	3.23	577	1.34	0.36	1.00	3.92

表 3-4-69　浙江省舟山市成人 SCL-90 测验抑郁因子测验数据资料表

	年龄（岁）	男					女				
		n	mean	S	min.	max.	n	mean	S	min.	max.
抑郁	19~26	22	1.40	0.41	1.00	2.54	31	1.75	0.47	1.00	3.00
	27~34	24	1.25	0.22	1.00	1.77	39	1.36	0.37	1.00	2.31
	35~44	98	1.40	0.46	1.00	3.46	109	1.31	0.31	1.00	2.77
	45~54	109	1.35	0.39	1.00	2.69	35	1.37	0.48	1.00	2.92
	55以上	171	1.25	0.32	1.00	2.46	275	1.33	0.37	1.00	2.54
	合计	424	1.32	0.38	1.00	3.46	489	1.36	0.38	1.00	3.00

表 3-4-70　浙江省诸暨市成人 SCL-90 测验抑郁因子测验数据资料表

	年龄（岁）	男					女				
		n	mean	S	min.	max.	n	mean	S	min.	max.
抑郁	19~26	74	1.24	0.33	1.00	2.23	236	1.29	0.39	1.00	3.15
	27~34	165	1.29	0.35	1.00	3.15	235	1.40	0.49	1.00	4.23
	35~44	131	1.25	0.33	1.00	3.08	194	1.32	0.44	1.00	3.38
	45~54	116	1.24	0.36	1.00	3.54	115	1.22	0.30	1.00	2.85
	55以上	83	1.27	0.38	1.00	3.00	83	1.22	0.27	1.00	2.92
	合计	569	1.26	0.35	1.00	3.54	863	1.31	0.42	1.00	4.23

表 3-4-71　浙江省成人 SCL-90 测验焦虑因子测验均值表

年龄（岁）	男			女		
	n	mean	S	n	mean	S
19~26	314	1.33	0.38	562	1.36	0.36
27~34	243	1.22	0.29	408	1.32	0.37
35~44	277	1.22	0.32	436	1.28	0.36
45~54	289	1.24	0.32	250	1.21	0.27
55以上	606	1.17	0.26	788	1.22	0.28
合计	1,729	1.23	0.31	2,444	1.28	0.33

表 3-4-72　浙江省杭州市成人 SCL-90 测验焦虑因子测验数据资料表

	年龄（岁）	男					女				
		n	mean	S	min.	max.	n	mean	S	min.	max.
焦虑	19~26	23	1.35	0.26	1.00	1.80	46	1.37	0.35	1.00	2.70
	27~34	29	1.15	0.17	1.00	1.70	82	1.29	0.31	1.00	2.60
	35~44	29	1.11	0.14	1.00	1.50	86	1.24	0.26	1.00	2.20
	45~54	50	1.18	0.20	1.00	1.70	31	1.20	0.25	1.00	2.10
	55以上	288	1.13	0.18	1.00	2.70	270	1.20	0.25	1.00	2.50
	合计	419	1.15	0.19	1.00	2.70	515	1.24	0.27	1.00	2.70

表 3-4-73 浙江省绍兴市成人 SCL-90 测验焦虑因子测验数据资料表

	年龄(岁)	男					女				
		n	mean	S	min.	max.	n	mean	S	min.	max.
焦虑	19~26	195	1.37	0.41	1.00	4.10	249	1.42	0.34	1.00	3.00
	27~34	25	1.19	0.26	1.00	1.90	52	1.27	0.30	1.00	2.00
	35~44	19	1.07	0.16	1.00	1.60	47	1.19	0.24	1.00	2.00
	45~54	14	1.30	0.47	1.00	2.50	69	1.19	0.24	1.00	2.10
	55 以上	64	1.20	0.39	1.00	3.00	160	1.17	0.25	1.00	2.40
	合计	317	1.30	0.40	1.00	4.10	577	1.29	0.31	1.00	3.00

表 3-4-74 浙江省舟山市成人 SCL-90 测验焦虑因子测验数据资料表

	年龄(岁)	男					女				
		n	mean	S	min.	max.	n	mean	S	min.	max.
焦虑	19~26	22	1.40	0.46	1.00	2.50	31	1.64	0.45	1.00	3.20
	27~34	24	1.20	0.20	1.00	1.60	39	1.33	0.35	1.00	2.40
	35~44	98	1.30	0.34	1.00	2.80	109	1.33	0.35	1.00	2.60
	45~54	109	1.28	0.38	1.00	3.40	35	1.36	0.40	1.00	2.50
	55 以上	171	1.20	0.24	1.00	2.20	275	1.27	0.32	1.00	3.10
	合计	424	1.26	0.32	1.00	3.40	489	1.32	0.36	1.00	3.20

表 3-4-75 浙江省诸暨市成人 SCL-90 测验焦虑因子测验数据资料表

	年龄(岁)	男					女				
		n	mean	S	min.	max.	n	mean	S	min.	max.
焦虑	19~26	74	1.22	0.31	1.00	2.20	236	1.27	0.33	1.00	2.60
	27~34	165	1.24	0.32	1.00	2.50	235	1.33	0.40	1.00	3.10
	35~44	131	1.21	0.34	1.00	3.20	194	1.29	0.43	1.00	3.80
	45~54	116	1.23	0.27	1.00	2.40	115	1.18	0.24	1.00	1.90
	55 以上	83	1.25	0.35	1.00	3.10	83	1.25	0.29	1.00	2.90
	合计	569	1.23	0.32	1.00	3.20	863	1.28	0.36	1.00	3.80

表 3-4-76 浙江省成人 SCL-90 测验敌对因子测验均值表

年龄(岁)	男			女		
	n	mean	S	n	mean	S
19~26	314	1.41	0.45	562	1.41	0.44
27~34	243	1.34	0.43	408	1.41	0.48
35~44	277	1.30	0.38	436	1.28	0.36
45~54	289	1.31	0.40	250	1.20	0.30
55 以上	606	1.17	0.29	788	1.15	0.23
合计	1,729	1.28	0.39	2,444	1.28	0.38

表 3-4-77　浙江省杭州市成人 SCL-90 测验敌对因子测验数据资料表

	年龄（岁）	男					女				
		n	mean	S	min.	max.	n	mean	S	min.	max.
敌对	19～26	23	1.36	0.27	1.00	2.17	46	1.40	0.40	1.00	2.50
	27～34	29	1.20	0.28	1.00	2.33	82	1.36	0.42	1.00	2.83
	35～44	29	1.24	0.37	1.00	2.50	86	1.22	0.30	1.00	2.33
	45～54	50	1.33	0.35	1.00	2.33	31	1.16	0.17	1.00	1.50
	55以上	288	1.14	0.25	1.00	2.83	270	1.14	0.19	1.00	2.33
	合计	419	1.19	0.28	1.00	2.83	515	1.21	0.30	1.00	2.83

表 3-4-78　浙江省绍兴市成人 SCL-90 测验敌对因子测验数据资料表

	年龄（岁）	男					女				
		n	mean	S	min.	max.	n	mean	S	min.	max.
敌对	19～26	195	1.43	0.46	1.00	3.50	249	1.43	0.36	1.00	2.67
	27～34	25	1.32	0.35	1.00	2.17	52	1.32	0.38	1.00	2.33
	35～44	19	1.16	0.24	1.00	1.83	47	1.23	0.37	1.00	2.67
	45～54	14	1.52	0.64	1.00	3.00	69	1.22	0.32	1.00	2.33
	55以上	64	1.23	0.36	1.00	2.50	160	1.17	0.24	1.00	2.33
	合计	317	1.37	0.44	1.00	3.50	577	1.31	0.35	1.00	2.67

表 3-4-79　浙江省舟山市成人 SCL-90 测验敌对因子测验数据资料表

	年龄（岁）	男					女				
		n	mean	S	min.	max.	n	mean	S	min.	max.
敌对	19～26	22	1.58	0.61	1.00	3.17	31	1.78	0.57	1.00	3.17
	27～34	24	1.31	0.33	1.00	2.17	39	1.43	0.44	1.00	3.17
	35～44	98	1.43	0.46	1.00	3.50	109	1.33	0.31	1.00	2.50
	45～54	109	1.33	0.43	1.00	4.17	35	1.31	0.36	1.00	2.67
	55以上	171	1.17	0.24	1.00	2.33	275	1.17	0.23	1.00	2.50
	合计	424	1.30	0.40	1.00	4.17	489	1.28	0.35	1.00	3.17

表 3-4-80　浙江省诸暨市成人 SCL-90 测验敌对因子测验数据资料表

	年龄（岁）	男					女				
		n	mean	S	min.	max.	n	mean	S	min.	max.
敌对	19～26	74	1.31	0.40	1.00	3.00	236	1.35	0.47	1.00	3.83
	27～34	165	1.37	0.47	1.00	3.50	235	1.45	0.52	1.00	3.67
	35～44	131	1.23	0.30	1.00	2.50	194	1.29	0.40	1.00	3.17
	45～54	116	1.25	0.35	1.00	2.67	115	1.17	0.28	1.00	2.67
	55以上	83	1.22	0.41	1.00	3.33	83	1.13	0.28	1.00	3.00
	合计	569	1.28	0.40	1.00	3.50	863	1.32	0.45	1.00	3.83

表 3－4－81　浙江省成人 SCL－90 测验恐怖因子测验均值表

年龄（岁）	男			女		
	n	mean	S	n	mean	S
19～26	314	1.22	0.29	562	1.27	0.30
27～34	243	1.12	0.24	408	1.22	0.33
35～44	277	1.13	0.26	436	1.17	0.28
45～54	289	1.13	0.24	250	1.16	0.29
55 以上	606	1.09	0.23	788	1.15	0.25
合计	1,729	1.13	0.25	2,444	1.19	0.29

表 3－4－82　浙江省杭州市成人 SCL－90 测验恐怖因子测验数据资料表

	年龄（岁）	男					女				
		n	mean	S	min.	max.	n	mean	S	min.	max.
恐怖	19～26	23	1.26	0.31	1.00	2.14	46	1.29	0.28	1.00	2.43
	27～34	29	1.05	0.10	1.00	1.43	82	1.23	0.35	1.00	3.43
	35～44	29	1.01	0.04	1.00	1.14	86	1.09	0.16	1.00	1.86
	45～54	50	1.06	0.14	1.00	1.57	31	1.13	0.20	1.00	1.71
	55 以上	288	1.07	0.18	1.00	2.71	270	1.14	0.22	1.00	2.43
	合计	419	1.07	0.18	1.00	2.71	515	1.16	0.25	1.00	3.43

表 3－4－83　浙江省绍兴市成人 SCL－90 测验恐怖因子测验数据资料表

	年龄（岁）	男					女				
		n	mean	S	min.	max.	n	mean	S	min.	max.
恐怖	19～26	195	1.23	0.27	1.00	2.29	249	1.30	0.31	1.00	2.57
	27～34	25	1.07	0.15	1.00	1.71	52	1.14	0.23	1.00	2.00
	35～44	19	1.03	0.06	1.00	1.14	47	1.11	0.21	1.00	2.00
	45～54	14	1.24	0.49	1.00	2.86	69	1.08	0.15	1.00	1.86
	55 以上	64	1.14	0.33	1.00	2.71	160	1.10	0.22	1.00	2.29
	合计	317	1.19	0.29	1.00	2.86	577	1.19	0.27	1.00	2.57

表 3－4－84　浙江省舟山市成人 SCL－90 测验恐怖因子测验数据资料表

	年龄（岁）	男					女				
		n	mean	S	min.	max.	n	mean	S	min.	max.
恐怖	19～26	22	1.33	0.33	1.00	2.43	31	1.48	0.40	1.00	2.43
	27～34	24	1.13	0.16	1.00	1.57	39	1.18	0.26	1.00	2.00
	35～44	98	1.17	0.28	1.00	2.71	109	1.18	0.29	1.00	3.14
	45～54	109	1.13	0.21	1.00	2.29	35	1.33	0.47	1.00	3.00
	55 以上	171	1.10	0.21	1.00	2.14	275	1.18	0.28	1.00	2.29
	合计	424	1.13	0.24	1.00	2.71	489	1.21	0.31	1.00	3.14

表 3-4-85 浙江省诸暨市成人 SCL-90 测验恐怖因子测验数据资料表

	年龄（岁）	男					女				
		n	mean	S	min.	max.	n	mean	S	min.	max.
恐怖	19~26	74	1.16	0.30	1.00	2.43	236	1.20	0.27	1.00	2.43
	27~34	165	1.14	0.27	1.00	2.29	235	1.24	0.36	1.00	3.43
	35~44	131	1.15	0.29	1.00	2.43	194	1.22	0.31	1.00	2.43
	45~54	116	1.15	0.26	1.00	2.43	115	1.16	0.28	1.00	2.57
	55 以上	83	1.11	0.31	1.00	3.29	83	1.18	0.31	1.00	2.86
	合计	569	1.14	0.28	1.00	3.29	863	1.21	0.31	1.00	3.43

表 3-4-86 浙江省成人 SCL-90 测验偏执因子测验均值表

年龄（岁）	男			女		
	n	mean	S	n	mean	S
19~26	314	1.43	0.39	562	1.39	0.38
27~34	243	1.29	0.34	408	1.32	0.38
35~44	277	1.29	0.40	436	1.23	0.36
45~54	289	1.23	0.34	250	1.12	0.25
55 以上	606	1.12	0.26	788	1.11	0.23
合计	1,729	1.25	0.36	2,444	1.23	0.34

表 3-4-87 浙江省杭州市成人 SCL-90 测验偏执因子测验数据资料表

	年龄（岁）	男					女				
		n	mean	S	min.	max.	n	mean	S	min.	max.
偏执	19~26	23	1.51	0.33	1.00	2.17	46	1.37	0.30	1.00	2.17
	27~34	29	1.24	0.34	1.00	2.50	82	1.27	0.35	1.00	2.50
	35~44	29	1.09	0.15	1.00	1.50	86	1.16	0.25	1.00	2.17
	45~54	50	1.24	0.32	1.00	2.50	31	1.11	0.16	1.00	1.50
	55 以上	288	1.10	0.20	1.00	2.33	270	1.11	0.20	1.00	2.83
	合计	419	1.15	0.26	1.00	2.50	515	1.17	0.26	1.00	2.83

表 3-4-88 浙江省绍兴市成人 SCL-90 测验偏执因子测验数据资料表

	年龄（岁）	男					女				
		n	mean	S	min.	max.	n	mean	S	min.	max.
偏执	19~26	195	1.45	0.38	1.00	3.17	249	1.46	0.37	1.00	2.83
	27~34	25	1.29	0.31	1.00	2.00	52	1.26	0.31	1.00	2.17
	35~44	19	1.10	0.18	1.00	1.67	47	1.19	0.33	1.00	2.17
	45~54	14	1.38	0.54	1.00	2.67	69	1.11	0.19	1.00	1.83
	55 以上	64	1.14	0.40	1.00	3.67	160	1.08	0.17	1.00	2.17
	合计	317	1.35	0.40	1.00	3.67	577	1.27	0.34	1.00	2.83

表 3-4-89 浙江省舟山市成人 SCL-90 测验偏执因子测验数据资料表

	年龄（岁）	男					女				
		n	mean	S	min.	max.	n	mean	S	min.	max.
偏执	19~26	22	1.59	0.44	1.00	2.50	31	1.75	0.49	1.00	3.17
	27~34	24	1.42	0.43	1.00	2.67	39	1.39	0.43	1.00	3.00
	35~44	98	1.41	0.48	1.00	3.67	109	1.27	0.34	1.00	2.50
	45~54	109	1.26	0.40	1.00	3.50	35	1.28	0.44	1.00	3.33
	55 以上	171	1.13	0.24	1.00	2.00	275	1.14	0.27	1.00	2.17
	合计	424	1.27	0.39	1.00	3.67	489	1.24	0.37	1.00	3.33

表 3-4-90 浙江省诸暨市成人 SCL-90 测验偏执因子测验数据资料表

	年龄（岁）	男					女				
		n	mean	S	min.	max.	n	mean	S	min.	max.
偏执	19~26	74	1.31	0.40	1.00	3.00	236	1.27	0.33	1.00	2.67
	27~34	165	1.27	0.33	1.00	2.17	235	1.34	0.39	1.00	3.33
	35~44	131	1.27	0.37	1.00	3.00	194	1.26	0.40	1.00	3.00
	45~54	116	1.19	0.25	1.00	2.00	115	1.08	0.20	1.00	2.00
	55 以上	83	1.16	0.37	1.00	3.00	83	1.04	0.24	1.00	3.17
	合计	569	1.24	0.34	1.00	3.00	863	1.24	0.36	1.00	3.33

表 3-4-91 浙江省成人 SCL-90 测验精神病性因子测验均值表

年龄（岁）	男			女		
	n	mean	S	n	mean	S
19~26	314	1.30	0.33	562	1.27	0.29
27~34	243	1.19	0.26	408	1.23	0.32
35~44	277	1.21	0.34	436	1.17	0.27
45~54	289	1.18	0.27	250	1.10	0.19
55 以上	606	1.12	0.22	788	1.12	0.21
合计	1,729	1.19	0.28	2,444	1.18	0.27

表 3-4-92 浙江省杭州市成人 SCL-90 测验精神病性因子测验数据资料表

	年龄（岁）	男					女				
		n	mean	S	min.	max.	n	mean	S	min.	max.
精神病性	19~26	23	1.36	0.32	1.00	2.30	46	1.25	0.26	1.00	1.90
	27~34	29	1.18	0.22	1.00	2.00	82	1.21	0.30	1.00	3.00
	35~44	29	1.07	0.11	1.00	1.40	86	1.11	0.16	1.00	1.70
	45~54	50	1.16	0.19	1.00	1.70	31	1.09	0.14	1.00	1.70
	55 以上	288	1.09	0.16	1.00	2.30	270	1.10	0.16	1.00	2.20
	合计	419	1.12	0.19	1.00	2.30	515	1.13	0.21	1.00	3.00

表 3－4－93　浙江省绍兴市成人 SCL－90 测验精神病性因子测验数据资料表

	年龄（岁）	男					女				
		n	mean	S	min.	max.	n	mean	S	min.	max.
精神病性	19～26	195	1.31	0.31	1.00	2.90	249	1.33	0.28	1.00	2.40
	27～34	25	1.15	0.21	1.00	1.80	52	1.19	0.25	1.00	2.10
	35～44	19	1.02	0.05	1.00	1.20	47	1.11	0.17	1.00	1.90
	45～54	14	1.26	0.37	1.00	2.20	69	1.08	0.13	1.00	1.60
	55以上	64	1.14	0.29	1.00	2.50	160	1.09	0.18	1.00	2.30
	合计	317	1.24	0.30	1.00	2.90	577	1.20	0.26	1.00	2.40

表 3－4－94　浙江省舟山市成人 SCL－90 测验精神病性因子测验数据资料表

	年龄（岁）	男					女				
		n	mean	S	min.	max.	n	mean	S	min.	max.
精神病性	19～26	22	1.50	0.41	1.00	2.30	31	1.43	0.29	1.00	2.10
	27～34	24	1.28	0.22	1.00	1.80	39	1.23	0.27	1.00	1.80
	35～44	98	1.32	0.39	1.00	3.20	109	1.20	0.26	1.00	2.70
	45～54	109	1.23	0.32	1.00	2.60	35	1.21	0.32	1.00	2.40
	55以上	171	1.13	0.22	1.00	2.10	275	1.16	0.25	1.00	2.20
	合计	424	1.23	0.32	1.00	3.20	489	1.19	0.27	1.00	2.70

表 3－4－95　浙江省诸暨市成人 SCL－90 测验精神病性因子测验数据资料表

	年龄（岁）	男					女				
		n	mean	S	min.	max.	n	mean	S	min.	max.
精神病性	19～26	74	1.20	0.32	1.00	2.60	236	1.20	0.27	1.00	2.80
	27～34	165	1.19	0.28	1.00	2.30	235	1.25	0.35	1.00	3.40
	35～44	131	1.20	0.34	1.00	2.70	194	1.18	0.32	1.00	3.10
	45～54	116	1.14	0.22	1.00	2.20	115	1.08	0.17	1.00	2.00
	55以上	83	1.14	0.32	1.00	3.20	83	1.09	0.22	1.00	2.80
	合计	569	1.18	0.30	1.00	3.20	863	1.18	0.30	1.00	3.40

表 3－4－96　浙江省成人 SCL－90 测验其他因子测验均值表

年龄（岁）	男			女		
	n	mean	S	n	mean	S
19～26	314	1.41	0.41	562	1.42	0.41
27～34	243	1.30	0.35	408	1.38	0.43
35～44	277	1.31	0.35	436	1.29	0.34
45～54	289	1.36	0.41	250	1.31	0.38
55以上	606	1.31	0.35	788	1.39	0.38
合计	1,729	1.33	0.37	2,444	1.37	0.39

表 3－4－97　浙江省杭州市成人 SCL－90 测验其他因子测验数据资料表

	年龄（岁）	男					女				
		n	mean	S	min.	max.	n	mean	S	min.	max.
其他	19～26	23	1.42	0.39	1.00	2.14	46	1.36	0.34	1.00	2.43
	27～34	29	1.32	0.39	1.00	2.29	82	1.30	0.34	1.00	2.43
	35～44	29	1.25	0.23	1.00	1.86	86	1.27	0.29	1.00	2.29
	45～54	50	1.32	0.32	1.00	2.00	31	1.33	0.35	1.00	2.29
	55 以上	288	1.28	0.28	1.00	3.57	270	1.36	0.32	1.00	3.43
	合计	419	1.29	0.30	1.00	3.57	515	1.33	0.32	1.00	3.43

表 3－4－98　浙江省绍兴市成人 SCL－90 测验其他因子测验数据资料表

	年龄（岁）	男					女				
		n	mean	S	min.	max.	n	mean	S	min.	max.
其他	19～26	195	1.44	0.40	1.00	3.14	249	1.50	0.44	1.00	4.43
	27～34	25	1.31	0.35	1.00	2.29	52	1.33	0.44	1.00	3.00
	35～44	19	1.10	0.14	1.00	1.43	47	1.27	0.34	1.00	2.29
	45～54	14	1.33	0.39	1.00	2.29	69	1.30	0.35	1.00	2.71
	55 以上	64	1.33	0.38	1.00	2.57	160	1.33	0.36	1.00	3.00
	合计	317	1.38	0.39	1.00	3.14	577	1.39	0.41	1.00	4.43

表 3－4－99　浙江省舟山市成人 SCL－90 测验其他因子测验数据资料表

	年龄（岁）	男					女				
		n	mean	S	min.	max.	n	mean	S	min.	max.
其他	19～26	22	1.53	0.58	1.00	3.29	31	1.68	0.44	1.00	2.71
	27～34	24	1.39	0.44	1.00	2.86	39	1.42	0.36	1.00	2.29
	35～44	98	1.43	0.42	1.00	3.43	109	1.30	0.27	1.00	2.14
	45～54	109	1.42	0.45	1.00	3.29	35	1.33	0.44	1.00	2.86
	55 以上	171	1.33	0.36	1.00	2.71	275	1.43	0.40	1.00	3.00
	合计	424	1.39	0.42	1.00	3.43	489	1.41	0.39	1.00	3.00

表 3－4－100　浙江省诸暨市成人 SCL－90 测验其他因子测验数据资料表

	年龄（岁）	男					女				
		n	mean	S	min.	max.	n	mean	S	min.	max.
其他	19～26	74	1.30	0.37	1.00	3.00	236	1.31	0.36	1.00	3.00
	27～34	165	1.28	0.34	1.00	3.00	235	1.41	0.46	1.00	3.71
	35～44	131	1.27	0.31	1.00	2.43	194	1.29	0.38	1.00	2.71
	45～54	116	1.32	0.41	1.00	3.14	115	1.29	0.40	1.00	3.00
	55 以上	83	1.34	0.47	1.00	3.14	83	1.48	0.50	1.00	3.29
	合计	569	1.30	0.37	1.00	3.14	863	1.35	0.42	1.00	3.71

3. 广西壮族自治区

表 3－4－101　广西壮族自治区成人 SCL－90 测验躯体化因子测验均值表

年龄（岁）	城市						农村					
	男			女			男			女		
	n	mean	S	n	mean	S	n	mean	S	n	mean	S
19～26	125	1.38	0.39	142	1.40	0.44	40	1.27	0.33	43	1.37	0.34
27～34	86	1.37	0.42	118	1.38	0.37	88	1.42	0.48	103	1.58	0.45
35～44	114	1.51	0.49	140	1.50	0.49	134	1.41	0.42	174	1.76	0.52
45～54	110	1.54	0.55	120	1.65	0.58	122	1.61	0.55	127	1.79	0.54
55以上	61	1.40	0.34	93	1.60	0.55	144	1.57	0.42	213	1.81	0.48
合计	496	1.45	0.46	613	1.50	0.50	528	1.49	0.47	660	1.73	0.50

表 3－4－102　广西南宁市成人 SCL－90 测验躯体化因子测验数据资料表

	年龄（岁）	男					女				
		n	mean	S	min.	max.	n	mean	S	min.	max.
躯体化	19～26	125	1.38	0.39	1.00	2.83	142	1.40	0.44	1.00	4.17
	27～34	86	1.37	0.42	1.00	2.83	118	1.38	0.37	1.00	2.50
	35～44	114	1.51	0.49	1.00	3.25	140	1.50	0.49	1.00	3.92
	45～54	110	1.54	0.55	1.00	4.58	120	1.65	0.58	1.00	3.58
	55以上	61	1.40	0.34	1.00	2.33	93	1.60	0.55	1.00	3.75
	合计	496	1.45	0.46	1.00	4.58	613	1.50	0.50	1.00	4.17

表 3－4－103　广西宾阳县成人 SCL－90 测验躯体化因子测验数据资料表

	年龄（岁）	男					女				
		n	mean	S	min.	max.	n	mean	S	min.	max.
躯体化	19～26	40	1.27	0.33	1.00	2.33	43	1.37	0.34	1.00	2.17
	27～34	88	1.42	0.48	1.00	3.33	103	1.58	0.45	1.00	2.83
	35～44	134	1.41	0.42	1.00	2.75	174	1.76	0.52	1.00	3.50
	45～54	122	1.61	0.55	1.00	4.42	127	1.79	0.54	1.00	3.50
	55以上	144	1.57	0.42	1.00	2.75	213	1.81	0.48	1.00	3.58
	合计	528	1.49	0.47	1.00	4.42	660	1.73	0.50	1.00	3.58

表 3－4－104　广西壮族自治区成人 SCL－90 测验强迫症状因子测验均值表

年龄（岁）	城市						农村					
	男			女			男			女		
	n	mean	S	n	mean	S	n	mean	S	n	mean	S
19～26	125	1.65	0.54	142	1.60	0.50	40	1.31	0.38	43	1.40	0.40
27～34	86	1.46	0.49	118	1.45	0.42	88	1.46	0.47	103	1.33	0.42
35～44	114	1.43	0.51	140	1.44	0.56	134	1.22	0.31	174	1.24	0.32
45～54	110	1.46	0.52	120	1.45	0.40	122	1.33	0.51	127	1.23	0.30
55以上	61	1.35	0.44	93	1.45	0.46	144	1.23	0.33	213	1.19	0.26
合计	496	1.49	0.52	613	1.48	0.48	528	1.29	0.41	660	1.25	0.32

表 3-4-105 广西南宁市成人 SCL-90 测验强迫症状因子测验数据资料表

	年龄（岁）	男					女				
		n	mean	S	min.	max.	n	mean	S	min.	max.
强迫症状	19~26	125	1.65	0.54	1.00	3.60	142	1.60	0.50	1.00	3.80
	27~34	86	1.46	0.49	1.00	3.50	118	1.45	0.42	1.00	3.10
	35~44	114	1.43	0.51	1.00	3.30	140	1.44	0.56	1.00	4.30
	45~54	110	1.46	0.52	1.00	4.30	120	1.45	0.40	1.00	2.50
	55以上	61	1.35	0.44	1.00	2.70	93	1.45	0.46	1.00	3.40
	合计	496	1.49	0.52	1.00	4.30	613	1.48	0.48	1.00	4.30

表 3-4-106 广西宾阳县成人 SCL-90 测验强迫症状因子测验数据资料表

	年龄（岁）	男					女				
		n	mean	S	min.	max.	n	mean	S	min.	max.
强迫症状	19~26	40	1.31	0.38	1.00	2.30	43	1.40	0.40	1.00	2.30
	27~34	88	1.46	0.47	1.00	3.00	103	1.33	0.42	1.00	2.70
	35~44	134	1.22	0.31	1.00	2.80	174	1.24	0.32	1.00	2.90
	45~54	122	1.33	0.51	1.00	3.80	127	1.23	0.30	1.00	2.80
	55以上	144	1.23	0.33	1.00	2.80	213	1.19	0.26	1.00	2.50
	合计	528	1.29	0.41	1.00	3.80	660	1.25	0.32	1.00	2.90

表 3-4-107 广西壮族自治区成人 SCL-90 测验人际敏感因子测验均值表

年龄（岁）	城市						农村					
	男			女			男			女		
	n	mean	S	n	mean	S	n	mean	S	n	mean	S
19~26	125	1.56	0.54	142	1.53	0.50	40	1.33	0.37	43	1.36	0.42
27~34	86	1.38	0.46	118	1.40	0.41	88	1.48	0.56	103	1.33	0.46
35~44	114	1.38	0.51	140	1.34	0.47	134	1.15	0.25	174	1.13	0.26
45~54	110	1.35	0.50	120	1.26	0.31	122	1.23	0.47	127	1.12	0.25
55以上	61	1.24	0.38	93	1.32	0.47	144	1.14	0.30	213	1.09	0.23
合计	496	1.40	0.50	613	1.38	0.45	528	1.23	0.41	660	1.16	0.32

表 3-4-108 广西南宁市成人 SCL-90 测验人际敏感因子测验数据资料表

	年龄（岁）	男					女				
		n	mean	S	min.	max.	n	mean	S	min.	max.
人际敏感	19~26	125	1.56	0.54	1.00	3.44	142	1.53	0.50	1.00	4.33
	27~34	86	1.38	0.46	1.00	3.22	118	1.40	0.41	1.00	3.22
	35~44	114	1.38	0.51	1.00	3.67	140	1.34	0.47	1.00	3.56
	45~54	110	1.35	0.50	1.00	4.67	120	1.26	0.31	1.00	2.44
	55以上	61	1.24	0.38	1.00	2.56	93	1.32	0.47	1.00	3.89
	合计	496	1.40	0.50	1.00	4.67	613	1.38	0.45	1.00	4.33

表 3－4－109　广西宾阳县成人 SCL－90 测验人际敏感因子测验数据资料表

	年龄（岁）	男					女				
		n	mean	S	min.	max.	n	mean	S	min.	max.
人际敏感	19～26	40	1.33	0.37	1.00	2.33	43	1.36	0.42	1.00	2.56
	27～34	88	1.48	0.56	1.00	3.56	103	1.33	0.46	1.00	3.11
	35～44	134	1.15	0.25	1.00	2.33	174	1.13	0.26	1.00	2.44
	45～54	122	1.23	0.47	1.00	3.89	127	1.12	0.25	1.00	2.22
	55 以上	144	1.14	0.30	1.00	2.67	213	1.09	0.23	1.00	2.56
	合计	528	1.23	0.41	1.00	3.89	660	1.16	0.32	1.00	3.11

表 3－4－110　广西壮族自治区成人 SCL－90 测验抑郁因子测验均值表

年龄（岁）	城市						农村					
	男			女			男			女		
	n	mean	S	n	mean	S	n	mean	S	n	mean	S
19～26	125	1.41	0.42	142	1.45	0.49	40	1.25	0.36	43	1.34	0.41
27～34	86	1.33	0.42	118	1.39	0.42	88	1.37	0.48	103	1.32	0.40
35～44	114	1.35	0.46	140	1.39	0.51	134	1.15	0.23	174	1.17	0.27
45～54	110	1.40	0.49	120	1.37	0.37	122	1.30	0.48	127	1.20	0.27
55 以上	61	1.29	0.43	93	1.40	0.61	144	1.22	0.33	213	1.20	0.30
合计	496	1.36	0.45	613	1.40	0.48	528	1.25	0.38	660	1.22	0.32

表 3－4－111　广西南宁市成人 SCL－90 测验抑郁因子测验数据资料表

	年龄（岁）	男					女				
		n	mean	S	min.	max.	n	mean	S	min.	max.
抑郁	19～26	125	1.41	0.42	1.00	2.77	142	1.45	0.49	1.00	4.15
	27～34	86	1.33	0.42	1.00	3.00	118	1.39	0.42	1.00	3.08
	35～44	114	1.35	0.46	1.00	3.31	140	1.39	0.51	1.00	3.77
	45～54	110	1.40	0.49	1.00	4.15	120	1.37	0.37	1.00	2.69
	55 以上	61	1.29	0.43	1.00	2.92	93	1.40	0.61	1.00	4.69
	合计	496	1.36	0.45	1.00	4.15	613	1.40	0.48	1.00	4.69

表 3－4－112　广西宾阳县成人 SCL－90 测验抑郁因子测验数据资料表

	年龄（岁）	男					女				
		n	mean	S	min.	max.	n	mean	S	min.	max.
抑郁	19～26	40	1.25	0.36	1.00	2.54	43	1.34	0.41	1.00	2.77
	27～34	88	1.37	0.48	1.00	3.31	103	1.32	0.40	1.00	2.69
	35～44	134	1.15	0.23	1.00	2.54	174	1.17	0.27	1.00	2.62
	45～54	122	1.30	0.48	1.00	3.38	127	1.20	0.27	1.00	2.31
	55 以上	144	1.22	0.33	1.00	2.92	213	1.20	0.30	1.00	2.62
	合计	528	1.25	0.38	1.00	3.38	660	1.22	0.32	1.00	2.77

表 3－4－113　广西壮族自治区成人 SCL－90 测验焦虑因子测验均值表

年龄（岁）	城市						农村					
	男			女			男			女		
	n	mean	S	n	mean	S	n	mean	S	n	mean	S
19～26	125	1.36	0.40	142	1.42	0.50	40	1.15	0.23	43	1.31	0.36
27～34	86	1.26	0.43	118	1.31	0.35	88	1.28	0.36	103	1.30	0.36
35～44	114	1.27	0.39	140	1.28	0.38	134	1.13	0.21	174	1.22	0.28
45～54	110	1.30	0.43	120	1.29	0.32	122	1.24	0.40	127	1.24	0.30
55 以上	61	1.21	0.30	93	1.30	0.42	144	1.14	0.22	213	1.23	0.29
合计	496	1.29	0.40	613	1.32	0.40	528	1.18	0.30	660	1.24	0.31

表 3－4－114　广西南宁市成人 SCL－90 测验焦虑因子测验数据资料表

	年龄（岁）	男					女				
		n	mean	S	min.	max.	n	mean	S	min.	max.
焦虑	19～26	125	1.36	0.40	1.00	2.90	142	1.42	0.50	1.00	4.40
	27～34	86	1.26	0.43	1.00	3.90	118	1.31	0.35	1.00	2.50
	35～44	114	1.27	0.39	1.00	3.10	140	1.28	0.38	1.00	3.20
	45～54	110	1.30	0.43	1.00	4.30	120	1.29	0.32	1.00	2.50
	55 以上	61	1.21	0.30	1.00	2.40	93	1.30	0.42	1.00	3.80
	合计	496	1.29	0.40	1.00	4.30	613	1.32	0.40	1.00	4.40

表 3－4－115　广西宾阳县成人 SCL－90 测验焦虑因子测验数据资料表

	年龄（岁）	男					女				
		n	mean	S	min.	max.	n	mean	S	min.	max.
焦虑	19～26	40	1.15	0.23	1.00	2.00	43	1.31	0.36	1.00	2.30
	27～34	88	1.28	0.36	1.00	2.50	103	1.30	0.36	1.00	2.70
	35～44	134	1.13	0.21	1.00	2.00	174	1.22	0.28	1.00	2.90
	45～54	122	1.24	0.40	1.00	3.20	127	1.24	0.30	1.00	2.40
	55 以上	144	1.14	0.22	1.00	2.20	213	1.23	0.29	1.00	2.80
	合计	528	1.18	0.30	1.00	3.20	660	1.24	0.31	1.00	2.90

表 3－4－116　广西壮族自治区成人 SCL－90 测验敌对因子测验均值表

年龄（岁）	城市						农村					
	男			女			男			女		
	n	mean	S	n	mean	S	n	mean	S	n	mean	S
19～26	125	1.51	0.51	142	1.42	0.55	40	1.33	0.42	43	1.26	0.28
27～34	86	1.34	0.45	118	1.37	0.42	88	1.45	0.48	103	1.27	0.34
35～44	114	1.39	0.52	140	1.37	0.46	134	1.19	0.28	174	1.16	0.24
45～54	110	1.35	0.49	120	1.31	0.36	122	1.27	0.48	127	1.20	0.29
55 以上	61	1.27	0.34	93	1.27	0.35	144	1.16	0.28	213	1.16	0.31
合计	496	1.39	0.48	613	1.35	0.44	528	1.25	0.39	660	1.19	0.30

表3-4-117 广西南宁市成人SCL-90测验敌对因子测验数据资料表

	年龄（岁）	男					女				
		n	mean	S	min.	max.	n	mean	S	min.	max.
敌对	19~26	125	1.51	0.51	1.00	3.67	142	1.42	0.55	1.00	4.50
	27~34	86	1.34	0.45	1.00	3.50	118	1.37	0.42	1.00	2.67
	35~44	114	1.39	0.52	1.00	3.17	140	1.37	0.46	1.00	3.67
	45~54	110	1.35	0.49	1.00	4.50	120	1.31	0.36	1.00	3.00
	55以上	61	1.27	0.34	1.00	2.33	93	1.27	0.35	1.00	2.33
	合计	496	1.39	0.48	1.00	4.50	613	1.35	0.44	1.00	4.50

表3-4-118 广西宾阳县成人SCL-90测验敌对因子测验数据资料表

	年龄（岁）	男					女				
		n	mean	S	min.	max.	n	mean	S	min.	max.
敌对	19~26	40	1.33	0.42	1.00	2.50	43	1.26	0.28	1.00	2.00
	27~34	88	1.45	0.48	1.00	2.67	103	1.27	0.34	1.00	2.33
	35~44	134	1.19	0.28	1.00	2.17	174	1.16	0.24	1.00	2.17
	45~54	122	1.27	0.48	1.00	3.50	127	1.20	0.29	1.00	2.50
	55以上	144	1.16	0.28	1.00	2.50	213	1.16	0.31	1.00	2.67
	合计	528	1.25	0.39	1.00	3.50	660	1.19	0.30	1.00	2.67

表3-4-119 广西壮族自治区成人SCL-90测验恐怖因子测验均值表

年龄（岁）	城市						农村					
	男			女			男			女		
	n	mean	S	n	mean	S	n	mean	S	n	mean	S
19~26	125	1.27	0.36	142	1.33	0.43	40	1.12	0.21	43	1.24	0.29
27~34	86	1.14	0.23	118	1.27	0.39	88	1.16	0.30	103	1.23	0.35
35~44	114	1.18	0.33	140	1.22	0.33	134	1.05	0.14	174	1.18	0.26
45~54	110	1.17	0.43	120	1.20	0.31	122	1.12	0.34	127	1.20	0.27
55以上	61	1.10	0.24	93	1.20	0.32	144	1.07	0.17	213	1.15	0.26
合计	496	1.18	0.34	613	1.25	0.37	528	1.10	0.24	660	1.19	0.28

表3-4-120 广西南宁市成人SCL-90测验恐怖因子测验数据资料表

	年龄（岁）	男					女				
		n	mean	S	min.	max.	n	mean	S	min.	max.
恐怖	19~26	125	1.27	0.36	1.00	2.71	142	1.33	0.43	1.00	3.57
	27~34	86	1.14	0.23	1.00	2.29	118	1.27	0.39	1.00	3.29
	35~44	114	1.18	0.33	1.00	2.71	140	1.22	0.33	1.00	2.86
	45~54	110	1.17	0.43	1.00	4.57	120	1.20	0.31	1.00	2.57
	55以上	61	1.10	0.24	1.00	2.29	93	1.20	0.32	1.00	2.57
	合计	496	1.18	0.34	1.00	4.57	613	1.25	0.37	1.00	3.57

表 3-4-121　广西宾阳县成人 SCL-90 测验恐怖因子测验数据资料表

	年龄（岁）	男					女				
		n	mean	S	min.	max.	n	mean	S	min.	max.
恐怖	19～26	40	1.12	0.21	1.00	1.71	43	1.24	0.29	1.00	2.00
	27～34	88	1.16	0.30	1.00	2.71	103	1.23	0.35	1.00	2.57
	35～44	134	1.05	0.14	1.00	1.86	174	1.18	0.26	1.00	2.14
	45～54	122	1.12	0.34	1.00	3.57	127	1.20	0.27	1.00	2.43
	55 以上	144	1.07	0.17	1.00	2.14	213	1.15	0.26	1.00	2.71
	合计	528	1.10	0.24	1.00	3.57	660	1.19	0.28	1.00	2.71

表 3-4-122　广西壮族自治区成人 SCL-90 测验偏执因子测验均值表

年龄（岁）	城市						农村					
	男			女			男			女		
	n	mean	S	n	mean	S	n	mean	S	n	mean	S
19～26	125	1.49	0.49	142	1.41	0.47	40	1.26	0.34	43	1.23	0.32
27～34	86	1.34	0.47	118	1.31	0.36	88	1.38	0.48	103	1.23	0.34
35～44	114	1.31	0.49	140	1.25	0.42	134	1.13	0.28	174	1.10	0.22
45～54	110	1.29	0.45	120	1.18	0.28	122	1.19	0.46	127	1.09	0.21
55 以上	61	1.16	0.29	93	1.20	0.39	144	1.09	0.23	213	1.08	0.23
合计	496	1.34	0.47	613	1.28	0.40	528	1.18	0.37	660	1.12	0.26

表 3-4-123　广西南宁市成人 SCL-90 测验偏执因子测验数据资料表

	年龄（岁）	男					女				
		n	mean	S	min.	max.	n	mean	S	min.	max.
偏执	19～26	125	1.49	0.49	1.00	3.17	142	1.41	0.47	1.00	4.50
	27～34	86	1.34	0.47	1.00	3.50	118	1.31	0.36	1.00	2.50
	35～44	114	1.31	0.49	1.00	3.50	140	1.25	0.42	1.00	3.83
	45～54	110	1.29	0.45	1.00	4.17	120	1.18	0.28	1.00	2.50
	55 以上	61	1.16	0.29	1.00	2.33	93	1.20	0.39	1.00	3.33
	合计	496	1.34	0.47	1.00	4.17	613	1.28	0.40	1.00	4.50

表 3-4-124　广西宾阳县成人 SCL-90 测验偏执因子测验数据资料表

	年龄（岁）	男					女				
		n	mean	S	min.	max.	n	mean	S	min.	max.
偏执	19～26	40	1.26	0.34	1.00	2.33	43	1.23	0.32	1.00	2.17
	27～34	88	1.38	0.48	1.00	3.17	103	1.23	0.34	1.00	2.17
	35～44	134	1.13	0.28	1.00	2.83	174	1.10	0.22	1.00	2.17
	45～54	122	1.19	0.46	1.00	3.33	127	1.09	0.21	1.00	2.00
	55 以上	144	1.09	0.23	1.00	2.50	213	1.08	0.23	1.00	2.33
	合计	528	1.18	0.37	1.00	3.33	660	1.12	0.26	1.00	2.33

表 3－4－125　广西壮族自治区成人 SCL－90 测验精神病性因子测验均值表

年龄（岁）	城市						农村					
	男			女			男			女		
	n	mean	S	n	mean	S	n	mean	S	n	mean	S
19～26	125	1.42	0.43	142	1.36	0.42	40	1.19	0.26	43	1.22	0.29
27～34	86	1.24	0.36	118	1.31	0.36	88	1.32	0.44	103	1.20	0.29
35～44	114	1.27	0.44	140	1.22	0.38	134	1.11	0.21	174	1.13	0.22
45～54	110	1.26	0.43	120	1.17	0.22	122	1.21	0.42	127	1.12	0.21
55 以上	61	1.16	0.31	93	1.21	0.38	144	1.13	0.23	213	1.14	0.26
合计	496	1.29	0.41	613	1.26	0.37	528	1.18	0.33	660	1.15	0.25

表 3－4－126　广西南宁市成人 SCL－90 测验精神病性因子测验数据资料表

	年龄（岁）	男					女				
		n	mean	S	min.	max.	n	mean	S	min.	max.
精神病性	19～26	125	1.42	0.43	1.00	2.90	142	1.36	0.42	1.00	4.20
	27～34	86	1.24	0.36	1.00	3.30	118	1.31	0.36	1.00	2.50
	35～44	114	1.27	0.44	1.00	3.00	140	1.22	0.38	1.00	3.30
	45～54	110	1.26	0.43	1.00	4.10	120	1.17	0.22	1.00	2.00
	55 以上	61	1.16	0.31	1.00	2.40	93	1.21	0.38	1.00	3.70
	合计	496	1.29	0.41	1.00	4.10	613	1.26	0.37	1.00	4.20

表 3－4－127　广西宾阳县成人 SCL－90 测验精神病性因子测验数据资料表

	年龄（岁）	男					女				
		n	mean	S	min.	max.	n	mean	S	min.	max.
精神病性	19～26	40	1.19	0.26	1.00	1.90	43	1.22	0.29	1.00	2.20
	27～34	88	1.32	0.44	1.00	3.10	103	1.20	0.29	1.00	2.00
	35～44	134	1.11	0.21	1.00	2.20	174	1.13	0.22	1.00	2.10
	45～54	122	1.21	0.42	1.00	3.10	127	1.12	0.21	1.00	2.00
	55 以上	144	1.13	0.23	1.00	2.10	213	1.14	0.26	1.00	2.40
	合计	528	1.18	0.33	1.00	3.10	660	1.15	0.25	1.00	2.40

表 3－4－128　广西壮族自治区成人 SCL－90 测验其他因子测验均值表

年龄（岁）	城市						农村					
	男			女			男			女		
	n	mean	S	n	mean	S	n	mean	S	n	mean	S
19～26	125	1.47	0.39	142	1.46	0.43	40	1.25	0.26	43	1.34	0.35
27～34	86	1.37	0.41	118	1.43	0.45	88	1.45	0.47	103	1.39	0.37
35～44	114	1.42	0.50	140	1.39	0.43	134	1.26	0.35	174	1.43	0.44
45～54	110	1.46	0.47	120	1.39	0.39	122	1.47	0.52	127	1.44	0.41
55 以上	61	1.38	0.38	93	1.46	0.52	144	1.36	0.36	213	1.49	0.47
合计	496	1.43	0.44	613	1.42	0.44	528	1.37	0.42	660	1.44	0.43

表 3-4-129 广西南宁市成人 SCL-90 测验其他因子测验数据资料表

	年龄(岁)	男					女				
		n	mean	S	min.	max.	n	mean	S	min.	max.
其他	19~26	125	1.47	0.39	1.00	2.86	142	1.46	0.43	1.00	3.14
	27~34	86	1.37	0.41	1.00	2.71	118	1.43	0.45	1.00	3.29
	35~44	114	1.42	0.50	1.00	3.14	140	1.39	0.43	1.00	3.43
	45~54	110	1.46	0.47	1.00	3.43	120	1.39	0.39	1.00	2.71
	55 以上	61	1.38	0.38	1.00	2.29	93	1.46	0.52	1.00	3.29
	合计	496	1.43	0.44	1.00	3.43	613	1.42	0.44	1.00	3.43

表 3-4-130 广西宾阳县成人 SCL-90 测验其他因子测验数据资料表

	年龄(岁)	男					女				
		n	mean	S	min.	max.	n	mean	S	min.	max.
其他	19~26	40	1.25	0.26	1.00	2.14	43	1.34	0.35	1.00	2.57
	27~34	88	1.45	0.47	1.00	3.43	103	1.39	0.37	1.00	2.71
	35~44	134	1.26	0.35	1.00	2.86	174	1.43	0.44	1.00	3.14
	45~54	122	1.47	0.52	1.00	3.57	127	1.44	0.41	1.00	2.57
	55 以上	144	1.36	0.36	1.00	2.86	213	1.49	0.47	1.00	3.57
	合计	528	1.37	0.42	1.00	3.57	660	1.44	0.43	1.00	3.57

(二) SCL-90 学生测验数据资料汇编

河北、浙江省、广西壮族自治区学生测验均值

1. 河北省

表 3-4-131 河北省学生 SCL-90 测验躯体化因子测验均值表

年龄(岁)	城市						农村					
	男			女			男			女		
	n	mean	S	n	mean	S	n	mean	S	n	mean	S
10~12	36	1.34	0.36	36	1.27	0.39	50	1.27	0.31	98	1.20	0.21
13~14	134	1.36	0.41	166	1.35	0.41	210	1.35	0.36	244	1.32	0.31
15~16	263	1.36	0.36	289	1.39	0.43	306	1.38	0.40	410	1.40	0.38
17~18	230	1.33	0.34	400	1.34	0.34	208	1.46	0.45	157	1.43	0.36
19~23	108	1.20	0.24	136	1.27	0.30	41	1.38	0.35	18	1.47	0.37
合计	771	1.33	0.35	1027	1.34	0.38	815	1.38	0.40	927	1.36	0.35

表 3-4-132 河北省唐山市学生 SCL-90 测验躯体化因子测验数据资料表

	年龄(岁)	男					女				
		n	mean	S	min.	max.	n	mean	S	min.	max.
躯体化	10~12	23	1.20	0.27	1.00	1.75	24	1.16	0.29	1.00	2.17
	13~14	75	1.31	0.42	1.00	3.83	112	1.32	0.36	1.00	3.08
	15~16	162	1.39	0.38	1.00	2.83	172	1.48	0.49	1.00	4.33
	17~18	81	1.40	0.36	1.00	3.00	45	1.39	0.35	1.00	2.50
	19~23	1	1.08		1.08	1.08	0				
	合计	342	1.40	0.43	1.00	4.33	353	1.40	0.43	1.00	4.33

表 3－4－133　河北省衡水市学生 SCL－90 测验躯体化因子测验数据资料表

	年龄（岁）	男					女				
		n	mean	S	min.	max.	n	mean	S	min.	max.
躯体化	10～12	13	1.57	0.39	1.08	2.42	12	1.49	0.48	1.00	2.58
	13～14	59	1.42	0.40	1.00	2.75	54	1.41	0.50	1.00	3.33
	15～16	101	1.30	0.33	1.00	2.75	117	1.25	0.29	1.00	2.25
	17～18	149	1.29	0.32	1.00	2.67	355	1.34	0.34	1.00	3.42
	19～23	107	1.20	0.24	1.00	2.08	136	1.27	0.30	1.00	2.83
	合计	429	1.30	0.33	1.00	2.75	674	1.32	0.35	1.00	3.42

表 3－4－134　河北省唐海县学生 SCL－90 测验躯体化因子测验数据资料表

	年龄（岁）	男					女				
		n	mean	S	min.	max.	n	mean	S	min.	max.
躯体化	10～12	13	1.50	0.34	1.08	2.42	25	1.22	0.22	1.00	1.92
	13～14	53	1.52	0.50	1.00	2.92	69	1.36	0.29	1.00	2.17
	15～16	169	1.41	0.42	1.00	3.33	243	1.42	0.40	1.00	3.25
	17～18	126	1.50	0.48	1.00	3.00	113	1.47	0.38	1.00	2.58
	19～23	40	1.36	0.33	1.00	2.25	18	1.47	0.37	1.00	2.58
	合计	401	1.45	0.44	1.00	3.33	468	1.42	0.38	1.00	3.25

表 3－4－135　河北省景县学生 SCL－90 测验躯体化因子测验数据资料表

	年龄（岁）	男					女				
		n	mean	S	min.	max.	n	mean	S	min.	max.
躯体化	10～12	37	1.18	0.26	1.00	2.17	73	1.19	0.21	1.00	2.00
	13～14	157	1.29	0.27	1.00	2.17	175	1.30	0.32	1.00	2.83
	15～16	137	1.34	0.37	1.00	3.00	167	1.36	0.34	1.00	3.00
	17～18	82	1.40	0.41	1.00	2.92	44	1.34	0.26	1.00	2.17
	19～23	1	2.17	.	2.17	2.17	0				
	合计	414	1.32	0.34	1.00	3.00	459	1.31	0.31	1.00	3.00

表 3－4－136　河北省学生 SCL－90 测验强迫症状因子测验均值表

年龄（岁）	城市						农村					
	男			女			男			女		
	n	mean	S	n	mean	S	n	mean	S	n	mean	S
10～12	36	1.59	0.56	36	1.51	0.48	50	1.42	0.40	98	1.44	0.42
13～14	134	1.75	0.53	166	1.69	0.50	210	1.78	0.55	244	1.70	0.50
15～16	263	1.84	0.55	289	1.78	0.55	306	1.83	0.56	410	1.86	0.48
17～18	230	1.82	0.52	400	1.85	0.54	208	2.04	0.66	157	2.03	0.56
19～23	108	1.66	0.51	136	1.72	0.37	41	2.11	0.58	18	2.07	0.58
合计	771	1.78	0.54	1027	1.78	0.52	815	1.86	0.60	927	1.81	0.52

表 3-4-137　河北省唐山市学生 SCL-90 测验强迫症状因子测验数据资料表

	年龄（岁）	男					女				
		n	mean	S	min.	max.	n	mean	S	min.	max.
强迫症状	10~12	23	1.33	0.33	1.00	2.00	24	1.43	0.51	1.00	3.10
	13~14	75	1.70	0.55	1.00	3.90	112	1.68	0.50	1.00	3.50
	15~16	162	1.88	0.57	1.00	3.40	172	1.82	0.57	1.00	4.70
	17~18	81	1.88	0.57	1.10	3.70	45	1.77	0.43	1.10	3.30
	19~23	1	1.10	.	1.10	1.10	0				
	合计	342	1.80	0.57	1.00	3.90	353	1.75	0.54	1.00	4.70

表 3-4-138　河北省衡水县学生 SCL-90 测验强迫症状因子测验数据资料表

	年龄（岁）	男					女				
		n	mean	S	min.	max.	n	mean	S	min.	max.
强迫症状	10~12	13	2.06	0.58	1.50	3.50	12	1.67	0.41	1.00	2.40
	13~14	59	1.81	0.49	1.00	3.40	54	1.71	0.52	1.00	3.20
	15~16	101	1.77	0.50	1.00	3.40	117	1.73	0.50	1.00	3.70
	17~18	149	1.78	0.50	1.00	3.60	355	1.86	0.55	1.00	4.20
	19~23	107	1.67	0.51	1.00	3.20	136	1.72	0.37	1.10	2.90
	合计	429	1.76	0.51	1.00	3.60	674	1.80	0.51	1.00	4.20

表 3-4-139　河北省唐海县学生 SCL-90 测验强迫症状因子测验数据资料表

	年龄（岁）	男					女				
		n	mean	S	min.	max.	n	mean	S	min.	max.
强迫症状	10~12	13	1.51	0.43	1.00	2.50	25	1.54	0.45	1.00	2.80
	13~14	53	1.79	0.62	1.00	3.70	69	1.73	0.47	1.00	3.30
	15~16	169	1.85	0.59	1.00	4.00	243	1.85	0.45	1.00	3.60
	17~18	126	2.02	0.65	1.00	3.90	113	2.05	0.51	1.00	3.80
	19~23	40	2.09	0.55	1.00	3.20	18	2.07	0.58	1.30	3.50
	合计	401	1.91	0.61	1.00	4.00	468	1.87	0.49	1.00	3.80

表 3-4-140　河北省景县学生 SCL-90 测验强迫症状因子测验数据资料表

	年龄（岁）	男					女				
		n	mean	S	min.	max.	n	mean	S	min.	max.
强迫症状	10~12	37	1.39	0.39	1.00	2.50	73	1.41	0.41	1.00	2.90
	13~14	157	1.77	0.52	1.00	3.30	175	1.69	0.51	1.00	4.00
	15~16	137	1.80	0.54	1.00	4.30	167	1.89	0.53	1.00	3.70
	17~18	82	2.06	0.69	1.00	4.10	44	1.97	0.66	1.10	4.70
	19~23	1	3.30	.	3.30	3.30	0				
	合计	414	1.81	0.58	1.00	4.30	459	1.75	0.54	1.00	4.70

表 3-4-141　河北省学生 SCL-90 测验人际敏感因子测验均值表

年龄（岁）	城市						农村					
	男			女			男			女		
	n	mean	S	n	mean	S	n	mean	S	n	mean	S
10~12	36	1.58	0.73	36	1.49	0.57	50	1.31	0.36	98	1.37	0.42
13~14	134	1.62	0.55	166	1.66	0.52	210	1.69	0.61	244	1.67	0.54
15~16	263	1.66	0.54	289	1.74	0.60	306	1.69	0.57	410	1.79	0.59
17~18	230	1.69	0.48	400	1.83	0.59	208	1.87	0.66	157	1.94	0.57
19~23	108	1.57	0.49	136	1.70	0.44	41	1.94	0.41	18	2.02	0.51
合计	771	1.65	0.53	1027	1.75	0.57	815	1.72	0.60	927	1.74	0.58

表 3-4-142　河北省唐山市学生 SCL-90 测验人际敏感因子测验数据资料表

	年龄（岁）	男					女				
		n	mean	S	min.	max.	n	mean	S	min.	max.
人际敏感	10~12	23	1.16	0.22	1.00	1.78	24	1.35	0.53	1.00	3.11
	13~14	75	1.54	0.49	1.00	4.22	112	1.62	0.47	1.00	3.00
	15~16	162	1.67	0.53	1.00	3.89	172	1.75	0.64	1.00	4.56
	17~18	81	1.66	0.48	1.00	3.22	45	1.61	0.38	1.11	2.78
	19~23	1	1.00	.	1.00	1.00	0				
	合计	342	1.61	0.51	1.00	4.22	353	1.66	0.56	1.00	4.56

表 3-4-143　河北省衡水县学生 SCL-90 测验人际敏感因子测验数据资料表

	年龄（岁）	男					女				
		n	mean	S	min.	max.	n	mean	S	min.	max.
人际敏感	10~12	13	2.32	0.72	1.33	4.11	12	1.79	0.55	1.11	2.89
	13~14	59	1.73	0.60	1.00	4.00	54	1.74	0.61	1.00	3.56
	15~16	101	1.63	0.54	1.00	3.89	117	1.74	0.53	1.00	3.44
	17~18	149	1.70	0.47	1.00	3.44	355	1.86	0.61	1.00	4.22
	19~23	107	1.58	0.49	1.00	3.44	136	1.70	0.44	1.00	3.33
	合计	429	1.68	0.53	1.00	4.11	674	1.80	0.57	1.00	4.22

表 3-4-144　河北省唐海县学生 SCL-90 测验人际敏感因子测验数据资料表

	年龄（岁）	男					女				
		n	mean	S	min.	max.	n	mean	S	min.	max.
人际敏感	10~12	13	1.50	0.51	1.00	2.56	25	1.35	0.35	1.00	2.44
	13~14	53	1.67	0.59	1.00	3.11	69	1.63	0.43	1.00	2.89
	15~16	169	1.68	0.61	1.00	5.00	243	1.79	0.56	1.00	3.89
	17~18	126	1.84	0.68	1.00	4.44	113	1.95	0.59	1.00	4.33
	19~23	40	1.94	0.42	1.11	2.89	18	2.02	0.51	1.11	3.22
	合计	401	1.75	0.62	1.00	5.00	468	1.79	0.56	1.00	4.33

表 3-4-145　河北省景县学生 SCL-90 测验人际敏感因子测验数据资料表

	年龄（岁）	男					女				
		n	mean	S	min.	max.	n	mean	S	min.	max.
人际敏感	10~12	37	1.25	0.27	1.00	2.11	73	1.37	0.44	1.00	3.22
	13~14	157	1.70	0.62	1.00	4.33	175	1.69	0.58	1.00	4.22
	15~16	137	1.70	0.51	1.00	3.78	167	1.78	0.62	1.00	3.89
	17~18	82	1.91	0.63	1.00	3.56	44	1.91	0.54	1.22	4.22
	19~23	1	2.00	.	2.00	2.00	0				
	合计	414	1.70	0.58	1.00	4.33	459	1.69	0.59	1.00	4.22

表 3-4-146　河北省学生 SCL-90 测验抑郁因子测验均值表

年龄（岁）	城市						农村					
	男			女			男			女		
	n	mean	S	n	mean	S	n	mean	S	n	mean	S
10~12	36	1.38	0.51	36	1.43	0.55	50	1.27	0.31	98	1.25	0.37
13~14	134	1.44	0.48	166	1.49	0.47	210	1.49	0.45	244	1.46	0.42
15~16	263	1.47	0.50	289	1.58	0.57	306	1.46	0.42	410	1.58	0.49
17~18	230	1.48	0.43	400	1.68	0.60	208	1.63	0.58	157	1.69	0.54
19~23	108	1.40	0.38	136	1.55	0.42	41	1.58	0.36	18	1.71	0.47
合计	771	1.45	0.46	1027	1.59	0.55	815	1.51	0.48	927	1.53	0.48

表 3-4-147　河北省唐山市学生 SCL-90 测验抑郁因子测验数据资料表

	年龄（岁）	男					女				
		n	mean	S	min.	max.	n	mean	S	min.	max.
抑郁	10~12	23	1.12	0.15	1.00	1.54	24	1.33	0.59	1.00	3.38
	13~14	75	1.35	0.42	1.00	3.23	112	1.44	0.41	1.00	2.77
	15~16	162	1.45	0.46	1.00	3.31	172	1.58	0.60	1.00	4.77
	17~18	81	1.47	0.50	1.00	3.23	45	1.51	0.44	1.00	3.00
	19~23	1	1.00	.	1.00	1.00	0				
	合计	342	1.41	0.46	1.00	3.31	353	1.51	0.53	1.00	4.77

表 3-4-148　河北省衡水市学生 SCL-90 测验抑郁因子测验数据资料表

	年龄（岁）	男					女				
		n	mean	S	min.	max.	n	mean	S	min.	max.
抑郁	10~12	13	1.83	0.60	1.08	3.31	12	1.63	0.41	1.00	2.31
	13~14	59	1.55	0.53	1.00	3.31	54	1.59	0.58	1.00	3.62
	15~16	101	1.50	0.55	1.00	3.69	117	1.58	0.54	1.00	3.92
	17~18	149	1.48	0.39	1.00	3.00	355	1.70	0.61	1.00	3.85
	19~23	107	1.40	0.38	1.00	2.77	136	1.55	0.42	1.00	3.38
	合计	429	1.49	0.46	1.00	3.69	674	1.64	0.56	1.00	3.92

表 3-4-149　河北省唐海县学生 SCL-90 测验抑郁因子测验数据资料表

	年龄（岁）	男					女				
		n	mean	S	min.	max.	n	mean	S	min.	max.
抑郁	10~12	13	1.43	0.36	1.00	2.23	25	1.17	0.19	1.00	1.69
	13~14	53	1.56	0.48	1.00	2.62	69	1.42	0.34	1.00	2.23
	15~16	169	1.45	0.44	1.00	3.38	243	1.55	0.48	1.00	3.54
	17~18	126	1.62	0.64	1.00	4.31	113	1.68	0.54	1.00	3.92
	19~23	40	1.57	0.35	1.00	2.54	18	1.71	0.47	1.15	3.15
	合计	401	1.53	0.51	1.00	4.31	468	1.55	0.48	1.00	3.92

表 3-4-150　河北省景县学生 SCL-90 测验抑郁因子测验数据资料表

	年龄（岁）	男					女				
		n	mean	S	min.	max.	n	mean	S	min.	max.
抑郁	10~12	37	1.21	0.28	1.00	2.08	73	1.28	0.41	1.00	3.69
	13~14	157	1.47	0.44	1.00	3.31	175	1.48	0.44	1.00	3.31
	15~16	137	1.48	0.40	1.00	2.77	167	1.62	0.51	1.00	4.00
	17~18	82	1.64	0.49	1.00	3.23	44	1.72	0.53	1.00	3.54
	19~23	1	2.23	.	2.23	2.23	0				
	合计	414	1.48	0.44	1.00	3.31	459	1.52	0.49	1.00	4.00

表 3-4-151　河北省学生 SCL-90 测验焦虑因子测验均值表

年龄（岁）	城市						农村					
	男			女			男			女		
	n	mean	S	n	mean	S	n	mean	S	n	mean	S
10~12	36	1.33	0.46	36	1.38	0.48	50	1.28	0.33	98	1.27	0.39
13~14	134	1.48	0.54	166	1.42	0.43	210	1.50	0.50	244	1.46	0.42
15~16	263	1.46	0.44	289	1.52	0.52	306	1.48	0.46	410	1.53	0.45
17~18	230	1.45	0.39	400	1.56	0.52	208	1.61	0.54	157	1.64	0.47
19~23	108	1.35	0.37	136	1.45	0.36	41	1.59	0.34	18	1.68	0.42
合计	771	1.44	0.44	1027	1.50	0.49	815	1.51	0.49	927	1.51	0.45

表 3-4-152　河北省唐山市学生 SCL-90 测验焦虑因子测验数据资料表

	年龄（岁）	男					女				
		n	mean	S	min.	max.	n	mean	S	min.	max.
焦虑	10~12	23	1.12	0.17	1.00	1.60	24	1.26	0.45	1.00	3.00
	13~14	75	1.38	0.48	1.00	4.20	112	1.37	0.37	1.00	3.50
	15~16	162	1.46	0.43	1.00	3.30	172	1.56	0.57	1.00	4.30
	17~18	81	1.48	0.40	1.00	2.80	45	1.54	0.50	1.00	3.30
	19~23	1	1.00	.	1.00	1.00	0				
	合计	342	1.43	0.43	1.00	4.20	353	1.48	0.50	1.00	4.30

表 3-4-153　河北省衡水市学生 SCL-90 测验焦虑因子测验数据资料表

	年龄（岁）	男					女				
		n	mean	S	min.	max.	n	mean	S	min.	max.
焦虑	10～12	13	1.68	0.59	1.10	2.90	12	1.61	0.45	1.10	2.40
	13～14	59	1.61	0.59	1.00	3.60	54	1.51	0.53	1.00	3.20
	15～16	101	1.46	0.46	1.00	3.10	117	1.46	0.44	1.00	3.00
	17～18	149	1.44	0.39	1.00	3.00	355	1.56	0.53	1.00	3.90
	19～23	107	1.35	0.37	1.00	2.90	136	1.45	0.36	1.00	3.00
	合计	429	1.45	0.45	1.00	3.60	674	1.52	0.48	1.00	3.90

表 3-4-154　河北省唐海县学生 SCL-90 测验焦虑因子测验数据资料表

	年龄（岁）	男					女				
		n	mean	S	min.	max.	n	mean	S	min.	max.
焦虑	10～12	13	1.43	0.28	1.00	1.90	25	1.27	0.29	1.00	2.00
	13～14	53	1.58	0.54	1.00	3.00	69	1.49	0.41	1.00	2.80
	15～16	169	1.49	0.48	1.00	4.10	243	1.53	0.42	1.00	3.50
	17～18	126	1.62	0.58	1.00	3.90	113	1.66	0.49	1.00	3.40
	19～23	40	1.58	0.34	1.00	2.20	18	1.68	0.42	1.10	2.70
	合计	401	1.55	0.51	1.00	4.10	468	1.55	0.44	1.00	3.50

表 3-4-155　河北省景县学生 SCL-90 测验焦虑因子测验数据资料表

	年龄（岁）	男					女				
		n	mean	S	min.	max.	n	mean	S	min.	max.
焦虑	10～12	37	1.23	0.33	1.00	2.70	73	1.28	0.42	1.00	3.30
	13～14	157	1.48	0.49	1.00	3.80	175	1.45	0.42	1.00	3.50
	15～16	137	1.46	0.42	1.00	3.20	167	1.53	0.50	1.00	3.80
	17～18	82	1.60	0.48	1.00	3.40	44	1.58	0.40	1.00	2.70
	19～23	1	1.90	.	1.90	1.90	0				
	合计	414	1.47	0.46	1.00	3.80	459	1.46	0.46	1.00	3.80

表 3-4-156　河北省学生 SCL-90 测验敌对因子测验均值表

年龄（岁）	城市						农村					
	男			女			男			女		
	n	mean	S	n	mean	S	n	mean	S	n	mean	S
10～12	36	1.46	0.56	36	1.40	0.50	50	1.33	0.38	98	1.32	0.37
13～14	134	1.57	0.59	166	1.55	0.55	210	1.59	0.55	244	1.51	0.46
15～16	263	1.61	0.61	289	1.59	0.58	306	1.57	0.54	410	1.58	0.55
17～18	230	1.55	0.49	400	1.58	0.53	208	1.70	0.63	157	1.59	0.54
19～23	108	1.45	0.49	136	1.49	0.50	41	1.69	0.52	18	1.67	0.53
合计	771	1.56	0.55	1027	1.56	0.54	815	1.60	0.57	927	1.54	0.52

表3-4-157 河北省唐山市学生 SCL-90 测验敌对因子测验数据资料表

	年龄（岁）	男					女				
		n	mean	S	min.	max.	n	mean	S	min.	max.
敌对	10~12	23	1.24	0.32	1.00	2.17	24	1.35	0.53	1.00	2.83
	13~14	75	1.44	0.47	1.00	3.50	112	1.51	0.45	1.00	3.17
	15~16	162	1.63	0.64	1.00	5.00	172	1.63	0.64	1.00	4.67
	17~18	81	1.57	0.52	1.00	3.33	45	1.46	0.54	1.00	4.33
	19~23	1	1.00	.	1.00	1.00	0				
	合计	342	1.55	0.57	1.00	5.00	353	1.55	0.57	1.00	4.67

表3-4-158 河北省衡水市学生 SCL-90 测验敌对因子测验数据资料表

	年龄（岁）	男					女				
		n	mean	S	min.	max.	n	mean	S	min.	max.
敌对	10~12	13	1.85	0.68	1.00	3.33	12	1.50	0.43	1.00	2.50
	13~14	59	1.74	0.68	1.00	4.50	54	1.65	0.71	1.00	3.83
	15~16	101	1.56	0.54	1.00	3.50	117	1.53	0.47	1.00	3.17
	17~18	149	1.54	0.47	1.00	3.17	355	1.59	0.53	1.00	4.00
	19~23	107	1.45	0.49	1.00	3.50	136	1.49	0.50	1.00	4.33
	合计	429	1.56	0.54	1.00	4.50	674	1.56	0.53	1.00	4.33

表3-4-159 河北省唐海县学生 SCL-90 测验敌对因子测验数据资料表

	年龄（岁）	男					女				
		n	mean	S	min.	max.	n	mean	S	min.	max.
敌对	10~12	13	1.53	0.40	1.00	2.33	25	1.36	0.40	1.00	2.33
	13~14	53	1.62	0.48	1.00	2.83	69	1.59	0.48	1.00	2.83
	15~16	169	1.61	0.58	1.00	4.00	243	1.62	0.59	1.00	4.50
	17~18	126	1.76	0.67	1.00	4.33	113	1.62	0.56	1.00	3.67
	19~23	40	1.67	0.52	1.00	2.83	18	1.67	0.53	1.17	3.17
	合计	401	1.66	0.59	1.00	4.33	468	1.60	0.55	1.00	4.50

表3-4-160 河北省景县学生 SCL-90 测验敌对因子测验数据资料表

	年龄（岁）	男					女				
		n	mean	S	min.	max.	n	mean	S	min.	max.
敌对	10~12	37	1.27	0.36	1.00	2.83	73	1.31	0.37	1.00	2.83
	13~14	157	1.59	0.58	1.00	4.33	175	1.48	0.45	1.00	3.83
	15~16	137	1.52	0.49	1.00	3.33	167	1.54	0.51	1.00	3.83
	17~18	82	1.62	0.56	1.00	3.33	44	1.52	0.48	1.00	3.50
	19~23	1	2.33	.	2.33	2.33	0				
	合计	414	1.54	0.54	1.00	4.33	459	1.48	0.47	1.00	3.83

表 3-4-161 河北省学生 SCL-90 测验恐怖因子测验均值表

年龄(岁)	城市						农村					
	男			女			男			女		
	n	mean	S	n	mean	S	n	mean	S	n	mean	S
10~12	36	1.38	0.47	36	1.44	0.55	50	1.23	0.22	98	1.29	0.42
13~14	134	1.49	0.65	166	1.49	0.51	210	1.43	0.50	244	1.49	0.49
15~16	263	1.36	0.39	289	1.46	0.52	306	1.35	0.37	410	1.49	0.47
17~18	230	1.33	0.34	400	1.53	0.49	208	1.39	0.45	157	1.50	0.43
19~23	108	1.23	0.32	136	1.42	0.38	41	1.33	0.25	18	1.52	0.43
合计	771	1.35	0.43	1027	1.49	0.49	815	1.37	0.42	927	1.47	0.46

表 3-4-162 河北省唐山市学生 SCL-90 测验恐怖因子测验数据资料表

	年龄(岁)	男					女				
		n	mean	S	min.	max.	n	mean	S	min.	max.
恐怖	10~12	23	1.14	0.18	1.00	1.57	24	1.27	0.45	1.00	3.14
	13~14	75	1.37	0.53	1.00	4.57	112	1.43	0.47	1.00	3.14
	15~16	162	1.31	0.35	1.00	2.71	172	1.43	0.54	1.00	4.71
	17~18	81	1.27	0.31	1.00	2.29	45	1.33	0.28	1.00	2.14
	19~23	1	1.14	.	1.14	1.14	0				
	合计	342	1.30	0.38	1.00	4.57	353	1.40	0.49	1.00	4.71

表 3-4-163 河北省衡水市学生 SCL-90 测验恐怖因子测验数据资料表

	年龄(岁)	男					女				
		n	mean	S	min.	max.	n	mean	S	min.	max.
恐怖	10~12	13	1.81	0.51	1.29	2.71	12	1.77	0.59	1.00	3.14
	13~14	59	1.64	0.75	1.00	3.86	54	1.63	0.58	1.00	3.29
	15~16	101	1.42	0.44	1.00	3.14	117	1.51	0.47	1.00	3.29
	17~18	149	1.36	0.35	1.00	2.71	355	1.55	0.50	1.00	3.71
	19~23	107	1.23	0.32	1.00	3.00	136	1.42	0.38	1.00	2.71
	合计	429	1.40	0.47	1.00	3.86	674	1.53	0.49	1.00	3.71

表 3-4-164 河北省唐海县学生 SCL-90 测验恐怖因子测验数据资料表

	年龄(岁)	男					女				
		n	mean	S	min.	max.	n	mean	S	min.	max.
恐怖	10~12	13	1.34	0.23	1.14	1.71	25	1.27	0.39	1.00	2.71
	13~14	53	1.46	0.50	1.00	3.00	69	1.54	0.42	1.00	2.71
	15~16	169	1.37	0.39	1.00	2.71	243	1.52	0.46	1.00	3.29
	17~18	126	1.39	0.46	1.00	3.57	113	1.49	0.42	1.00	3.00
	19~23	40	1.32	0.25	1.00	2.00	18	1.52	0.43	1.00	2.57
	合计	401	1.38	0.41	1.00	3.57	468	1.50	0.44	1.00	3.29

表3-4-165　河北省景县学生SCL-90测验恐怖因子测验数据资料表

	年龄（岁）	男					女				
		n	mean	S	min.	max.	n	mean	S	min.	max.
恐怖	10~12	37	1.19	0.20	1.00	1.71	73	1.30	0.43	1.00	3.14
	13~14	157	1.42	0.50	1.00	3.86	175	1.47	0.51	1.00	3.86
	15~16	137	1.34	0.33	1.00	2.86	167	1.45	0.48	1.00	3.57
	17~18	82	1.40	0.45	1.00	3.00	44	1.51	0.44	1.00	2.86
	19~23	1	1.71	.	1.71	1.71	0				
	合计	414	1.37	0.42	1.00	3.86	459	1.44	0.49	1.00	3.86

表3-4-166　河北省学生SCL-90测验偏执因子测验均值表

年龄（岁）	城市						农村					
	男			女			男			女		
	n	mean	S	n	mean	S	n	mean	S	n	mean	S
10~12	36	1.54	0.65	36	1.31	0.43	50	1.27	0.36	98	1.29	0.33
13~14	134	1.53	0.55	166	1.51	0.51	210	1.56	0.55	244	1.49	0.46
15~16	263	1.58	0.50	289	1.58	0.57	306	1.55	0.49	410	1.58	0.52
17~18	230	1.65	0.55	400	1.63	0.59	208	1.73	0.60	157	1.74	0.61
19~23	108	1.46	0.43	136	1.55	0.45	41	1.76	0.44	18	1.70	0.56
合计	771	1.57	0.53	1027	1.57	0.55	815	1.59	0.54	927	1.56	0.52

表3-4-167　河北省唐山市学生SCL-90测验偏执因子测验数据资料表

	年龄（岁）	男					女				
		n	mean	S	min.	max.	n	mean	S	min.	max.
偏执	10~12	23	1.30	0.38	1.00	2.33	24	1.27	0.46	1.00	2.83
	13~14	75	1.43	0.46	1.00	3.67	112	1.46	0.46	1.00	2.83
	15~16	162	1.60	0.51	1.00	3.33	172	1.63	0.62	1.00	5.00
	17~18	81	1.74	0.63	1.00	3.50	45	1.51	0.41	1.00	3.00
	19~23	1	1.00	.	1.00	1.00	0				
	合计	342	1.58	0.54	1.00	3.67	353	1.53	0.54	1.00	5.00

表3-4-168　河北省衡水市学生SCL-90测验偏执因子测验数据资料表

	年龄（岁）	男					女				
		n	mean	S	min.	max.	n	mean	S	min.	max.
偏执	10~12	13	1.96	0.82	1.33	4.50	12	1.40	0.35	1.00	2.33
	13~14	59	1.66	0.62	1.00	4.50	54	1.61	0.61	1.00	4.00
	15~16	101	1.53	0.49	1.00	3.17	117	1.51	0.49	1.00	3.33
	17~18	149	1.61	0.49	1.00	3.50	355	1.64	0.61	1.00	4.33
	19~23	107	1.46	0.43	1.00	3.50	136	1.55	0.45	1.00	3.17
	合计	429	1.57	0.52	1.00	4.50	674	1.59	0.56	1.00	4.33

表 3－4－169 河北省唐海县学生 SCL－90 测验偏执因子测验数据资料表

	年龄（岁）	男					女				
		n	mean	S	min.	max.	n	mean	S	min.	max.
偏执	10～12	13	1.36	0.41	1.00	2.33	25	1.37	0.31	1.00	1.83
	13～14	53	1.47	0.49	1.00	3.17	69	1.49	0.40	1.00	2.67
	15～16	169	1.57	0.49	1.00	3.67	243	1.59	0.51	1.00	4.33
	17～18	126	1.76	0.63	1.00	4.00	113	1.77	0.60	1.00	4.00
	19～23	40	1.75	0.44	1.00	3.33	18	1.70	0.56	1.00	2.83
	合计	401	1.63	0.54	1.00	4.00	468	1.61	0.52	1.00	4.33

表 3－4－170 河北省景县学生 SCL－90 测验偏执因子测验数据资料表

	年龄（岁）	男					女				
		n	mean	S	min.	max.	n	mean	S	min.	max.
偏执	10～12	37	1.24	0.34	1.00	2.67	73	1.26	0.33	1.00	2.33
	13～14	157	1.59	0.56	1.00	4.33	175	1.49	0.49	1.00	3.33
	15～16	137	1.53	0.48	1.00	3.33	167	1.58	0.53	1.00	3.17
	17～18	82	1.69	0.57	1.00	3.67	44	1.67	0.62	1.00	3.33
	19～23	1	2.00	.	2.00	2.00	0				
	合计	414	1.56	0.53	1.00	4.33	459	1.50	0.51	1.00	3.33

表 3－4－171 河北省学生 SCL－90 测验精神病性因子测验均值表

年龄（岁）	城市						农村					
	男			女			男			女		
	n	mean	S	n	mean	S	n	mean	S	n	mean	S
10～12	36	1.24	0.38	36	1.31	0.40	50	1.18	0.20	98	1.21	0.30
13～14	134	1.41	0.46	166	1.41	0.42	210	1.41	0.42	244	1.36	0.37
15～16	263	1.43	0.45	289	1.46	0.48	306	1.45	0.44	410	1.46	0.43
17～18	230	1.42	0.37	400	1.52	0.48	208	1.57	0.50	157	1.58	0.42
19～23	108	1.34	0.35	136	1.44	0.37	41	1.51	0.30	18	1.68	0.56
合计	771	1.40	0.41	1027	1.46	0.45	815	1.46	0.44	927	1.43	0.42

表 3－4－172 河北省唐山市学生 SCL－90 测验精神病性因子测验数据资料表

	年龄（岁）	男					女				
		n	mean	S	min.	max.	n	mean	S	min.	max.
精神病性	10～12	23	1.08	0.16	1.00	1.70	24	1.19	0.38	1.00	2.40
	13～14	75	1.32	0.36	1.00	2.60	112	1.35	0.34	1.00	2.50
	15～16	162	1.44	0.45	1.00	4.00	172	1.46	0.51	1.00	5.00
	17～18	81	1.41	0.40	1.00	2.80	45	1.41	0.34	1.00	2.20
	19～23	1	1.00	.	1.00	1.00	0				
	合计	342	1.38	0.41	1.00	4.00	353	1.40	0.44	1.00	5.00

表 3－4－173　河北省衡水市学生 SCL－90 测验精神病性因子测验数据资料表

	年龄（岁）	男					女				
		n	mean	S	min.	max.	n	mean	S	min.	max.
精神病性	10～12	13	1.52	0.49	1.00	2.80	12	1.54	0.34	1.10	2.10
	13～14	59	1.52	0.54	1.00	3.10	54	1.54	0.53	1.00	3.60
	15～16	101	1.43	0.44	1.00	3.00	117	1.44	0.43	1.00	3.60
	17～18	149	1.42	0.36	1.00	2.90	355	1.53	0.49	1.00	4.20
	19～23	107	1.34	0.35	1.00	2.60	136	1.44	0.37	1.00	3.30
	合计	429	1.42	0.41	1.00	3.10	674	1.50	0.46	1.00	4.20

表 3－4－174　河北省唐海县学生 SCL－90 测验精神病性因子测验数据资料表

	年龄（岁）	男					女				
		n	mean	S	min.	max.	n	mean	S	min.	max.
精神病性	10～12	13	1.24	0.23	1.00	1.60	25	1.18	0.23	1.00	1.80
	13～14	53	1.47	0.51	1.00	3.30	69	1.34	0.31	1.00	2.40
	15～16	169	1.48	0.48	1.00	3.70	243	1.46	0.40	1.00	4.10
	17～18	126	1.58	0.49	1.00	3.40	113	1.59	0.42	1.00	3.00
	19～23	40	1.50	0.29	1.00	2.30	18	1.68	0.56	1.20	3.00
	合计	401	1.50	0.47	1.00	3.70	468	1.47	0.41	1.00	4.10

表 3－4－175　河北省景县学生 SCL－90 测验精神病性因子测验数据资料表

	年龄（岁）	男					女				
		n	mean	S	min.	max.	n	mean	S	min.	max.
精神病性	10～12	37	1.16	0.19	1.00	1.80	73	1.22	0.32	1.00	2.90
	13～14	157	1.39	0.39	1.00	3.20	175	1.37	0.39	1.00	3.20
	15～16	137	1.41	0.37	1.00	3.00	167	1.46	0.46	1.00	3.50
	17～18	82	1.56	0.52	1.00	3.60	44	1.57	0.44	1.00	3.10
	19～23	1	2.10	.	2.10	2.10	0				
	合计	414	1.41	0.41	1.00	3.60	459	1.40	0.42	1.00	3.50

表 3－4－176　河北省学生 SCL－90 测验其他因子测验均值表

年龄（岁）	城市						农村					
	男			女			男			女		
	n	mean	S	n	mean	S	n	mean	S	n	mean	S
10～12	36	1.40	0.49	36	1.33	0.41	50	1.42	0.40	98	1.24	0.30
13～14	134	1.46	0.54	166	1.41	0.42	210	1.46	0.46	244	1.39	0.37
15～16	263	1.45	0.42	289	1.43	0.46	306	1.44	0.44	410	1.48	0.46
17～18	230	1.42	0.37	400	1.54	0.50	208	1.61	0.56	157	1.53	0.41
19～23	108	1.40	0.42	136	1.44	0.35	41	1.60	0.46	18	1.56	0.41
合计	771	1.44	0.43	1027	1.47	0.46	815	1.50	0.48	927	1.44	0.42

表 3－4－177　河北省唐山市学生 SCL－90 测验其他因子测验数据资料表

	年龄（岁）	男 n	男 mean	男 S	男 min.	男 max.	女 n	女 mean	女 S	女 min.	女 max.
其他	10～12	23	1.16	0.17	1.00	1.57	24	1.26	0.33	1.00	2.43
	13～14	75	1.43	0.52	1.00	3.86	112	1.39	0.36	1.00	2.86
	15～16	162	1.50	0.44	1.00	3.43	172	1.42	0.47	1.00	5.00
	17～18	81	1.44	0.40	1.00	2.86	45	1.47	0.59	1.00	4.14
	19～23	1	1.00	.	1.00	1.00	0				
	合计	342	1.45	0.44	1.00	3.86	353	1.41	0.45	1.00	5.00

表 3－4－178　河北省衡水市学生 SCL－90 测验其他因子测验数据资料表

	年龄（岁）	男 n	男 mean	男 S	男 min.	男 max.	女 n	女 mean	女 S	女 min.	女 max.
其他	10～12	13	1.81	0.59	1.00	3.14	12	1.46	0.52	1.00	2.57
	13～14	59	1.49	0.58	1.00	3.57	54	1.45	0.51	1.00	3.57
	15～16	101	1.38	0.37	1.00	2.71	117	1.44	0.43	1.00	3.14
	17～18	149	1.41	0.36	1.00	2.57	355	1.55	0.49	1.00	4.14
	19～23	107	1.41	0.42	1.00	3.14	136	1.44	0.35	1.00	2.86
	合计	429	1.43	0.43	1.00	3.57	674	1.50	0.46	1.00	4.14

表 3－4－179　河北省唐海县学生 SCL－90 测验其他因子测验数据资料表

	年龄（岁）	男 n	男 mean	男 S	男 min.	男 max.	女 n	女 mean	女 S	女 min.	女 max.
其他	10～12	13	1.68	0.46	1.00	2.43	25	1.30	0.26	1.00	1.86
	13～14	53	1.61	0.55	1.00	3.29	69	1.46	0.38	1.00	2.43
	15～16	169	1.50	0.44	1.00	3.14	243	1.49	0.45	1.00	3.86
	17～18	126	1.63	0.55	1.00	4.29	113	1.58	0.42	1.00	2.86
	19～23	40	1.58	0.46	1.00	2.43	18	1.56	0.41	1.00	2.57
	合计	401	1.57	0.50	1.00	4.29	468	1.50	0.43	1.00	3.86

表 3－4－180　河北省景县学生 SCL－90 测验其他因子测验数据资料表

	年龄（岁）	男 n	男 mean	男 S	男 min.	男 max.	女 n	女 mean	女 S	女 min.	女 max.
其他	10～12	37	1.33	0.33	1.00	2.14	73	1.22	0.31	1.00	2.43
	13～14	157	1.41	0.42	1.00	3.29	175	1.36	0.37	1.00	2.86
	15～16	137	1.37	0.42	1.00	3.29	167	1.47	0.48	1.00	3.71
	17～18	82	1.58	0.57	1.00	3.29	44	1.39	0.33	1.00	2.43
	19～23	1	2.29	.	2.29	2.29	0				
	合计	414	1.43	0.46	1.00	3.29	459	1.38	0.41	1.00	3.71

2. 浙江

表 3-4-181　浙江省学生 SCL-90 测验躯体化因子测验均值表

年龄（岁）	男			女		
	n	mean	S	n	mean	S
10~12	654	1.22	0.31	641	1.22	0.31
13~14	614	1.22	0.29	548	1.25	0.30
15~16	460	1.32	0.38	427	1.36	0.41
17~18	507	1.38	0.41	446	1.42	0.41
19~23	86	1.42	0.46	83	1.45	0.45
合计	2,321	1.28	0.36	2,145	1.30	0.37

表 3-4-182　浙江省杭州市学生 SCL-90 测验躯体化因子测验数据资料表

	年龄（岁）	男					女				
		n	mean	S	min.	max.	n	mean	S	min.	max.
躯体化	10~12	189	1.27	0.37	1.00	3.33	191	1.23	0.33	1.00	3.83
	13~14	351	1.20	0.27	1.00	2.83	296	1.24	0.28	1.00	3.08
	15~16	147	1.24	0.30	1.00	2.92	126	1.21	0.28	1.00	2.67
	17~18	58	1.21	0.26	1.00	2.17	79	1.27	0.34	1.00	3.25
	19~23	10	1.18	0.15	1.00	1.50	13	1.19	0.23	1.00	1.75
	合计	755	1.23	0.30	1.00	3.33	705	1.23	0.30	1.00	3.83

表 3-4-183　浙江省绍兴市学生 SCL-90 测验躯体化因子测验数据资料表

	年龄（岁）	男					女				
		n	mean	S	min.	max.	n	mean	S	min.	max.
躯体化	10~12	180	1.19	0.29	1.00	3.00	166	1.21	0.32	1.00	3.33
	13~14	81	1.16	0.22	1.00	2.17	74	1.16	0.23	1.00	2.17
	15~16	101	1.38	0.48	1.00	3.42	98	1.45	0.43	1.00	3.83
	17~18	253	1.37	0.44	1.00	5.00	206	1.45	0.44	1.00	4.08
	19~23	53	1.39	0.40	1.00	2.50	56	1.49	0.50	1.00	3.33
	合计	668	1.30	0.39	1.00	5.00	600	1.35	0.41	1.00	4.08

表 3-4-184　浙江省舟山市学生 SCL-90 测验躯体化因子测验数据资料表

	年龄（岁）	男					女				
		n	mean	S	min.	max.	n	mean	S	min.	max.
躯体化	10~12	179	1.23	0.29	1.00	3.00	171	1.26	0.34	1.00	3.50
	13~14	101	1.28	0.39	1.00	3.25	100	1.36	0.36	1.00	3.42
	15~16	151	1.35	0.36	1.00	2.67	140	1.42	0.41	1.00	3.67
	17~18	102	1.42	0.40	1.00	2.92	82	1.39	0.40	1.00	3.00
	19~23	3	1.22	0.32	1.00	1.58	6	1.39	0.30	1.00	1.75
	合计	536	1.31	0.36	1.00	3.25	499	1.35	0.38	1.00	3.67

表 3－4－185　浙江省诸暨市学生 SCL－90 测验躯体化因子测验数据资料表

	年龄（岁）	男					女				
		n	mean	S	min.	max.	n	mean	S	min.	max.
躯体化	10～12	106	1.16	0.23	1.00	2.50	113	1.13	0.19	1.00	2.33
	13～14	81	1.26	0.27	1.00	2.00	78	1.25	0.31	1.00	2.42
	15～16	61	1.31	0.39	1.00	3.17	63	1.40	0.51	1.00	3.92
	17～18	94	1.46	0.40	1.00	3.25	79	1.50	0.39	1.00	2.75
	19～23	20	1.65	0.63	1.08	3.50	8	1.56	0.37	1.00	2.25
	合计	362	1.31	0.37	1.00	3.50	341	1.30	0.37	1.00	3.92

表 3－4－186　浙江省学生 SCL－90 测验强迫症状因子测验均值表

年龄（岁）	男			女		
	n	mean	S	n	mean	S
10～12	654	1.33	0.39	641	1.34	0.39
13～14	614	1.46	0.43	548	1.46	0.39
15～16	460	1.64	0.53	427	1.70	0.55
17～18	507	1.85	0.60	446	1.80	0.50
19～23	86	1.90	0.58	83	1.81	0.50
合计	2,321	1.56	0.53	2,145	1.56	0.49

表 3－4－187　浙江省杭州市学生 SCL－90 测验强迫症状因子测验数据资料表

	年龄（岁）	男					女				
		n	mean	S	min.	max.	n	mean	S	min.	max.
强迫症状	10～12	189	1.42	0.40	1.00	3.30	191	1.43	0.42	1.00	3.60
	13～14	351	1.45	0.41	1.00	4.20	296	1.47	0.37	1.00	3.00
	15～16	147	1.48	0.47	1.00	3.60	126	1.50	0.42	1.00	3.00
	17～18	58	1.42	0.41	1.00	2.80	79	1.47	0.33	1.00	2.60
	19～23	10	1.49	0.39	1.10	2.30	13	1.46	0.28	1.10	2.10
	合计	755	1.45	0.42	1.00	4.20	705	1.46	0.39	1.00	3.60

表 3－4－188　浙江省绍兴市学生 SCL－90 测验强迫症状因子测验数据资料表

	年龄（岁）	男					女				
		n	mean	S	min.	max.	n	mean	S	min.	max.
强迫症状	10～12	180	1.22	0.33	1.00	3.20	166	1.23	0.29	1.00	3.00
	13～14	81	1.28	0.29	1.00	2.40	74	1.24	0.25	1.00	2.00
	15～16	101	1.69	0.57	1.00	4.10	98	1.75	0.58	1.00	3.60
	17～18	253	1.82	0.56	1.00	4.90	206	1.86	0.52	1.00	4.30
	19～23	53	1.87	0.53	1.00	3.50	56	1.89	0.53	1.00	3.70
	合计	668	1.58	0.55	1.00	4.90	600	1.59	0.54	1.00	4.30

表3-4-189 浙江省舟山市学生SCL-90测验强迫症状因子测验数据资料表

	年龄（岁）	男					女				
		n	mean	S	min.	max.	n	mean	S	min.	max.
强迫症状	10~12	179	1.43	0.44	1.00	4.20	171	1.46	0.45	1.00	4.00
	13~14	101	1.61	0.54	1.00	3.70	100	1.61	0.43	1.00	3.10
	15~16	151	1.80	0.50	1.00	3.50	140	1.85	0.60	1.00	4.50
	17~18	102	2.03	0.68	1.00	4.20	82	1.75	0.44	1.00	2.90
	19~23	3	2.23	0.70	1.50	2.90	6	1.75	0.56	1.30	2.60
	合计	536	1.69	0.58	1.00	4.20	499	1.65	0.51	1.00	4.50

表3-4-190 浙江省诸暨市学生SCL-90测验强迫症状因子测验数据资料表

	年龄（岁）	男					女				
		n	mean	S	min.	max.	n	mean	S	min.	max.
强迫症状	10~12	106	1.18	0.22	1.00	1.90	113	1.19	0.28	1.00	2.40
	13~14	81	1.48	0.42	1.00	2.50	78	1.42	0.43	1.00	2.80
	15~16	61	1.59	0.50	1.00	3.30	63	1.69	0.55	1.00	4.00
	17~18	94	1.96	0.58	1.00	4.00	79	2.03	0.50	1.00	3.70
	19~23	20	2.12	0.68	1.10	4.30	8	1.88	0.32	1.60	2.60
	合计	362	1.57	0.55	1.00	4.30	341	1.55	0.54	1.00	4.00

表3-4-191 浙江省学生SCL-90测验人际敏感因子测验均值表

年龄（岁）	男			女		
	n	mean	S	n	mean	S
10~12	654	1.28	0.40	641	1.30	0.42
13~14	614	1.36	0.44	548	1.39	0.38
15~16	460	1.54	0.54	427	1.59	0.56
17~18	507	1.73	0.56	446	1.75	0.55
19~23	86	1.71	0.61	83	1.75	0.53
合计	2,321	1.47	0.52	2,145	1.49	0.51

表3-4-192 浙江省杭州市学生SCL-90测验人际敏感因子测验数据资料表

	年龄（岁）	男					女				
		n	mean	S	min.	max.	n	mean	S	min.	max.
人际敏感	10~12	189	1.33	0.42	1.00	3.33	191	1.32	0.43	1.00	3.89
	13~14	351	1.35	0.42	1.00	4.22	296	1.40	0.38	1.00	2.89
	15~16	147	1.38	0.46	1.00	3.33	126	1.42	0.44	1.00	3.56
	17~18	58	1.35	0.31	1.00	2.33	79	1.48	0.43	1.00	3.11
	19~23	10	1.34	0.40	1.00	2.33	13	1.45	0.34	1.11	2.33
	合计	755	1.35	0.42	1.00	4.22	705	1.39	0.41	1.00	3.89

表 3－4－193　浙江省绍兴市学生 SCL－90 测验人际敏感因子测验数据资料表

	年龄（岁）	男					女				
		n	mean	S	min.	max.	n	mean	S	min.	max.
人际敏感	10～12	180	1.22	0.36	1.00	3.11	166	1.24	0.31	1.00	3.22
	13～14	81	1.23	0.31	1.00	2.67	74	1.22	0.21	1.00	1.89
	15～16	101	1.65	0.63	1.00	4.00	98	1.74	0.70	1.00	4.11
	17～18	253	1.74	0.55	1.00	4.33	206	1.82	0.57	1.00	3.78
	19～23	53	1.66	0.53	1.00	3.22	56	1.81	0.55	1.11	3.33
	合计	668	1.52	0.55	1.00	4.33	600	1.57	0.57	1.00	4.11

表 3－4－194　浙江省舟山市学生 SCL－90 测验人际敏感因子测验数据资料表

	年龄（岁）	男					女				
		n	mean	S	min.	max.	n	mean	S	min.	max.
人际敏感	10～12	179	1.37	0.45	1.00	3.44	171	1.44	0.53	1.00	4.22
	13～14	101	1.51	0.58	1.00	4.11	100	1.52	0.44	1.00	3.44
	15～16	151	1.68	0.55	1.00	4.67	140	1.69	0.55	1.00	4.11
	17～18	102	1.84	0.61	1.00	3.56	82	1.64	0.47	1.00	3.33
	19～23	3	2.04	0.79	1.33	2.89	6	1.61	0.66	1.11	2.78
	合计	536	1.58	0.57	1.00	4.67	499	1.56	0.52	1.00	4.22

表 3－4－195　浙江省诸暨市学生 SCL－90 测验人际敏感因子测验数据资料表

	年龄（岁）	男					女				
		n	mean	S	min.	max.	n	mean	S	min.	max.
人际敏感	10～12	106	1.14	0.21	1.00	1.78	113	1.15	0.25	1.00	2.56
	13～14	81	1.33	0.34	1.00	2.33	78	1.33	0.36	1.00	2.56
	15～16	61	1.40	0.40	1.00	2.33	63	1.49	0.48	1.00	3.67
	17～18	94	1.84	0.60	1.00	3.78	79	1.97	0.54	1.00	4.22
	19～23	20	1.99	0.77	1.22	4.11	8	1.90	0.35	1.44	2.44
	合计	362	1.45	0.53	1.00	4.11	341	1.46	0.51	1.00	4.22

表 3－4－196　浙江省学生 SCL－90 测验抑郁因子测验均值表

年龄（岁）	男			女		
	n	mean	S	n	mean	S
10～12	654	1.24	0.35	641	1.24	0.36
13～14	614	1.27	0.34	548	1.28	0.32
15～16	460	1.38	0.47	427	1.49	0.54
17～18	507	1.52	0.50	446	1.59	0.49
19～23	86	1.53	0.52	83	1.66	0.52
合计	2,321	1.35	0.43	2,145	1.39	0.45

表 3-4-197　浙江省杭州市学生 SCL-90 测验抑郁因子测验数据资料表

	年龄（岁）	男					女				
		n	mean	S	min.	max.	n	mean	S	min.	max.
抑郁	10~12	189	1.28	0.38	1.00	2.77	191	1.24	0.35	1.00	3.08
	13~14	351	1.25	0.31	1.00	3.23	296	1.29	0.31	1.00	2.54
	15~16	147	1.31	0.46	1.00	3.54	126	1.33	0.43	1.00	3.77
	17~18	58	1.24	0.28	1.00	2.38	79	1.36	0.36	1.00	2.54
	19~23	10	1.15	0.14	1.00	1.38	13	1.44	0.43	1.00	2.69
	合计	755	1.27	0.36	1.00	3.54	705	1.29	0.35	1.00	3.77

表 3-4-198　浙江省绍兴市学生 SCL-90 测验抑郁因子测验数据资料表

	年龄（岁）	男					女				
		n	mean	S	min.	max.	n	mean	S	min.	max.
抑郁	10~12	180	1.19	0.33	1.00	3.46	166	1.20	0.31	1.00	3.38
	13~14	81	1.16	0.23	1.00	2.23	74	1.14	0.18	1.00	1.77
	15~16	101	1.42	0.57	1.00	3.54	98	1.58	0.62	1.00	3.69
	17~18	253	1.52	0.49	1.00	5.00	206	1.65	0.53	1.00	3.46
	19~23	53	1.54	0.48	1.00	3.00	56	1.72	0.54	1.00	3.31
	合计	668	1.37	0.47	1.00	5.00	600	1.46	0.52	1.00	3.69

表 3-4-199　浙江省舟山市学生 SCL-90 测验抑郁因子测验数据资料表

	年龄（岁）	男					女				
		n	mean	S	min.	max.	n	mean	S	min.	max.
抑郁	10~12	179	1.30	0.38	1.00	3.23	171	1.34	0.47	1.00	4.46
	13~14	101	1.42	0.48	1.00	3.46	100	1.40	0.40	1.00	3.38
	15~16	151	1.46	0.45	1.00	3.69	140	1.59	0.55	1.00	4.31
	17~18	102	1.66	0.57	1.00	3.15	82	1.50	0.41	1.00	3.23
	19~23	3	1.79	0.56	1.15	2.15	6	1.59	0.71	1.00	2.92
	合计	536	1.44	0.47	1.00	3.69	499	1.45	0.48	1.00	4.46

表 3-4-200　浙江省诸暨市学生 SCL-90 测验抑郁因子测验数据资料表

	年龄（岁）	男					女				
		n	mean	S	min.	max.	n	mean	S	min.	max.
抑郁	10~12	106	1.13	0.19	1.00	1.77	113	1.15	0.24	1.00	2.38
	13~14	81	1.28	0.31	1.00	2.46	78	1.25	0.29	1.00	2.54
	15~16	61	1.32	0.35	1.00	2.46	63	1.42	0.49	1.00	4.23
	17~18	94	1.57	0.49	1.00	3.46	79	1.77	0.50	1.00	3.23
	19~23	20	1.67	0.64	1.08	4.00	8	1.59	0.28	1.15	2.15
	合计	362	1.34	0.41	1.00	4.00	341	1.38	0.45	1.00	4.23

表 3－4－201　浙江省学生 SCL－90 测验焦虑因子测验均值表

年龄（岁）	男			女		
	n	mean	S	n	mean	S
10～12	654	1.27	0.40	641	1.27	0.39
13～14	614	1.26	0.35	548	1.29	0.34
15～16	460	1.36	0.45	427	1.44	0.48
17～18	507	1.50	0.49	446	1.56	0.49
19～23	86	1.47	0.51	83	1.55	0.44
合计	2,321	1.34	0.43	2,145	1.38	0.44

表 3－4－202　浙江省杭州市学生 SCL－90 测验焦虑因子测验数据资料表

	年龄（岁）	男					女				
		n	mean	S	min.	max.	n	mean	S	min.	max.
焦虑	10～12	189	1.34	0.47	1.00	4.30	191	1.29	0.37	1.00	3.30
	13～14	351	1.25	0.29	1.00	2.80	296	1.28	0.32	1.00	3.10
	15～16	147	1.26	0.34	1.00	3.00	126	1.27	0.35	1.00	3.40
	17～18	58	1.21	0.23	1.00	1.70	79	1.33	0.39	1.00	3.10
	19～23	10	1.22	0.15	1.00	1.40	13	1.35	0.26	1.00	1.80
	合计	755	1.27	0.35	1.00	4.30	705	1.29	0.35	1.00	3.40

表 3－4－203　浙江省绍兴市学生 SCL－90 测验焦虑因子测验数据资料表

	年龄（岁）	男					女				
		n	mean	S	min.	max.	n	mean	S	min.	max.
焦虑	10～12	180	1.22	0.37	1.00	3.80	166	1.22	0.35	1.00	3.40
	13～14	81	1.14	0.23	1.00	2.40	74	1.20	0.23	1.00	1.80
	15～16	101	1.45	0.62	1.00	4.70	98	1.54	0.57	1.00	3.60
	17～18	253	1.49	0.49	1.00	5.00	206	1.63	0.53	1.00	4.30
	19～23	53	1.44	0.43	1.00	3.10	56	1.61	0.45	1.00	3.00
	合计	668	1.36	0.48	1.00	5.00	600	1.45	0.50	1.00	4.30

表 3－4－204　浙江省舟山市学生 SCL－90 测验焦虑因子测验数据资料表

	年龄（岁）	男					女				
		n	mean	S	min.	max.	n	mean	S	min.	max.
焦虑	10～12	179	1.33	0.39	1.00	3.60	171	1.38	0.49	1.00	4.00
	13～14	101	1.38	0.52	1.00	4.00	100	1.41	0.43	1.00	3.70
	15～16	151	1.45	0.44	1.00	3.50	140	1.54	0.47	1.00	3.30
	17～18	102	1.60	0.51	1.00	3.50	82	1.49	0.39	1.00	2.40
	19～23	3	1.30	0.35	1.10	1.70	6	1.52	0.73	1.00	2.90
	合计	536	1.42	0.46	1.00	4.00	499	1.45	0.46	1.00	4.00

表3-4-205 浙江省诸暨市学生 SCL-90 测验焦虑因子测验数据资料表

	年龄（岁）	男					女				
		n	mean	S	min.	max.	n	mean	S	min.	max.
焦虑	10~12	106	1.16	0.24	1.00	2.20	113	1.15	0.22	1.00	2.20
	13~14	81	1.29	0.34	1.00	2.40	78	1.25	0.31	1.00	2.50
	15~16	61	1.25	0.32	1.00	2.60	63	1.37	0.45	1.00	3.70
	17~18	94	1.56	0.49	1.00	3.90	79	1.69	0.49	1.00	3.00
	19~23	20	1.70	0.73	1.10	4.40	8	1.53	0.35	1.20	2.30
	合计	362	1.34	0.43	1.00	4.40	341	1.35	0.42	1.00	3.70

表3-4-206 浙江省学生 SCL-90 测验敌对因子测验均值表

年龄（岁）	男			女		
	n	mean	S	n	mean	S
10~12	654	1.32	0.50	641	1.26	0.40
13~14	614	1.34	0.45	548	1.35	0.43
15~16	460	1.49	0.58	427	1.51	0.55
17~18	507	1.62	0.59	446	1.59	0.55
19~23	86	1.61	0.63	83	1.60	0.50
合计	2,321	1.43	0.54	2,145	1.42	0.50

表3-4-207 浙江省杭州市学生 SCL-90 测验敌对因子测验数据资料表

	年龄（岁）	男					女				
		n	mean	S	min.	max.	n	mean	S	min.	max.
敌对	10~12	189	1.43	0.62	1.00	4.67	191	1.27	0.40	1.00	3.50
	13~14	351	1.33	0.42	1.00	3.50	296	1.35	0.46	1.00	3.50
	15~16	147	1.42	0.56	1.00	4.17	126	1.35	0.40	1.00	3.17
	17~18	58	1.34	0.33	1.00	2.33	79	1.44	0.45	1.00	3.00
	19~23	10	1.17	0.18	1.00	1.50	13	1.47	0.40	1.00	2.33
	合计	755	1.37	0.50	1.00	4.67	705	1.34	0.43	1.00	3.50

表3-4-208 浙江省绍兴市学生 SCL-90 测验敌对因子测验数据资料表

	年龄（岁）	男					女				
		n	mean	S	min.	max.	n	mean	S	min.	max.
敌对	10~12	180	1.23	0.43	1.00	4.00	166	1.20	0.33	1.00	3.00
	13~14	81	1.21	0.31	1.00	2.50	74	1.20	0.25	1.00	2.00
	15~16	101	1.55	0.71	1.00	5.00	98	1.58	0.55	1.00	3.83
	17~18	253	1.64	0.59	1.00	5.00	206	1.66	0.61	1.00	4.33
	19~23	53	1.60	0.54	1.00	3.33	56	1.62	0.53	1.00	3.33
	合计	668	1.46	0.57	1.00	5.00	600	1.46	0.53	1.00	4.33

表 3－4－209　浙江省舟山市学生 SCL－90 测验敌对因子测验数据资料表

	年龄（岁）	男					女				
		n	mean	S	min.	max.	n	mean	S	min.	max.
敌对	10～12	179	1.38	0.50	1.00	4.50	171	1.40	0.52	1.00	4.50
	13～14	101	1.50	0.66	1.00	4.83	100	1.49	0.52	1.00	4.50
	15～16	151	1.56	0.55	1.00	4.33	140	1.67	0.67	1.00	4.83
	17～18	102	1.67	0.64	1.00	4.67	82	1.48	0.45	1.00	3.33
	19～23	3	1.56	0.51	1.00	2.00	6	1.69	0.62	1.17	2.83
	合计	536	1.51	0.58	1.00	4.83	499	1.51	0.57	1.00	4.83

表 3－4－210　浙江省诸暨市学生 SCL－90 测验敌对因子测验数据资料表

	年龄（岁）	男					女				
		n	mean	S	min.	max.	n	mean	S	min.	max.
敌对	10～12	106	1.17	0.25	1.00	2.33	113	1.14	0.23	1.00	2.00
	13～14	81	1.31	0.35	1.00	2.50	78	1.28	0.30	1.00	2.17
	15～16	61	1.39	0.44	1.00	2.83	63	1.40	0.41	1.00	3.17
	17～18	94	1.67	0.63	1.00	4.17	79	1.69	0.52	1.00	3.83
	19～23	20	1.88	0.85	1.00	4.33	8	1.63	0.34	1.33	2.33
	合计	362	1.41	0.51	1.00	4.33	341	1.36	0.42	1.00	3.83

表 3－4－211　浙江省学生 SCL－90 测验恐怖因子测验均值表

年龄（岁）	男			女		
	n	mean	S	n	mean	S
10～12	654	1.20	0.34	641	1.23	0.34
13～14	614	1.22	0.33	548	1.28	0.39
15～16	460	1.26	0.42	427	1.35	0.42
17～18	507	1.33	0.38	446	1.41	0.41
19～23	86	1.32	0.41	83	1.43	0.44
合计	2,321	1.25	0.37	2,145	1.31	0.39

表 3－4－212　浙江省杭州市学生 SCL－90 测验恐怖因子测验数据资料表

	年龄（岁）	男					女				
		n	mean	S	min.	max.	n	mean	S	min.	max.
恐怖	10～12	189	1.23	0.34	1.00	2.86	191	1.25	0.34	1.00	2.86
	13～14	351	1.22	0.32	1.00	2.86	296	1.29	0.40	1.00	4.00
	15～16	147	1.19	0.30	1.00	3.14	126	1.29	0.36	1.00	2.86
	17～18	58	1.17	0.26	1.00	2.00	79	1.25	0.31	1.00	2.86
	19～23	10	1.14	0.13	1.00	1.29	13	1.19	0.27	1.00	1.86
	合计	755	1.21	0.31	1.00	3.14	705	1.27	0.37	1.00	4.00

表 3-4-213　浙江省绍兴市学生 SCL-90 测验恐怖因子测验数据资料表

	年龄（岁）	男					女				
		n	mean	S	min.	max.	n	mean	S	min.	max.
恐怖	10~12	180	1.15	0.26	1.00	2.43	166	1.20	0.31	1.00	3.71
	13~14	81	1.12	0.21	1.00	2.00	74	1.19	0.26	1.00	2.57
	15~16	101	1.34	0.58	1.00	4.14	98	1.41	0.50	1.00	3.43
	17~18	253	1.33	0.40	1.00	3.86	206	1.48	0.44	1.00	3.29
	19~23	53	1.27	0.40	1.00	3.29	56	1.49	0.47	1.00	2.71
	合计	668	1.25	0.39	1.00	4.14	600	1.36	0.42	1.00	3.71

表 3-4-214　浙江省舟山市学生 SCL-90 测验恐怖因子测验数据资料表

	年龄（岁）	男					女				
		n	mean	S	min.	max.	n	mean	S	min.	max.
恐怖	10~12	179	1.25	0.43	1.00	4.43	171	1.29	0.39	1.00	3.14
	13~14	101	1.30	0.44	1.00	3.57	100	1.33	0.45	1.00	3.29
	15~16	151	1.29	0.41	1.00	3.57	140	1.37	0.39	1.00	3.71
	17~18	102	1.33	0.32	1.00	2.43	82	1.29	0.31	1.00	2.43
	19~23	3	1.90	0.81	1.00	2.57	6	1.36	0.35	1.00	1.86
	合计	536	1.29	0.41	1.00	4.43	499	1.32	0.39	1.00	3.71

表 3-4-215　浙江省诸暨市学生 SCL-90 测验恐怖因子测验数据资料表

	年龄（岁）	男					女				
		n	mean	S	min.	max.	n	mean	S	min.	max.
恐怖	10~12	106	1.14	0.23	1.00	2.14	113	1.16	0.24	1.00	2.29
	13~14	81	1.21	0.27	1.00	2.14	78	1.25	0.35	1.00	2.71
	15~16	61	1.23	0.35	1.00	2.57	63	1.35	0.42	1.00	3.57
	17~18	94	1.43	0.40	1.00	2.86	79	1.54	0.42	1.00	2.71
	19~23	20	1.46	0.39	1.00	2.43	8	1.50	0.35	1.00	2.14
	合计	362	1.26	0.34	1.00	2.86	341	1.31	0.38	1.00	3.57

表 3-4-216　浙江省学生 SCL-90 测验偏执因子测验均值表

年龄（岁）	男			女		
	n	mean	S	n	mean	S
10~12	654	1.30	0.43	641	1.25	0.38
13~14	614	1.34	0.41	548	1.32	0.36
15~16	460	1.47	0.54	427	1.50	0.54
17~18	507	1.65	0.56	446	1.58	0.47
19~23	86	1.68	0.64	83	1.65	0.46
合计	2,321	1.44	0.51	2,145	1.40	0.45

表 3－4－217 浙江省杭州市学生 SCL－90 测验偏执因子测验数据资料表

	年龄（岁）	男					女				
		n	mean	S	min.	max.	n	mean	S	min.	max.
偏执	10～12	189	1.40	0.47	1.00	4.00	191	1.32	0.42	1.00	3.33
	13～14	351	1.34	0.40	1.00	4.00	296	1.34	0.36	1.00	3.33
	15～16	147	1.38	0.46	1.00	3.33	126	1.33	0.41	1.00	3.50
	17～18	58	1.33	0.33	1.00	2.33	79	1.36	0.38	1.00	3.17
	19～23	10	1.23	0.24	1.00	1.67	13	1.42	0.39	1.00	2.33
	合计	755	1.36	0.43	1.00	4.00	705	1.33	0.39	1.00	3.50

表 3－4－218 浙江省绍兴市学生 SCL－90 测验偏执因子测验数据资料表

	年龄（岁）	男					女				
		n	mean	S	min.	max.	n	mean	S	min.	max.
偏执	10～12	180	1.23	0.45	1.00	4.33	166	1.18	0.27	1.00	2.33
	13～14	81	1.21	0.26	1.00	2.17	74	1.21	0.23	1.00	2.00
	15～16	101	1.59	0.71	1.00	4.67	98	1.63	0.65	1.00	4.17
	17～18	253	1.67	0.59	1.00	5.00	206	1.63	0.49	1.00	4.00
	19～23	53	1.64	0.55	1.00	3.17	56	1.69	0.48	1.00	2.83
	合计	668	1.48	0.58	1.00	5.00	600	1.46	0.50	1.00	4.17

表 3－4－219 浙江省舟山市学生 SCL－90 测验偏执因子测验数据资料表

	年龄（岁）	男					女				
		n	mean	S	min.	max.	n	mean	S	min.	max.
偏执	10～12	179	1.35	0.42	1.00	3.00	171	1.35	0.45	1.00	4.67
	13～14	101	1.48	0.56	1.00	4.33	100	1.39	0.41	1.00	3.33
	15～16	151	1.53	0.50	1.00	4.50	140	1.58	0.55	1.00	4.00
	17～18	102	1.73	0.55	1.00	3.50	82	1.48	0.44	1.00	3.33
	19～23	3	2.11	1.02	1.00	3.00	6	1.69	0.56	1.17	2.67
	合计	536	1.50	0.52	1.00	4.50	499	1.45	0.48	1.00	4.67

表 3－4－220 浙江省诸暨市学生 SCL－90 测验偏执因子测验数据资料表

	年龄（岁）	男					女				
		n	mean	S	min.	max.	n	mean	S	min.	max.
偏执	10～12	106	1.15	0.24	1.00	2.17	113	1.12	0.22	1.00	2.67
	13～14	81	1.33	0.35	1.00	2.33	78	1.25	0.35	1.00	2.33
	15～16	61	1.38	0.37	1.00	2.33	63	1.45	0.45	1.00	3.17
	17～18	94	1.71	0.53	1.00	4.17	79	1.76	0.47	1.00	3.17
	19～23	20	1.96	0.82	1.17	4.33	8	1.73	0.22	1.50	2.17
	合计	362	1.42	0.49	1.00	4.33	341	1.37	0.44	1.00	3.17

表 3－4－221　浙江省学生 SCL－90 测验精神病性因子测验均值表

年龄（岁）	男			女		
	n	mean	S	n	mean	S
10～12	654	1.18	0.31	641	1.18	0.30
13～14	614	1.21	0.30	548	1.22	0.27
15～16	460	1.31	0.39	427	1.37	0.43
17～18	507	1.47	0.49	446	1.46	0.41
19～23	86	1.50	0.56	83	1.45	0.43
合计	2,321	1.29	0.40	2,145	1.30	0.37

表 3－4－222　浙江省杭州市学生 SCL－90 测验精神病性因子测验数据资料表

	年龄（岁）	男					女				
		n	mean	S	min.	max.	n	mean	S	min.	max.
精神病性	10～12	189	1.25	0.37	1.00	3.00	191	1.21	0.33	1.00	3.10
	13～14	351	1.21	0.29	1.00	2.70	296	1.23	0.26	1.00	2.60
	15～16	147	1.23	0.34	1.00	3.30	126	1.24	0.34	1.00	3.30
	17～18	58	1.17	0.21	1.00	1.90	79	1.25	0.29	1.00	3.30
	19～23	10	1.15	0.13	1.00	1.30	13	1.24	0.32	1.00	2.10
	合计	755	1.22	0.31	1.00	3.30	705	1.23	0.30	1.00	3.30

表 3－4－223　浙江省绍兴市学生 SCL－90 测验精神病性因子测验数据资料表

	年龄（岁）	男					女				
		n	mean	S	min.	max.	n	mean	S	min.	max.
精神病性	10～12	180	1.14	0.26	1.00	2.40	166	1.12	0.20	1.00	2.10
	13～14	81	1.10	0.19	1.00	1.90	74	1.13	0.16	1.00	1.70
	15～16	101	1.39	0.51	1.00	3.40	98	1.46	0.52	1.00	3.30
	17～18	253	1.45	0.49	1.00	5.00	206	1.52	0.43	1.00	3.50
	19～23	53	1.46	0.46	1.00	3.50	56	1.47	0.41	1.00	2.90
	合计	668	1.32	0.44	1.00	5.00	600	1.35	0.41	1.00	3.50

表 3－4－224　浙江省舟山市学生 SCL－90 测验精神病性因子测验数据资料表

	年龄（岁）	男					女				
		n	mean	S	min.	max.	n	mean	S	min.	max.
精神病性	10～12	179	1.21	0.34	1.00	3.80	171	1.24	0.34	1.00	3.30
	13～14	101	1.28	0.41	1.00	2.80	100	1.32	0.32	1.00	2.90
	15～16	151	1.35	0.37	1.00	3.30	140	1.45	0.45	1.00	4.10
	17～18	102	1.54	0.47	1.00	3.80	82	1.40	0.35	1.00	2.70
	19～23	3	1.63	0.85	1.00	2.60	6	1.45	0.73	1.00	2.80
	合计	536	1.33	0.41	1.00	3.80	499	1.35	0.39	1.00	4.10

表 3-4-225 浙江省诸暨市学生 SCL-90 测验精神病性因子测验数据资料表

	年龄(岁)	男					女				
		n	mean	S	min.	max.	n	mean	S	min.	max.
精神病性	10~12	106	1.09	0.19	1.00	2.10	113	1.11	0.26	1.00	2.70
	13~14	81	1.18	0.23	1.00	1.80	78	1.18	0.26	1.00	2.40
	15~16	61	1.25	0.31	1.00	2.80	63	1.30	0.31	1.00	2.40
	17~18	94	1.62	0.56	1.00	3.50	79	1.55	0.43	1.00	2.80
	19~23	20	1.74	0.76	1.00	4.20	8	1.59	0.44	1.20	2.60
	合计	362	1.31	0.45	1.00	4.20	341	1.27	0.36	1.00	2.80

表 3-4-226 浙江省学生 SCL-90 测验其他因子测验均值表

年龄(岁)	男			女		
	n	mean	S	n	mean	S
10~12	654	1.37	0.47	641	1.30	0.38
13~14	614	1.32	0.36	548	1.33	0.33
15~16	460	1.43	0.50	427	1.45	0.47
17~18	507	1.54	0.48	446	1.61	0.51
19~23	86	1.63	0.60	83	1.59	0.50
合计	2,321	1.41	0.46	2,145	1.41	0.44

表 3-4-227 浙江省杭州市学生 SCL-90 测验其他因子测验数据资料表

	年龄(岁)	男					女				
		n	mean	S	min.	max.	n	mean	S	min.	max.
其他	10~12	189	1.44	0.53	1.00	3.86	191	1.34	0.39	1.00	2.86
	13~14	351	1.33	0.36	1.00	3.29	296	1.33	0.34	1.00	3.14
	15~16	147	1.35	0.44	1.00	3.14	126	1.34	0.38	1.00	3.43
	17~18	58	1.32	0.35	1.00	2.43	79	1.38	0.41	1.00	3.71
	19~23	10	1.39	0.25	1.00	1.71	13	1.31	0.18	1.14	1.57
	合计	755	1.36	0.42	1.00	3.86	705	1.34	0.36	1.00	3.71

表 3-4-228 浙江省绍兴市学生 SCL-90 测验其他因子测验数据资料表

	年龄(岁)	男					女				
		n	mean	S	min.	max.	n	mean	S	min.	max.
其他	10~12	180	1.31	0.43	1.00	3.43	166	1.24	0.34	1.00	3.29
	13~14	81	1.18	0.26	1.00	2.29	74	1.22	0.23	1.00	1.86
	15~16	101	1.53	0.62	1.00	4.14	98	1.60	0.54	1.00	3.57
	17~18	253	1.53	0.48	1.00	5.00	206	1.69	0.55	1.00	4.00
	19~23	53	1.57	0.55	1.00	3.29	56	1.66	0.54	1.00	3.43
	合计	668	1.43	0.49	1.00	5.00	600	1.49	0.51	1.00	4.00

表 3-4-229　浙江省舟山市学生 SCL-90 测验其他因子测验数据资料表

	年龄（岁）	男					女				
		n	mean	S	min.	max.	n	mean	S	min.	max.
其他	10~12	179	1.43	0.48	1.00	3.57	171	1.39	0.47	1.00	4.14
	13~14	101	1.40	0.48	1.00	3.29	100	1.42	0.37	1.00	2.57
	15~16	151	1.47	0.44	1.00	3.86	140	1.46	0.47	1.00	3.43
	17~18	102	1.57	0.48	1.00	3.43	82	1.46	0.38	1.00	3.00
	19~23	3	1.76	0.44	1.29	2.14	6	1.40	0.41	1.14	2.00
	合计	536	1.46	0.47	1.00	3.86	499	1.42	0.43	1.00	4.14

表 3-4-230　浙江省诸暨市学生 SCL-90 测验其他因子测验数据资料表

	年龄（岁）	男					女				
		n	mean	S	min.	max.	n	mean	S	min.	max.
其他	10~12	106	1.25	0.32	1.00	2.57	113	1.20	0.23	1.00	2.14
	13~14	81	1.27	0.26	1.00	2.00	78	1.30	0.34	1.00	2.57
	15~16	61	1.36	0.51	1.00	3.43	63	1.42	0.50	1.00	4.00
	17~18	94	1.66	0.50	1.00	3.57	79	1.83	0.47	1.00	3.43
	19~23	20	1.90	0.79	1.00	4.43	8	1.77	0.46	1.14	2.43
	合计	362	1.42	0.47	1.00	4.43	341	1.42	0.45	1.00	4.00

3．广西

表 3-4-231　广西壮族自治区学生 SCL-90 测验躯体化因子测验均值表

年龄（岁）	城市						农村					
	男			女			男			女		
	n	mean	S	n	mean	S	n	mean	S	n	mean	S
10~12	165	1.32	0.37	158	1.30	0.35	48	1.29	0.27	37	1.23	0.28
13~14	173	1.39	0.44	168	1.42	0.43	151	1.29	0.35	156	1.27	0.28
15~16	188	1.33	0.38	153	1.47	0.47	141	1.55	0.47	195	1.49	0.44
17~18	136	1.46	0.45	155	1.60	0.57	141	1.62	0.51	108	1.76	0.54
19~23	5	1.62	0.67	2	2.00	0.71	42	1.83	0.63	28	1.90	0.57
合计	667	1.37	0.42	636	1.45	0.47	523	1.49	0.48	524	1.48	0.47

表 3-4-232　广西南宁市学生 SCL-90 测验躯体化因子测验数据资料表

	年龄（岁）	男					女				
		n	mean	S	min.	max.	n	mean	S	min.	max.
躯体化	10~12	165	1.32	0.37	1.00	3.50	158	1.30	0.35	1.00	3.08
	13~14	173	1.39	0.44	1.00	4.00	168	1.42	0.43	1.00	3.58
	15~16	188	1.33	0.38	1.00	3.25	153	1.47	0.47	1.00	3.17
	17~18	136	1.46	0.45	1.00	3.17	155	1.60	0.57	1.00	3.67
	19~23	5	1.62	0.67	1.00	2.67	2	2.00	0.71	1.50	2.50
	合计	667	1.37	0.42	1.00	4.00	636	1.45	0.47	1.00	3.67

表 3-4-233 广西宾阳县学生 SCL-90 测验躯体化因子测验数据资料表

	年龄(岁)	男					女				
		n	mean	S	min.	max.	n	mean	S	min.	max.
躯体化	10~12	48	1.29	0.27	1.00	2.08	37	1.23	0.28	1.00	2.25
	13~14	151	1.29	0.35	1.00	3.42	156	1.27	0.28	1.00	2.67
	15~16	141	1.55	0.47	1.00	3.00	195	1.49	0.44	1.00	3.42
	17~18	141	1.62	0.51	1.00	3.50	108	1.76	0.54	1.00	3.33
	19~23	42	1.83	0.63	1.00	3.75	28	1.90	0.57	1.08	3.42
	合计	523	1.49	0.48	1.00	3.75	524	1.48	0.47	1.00	3.42

表 3-4-234 广西壮族自治区学生 SCL-90 测验强迫症状因子测验均值表

年龄(岁)	城市						农村					
	男			女			男			女		
	n	mean	S	n	mean	S	n	mean	S	n	mean	S
10~12	165	1.55	0.47	158	1.57	0.41	48	1.36	0.37	37	1.32	0.38
13~14	173	1.77	0.57	168	1.77	0.47	151	1.61	0.49	156	1.58	0.43
15~16	188	1.78	0.55	153	1.86	0.52	141	2.02	0.52	195	1.97	0.50
17~18	136	1.98	0.64	155	2.04	0.61	141	2.12	0.53	108	2.21	0.55
19~23	5	2.06	0.73	2	2.30	0.57	42	2.30	0.61	28	2.35	0.60
合计	667	1.77	0.57	636	1.81	0.53	523	1.89	0.58	524	1.88	0.57

表 3-4-235 广西南宁市学生 SCL-90 测验强迫症状因子测验数据资料表

	年龄(岁)	男					女				
		n	mean	S	min.	max.	n	mean	S	min.	max.
强迫症状	10~12	165	1.55	0.47	1.00	3.10	158	1.57	0.41	1.00	3.00
	13~14	173	1.77	0.57	1.00	3.80	168	1.77	0.47	1.00	3.50
	15~16	188	1.78	0.55	1.00	3.60	153	1.86	0.52	1.00	3.30
	17~18	136	1.98	0.64	1.00	3.90	155	2.04	0.61	1.00	4.00
	19~23	5	2.06	0.73	1.30	3.20	2	2.30	0.57	1.90	2.70
	合计	667	1.77	0.57	1.00	3.90	636	1.81	0.53	1.00	4.00

表 3-4-236 广西宾阳县学生 SCL-90 测验强迫症状因子测验数据资料表

	年龄(岁)	男					女				
		n	mean	S	min.	max.	n	mean	S	min.	max.
强迫症状	10~12	48	1.36	0.37	1.00	2.70	37	1.32	0.38	1.00	2.70
	13~14	151	1.61	0.49	1.00	3.20	156	1.58	0.43	1.00	3.30
	15~16	141	2.02	0.52	1.00	3.90	195	1.97	0.50	1.00	3.40
	17~18	141	2.12	0.53	1.00	3.50	108	2.21	0.55	1.10	3.90
	19~23	42	2.30	0.61	1.10	3.80	28	2.35	0.60	1.30	3.80
	合计	523	1.89	0.58	1.00	3.90	524	1.88	0.57	1.00	3.90

表3-4-237 广西壮族自治区学生SCL-90测验人际敏感因子测验均值表

年龄（岁）	城市						农村					
	男			女			男			女		
	n	mean	S	n	mean	S	n	mean	S	n	mean	S
10~12	165	1.50	0.57	158	1.44	0.41	48	1.26	0.45	37	1.27	0.27
13~14	173	1.61	0.58	168	1.66	0.58	151	1.55	0.52	156	1.53	0.42
15~16	188	1.64	0.55	153	1.66	0.57	141	1.96	0.59	195	1.85	0.56
17~18	136	1.76	0.60	155	1.86	0.61	141	1.99	0.58	108	2.13	0.63
19~23	5	1.93	0.70	2	2.11	0.63	42	2.23	0.58	28	2.12	0.52
合计	667	1.63	0.58	636	1.66	0.57	523	1.81	0.62	524	1.79	0.58

表3-4-238 广西南宁市学生SCL-90测验人际敏感因子测验数据资料表

	年龄（岁）	男					女				
		n	mean	S	min.	max.	n	mean	S	min.	max.
人际敏感	10~12	165	1.50	0.57	1.00	4.56	158	1.44	0.41	1.00	2.78
	13~14	173	1.61	0.58	1.00	4.11	168	1.66	0.58	1.00	4.00
	15~16	188	1.64	0.55	1.00	3.89	153	1.66	0.57	1.00	3.33
	17~18	136	1.76	0.60	1.00	4.11	155	1.86	0.61	1.00	3.67
	19~23	5	1.93	0.70	1.11	3.00	2	2.11	0.63	1.67	2.56
	合计	667	1.63	0.58	1.00	4.56	636	1.66	0.57	1.00	4.00

表3-4-239 广西宾阳县学生SCL-90测验人际敏感因子测验数据资料表

	年龄（岁）	男					女				
		n	mean	S	min.	max.	n	mean	S	min.	max.
人际敏感	10~12	48	1.26	0.45	1.00	3.89	37	1.27	0.27	1.00	2.33
	13~14	151	1.55	0.52	1.00	3.44	156	1.53	0.42	1.00	2.89
	15~16	141	1.96	0.59	1.00	4.11	195	1.85	0.56	1.00	4.11
	17~18	141	1.99	0.58	1.00	4.33	108	2.13	0.63	1.00	4.33
	19~23	42	2.23	0.58	1.33	4.00	28	2.12	0.52	1.33	3.56
	合计	523	1.81	0.62	1.00	4.33	524	1.79	0.58	1.00	4.33

表3-4-240 广西壮族自治区学生SCL-90测验抑郁因子测验均值表

年龄（岁）	城市						农村					
	男			女			男			女		
	n	mean	S	n	mean	S	n	mean	S	n	mean	S
10~12	165	1.37	0.45	158	1.35	0.35	48	1.23	0.39	37	1.20	0.30
13~14	173	1.47	0.50	168	1.52	0.49	151	1.40	0.41	156	1.43	0.40
15~16	188	1.46	0.49	153	1.56	0.50	141	1.71	0.56	195	1.78	0.53
17~18	136	1.59	0.57	155	1.80	0.64	141	1.77	0.52	108	2.04	0.63
19~23	5	1.83	0.82	2	2.04	0.27	42	1.98	0.55	28	2.10	0.57
合计	667	1.47	0.51	636	1.56	0.53	523	1.61	0.54	524	1.70	0.58

表 3-4-241 广西南宁市学生 SCL-90 测验抑郁因子测验数据资料表

	年龄（岁）	男					女				
		n	mean	S	min.	max.	n	mean	S	min.	max.
抑郁	10~12	165	1.37	0.45	1.00	3.62	158	1.35	0.35	1.00	2.92
	13~14	173	1.47	0.50	1.00	5.00	168	1.52	0.49	1.00	3.62
	15~16	188	1.46	0.49	1.00	3.92	153	1.56	0.50	1.00	3.31
	17~18	136	1.59	0.57	1.00	3.85	155	1.80	0.64	1.00	3.85
	19~23	5	1.83	0.82	1.08	3.15	2	2.04	0.27	1.85	2.23
	合计	667	1.47	0.51	1.00	5.00	636	1.56	0.53	1.00	3.85

表 3-4-242 广西宾阳县学生 SCL-90 测验抑郁因子测验数据资料表

	年龄（岁）	男					女				
		n	mean	S	min.	max.	n	mean	S	min.	max.
抑郁	10~12	48	1.23	0.39	1.00	3.38	37	1.20	0.30	1.00	2.54
	13~14	151	1.40	0.41	1.00	3.08	156	1.43	0.40	1.00	2.85
	15~16	141	1.71	0.56	1.00	4.00	195	1.78	0.53	1.00	4.15
	17~18	141	1.77	0.52	1.00	4.00	108	2.04	0.63	1.00	4.23
	19~23	42	1.98	0.55	1.08	3.23	28	2.10	0.57	1.15	3.23
	合计	523	1.61	0.54	1.00	4.00	524	1.70	0.58	1.00	4.23

表 3-4-243 广西壮族自治区学生 SCL-90 测验焦虑因子测验均值表

年龄（岁）	城市						农村					
	男			女			男			女		
	n	mean	S	n	mean	S	n	mean	S	n	mean	S
10~12	165	1.42	0.49	158	1.41	0.41	48	1.23	0.33	37	1.30	0.33
13~14	173	1.46	0.54	168	1.50	0.50	151	1.40	0.46	156	1.41	0.39
15~16	188	1.38	0.42	153	1.52	0.49	141	1.68	0.52	195	1.66	0.50
17~18	136	1.50	0.47	155	1.68	0.55	141	1.72	0.52	108	1.89	0.52
19~23	5	1.50	0.52	2	1.80	0.14	42	1.93	0.54	28	2.01	0.60
合计	667	1.44	0.48	636	1.53	0.50	523	1.59	0.53	524	1.63	0.51

表 3-4-244 广西南宁市学生 SCL-90 测验焦虑因子测验数据资料表

	年龄（岁）	男					女				
		n	mean	S	min.	max.	n	mean	S	min.	max.
焦虑	10~12	165	1.42	0.49	1.00	3.90	158	1.41	0.41	1.00	2.80
	13~14	173	1.46	0.54	1.00	4.60	168	1.50	0.50	1.00	3.10
	15~16	188	1.38	0.42	1.00	3.30	153	1.52	0.49	1.00	3.20
	17~18	136	1.50	0.47	1.00	3.50	155	1.68	0.55	1.00	3.60
	19~23	5	1.50	0.52	1.10	2.40	2	1.80	0.14	1.70	1.90
	合计	667	1.44	0.48	1.00	4.60	636	1.53	0.50	1.00	3.60

表3-4-245　广西宾阳县学生SCL-90测验焦虑因子测验数据资料表

	年龄（岁）	男					女				
		n	mean	S	min.	max.	n	mean	S	min.	max.
焦虑	10~12	48	1.23	0.33	1.00	2.90	37	1.30	0.33	1.00	2.60
	13~14	151	1.40	0.46	1.00	3.40	156	1.41	0.39	1.00	3.30
	15~16	141	1.68	0.52	1.00	4.10	195	1.66	0.50	1.00	3.70
	17~18	141	1.72	0.52	1.00	3.80	108	1.89	0.52	1.00	3.50
	19~23	42	1.93	0.54	1.20	3.60	28	2.01	0.60	1.10	3.40
	合计	523	1.59	0.53	1.00	4.10	524	1.63	0.51	1.00	3.70

表3-4-246　广西壮族自治区学生SCL-90测验敌对因子测验均值表

年龄（岁）	城市						农村					
	男			女			男			女		
	n	mean	S	n	mean	S	n	mean	S	n	mean	S
10~12	165	1.58	0.71	158	1.49	0.54	48	1.30	0.46	37	1.20	0.25
13~14	173	1.66	0.67	168	1.72	0.66	151	1.46	0.52	156	1.37	0.36
15~16	188	1.63	0.64	153	1.68	0.67	141	1.83	0.62	195	1.63	0.46
17~18	136	1.71	0.61	155	1.84	0.67	141	1.83	0.64	108	1.92	0.57
19~23	5	1.83	0.92	2	2.33	0.47	42	2.04	0.52	28	2.00	0.78
合计	667	1.65	0.66	636	1.68	0.65	523	1.69	0.62	524	1.60	0.53

表3-4-247　广西南宁市学生SCL-90测验敌对因子测验数据资料表

	年龄（岁）	男					女				
		n	mean	S	min.	max.	n	mean	S	min.	max.
敌对	10~12	165	1.58	0.71	1.00	4.33	158	1.49	0.54	1.00	4.33
	13~14	173	1.66	0.67	1.00	3.67	168	1.72	0.66	1.00	4.67
	15~16	188	1.63	0.64	1.00	4.50	153	1.68	0.67	1.00	4.00
	17~18	136	1.71	0.61	1.00	4.00	155	1.84	0.67	1.00	4.33
	19~23	5	1.83	0.92	1.00	3.33	2	2.33	0.47	2.00	2.67
	合计	667	1.65	0.66	1.00	4.50	636	1.68	0.65	1.00	4.67

表3-4-248　广西宾阳县学生SCL-90测验敌对因子测验数据资料表

	年龄（岁）	男					女				
		n	mean	S	min.	max.	n	mean	S	min.	max.
敌对	10~12	48	1.30	0.46	1.00	3.83	37	1.20	0.25	1.00	2.17
	13~14	151	1.46	0.52	1.00	3.50	156	1.37	0.36	1.00	2.83
	15~16	141	1.83	0.62	1.00	4.17	195	1.63	0.46	1.00	3.83
	17~18	141	1.83	0.64	1.00	4.83	108	1.92	0.57	1.00	4.33
	19~23	42	2.04	0.52	1.33	3.33	28	2.00	0.78	1.00	4.17
	合计	523	1.69	0.62	1.00	4.83	524	1.60	0.53	1.00	4.33

表 3-4-249　广西壮族自治区学生 SCL-90 测验恐怖因子测验均值表

年龄（岁）	城市						农村					
	男			女			男			女		
	n	mean	S	n	mean	S	n	mean	S	n	mean	S
10~12	165	1.28	0.35	158	1.36	0.39	48	1.22	0.33	37	1.24	0.24
13~14	173	1.34	0.46	168	1.42	0.44	151	1.36	0.41	156	1.44	0.44
15~16	188	1.26	0.31	153	1.39	0.38	141	1.51	0.45	195	1.66	0.57
17~18	136	1.33	0.42	155	1.55	0.53	141	1.52	0.46	108	1.86	0.63
19~23	5	1.31	0.21	2	1.79	0.71	42	1.66	0.47	28	1.85	0.64
合计	667	1.30	0.38	636	1.43	0.44	523	1.46	0.45	524	1.62	0.57

表 3-4-250　广西南宁市学生 SCL-90 测验恐怖因子测验数据资料表

	年龄（岁）	男					女				
		n	mean	S	min.	max.	n	mean	S	min.	max.
恐怖	10~12	165	1.28	0.35	1.00	2.71	158	1.36	0.39	1.00	3.00
	13~14	173	1.34	0.46	1.00	3.86	168	1.42	0.44	1.00	3.14
	15~16	188	1.26	0.31	1.00	2.71	153	1.39	0.38	1.00	2.86
	17~18	136	1.33	0.42	1.00	3.14	155	1.55	0.53	1.00	3.86
	19~23	5	1.31	0.21	1.00	1.57	2	1.79	0.71	1.29	2.29
	合计	667	1.30	0.38	1.00	3.86	636	1.43	0.44	1.00	3.86

表 3-4-251　广西宾阳县学生 SCL-90 测验恐怖因子测验数据资料表

	年龄（岁）	男					女				
		n	mean	S	min.	max.	n	mean	S	min.	max.
恐怖	10~12	48	1.22	0.33	1.00	2.43	37	1.24	0.24	1.00	1.86
	13~14	151	1.36	0.41	1.00	2.71	156	1.44	0.44	1.00	3.29
	15~16	141	1.51	0.45	1.00	3.00	195	1.66	0.57	1.00	4.29
	17~18	141	1.52	0.46	1.00	3.71	108	1.86	0.63	1.00	4.29
	19~23	42	1.66	0.47	1.00	2.71	28	1.85	0.64	1.00	4.00
	合计	523	1.46	0.45	1.00	3.71	524	1.62	0.57	1.00	4.29

表 3-4-252　广西壮族自治区学生 SCL-90 测验偏执因子测验均值表

年龄（岁）	城市						农村					
	男			女			男			女		
	n	mean	S	n	mean	S	n	mean	S	n	mean	S
10~12	165	1.50	0.51	158	1.46	0.44	48	1.28	0.45	37	1.22	0.28
13~14	173	1.60	0.50	168	1.65	0.52	151	1.42	0.46	156	1.35	0.35
15~16	188	1.65	0.56	153	1.67	0.53	141	1.74	0.56	195	1.62	0.51
17~18	136	1.77	0.59	155	1.80	0.58	141	1.83	0.56	108	1.88	0.53
19~23	5	1.87	0.63	2	2.17	0.00	42	1.98	0.51	28	1.98	0.49
合计	667	1.63	0.55	636	1.64	0.53	523	1.65	0.56	524	1.58	0.51

表3－4－253　广西南宁市学生SCL－90测验偏执因子测验数据资料表

	年龄（岁）	男 n	男 mean	男 S	男 min.	男 max.	女 n	女 mean	女 S	女 min.	女 max.
偏执	10～12	165	1.50	0.51	1.00	4.00	158	1.46	0.44	1.00	3.50
	13～14	173	1.60	0.50	1.00	3.67	168	1.65	0.52	1.00	3.67
	15～16	188	1.65	0.56	1.00	3.67	153	1.67	0.53	1.00	3.33
	17～18	136	1.77	0.59	1.00	4.33	155	1.80	0.58	1.00	3.67
	19～23	5	1.87	0.63	1.17	2.83	2	2.17	0.00	2.17	2.17
	合计	667	1.63	0.55	1.00	4.33	636	1.64	0.53	1.00	3.67

表3－4－254　广西宾阳县学生SCL－90测验偏执因子测验数据资料表

	年龄（岁）	男 n	男 mean	男 S	男 min.	男 max.	女 n	女 mean	女 S	女 min.	女 max.
偏执	10～12	48	1.28	0.45	1.00	3.50	37	1.22	0.28	1.00	2.17
	13～14	151	1.42	0.46	1.00	3.00	156	1.35	0.35	1.00	2.50
	15～16	141	1.74	0.56	1.00	4.00	195	1.62	0.51	1.00	4.00
	17～18	141	1.83	0.56	1.00	4.00	108	1.88	0.53	1.00	3.83
	19～23	42	1.98	0.51	1.17	3.00	28	1.98	0.49	1.17	3.50
	合计	523	1.65	0.56	1.00	4.00	524	1.58	0.51	1.00	4.00

表3－4－255　广西壮族自治区学生SCL－90测验精神病性因子测验均值表

年龄（岁）	城市						农村					
	男			女			男			女		
	n	mean	S	n	mean	S	n	mean	S	n	mean	S
10～12	165	1.30	0.39	158	1.31	0.36	48	1.20	0.38	37	1.28	0.37
13～14	173	1.44	0.47	168	1.44	0.44	151	1.39	0.40	156	1.36	0.35
15～16	188	1.45	0.51	153	1.49	0.46	141	1.68	0.53	195	1.63	0.44
17～18	136	1.53	0.54	155	1.61	0.47	141	1.77	0.52	108	1.85	0.50
19～23	5	1.58	0.57	2	1.70	0.00	42	1.96	0.60	28	1.95	0.43
合计	667	1.43	0.48	636	1.46	0.45	523	1.60	0.53	524	1.59	0.47

表3－4－256　广西南宁市学生SCL－90测验精神病性因子测验数据资料表

	年龄（岁）	男 n	男 mean	男 S	男 min.	男 max.	女 n	女 mean	女 S	女 min.	女 max.
精神病性	10～12	165	1.30	0.39	1.00	3.80	158	1.31	0.36	1.00	3.20
	13～14	173	1.44	0.47	1.00	3.80	168	1.44	0.44	1.00	3.40
	15～16	188	1.45	0.51	1.00	4.20	153	1.49	0.46	1.00	3.20
	17～18	136	1.53	0.54	1.00	4.00	155	1.61	0.47	1.00	3.10
	19～23	5	1.58	0.57	1.00	2.50	2	1.70	0.00	1.70	1.70
	合计	667	1.43	0.48	1.00	4.20	636	1.46	0.45	1.00	3.40

表 3-4-257　广西宾阳县学生 SCL-90 测验精神病性因子测验数据资料表

	年龄（岁）	男					女				
		n	mean	S	min.	max.	n	mean	S	min.	max.
精神病性	10~12	48	1.20	0.38	1.00	3.20	37	1.28	0.37	1.00	3.20
	13~14	151	1.39	0.40	1.00	2.80	156	1.36	0.35	1.00	2.60
	15~16	141	1.68	0.53	1.00	3.70	195	1.63	0.44	1.00	3.50
	17~18	141	1.77	0.52	1.00	3.50	108	1.85	0.50	1.10	3.40
	19~23	42	1.96	0.60	1.00	3.40	28	1.95	0.43	1.20	2.70
	合计	523	1.60	0.53	1.00	3.70	524	1.59	0.47	1.00	3.50

表 3-4-258　广西壮族自治区学生 SCL-90 测验其他因子测验均值表

年龄（岁）	城市						农村					
	男			女			男			女		
	n	mean	S	n	mean	S	n	mean	S	n	mean	S
10~12	165	1.53	0.49	158	1.42	0.39	48	1.31	0.40	37	1.28	0.34
13~14	173	1.59	0.55	168	1.52	0.48	151	1.42	0.43	156	1.39	0.37
15~16	188	1.56	0.54	153	1.56	0.45	141	1.67	0.51	195	1.67	0.52
17~18	136	1.62	0.55	155	1.68	0.50	141	1.85	0.61	108	1.93	0.56
19~23	5	1.89	0.59	2	1.79	0.10	42	2.00	0.49	28	1.96	0.60
合计	667	1.57	0.53	636	1.55	0.47	523	1.64	0.55	524	1.63	0.53

表 3-4-259　广西南宁市学生 SCL-90 测验其他因子测验数据资料表

	年龄（岁）	男					女				
		n	mean	S	min.	max.	n	mean	S	min.	max.
其他	10~12	165	1.53	0.49	1.00	3.57	158	1.42	0.39	1.00	2.86
	13~14	173	1.59	0.55	1.00	3.86	168	1.52	0.48	1.00	3.86
	15~16	188	1.56	0.54	1.00	4.14	153	1.56	0.45	1.00	3.00
	17~18	136	1.62	0.55	1.00	3.86	155	1.68	0.50	1.00	3.43
	19~23	5	1.89	0.59	1.43	2.86	2	1.79	0.10	1.71	1.86
	合计	667	1.57	0.53	1.00	4.14	636	1.55	0.47	1.00	3.86

表 3-4-260　广西宾阳县学生 SCL-90 测验其他因子测验数据资料表

	年龄（岁）	男					女				
		n	mean	S	min.	max.	n	mean	S	min.	max.
其他	10~12	48	1.31	0.40	1.00	3.14	37	1.28	0.34	1.00	2.71
	13~14	151	1.42	0.43	1.00	3.29	156	1.39	0.37	1.00	2.86
	15~16	141	1.67	0.51	1.00	3.43	195	1.67	0.52	1.00	3.71
	17~18	141	1.85	0.61	1.00	4.14	108	1.93	0.56	1.00	3.71
	19~23	42	2.00	0.49	1.14	3.00	28	1.96	0.60	1.00	3.71
	合计	523	1.64	0.55	1.00	4.14	524	1.63	0.53	1.00	3.71

（三）学生社会行为

河北、浙江省和广西壮族自治区学生社会行为量表6因子：1. 人际交往技能、2. 自我管理技能、3. 学业技能、4. 敌对－易怒、5. 反社会－攻击性、6. 冲动性－强求因子的测试情况

1. 河北省

表3－4－261　河北省学生社会行为量表人际交往技能因子测验均值表

年龄（岁）	城市						农村					
	男			女			男			女		
	n	mean	S	n	mean	S	n	mean	S	n	mean	S
10～12	70	44.09	16.99	60	50.30	19.47	2	57.00	7.07	0		
13～14	62	45.05	12.30	76	52.29	10.99	62	49.90	13.44	76	56.14	10.51
15～16	39	42.90	13.15	33	46.85	14.85	110	52.84	13.93	106	55.46	12.53
17～18	4	40.00	20.02	4	48.75	7.46	72	53.72	13.42	59	58.59	7.48
合计	175	44.07	14.60	173	50.48	15.12	246	52.39	13.64	241	56.44	10.87

表3－4－262　河北省唐山市学生社会行为量表人际交往技能因子测验数据资料表

年龄（岁）	男					女				
	n	mean	S	min.	max.	n	mean	S	min.	max.
10～12	50	42.72	19	14	70	51	49.51	20.75	15	70
13～14	61	45.26	12.28	19	70	76	52.29	10.99	26	70
15～16	39	42.9	13.15	14	70	32	46.19	14.58	14	68
17～18	4	40	20.02	16	61	4	48.75	7.455	40	58
合计	154	43.7	15.08	14	70	163	50.13	15.36	14	70

表3－4－263　河北省唐海县学生社会行为量表人际交往技能因子测验数据资料表

年龄（岁）	男					女				
	n	mean	S	min.	max.	n	mean	S	min.	max.
13～14	21	57.57	10.59	35	70	28	63.5	5.16	53	70
15～16	89	55.56	12.94	16	70	92	57.09	11.62	26	70
17～18	70	53.67	13.61	14	70	58	58.83	7.322	37	70
合计	180	55.06	12.95	14	70	178	58.66	9.786	26	70

表3－4－264　河北省学生社会行为量表自我管理技能因子测验均值表

年龄（岁）	城市						农村					
	男			女			男			女		
	n	mean	S	n	mean	S	n	mean	S	n	mean	S
10～12	70	32.16	12.94	60	36.87	14.85	2	44.00	1.41	0		
13～14	62	34.61	9.27	76	40.66	7.81	62	37.65	8.76	76	42.05	6.75
15～16	39	32.36	10.12	33	35.42	11.04	110	40.28	9.93	106	41.80	8.38
17～18	4	30.50	16.36	4	40.75	4.72	72	40.04	9.04	59	43.46	5.83
合计	175	33.03	11.18	173	38.35	11.41	246	39.58	9.38	241	42.29	7.33

表 3-4-265 河北省唐山市学生社会行为量表自我管理技能因子测验数据资料表

年龄（岁）	男					女				
	n	mean	S	min.	max.	n	mean	S	min.	max.
10~12	50	30.76	14.02	10	50	51	36.31	15.71	10	50
13~14	61	34.75	9.284	12	50	76	40.66	7.807	19	50
15~16	39	32.36	10.12	10	50	32	35.09	11.05	10	50
17~18	4	30.5	16.36	11	45	4	40.75	4.717	34	45
合计	154	32.74	11.43	10	50	163	38.21	11.58	10	50

表 3-4-266 河北省唐海县学生社会行为量表自我管理技能因子测验数据资料表

年龄（岁）	男					女				
	n	mean	S	min.	max.	n	mean	S	min.	max.
13~14	21	41.9	8.191	26	50	28	46.89	2.47	41	50
15~16	89	41.96	9.492	17	50	92	42.77	8.092	15	50
17~18	70	39.89	9.123	10	50	58	43.74	5.46	24	50
合计	180	41.14	9.213	10	50	178	43.74	6.801	15	50

表 3-4-267 河北省学生社会行为量表学业技能因子测验均值表

年龄（岁）	城市						农村					
	男			女			男			女		
	n	mean	S	n	mean	S	n	mean	S	n	mean	S
10~12	70	26.10	11.06	60	29.98	12.10	2	31.50	2.12	0		
13~14	62	26.61	8.11	76	31.74	6.55	62	30.06	7.26	76	34.14	5.79
15~16	39	27.15	8.34	33	29.79	9.24	110	30.87	8.14	106	33.60	6.79
17~18	4	26.50	13.48	4	31.50	5.97	72	31.39	7.75	59	34.41	5.12
合计	175	26.53	9.49	173	30.75	9.29	246	30.83	7.76	241	33.97	6.09

表 3-4-268 河北省唐山市学生社会行为量表学业技能因子测验数据资料表

年龄（岁）	男					女				
	n	mean	S	min.	max.	n	mean	S	min.	max.
10~12	50	25.12	12.45	8	40	51	29.37	12.8	8	40
13~14	61	26.57	8.174	12	40	76	31.74	6.549	13	40
15~16	39	27.15	8.34	8	40	32	29.53	9.263	8	40
17~18	4	26.5	13.48	8	37	4	31.5	5.972	23	37
合计	154	26.25	9.867	8	40	163	30.56	9.425	8	40

表 3-4-269 河北省唐海县学生社会行为量表学业技能因子测验数据资料表

年龄（岁）	男					女				
	n	mean	S	min.	max.	n	mean	S	min.	max.
13~14	21	32.57	5.353	20	40	28	37.36	2.422	31	40
15~16	89	32.15	7.552	11	40	92	34.37	6.376	12	40
17~18	70	31.29	7.836	8	40	58	34.64	4.847	16	40
合计	180	31.86	7.425	8	40	178	34.93	5.521	12	40

表 3-4-270 河北省学生社会行为量表敌对-易怒因子测验均值表

年龄（岁）	城市						农村					
	男			女			男			女		
	n	mean	S	n	mean	S	n	mean	S	n	mean	S
10~12	70	21.79	11.62	60	18.77	11.60	2	21.50	3.54	0		
13~14	62	22.08	9.51	76	17.99	7.14	62	23.66	13.28	76	20.54	9.22
15~16	39	25.21	11.29	33	20.24	7.93	110	19.97	9.58	106	17.35	5.26
17~18	4	19.50	7.77	4	18.25	1.26	72	19.00	7.79	59	16.98	3.47
合计	175	22.60	10.78	173	18.69	8.99	246	20.63	10.28	241	18.27	6.63

表 3-4-271 河北省唐山市学生社会行为量表敌对-易怒因子测验数据资料表

年龄（岁）	男					女				
	n	mean	S	min.	max.	n	mean	S	min.	max.
10~12	50	21.76	13.13	14	70	51	18.29	12.36	14	69
13~14	61	22.18	9.561	14	55	76	17.99	7.143	14	40
15~16	39	25.21	11.29	14	59	32	20.31	8.042	14	48
17~18	4	19.5	7.767	14	31	4	18.25	1.258	17	20
合计	154	22.74	11.23	14	70	163	18.55	9.165	14	69

表 3-4-272 河北省唐海县学生社会行为量表敌对-易怒因子测验数据资料表

年龄（岁）	男					女				
	n	mean	S	min.	max.	n	mean	S	min.	max.
13~14	21	17.05	3.339	14	24	28	15.75	1.798	14	20
15~16	89	18.82	8.67	14	66	92	17.03	5.328	14	42
17~18	70	18.96	7.893	14	65	58	17.03	3.474	14	26
合计	180	18.67	7.91	14	66	178	16.83	4.381	14	42

表 3-4-273 河北省学生社会行为量表反社会-攻击性因子测验均值表

年龄（岁）	城市						农村					
	男			女			男			女		
	n	mean	S	n	mean	S	n	mean	S	n	mean	S
10~12	70	14.39	7.77	60	12.22	8.06	2	16.00	8.49	0		
13~14	62	15.42	7.43	76	12.45	5.09	62	16.18	9.91	76	13.61	7.45
15~16	39	16.00	8.83	33	12.58	7.04	110	14.32	6.98	106	11.48	3.61
17~18	4	10.75	1.50	4	10.50	1.00	72	13.35	5.67	59	12.03	3.14
合计	175	15.03	7.82	173	12.35	6.55	246	14.52	7.54	241	12.29	5.13

表 3-4-274 河北省唐山市学生社会行为量表反社会-攻击性因子测验数据资料表

年龄（岁）	男					女				
	n	mean	S	min.	max.	n	mean	S	min.	max.
10~12	50	14.6	8.654	10	50	51	12.2	8.56	10	49
13~14	61	15.49	7.465	10	42	76	12.45	5.095	10	32
15~16	39	16	8.829	10	49	32	12.59	7.152	10	48
17~18	4	10.75	1.5	10	13	4	10.5	1	10	12
合计	154	15.21	8.129	10	50	163	12.35	6.675	10	49

表 3-4-275　河北省唐海县学生社会行为量表反社会-攻击性因子测验数据资料表

年龄（岁）	男					女				
	n	mean	S	min.	max.	n	mean	S	min.	max.
13~14	21	12	2.569	10	18	28	10.5	1.106	10	15
15~16	89	13.55	6.371	10	48	92	11.59	3.838	10	31
17~18	70	13.36	5.733	10	47	58	12.07	3.156	10	26
合计	180	13.29	5.796	10	48	178	11.57	3.351	10	31

表 3-4-276　河北省学生社会行为量表冲动性-强求因子测验均值表

年龄（岁）	城市						农村					
	男			女			男			女		
	n	mean	S	n	mean	S	n	mean	S	n	mean	S
10~12	70	13.57	6.62	60	11.27	7.12	2	14.50	2.12	0		
13~14	62	14.35	5.98	76	11.41	4.02	62	15.32	8.78	76	12.70	5.96
15~16	39	15.23	7.70	33	12.48	4.80	110	12.65	5.76	106	11.24	3.97
17~18	4	10.75	3.50	4	13.50	3.70	72	12.22	5.64	59	10.80	2.12
合计	175	14.15	6.62	173	11.61	5.41	246	13.22	6.69	241	11.59	4.44

表 3-4-277　河北省唐山市学生社会行为量表冲动性-强求因子测验数据资料表

年龄（岁）	男					女				
	n	mean	S	min.	max.	n	mean	S	min.	max.
10~12	50	13.86	7.265	9	41	51	11.2	7.653	9	42
13~14	61	14.44	5.993	9	35	76	11.41	4.021	9	26
15~16	39	15.23	7.703	9	39	32	12.5	4.873	9	32
17~18	4	10.75	3.5	9	16	4	13.5	3.697	9	18
合计	154	14.36	6.825	9	41	163	11.61	5.538	9	42

表 3-4-278　河北省唐海县学生社会行为量表冲动性-强求因子测验数据资料表

年龄（岁）	男					女				
	n	mean	S	min.	max.	n	mean	S	min.	max.
13~14	21	11.29	2.813	9	21	28	10.36	1.768	9	16
15~16	89	11.73	5.081	9	32	92	11.08	3.931	9	34
17~18	70	12.2	5.714	9	40	58	10.83	2.129	9	17
合计	180	11.86	5.124	9	40	178	10.88	3.154	9	34

2．浙江省

表 3-4-279　浙江省学生社会行为量表人际交往技能因子测验均值表

年龄（岁）	性别					
	男			女		
	n	mean	S	n	mean	S
10~12	539	38.93	16.99	512	43.05	17.56
13~14	414	41.08	14.06	383	45.95	13.94
15~16	366	44.59	14.48	335	48.80	13.53
17~18	414	48.53	12.50	373	50.68	11.82
19~21	85	46.59	12.87	72	46.58	10.96
合计	1,818	43.10	15.15	1,675	46.71	14.82

表3-4-280 浙江省杭州市学生社会行为量表人际交往技能因子测验数据资料表

年龄（岁）	男					女				
	n	mean	S	min.	max.	n	mean	S	min.	max.
10~12	124	41.7	13.55	14	70	100	46.62	14.8	14	70
13~14	232	41.25	15.17	14	70	214	46.5	14.62	16	70
15~16	116	39.73	14.93	14	70	79	46.32	14.36	15	70
17~18	63	49.68	12.2	28	67	83	50.82	12.59	20	70
合计	535	42.02	14.68	14	70	476	47.25	14.33	14	70

表3-4-281 浙江省绍兴市学生社会行为量表人际交往技能因子测验数据资料表

年龄（岁）	男					女				
	n	mean	S	min.	max.	n	mean	S	min.	max.
10~12	135	32.75	18.66	14.00	70.00	127	34.27	18.71	14.00	70.00
13~14	35	45.20	14.16	15.00	70.00	31	53.23	13.61	19.00	70.00
15~16	58	46.50	14.46	16.00	70.00	66	48.77	14.53	14.00	70.00
17~18	170	45.91	12.70	15.00	70.00	137	48.58	12.66	15.00	70.00
19~21	57	44.11	13.44	14.00	69.00	58	46.02	11.85	20.00	70.00
合计	455	41.80	16.17	14.00	70.00	419	44.26	16.40	14.00	70.00

表3-4-282 浙江省舟山市学生社会行为量表人际交往技能因子测验数据资料表

年龄（岁）	男					女				
	n	mean	S	min.	max.	n	mean	S	min.	max.
10~12	195	41.86	15.26	14.00	70.00	193	48.52	14.70	15.00	70.00
13~14	114	40.80	10.96	18.00	70.00	102	44.65	11.26	22.00	69.00
15~16	156	48.52	12.45	17.00	70.00	152	50.93	11.55	17.00	70.00
17~18	101	50.07	10.56	20.00	70.00	84	52.08	10.48	14.00	70.00
19~21	2	53.50	12.02	45.00	62.00	5	50.80	8.90	37.00	60.00
合计	568	44.98	13.46	14.00	70.00	536	.49.05	12.77	14.00	70.00

表3-4-283 浙江省诸暨市学生社会行为量表人际交往技能因子测验数据资料表

年龄（岁）	男					女				
	n	mean	S	min.	max.	n	mean	S	min.	max.
10~12	85	37.96	19.83	14.00	70.00	92	39.79	18.87	14.00	70.00
13~14	33	36.58	14.62	14.00	64.00	36	40.06	14.40	16.00	70.00
15~16	36	40.14	15.95	14.00	70.00	38	45.47	16.13	14.00	70.00
17~18	80	51.24	13.72	15.00	70.00	69	52.97	10.09	31.00	69.00
19~21	26	51.50	10.18	32.00	69.00	9	47.89	3.10	43.00	53.00
合计	260	43.53	17.27	14.00	70.00	244	44.74	16.24	14.00	70.00

表 3－4－284 浙江省学生社会行为量表自我管理技能因子测验均值表

年龄（岁）	性别					
	男			女		
	n	mean	S	n	mean	S
10～12	539	29.22	12.32	512	32.07	12.58
13～14	414	31.50	10.58	383	35.59	9.78
15～16	366	33.61	10.03	335	37.30	9.25
17～18	414	36.56	8.53	373	38.35	8.19
19～21	85	33.45	8.32	72	35.67	6.97
合计	1,818	32.49	10.85	1,675	35.47	10.50

表 3－4－285 浙江省杭州市学生社会行为量表自我管理技能因子测验数据资料表

年龄（岁）	男					女				
	n	mean	S	min.	max.	n	mean	S	min.	max.
10～12	124	31.24	10.09	10	50	100	35.37	10.5	11	50
13～14	232	31.56	11.18	10	50	214	36.36	10.1	10	50
15～16	116	30.2	10.61	10	50	79	36.67	9.264	11	50
17～18	63	36.84	8.365	22	50	83	38.89	9.102	17	50
合计	535	31.81	10.66	10	50	476	36.64	9.921	10	50

表 3－4－286 浙江省绍兴市学生社会行为量表自我管理技能因子测验数据资料表

年龄（岁）	男					女				
	n	mean	S	min.	max.	n	mean	S	min.	max.
10～12	135	23.31	12.98	10.00	50.00	127	24.19	12.65	10.00	50.00
13～14	35	34.89	10.21	12.00	50.00	31	39.00	10.45	13.00	50.00
15～16	58	34.83	9.40	10.00	50.00	66	36.59	10.93	10.00	50.00
17～18	170	34.94	8.93	10.00	50.00	137	37.07	8.31	10.00	50.00
19～21	57	32.33	8.73	10.00	50.00	58	35.34	7.16	20.00	50.00
合计	455	31.15	11.59	10.00	50.00	419	33.00	11.77	10.00	50.00

表 3－4－287 浙江省舟山市学生社会行为量表自我管理技能因子测验数据资料表

年龄（岁）	男					女				
	n	mean	S	min.	max.	n	mean	S	min.	max.
10～12	195	32.62	10.67	12.00	50.00	193	36.70	10.52	11.00	50.00
13～14	114	31.50	8.93	13.00	50.00	102	34.34	8.27	16.00	50.00
15～16	156	36.38	8.70	10.00	50.00	152	38.99	7.46	15.00	50.00
17～18	101	39.26	6.53	17.00	50.00	84	40.33	6.66	11.00	50.00
19～21	2	42.00	4.24	39.00	45.00	5	42.40	6.35	32.00	49.00
合计	568	34.64	9.55	10.00	50.00	536	37.53	8.93	11.00	50.00

表 3-4-288 浙江省诸暨市学生社会行为量表自我管理技能因子测验数据资料表

年龄（岁）	男					女				
	n	mean	S	min.	max.	n	mean	S	min.	max.
10~12	85	27.86	14.19	10.00	50.00	92	29.62	12.80	10.00	50.00
13~14	33	27.48	11.04	10.00	49.00	36	31.64	9.89	10.00	49.00
15~16	36	30.61	10.70	11.00	50.00	38	33.08	11.07	13.00	49.00
17~18	80	36.38	9.25	13.00	50.00	69	37.84	8.13	22.00	50.00
19~21	26	35.23	6.99	22.00	48.00	9	34.00	3.57	29.00	39.00
合计	260	31.55	11.91	10.00	50.00	244	32.94	11.15	10.00	50.00

表 3-4-289 浙江省学生社会行为量表学业技能因子测验均值表

年龄（岁）	性别					
	男			女		
	n	mean	S	n	mean	S
10~12	539	23.98	9.72	512	26.47	9.92
13~14	414	25.37	8.44	383	28.79	7.74
15~16	366	26.74	8.31	335	30.04	7.46
17~18	414	28.96	7.28	373	31.06	6.43
19~21	85	26.87	6.95	72	29.72	5.87
合计	1,818	26.12	8.70	1,675	28.88	8.28

表 3-4-290 浙江省杭州市学生社会行为量表学业技能因子测验数据资料表

年龄（岁）	男					女				
	n	mean	S	min.	max.	n	mean	S	min.	max.
10~12	124	25.95	8.055	8	40	100	29.08	8.649	10	40
13~14	232	25.67	8.878	8	40	214	29.36	8.12	9	40
15~16	116	24.22	8.628	8	40	79	29.29	7.7	8	40
17~18	63	28.75	7.414	15	40	83	30.39	7.506	11	40
合计	535	25.78	8.546	8	40	476	29.47	8.05	8	40

表 3-4-291 浙江省绍兴市学生社会行为量表学业技能因子测验数据资料表

年龄（岁）	男					女				
	n	mean	S	min.	max.	n	mean	S	min.	max.
10~12	135	19.21	9.96	8.00	40.00	127	20.46	10.04	8.00	40.00
13~14	35	28.37	7.94	10.00	40.00	31	31.10	7.80	9.00	40.00
15~16	58	28.38	8.15	11.00	40.00	66	29.47	8.54	8.00	40.00
17~18	170	28.00	7.93	8.00	40.00	137	30.55	6.69	9.00	40.00
19~21	57	25.58	7.05	8.00	39.00	58	29.72	6.15	10.00	40.00
合计	455	25.16	9.36	8.00	40.00	419	27.25	9.28	8.00	40.00

表 3-4-292 浙江省舟山市学生社会行为量表学业技能因子测验数据资料表

年龄（岁）	男					女				
	n	mean	S	min.	max.	n	mean	S	min.	max.
10~12	195	26.32	8.38	8.00	40.00	193	29.73	8.21	8.00	40.00
13~14	114	24.99	7.01	9.00	40.00	102	27.78	6.61	14.00	40.00
15~16	156	28.65	7.34	10.00	40.00	152	31.49	6.24	11.00	40.00
17~18	101	30.27	5.77	11.00	40.00	84	32.93	4.43	19.00	40.00
19~21	2	35.00	2.83	33.00	37.00	5	31.40	6.07	22.00	38.00
合计	568	27.42	7.62	8.00	40.00	536	30.38	7.04	8.00	40.00

表 3-4-293 浙江省诸暨市学生社会行为量表学业技能因子测验数据资料表

年龄（岁）	男					女				
	n	mean	S	min.	max.	n	mean	S	min.	max.
10~12	85	23.31	11.60	8.00	40.00	92	25.09	10.33	8.00	40.00
13~14	33	21.39	9.03	8.00	37.00	36	26.33	7.64	10.00	40.00
15~16	36	24.00	8.87	8.00	40.00	38	26.79	8.33	10.00	40.00
17~18	80	29.53	7.25	10.00	40.00	69	30.62	6.25	18.00	40.00
19~21	26	29.08	6.05	17.00	38.00	9	28.78	3.93	23.00	35.00
合计	260	25.65	9.71	8.00	40.00	244	27.24	8.70	8.00	40.00

表 3-4-294 浙江省学生社会行为量表敌对-易怒因子测验均值表

年龄（岁）	性别					
	男			女		
	n	mean	S	n	mean	S
10~12	539	22.24	10.96	512	20.65	11.30
13~14	414	24.10	11.20	383	20.30	9.44
15~16	366	22.62	10.57	335	18.63	6.40
17~18	414	20.01	8.20	373	18.53	6.01
19~21	85	22.08	7.89	72	21.25	7.46
合计	1,818	22.22	10.32	1,675	19.72	8.88

表 3-4-295 浙江省杭州市学生社会行为量表敌对-易怒因子测验数据资料表

年龄（岁）	男					女				
	n	mean	S	min.	max.	n	mean	S	min.	max.
10~12	124	23.26	9.441	14	60	100	18.76	5.023	14	42
13~14	232	23.37	10.68	14	70	214	18.5	6.416	14	54
15~16	116	24.01	11.26	14	65	79	18.77	5.837	14	39
17~18	63	18.06	6.445	14	39	83	17.45	4.961	14	35
合计	535	22.86	10.25	14	70	476	18.41	5.812	14	54

表 3－4－296 浙江省绍兴市学生社会行为量表敌对－易怒因子测验数据资料表

年龄（岁）	男					女				
	n	mean	S	min.	max.	n	mean	S	min.	max.
10～12	135	18.97	7.74	14.00	62.00	127	17.71	6.14	14.00	50.00
13～14	35	20.74	8.63	14.00	48.00	31	18.71	7.75	14.00	44.00
15～16	58	21.52	7.94	14.00	43.00	66	18.29	5.39	14.00	39.00
17～18	170	21.99	9.29	14.00	63.00	137	20.23	7.49	14.00	70.00
19～21	57	20.60	6.95	14.00	51.00	58	21.36	7.94	14.00	49.00
合计	455	20.76	8.42	14.00	63.00	419	19.21	6.99	14.00	70.00

表 3－4－297 浙江省舟山市学生社会行为量表敌对－易怒因子测验数据资料表

年龄（岁）	男					女				
	n	mean	S	min.	max.	n	mean	S	min.	max.
10～12	195	23.95	12.72	14.00	70.00	193	22.57	13.66	14.00	69.00
13～14	114	26.79	12.85	14.00	62.00	102	24.53	13.68	14.00	63.00
15～16	156	21.69	10.29	14.00	62.00	152	18.28	6.39	14.00	51.00
17～18	101	18.19	6.27	14.00	59.00	84	17.08	4.12	14.00	36.00
19～21	2	19.50	7.78	14.00	25.00	5	20.80	3.90	17.00	26.00
合计	568	22.86	11.49	14.00	70.00	536	20.85	11.15	14.00	69.00

表 3－4－298 浙江省诸暨市学生社会行为量表敌对－易怒因子测验数据资料表

年龄（岁）	男					女				
	n	mean	S	min.	max.	n	mean	S	min.	max.
10～12	85	21.99	11.96	14.00	63.00	92	22.73	14.71	14.00	70.00
13～14	33	23.48	9.51	14.00	56.00	36	20.42	7.58	14.00	43.00
15～16	36	23.97	12.80	14.00	70.00	38	20.32	8.77	14.00	60.00
17～18	80	19.61	8.26	14.00	56.00	69	18.20	5.01	14.00	37.00
19～21	26	25.54	8.99	14.00	51.00	9	20.78	5.97	14.00	31.00
合计	260	22.08	10.59	14.00	70.00	244	20.66	10.61	14.00	70.00

表 3－4－299 浙江省学生社会行为量表反社会－攻击性因子测验均值表

年龄（岁）	性别					
	男			女		
	n	mean	S	n	mean	S
10～12	539	14.88	7.97	512	13.63	8.35
13～14	414	16.10	8.18	383	13.15	6.69
15～16	366	15.02	7.50	335	11.93	3.86
17～18	414	13.00	5.40	373	11.68	3.64
19～21	85	14.38	4.96	72	12.99	5.85
合计	1,818	14.73	7.36	1,675	12.72	6.29

表 3-4-300 浙江省杭州市学生社会行为量表反社会-攻击性因子测验数据资料表

年龄（岁）	男					女				
	n	mean	S	min.	max.	n	mean	S	min.	max.
10~12	124	14.75	7.15	10	47	100	11.56	3.112	10	31
13~14	232	15.85	7.692	10	50	214	12.03	4.049	10	34
15~16	116	16.41	8.519	10	47	79	11.99	3.224	10	24
17~18	63	12.54	4.355	10	27	83	11.77	2.948	10	23
合计	535	15.33	7.522	10	50	476	11.88	3.552	10	34

表 3-4-301 浙江省绍兴市学生社会行为量表反社会-攻击性因子测验数据资料表

年龄（岁）	男					女				
	n	mean	S	min.	max.	n	mean	S	min.	max.
10~12	135	12.99	4.52	10.00	41.00	127	11.81	4.64	10.00	44.00
13~14	35	13.03	5.83	10.00	31.00	31	12.10	4.31	10.00	30.00
15~16	58	13.36	4.49	10.00	28.00	66	11.26	2.15	10.00	20.00
17~18	170	13.88	6.28	10.00	49.00	137	11.86	4.54	10.00	50.00
19~21	57	13.18	4.37	10.00	33.00	58	13.07	6.34	10.00	39.00
合计	455	13.40	5.32	10.00	49.00	419	11.94	4.58	10.00	50.00

表 3-4-302 浙江省舟山市学生社会行为量表反社会-攻击性因子测验数据资料表

年龄（岁）	男					女				
	n	mean	S	min.	max.	n	mean	S	min.	max.
10~12	195	16.24	9.57	10.00	50.00	193	15.12	10.12	10.00	50.00
13~14	114	17.65	9.50	10.00	45.00	102	16.13	10.59	10.00	49.00
15~16	156	14.46	7.01	10.00	48.00	152	11.93	4.49	10.00	38.00
17~18	101	11.87	4.08	10.00	41.00	84	10.85	1.81	10.00	23.00
19~21	2	12.00	2.83	10.00	14.00	5	11.60	1.95	10.00	15.00
合计	568	15.24	8.33	10.00	50.00	536	13.71	8.26	10.00	50.00

表 3-4-303 浙江省诸暨市学生社会行为量表反社会-攻击性因子测验数据资料表

年龄（岁）	男					女				
	n	mean	S	min.	max.	n	mean	S	min.	max.
10~12	85	14.99	8.81	10.00	46.00	92	15.25	10.88	10.00	50.00
13~14	33	15.73	7.86	10.00	45.00	36	12.22	3.68	10.00	25.00
15~16	36	15.67	9.20	10.00	50.00	38	12.97	4.52	10.00	26.00
17~18	80	12.89	5.37	10.00	32.00	69	12.22	3.92	10.00	30.00
19~21	26	17.19	5.26	10.00	29.00	9	13.22	3.73	10.00	21.00
合计	260	14.75	7.59	10.00	50.00	244	13.52	7.49	10.00	50.00

表 3－4－304 浙江省学生社会行为量表冲动性－强求因子测验均值表

年龄（岁）	性别					
	男			女		
	n	mean	S	n	mean	S
10～12	539	13.83	7.43	512	12.57	7.47
13～14	414	14.66	7.30	383	12.42	6.31
15～16	366	13.78	6.81	335	11.06	3.82
17～18	414	12.15	5.03	373	11.22	3.78
19～21	85	13.21	4.98	72	12.64	4.94
合计	1,818	13.60	6.74	1,675	11.93	5.80

表 3－4－305 浙江省杭州市学生社会行为量表冲动性－强求因子测验数据资料表

年龄（岁）	男					女				
	n	mean	S	min.	max.	n	mean	S	min.	max.
10～12	124	14.18	6.65	9	41	100	10.83	2.704	9	20
13～14	232	14.11	6.944	9	45	214	11.05	3.817	9	35
15～16	116	14.31	7.075	9	42	79	10.89	3.174	9	25
17～18	63	11.75	4.501	9	25	83	11	3.25	9	23
合计	535	13.89	6.693	9	45	476	10.97	3.398	9	35

表 3－4－306 浙江省绍兴市学生社会行为量表冲动性－强求因子测验数据资料表

年龄（岁）	男					女				
	n	mean	S	min.	max.	n	mean	S	min.	max.
10～12	135	11.69	4.43	9.00	33.00	127	10.91	4.23	9.00	35.00
13～14	35	11.89	4.99	9.00	27.00	31	11.74	6.07	9.00	32.00
15～16	58	12.76	5.20	9.00	28.00	66	10.71	3.15	9.00	22.00
17～18	170	12.96	5.56	9.00	42.00	137	11.88	4.85	9.00	45.00
19～21	57	12.39	3.99	9.00	26.00	58	12.53	5.06	9.00	31.00
合计	455	12.40	4.98	9.00	42.00	419	11.48	4.60	9.00	45.00

表 3－4－307 浙江省舟山市学生社会行为量表冲动性－强求因子测验数据资料表

年龄（岁）	男					女				
	n	mean	S	min.	max.	n	mean	S	min.	max.
10～12	195	15.17	8.66	9.00	45.00	193	13.91	8.95	9.00	43.00
13～14	114	16.76	8.28	9.00	39.00	102	15.66	9.36	9.00	42.00
15～16	156	13.65	6.70	9.00	41.00	152	11.18	4.27	9.00	34.00
17～18	101	11.20	4.22	9.00	40.00	84	10.55	2.34	9.00	22.00
19～21	2	11.00	2.83	9.00	13.00	5	12.80	3.63	10.00	19.00
合计	568	14.35	7.62	9.00	45.00	536	12.93	7.41	9.00	43.00

表 3-4-308 浙江省诸暨市学生社会行为量表冲动性-强求因子测验数据资料表

年龄(岁)	男					女				
	n	mean	S	min.	max.	n	mean	S	min.	max.
10~12	85	13.68	8.51	9.00	45.00	92	13.92	9.94	9.00	45.00
13~14	33	14.21	6.73	9.00	41.00	36	11.94	4.24	9.00	24.00
15~16	36	14.25	8.61	9.00	45.00	38	11.53	4.21	9.00	26.00
17~18	80	11.96	5.03	9.00	28.00	69	10.99	3.18	9.00	22.00
19~21	26	15.19	6.43	9.00	33.00	9	13.22	5.21	9.00	24.00
合计	260	13.45	7.21	9.00	45.00	244	12.40	6.90	9.00	45.00

3．广西壮族自治区

表 3-4-309 广西壮族自治区学生社会行为量表人际交往技能因子测验均值表

年龄(岁)	城市						农村					
	男			女			男			女		
	n	mean	S	n	mean	S	n	mean	S	n	mean	S
10~12	186	42.40	13.46	163	51.15	12.23	79	38.68	14.36	72	44.78	14.16
13~14	129	47.06	13.77	128	50.63	12.83	207	49.99	10.57	233	52.61	10.68
15~16	142	42.94	14.70	112	48.38	13.97	144	45.94	12.84	197	52.62	11.15
17~18	141	47.71	14.01	152	51.29	13.14	146	46.28	9.77	136	48.15	10.38
19~21	8	50.25	13.61	4	61.00	3.74	53	49.87	9.91	38	54.61	9.39
合计	606	44.86	14.12	559	50.58	12.98	629	46.77	11.94	676	50.99	11.44

表 3-4-310 广西南宁市学生社会行为量表人际交往技能因子测验数据资料表

年龄(岁)	男					女				
	n	mean	S	min.	max.	n	mean	S	min.	max.
10~12	186	42.40	13.46	14.00	70.00	163	51.15	12.23	14.00	70.00
13~14	129	47.06	13.77	18.00	69.00	128	50.63	12.83	14.00	70.00
15~16	142	42.94	14.70	14.00	70.00	112	48.38	13.97	15.00	70.00
17~18	141	47.71	14.01	14.00	70.00	152	51.29	13.14	17.00	70.00
19~21	8	50.25	13.61	34.00	70.00	4	61.00	3.74	57.00	66.00
合计	606	44.86	14.12	14.00	70.00	559	50.58	12.98	14.00	70.00

表 3-4-311 广西宾阳县学生社会行为量表人际交往技能因子测验数据资料表

年龄(岁)	男					女				
	n	mean	S	min.	max.	n	mean	S	min.	max.
10~12	79	38.68	14.36	14.00	70.00	72	44.78	14.16	14.00	70.00
13~14	207	49.99	10.57	18.00	70.00	233	52.61	10.68	23.00	70.00
15~16	144	45.94	12.84	18.00	70.00	197	52.62	11.15	28.00	70.00
17~18	146	46.28	9.77	23.00	69.00	136	48.15	10.38	25.00	70.00
19~21	53	49.87	9.91	28.00	70.00	38	54.61	9.39	23.00	68.00
合计	629	46.77	11.94	14.00	70.00	676	50.99	11.44	14.00	70.00

表 3-4-312　广西壮族自治区学生社会行为量表自我管理技能因子测验均值表

年龄（岁）	城市						农村					
	男			女			男			女		
	n	mean	S	n	mean	S	n	mean	S	n	mean	S
10~12	186	31.42	9.86	163	38.96	8.16	79	28.57	10.55	72	32.71	10.70
13~14	129	34.43	10.09	128	38.09	9.19	207	37.23	7.34	233	39.59	7.14
15~16	142	32.97	10.48	112	36.75	9.13	144	34.60	8.80	197	39.55	7.57
17~18	141	35.85	9.79	152	39.01	7.65	146	34.92	6.18	136	36.54	6.63
19~21	8	36.88	9.40	4	46.25	2.06	53	37.70	6.82	38	42.37	5.81
合计	606	33.53	10.15	559	38.38	8.50	629	35.04	8.33	676	38.39	7.92

表 3-4-313　广西南宁市学生社会行为量表自我管理技能因子测验数据资料表

年龄（岁）	男					女				
	n	mean	S	min.	max.	n	mean	S	min.	max.
10~12	186	31.42	9.86	10.00	50.00	163	38.96	8.16	10.00	50.00
13~14	129	34.43	10.09	13.00	50.00	128	38.09	9.19	10.00	50.00
15~16	142	32.97	10.48	10.00	50.00	112	36.75	9.13	15.00	50.00
17~18	141	35.85	9.79	10.00	50.00	152	39.01	7.65	19.00	50.00
19~21	8	36.88	9.40	23.00	50.00	4	46.25	2.06	44.00	49.00
合计	606	33.53	10.15	10.00	50.00	559	38.38	8.50	10.00	50.00

表 3-4-314　广西宾阳县学生社会行为量表自我管理技能因子测验数据资料表

年龄（岁）	男					女				
	n	mean	S	min.	max.	n	mean	S	min.	max.
10~12	79	28.57	10.55	10.00	50.00	72	32.71	10.70	10.00	50.00
13~14	207	37.23	7.34	13.00	50.00	233	39.59	7.14	14.00	50.00
15~16	144	34.60	8.80	14.00	50.00	197	39.55	7.57	21.00	50.00
17~18	146	34.92	6.18	21.00	50.00	136	36.54	6.63	20.00	50.00
19~21	53	37.70	6.82	22.00	50.00	38	42.37	5.81	21.00	50.00
合计	629	35.04	8.33	10.00	50.00	676	38.39	7.92	10.00	50.00

表 3-4-315　广西壮族自治区学生社会行为量表学业技能因子测验均值表

年龄（岁）	城市						农村					
	男			女			男			女		
	n	mean	S	n	mean	S	n	mean	S	n	mean	S
10~12	186	25.70	8.42	163	30.99	7.13	79	23.28	8.30	72	27.31	8.00
13~14	129	27.62	8.63	128	30.88	7.61	207	30.46	5.68	233	32.98	5.33
15~16	142	25.24	9.24	112	29.26	8.26	144	27.71	7.21	197	31.81	6.22
17~18	141	28.67	7.77	152	31.11	6.35	146	27.77	5.55	136	29.21	5.46
19~21	8	26.88	8.95	4	36.50	2.65	53	29.74	5.07	38	32.05	5.42
合计	606	26.71	8.61	559	30.69	7.29	629	28.24	6.72	676	31.22	6.24

表 3-4-316　广西南宁市学生社会行为量表学业技能因子测验数据资料表

年龄（岁）	男					女				
	n	mean	S	min.	max.	n	mean	S	min.	max.
10~12	186	25.70	8.42	8.00	40.00	163	30.99	7.13	8.00	40.00
13~14	129	27.62	8.63	10.00	40.00	128	30.88	7.61	8.00	40.00
15~16	142	25.24	9.24	8.00	40.00	112	29.26	8.26	9.00	40.00
17~18	141	28.67	7.77	8.00	40.00	152	31.11	6.35	12.00	40.00
19~21	8	26.88	8.95	15.00	40.00	4	36.50	2.65	33.00	39.00
合计	606	26.71	8.61	8.00	40.00	559	30.69	7.29	8.00	40.00

表 3-4-317　广西宾阳县学生社会行为量表学业技能因子测验数据资料表

年龄（岁）	男					女				
	n	mean	S	min.	max.	n	mean	S	min.	max.
10~12	79	23.28	8.30	8.00	40.00	72	27.31	8.00	8.00	40.00
13~14	207	30.46	5.68	11.00	40.00	233	32.98	5.33	13.00	40.00
15~16	144	27.71	7.21	11.00	40.00	197	31.81	6.22	13.00	40.00
17~18	146	27.77	5.55	12.00	39.00	136	29.21	5.46	13.00	39.00
19~21	53	29.74	5.07	18.00	40.00	38	32.05	5.42	14.00	40.00
合计	629	28.24	6.72	8.00	40.00	676	31.22	6.24	8.00	40.00

表 3-4-318　广西壮族自治区学生社会行为量表敌对-易怒因子测验均值表

年龄（岁）	城市						农村					
	男			女			男			女		
	n	mean	S	n	mean	S	n	mean	S	n	mean	S
10~12	186	23.88	11.22	163	19.48	8.13	79	29.49	15.62	72	18.15	5.42
13~14	129	25.14	11.11	128	20.04	7.40	207	20.71	8.07	233	18.04	4.84
15~16	142	24.11	10.38	112	20.29	8.09	144	23.10	7.24	197	19.30	4.95
17~18	141	21.08	9.59	152	18.01	5.72	146	23.40	7.19	136	22.15	7.34
19~21	8	21.63	9.13	4	16.00	1.63	53	20.55	6.80	38	17.29	5.15
合计	606	23.52	10.68	559	19.35	7.38	629	22.97	9.33	676	19.20	5.75

表 3-4-319　广西南宁市学生社会行为量表敌对-易怒因子测验数据资料表

年龄（岁）	男					女				
	n	mean	S	min.	max.	n	mean	S	min.	max.
10~12	186	23.88	11.22	14.00	68.00	163	19.48	8.13	14.00	61.00
13~14	129	25.14	11.11	14.00	61.00	128	20.04	7.40	14.00	49.00
15~16	142	24.11	10.38	14.00	70.00	112	20.29	8.09	14.00	61.00
17~18	141	21.08	9.59	14.00	55.00	152	18.01	5.72	14.00	42.00
19~21	8	21.63	9.13	14.00	42.00	4	16.00	1.63	14.00	18.00
合计	606	23.52	10.68	14.00	70.00	559	19.35	7.38	14.00	61.00

表3－4－320　广西宾阳县学生社会行为量表敌对－易怒因子测验数据资料表

年龄（岁）	男					女				
	n	mean	S	min.	max.	n	mean	S	min.	max.
10～12	79	29.49	15.62	14.00	62.00	72	18.15	5.42	14.00	38.00
13～14	207	20.71	8.07	14.00	70.00	233	18.04	4.84	14.00	46.00
15～16	144	23.10	7.24	14.00	50.00	197	19.30	4.95	14.00	40.00
17～18	146	23.40	7.19	14.00	41.00	136	22.15	7.34	14.00	54.00
19～21	53	20.55	6.80	14.00	41.00	38	17.29	5.15	14.00	33.00
合计	629	22.97	9.33	14.00	70.00	676	19.20	5.75	14.00	54.00

表3－4－321　广西壮族自治区学生社会行为量表反社会－攻击性因子测验均值表

年龄（岁）	城市						农村					
	男			女			男			女		
	n	mean	S	n	mean	S	n	mean	S	n	mean	S
10～12	186	15.68	7.51	163	12.55	5.81	79	20.95	11.44	72	13.04	4.05
13～14	129	15.89	7.48	128	12.56	5.06	207	13.50	5.84	233	11.15	2.77
15～16	142	15.91	7.79	112	13.44	5.88	144	14.05	4.66	197	11.43	2.37
17～18	141	13.90	7.28	152	11.34	2.45	146	15.18	5.54	136	14.02	5.85
19～21	8	14.25	4.74	4	10.25	0.50	53	12.75	4.83	38	10.74	2.21
合计	606	15.34	7.51	559	12.38	4.97	629	14.89	6.87	676	11.99	3.81

表3－4－322　广西南宁市学生社会行为量表反社会－攻击性因子测验数据资料表

年龄（岁）	男					女				
	n	mean	S	min.	max.	n	mean	S	min.	max.
10～12	186	15.68	7.51	10.00	48.00	163	12.55	5.81	10.00	43.00
13～14	129	15.89	7.48	10.00	44.00	128	12.56	5.06	10.00	39.00
15～16	142	15.91	7.79	10.00	50.00	112	13.44	5.88	10.00	39.00
17～18	141	13.90	7.28	10.00	46.00	152	11.34	2.45	10.00	27.00
19～21	8	14.25	4.74	10.00	24.00	4	10.25	0.50	10.00	11.00
合计	606	15.34	7.51	10.00	50.00	559	12.38	4.97	10.00	43.00

表3－4－323　广西宾阳县学生社会行为量表反社会－攻击性因子测验数据资料表

年龄（岁）	男					女				
	n	mean	S	min.	max.	n	mean	S	min.	max.
10～12	79	20.95	11.44	10.00	44.00	72	13.04	4.05	10.00	28.00
13～14	207	13.50	5.84	10.00	50.00	233	11.15	2.77	10.00	34.00
15～16	144	14.05	4.66	10.00	41.00	197	11.43	2.37	10.00	24.00
17～18	146	15.18	5.54	10.00	30.00	136	14.02	5.85	10.00	40.00
19～21	53	12.75	4.83	10.00	31.00	38	10.74	2.21	10.00	23.00
合计	629	14.89	6.87	10.00	50.00	676	11.99	3.81	10.00	40.00

表 3－4－324　广西壮族自治区学生社会行为量表冲动性－强求因子测验均值表

年龄（岁）	城市						农村					
	男			女			男			女		
	n	mean	S	n	mean	S	n	mean	S	n	mean	S
10～12	186	15.02	7.31	163	11.91	4.91	79	19.61	10.92	72	11.61	4.04
13～14	129	15.40	7.48	128	11.36	3.63	207	13.00	5.25	233	11.00	2.75
15～16	142	15.83	8.09	112	12.31	5.29	144	13.65	4.01	197	11.95	3.07
17～18	141	12.77	6.12	152	11.17	3.34	146	14.75	4.68	136	14.30	4.77
19～21	8	15.00	6.35	4	9.75	0.96	53	14.30	5.36	38	11.66	2.95
合计	606	14.77	7.34	559	11.65	4.33	629	14.50	6.26	676	12.04	3.68

表 3－4－325　广西南宁市学生社会行为量表冲动性－强求因子测验数据资料表

年龄（岁）	男					女				
	n	mean	S	min.	max.	n	mean	S	min.	max.
10～12	186	15.02	7.31	9.00	45.00	163	11.91	4.91	9.00	38.00
13～14	129	15.40	7.48	9.00	38.00	128	11.36	3.63	9.00	27.00
15～16	142	15.83	8.09	9.00	45.00	112	12.31	5.29	9.00	37.00
17～18	141	12.77	6.12	9.00	42.00	152	11.17	3.34	9.00	29.00
19～21	8	15.00	6.35	9.00	27.00	4	9.75	0.96	9.00	11.00
合计	606	14.77	7.34	9.00	45.00	559	11.65	4.33	9.00	38.00

表 3－4－326　广西宾阳县学生社会行为量表冲动性－强求因子测验数据资料表

年龄（岁）	男					女				
	n	mean	S	min.	max.	n	mean	S	min.	max.
10～12	79	19.61	10.92	9.00	41.00	72	11.61	4.04	9.00	27.00
13～14	207	13.00	5.25	9.00	45.00	233	11.00	2.75	9.00	25.00
15～16	144	13.65	4.01	9.00	27.00	197	11.95	3.07	9.00	25.00
17～18	146	14.75	4.68	9.00	26.00	136	14.30	4.77	9.00	37.00
19～21	53	14.30	5.36	9.00	33.00	38	11.66	2.95	9.00	19.00
合计	629	14.50	6.26	9.00	45.00	676	12.04	3.68	9.00	37.00